Kopenhagen

Kaiserreich
Rußland

C0-ALZ-639

Königreich
Preußen

Weichsel

Berlin

Warschau

Großherzogtum
Warschau

Dnjepr

Dresden

Donau

Wien

Kaisertum Österreich

Sewastopol

Donau

ich

Osmanisches
Reich

Konstantinopel

Kirchenstaat

Rom

Königreich
Neapel

Königreich
Sizilien

**DATE DUE**

Die Ausstellung wird aus Anlaß
des 125jährigen Bestehens
des Württembergischen Landesmuseums Stuttgart
veranstaltet

Stuttgart Kunstgebäude
Schloßplatz 4
16. Mai – 15. August 1987
Täglich von 10–18 Uhr
Mittwoch    10–20 Uhr

WÜRTTEMBERGISCHES LANDESMUSEUM STUTTGART

# BADEN UND WÜRTTEMBERG IM ZEITALTER NAPOLEONS

Ausstellung des Landes Baden-Württemberg
unter der Schirmherrschaft
des Ministerpräsidenten Dr. h. c. Lothar Späth

BAND 1.2

Katalog

Stuttgart 1987

Edition Cantz

Gesamtherstellung:
Dr. Cantz'sche Druckerei, Stuttgart-Bad Cannstatt

ISBN 3-922 608-44-2

Printed in Germany

# INHALTSVERZEICHNIS

Alle Beiträge sind mit den Initialen der Autoren signiert:

Die abgebildeten Objekte sind mit einem * hinter der Katalognummer bezeichnet.

| | |
|---|---|
| A. A. | Anita Auer |
| A. G. | Axel Gotthard |
| A. M.-Sch. | Angelika Müller-Scherf |
| B. B. | Barbara Brugger |
| C. P. | Claudine Pachnicke |
| C. V. | Christian Väterlein |
| G. K. | Gudrun König |
| H. J. J. | Hans Jürgen Jüngling |
| H. P. M. | Hans Peter Münzenmayer |
| H. St. | Heidi Staib |
| H. W. | Harald Witthöft |
| I. F. | Isabella Fehle |
| K. K. | Konrad Küster |
| K. M. | Klaus Merten |
| L. v. St. | Leon von Stieglitz |
| M. H. | Michael Hörrmann |
| M. S. | Michael Sauner |
| P. S. | Paul Sauer |
| R. B.-G. | Rosewith Braig-Gachstetter |
| R. G. | Ruth Grönwoldt |
| R. S.-D. | Rosemarie Stratmann-Döhler |
| R. Y | Rainer Y |
| S. Ph. | Sigrid Philipps |
| U. B. | Uta Bernsmeier |
| U. H. | Ulrich Hübinger |
| U. K. | Ulrich Klein |
| W. W. | Wolfgang Wiese |

# ZEIT DES BÜRGERS?

# DER SALON – RAUM BÜRGERLICHER SELBSTFINDUNG.

In den Grundrissen von Bürgerhäusern, die Anfang des 19. Jahrhunderts in Stuttgart gebaut werden, konkretisiert sich die Idee des Salons auch architektonisch: Der Salon ist ein Raum und eine gesellige Institution zugleich. Er liegt in der Beletage, ist der größte (Wohn-) Raum des Hauses, seine Fensterfront ist betont gestaltet oder mit einem Balkon versehen: Wie das Handlungs- und Wohnhaus Friedrichstr. 24 des Kaufmanns Duvernoy, 1817 durch den Ob. Baurat von Fischer ausgeführt, oder wie die Wohnräume über dem Café »Silber«, 1804 von Landbaumeister Azel in der Königsstraße Nr. 45 erbaut. Entscheidend ist die Trennung zwischen Salon und Wohnzimmer oder »Hauptzimmer«, wie es im zeitgenössischen Sprachgebrauch zuweilen heißt.

In seiner Funktion und Gestaltung anders als das höfische Vorbild – Kunstgenuß und politische Meinung haben sich jetzt vom adeligen Mäzen und der damit verknüpften wirtschaftlichen Abhängigkeit gelöst – setzt sich im bürgerlichen Salon die Idee einer neuen Geselligkeit programmatisch um. Gleichzeitig wird der Wohnraum von dem Bereich der repräsentativen Geselligkeit abgetrennt, er erhält privateren Charakter und wird in verschiedene Bereiche differenziert: Der Flur wird separiert und Wohn-, Schlaf- und Kinderzimmer werden nach ihren Funktionen benannt.

Salon und Wohnzimmer, außen und innen, »geselliges Betragen« und familiäre Intimität: Der bürgerliche Habitus formt sich seinen Raum. Der Salon ist Nahtstelle zwischen Innen- und Außenwelt, zwischen Produktions- und Reproduktionssphäre. Auf bürgerlichen »Zimmerporträts« der Zeit geht der Blick des Betrachters nicht zufällig zum Fenster: »Erst im Kontrast zum Draußen, der Ferne wird die Heimeligkeit des Innenraums erfahren.«[1] Bilder höfischer Salons hingegen zeigen den Blick entlang der Fenster und durch offene Türen in tiefe Raumfluchten. Der Salon ist Ort der Gespräche über Literatur, Kunst, Politik, Wissenschaft und Musik. Hier wird das umfassende bürgerliche Bildungsideal, das bedingt auch die bürgerlichen Frauen mit einbezieht, erprobt und demonstriert. Schöngeistige Literatur wird aber nicht nur im theoretischen Diskurs gewürdigt, sondern auch erfahren, nachgefühlt. Im Kreise der Familie und der Freunde wird mit verteilten Rollen gelesen, durchreisende Berühmtheiten werden dazu geladen und die normalerweise einfache Bewirtung – Tee und Brot – gerät dann zum Festessen.

Die Beschreibungen des gesellschaftlichen Lebens in Stuttgart verwenden so gut wie nie den Begriff »Salon«, sie sprechen von »offenen Häusern«, nennen die Zusammenkünfte schlicht Kränzchen und betonen, daß Fremde willkommen sind. Allerdings wird nicht jeder willkommen geheißen. Selbst Goethe spricht erst mit einem Empfehlungsschreiben von Schiller bei dem alteingesessenen Kaufmann Rapp im Kontor vor, und beide gehen dann zusammen zu dem Bildhauer Dannecker. Wer in Stuttgart dazu zählt, weiß das und kennt sich eben. Und so trifft sich ein immer wieder ähnliches Publikum an verschiedenen Orten: dienstags in der russischen Gesandtschaft, donnerstags abwechselnd bei Geheimrat Hartmann oder bei Minister Wangenheim. Beim einen wird mehr gelesen, beim anderen mehr »disputiert«. Meinungen und Standpunkte werden ausgetauscht, in der Tat auch »bürgerliche Politik« gemacht. Allabendlich treffen sich die honorablen Männer in Danneckers Antikensaal, zum Lesen, Reden, Singen und gemeinsamen Betrachten neuer Gemälde und Kupferstiche, inspiriert durch das Ambiente und die Kopien antiker Kunstwerke. Während Frauen hier ausgeschlossen sind, sind sie im Salon oder »Kränzchen« mit dabei. Therese Huber, Redakteurin beim »Morgenblatt für gebildete Stände«, beschreibt in einem Brief, wohl einer idealtypisch, ein solches Treffen: »Matthisson und Frau, die Frau des Kupferstechers Duttenhofer, Reinbeck, der Sonnettdichter Freimund Reimar (Rückert) und wir. Es wird festgesetzt gelesen. Die Ministerin Wangenheim, Reimar, Luise und ich machen die Konversation, oft sehr geist- und lebensvoll.«[2] Selten sind solche Belege, in denen Frauen eine aktive Teilnahme bescheinigt wird. Hierin ist Stuttgarts Bürgerwelt nicht vergleichbar mit Paris, Berlin, Jena oder Wien. Die herausragende Stellung, die dort Frauen wie etwa Henriette Herz zukommt, spüren wir hier nur in leisen Andeutungen. Eher gelten die Pflichten der Hausfrau: Als »flink wie ein Reh« wird etwa Frau Rapp von Heinrich Voss beschrieben. Dieses Rappsche Haus (heute Neubau Rehn an der Stiftskirche) gehört zu den vier bekanntesten Treffpunkten in Stuttgart.

Und es gibt natürlich Leitfiguren auf dieser bürgerlichen Bühne: Neben dem Buchhändler Cotta, dem Präsidenten des Obertribunals Georgii und Geheimrat Hartmann, auch dessen Schwiegersohn Reinbeck, zählt der Kaufmann Gottlob Heinrich Rapp (1761–1832) zu den herausragenden Persönlichkeiten der Stuttgarter Kulturszene. In seiner Jugendzeit reist er nach Paris, ist eng befreundet mit Cotta und mit seinem Schwager Bildhauer Dannecker, mit dem Maler Hetsch und gut bekannt mit vielen anderen berühmten Zeitgenossen. Von Haus aus Kaufmann, betätigt er sich als dilettierender Künstler, als Kunstmäzen, Schriftsteller und Staatsbeamter. 1807 errichtet er mit Cotta eine Steindruckerei, daneben ist er Mitarbeiter beim »Morgenblatt«, schreibt in Cottas »Taschenbuch für Natur- und Gartenfreunde«, dichtet Prosa in der Frauenzeitschrift »Flora« und leitet die neugegründete Landessparkasse. Er bemüht sich um die erste Kunstausstellung in Stuttgart im Jahr 1812 und forciert die Gründung des württembergischen Kunstvereins 1827. In seinem Haus liest Goethe aus dem eben fertiggestellten Werk »Hermann und Dorothea«. Diesen Abend erwähnt Goethe, der von Tübingen aus 1797 an Schiller nach Jena schreibt: »Ich hatte alle Ursache mich des Effekts zu erfreuen, den er (Goethe nennt das Stück »den Hermann« G. K.) hervorbrachte, und es sind uns allen diese Stunden fruchtbar geworden.«[3]

Welchem der vielen Gesichter Rapps mehr Bedeutung zukommt, ist schwer zu entscheiden, bezeichnend ist die Vielfalt seiner Tätigkeiten und Aufgaben. Gerade in der Vielgesichtigkeit seiner Person vereinigen sich gesellschaftliche und politische Ideale der neuen bürgerlichen Zeit.

1
Peter Märker, Innenräume um 1800, Ausstellung vom 14. 9. 1976 bis 16. 1. 1977 im Museum für Kunsthandwerk in Frankfurt/Main, S. 5.

2
Brief von Therese Huber an Johann Gottfried von Reinhold am 22. 11. 1816, zit. n. Ludwig Geiger, Therese Huber, 1764–1829. Leben und Briefe einer deutschen Frau, Stuttgart 1901, S. 251.

3
Brief Goethes an Schiller vom 14. 9. 1797, zit. n. Gustav Ströhmfeld, G. H. Rapp, sein Haus und seine Gäste, Stuttgart 1892, S. 18.

*Jürgen Habermas, Strukturwandel der Öffentlichkeit, Darmstadt und Neuwied 9. Auflage 1978. – Bernhard Gerlach, Die literarische Bedeutung des Hartmann-Reinbeckschen Hauses in Stuttgart 1779–1849, Diss. Münster 1910. – August Wintterlin, Der Stuttgarter Kaufmann Gottlob Heinrich Rapp (1761–1832), in: Württ. Vierteljahreshefte für Landesgeschichte N. F. I, 1892, S. 141–174. – Bernhard Zeller, Gottlob Heinrich Rapp und das kulturelle Leben in Stuttgart um 1800, in: Zeitschrift für württ. Landesgeschichte Jg. 31, 1972, S. 290–311. – C. J. Zeller, Stuttgarts Privatgebäude 1806–1844, Heft 1/2. 1845.*                              Gudrun König

1000*

## VIER BAHNEN EINER LEINWANDTAPETE AUS DEM HAUSE VISCHER IN CALW

Unbekannter Künstler
um 1790

*Knochenleimfarbe auf Leinwand*
*Bahn 2: H. 282 cm, B. 225 cm*
*Bahn 5: H. 282 cm, B. 166 c m*
*Bahn 14: H. 64 cm, B. 171 cm*
*Bahn 16: H. 282 cm, B. 168 cm*

Stuttgart, Württembergisches Landesmuseum, Inv.-Nr. 1957–308, 2, 5, 14 u. 16

1000, Bahn 2

1000, Bahn 5

Die vier hier gezeigten Tapetenfelder sind Teile einer Wandbespannung aus einem kleinen Saal im Vischerschen Haus in Calw. In den Jahren 1787–91 ließ der Holzhandelsmann Johann Martin Vischer das sehr stattliche Haus nach R. F. H. Fischers Entwurf erbauen und den mittleren Salon des zweiten Obergeschosses mit bemalten Leinwandtapeten auskleiden, die eine von jonischen Pilastern gegliederte offene Halle mit vier Ausblicken in Landschaften vortäuschen. Diese Veduten zeigen englische Gärten, die damals auf dem Kontinent allenthalben Interesse und Nachahmung fanden. So weist eines der dargestellten Schlösser (Claremont, Surrey?) auffallende Ähnlichkeit mit dem 1783 ebenfalls nach R. F. H. Fischers Entwurf erbauten Scharnhausen auf (Bahn 5). Eindeutig identifizierbar ist allerdings nur Wilton House, Wiltshire (Bahn 2). 1957/58 wurden die Tapeten ins Württembergische Landesmuseum überführt.

*Widmann, S. 72f. – Westhoff/Hahn, Zur Restaurierung der »Calwer Tapeten« s. Bd. 2 dieses Kataloges, S. 493ff.*
                                                                    K. M.

1001

## 1001*

### STUHL

Johannes Klinckerfuß zugeschrieben
Stuttgart, 1807

*Mahagoni, Eiche, vergoldete Bronze, geschwärztes Metall, Messing, Polster*
*H. 91 cm, B. 44 cm, T. 39,5 cm*

Schloßverwaltung Ludwigsburg, Außenstelle des Staatl. Liegenschaftsamtes Stuttgart, Schloß Favorite bei Ludwigsburg, Inv.-Nr. KRGT 7127

Der gepolsterte Stuhl mit leicht nach vorne und nach hinten gebogenen Beinen, die durch überkreuzte Metallstäbe verbunden sind, ist ein typisches Möbel der frühen Empirezeit Württembergs. Johannes Klinckerfuß schuf ihn im Mai 1807 zusammen mit fünf Parallelstücken (deren Sprossen heute fehlen) für den blauen Marmorsaal des Stuttgarter Neuen Schlosses. Er verzierte die Zarge und das Rückenbrett mit Rosetten und einer Dreifußschale zwischen zwei Löwen aus vergoldetem Metall. So entstand durch den Kontrast zwischen dem dunklen, rötlichen Mahagoniholz mit feiner Politur und den hellen, glänzenden Beschlägen, von Hofgürtler Ostertag aus Stuttgart gefertigt, ein repräsentatives Möbel, bei dem nicht die bequeme, sondern die dekorative Form Vorrang hat. Trotz der leichten Biegungen im Aufbau wirken die kantigen Teile steif und einander streng zugeordnet.
Klinckerfuß, der diesen Typus aus Mésangère's Collection de meubles et objets de goût (seit 1802), dem bedeutenden Vorlagewerk des Empirestils, übernommen hatte, veränderte die vorgebildete Form kaum. Lediglich die Verzie-

rung des Rückenbrettes gestaltete er anders, indem er an die Stelle der geflügelten Fabelwesen die Löwengruppe setzte. Der Stuhl ist ein Prototyp in seinem Werk, den man in abgewandelter Fasson in den württembergischen Schlössern häufig findet.
                                                                    W. W.

## 1002*

### SESSEL, 2 EX.

Johannes Klinckerfuß zugeschrieben
Stuttgart, um 1807

*Mahagoni, Eiche, vergoldete Bronze, Messing, Polster*
*H. 110 cm, B. 80 cm, T. 61 cm*

Schloßverwaltung Ludwigsburg, Außenstelle des Staatl. Liegenschaftsamtes Stuttgart, Neues Schloß Stuttgart, Inv.-Nr. KRGT 7121–22

Zur Serie der Sitzmöbel für den blauen Marmorsaal des Neuen Schlosses Stuttgart gehört auch der breite Sessel mit vorderen Hermenbeinen und geraden kantigen Armlehnen. Er ist reich mit Goldbronzebeschlägen verziert, die aus plastisch gearbeiteten Löwenbüsten mit Flügeln, Tatzen und Appliken bestehen. Das repräsentative Gestell fügte Klinckerfuß aus stabilen Teilen zusammen, die ein

1002

1004

sicheres Sitzen erlauben. Durch die Rückenpolsterung scheint es sogar bequem zu sein. Wieder sind die französischen Möbel die Vorbilder des Stückes gewesen. J. Klinckerfuß, der das Vorlagewerk der Pariser Hofarchitekten Charles Percier und Pièrre François Léonard Fontaine, »Recueil de décorations intérieures« (1801) gekannt hatte, übernahm die napoleonische Form. Dabei ist die feine und noch reichhaltigere Dekoration der französischen Architekten abgeschwächt. Kein dichtes Geflecht von Ornamenten, sondern eine punktuell angelegte Ausschmükkung zeigt der württembergische Sessel.

*Kreisel/Himmelheber 1973, S. 76–77, Taf. III.*    W. W.

## 1003

### STUHL, 5 EX.

Johannes Klinckerfuß zugeschrieben
Stuttgart, 1807

*Mahagoni, Eiche, vergoldete Bronze, geschwärztes Metall, Messing, Polster*
*H. 91 cm, B. 44 cm, T. 39,5 cm*

Schloßverwaltung Ludwigsburg, Außenstelle des Staatl. Liegenschaftsamtes Stuttgart, Neues Schloß Stuttgart, Inv.-Nr. KRGT 7123–26, 7128

Vgl. Kat. Nr. 1001.

1004*

## TISCH MIT TABLETT

Johannes Klinckerfuß zugeschr. (Tisch), Meister WIA (Tablett)
Stuttgart, um 1807/8 (Tisch), Wien, 1806 (Tablett)

*Mahagoni, Fichte, Bronze, vergoldet und geschwärzt, Messing vergoldet*
*Tisch H. 83 cm, Dm. 96,5 cm; Tablett Dm. 86,5 cm*
*Marken auf dem Tablett: Beschau Wien (4x), Meistermarke WIA (4x), Repunzierung 1806–07: 12A (3x)*

Schloßverwaltung Ludwigsburg, Außenstelle des Staatl. Liegenschaftsamtes Stuttgart, Schloß Ludwigsburg, Inv.-Nr. KRGT 1594

Runde Formen wurden in der Empirezeit, die kantige Elemente bevorzugte, immer wieder zu vieleckigen Körpern umgebildet. So ließen sich vor allem die geraden, einseitig ausgerichteten Hermenpfeiler in den strengen Aufbau günstiger eingliedern. Der achteckige Tisch auf Löwentatzen und mit flächiger Sockelplatte erinnert an eine antike Architektur, die hier eine sehr eigenwillige Ausprägung erfuhr. J. Klinckerfuß schuf aus vielen Teilen ein harmonisches Werk, das der Repräsentation diente und wohl kaum als Eßtisch benutzt wurde. Er verwendete keine breiten, übersteigerten Formen, wie man sie unter französischen Möbeln der Empirezeit findet (vgl. Mésan-

gère, Collection de meubles, Nᵒ. 84), sondern gab dem
Möbelkörper schlichte Hermenbeine.

Eine Besonderheit des Tisches liegt in der Abwechslung
von hellen und dunklen Metallteilen. Diese dynamische
Komponente verstärkt die ohnehin schon kontrastreiche
Wirkung zwischen dem Mahagoniholz und den vergoldeten Appliken zusätzlich.

König Friedrich von Württemberg hatte den Tisch für das
blaue chinesische Kabinett des Neuen Schlosses Stuttgart
herstellen lassen, um darauf ein oktogonales Tablett aufzustellen. Das Tablett mit zwei Griffen, das auf acht
Adlerklauen ruht, wurde von einem namentlich nicht
bekannten Goldschmied hergestellt, der seine Arbeiten mit
der Meistermarke *WIA* signierte. Der senkrechte Rand des
Tabletts wird gebildet von einem durchbrochenen Gitterwerk aus fein reliefierten antithetischen Greifenpaaren,
weiblichen Masken und symmetrisch angeordnetem
Akanthusblattwerk.

*Hermann Schmitz, Deutsche Möbel des Klassizismus,
Stuttgart 1923, Taf. 143.*     U.B./W.W.

1006a

## 1005

### KONSOLTISCH

Johannes Klinckerfuß (?)
Stuttgart, um 1808

*Mahagoni, Kiefer, vergoldete Bronze, Messing,
dunkler Marmor
H. 89 cm, B. 116,5 cm, T. 62 cm*

Schloßverwaltung Ludwigsburg, Außenstelle des
Staatl. Liegenschaftsamtes Stuttgart, Schloß Favorite
bei Ludwigsburg, Inv.-Nr. KRGT 2709

Der steif geformte Konsoltisch mit rechteckiger Sockelplatte, zwei vorderen Hermen- bzw. zwei hinteren Pfeiler-
beinen und glatter Zarge ist eines jener einfachen Stücke
der Empirezeit. Die geraden, kantigen Teile sind klar und
logisch angeordnet; nur die ägyptisierenden Büsten mit
strengen Zügen lockern das rechtwinklige Gefüge auf, und
vergoldete Bronzepalmetten, Lyren und Sterne unterbre-
chen die monotone Flächigkeit. Ägyptische Motive, die
durch den afrikanischen Feldzug Napoleons bekannt und
durch Berichte, wie etwa von Vivant Denon in »Voyage
dans la Basse et la Haute Egypt« 1802, verbreitet wurden,
waren in der frühen Empirephase Württembergs beliebt
geworden. Jedoch ohne tiefere Inhalte hatte man sie als
Zeichen der neuen Machtverhältnisse benützt und war
damit antiken Vorstellungen gefolgt. Wie ausgeschnitten
wirken die fein modellierten Beschläge. Sie sind meistens
symmetrisch angeordnet.     W.W.

## 1006*

### TISCHUHR

Friedrich Baader
Stuttgart, um 1820

*Mahagoni, Email, Bronze vergoldet
H. 78 cm, B. 48,5 cm, T. 22,5 cm
Bez. a. d. Zifferblatt: Friedr. Baader/in STUTTGART.*

Stuttgart, Archiv der Stadt

Sehr repräsentative Tischuhr in einem mahagonifurnierten
Gehäuse von ungewöhnlicher Formgebung, bei der das
siebeneckige Kopfteil mit dem Uhrwerk besonders auf-
fällt. Die Vorderseite des Sockels, der auf kleinen Kugelfü-
ßen ruht, ziert eine einfach florale Marqueterie. In die
Frontseite des Pendelkastens ist ein langgestrecktes Sechs-
eck gesägt und mit einem ebonisierten Holzgitter und
weinroter Seide hinterlegt. Das weiß emaillierte Zifferblatt
wird von einer fein ziselierten Lunette aus feuervergoldeter
Bronze umrahmt, es besitzt römische Stundenziffern und
arabische Minuterie, Breguet-Zeiger und einen lanzettför-
migen Zentralsekundenzeiger. Das Uhrwerk hat Federzug
und Hinterpendel mit einer, offenbar von Baader erfunde-

1006 b

nen, sehr einfachen Hemmung, die systematisch schwer einzuordnen ist und am ehesten noch an die Brocot-Hemmung erinnert. Sie verleiht der Uhr eine sehr gute Ganggenauigkeit.

Über Friedrich Baader ist momentan nicht viel mehr bekannt, als daß er eine Werkstatt in der Stuttgarter Karlstraße Nr. 15 unterhielt.                      C. V.

1007*

## OFENSCHIRM

Johannes Klinckerfuß zugeschrieben
Stuttgart, um 1811

*Mahagoni, vergoldete Bronze, Messing, Silberstickerei*
*H. 140,5 cm, B. 111 cm, T. 40 cm*

Schloßverwaltung Ludwigsburg, Außenstelle des Staatl. Liegenschaftsamtes Stuttgart, Schloß Ludwigsburg, Inv.-Nr. KRGT 5709

Den großen Ofenschirm schuf Johannes Klinckerfuß für das Thronzimmer König Friedrichs von Württemberg im Neuen Schloß Stuttgart. Auf den Rahmenteilen befinden sich die typischen Empireappliken in dichter Folge. Palmetten, Kränze, Rosetten und geflügelte Fabelwesen sind symmetrisch aufgereiht, sie verleihen dem kompakten Gestell, dessen Beine sich unter der Last nach innen zu biegen scheinen, pompöse Züge.

Auch die Schirmmitte ist prächtig ausgestaltet. Um ein mittleres rundes Feld mit der Szene: Briseis und Amor vor Achill, sind vier breite Palmettbänder in Silberstickerei gelegt. Wahrscheinlich hat Königin Charlotte Mathilde von Württemberg die Bespannung bestickt, so wie sie viele Bezugsstoffe ihrer Polstermöbel mit Blumenmotiven verzierte.

1007

Die Königin, eine englische Kronprinzessin, war durch den Maler Benjamin West im Zeichnen ausgebildet worden und besaß Talente für ein qualifiziertes künstlerisches Schaffen. So griff sie wohl auch antike Motive auf und eiferte der Malerin Angelika Kauffmann nach, die in der 2. Hälfte des 18. Jahrhunderts Möbel von Robert Adam mit antiken Szenen ausschmückte (Fastnedge, English Furniture Styles, 181ff.).                          W. W.

## 1008*

### HALBSCHRANK MIT AUFSATZ

Johannes Klinckerfuß zugeschrieben
Stuttgart, 1811

*Mahagoni, Fichte, vergoldete Bronze, Messing, bemaltes Porzellan*
*H. 159 cm, B. 82,5 cm, T. 44,5 cm*
*Auf der Porzellanplattenrückseite: CM 1811*

Schloßverwaltung Ludwigsburg, Außenstelle des Staatl. Liegenschaftsamtes Stuttgart, Schloß Favorite bei Ludwigsburg, Inv.-Nr. KRGT 851

Eine Besonderheit unter den deutschen Empiremöbeln stellen die württembergischen Modelle mit eingelegten Porzellanplatten dar. Der Halbschrank ohne Füße und mit den typischen Elementen Pilaster und Herme ist mit zwei in Schwarzlot-Technik bemalten Ludwigsburger Porzellanplatten der Königin Charlotte Mathilde von Württemberg verziert worden. Die Königin hatte seit etwa 1810 aus Kupferstichwerken Motive auf Porzellan übertragen, um ihren Möbeln eine persönliche Note zu verleihen. Als Schülerin von Benjamin West, der schon in den 80er Jahren des 18. Jahrhunderts romantische Themen aus der englischen Literatur aufgegriffen und in kontrastreicher Weise behandelt hatte, war sie bestrebt, das eintönige rötliche Mahagoniholz durch einen zusätzlichen Schmuck dynamisch zu beleben. Die Kombination beider Materialien hatte schon in der französischen Möbelkunst des 18. Jahrhunderts höchste Vollendung erreicht. Martin Carlin und Adam Weisweiler verwendeten für die Ausschmückung ihrer Möbel kostbare Sèvres-Porzellanplatten, die ebenfalls mit Szenen aus dem Landleben und mit Blumenmotiven bemalt waren.

*Kreisel/Himmelheber 1973, Abb. 269. – G. E. Pazaurek, Deutsche Fayence- und Porzellan-Hausmaler, Bd. 1 u. 2, Leipzig 1925, S. 418–424. – P. Philp, Möbel aus aller Welt, Eltville a. R. 1979, S. 11.*                          W. W.

## 1009*

### GIRAFFENFLÜGEL

Christoph Ehrlich
Bamberg, um 1815

*Mahagoni, Lindenholz vergoldet, Bronze vergoldet, Baumwollköper*
*H. 234 cm (mit Vase 255,5 cm), B. 117 cm, H. 71 cm*
*Klaviaturumfang $F_1$-$f^4$ (6 Oktaven), Stichmaß 47,8 cm*
*Bez. a. d. Vorsatzbrett: Verfertigt von /Christoph/Ehrlich/ zu Bamberg.*

Stuttgart, Württembergisches Landesmuseum, Inv.-Nr. G 4123

Aufrechter Hammerflügel in der Bauform des sog. Giraffenflügels, d. h. in asymmetrischem Aufriß, mit prächtiger Empire-Dekoration aus vergoldeten Schnitzereien und Bronzebeschläg. Der Klaviaturboden wird von zwei geflügelten Karyatiden getragen, Ober- und Unterrahmen sind mit einem grünen Baumwollstoff hinterspannt und mit ebonisiertem Holz gitterartig belegt. Bekrönt wird das Instrument von einer Vase; auf einem Podest an der Diskantseite steht eine Lyra-Uhr mit weißem Emailzifferblatt und französischem Pendulenwerk mit einfachem Stundenschlag. Der Flügel besitzt eine Wiener Mechanik mit Messingkapseln, die um ca. 80° nach unten gekippt ist; Kapseln samt Hämmer sind auf die um diesen Betrag nach unten abgewinkelten Tastenhebel montiert. Durch sechs Pedalzüge läßt sich das Klangbild beeinflussen (v. links

1008

1009

nach rechts): Fagottzug – Dämpferhebung – Moderator (Piano) Baß – Moderator Diskant – Türkenzug – Verschiebung (una corda).

Schon sehr früh in der Geschichte der Saitenklaviere wurde versucht, die großen Flügel platzsparend aufrecht zu konstruieren. So baute man im frühen 16. Jahrhundert das Klaviziterium, ein Cembalo mit aufrechtgestelltem Corpus. In der Zeit um 1800 wurden aufrechte Hammerklaviere Mode, deren Gehäuse außer der (natürlichen) Flügel-(»Giraffen«-)Form als Schrank, als Lyra oder als Pyramiden geformt waren. Die großen senkrechten Flächen boten reichlich Platz für mehr oder minder aufwendige Dekorationen.

Allen diesen Instrumenten hafteten schwerwiegende klangliche, vor allem aber spieltechnische Mängel an. Hohe pianistische Ansprüche konnten sie nicht erfüllen, um so mehr dienten sie zunehmend als repräsentative Möbelstücke in höfischen und bürgerlichen Salons – bis in die Biedermaierzeit hinein.

*Katalog zu den Sammlungen des Händelhauses in Halle, 5. Teil Musikinstrumentensammlung – Besaitete Tasteninstrumente, Halle a. d. Saale 1966, S. 116 f. – Franz Josef Hirt, Meisterwerke des Klavierbaus, Olten 1955, S. 396f.*
C. V.

1010a

1010*

## HAMMERFLÜGEL

Anton Walter und Sohn
Wien, um 1810

*Mahagoni, Bronze vergoldet, Elfenbein, Ebenholz*
*H. 86,5 cm, B. 116,5 cm, T. 220 cm*
*Klaviaturumfang $F_1$–$f^4$ (6 Oktaven), Stichmaß 48 cm*
*Bez. a. d. Vorsatzbrett:* Anton Walter u. Sohn/ in Wien

Stuttgart, Württembergisches Landesmuseum,
Inv.-Nr. G 8,591

Das reich mit ornamentalen Bronzebeschlägen verzierte Instrument ruht auf fünf nach unten spitz zulaufenden Vierkantbeinen, die im oberen Teil als Karyatiden ausgebildet sind. Die beiden vorderen Beine sind durch eine geschweifte Pedalleiste verbunden, die in der Mitte die aufwendig verzierte Pedallyra trägt. Es sind drei Pedale vorhanden: Fagottzug, Dämpferhebung (Fortezug) und Verschiebung (una corda). Das Instrument besitzt die Wiener (oder Deutsche) Mechanik mit Messingkapseln und die typische Wiener Stiefeldämpfung.

Der Erbauer des Flügels, Gabriel Anton Walter (1752 bis 1826) wurde in Neuhausen auf den Fildern in der Nähe von Stuttgart geboren. Wo er sein Handwerk gelernt hat, ist unbekannt. Die Vermutungen über seine Lehrmeister reichen von Johann Heinrich Silbermann über Matthäus Schmahl bis Johann Andreas Stein. Seit 1780 ist er in Wien nachweisbar, wo er eine Werkstatt auf der Laimgrube 27 (oder 31) eröffnet hat und sich »bürgerlicher Orgelmacher« nannte. Ab 1787 wird er als »k. u. k. Hof- und

1010b

bürgerlicher Orgel- und Instrumentenmacher« bezeichnet. Erst 1791 erhält er das Wiener Bürgerrecht. Der Zusatz »und Sohn« bei der Bezeichnung seiner späten Instrumente meint den Stiefsohn Josef Schöffstoß, den Walter als Compagnon in seinen Betrieb aufnahm, in dem schon 1804 20 Gesellen beschäftigt waren.

Walter gehört zu den bedeutendsten Klavierbauern des späten 18. und frühen 19. Jahrhunderts und zur ersten Generation von Meistern, die, beginnend mit J. A. Stein, das Hammerklavier zum uneingeschränkt brauchbaren Musikinstrument vollendeten. Sein Name verbindet sich mit dem Mozarts in jenem berühmten Instrument, das sich heute im Mozarthaus in Salzburg befindet und das nach Berichten der Constanze dem Komponisten gehört hat. Obwohl unsigniert, darf man als Ergebnis vieler Untersuchungen davon ausgehen, daß es sich um einen Walter-Flügel handelt.

Das hier ausgestellte Instrument wurde 1986/87 von Monika May und Gerald Woehl in Marburg vollständig restauriert.

*Ulrich Rück, Mozarts Hammerflügel erbaute Anton Walter, Wien, in: Mozart-Jahrbuch 1955, Salzburg 1956, S. 246ff. – [Peter Kukelka], Katalog der Sammlung alter Musikinstrumente. Kunsthistorisches Museum Wien, 1. Teil Saitenklaviere, Wien 1966. – [Ernst Gäckle], Der Erbauer des Mozartflügels Gabriel Anton Walter (1752 bis 1826), in: Mitteilungsblatt der Gemeinde Neuhausen a. F., o. J.*                                                        C. V.

# Wer sich in den Stuttgarter Salons bewegte...

...den hat Luise Duttenhofer teils realistisch, teils satirisch überzeichnend in schwarzes Papier geschnitten. Im Jahr 1776 in Waiblingen geboren, eine Tochter der schwäbischen Pfarrersfamilie Hummel, heiratet sie 1804 ihren zwei Jahre jüngeren Vetter Traugott Duttenhofer, einen bekannten Kupferstecher. Zusammen verbringen sie nach der Hochzeit 18 Monate in Rom, ein beliebter Aufenthaltsort der bildenden Künstler zu Beginn des 19. Jahrhunderts. Nach seiner Rückkehr bildet das Ehepaar Duttenhofer einen festen Bestandteil des gesellschaftlichen Lebens in Stuttgart.

Luise Duttenhofer wäre gerne Malerin geworden. Als Frau wird ihr die Ausbildung jedoch von der Familie versagt. Zwar erhält sie in jungen Jahren Zeichenunterricht, dieser wird aber nicht weitergeführt. So greift sie zur Schere, der zeitgenössischen Mode folgend und ihrem Bedürfnis, Bildlich-Produktives zu gestalten. Spielerisch, auch satirisch und kritisch setzt sie sich mit ihrer Umwelt auseinander. Meist die kleinen Eitelkeiten ihrer Zeitgenossen andeutend, macht sie 1815 ihren einzigen, auf jeden Fall einzig erhaltenen politischen Scherenschnitt, mit dem sie offen Partei ergreift für die zur Jagdfron gezwungenen Bauern: »1815 – Sklaverei bleibt stets ein bitterer, bitterer Trank«, so der Titel, der anspielt auf König Friedrichs Jagdfest in Bebenhausen.

In ihren »Schatten und Compositionen« haben wir vor allem Gastgeber und Gäste der Stuttgarter Salons vor Augen: Goethe im Rappschen Haus, Johann Friedrich Cotta, den Verleger, den Bildhauer Dannecker, den Architekten Weinbrenner, die Redakteurin Therese Huber, den Maler Georg F. E. Wächter, die Dichter Friedrich von Matthisson und Achim von Arnim, um nur einige aufzuzählen.

1812 beschickt Luise Duttenhofer mit einigen Beispielen ihrer Kunst die erste Stuttgarter Kunstausstellung. Gottlob Heinrich Rapp berichtet darüber in der dritten Folge seiner Ausstellungsbesprechungen im »Morgenblatt«: »Einige Produkte kunstfertiger Damen dürfen wir auch nicht übergehen...Mad. Duttenhofer, die durch angeborenes Talent es im Ausschneiden aus freier Hand bis zur Virtuosität gebracht hat, läßt uns einige äußerst zarte allegorische Arabesken sehen.« (Nr. 135, 5. 6. 1812). Auch die zweite Ausstellung im Jahr 1824 verzeichnet Scherenschnitte von ihr; sie liefert Illustrationsvorlagen für Bücher und das Motiv für das Dekor einer Ludwigsburger Vase. Im großen und ganzen jedoch bleibt ihr Werk privat; es wird im Bekannten- und Freundeskreis weitergereicht, dient der Freude und der Unterhaltung im Salon.

Die Vielfalt ihrer Schnitte vermittelt nicht nur ein lebhaftes Bild des bürgerlichen Lebens und Zeitgeschmacks, sondern kulturhistorisch interessant sind besonders die kleinen Szenen aus dem Alltagsleben: Spielende Kinder, die Bäuerin auf dem Weg zum Markt, die Geflügelhändlerin, Familienszenen. Daneben tummeln sich Amoretten, Götter aus der griechischen Mythologie, Elfen und andere Fabelwesen.

Das Ausschneiden solcher Porträtsilhouetten war ein verbreitetes und billiges Vergnügen bereits seit dem letzten Drittel des 18. Jahrhunderts. So spielt die Bezeichnung auf den als sparsam bekannten Finanzminister Ludwigs XIV, Etienne de Silhouette an.

Vor allem von Frauen betrieben, gilt der Scherenschnitt mehr als kunsthandwerkliche Laienbeschäftigung denn als ernsthafte künstlerische Auseinandersetzung.

Luise Duttenhofer stirbt 1829 in Stuttgart. Am Ende des 19. Jahrhunderts fast vergessen, haben ihr Werk und ihre Person besonders in den letzten Jahrzehnten wieder Aufmerksamkeit erregt.

*Gertrud Fiege, Die Scherenschneiderin Luise Duttenhofer, Marbacher Magazin 13/1979. – Otto Güntter (Hg.), Aus klassischer Zeit. Scherenschnitte von Luise Duttenhofer, Stuttgart und Berlin 1937. – Manfred Koschlig, Die Schatten der Luise Duttenhofer, Marbach 1968. – Gustav E. Pazaurek, Die Scherenschnittkünstlerin Luise Duttenhofer, Stuttgart 1924. – Scherenschnitte von Luise Duttenhofer, Faksimile-Druck von 147 Tafeln aus der Sammlung im Schiller-Nationalmuseum, Deutsches Literaturarchiv, Aarau 1978.*                                    G.K.

1011

1011*

## GOTTLOB HEINRICH RAPP (1761–1832)

Philipp Friedrich Hetsch (1758–1838)
Stuttgart, um 1815

*Öl auf Leinwand*
*H. 107,3 cm, B. 83,7 cm (mit Rahmen)*

Privatbesitz

Gottlob Heinrich Rapp ist eine der zentralen Persönlichkeiten des bürgerlichen Kulturlebens in Stuttgart. Er wird im Februar 1761 als Sohn des Tuchhändlers Philipp Heinrich Rapp und der Friederike Charlotte Spring geboren. Gleich nach seiner Konfirmation arbeitet er in der Tuchhandlung seines Vaters. Besuche bei der Frankfurter Messe und insbesondere eine große Bildungsreise, die ihn auch nach Frankreich führt, vervollkommnen seine Ausbildung. In Paris trifft er im Jahr 1783 den Stuttgarter Hofmaler Phil. Friedrich Hetsch; zusammen besuchen sie das Schloß von Versailles, Museen und Kirchen. Nach dem Tod des Vaters übernimmt Rapp als 22jähriger die Leitung der Tuchhandlung. Zwei Jahre später heiratet er Friederike Eberhardine Walz, eine Tochter des Feld- und Stadtapothekers in Stuttgart. Neben der Tuchhandlung ist Rapp in eine Vielzahl von Geschäften und Organisationen verstrickt: Im Jahr 1789 wird er Verwalter der herzoglichen Spiegelfabrik, 1792 Assessor des herzoglichen Wechselgerichts, 1808 überträgt König Friedrich ihm die kaufmännische Direktion der neu eingerichteten Tabaksrohhandlung, 1814 wird er Kontrolleur und 1818 Direktor

der Hofbank. Schließlich gehört er zu den Gründern und Leitern der von Königin Katharina initiierten Landessparkasse.

Von mindestens ebenso großer Bedeutung wie seine beruflichen Stationen ist sein Einsatz als Förderer der Kunst und bürgerlichen Kultur. Mit dem Bildhauer Dannecker und dem Buchhändler Cotta ist Rapp eng befreundet, und die Freundschaft beeinflußt sowohl Danneckers künstlerisches Werk als auch Cottas literarische Produktion. Rapp betätigt sich als dilettierender Künstler, er schreibt theoretische Abhandlungen und erzählende Prosa. Er engagiert sich für die ersten Stuttgarter Kunstausstellungen in den Jahren 1812 und 1824, wird 1827 Vorstand im neu gegründeten Kunstverein, unterstützt die Sammlung Sulpiz Boisserée und bewirkt die Gründung einer Kunstschule. Rapp vereint in sich alle Merkmale des aufsteigenden Bürgertums seiner Zeit: Er ist überdurchschnittlich gebildet, kunstinteressiert und talentiert, sozial engagiert, politisch ambitioniert; er hat ausreichend Vermögen im Hintergrund, um seinen vielfältigen Interessen, finanziell abgesichert, folgen zu können. Sowohl für Goethe als auch für Schiller tritt er als Stellvertreter in Geldangelegenheiten auf.

Sein Haus wird zu einem der ersten Treffpunkte in Stuttgart. Das künstlerische Leben hat sich vom Hof wegbewegt, die bürgerlichen Kränzchen und Zirkel, der Salon, gewinnen entscheidend an Bedeutung. Nicht mehr Herkunft und Stand bestimmen den gesellschaftlichen Einfluß, sondern allein Bildung, Leistung und Talent: »Unsre gelehrten Männer spitzten ihre Nase, da sie ihn (Goethe) nur mit einem Bildhauer (Dannecker) oder Kaufmann (Rapp) gehen sahen«, schreibt Dannecker mit Stolz und Selbstbewußtsein.

Die Bedeutung Rapps drückt sich auch in der mehrfachen künstlerischen Wiedergabe seiner Person aus. Dannecker modelliert zwei Reliefporträts von ihm; Hetsch führt zwei größere Porträts aus, eines in den 1790er Jahren und das zweite, das Gegenstück von Rapps Gattin mit einem Töchterchen auf dem Schoß, um 1815, uns Leybold malt sein Miniaturporträt auf Elfenbein. Beide Hetsch-Darstellungen von Rapp beweisen, »daß der klare Verstand, die lebendige Phantasie, der thätige Sinn und das sonnige Gemüt dieses Lieblings von Hermes und den Musen auch in seiner äußeren Erscheinung ihren, man möchte sagen, künstlerisch reinen Ausdruck gefunden hatten.« – Soweit die Beurteilungen des ersten Biographen Rapps, August Wintterlin. Diese Zeilen irritieren vielleicht durch den pathetischen Sprachduktus des späten 19. Jahrhunderts, sie geben uns jedoch einen Eindruck von der Rezeptionsgeschichte der Person Gottlob Heinrich Rapps.

*Gustav Ströhmfeld, G. H. Rapp – sein Haus und seine Gäste, Stuttgart 1892. – August Wintterlin, Der Stuttgarter Kaufmann Gottlob Heinrich Rapp (1761–1832), in: Württ. Vierteljahreshefte für Landesgeschichte, N. F. 1, 1892, S. 141–174. – Bernhard Zeller, Gottlob Heinrich Rapp und das kulturelle Leben in Stuttgart um 1800, in: Zeitschrift für württ. Landesgeschichte Jg. 31, 1972, S. 290–311. – Christian von Holst, Johann Heinrich Dannecker, der Bildhauer, Stuttgart 1987, Kat. Nr. 149, Abb. 362.*                                                    G. K.

# ARCHITEKTUR

## Die Architektur in Baden

Im Südwesten Deutschlands orientierte sich die Architektur – angeregt durch das benachbarte Frankreich – bereits seit der Mitte des 18. Jahrhunderts mehr und mehr an der klassischen Antike. Französische Architekten, wie Nicolas de Pigage, Philippe de La Guêpière und Michel d'Ixnard, wirkten an den Höfen in Mannheim, Stuttgart und in Oberschwaben und legten hier die Grundlagen für die um 1800 sich lebhaft und mannigfaltig entwickelnde klassizistische Architektur. Zentren des künstlerischen Lebens waren nunmehr die Hauptstädte der beiden mittlerweile beträchtlich angewachsenen Länder Baden und Württemberg.

Der König von Württemberg hatte von seinen Vorgängern, den Herzögen des 18. Jahrhunderts, eine große Zahl teilweise noch gar nicht vollendeter Schloßanlagen übernehmen müssen und begnügte sich nun weitgehend damit, diese auszubauen, neuzudekorieren und die zugehörigen Gärten anzulegen.

Der durch solche Hinterlassenschaften weniger belastete Großherzog von Baden hingegen konnte zusammen mit seinem genialen Hofbaumeister Friedrich Weinbrenner freier schalten und walten. Die weitgehend neuangelegte Residenzstadt Karlsruhe, die zahlreichen Neubauten des Hofes innerhalb und außerhalb der Stadt und die Baukunst des ganzen Landes von Heidelberg bis Lörrach sind von Weinbrenner und seinem Hofbauamt in einer so noblen und charaktervollen Weise geprägt, wie dies in Württemberg nicht geschehen konnte. Klaus Merten

Die Architektur in Baden um 1800 wird durch die drei Jahrzehnte während Tätigkeit des Baumeisters und Städteplaners Friedrich Weinbrenner (1766–1826) bestimmt. Nach einer soliden handwerklichen Ausbildung im Zimmergeschäft seines Vater in Karlsruhe begibt sich Weinbrenner auf Wanderschaft. 1788 führt ihn die Übernahme der Bauleitung von einigen Wohn- und Ökonomiegebäuden in die Schweiz. Nach zweieinhalb Jahren reist er nach Wien, wo er, zum Studium der Architektur entschlossen, die Akademie besucht und sich autodidaktisch weiterbildet. Er geht viel ins Theater und findet Eingang in die Wiener Gesellschaft. Sein folgender Aufenthalt in Dresden dauert dagegen wegen fehlender künstlerischer Inspiration nur zwei Wochen.

Im Spätjahr 1791 trifft Weinbrenner in Berlin ein, wo er in fünf Monaten die ersten prägenden Eindrücke erhält. Weniger der Unterricht an der Akademie, als das Studium der gebauten Architektur und der Umgang mit Berliner Architekten beeinflussen ihn. In seiner Autobiographie, die Weinbrenner »Denkwürdigkeiten« nannte, erwähnt der Architekt an Gebäuden, die ihm in Berlin am meisten gefallen haben, das Residenzschloß, das Zeughaus und das Opernhaus von Georg Wenzeslaus von Knobelsdorff (1699–1753). Erstaunlicherweise fehlen die gerade vollendeten oder in Bau befindlichen wie die St. Hedwigskirche oder das Brandenburger Tor. Gerade mit diesen Bauwerken setzte sich Weinbrenner in seiner Berliner Zeit und auch später auseinander (Kat. Nrn. 1014, 1015, 240). Mit Carl Gotthard Langhans (1732–1808), dem Erbauer des Brandenburger Tors, ist Weinbrenner darüber hinaus befreundet. Außerdem macht er die Bekanntschaft von David Gilly (1748–1808) und Hans Christian Genelli (1763–1823), der ihm die griechische Baukunst, besonders die dorische Ordnung, nahebringt. Er trat auch mit den Architekten der jüngeren Generation, Heinrich Gentz (1766–1811) und Friedrich Gilly (1772–1800), in Kontakt. In Berlin trifft Weinbrenner erstmals auf palladianische Ideen, die, von England ausgehend, zuerst Frankreich und um 1770 Deutschland erreichten. Sie fanden vor allem durch Colen Cambells »Vitruvius Britannicus« weite Verbreitung. Daneben studiert Weinbrenner die klassischen Architekturtheorien von Vitruv und Palladios »Quattro libri dell'architectura«, in deren Tradition sein später verfaßtes »Architektonisches Lehrbuch« steht. Angeregt durch die Schriften Winckelmanns und die Begeisterung des Berliner Künstlerkreises für Rom und die Antike, begibt sich Weinbrenner 1792 nach Italien.

In Rom findet er Aufnahme in der deutschen Kolonie um Carl Ludwig Fernow (1763–1808), den Maler Asmus Jacob Carstens (1754–1798) und den Archäologen Aloys Hirt (1759–1837). Während seines fünfjährigen Aufenthalts zeichnet Weinbrenner Veduten in der Tradition Giovanni Battista Piranesis (1720–1778), er studiert die antiken Bauwerke in Rom, Pompeji und Herculaneum, sieht als einer der ersten die Tempel in Paestum. Hier entwickelt er erste Theorien und Rekonstruktionen aufgrund literarischer oder archäologischer Vorgaben. Seine Entwürfe zeichnen sich besonders durch die Verwendung der unkannelierten, urdorischen Säule und einen phantastischen, megalomanen Zug aus, in dem eine Verwandtschaft zu den Projekten von Claude Nicolas Ledoux (1736–1806) und Étienne-Louis Boullée (1728–99), den französischen Revolutionsarchitekten, liegt. Daneben beschäftigt er sich in Rom, wie schon in Berlin, mit Plänen für seiner Vaterstadt (Kat.Nr. 1016).

Als Weinbrenner 1797 nach Karlsruhe zurückkehrt, ist er daher auf seine neue Aufgabe als Bauinspektor gut vorbereitet. Noch im gleichen Jahr legt er Markgraf Karl Friedrich den General-Bauplan (Kat.Nr. 1017) für Karlsruhe vor, der die Grundlage für den drei Jahrzehnte dauernden Ausbau der Stadt bildet und noch heute das Stadtbild bestimmt. Ausgehend vom barocken Fächergrundriß führt Weinbrenner die Schloßstraße (Karl-Friedrich-Straße) in einer Folge von verschieden ausgebildeten Plätzen vom Ettlinger Tor (Kat.Nr. 240) im Süden als Via Triumphalis zum Schloß nach Norden. Am Marktplatz, dem bürgerlichen Zentrum, liegen sich als Dominanten die Evangelische Stadtkirche und das Rathaus in freier Symmetrie gegenüber. In der Mitte des eigentlichen Marktplatzes, der ursprünglich von niedrigen Säulenhallen umgeben werden sollte (Kat.Nr. 1018), erhebt sich anstelle der Konkordienkirche, die der Neugestaltung weichen mußte, die Pyramide (Kat.Nr. 1021) über der Gruft des Stadtgründers Karl Wilhelm von Baden-Durlach. Der Marktplatz in Karlsruhe gilt als einer der schönsten klassizistischen Plätze in Europa.

Nach zwei Jahren zieht es den jungen Baumeister erneut aus Karlsruhe fort. Er arbeitet zunächst als freier Architekt, macht sich in Straßburg, wo er 1798 eine Kusine heiratet, mit Denkmalentwürfen einen Namen und tritt in hannoversche Dienste ein. Im August 1800 kehrt er nach Karlsruhe zurück, wo er bis zu seinem Tod, abgesehen von mehreren auswärtigen Aufträgen, lebt und arbeitet.

Wenige Architekten hatten wie Weinbrenner Gelegenheit, ihre architektonischen Vorstellungen zu realisieren. Nach dem Tod von Jeremias Müller (1752–1801) wird er Leiter des Bauamts, 1809 Oberbaudirektor. In seine Zuständigkeit fallen die Stadtplanung und die oberste Bauaufsichtsbehörde, die das Bauwesen in ganz Baden kontrolliert. Karlsruhe gewinnt durch den Gebietszuwachs nach dem Reichsdeputationshauptschluß als badische Hauptstadt an Bedeutung. Die steigende Einwohnerzahl führt zu Wohnungsnot, der Weinbrenner durch die Ausweisung neuer Baugebiete und einer ersten Stadterweiterung begegnet (Kat.Nrn. 1031, 1032, 1033).

Weinbrenner führt im wesentlichen die vom Schloß ausstrahlenden Straßen weiter und legt Parallelen dazu an. Dem aus allen Radialstraßen sichtbaren Schloßturm im Norden setzt Weinbrenner neue, städtische Akzente entgegen. Die Türme der beiden Stadtkirchen und der des Rathauses, die Denkmäler entlang der Prachtstraße (Kat.Nr. 342) und die architektonisch gestalteten Stadttore (Kat.Nr. 340) mindern die Dominanz des Schlosses

und drücken das wachsende Selbstbewußtsein der Bürgerschaft aus.

Um 1814/15 legt Weinbrenner einen Entwurf vor, der eine Erweiterung der Stadt nach Süden in völlig neuen Dimensionen beinhaltet (Kat.Nrn. 1031, 1032). Der Plan, nach einer alten und falschen Zuschreibung Tulla-Plan genannt, wird vom Großherzog abgelehnt und bleibt Idealentwurf. Weinbrenner vereint hier urbane römische Ideen mit dem französischen Wunsch des retour à la nature und antizipiert die Gartenstädte des beginnenden 20. Jahrhunderts, deren Planer ein gesundes Leben am Rand der großen Städte propagierten. Das heterogene Straßenbild in der Querachse der Altstadt (Lange Straße, heute Kaiserstraße) wollte der Städteplaner durch vorgeblendete Arkaden (Kat.Nrn. 1029, 1030) vereinheitlichen. In der projektierten Südstadt sollte Modellbebauung (Kat.Nr. 1033) für ein homogenes Erscheinungsbild sorgen.

Weinbrenners Bautätigkeit in Karlsruhe umfaßt Bauaufgaben jeder Art. Auftraggeber sind neben Karl Friedrich besonders dessen zweite Frau und ihre Söhne sowie die Witwen der frühverstorbenen Söhne aus erster Ehe und der Enkel Karl. Für das badische Herrscherhaus entwirft Weinbrenner Neubauten wie das Markgräfliche Hochbergsche Palais (Kat.Nr. 1024), das Sommerhaus der Markgräfin Amalie (Kat.Nr. 1025) und das Palais der Markgräfin Friedrich. Er führt aber auch die Umbauten der Schlösser Bauschlott (Kat.Nr. 1035) und Neu-Eberstein (Kat.Nr. 1034) durch. Für Großherzog Karl und seine Frau Stephanie, die Adoptivtochter Napoleons, gestaltet er den Westflügel des Karlsruher Residenzschlosses um. An Sakralbauten entstehen nach Weinbrenners Entwurf die Synagoge (Kat.Nr. 321), die evangelische und die katholische Stadtkirche (Kat.Nrn. 1019, 1027).

Neben diese traditionellen Bauaufgaben treten neue, wie das Karlsruher Hoftheater (Kat.Nr. 1447), mit dem sich Weinbrenner einen Ruf als Theaterfachmann erwirbt, das Museum (Kat.Nr. 1028) als Zentrum des Bildungsbürgertums und Kasernen (Kat.Nr. 622) als Folge der Militarisierung durch das Bündnis mit Napoleon. Außerdem entwirft Weinbrenner zahlreiche Denkmäler, darunter große architektonische Monumente wie das Nationaldenkmal der Völkerschlacht bei Leipzig (Kat.Nr. 139). Weinbrenner feiert hier den Sieg über Napoleon mit den selben formalen Mitteln, die er 1809 zu Ehren Napoleons in einer Festdekoration in Karlsruhe (Kat.Nr. 270) verwendet hatte.

Weinbrenners Architektur zeichnet sich durch einen an der Antike und Palladio orientierten Klassizismus aus. Die Beschäftigung mit dem römischen Pantheon (Kat.Nr. 1027), der griechischen Tempelfront (Kat.Nrn. 240, 1015, 1024) und Palladios Villa Rotonda (Kat.Nrn. 1026, 1038, 1039) durchzieht wie ein Leitmotiv sein Lebenswerk. In einzelnen Formen sind Berührungspunkte mit der französischen Revolutionsarchitektur bemerkbar. In Deutschland finden sich ähnlich radikale Formen und Proportionen bei Peter Speeth (1772–1831). Daneben stehen die Synagoge (Kat.Nr. 321) und der Gotische Turm (Kat.Nr. 1026) als eklektische Frühweke vereinzelt da. Weinbrenners spezielle Ausprägung des Klassizismus wirkt, wie schon Zeitgenossen bemerkten, eher spröde und schwer.

Seine Innenraumdekorationen hingegen überraschten durch eine erstaunliche Farbigkeit und Leichtigkeit. Weiß sind nur die Statuen. Die Vorliebe für in halbrunde, überkuppelte Exedren mündende Räume, die durch Nischen und aufgemalte Wandbespannung ausgestattet sind, geht auf englische palladianische Villen in der Nachfolge von Robert Adam(1728–1792) zurück. Auch ist der Einfluß des französischen Empire-Stils bemerkbar, den Weinbrenner durch das Stichwerk »Recueil de décorations intérieures« (1801) von Charles Percier (1764–1838) und Pierre Fontaine (1762–1853) sicher kennengelernt hatte. Daneben inspirierten ihn die Wandmalereien von Pompeji und Herculaneum (Kat. Nr. 1023), die er aus eigener Anschauung kannte, sowie die der Domus Aurea in Rom. Die Girlanden und Arabesken der Ara Pacis Augustae in Rom verwendet Weinbrenner als aufgemalte Friese im Innenraum und als Bauplastik im Außenbau.

Neben seiner praktischen Tätigkeit, arbeitet Weinbrenner auch als Architekturtheoretiker und Lehrer. Eine Vielzahl seiner ausgeführten oder projektierten Gebäude publiziert er monographisch oder in Sammelschriften. Sein bedeutendstes Werk ist das »Architektonische Lehrbuch«. Es reiht sich in die vielen Architekturtraktate seiner Zeit ein, die, ganz im Sinne der Aufklärung, die Gesetze der Baukunst analysieren, um sie erlernbar zu machen. Den Anstoß zu diesem in mehreren Bänden erschienen Buch gab möglicherweise seine Lehrtätigkeit.

Um 1800 gründete Weinbrenner die Bauschule, aus der 1825 die Polytechnische Schule und damit die heutige Universität hervorgehen sollte. In systematisch aufgebautem Unterricht, den er zunächst in seinem Wohnhaus am Ettlinger Tor abhält, bildet er mehrere Generationen von Schülern aus. Sie arbeiten in ihren Funktionen als Architekten oder Bauinspektoren meist nach dem Vorbild des Meisters weiter und verbreiteten so den Weinbrenner-Stil in ganz Baden. Angelika Müller-Scherf

*Abgekürzt zitierte Literatur:*

*Dortmunder Architekturhefte 4, 1977*
   *Dortmunder Architekturausstellung 1977, Fünf Architekten des Klassizismus in Deutschland, Friedrich Gilly, Karl Friedrich Schinkel, Friedrich Weinbrenner, Leo von Klenze, Georg Ludwig Friedrich Laves, mit Beiträgen von Manfred Klinkott, Wulf Schirmer, Oswald Hederer, Georg Hoeltje, Darmstadt 1977.*

*Ehrenberg 1909*
   *Kurt Ehrenberg, Baugeschichte von Karlsruhe 1715–1820, Bau- und Bodenpolitik – Eine Studie zur Geschichte des Städtebaus, Karsruhe 1909*

*Fridericiana 18, 1975*
   *Wulf Schirmer, Joachim Göricke, Architekten der Fridericiana – Skizzen und Entwürfe seit Friedrich Weinbrenner, Ausstellungskatalog, in: Fridericiana, Zeitschrift der Universität Karlsruhe, Heft 18, Karlsruhe 1975.*

*Giedion 1922*
   *Sigfried Giedion, Spätbarocker und romantischer Klassizismus, München 1922*

*Kat. Karlsruhe 1977*
   *Friedrich Weinbrenner 1766–1826, Eine Ausstellung des Instituts für Baugeschichte an der Universität Karlsruhe, Staatliche Kunsthalle Karlsruhe 29. Okt. 1977–15. Jan. 1978, Karlsruhe 1977*

*Kat. Karlsruhe 1981*
   *Palladio 1508–1580, Architektur der Renaissance, Vorbild für Weinbrenner? Städtische Galerie im Prinz-Max-Palais Karlsruhe, Karlsruhe 1981*

*Kat. Karlsruhe 1987a*
   *Friedrich Weinbrenner und seine Schule, Zeichnungen aus dem Architekturarchiv der Universität Philadelphia (USA), Ausstellung der Stadtgeschichte im Prinz-Max-Palais Karlsruhe, Karlsruhe 1987*

*Kat. Karlsruhe 1987*
   *Friedrich Weinbrenner und seine Schule, Entwürfe zu Theaterbauten aus deutschen und schweizerischen Sammlungen, Ausstellung der Stadtgeschichte im Prinz-Max-Palais und des Instituts für Baugeschichte der Universität Karlsruhe, Karlsruhe 1987*

*Kat. London 1972*
   *The fourteenth Exhibition of the Council of Europe, The Age of Neo-Classicism, The Royal Academy and the Victoria & Albert Museum London 9. Sept.–19. Nov. 1972, London 1972*

*Kat. London 1982*
   *Friedrich Weinbrenner 1766–1826, An Exhibition arranged by the Architectural Association, London 1982*

*Kat. Philadelphia 1986*
   *Friedrich Weinbrenner, Architect of Karlsruhe, A Catalogue of the Drawings in the Architectural Archives of the University of Pennsylvania, Hg. David B. Brownlee, Philadelphia 1986*

*Klopfer 1911*
   *Paul Klopfer, Von Palladio bis Schinkel, Esslingen 1911*

*Lankheit 1965*
   *Klaus Lankheit, Revolution und Restauration, Baden-Baden 1965*

*Lankheit 1976*
   *Klaus Lankheit, Friedrich Weinbrenner – Beiträge zu seinem Werk, in: Fridericiana, Zeitschrift der Universität Karlsruhe, Heft 19, Karlsruhe 1976, S. 5ff*

*Lankheit 1979*
   *Klaus Lankheit, Friedrich Weinbrenner und der Denkmalkult um 1800, Basel, Stuttgart 1979*

*Sinos 1971*
   *Stefan Sinos, Entwurfsgrundlagen im Werk Friedrich Weinbrenners, in: Jahrbuch der Staatlichen Kunstsammlungen Baden-Württemberg 13, 1971, S. 195ff*

*Tschira 1959*
   *Arnold Tschira, Der sogenannte Tulla-Plan zur Vergrößerung der Stadt Karlsruhe, in: Werke und Wege, Eine Festschrift für Dr. Eberhard Knittel zum 60. Geburtstag, Karlsruhe 1959, S. 31ff*

*Tschira 1963*
   *Arnold Tschira, Die deutsche Stadt der Neuzeit, in: Kunst des Abendlandes 4, 1963, S. 186ff*

*Valdenaire 1926*
   *Arthur Valdenaire, Friedrich Weinbrenner – Sein Leben und seine Bauten, Karlsruhe ⁴1985 (unveränderter Nachdruck der 2. Aufl. 1926)*

Valdenaire 1948
  Arthur Valdenaire, Der Karlsruher Marktplatz, in: Zeit-
  schrift für die Geschichte des Oberrheins, N.F. Bd. 57,
  Karlsruhe 1948, S. 415ff

Valdenaire o. J.
  Arthur Valdenaire, Karlsruhe. Die klassisch gebaute Stadt,
  Augsburg o. J.

Weinbrenner, Über Theater
  Friedrich Weinbrenner, Über Theater in architektonischer
  Hinsicht mit Beziehung auf Plan und Ausführung des
  neuen Hoftheaters zu Carlsruhe, Tübingen 1809

Weinbrenner, Architektonisches Lehrbuch
  Friedrich Weinbrenner, Architektonisches Lehrbuch,
  1. Teil, 1.–2. Heft, Geometrische Zeichnungslehre, Licht
  und Schattenlehre, Tübingen 1810, 2. Teil, 1.–6. Heft,
  Perspektivische Zeichnungslehre, Tübingen 1817, 3. Teil,
  1.–5. Heft, Über die Höhere Baukunst, Tübingen 1819

Weinbrenner, Nationaldenkmal
  Friedrich Weinbrenner, Ideen zu einem teutschen Natio-
  naldenkmal des entscheidenden Sieges bei Leipzig, Mit
  Grund und Auf=Rissen von Friedrich Weinbrenner, Ger-
  mania den 19.ten Oktober 1813, zu finden bey David
  Raphael Marx in Karlsruhe 1814

Weinbrenner, Gebäude
  Friedrich Weinbrenner, Ausgeführte und projektierte Ge-
  bäude, 1. Heft, Stadt-, Garten- und Land-Gebäude Ihrer
  Hoheit der Frau Markgräfin Christiane Louise von Baden,
  Karlsruhe u. Baden 1822, 2. Heft, Gartengebäude Ihrer
  Königlichen Hoheit der Frau Markgräfin Amalie zu Ba-
  den, 3. Heft, Projektiertes Rath- und Ständehaus und
  Landstandsgebäude, Karlsruhe u. Baden 1830, 7. Heft,
  Das Kurgebäude in Baden und das Hubbad bei Bühl,
  Karlsruhe u. Baden 1835

Weinbrenner, Denkwürdigkeiten 1958
  Friedrich Weinbrenner, Denkwürdigkeiten, herausgegeben von Arthur von Schneider, Karlsruhe 1958

1012*

## BILDNIS DES ARCHITEKTEN FRIEDRICH WEINBRENNER

Feodor Iwanowitsch Kalmück (um 1763–1832)
zugeschrieben
Karlsruhe, um 1809

*Öl auf Leinwand*
*H. 63,5 cm, B. 56,5 cm*
*Unbez.*

Karlsruhe, Staatliche Kunsthalle, Inv. Nr. 2373

Der badische Hofmaler Feodor Iwanowitsch Kalmück
gibt das Porträt des Oberbaudirektors Friedrich Weinbrenner als Brustbild in Dreiviertelansicht wieder. Das
Alter des Dargestellten deutet auf eine Entstehungszeit um
1809, als Weinbrenner zum Oberbaudirektor ernannt
wurde. Dem auf dem Höhepunkt seiner Karriere stehenden Mann entspricht der selbstbewußte Blick aus dem Bild
heraus auf den Betrachter.
Feodor und Weinbrenner waren seit ihrer Schulzeit miteinander befreundet. Sie besuchten gemeinsam die Freihand-

1012

zeichenschule in Karlsruhe und trafen später auch in Rom
zusammen. Eine künstlerische Zusammenareit ist im Fall
des Museums im Karlsruhe (Kat.Nr. 1028) bekannt. Feodor malte den Figurenfries mit der Apotheose Homers am
oberen Abschluß des Eckrondells. Ein Familienbildnis, das
Weinbrenner im Kreis seiner Familie zeigt, wird ebenfalls
diesem Künstler zugeschrieben. Weinbrenner hatte 1798
in Straßburg seine Kusine Salome Margarete Arnold geheiratet. Aus dieser Ehe gingen die Töchter Friederike und
Julie hervor.

*Jan Lauts, Werner Zimmermann, Staatliche Kunsthalle*
*Karlsruhe, Katalog Neuere Meister 19. und 20. Jahrhun-*
*dert, Bd. 1 (1971), Nr. 2373, S. 68 (mit weiteren Literatur-*
*angaben) Abb. Bd. 2 (1972), S. 96. – Margit-Elisabeth*
*Velte, Leben und Werk des badischen Hofmalers Feodor*
*Iwanowitsch Kalmück (1763–1832), Karlsruhe 1973,*
*S. 62, 235, Abb. 11. – Kat. Karlsruhe 1977, Nr. 108, S. 143.*

A. M.-S.

1013*

## ENTWURF ZUM MARKTPLATZ IN KARLSRUHE

Lageplan

Friedrich Weinbrenner (1766–1826)
Berlin 1791/92, nicht ausgeführt

*Feder über Bleistift auf Papier, farbig angelegt*
*H. 50,5 cm, B. 35,5 cm*
*Bez. o. l.: AA, unsign.*

Karlsruhe, Generallandesarchiv, Baupläne Karlsruhe 491

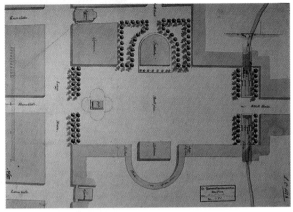

1013

Der Marktplatz in Karlsruhe hatte sich aus dem Kirchplatz der 1719 erbauten Konkordienkirche entwickelt, die in der Mittelachse der vom Schloß ausgehenden Bärengasse lag. Hier entstand bis zur Jahrhundertmitte ein städtisches Zentrum mit den wichtigsten öffentlichen Gebäuden. Die steigende Einwohnerzahl der prosperierenden Residenzstadt erforderte in der zweiten Jahrhunderthälfte mehr Wohnraum und Marktfläche. Die Erweiterung der Stadt nach Süden wurde ab 1764 verfolgt und durch die Stillegung des Friedhofs (1780) und die Überwölbung des Landgrabens (1790) wesentlich vorbereitet. Pläne für die Neugestaltung des Marktplatzes aus der Zeit um 1790 sind von bedeutenden, überwiegend französischen Architekten und Friedrich Weinbrenner erhalten.

Weinbrenner schickte seinen Entwurf von Berlin aus an das Bauamt, das der Markgraf zur Begutachtung herangezogen hatte. In der Querachse des rechteckigen Platzes lagen sich die neu zu errichtende Kirche und das neue Rathaus gegenüber, so wie es der heutigen Situation entspricht. Die Stadtkirche hatte die Form eines Zentralbaus mit vorgelagertem achtsäuligem Portikus (Kat. Nrn. 1014, 1015). Das Rathaus erhob sich über querrechteckigem Grundriß und war halbkreisförmig von Kaufhaus, Fleisch- und Spritzenhaus sowie Mehl- und Salzhaus hinterfangen. Am nördlichen Platzende war der vierpaßförmige Grundriß der abzureißenden Konkordienkirche eingetragen und über der Gruft des Stadtgründers ein kolossaler Steinsarkophag vorgesehen. Baumreihen bildeten im Norden und Süden den Platzabschluß.

Markgraf Karl Friedrich gab dem Plan Salins de Montfort den Vorzug, nach dessen Angaben der Platz 1790/91 aufgemessen wurde. Kriegsunruhen verhinderten jedoch die Ausführung des Projekts.

*Valdenaire 1926, S. 17, Abb. 6. – Valdenaire 1948, S. 415ff, Abb. 7. – Kat. Karlsruhe 1977, Nr. 75, Abb. S. 105. – Lankheit 1979, S. 68 (mit weiteren Literaturangaben), Abb. 55.*    A. M.-S.

## 1014–1015

### ENTWURF FÜR EINE EVANGELISCHE KIRCHE IN KARLSRUHE

Friedrich Weinbrenner (1766–1826)
Berlin 1791/92, nicht ausgeführt

In seinen Denkwürdigkeiten schreibt Weinbrenner, als er über seine Berliner Studienzeit berichtet, von der »Zeichnung zu einer Kirche mit der Anlage des Marktplatzes«, die er für seine Vaterstadt entworfen und nach Hause gesandt habe. Unter den überlieferten Entwürfen des Architekten finden sich Blätter, die die im Marktplatzentwurf (Kat. Nr. 1013) eingezeichnete Kirche im Grundriß, Aufriß und Querschnitt wiedergeben.

Der Sakralbau tritt im Äußeren U-förmig mit achtsäuliger, dorischer Tempelfront in Erscheinung. Im Innenraum greift Weinbrenner den vierpaßförmigen Grundriß der Konkordienkirche auf, die der Neugestaltung des Marktplatzes weichen sollte. Über dem Zentralraum erhebt sich der Tambour mit der Kuppel.

Weinbrenner versucht in diesem Entwurf die Form eines Zentralbaus mit einer dorischen Tempelfassade zu kombinieren. Die klar herausgearbeiteten stereometrischen Baukörper spiegeln seine Auseinandersetzung mit der französischen Revolutionsarchitektur. Sie äußert sich auch in der Unterdrückung jeglicher Bauornamentik, dem Fehlen von Gesimsen, Profilen oder Giebelschmuck.

Weinbrenners Entwurf stellt eine sehr selbständige Rezeption des Pantheon-Gedankens dar, der die Architekten seiner Zeit stark beschäftigte. Die Hedwigskirche in Berlin, die erste große Pantheonkopie von Le Geay, findet zwar keine Erwähnung in seinen »Denkwürdigkeiten«, jedoch in einer Variante zur evangelischen Kirche ihren Niederschlag. Beide Pläne, die Projekt blieben, stellen die erste Auseinandersetzung mit dem Pantheon dar, das der Künstler kurz darauf in Rom erst kennenlernte. Mit dem Bau der katholischen Stadtkirche in Karlsruhe realisierte Weinbrenner später seine Variante des Pantheon-Themas.

*Valdenaire 1926, S. 17, Abb. 2 u. 3. – Weinbrenner, Denkwürdigkeiten, 1958, S. 47. – Sinos 1971, S. 200/201, Abb. 6 u. 7. – Kat. Karlsruhe 1977, S. 15, Nr. 5 d u. 5 f.*
A. M.-S.

### 1014*

Grundriß (nicht ausgestellt)

*Feder über Bleistift auf Papier, schwarz angelegt*
*H. 47,3 cm, B. 32,2 cm*
*Unbez.*

Privatbesitz

Weinbrenner entwickelt den Grundriß der evangelischen Kirche aus Kreis- und Rechteckformen. Über einem dreistufigen Sockel auf U-förmigem Grundriß ist ein Zentralbau mit achtsäuliger Vorhalle eingezeichnet. Der kreisrunde Innenraum hat an vier Seiten runde Apsiden, die

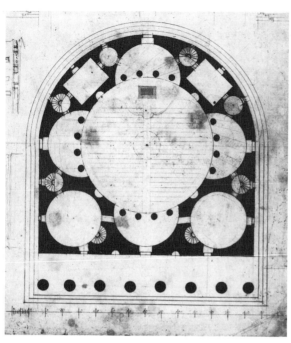

1014

1015

durch je vier, der Krümmung des Kreises folgende Rundstützen abgetrennt sind. Dazwischen liegen kleine, halbrunde Nischen. Zwei kleinere runde Räume liegen an der Eingangsfront, zwei rechteckige an der Rückseite. Diese Räume sind untereinander verbunden und besitzen jeweils einen Zugang von außen. Im Scheitelpunkt des Innenraums ist ein rechteckiges Postament eingetragen, der Altar.

Die Zeichnung weist viele Konstruktionslinien auf und diente vermutlich als Skizze für den von Weinbrenner signierten und bei Valdenaire (1926, Abb. 2) publizierten Entwurf. Nach den dort eingetragenen Majuskeln gelangte der Kirchenbesucher durch die Vorhalle (A) in das Kirchenschiff (B), das von Emporen (C) umgeben war und zwei Sakristeiräume (F) aufwies. Die Treppen führten zu Glockentürmen (D), die großen Rundräume (F), die Valdenaire nicht erklärt, waren ohne direktes Licht und daher nur bedingt nutzbar. Die Rundstützen ruhen nun auf Basen und haben zur Emporenseite hin schmale Rücklagen. Ein bei Valdenaire (1926, S. 14, Abb. 4) abgebildeter Querschnitt zeigt, daß es sich um ionische Säulen handelte.

*Kat. Karlsruhe 1977, Nr. 5f.*                A.M.-S.

1015*

Aufriß der Fassade

*Feder in Schwarz über Bleistift auf Papier, blau, grau, schwarz angelegt*
*H. 26 cm, B. 35,6 cm*
*Bez. u. M.: Elevation de la Façade, o. r.: Nro. II. D., sign. u. r.: F:W:*

Karlsruhe, Institut für Baugeschichte der Universität, Weinbrenner 32

Weinbrenner bildet die Fassade der evangelischen Kirche als dorischen Prostylos aus. Acht kannelierte dorische Säulen erheben sich über fünfstufigem Sockel und tragen ein Gebälk und einen Giebel. Die Eingangswand ist mit drei Türen versehen, von denen die mittlere durch Größe und Profilierung als Hauptportal ausgewiesen wird. Scharf eingeschnittene, hochrechteckige und halbkreisförmige Fenster gliedern die Wand horizontal in drei Zonen. In den äußeren Interkolumnien ist je eine Uhr angebracht. Hinter dem Giebel ragt der Tambour auf, der in Höhe der Giebelspitze durch zwei Ringe in die Kuppel übergeleitet wird.

Die Form eines dorischen Tempels hatte Hans Christian Genelli (1763–1823) als erster deutscher Architekt in seinem Entwurf für ein Denkmal Friedrichs d. Gr. verwendet. Weinbrenner, dessen Freundschaft mit Genelli in Berlin begann, dürfte den Entwurf gekannt haben. Nach seinem Romaufenthalt verwendet Weinbrenner nur noch die dorische Säule ohne Kanneluren.

*Kat. Karlsruhe 1977, Nr. 5d.*                A.M.-S.

1016

1016*

## Entwurf für ein Rathaus-Vestibül

Innenraumperspektive

Friedrich Weinbrenner (1766–1826)
Rom, 1794, nicht ausgeführt

*Feder und Pinsel in Braun über Bleistift auf Papier
(aufgezogen)*
H. 46 cm, B. 66,4 cm
*Bez. u. r.:* F. Weinbrenner fec.:/in Rom 1794.

Karlsruhe, Staatliche Kunsthalle,
Inv.-Nr. VIII 2811-1

Weinbrenner begann sein Studienprogramm in Rom, wie
er in seinen »Denkwürdigkeiten« berichtet, mit der »Ent-
werfung des Plans zu einer Stadt mit allen dazugehörigen
öffentlichen Gebäuden«. Die Gesamtanlage ist nicht erhalten, wohl aber die Entwürfe zu Zeughaus, Schlachthaus,
Stadttor und Rathaus.
Die perspektivische Ansicht des Rathaus-Vestibüls stimmt
mit dem bei Valdenaire veröffentlichten Grundriß überein,

der auf Weinbrenners Marktplatzentwurf von 1791/92
zurückgeht. Dargestellt ist der Blick durch die Eingangshalle in den Hof mit dem Gefängnisturm und der umlaufenden halbkreisförmigen Säulenhalle im Hintergrund. Je
zwei dorische Säulen an den Schmalseiten und vier an den
Breitseiten umgeben den Saal in doppelter Reihe. Sie
tragen einen durch ein schmales Kymation verzierten
Architrav, auf dem die Balken einer Kassettendecke
liegen. Bevor der eintretende Besucher die Stufen zu den
seitlichen Treppenaufgängen betritt, passiert er römische
Statuen, die vor den acht seitlichen Säulen aufgestellt sind.
Weinbrenner sandte seine Entwürfe von Rom aus an den
Markgrafen, der sie dem Bauamt zur Begutachtung vor-
legte. Wilhelm Jeremias Müller (1725–1801), Leiter des
Karlsruher Bauamts, übte scharfe Kritik an dem Rathaus-
entwurf. Nach eingehender Analyse tadelte Müller an dem
Entwurf fehlende Proportion und mangelnde Schönheit.
Er warf dem Architekten vor, »französische Modema-
cher« nachahmen zu wollen. Tatsächlich lassen sich hier
Bezüge zur Architektur von Boullée und Ledoux herstel-
len. Ein Indiz ist auch die Verwendung der unkannelierten,
»urdorischen« Säule.

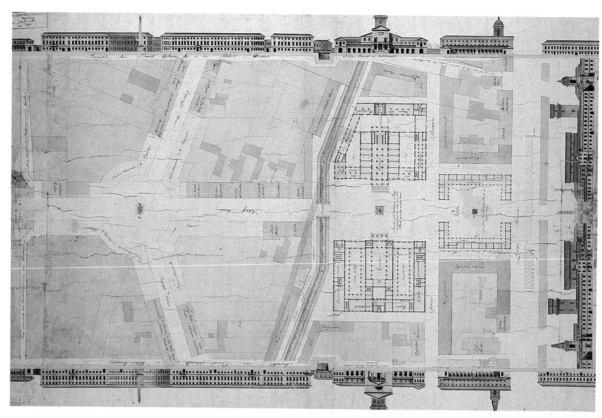

1017

*Valdenaire 1926, S. 35/36, Abb. 21. – Weinbrenner, Denkwürdigkeiten, 1958, S. 77. – Kat. Karlsruhe 1977, Nr. 39. – Staatliche Kunsthalle Karlsruhe, Kupferstichkabinett, Die deutschen Zeichnungen des 19. Jahrhunderts, Text bearbeitet von Rudolf Theilmann und Edith Ammann, Karlsruhe 1978, Kat. Nr. 4360, Abb. S. 96.*    A. M.-S.

1017*

## GENERAL-BAUPLAN FÜR DEN MARKTPLATZ UND DEN AUSBAU DER SCHLOSSTRASSE IN KARLSRUHE

Friedrich Weinbrenner (1766–1826)
Karlsruhe, 1797, teilweise ausgeführt

*Feder in Schwarz über Bleistift auf Papier (aufgezogen), farbig angelegt*
H. 99,5 cm, B. 65,7 cm
*Bez.: F: Weinbrenner 1797.*

Karlsruhe, Generallandesarchiv,
Baupläne Karlsruhe 106

1797 erteilte Markgraf Karl Friedrich dem eben aus Rom zurückgekehrten Weinbrenner den Auftrag, die Planung für die Marktplatzgestaltung und den Ausbau der Schloßstraße neu aufzunehmen. Der hierauf vorgelegte »Generalbauplan«, Weinbrenners berühmtester Entwurf, führte die Schloßstraße als Via Triumphalis vom Ettlinger Tor im Süden zum Schloß im Norden. Die Prachtstraße sollte von modellhaften Wohnhäusern gesäumt und in ihrer Wirkung durch eine Folge verschiedener Plätze unterbrochen und gesteigert werden. Ein Obelisk am Rondellplatz, ein Brunnen am Marktplatz zwischen Rathaus und Kirche, sowie eine Figurengruppe über dem Grab des Stadtgründers bildeten zentrale Schmuck- und Blickpunkte im Stadtbild.

In seinem Vorschlag von 1791/92 (Kat. Nr. 1013) hatte Weinbrenner den Marktplatz als Einheit konzipiert. Nun wurde die Anlage stärker gegliedert. Der quadratische, eigentliche Marktplatz im Norden war von eingeschossigen Säulenhallen umgeben. Am längsrechteckigen Bezirk im Süden lagen sich Rathaus und Kirche, die von hohen Türmen überragt wurden, in freier Symmetrie gegenüber. Weinbrenner ersetzte den Zentralbau (Kat. Nrn. 1014, 1015) durch eine giebelbekrönte Kirche mit kleinem dorischem Portikus. Der Rathausfassade mit zwei sich über-

1018

schneidenden Giebeln war eine flach abschließende dori-9sche Säulenhalle auf hohem Sockel vorgelagert. Rathaus und Kirche wurden durch Arkadengänge mit ihren Seitentrakten zu differenzierten Gebäudekomplexen zusammengefaßt.

Weinbrenners Plan bildete die Grundlage für den drei Jahrezehnte dauernden Ausbau der Stadt, der noch heute, trotz mancher Veränderung, das Stadtbild bstimmt. Die rhythmische Platzfolge und die einheitliche Bebauung sind ein einzigartiges Beispiel für den klassizistischgen Städtebau in Deutschland.

*Giedion 1922, S. 160ff, Abb. 98. – Valdenaire 1926, S. 63, 89f, Abb. 51. – Valdenaire 1948, S. 437ff. – Valdenaire o.J., S. 24. – Tschira 1963, S. 191. – Ausst.-Kat. London 1972, kat.Nr. 1381, S. 648. – Dortmunder Architekturhefte 4, 1977, S. 119. – Kat. Karlsruhe 1977, Nr. 76, Abb. S. 101. – Lankheit 1979, S. 70, Abb. 57. – Kat. London 1982, S. 20, 23, Nr. 55, Abb. S. 44.* A.M.-S.

1018*

## ENTWURF ZUM MARKTPLATZ IN KARLSRUHE

Perspektive

Georg Moller (1784–1852) nach Friedrich Weinbrenner (1766–1826)
Karlsruhe, Entwurf nach 1802, nicht ausgeführt

*Feder und Pinsel in Braun über Bleistift auf Papier (aufgezogen)*
*H. 57,7 cm, B. 82,1 cm*
*Bez. u. M.: Prospect des neuen Marktplatzes für Carlsruhe entworfen vom Baudirector Weinbrenner, gezeichnet von G. Moller 1804.*

Karlsruhe, Staatliche Kunsthalle,
Inv.-Nr. P.K.I. 483/5

Weinbrenners Schüler Georg Moller gibt den projektierten Marktplatz aus der Perspektive des vom Schloß nach Süden blickenden Betrachters wieder. Im Vordergrund sind einstöckige Gebäude zu sehen, die sich zur Marktseite durch Säulengänge öffnen und von Weinbrenner im Bauplan von 1797 (Kat.Nr. 1017) als *Boutiquen für Handwerker und Fabrikanten* ausgewiesen werden. Sie umschließen den *Platz, auf welchem der Wochen-Markt gehalten wird,* und in dessen Mitte ein Denkmal über der Gruft des Stadtgründers vorgesehen war. Auf einem monumentalen Postament erhebt sich eine kolossale Figurengruppe: Reha als Sinnbild der Stadt Karlsruhe mit der Urne Karl Wilhelms von Baden-Durlach, begleitet von einem trauernden Genius mit umgekehrter Fackel. Von dem anschließenden repräsentativen Teil des Marktplatzes ist, aufgrund des Blickpunkts von rechts vorne, nur die Stadtkirche mit Turm und der nördliche Flügel des Lyceums erkennbar. Das gegenüberliegende Rathaus ist bis auf den Giebel überschnitten. Von dem zierlichen Brunnen zwischen Rathaus und Kirche wird der Blick über den Obelisken am Rondellplatz bis zum Ettlinger Tor in die Ferne geleitet.

Das von Moller 1804 gezeichnete Blatt gibt ein Planungsstadium wieder, das im Ansatz auf dem Bauplan von 1797 beruht und daher oft als Perspektive dieses Plans angesehen wird. Dagegen spricht die Stadtkirche mit sechssäuliger Tempelfront, die Weinbrenner in dieser Form im dritten, zur Ausführung gelangten Entwurf von 1802 (Kat.Nr. 1019) festlegte. Es handelt sich demnach um eine nach 1802 zu datierende Entwurfsphase. Die Bedeutung des Prospekts liegt allerdings in der anschaulichen Darstellung des 1797 konzipierten und nicht ausgeführten nördlichen Marktplatzes. Er gibt eine Vorstellung von der ursprünglichen Idee Weinbrenners, der die Wirkung der Monumentalbauten durch niedrige steigern, das Marktleben konzentrieren und den Platz durch Türme in die Höhe erweitern wollte.

*Valdenaire 1926, S.102f, Abb. 73. – Kat. Karlsruhe 1977, Nr. 32, S. 48. – Lankheit 1979, S.70f, Abb. 58.* A.M.-S.

1019*

## PERSPEKTIVISCHE AUSSENANSICHT DER EVANGELISCHEN STADTKIRCHE IN KARLSRUHE

Jakob Friedrich Dyckerhoff (1774–1845) nach Friedrich Weinbrenner (1766–1826)
Karlsruhe, Entwurf um 1802, Erbauung 1807–1811, Weihe 1816, Zerstörung 1944, Wiederaufbau mit verändertem Innenbau 1958 nach Entwurf von H. Linde

*Feder in Schwarz über Bleistift auf Papier (aufgezogen), farbig angelegt*
H. 44,3 cm, B. 57,5 cm
*Sign. u.r.:* Dyckerhoff. Carls. Juli 1808.

Karlsruhe, Stadtarchiv, XV 1245

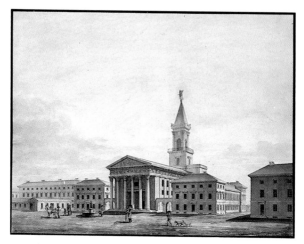

1019

Schon bevor Weinbrenner am 12. April 1802 offiziell mit der Planung der Stadtkirche in Karlsruhe beauftragt wurde, hatte er in Berlin Entwürfe für eine evangelische Kirche erarbeitet (Kat.-Nrn. 1013–1015). Die aus der Beschäftigung mit dem römischen Pantheon entwickelte Bauform gab der Architekt wieder auf, als er 1797 den Generalbauplan für Karlsruhe (Kat.-Nr. 1017) erstellte. Statt eines Zentralbaus mit dorischem Säulenportikus ist nun ein Gebäude über rechteckigem Grundriß vorgesehen. Der Kirchenfassade vorgelagert ist ein viersäuliger, dorischer Portikus über einem Stufenpodest. Ein Gesims in Höhe der Giebelspitze trennt ein oberes Wandfeld ab, das ein Lünettenfenster aufweist und vom Giebel abgeschlossen wird. Dahinter ragt ein wehrhafter Turm auf. Niedrige Arkaden verbinden die Kirche mit zweistöckigen, übergiebelten Eckgebäuden.

Im Jahr der Auftragserteilung für die Stadtkirche, 1802, legte Weinbrenner einen dritten Entwurf vor, der später auch ausgeführt wurde. In der perspektivischen Außenansicht seines Schülers Jakob Friedrich Dyckerhoff ist die Kirche aus südwestlicher Richtung dargestellt. Über mehreren Stufen erhebt sich die nun sechssäulige, korinthische Tempelfront. Zwei seitliche Arkadenbögen binden dreistöckige Eckgebäude mit Walmdächern an, in denen das Lyceum untergebracht war. Der hohe Kirchturm wächst aus einem rückwärtigen Gebäude hervor, das im oberen Teil als Altan ausgebildet war und der Schule als Sternwarte diente. Den mit antiken Masken verzierten und durch einen Engel bekrönten Helm hatte Weinbrenner, entgegen seinen Vorstellungen, auf Wunsch der Gemeinde in der steilen Form aufführen lassen.

Im Inneren war die Kirche als dreischiffige, flachgedeckte Emporenkirche ausgebildet. Die vom Architekten vorgesehene, reiche Ausstattung kam nur teilweise zur Ausführung.

Stärker als im Rathaus konnte Weinbrenner in der Stadtkirche die im Bauplan von 1797 erstmals formulierten Ideen beibehalten. Der rhythmischen Gliederung der Fassade durch verschieden ausgebildete, symmetrisch bezogene Gebäudeteile liegen palladianische Gestaltungsprinzipien englischer Provenienz zugrunde.

*Klopfer 1911, S. 58/59. – Deutsche Bauzeitung 50, 1916, S. 261. – Valdenaire 1926, S. 267–275. – Sinos 1971, S. 205–208, Abb. 16 Kat. Karlsruhe 1977, Nr. 46, S. 61, Abb. S. 72. – Kat. Karlsruhe 1981, S. 61. – Kat. London 1982, Nr. 26, Abb. S. 39.*     A. M.-S

## 1020*

## ENTWURF FÜR DAS RATHAUS IN KARLSRUHE

Aufriß der Fassade

Friedrich Weinbrenner (1766–1826)
Karlsruhe, Entwurf von 1818, nicht ausgeführt

*Feder in Schwarz über Bleistift auf Papier auf Karton, farbig angelegt*
H. 62,8 cm, B. 88,2 cm
*Bez. o. M.:* Tab. IV/Bau-Plan zu einem Staende Gebaeude, *u. M.:* Vordere Ansicht gegen den Marktplatz mit der Facade des dahinten stehenden Hohwacht-Thurmes

Karlsruhe, Institut für Baugeschichte der Universität, Weinbrenner 4

Der Einweihung des Karlsruher Rathauses am 28. Januar 1825 ging eine 21jährige Planungs- und Bauphase voraus. Friedrich Weinbrenner, der als Oberbaudirektor 1804 mit der Planung des Gebäudes beauftragt worden war, hatte bereits in seinem Marktplatzentwurf von 1791/92 (Kat. Nrn. 1013–1015) ein Rathaus gegenüber der Stadtkirche vorgesehen, und auch der Bauplan von 1797 (Kat. Nr. 1017) zeigt an gleicher Stelle den Grund- und Aufriß eines Rathauskomplexes. Nach diesem Plan entstand 1805 der Nordflügel. Der eigentliche Rathausbau verzögerte sich wegen Finanzierungsschwierigkeiten und Kriegsunruhen. 1817 legte Weinbrenner einen neuen Entwurf vor und 1818 den ausgestellten Plan, der die Verbindung von Rat- und Ständehaus vorsah. Den Auftrag hatte Großherzog Karl erteilt, der im gleichen Jahr die Landesverfassung aufgestellt hatte, wodurch ein Landtagsgebäude notwendig geworden war.
Dem Mitteltrakt ist ein alle drei Geschosse übergreifender Portikus vorgelagert, dessen ionische Säulen und Pilaster einen Architrav mit der Aufschrift DEM VATERLAND tragen und der von einem flachen Giebel bekrönt wird. Die seitlichen Verbindungsgänge sind zweigeschossig. Die Eckgebäude werden bei dreigeschossiger Bauweise durch Pilaster und einen Giebel ausgezeichnet. Der Turm mit Belvedere und Zinnenkranz wird von einem Dachreiter bekrönt. Die Gliederung der Fassade weist Bezüge zu einem in England weit verbreiteten Typus palladianischer Villen auf.
Nachdem man den Gedanken, Stadtrat und Landtag in einem Gebäude unterzubringen, aufgegeben hatte, arbei-

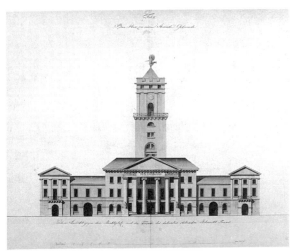

1020

tete Weinbrenner 1821 einen weiteren Plan aus, der einen niedrigen Turm über dem Ratssaal in der Mitte des Hauptbaus vorsah. Auch dieser Plan wurde abgelehnt. Die endgültige Lösung greift bei durchgehend dreigeschossiger Bauweise, im wesentlichen auf den Plan von 1818 zurück. Das 1944 zerstörte und in den Jahren 1950–1955 nach Weinbrenners Plänen wieder aufgebaute Rathaus, erfüllt seither seine ursprüngliche Funktion.

*Klopfer 1911, S. 104. – Valdenaire 1926, S. 238ff, Abb. 196. – Weinbrenner, Gebäude Heft 3, 1830, S. 3ff, Tab. IV. – Sinos 1971, S. 207, Abb. 18. – Fridericiana 18, 1975, Abb. 13. – Dortmunder Architekturhefte 4, 1977, S. 150, Abb. 28. – Kat. Karlsruhe 1977, S. 58ff, Nr. 42.*     A. M.-S.

## 1021*

## ENTWURF ZUR PYRAMIDE AUF DEM MARKTPLATZ IN KARLSRUHE

Grundriß, Aufriß, Schnitt

Friedrich Weinbrenner (1766–1826)
Karlsruhe, 1825

*Feder in Schwarz über Bleistift auf Papier (aufgezogen), farbig angelegt*
H. 28,3 cm, B. 45,4 cm
*Bez.:* Grund und Aufriß von dem auf dem hiesigen Marktplaze (sic) stehenden / Denkmal des hoechst seligen Markgrafen Carl Wilhelm, / wie solches Seine Koenigliche Hoheit, der Großherzog Ludwig Wilhelm August / errichten ließ. – / A. Grundriß der Pyramide. a. Inneres Gemach, in dem der Plan der Stadt auf eine / Marmor-Tafel eingegraben, unter dessen Piedestal sich die Gruft mit dem Sarge des / in Gott ruhenden Markgrafen Carl Wilhelm befindet, wie solches in dem Durchschnitte C. zu sehen. / B. Aufriß mit der bronzenen Eingangs Inscriptions-Tafel. / C. Durchschnitt nach der Linie x.y. / Nota.

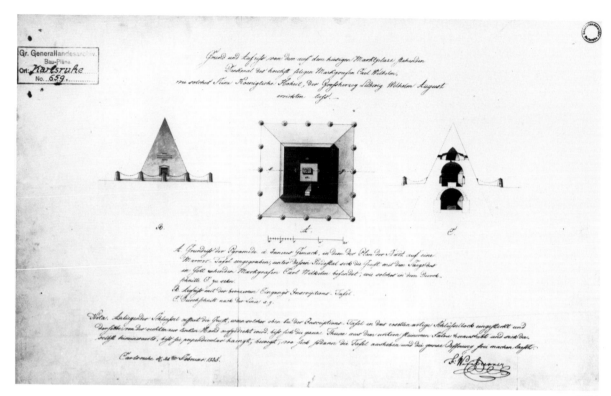

1021

Anliegender Schlüssel oeffnet die Gruft, wenn solcher oben bei der Inscriptions-Tafel in das rosettenartige Schlüsselloch eingesteckt und / derselbe von der rechten zur linken Hand aufgedreht wird, biss sich die ganze Thuere aus dem untern steinernen Falze heraushebt und sich da-/selbst hinein..., biss Sie perpendicular haengt, bewegt; wo sich sodann die Tafel ausheben und die ganze Oeffnung frei machen laesst. / Carlsruhe d 24 ten Februar. 1825.... F: Weinbrenner

Karlsruhe, Generallandesarchiv, Baupläne Karlsruhe 659

Dort, wo heute die Pyramide auf dem Marktplatz in Karlsruhe steht, erhob sich ursprünglich die 1719 erbaute Konkordienkirche, in der Markgraf Karl Wilhelm von Baden-Durlach (1679–1738), der Gründer der Stadt Karlsruhe, bestattet war. Unter den Plänen zur Neugestaltung des um die Kirche entstandenen Marktplatzes waren solche, die den Bau respektieren oder abreißen wollten. Weinbrenner sah in seinem Entwurf von 1791/92 (Kat. Nr. 1013) den Abriß vor und plante über der Gruft einen Steinsarkophag monumentalen Ausmaßes (vgl. Lankheit 1979, Abb. 56). Diese Idee verwarf Weinbrenner zugunsten einer allegorischen Figurengruppe auf einem architektonischen Sockel (Kat.Nr. 1018). Die Ausführung des Monuments wurde zwar dem Bildhauer Philipp Jakob Scheffauer (1758–1808) übertragen, doch letztlich aus Kostengründen nicht realisiert.

Als die Konkordienkirche im Juni 1807, am Tag der Grundsteinlegung der neuen Stadtkirche, abgerissen wurde, bedeckte man die Gruft provisorisch mit einer hölzernen Pyramide. Nachdem diese 1818 erneuert worden war, entschloß sich Großherzog Ludwig Wilhelm 1823 für die Ausführung in Stein. Weinbrenner lieferte hierzu Entwürfe, nach denen die Pyramide im Frühjahr 1825 vollendet wurde.

Der auf den 24. Februar 1825 datierte Plan Weinbrenners muß mit Lankheit (1979, S.72) als »ein mit der Vollendung des Monuments angefertigtes Dokument« angesehen werden, denn die *Nota* erklärt, wie die Gruft mit dem *anliegenden Schlüssel* zu öffnen ist. Die Pyramide aus rotem Sandstein erhebt sich über einem zur Mitte ansteigenden, quadratischen Sockel, den mit Ketten verbundene Steinpfosten einfassen. Durch eine bronzene Inschriftentafel auf der Nordseite kann man das Innere betreten, das aus drei übereinander angeordneten gewölbten Räumen besteht. Der untere birgt die unberührte Gruft mit dem Sarkophag Karl Wilhelms. In dem ebenerdigen Raum befindet sich der in eine Marmortafel eingravierte Stadtplan Karlsruhes, der oberste dient zur Belüftung.

Weinbrenner führt in diesem Monument eine antike Tradition fort, wonach der Gründer einer Stadt auf dem Marktplatz bestattet wurde. Die Pyramide als Grabmonument war ihm durch die des Cestius in Rom bekannt. Sie erschien ihm als die »der Vergänglichkeit am mehrsten entgegenstrebende Form« (Architektonisches Lehrbuch II, 1817, S. 75/76).

*Weinbrenner, Architektonisches Lehrbuch II, 1817, S. 75/76. – Valdenaire 1926, S. 104–107, Abb. 81a. – Valdenaire 1948, S. 444/445. – Kat. Karlsruhe 1977, Nr. 55. – Lankheit 1979, S. 72–76, Abb. 59. – Kat. London 1982, S. 22, Nr. 34.*                                      A. M.-S.

1022*

## ENTWURF FÜR RONDELLPLATZ, SCHLOSS-STRASSE UND ETTLINGER TOR IN KARLSRUHE

Grundriß

Georg Moller (1784–1852) nach Friedrich Weinbrenner (1766–1826)
Karlsruhe, um 1801–1803, teilweise ausgeführt

*Feder und Pinsel in Schwarz über Bleistift auf Transparentpapier (aufgezogen), grau und schwarz angelegt
H. 45,5 cm, B. 34,5 cm (mit zwei seitlichen Annexen 55,5 cm)
Unbez.*

Darmstadt, Stadtarchiv, ST 45, Nachlaß Georg Moller, Bamberger Mappe 171

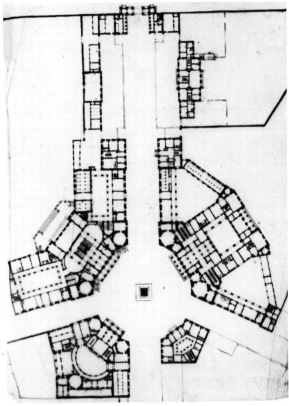

1022

Weinbrenners Plan, der in einer Kopie von Georg Moller erhalten ist, stellt Grundrisse der am Rondellplatz, in der südlichen Schloßstraße und am Ettlinger Tor zu errichtenden Gebäude dar. An der nordwestlichen Platzecke liegt das 1799–1800 erbaute Haus des Staatsrats Wohnlich, links daneben das herrschaftliche Wohngebäude, das nicht ausgeführt wurde. In der südöstlichen Ecke ist das Markgräfliche Palais, in der westlichen das Haus des Handelsmanns Reuter (in Anlehnung an den ersten Entwurf für das Markgräfliche Palais) eingezeichnet. In der Mitte des Rondellplatzes ist der quadratische Sockel für ein Denkmal zu sehen, auf dem Anfang der 1830er Jahre die sogenannte Verfassungssäule (Kat. Nr. 342) errichtet wurde. Im südlichen Teil der Schloßstraße stehen sich, nach hinten aus der Straßenflucht versetzt, das Wohnhaus Weinbrenners und die Stallungsgebäude des Markgräflichen Palais gegenüber. Den Abschluß der Straße bildet das Ettlinger Tor (Kat. Nr. 240), das zur Stadtseite von zwei Wachhäusern flankiert wird. Die seitlichen Annexe stellen das an der Kriegsstraße gelegene Lusthaus im Garten des Markgräflichen Palais im Osten und den Gotischen Turm (Kat. Nr. 1026) am Eingang in den Garten der Markgräfin Amalie im Westen dar.

Am Rondellplatz erweist sich Weinbrenner als ein Meister in der Bebauung von schwierigen Grundstücken, die sich aus dem Radialsystem des barocken Stadtplans durch spitz- oder stumpfwinklig aufeinander treffende Straßenzüge ergeben. Das zuerst errichtete Wohnhaus für den Staatsrat Wohnlich bildete den Prototyp für die nachfolgenden Gebäude. Der Mittelteil der konkav gekrümmten Fassaden ist jeweils risalitartig vorgezogen und durch einen Giebel bekrönt sowie dem Rang der Bewohner entsprechend mit Fenstern, Säulen oder einer Kolossalordnung ausgestattet. Hinter der Fassade liegen meist repräsentative Räume, an die sich großzügige Treppenhäuser oder peristylartige Innenhöfe anschließen. Den Übergang zwischen Platzfront und Straßenzug erreicht Weinbrenner durch runde Eckräume, die sich im Außenbau nicht ablesen lassen. In späteren Entwürfen, wie dem Haus des Museumsgesellschaft (Kat. Nr. 1028) tritt er als Rundturm in Erscheinung. Diese wirkungsvolle Ecklösung verarbeitete sein Schüler Georg Moller in seinem Entwurf für das Schloß in Wiesbaden.

*Frölich, Marie und Sperlich, Hans-Günther, Georg Moller, Baumeister der Romantik, Darmstadt 1959, S. 415, Kat.-Nr. B 16, S. 415. – Kat. Karlsruhe 1977, S. 104, Nr. 84, Abb. S. 111. – Kat. London 1982, Abb. S. 23.*

A. M.-S.

1023

legten, weißen Figurenfries verziert. Weiße Rosetten in blauen Feldern schmücken die kassettierte Decke, die in ein Oberlicht mündet. Darunter liegt ein niedriger Raum, der durch die erste Loggia zu erreichen ist. In rechteckigen, gelblichen Feldern sind, ähnlich wie im Gesellschaftssaal, engelartige Figuren mit großen Flügeln und erhobenen Armen zu sehen. Eine runde Öffnung in der Mitte des Raumes bietet einen Blick in den unteren Kuppelsaal, in dem rund um ein Wasserbecken Statuen vor der roten Wand und in Nischen aufgestellt sind. Die blaue Decke wird von weißen Palmetten überzogen.

Weinbrenner vereint hier die Grotte aus dem Landschaftsgarten mit dem römischen Nymphäum. Einen ähnlichen Gedanken verfolgte François Verly (1760–1822) in seinem Entwurf von 1817 für einen Pavillon in Kleinheubach am Main.

*Valdenaire 1926, S. 95 f, Abb. 65. – Dortmunder Architekturhefte 4, 1977, Abb. 21. – Kat. Karlsruhe 1977, S. 118, Nr. 97, Abb. S. 116/117. – Kat. London 1982, Nr. 67, Abb. S. 47.*                         A. M.-S.

## 1023*

### ENTWURF FÜR EIN HERRSCHAFTLICHES WOHNHAUS AM RONDELLPLATZ IN KARLSRUHE

Schnitt durch die Hauptachse

Joseph Berckmüller (1800–1879) nach Friedrich Weinbrenner (1766–1826)
Karlsruhe, um 1803, nicht ausgeführt

*Feder in Schwarz über Bleistift auf Papier, farbig angelegt*
H. 36,2 cm, B. 47,6 cm
*Bez. u. M.:* Durchschnitt nach der Linie a. b.,
*sign. u. r.:* Den 30 t. Oct. 1818 f. Berckmüller.

Karlsruhe, Stadtarchiv, XV 1410

Die Schülerkopie von Joseph Berckmüller zeigt den Schnitt durch die Hauptachse des von Weinbrenner entworfenen herrschaftlichen Wohnhauses am Rondellplatz in Karlsruhe. Auf einen dorischen Portikus mit geradem Abschluß folgt eine von ionischen Säulen getragene Empfangshalle. Der nächste Raum führt über seitliche Treppenhäuser in die Obergeschosse und hinaus in den niedriger gelegenen, halbrunden Hof. Ihn umgibt ein rustizierter Arkadengang, über dem sich eine zweigeschossige Loggia erhebt. Am Übergang von Hoffassade und Seitentrakten stehen zwei hohe, viereckige Türme mit Dachreitern. Ein niedriger Rundturm im Scheitelpunkt des Halbkreises schließt, abweichend vom Grundriß (Kat. Nr. 1022), das Gebäude ab.
Der Entwurf zeichnet sich besonders durch die beiden Türme, den Innenhof und mehrere durch Ausmalung hervorgehobene Räume aus: Der Gesellschaftssaal über dem Vestibül nimmt Dekorationsformen der pompejanischen Wandmalerei auf. Die beiden übereinander angeordneten Kuppelräume im stumpfen Turm gehen auf verschiedene Vorbilder zurück. Der obere Kuppelsaal ist durch die Loggia zu betreten. Die hellblaue Wand ist durch eine rote Wandbespannung und einen hellgrün hinter-

## 1024*

### ENTWURF FÜR DAS MARKGRÄFLICHE PALAIS AM RONDELLPLATZ IN KARLSRUHE

auch Hochbergsches Palais genannt
Aufriß der Haupt- und Gartenfassade, Schnitt

Friedrich Weinbrenner (1766–1826)
Karlsruhe, um 1803, Erbauung 1803–1814, Zerstörung 1944, Wiederaufbau der Hauptfassade 1960–1963

*Feder in Schwarz über Bleistift auf Papier, farbig angelegt*
H. 62,4 cm, B. 99,2 cm
*Bez. o. l.:* Lit. A / vid. Gn. Dir. Prot. vom 28ten Oct 1810 N. 587, *o. r.:* Da ich für meine Gemahlin und meine gräfliche / Kinder eine Wohnung von diesem Umfang und / dieser Eintheilung nothwendig erachte, so gebe ich dem Baudirektor Weinbrenner den Auftrag / diesen von mir gebilligten und bereits ange=/fangenen Plan auszuführen. / Favorite den 7 ten August 1804. Carl Fridrich Kurfürst.,
*sign. u. r.:* F. Weinbrenner

Karlsruhe, Staatliche Kunsthalle, Inv.-Nr. 1944–15

Das Markgräfliche Palais wurde auf Wunsch Karl Friedrichs für die Söhne seiner zweiten Frau, Luise Karoline, Reichsgräfin von Hochberg, geb. Geyer von Geyersberg (1768–1820), erbaut. Das Grundstück erstreckte sich von der Südostecke des Rondellplatzes bis zum Ettlinger Tor und entlang der Kriegsstraße. Nachdem zuerst ein Lusthaus in dem weitläufigen Park an der Kriegsstraße errichtet worden war, beschloß der Kurfürst 1803 die Ausführung des Palais nach dem zweiten Entwurf Weinbrenners, dessen Original erhalten ist.
Das zum Rondellplatz konkav gebogene Gebäude erhebt sich über hohem genuteten Sockel. Die Fassade zeichnet sich durch eine risalitartig vorgezogene Tempelfront aus.

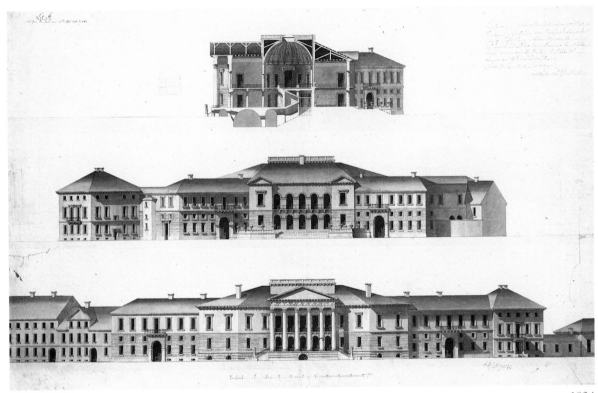

1024

Sechs korinthische Säulen über hohem Stufenpodest tragen ein Gebälk mit Girlanden-Fries und Dreiecksgiebel. Dahinter ragt eine Attika mit Balustrade auf, die das Oberlicht des Treppenhausgewölbes verdeckt. Die zweiachsigen Rücklagen werden an den Straßenseiten wiederholt und leiten zu den modellmäßig konzipierten Fassaden der Seitenflügel über. Sie sind ebenfalls zweigeschossig, erhalten aber ein Mezzaningeschoß.

Die Gartenfassade ist durch das Vorbild palladianischer Villen in England inspiriert. Sie weist zwei einachsige, turmartige Risalite mit Dreiecksgiebeln auf, die den Mittelteil rahmen. Er wird durch eine Reihe von fünf Rundbogenfenstern in beiden Geschossen gegliedert. Eine große, durch Blumenvasen geschmückte Terrasse mit breiter Treppe leitet vom Garten ins Haus über.

Zum Haupteingang am Rondellplatz führen seitliche Treppen, die von vasentragenden Karyatiden flankiert werden. Wie der Schnitt zeigt, folgt auf die Vorhalle ein Vestibül, das in ein großzügiges Treppenhaus mündet, von dem aus der Gartensaal und die Repräsentationsräume im »Piano Nobile« zu erreichen sind. In den Seitentrakten gruppieren sich, symmetrisch um rechteckige Innenhöfe, zur Straße hin Besuchszimmer und zum Garten hin Gesellschaftsräume.

Im Markgräflichen Palais verwirklicht Weinbrenner in monumentaler Form den auf Palladio zurückgehenden Bautypus des vorgelagerten Eingangsrisaliten in Tempelform.

Klopfer 1911, S. 39. – Valdenaire 1926, S. 139 ff. – Valdenaire 1948, S. 442. – Sinos 1971, S. 196/197. – Kat. Karlsruhe 1977/78, S. 65, Nr. 51, Abb. S. 76. – Kat. Philadelphia 1986, S. 7.                    A. M.-S.

1025*

### ENTWURF FÜR DAS SOMMERHAUS IM GARTEN DER MARKGRÄFIN AMALIE IN KARLSRUHE

genannt Erbprinzenschlößchen
Schnitt durch die Hauptachse des ersten Entwurfs

Georg Moller (1784–1852) nach Friedrich Weinbrenner (1766–1826)
Karlsruhe, um 1801, nicht ausgeführt

*Feder in Schwarz über Bleistift auf Papier auf Karton, farbig angelegt*
*H. 43,5 cm, B. 57,0 cm*
*Bez. u. r.: Georg Moller 1805*

Karlsruhe, Stadtarchiv, XV 1161

Friedrich Weinbrenner plante um 1801 für Erbprinz Karl Ludwig (1755–1801) und seine Frau Amalie von Hessen-Darmstadt (1754–1832) ein Wohngebäude, in dem sie »die schönen Frühlings- und Herbsttage in ländlicher

1025

Anmuth zubringen wollten« (Weinbrenner, Gebäude Heft 2, 1830, S. 7). Der Bauplatz lag am westlichen Ende ihres Gartens an der mit Kirschbäumen bepflanzten Rittergasse. Der Schnitt durch die Hauptachse des Gebäudes, der in einer Kopie von Georg Moller vorliegt, zeigt einen zentralen, überkuppelten Raum, den zum Garten gelegenen Speisesaal und das Vestibül. Die hellblaue Wand der Rotunde ist durch Wandbespannung und Statuen in scharf eingeschnittenen, halbrunden Nischen gegliedert. Ein Figurenfries auf weißem Grund bildet den Wandabschluß. Darüber wölbt sich die mit Rosetten verzierte Kassettendecke, in deren Scheitelpunkt eine runde Öffnung Tageslicht spendet.

Die Eingangsfront zur Rittergasse ist durch eine breite Treppe ausgezeichnet, die seitlich von Postamenten eingefaßt ist, auf denen Sphingen lagern. Darüber erhebt sich, hier nicht erkennbar, eine Tempelarchitektur mit zwischen Pilastern eingestellten ionischen Säulen, die Gebälk und Giebel tragen. Die Gartenfassade weist bei gleichem Grundschema eine Pilastergliederung mit Rundbogenarkaden auf. Von einer breiten, um drei Seiten des Gebäudes herumgeführten Terrasse gelangt man über wenige Stufen

in den Garten. Zur Rittergasse hin liegen niedrige, von einer dorischen Säulenhalle verkleidete Wirtschaftsgebäude, die den großen Hof perystilartig umschließen.

Weinbrenner orientiert sich in diesem Entwurf stark an Palladios Villa Rotonda. Er weicht jedoch leicht von dessen Forderung nach Symmetrie und einheitlicher Fassadengestaltung ab, indem er die Räume um die Rotunde freier anordnet und zwischen Haupt- und Nebenfassaden unterscheidet. Das Dekorationsschema des Kuppelraumes weist Parallelen zu palladianischen Villen in England auf. Weinbrenners Entwurf wurde abgelehnt, weil seine Ausführung die vorgesehene Bausumme um mehr als ein Drittel überschritten hätte. Die Auseinandersetzung mit der Villa Rotonda führte er in den fast identischen Plänen für das Palais der Markgräfin Friedrich und dem Landhaus für den König von Württemberg fort (Kat. Nrn. 1038, 1039).

*Weinbrenner, Gebäude Heft 2, 1830, S.7, Taf. III. – Valdenaire 1926, S.160. – Sinos 1971, S.199. – Kat. Karlsruhe 1981, S.54–56.*   A. M.-S.

1026\*

## Entwurf für ein Gartengebäude für die Markgräfin Amalie im Garten des Markgräflichen Palais in Karlsruhe

genannt Gotischer Turm
zwei Schnittansichten

Kopie nach Friedrich Weinbrenner (1766–1826)
Karlsruhe, um 1801/02, erbaut 1802/03, abgerissen 1866

*Feder in Schwarz über Bleistift auf Papier mit Wz.:* D & C
BLAUW, *farbig angelegt*
*H. 69,8 cm, B. 47,0 cm*
*Bez. u.r.:* H (= L. Heiss ?)

Karlsruhe, Generallandesarchiv, Baupläne Karlsruhe 8

1026

Der »Gotische Turm« entstand zusammen mit anderen Gebäuden im Zuge der Erweiterung und Neugestaltung des Markgräflichen Gartens zu einer »Anlage nach Art der englischen«, wie Weinbrenner berichtet (Gebäude Heft 2, 1830, S. 415). Der Teil des Gartens, der sich südlich der Erbprinzenstraße bis zur Kriegsstraße erstreckte, gehörte Erbprinz Karl Ludwig, der 1801 in Schweden starb. Darauf erhielt Weinbrenner von Markgraf Karl Friedrich den Auftrag, »eine Idee vorzulegen, wie die Stadt- und Gartengrenze anständig... zu schließen, und dem Verstorbenen zugleich ein Denkmal... zu errichten seyn möchte.« Der Architekt kam dieser Forderung nach, indem er den Gotischen Turm mit Belvedere an die Südostecke des Gartens verlegte und ihn um eine »kleine gothische Kapelle für das Monument des verewigten Erbprinzen« bereicherte.

Weinbrenners Entwurf ist in zahlreichen Schülerkopien überliefert. Dieses Blatt gibt in der unteren Darstellung den Blick von Osten auf den Außenbau von Turm und Badehaus wieder sowie einen Schnitt durch die Kapelle. Im Dunkeln sind an der Rückwand eine Spitzbogenarkade mit reicher Blendarchitektur, Maßwerk und sternenübersäte Stichkappen erkennbar. Davor steht das hell beleuchtete Denkmal, das die vor dem Sarkophag ihres Gatten trauernd niedergesunkene Markgräfin Amalie darstellt. Das von Philipp Jakob Scheffauer ausgeführte Monument ist in einem Terrakottamodell erhalten, das in Kürze im Staedel-Jahrbuch publiziert wird (vgl. Kat. Nr. 1139). Während die »Amalie« in Gestik und Blickrichtung an spätmittelalterliche Magdalenen-Figuren erinnert, weist der architektonische Teil des Grabmals, der sicher auf Weinbrenner zurückgeht, klassizistische Formen auf. Die Zeichnung darüber gibt den Blick von Westen auf die Turmanlage wieder. Der Schnitt zeigt im Erdgeschoß einen Raum mit einer in den Boden eingelassenen Badewanne. Sie bestand aus dem Kupfersarkophag, in dem Erbprinz Karl Ludwig von Stockholm nach Karlsruhe überführt worden war. Darüber lag der kleine Familiensaal. Während in der Kapelle Außen- und Innenbau in neugotischem Stil gehalten waren, stattete Weinbrenner die übrigen Räume klassizistisch aus.

Das Gartengebäude bot trotz heterogener Nutzung das Bild einer geschlossenen Turmanlage. Mittelalterliche oder gotische Türme gehörten unabdingbar zum Bestand eines englischen Gartens. Der Gotische Turm in Karlsruhe gehört in eine Traditionslinie, die, ausgehend von England, mit dem »Gotischen Haus« in Wörlitz (1773–1786) in Deutschland ihren Anfang nahm und zu der die Emichsburg im Park von Ludwigsburg (1798) das württembergische Pendant bildet.

*Weinbrenner, Gebäude Heft 2, 1830. – Valdenaire 1926, S. 161 f. – Heinz Biehn, Residenzen der Romantik, München 1970, S. 106. – Fridericiana 18, 1975, S. 20, Kat. Nr. 7m. Abb. – Lankheit 1979, S. 66 ff, Abb. 54. – Kat. Philadelphia 1986, S. 24.*    A. M.-S.

1027

1027*

## Perspektivische Aussenansicht der Katholischen Stadtkirche St. Stephan in Karlsruhe

Friedrich Weinbrenner (1766–1826)
Karlsruhe, um 1808, 1808–10 Erbauung, 1814 Weihe,
1944 Zerstörung, 1951–1955 Wiederaufbau

*Feder in Schwarz, Pinsel in Braun und Blau über Bleistift
und Karton (aufgezogen)*
*H. 49,5 cm, B. 63,5 cm*
*Unbez.*

Karlsruhe, Institut für Baugeschichte der Universität,
Weinbrenner 30

Die katholische Gemeinde in Karlsruhe konnte 1807
aufgrund eines bedeutenden Vermächtnisses die Pläne
zum Ausbau der Kapuzinerkirche aufgeben und sich dem
Bau eines neuen Gotteshauses zuwenden. Den Bauplatz an
der Erbprinzenstraße zwischen Ritter- und Herrenstraße
schenkte ihr Kurfürst Karl Friedrich. Weinbrenner legte
daraufhin zwei Entwürfe vor, von denen der erste in
Grund- und Aufriß seinem in Berlin entstandenen Projekt
für eine evangelische Kirche (Kat. Nrn. 1014, 1015) nahe
stand. Der zweite, 1808 genehmigte Plan, bildet die
Grundlage für die ausgestellte perspektivische Außenansicht. Weinbrenner gibt den Blick von Südosten aus der
Erbprinzenstraße auf die Kirche mit den Eckgebäuden an
der Herrenstraße wieder.
Die Kirche ist als Zentralbau mit Kuppel über kreuzförmigem Grundriß konzipiert. Der Innenraum tritt in Tambourhöhe als Zylinder aus dem kubischen Kernbau hervor
und wird von einer Kuppel überspannt. Die tonnengewölbten Kreuzarme treten zu allen vier Seiten als rechteckige Anbauten mit Satteldach in Erscheinung. Die zur
Erbprinzenstraße weisende Fassade wird durch eine achtsäulige Vorhalle auf einem Stufensockel ausgezeichnet.

Seitlich führen Säulenhallen (auf der Rückseite Arkaden)
zu zweigeschossigen Eckrisaliten, die Schul- und Pfarrhaus
aufnehmen sollten. Die ionischen Eingangssäulen tragen
einen Architrav und ein Pultdach. Daran schließt die
Rückwand des Kreuzarmes an, die durch ein Thermenfenster gegliedert wird. Der Ansatz der flachen, zweischaligen
Kuppel liegt oberhalb des Dachfirstes. Im Hintergrund
ragt der Turm auf, der von Weinbrenner als »nicht wohl
anbringbar bei einer Rotonda« (Valdenaire 1926, S. 278)
abgelehnt, aber von der Gemeinde durchgesetzt wurde.
Die Hoffnung des Architekten, daß der Turm aus Kostengründen eingespart würde, erfüllte sich nicht. Man opferte
statt dessen die Kolonnaden und Eckrisalite.
Dadurch wurde Weinbrenners Entwurf stark modifiziert,
der hier in der rhythmischen Anordnung verschiedener
Bauten wieder palladianischen Prinzipien nach englischem
Vorbild folgte. Realisieren konnte Weinbrenner jedoch,
was vielen Architekten seiner Zeit versagt blieb: seine
Variante des Pantheons in Rom, die zu seinen gelungensten Schöpfungen zählt.
Mit der Mathildenkirche in Darmstadt schuf sein Schüler
Georg Moller einen direkten Nachfolgebau.

*Valdenaire 1926, S. 277–282. – Valdenaire o.J., S. 28. –
Sinos 1971, S. 203, Abb. 10. – Dortmunder Architekturhefte 4, 1977, S. 164, Abb. 42. – Kat. Karlsruhe 1977,
S. 63 ff, Nr. 48, Abb. S. 74. – Kat. Karlsruhe 1981, S. 61/
62. – Kat. London 1982, Nr. 28, Abb. S. 41.*    A.M.-S.

1028*

## Entwürfe für das Museum in Karlsruhe

Seitenansicht zur Langen Straße und Grundriß des dritten
Stocks

Schülerkopie nach Friedrich Weinbrenner (1766–1826)
Karlsruhe, um 1813, erbaut 1813–1814, Saal 1835
verändert durch Heinrich Hübsch (1795–1863),
ab 1913 Kaffeehaus, 1918 abgebrannt

*Feder in Schwarz über Bleistift auf Papier mit Wz.:*
BUDGEN & WILMOTT / 1808 *und Lilienwappen,
farbig angelegt*
*H. 66,4 cm, B. 47,5 cm*
*Bez.: Grundriß des dritten Stocks. / a. Salon. b. Hauptloge. c. Seiten Loge. d. Lese- und Bibliothec-Zimmer.
e. Zimmer / des Bibliothecar. f. Treppen. g. Vorplatze.
h. Abtritte. i. Hof.*

Karlsruhe, Institut für Baugeschichte der Universität,
Arnold-Mappe

Die Museumsgesellschaft in Karlsruhe ließ 1813 ein neues
Gesellschaftshaus an der Langen Straße (Kaiserstraße)
Ecke Rittergasse nach Plänen von Friedrich Weinbrenner
errichten. Die Mitglieder des 1775 als Lesegesellschaft
gegründeten Vereins, der unter dem Protektorat des Groß-

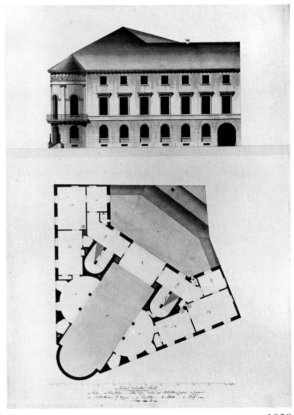

1028

herzogs stand, setzten sich aus den ersten Kreisen der Stadt zusammen. Ihre Veranstaltungen bildeten neben den Festen bei Hof gesellschaftliche Höhepunkte.

Das Gebäude besaß zu den Straßenseiten dreistöckige, nach dem Modell errichtete Fassaden. Über einem genuteten Sockelgeschoß mit hohen Rundbogenfenstern befanden sich hochrechteckige und darüber kleine, quadratische Fenster. Die Gebäudeecke war als Rundturm mit kegelförmigem Dach ausgebildet. Über eine von Kandelabern flankierte Treppe erreichte man den schlichten Eingang in Form eines Rundbogens. Zwei Geschosse übergreifende ionische Pilaster gliedern das Rondell in drei Achsen. Drei schmale, durch ein verkröpftes Gesims miteinander verbundene Portes-fenêtres ermöglichen den Zugang auf einen Balkon. Unter dem Kegeldach befand sich ein von Feodor Iwanowitsch Kalmück gemalter Figurenfries mit der Apotheose Homers.

Über dem Erdgeschoß, in dem sich neben Wirtschaftsräumen der Speisesaal sowie Spiel- und Leseräume befanden, lag der über zwei Stockwerke gehende, große Saal mit drei halbrunden Exedren und einem rechteckigen Vorplatz. Um ihn gruppierten sich Gesellschafts- und Spielzimmer, in dem darüberliegenden Stock außerdem Bibliothek und Lesezimmer.

Der Museumssaal ist in Weinbrenners Architektonischem Lehrbuch (II, Taf. 37) in einer perspektivischen Ansicht abgebildet, die seinem Schüler L. Heiss als Vorlage für ein Aquarell diente.

Das Museum stellt durch den diagonal angeordneten Saal und die im Außenbau als Eckturm erscheinende Exedra einen originellen Beitrag zur Lösung schwieriger Grundrißfragen dar. Es beeinflußte die Gestalt des 1923/24 von Curjel und Moser auf der gegenüberliegenden Ecke errichteten Kaufhauses und des Bankgebäudes, das Pfeiffer und Großmann 1926 an der Stelle des abgebrannten Museums errichteten. Siehe auch Kat. Nr. 1022.

*Friedrich von Weech, Karlsruhe. Geschichte der Stadt und ihrer Verwaltung, Karlsruhe 1895, Bd. 1, S. 279/280. – Valdenaire 1926, S. 182/183. – Kat. Karlsruhe 1977, S. 104.* A. M.-S.

1029–1030

### Entwürfe für die Fassadenregulierung in der Langen Strasse in Karlsruhe

Friedrich Weinbrenner (1766–1826)
Karlsruhe, 1806/1808, nicht ausgeführt

Zu Anfang des 19. Jahrhunderts machte die Lange Straße (Kaiserstraße) in Karlsruhe »in ihrer buntscheckigen Mißgestalt von großen und kleinen Häusern, von Neubauten und Ruinen« auf Weinbrenner einen »widerlichen Eindruck«. Er legte daher Pläne vor, die den alten Häuserbestand respektierten und dennoch eine einheitliche Fassadengestaltung ermöglichten. Diese Wirkung sollte dadurch entstehen, daß die ein- und zweigeschossigen Gebäude auf gleiche Höhe mit den dreigeschossigen gebracht würden und ihnen eine alle Geschosse übergreifende Arkade vorgeblendet würde. Im Ergebnis würde die »Straße zu einer der schönsten und vielleicht in Europa nicht ähnlich befindenden umgebildet«, schreibt Weinbrenner in einem Bauentwurf vom 8. 2. 1808.

Auf einem Blatt (Kat.Nr. 1029) zeigt er zwei Schnitte, die die technische Konstruktion der Umgestaltung von verschieden hohen Häusern offenlegen. Im Gegensatz zur Beschriftung sind hier allerdings keine Arkaden, sondern Kolonnaden vorgeblendet, denn Säulen mit Kapitellen und Architrav sind deutlich erkennbar. Möglicherweise handelt es sich um einen Alternativvorschlag. In der Perspektive der Langen Straße (Kat.Nr. 1030) gibt Weinbrenner ein eindrucksvolles Bild der sich endlos wiederholenden, hohen Arkaden wieder. Seine Vorstellung, daß sich diese Wirkung »mit geringem Aufwand und Abänderung« sowie »ohne Aufwendung eines zu großen Kapitals für die Hausbesitzer« erreichen ließe, erfüllte sich nicht. Die Entwürfe spiegeln möglicherweise Eindrücke, die Weinbrenner auf seiner 1806 unternommenen Paris-Reise empfangen hat. Die von Charles Percier und Pierre-François-

1030

Léonard Fontaine konzipierte Rue de Rivoli war damals im Bau. Dort wurde ebenfalls die Idee der Arkadisierung von Straßenzügen, allerdings nur über ein Geschoß, verfolgt.

Die Idee der überdachten Einkaufspassage greift Weinbrenner in seinem Entwurf für die Süderweiterung der Stadt (Kat.Nr. 1032) 1814/15 wieder auf.

Hegemann sieht in Weinbrenners Plänen zur Fassadenregulierung einen Entwurf, der sich an Kühnheit messen kann mit Michelangelos Vorschlag, die Florentiner Piazza della Signoria mit Wiederholungen der Loggia dei Lanzi zu umgeben.

*Valdenaire 1926, S. 85. – Werner Hegemann, Die Straße als Einheit, in: Städtebau 20, 1925, S. 103. – Johann Friedrich Geist, Passagen, ein Bautyp des 19. Jahrhunderts. Studien zur Kunst des 19. Jhs., München 1969, S. 52. – Kat. London 1982, S. 23f, Abb. S. 24.*    A.M.-S.

1029

Zwei Querschnitte

*Feder in Schwarz und Braun über Bleistift auf Papier mit Wz. & I HONIG und Wappen, farbig angelegt*
*H. 32,3 cm, B. 55,5 cm*
*Bez. o. M.: Project wie nach dem anliegenden Prospecte die zweistöckigte und/ Mansardengebäude in der langen Strasse ohne große Kosten dreistöckig/ gebauet und mit Arkaden versehen werden könnten.*

Karlsruhe, Generallandesarchiv, Baupläne Karlsruhe 527

*Werner Hegemann, Die Straße als Einheit, in: Städtebau 20, 1925, S.106, Abb. 3. – Valdenaire 1926, S. 85, Abb. 57.*    A.M.-S.

1030*

Perspektive

*Aquarell*
*H. 34 cm, B. 72 cm*
*Unbez.*

Karlsruhe, Generallandesarchiv, Baupläne Karlsruhe 528

*Giedion 1922, Abb. 84. – Werner Hegemann, Die Straße als Einheit, in: Städtebau 20, 1925, S.103ff, Abb.7. – Valdenaire 1926, S.85ff, Abb. 58. – Kat. London 1972, Nr. 1383, Abb. 106b. – Kat. Karlsruhe 1977, Abb. S. 99, S.103. – Kat. London 1982, S. 20, Abb. S. 24.*    A.M.-S.

**1031–1033**

## Entwürfe zur Erweiterung der Stadt Karlsruhe

### Friedrich Weinbrenner (1766 (1826)

Der von Weinbrenner signierte Plan (Kat.Nr. 1031) gibt den nördlichen Teil der Stadt Karlsruhe mit dem bestehenden und geplanten Straßensystem wieder. Der südliche Anschlußplan (Kat.Nr. 1032) stellt den dort neu projektierten Stadtteil vor. Beide Pläne sind zusammen mit einem weiteren, der die entferntere südliche Umgebung von Karlsruhe einbezog, als Entwürfe für den Gottfried Tulla zugeschriebenen Plan anzusehen, der als Kopie erhalten ist. Die Zusammengehörigkeit der beiden Blätter, die Zuschreibung des Gesamtentwurfs an Weinbrenner und die Datierung des südlichen Plans auf 1814/15 hat Arnold Tschira 1959 überzeugend vorgenommen.

Der Plan zur südlichen Stadterweiterung ist in seiner Konzeption stark auf die Altstadt bezogen und beschreitet dennoch völlig neue Wege. Im Norden konzentriert sich nach Weinbrenners Vorstellung die Verwaltung sowie das kulturelle und religiöse Leben um das Schloß als Mittelpunkt. Im Süden gewinnen neben Handel und Gewerbe neue Wohn- und Lebensformen an Bedeutung. Nach dem Vorbild antiker Städte sollen für Erholung, Vergnügen und Sport entsprechende Anlagen entstehen. Den natürlichen Bedürfnissen des Menschen wird durch Baumpflanzungen, Grünanlagen und ein Wassersystem Rechnung getragen. Weinbrenner vereint hier urbane römische Ideen mit dem französischen Wunsch des »retour à la nature«. Außerdem ist in dieser planmäßigen Anlage ein Vorläufer der Gartenstädte des beginnenden 20. Jahrhunderts zu sehen, die ein gesundes Wohnen am Rand der großen Städte zum Ziel hatten.

1816 vom Großherzog abgelehnt, blieb Weinbrenners Plan, wie so viele klassizistische Projekte, Idealentwurf.

*Ehrenberg 1909, S.114ff. – Valdenaire o.J., S. 31/32. –*
*Tschira 1959, S.31–45, Abb. 2 u. 3. – Tschira 1963,*
*S.190. – Kat. Karlsruhe 1977, S.101–103, Nr. 77 u. 78. –*
*Kat. London 1982, Nr. 56 u. 57.*          A.-M.-S.

**1031\***

Situationsplan

Karlsruhe, um 1807/09, teilweise ausgeführt

*Feder in Schwarz über Bleistift auf Papier (aufgezogen),*
*farbig angelegt*
*H. 35,2 cm, B. 47 cm*
*Bez. (auf Karton):* Plan der Grosherzoglichen Residenz-stadt Carlsruhe./ in welchem die drey verschiedene in Vorschlag gebrachte Quartiere A.B.C. als Maximum für die Vergrösserung der Stadt angegeben, und im/ Jahr 1802 ad: K.N. 11062 die Vergrößerung des Bezirks A. gnädigst resolvirt, und seither mit der Ausführung fortge

fahren worden ist., *sign. u.r.:* Weinbrenner. W.Frommel. Fischer, *darunter* Erklärung der interessantesten öffentlichen und herrschaftlichen Gebäude./ a. Grosherzog-liches Residenzschloß ... Nota. Die ganz dunkel schattirte Baulichkeiten sind herrschaftlich od. öffentliche, die helldunkle, schon stehende, und die bloss roth angelegte, neu auf zuführende Gebäude ferner ist zu bemerken, dass nach einem hohen Finanzraths/ Erlaß vom 21. Jan. 1807 Nr. 300 die projectirte Straßen aᵒ bᵒ wie auch der Platz cᵒ der Caserne gegenüber, und der Durchschnitt von der Mühlburger Thorstrasse dᵒ bis zu dem Gartenhaus I.H. der Markgräfin nicht genehmigt wurde/ und der Platz eᵒ fᵒ gᵒ hᵒ iᵒ Sr Hoheit dem Herrn Markgraf Friedrich abgegeben worden ist.

Karlsruhe, Generallandesarchiv, Gemarkungspläne Karlsruhe 51

Neben den Entwürfen zu öffentlichen Gebäuden und zum innerstädtischen Ausbau war Weinbrenner schon bald nach seiner festen Anstellung in Karlsruhe mit Plänen zur Erweiterung des Stadtgebietes beschäftigt. Sein »Entwurf zur Vergrößerung der hiesigen fürstlichen Residenz« von 1802 weist drei neue Baugebiete aus, die sich westlich des Schlosses, nördlich und südlich der Langen Straße erstrek-ken und im Nordosten das heutige Universitätsgelände umfassen. Auf dieser Grundlage entstand dieser veränderte und erweiterte Plan, der zwischen 1807 und 1809 zu datieren ist. Aus seiner Beschriftung geht hervor, daß der Ausbau des Bezirks A mit der Mühlburger-Thor-Straße (Amalienstraße) als Hauptachse zwar 1802 beschlossen wurde, einigen Straßenabschnitten jedoch 1807 die Genehmigung wieder entzogen wurde. Betroffen war die Verlängerung der Mühlburger-Thor-Straße bis zum Sommerhaus der Markgräfin Amalie und die Akademiestraße, die, leicht nach Süden verschoben, über die Lange Straße (Kaiserstraße) bis zur neuen Stadtgrenze geführt werden sollte. Am Schnittpunkt mit der Langen Straße wäre ein Platz gegenüber der Kaserne entstanden. In der *Erklärung der interessantesten öffentlichen und herrschaftlichen Gebäude* sind bereits stehende, im Bau befindliche und unausgeführte Bauwerke Weinbrenners verzeichnet.

Weinbrenner orientiert sich in seinem Plan zum Ausbau der Stadt an den Vorgaben des barocken Grundrisses. Er verlängert im wesentlichen Radialstraßen oder legt verbindliche Parallelstraßen an.          A.M.-S.

**1032\***

Situationsplan

Karlsruhe, um 1814/15, nicht ausgeführt

*Feder in Schwarz über Bleistift auf Papier (aufgezogen),*
*farbig angelegt*
*H. 36,1 cm, B. 54 cm*
*Bez. u.r.:* Situations Plan von der Residenz/ Stadt Carls-ruhe mit den Umgebungen/ und der von Sr Königlichen Hoheit/ des Grossherzogs vorhabenden neuen Stadt

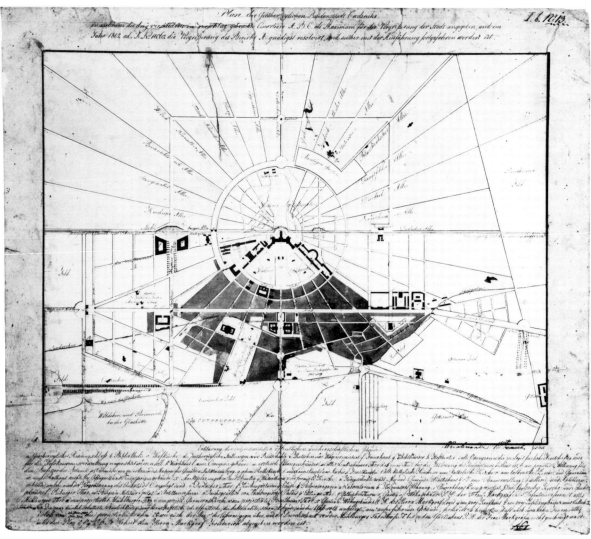

1031

Vergrösserung./ Nota. Die dunkel und hellroth schattirte Stadtbauanlage ist die bereits schon stehende/ alte, und die gelb angelegte aber die neu projectirte Vergrösserung; welche... mit einer Hahamauer a,a,a,a, geschlossen/ und durch drey Thore (bbb) und denen neu zu errichtenden Chausseen mit Gottesau/ Wohlfartsweier Ettlingen Scheibenhardt.../ in Verbindung gesetzt werden soll., bez. *u. l.:* Bemerkungen über die etwaige Erbauung der neuen Stadt Anlage/ cc Allgemeiner Marktplatz durch welchen die Alb und der neu der neu *(sic!)* projectirte /Murk- *(andere Handschrift)* Canal geht, zum besten des Handels ist dieser Platz mit den vor den Häusern bemerkten Arcaden dd zu versehen und die Plätze ee für Magazine und Kaufhäuser zu bestimen ff (Passagen:) ff zwischen den Haeusern angebrachte bedeckte Gänge welche mit Kaufmanns Poutiquen/ versehen und in welchen man von einem Teil der Stadt zum andern/ im trocknen Promeni-

ren kann gg Cours oder Hauptstrasse hh/:Circus:)/ zum Wettrennen und andern Spiele bestimter Platz, welcher in der Mitte mit der Promenade gleich einer Spina versehen und mit Haeuser umgeben ist, die mit bedeckten Gängen versehen sind.i Amphitheater/ Platz für englige Reiter Seiltänzer jj k Naumachie und Baadplatz./ ll Gassen und Strassen mm Hauss Hof und Gartenplätze welch nach be / sonderer Vorschrift anzulegen und 3 und 4 Stoekigt aufzuführen sind n Haussplätze welche besonders zum Vergnügen der Stadt mit schönen Garten und andern erholungs Plätzen angelegt werden können.

Karlsruhe, Generallandesarchiv, Gemarkungspläne Karlsruhe 55

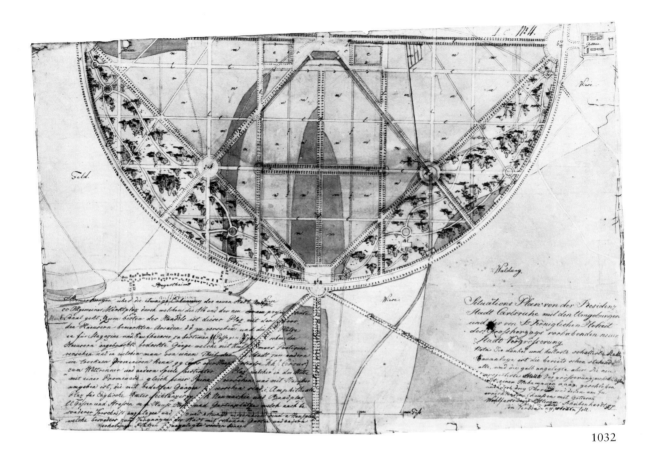

1032

In seinem südlichen Anschlußplan schlägt Weinbrenner eine Vergrößerung der Stadt um mehr als das Doppelte vor. Er bindet die Vorstadt in die Form eines Halbkreises ein, dessen Mittelpunkt das Ettlinger Tor bildet. Alt- und Neustadt werden horizontal durch die Kriegsstraße getrennt, an deren Ende halbkreisförmige Plätze liegen. Am südlichen Scheitelpunkt befindet sich das Rüppurrer Tor, von dem die Straße nach Scheibenhardt, Ettlingen und Wolfartsweier ausgehen. Drei breite Alleen führen zu den weiteren Stadttoren nach Norden, Osten und Westen. Auf halber Strecke der Seitentangenten liegen Rondelle, von denen Alleen rechtwinklig abgehen und im Ettlinger Torplatz münden. Durch die Alleen entsteht innerhalb des Halbkreises ein Dreieck, in das ein auf die Spitze gestelltes Quadrat eingebunden ist. Neben diesem Straßensystem, das Fernverbindungen aufnehmen sollte, ist ein kleinteiligeres, in rechteckigen Feldern angelegtes eingeschrieben,

das innerstädtische Bedeutung haben sollte. Das Zentrum der neuen Stadt bildet ein großer, von Arkadenhäusern umgebener Marktplatz südlich des Ettlinger Tors. *Zwischen den Häusern angebrachte, bedeckte Gänge* führen nach Süden, wo sie in die äußeren Kreissegmente münden. Diese dienen als innerstädtische Grünflächen der Erholung und dem Sport. Vorgesehen waren ein Amphitheater am westlichen und eine Naumachie am östlichen Rondell, in der horizontalen Verbindungslinie ein Circus für *Wettrennen und andere Spiele*. Das Schwimmbecken sollte durch Wasser aus dem Alb-Murgkanal gespeist werden, das weiter zum Bassin am Marktplatz und von dort in südlicher Richtung nach Beiertheim zurückgeführt werden sollte. In den Wohngebieten sollten schöne Gärten und Erholungsplätze angelegt werden. Für die Bebauung legte Weinbrenner gesonderte Entwürfe vor (Kat.Nr. 1033).

A.M.-S.

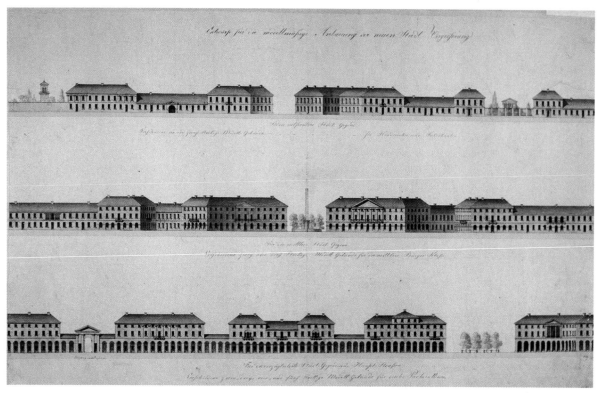

1033

## 1033*

### ENTWÜRFE FÜR DIE MODELLMÄSSIGE ANBAUUNG DER NEUEN STADT-VERGRÖSSERUNG IN KARLSRUHE

Aufriß

Friedrich Weinbrenner (1766–1826)
Karlsruhe, um 1814/15, nicht ausgeführt

*Feder in Schwarz und Braun über Bleistift auf Papier auf Leinwand aufgezogen, farbig angelegt*
*H. 48,8 cm, B. 72,7 cm*
*Bez.:* Entwürfe für die modellmäßige Anbauung der neuen Stadt-Vergrößerung/ Für die entferntere Stadt=Gegend./ Verschiedene ein und zwey Stöckige Modellgebäude für --- Handwerker und Fabrikanten./ Für die mittlere Stadt-Gegend./ Verschiedene zwey und drey Stöckige Modellgebäude für die mittlere Bürger Klasse./ Für die vorzüglichste Stadt=Gegend, und Hauptstraßen / Verschiedene zwey drey vier und fünf stöckige Modellgebäude für reiche Partuculiers *(sic!)*, sign. u. r.: FW

Karlsruhe, Generallandesarchiv, Baupläne Karlsruhe 523

Weinbrenner gibt mit diesem Blatt Auskunft über die Modellbebauung in dem geplanten, südlichen Teil Karlsruhes (Kat.Nr. 1032). In den Außenbezirken sah er ein- oder zweistöckige Häuser mit schlichten, den Eingang oder das erste Obergeschoß auszeichnenden Fassaden vor. Hinter einer Gartenmauer ist links oben ein Belvedere und rechts hinter einer Gartenmauer ein Tempel erkennbar. Diese Bauten befinden sich wohl in den öffentlichen Grünanlagen hinter dieser Häuserzeile und nicht in den Gärten der Bewohner. *Handwerker und Fabrikanten* sollten hier mit unbeengt angebauten Werkstätten und Lagerschuppen leben und arbeiten. In der »mittleren Stadtgegend« sollten die Wohnungen der Bürgerklasse hinter drei- und vierstökigen Fassaden liegen. Die um einen weiten Platz angeordneten Häuser zeichnen sich durch geschoßübergreifende Wandgliederungen und die Mitte betonende Giebel aus. In der Ferne ist hinter einem Brunnenmonument und Bäumen ein Obelisk erkennbar. Die Häuser in den Straßenzügen weisen schlichte, zweigeschossige Modellfassaden auf. Um den Kern der neuen Stadt sollten *zum besten des Handels* (Kat.Nr. 1032) Häuser mit einheitlichem Arkadengeschoß errichtet werden. Darüber waren die bis fünfstökigen Fassaden durch Giebel, Wand- und Fenstergliederungen sowie unterschiedliche Traufhöhen differenziert. Am linken Blattrand ist ein Portal zu sehen, das den Eingang in die (Einkaufs-)Passagen markiert. Rechts befinden sich Bäume, die, mit Ketten und Pfosten geschützt, alle breiten

Straßen säumen. Die Verkürzung der Arkaden des Hauses rechts daneben deutet auf einen halbrunden Platzabschluß hin, wie er am *Circus* in der Mitte der neuen Stadt vorgesehen war. Die Einfachheit und Einheitlichkeit der Fassaden wird durch die Farbgebung in Hellocker und die rotbraunen Ziegeldächer unterstützt.

*Valdenaire 1926, S. 81ff, Abb. 56. – Valdenaire o. J., S. 22, Abb. 16. – Tschira 1959, S. 39/40, Abb. 5. – Kat. Karlsruhe 1977, S. 103, Nr. 81. – Lankheit 1979, S. 82, Abb. 67. – Kat. London 1982, Nr. 59.*

A. M.-S.

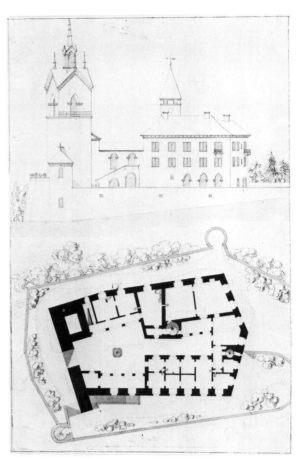

1034

## 1034*

### Entwurf für Schloss Neu-Eberstein bei Gernsbach

Grundriß und Seitenansicht

Friedrich Weinbrenner (1766–1826)
Karlsruhe, Entwurf 1803/04, Ausführung des Plans 1821

*Feder in Schwarz über Bleistift auf Papier, angelegt*
H. 40,5 cm, B. 26,5 cm
*Unbez.*

Philadelphia, Architectural Archives of the University of Pennsylvania, Inv.-Nr. 96.1

Die Burg der Grafen von Eberstein aus der Mitte des 13. Jahrhunderts wurde 1798 von Markgraf Karl Friedrich gekauft. Er schenkte sie seinem zweiten Sohn Friedrich (1756–1817), der laut Valdenaire (1926, S. 177) »ein schwärmerischer Verehrer der Natur und der mittelalterlichen Romantik« war. Er ließ die Burg um 1803/04 für sich und ein kleines Gefolge zu einem Sommersitz umbauen. Die Umrißzeichnung, die vermutlich als Vorlage für eine geplante Publikation entstand, zeigt im unteren Teil den Grundriß der Burg, an dem wenig verändert wurde. Die darüber gezeichnete Seitenansicht stellt den Seitenflügel der Anlage dar. An der Südwestecke der Burg erhebt sich hinter einer hohen Mauer mit kleinem, rundem Treppenturm ein Bergfried. Der ehemals elf Meter über die Mauer aufragende Turm wurde von Weinbrenner gekürzt und mit einem neugotischen, glockenstubenartigen Aufsatz versehen. Daran schließt sich ein Verbindungstrakt zum eigentlichen Wohnflügel an. Bis auf die drei spitzbogigen Portale im Erdgeschoß besitzt dieses Gebäude das Aussehen eines schlichten, klassizistischen Wohnhauses. Im Hintergrund ragt der Uhrturm des nördlichen Wohnflügels auf. Nicht zu erkennen ist eine hohe Spitzbogenarkade, die dem schmalen Kavaliersbau vorgelagert war, der Bergfried und Nordflügel verband.
Weinbrenner nahm der mittelalterlichen Burganlage ihren düsteren, wehrhaften Charakter, indem er Zinnenkränze und Wehrgänge beseitigte. Die Mauern wurden verputzt, Blumen und Bäume gepflanzt, so daß ein heller, freundlicher Sommersitz entstand.

Weinbrenners Umgang mit mittelalterlicher Architektur ist noch frei von romantischen Rekonstruktionsversuchen, wie sie später besonders bei den Rheinburgen zu beobachten sind. Burg Stolzenfels bei Koblenz wurde um 1825 nach Entwürfen von Karl Friedrich Schinkel (1781–1841) wiederaufgebaut. Kurz darauf wurde auch Neu-Eberstein von dieser Entwicklung eingeholt. Großherzog Leopold ließ 1829 die Innenräume mittelalterlich ausstatten.

*Valdenaire 1926, S. 177f, Abb. 160. – Kat. Philadelphia 1986, Nr. 96.1, S. 7 u. S. 141.*

A. M.-S.

1035

1035*

## Ansicht von Schloss Bauschlott bei Pforzheim

Carl Kuntz (1770–1830) nach Friedrich Weinbrenner (1766–1826)
Karlsruhe, Entwurf vor 1804, Bau 1805–09

*Aquarell und Feder in Schwarz über Bleistift auf Papier mit Wz.: Bekröntes Lilienwappen*
*H. 35,9 cm, B. 52,2 cm*
*Bez. u. M.:C. Kuntz fecit. 1804.*

Karlsruhe, Staatliche Kunsthalle, Inv.-Nr. P.K.I. 485–52

Markgraf Karl Wilhelm von Baden-Durlach hatte 1726 das nördlich von Pforzheim am Westrand des Ortes Bauschlott gelegene Schloß aus dem 16. Jahrhundert erworben. Markgraf Karl Friedrich plante dort seit 1795 einen Neubau, der nach Weinbrenners Plänen fast zehn Jahre später auf den alten Grundmauern errichtet wurde. Karl Kuntz gibt in seinem Aquarell das Schloß von der Gartenseite wieder. Der rechteckige, zweigeschossige Hauptbau wird von einem Walmdach bekrönt. Vor den drei mittleren, der sieben Achsen des Gebäudes, befindet sich eine Terrasse, zu der Treppen hinaufführen. Dorische Säulen tragen einen Balkon, der vom zweiten Geschoß erreichbar ist. Das Kellergeschoß weist drei rundbogige Türen auf. Zwei einstöckige Anbauten mit Dachterrassen flankieren den Hauptbau. Links und rechts im Hintergrund sind Gebäude zu sehen, die zur Bewirtschaftung des Gutes dienten. Der ausgedehnte Schloßpark war im englischen Stil angelegt. Rechts im Vordergrund ist ein 1712 datierter Brunnen zu sehen, dessen Becken aus zwölf Gußeisenplatten zusammengesetzt war. Er wird von einem Rundbogenpavillon mit bewachsener Kuppel überdacht. Links steigt das Gelände an und führt zu einer Aussichtswarte und dem Kapuzinerwäldchen.
Im Obergeschoß des Schlosses lag ein Gesellschaftssaal, mit dessen Ausstattung Carl Kuntz 1805 beauftragt worden war. Er, und nicht Josef Sandhaas (1747–1828), wie Valdenaire angibt (1926, S.167), entwarf die Figurenszenen in den oktogonalen Wandfeldern, die Supraporten und dekorativen Rahmenleisten. Carl Kuntz komponierte auch um 1810 für den Gartensaal im Markgräflichen Palais in Karlsruhe vier monumentale Bodenseelandschaften, die die Jahreszeiten symbolisierten. Die Zusammenarbeit beider Künstler führte auch zu einer persönlichen Freundschaft.

*Valdenaire 1926, S.167/168, Abb. 141. – Staatliche Kunsthalle Karlsruhe, Kupferstichkabinett, Die deutschen Zeichnungen des 19. Jahrhunderts, Karlsruhe 1978, Kat.-Nr. 2143, S.343/344 (mit weiteren Literaturangaben), Abb. S. 58. – Kat. Philadelphia 1986, S. 7 u. S.71.*

A. M.-S.

## 1036*

### Entwurf für die Antiquitätenhalle in Baden-Baden

Grundriß, Aufriß der Fassade, Schnitt

Jakob Friedrich Dyckerhoff (1774–1845) nach Friedrich Weinbrenner (1766–1826)
Karlsruhe, um 1803, errichtet 1803/04, abgerissen 1846

*Feder in Schwarz über Bleistift auf Papier mit Wz.:* C & I HONIG *und Lilienwappen auf Karton, farbig angelegt*
H. 52,8 cm, B. 40,5 cm
*Bez. o.: Durchschnitt nach der Linie a.b.*
*M.:* Vordere Façade der Tempelhalle an der Ursprungsquelle zur Aufbewahrung der Antiquitäten zu Baaden. / Grundriss der Tempelhalle zur Aufbewahrung der badischen Altertümer. u.: A. Stehendes Gebäude über der Haupt- und Ursprungsquelle. B. Halle worinn die sämtlichen Alterthümer aufbewahrt werden. C. Zimmer worin die / Kranken im Schatten und Windstille Quellwasser trinken können. D. Reservoir für Erkaltung des Badwassers. E. Vorplatz und Promenade an der / Hauptquelle. F. Hof. G. Wirtshaus des Armbads. H. Privad Gebäude. I. Strasen.,
*sign.:* D. im Oct. 1806

Karlsruhe, Stadtarchiv, XV 1146

Die Antiquitätenhalle entstand 1803/04 auf Wunsch Kurfürst Karl Friedrichs, der die in Baden verstreuten römischen Denkmäler an einem Ort aufstellen wollte. Das Gebäude wurde am Florentinerberg, dem damaligen Badezentrum, neben der Ursprungsquelle errichtet.
Weinbrenners Plan, der in einer Kopie Jakob Friedrich Dyckerhoffs überliefert ist, zeigt die Eingangsfassade mit vorgezogenem Mittelrisalit in Tempelform und einachsigen Rücklagen. Über zweistufigem Sockel ragen zwei dorische Säulen zwischen Pilastern auf und tragen einen Architrav mit Metopen-Triglyphen-Fries und Dreiecksgiebel. In der dahinterliegenden, mit einem Gitter verschließbaren Halle waren die Altertümer an der rückwärtigen Wand aufgestellt. Links daneben schloß sich ein neuer Trinkraum an, rechts das Quellhaus auf den alten Grundmauern. Dem großen Wirtschaftshaus auf der linken Seite entsprach auf der rechten Seite ein Reservoir zur Erkaltung des Badewassers. Durch diese weit zur Straße vorgezogenen Gebäude entstand ein Vorplatz, den Weinbrenner mit einer doppelten Baumreihe abschloß.
Zeitgenössische Ansichten belegen, daß das Museum genau nach Weinbrenners Plänen ausgeführt wurde. Nur die Baumreihe wurde jenseits der Straße angelegt.

Die Antiquitätenhalle wurde 1846 abgerissen, um an dieser Stelle das alte Dampfbad zu errichten. Die Altertümer gelangten daraufhin gegenüber in die alte Trinkhalle und nach dem Bau der neuen Trinkhalle von Heinrich Hübsch (1795–1863) im Tal am Oosbach 1858 in die Großherzogliche Sammlung nach Karlsruhe.
Mit dem Bau des *Museum Paleotechnicum*, wie es in der Inschrift auf dem Architrav genannt wurde, setzte Karl Friedrich Ideen um, die während der Französischen Revolution erstmals formuliert wurden. Die Begeisterung für die Kunst der Antike lenkte vermehrt den Blick auf die nationalen Altertümer und führte in Paris 1795 zur Gründung des »Musée des Monuments Français« in der Rue des Petits-Augustins.

*J. Loeser, Geschichte der Stadt Baden, Baden-Baden 1891, S. 293 f. – August Stürzenacker, Das Kurhaus in Baden-Baden und dessen Neubau 1912–1917, Karlsruhe 1918, S. 12 ff. – Valdenaire 1926, S. 194 f.*
A. M.-S.

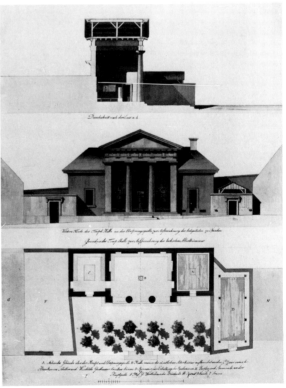

1036

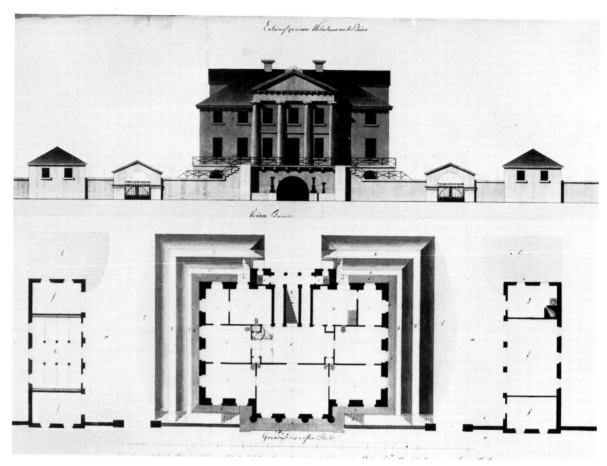

1037

## 1037*

### Entwurf für ein Wohnhaus in Baden-Baden

genannt Haus Dr. Maier, Großherzogliches Palais, Palais Hamilton

Friedrich Weinbrenner (1766–1826)
Karlsruhe, um 1808/09; starke Veränderungen ab 1826 im Innen- und Außenbau

*Feder in Schwarz über Bleistift auf Papier mit Wz.:*
IV/C & I HONIG *und Lilienwappen, farbig angelegt*
*H. 51,4 cm, B. 71,3 cm*
*Bez. (von oben nach unten):* Entwurf zu einem Wohnhaus nach Baden. / Vordere Facade / Grundriss des ersten Stocks. / Nota a. Treppen b. Vorrat c. Wohnzimmer d. Küche e. Abtritte f. Holzremisen g. Waschküche h. Pferdestall i. Balcon k. Terassen l. Gartenanlagen m. Wege o. Straße

Karlsruhe, Stadtarchiv, XV 1403

Friedrich Weinbrenner erbaute um 1808/09 am Leopoldsplatz (Sophienstraße 1) in Baden-Baden ein Wohnhaus für Dr. Maier. Das herrschaftliche Gebäude wurde 1824 von Großherzog Leopold (1790–1852) erworben und kam 1843 in den Besitz der Großherzogin Stephanie (1789–1860) und deren Tochter Marie (1817–1888), die mit dem Herzog von Hamilton (1811–1863) verheiratet war.

Ein Weinbrenner zugeschriebener Plan gibt den ursprünglichen Zustand des heute stark veränderten Gebäudes wieder. Das Anwesen war von einer hohen Mauer mit zwei Tordurchfahrten und seitlichen Wirtschaftsgebäuden umgeben. In dem hohen Sockelgeschoß des Hauptbaus befand sich eine von zwei Kandelabern flankierte Tordurchfahrt. Über Treppen und zwei um das Haus geführten Terrassen erhob sich die Fassade mit vorgezogenem Mittelrisalit in Tempelform und zweiachsigen Wandrücklagen. Je zwei monumentale, dorische Halb- und Dreiviertelsäulen trugen ein Gebälk und einen kleinen Giebel. Der

Zugang in das Gebäude lag im Erdgeschoß. Durch die Toreinfahrt gelangte man in ein tonnengewölbtes Vestibül, von dem aus eine anfangs zwei- dann einläufige Treppe in das Hauptgeschoß führte. Um einen zentralen Vorplatz gruppierten sich verschieden große Wohnzimmer und die Küche.

In den niedrigen Seitentrakten befanden sich links der Pferdestall und rechts eine Waschküche sowie Holzremisen. Weinbrenner betätigte sich hier auch als Landschaftsarchitekt, indem er Flächen für Grünanlagen vorsah.

Das Gebäude war, wie Valdenaire (1926, S. 173) schreibt, in Baden-Baden »zur Zeit seiner Entstehung das erste bedeutendere, im neuzeitlichen Stil erbaute Haus«.

*Sammlung von Grundplänen entworfen durch Friedrich Weinbrenner, herausgegeben von mehreren seiner Schüler, Frankfurt a. M. 1847, T. 8. – Valdenaire 1926, S. 173–176. – Die Kunstdenkmäler Badens, bearbeitet von E. Lacroix, P. Hirschfeld, H. Niester, Bd. 11, 1942, S. 345 ff.* A. M.-S.

## 1038–1039

### ENTWURF ZU EINEM LANDHAUS FÜR DEN KÖNIG VON WÜRTTEMBERG

Friedrich Weinbrenner (1766–1826)
Karlsruhe, 1809, nicht ausgeführt

Weinbrenners Pläne zu einem Landhaus für den König von Württemberg haben sich nur in Schülerkopien erhalten. In dem im Landesdenkmalamt in Karlsruhe aufbewahrten Sammelband von D. Schumacher, über den sonst weiter nichts bekannt ist, befinden sich ein Untergeschoß- und ein Hauptgeschoßgrundriß. Der erste ist als »Entwurf zu einem Landhaus für den Koenig von Würtemberg (sic!) von F. Weinbrenner« bezeichnet. Das Untergeschoß liegt außerdem in einer fast identischen Kopie im Architekturarchiv in Philadelphia vor, die vermutlich von Ferdinand Thierry ausgeführt wurde.

Bei dem Projekt handelt es sich um einen frühen Entwurf zu Schloß Weil in der Nähe von Eßlingen, das König Wilhelm I. von Württemberg errichten ließ. Als Kronprinz hatte er Weinbrenner 1809, wie aus den Kabinettsakten hervorgeht, um Entwürfe »über ein zu Kloster Weil aufzuführendes Landgebäude (HStA Stgt. E 14, Bü 314) ersucht. Der badische Architekt hatte daraufhin im gleichen Jahr »einen Situationsplan, von dem Kloster Weil, für die Placierung eines Landgebäudes, und der erforderlichen weiteren Anlagen für die Umgebung... zwei detaillierte Grund Risse, zwei Façaden, und zwei Durchschnitte für das Hauptgebäude« vorgelegt. Obwohl der von ihm erarbeitete Entwurf »vor dem erhabensten Kennerblicke keine Mißbilligung« gefunden hatte, wurde Weinbrenners Vorschlag nicht ausgeführt. Schloß Weil wurde 1718 nach Plänen Giovanni Saluccis (1769–1845) erbaut, der von König Wilhelm eigens berufen worden war, um »den für das Gestüt in Weil geplanten Landsitz in der heiteren

Formensprache der italienischen Landhäuser« (Speidel 1936, S. 26) auszuführen.

Weinbrenner muß über die Ablehnung seines Vorschlags sehr verärgert gewesen sein, denn er bezog sich ja gerade in diesem Landhaus auf ein berühmtes italienisches Vorbild: Palladios Villa Rotonda.

Offenbar hatte Weinbrenner bereits 1817 von der Bevorzugung von Saluccis Projekt erfahren, denn er bemühte sich noch im gleichen Jahr um einen neuen Auftraggeber. Markgräfin Christiane Louise ließ zum Andenken an ihren im Mai verstorbenen Gemahl Friedrich (1756–1817) ein Palais bauen, das sogenannte Palais der Markgräfin Friedrich. Im ersten Entwurf für dieses Gebäude übernimmt Weinbrenner genau den für Kronprinz Wilhelm erarbeiteten Plan. Im zweiten, zur Ausführung gelangten Entwurf ist die Gesamtanlage mit einigen Abänderungen in kleineren Dimensionen beibehalten.

In einer Eingabe vom 10. Mai 1819 stellte Weinbrenner König Wilhelm I. von Württemberg »einhundert Louis-d'ors« für seine Bemühungen in Rechnung. die Höhe des Betrages verursachte Differenzen, so daß Gutachten erstellt wurden. Man einigte sich schließlich auf die Hälfte der geforderten Summe. Auf diese Weise wurde der einzige Kontakt des badischen Architekten mit dem württembergischen Königshaus überschattet.

*Wilhelm Speidel, Giovanni Salucci, der erste Hofbaumeister König Wilhelms I. von Württemberg, Stuttgart 1936, S. 27 f. – Kat. Philadelphia 1986, Nr. 84, S. 140.* A. M.-S.

## 1038*

Grundriß des Untergeschosses

Schüler-Kopie nach Friedrich Weinbrenner (1766–1826)
Karlsruhe, 1809

*Feder und Pinsel in Schwarz auf Transparentpapier*
*H. 30 cm, B. 49 cm*
*Unbez.*

Philadelphia, Architectural Archives of the University of Pennsylvania, Inv.-Nr. 84

Der Untergeschoßgrundriß des Landhauses weist die Form eines Querrechtecks mit vorgezogenem Mittelrisalit an Vorder- und Rückfront sowie leichten Wandvorsprüngen an den Seitenfassaden auf. In der Mittelachse befindet sich eine Durchfahrt mit Kreuzgrat- und Tonnengewölben. Die Anordnung der zahlreichen kleinen und großen Räume entwickelt sich symmetrisch um die Mittel- und Querachse. Der im Zentrum des Gebäudes liegende quadratische Raum wird an allen seiten von rechteckigen, wohl tonnengewölbten Räumen umgeben. Daran schließen sich einläufige Treppen an, die in Zwischengeschosse und in das Hauptgeschoß führen. A. M.-S.

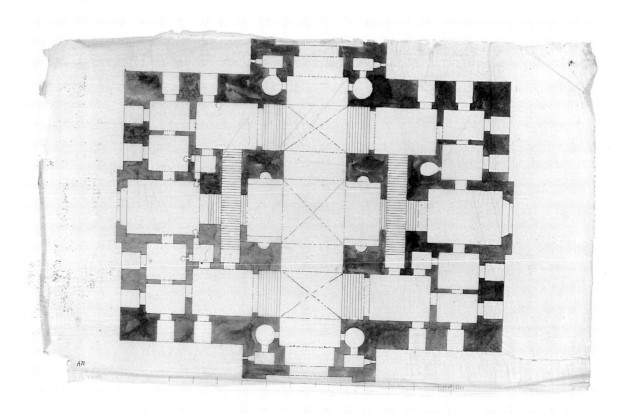

1038

1039*

Grundriß des Hauptgeschosses

Kopie nach Friedrich Weinbrenner (1766–1826)

*Feder und Pinsel in Schwarz über Bleistift auf Papier mit
Wz.: Ankerwappen, farbig angelegt
H. 35,3 cm, B. 21,5 cm
Unbez.*

Karlsruhe, Außenstelle des Landesdenkmalamts Baden-
Württemberg, Inv.-Nr. 1325 (Sammelband von
D. Schumacher), fol. 161

Das Hauptgeschoß des Landhauses erhebt sich über dem
hohen Sockel mit der Durchfahrt in etwas kleineren
Abmessungen, so daß eine umlaufende Terrasse über dem
Untergeschoß entsteht. Zwei einläufige Treppen führen an
Vorder- und Rückseite des Gebäudes zum Piano Mobile.
Durch einen sechssäuligen Portikus gelangt man in ein
Vestibül und von dort in einen zentralen Rundraum.
Seitlich angrenzende Treppen und symmetrisch um die
Hauptachse gruppierte Räume schließen sich an. Die
Seitenfassaden sind durch leicht vorspringende Wand-
stücke mit eingestellten Säulen betont.

Weinbrenner übernimmt den Landhaus-Entwurf 1817 für
den ersten Plan zum Palais der Markgräfin Friedrich in
Karlsruhe. Die bei Valdenaire (1926, S. 162/163) abgebildeten Zeichnungen ermöglichen daher auch eine Vorstellung vom geplanten Aufriß der Fassade und der Innenraumgestaltung des Landhauses für den König von Württemberg. Demnach wölbt sich über der Rotunde eine
kassettierte Kuppel, die im Außenbau über dem Giebel des
Eingangsrisaliten hinter dem hohen Tambour in Erscheinung tritt. Dieser durch Statuen in Nischen verzierte Raum
wird, wie die seitlichen Treppenhäuser, durch ein Oberlicht in der Kalotte mit Tageslicht versorgt.
Die Gründe für die Ablehnung von Weinbrenners Entwurf
sind unbekannt. Vergleicht man die Dimensionen von
Saluccis ausgeführtem Bau mit dem Entwurf Weinbrenners, so läßt sich ein Planwechsel vermuten. Während
Salucci »das Thema des Landschlößchens im Geiste Palladios auf die einfachste Formel zu bringen« versuchte
(Speidel 1936, S. 20), gestaltete Weinbrenner eine aufwendige Villenanlage in palladianischem Stil.          A. M.-S.

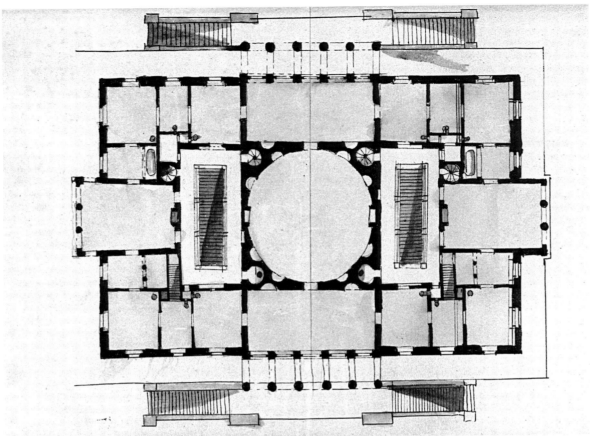

1039

## Die Architektur in Württemberg

In Württemberg beschränkten sich bedeutendere bauliche Maßnahmen um 1800 auf die Residenzstadt Stuttgart und ihre nähere Umgebung. Der auf der Hohen Karlsschule zum Maler ausgebildete und erst in Rom unter Weinbrenners Einfluß zur Baukunst übergewechselte Hofbaumeister Nikolaus Friedrich von Thouret entwarf vor allem Interieurs und Gartenanlagen für die königlichen Residenzen in Stuttgart und Ludwigsburg und war darüber hinaus maßgeblich am Ausbau und der Erweiterung der Stadt Stuttgart beteiligt (siehe auch Klaus Merten, Nikolaus Friedrich von Thouret als württembergischer Hofbaumeister 1798–1817, in: Bd. 2 dieses Kataloges, S. 411ff).

K.M.

*Abgekürzt zitierte Literatur:*

*Belschner*
  *Carl Belschner, Reichsgraf Johann Carl von Zeppelin und sein Grabmal auf dem alten Friedhof in Ludwigsburg, in: Ludwigsburger Geschichtsblätter 1.1900, S. 68ff.*

*Berger-Fix/Merten*
  *Andrea Berger-Fix und Klaus Merten, Die Gärten der Herzöge von Württemberg im 18. Jahrhundert, Katalog der Ausstellung in Schloß Ludwigsburg, Worms 1981.*

*Eugen*
  *Hans Eugen, Monrepos, Stuttgart 1933.*

*Faerber*
  *Paul Faerber, Nikolaus Friedrich von Thouret, Stuttgart 1949.*

*Fleischhauer*
  *Werner Fleischhauer, Philipp Friedrich Hetsch, Stuttgart 1929.*

*Gauss*
  *Ulrike Gauss, Die Zeichnungen und Aquarelle des 19. Jahrhunderts in der Graphischen Sammlung der Staatsgalerie Stuttgart, Stuttgart 1976.*

*Gerhardt*
  *O. Gerhardt, Stuttgarts Kleinod, Stuttgart 1936.*

*Hagel*
  *Jürgen Hagel, Stuttgart im Spiegel alter Karten und Pläne, Ausstellungskatalog, Stuttgart 1984.*

*Himmelheber*
  *Georg Himmelheber, Möbel als Denkmäler, in: Schöndruck-Widerdruck. Schriftenfest für Michael Meier, München u. Berlin 1985, S. 65 ff.*

*Kat. Staatsgalerie*
  *Katalog der Staatsgalerie zu Stuttgart, Stuttgart 1931*

*Kramer*
  *Wolfgang Kramer, Fundsachen zu Landbaumeister Carl Leonhard von Uber, in: Tuttlinger Heimatblätter 1984, S. 5ff.*

*Kraume*
  *Sabine Kraume, Die klassizistische Pfarrkirche in Oberdischingen, Magisterarbeit Tübingen 1984.*

*Lang*
  *Martin Lang, Königliche Anlagen und Volksgarten in Stuttgart zu Beginn des 19. Jahrhunderts, Magisterarbeit Stuttgart 1983*

*Memminger*
  *J. D. G. Memminger, Stuttgart und Ludwigsburg mit ihren Umgebungen, Stuttgart u. Tübingen 1817*

*Merten, Inventur*
  *Klaus Merten, Die städtebauliche Entwicklung Stuttgarts im 19. Jahrhundert, in: Inventur. Stuttgarter Wohnbauten 1865–1915, Ausstellungskatalog, Stuttgart 1975, S. 12ff.*

*Messerschmid*
  *Max Messerschmid, 175 Jahre Friedrichshafen, Friedrichshafen 1986*

*Speidel*
  *Wilhelm Speidel, Giovanni Salucci, Stuttgart 1936*

*Widmann*
  *Oskar Widmann, Reinhard Ferdinand Heinrich Fischer, Stuttgart 1928.*

1040*

ANSICHT VON SCHLOSS UND GARTEN SCHARNHAUSEN

Georg von Massenbach
1800

*Aquarell*
*H. 35,5 cm, B. 51,3 cm*
*Bez.:* Vue de Scharnhausen près de Hohenheim.
Chateau de Plaisance appartenant à S. A. S. Monseigneur
Frédéric II Duc regt de Würtemberg etc.
Georg von Massenbach fecit 1800

Stuttgart, Württembergisches Landesmuseum,
Inv.-Nr. 10996 b

Unweit Schloß Hohenheim ließ Herzog Karl Eugen von Württemberg in den Jahren 1783/84 nach Plänen seines Hofarchitekten R. F. H. Fischer das Schlößchen Scharnhausen errichten. Die Giebelinschrift *CAROLUS OTIO* bezeichnet die Bestimmung des kleinen Baues, den der Herzog, inspiriert von Schloß Wörlitz, das er kurz zuvor besucht hatte, in den Formen des englischen Palladianismus erbauen ließ. Der anschließende Garten ist allerdings im Bereich des Schlosses nicht in englischer Weise, sondern streng axial angelegt; erst im Hintergrund hügelan entfaltet sich dann ein kleiner Landschaftsgarten. Dieses Nebeneinander der beiden klassischen Gartenstile ist ein Charakteristikum württembergischer Gartenkunst in der Epoche 1775–1815.
Schloß und Garten Scharnhausen wurden im 19. und im 20. Jahrhundert auf mancherlei Weise beschädigt, sind aber in ihren Grundzügen erhalten.

*Berger-Fix/Merten, S. 90f, Kat.Nr. 56 (Abb.).*    K.M.

VUE DE SCHARNHAUSEN.
*près de Hohenheim*
Chateau de Plaisance appartenant à S. A. S. I. Monseigneur Frédéric II Duc regt de Würtemberg &c

1040

1041

# Die Gartenanlagen in und um Ludwigsburg

Der in der zweiten Hälfte des 18. Jahrhunderts sehr vernachlässigte Ludwigsburger Barockgarten wurde unter Herzog Friedrich II. (dem späteren König Friedrich) von 1798 an teils als formaler Garten, teils als Landschaftsgarten vollkommen neu angelegt. In ähnlicher Weise wurden in den folgenden Jahren auch die Anlagen am Seeschloß (seit 1804 Monrepos genannt) neugestaltet (Kat.-Nrn. 1046–1047).                                  K.M.

1042

1041*

## SELBSTBILDNIS DES ARCHITEKTEN NIKOLAUS FRIEDRICH VON THOURET

Nikolaus Friedrich von Thouret
um 1810

*Öl auf Leinwand*
*H. 70,5 cm, B. 57,5 cm*

Stuttgart, Württembergisches Landesmuseum,
Inv.-Nr. 1952 – 51

Thouret war auf der Karlsschule zum Maler ausgebildet worden und hat auch später, nachdem er unter Weinbrenners Einfluß sich der Architektur zugewandt hatte, gelegentlich noch gemalt, doch läßt sich Genaueres hierzu nicht sagen. Nur einzelne sichere Gemälde Thourets sind bekannt, so zwei Selbstporträts, deren eines den Künstler mit einem seiner Kinder zeigt (entstanden wohl um 1820) und heute verschollen ist. Das zweite, hier gezeigte Selbstbildnis muß zehn bis fünfzehn Jahre früher entstanden sein. Der etwa vierzigjährige Thouret zeigt sich hier in derselben Haltung und im selben Habit, dazu mit dem Band des Zivilverdienstordens, der ihm 1806 zusammen mit dem persönlichen Adel verliehen worden war.

*Faerber, Thouret, Tafel 1.*                                  K.M.

1042*

## ANSICHT DES SÜDGARTENS MIT DEM NEUEN CORPS DE LOGIS DES SCHLOSSES IN LUDWIGSBURG

Johann Spahr
um 1815

*Gouache*
*H. 46,2 cm, B. 67,5 cm*

Schloßverwaltung Ludwigsburg, Außenstelle des Staatl. Liegenschaftsamtes Stuttgart, Schloß Ludwigsburg, Inv.-Nr. SchL 1942

Die unter Herzog Karl Eugen von Württemberg ganz in Verfall geratenen Ludwigsburger Gärten ließ Herzog Friedrich II. von 1799 an völlig neu anlegen. Auf dem Gelände des um 1760 beseitigten Barock-Parterres vor dem Neuen Corps de logis des Schlosses ließ der Herzog nun – möglicherweise nach Thourets Entwurf (vgl. seinen Entwurf zu den Stuttgarter Anlagen von 1806, Kat.Nr. 251 und 1621) – eine wiederum streng axiale Anlage schaffen, die ein Alleenkreuz in vier große Kompartimente teilte. Die Mitte des Gartens nahm ein großes Ovalbassin ein, erweitert durch einen zum Schloß hinführenden schmalen Stichkanal; das Motiv der für den Ludwigsburger Barockgarten sehr wichtigen Wasserachse wurde hier

DAS KÖNIGLICH · WÜRTEMBERGISCHE

Residenz-Schloß von der Rückseite, nebst     der Insel, in der engl. Anlage bey Ludwigsburg.

Nach der Natur gezeichnet, und     gestochen von Frid. Weber

1043

in reduzierter Form wieder aufgenommen. Mächtige, von Isopi gearbeitete Vasen schmückten die rabattenumrahmten Rasenfelder, Orangen- und Zitronenbäumchen flankierten die Alleen. Im Jahre 1801 muß diese großzügige und sehr noble Anlage vollendet gewesen sein. In der seit 1954 bestehenden neubarocken Anlage sind Reste des alten Gartens noch enthalten.

*Memminger, S. 425f.*                    K. M.

**1043\***

### ANSICHT DES NORDGARTENS MIT DEM ALTEN CORPS DE LOGIS DES SCHLOSSES IN LUDWIGSBURG

Friedrich Weber
um 1810

*Kupferstich, koloriert*
*H. 30 cm, B. 45 cm*
*Bez.:* Das Königlich Würtembergische Residenz-Schloß von der Rückseite, nebst der Insel, in der engl. Anlage bey Ludwigsburg.
Nach der Natur gezeichnet und gestochen von Frid. Weber

Ludwigsburg, Städtisches Museum, Inv.-Nr. 796

Während von 1799 an auf dem Gelände des alten Barockgartens ein neuer formaler Garten angelegt wurde, entstand nördlich und östlich des Ludwigsburger Schlosses

DIE EMICHSBURG                    EINE PARTHIE IN DER
engl: Anlage nächst dem Königlich-        Würtemb: Residenz-Schloß zu Ludwigsburg

1044

ein Landschaftsgarten. Hier wurde unter Herzog Friedrich II. im Tal unterhalb des Alten Corps de logis der Untere See angelegt, überragt von der 1802–1804 nach Thourets Entwurf auf hohem Felsen (einem ausgedienten Steinbruch) errichteten Emichsburg. Die Anregung hierzu rührte wohl von der fünfzehn Jahre älteren Scharnhausener Ritterburg her, die mittlerweile aufgegeben worden war. In der Modellierung der Landschaft und der Gruppierung älterer und neuer Bauten – dem hochgelegenen Schloß, dem See, der hochaufragenden Burg, die die mittelalterlichen Vorfahren des fürstlichen Hauses in Erinnerung rufen soll – ist der neue Park der wenige Jahre älteren Kasseler Wilhelmshöhe mit Schloß, Lac und Löwenburg verwandt.

Bereits in den dreißiger Jahren des 19. Jahrhunderts verlandete der Untere See; im 20. Jahrhundert wurde die Anlage durch weitere Veränderungen entstellt.

*Memminger, S. 436f.*                    K.M.

1044*

## ANSICHT DER EMICHSBURG IM LUDWIGSBURGER SCHLOSSGARTEN

Friedrich Weber
um 1810

*Kupferstich, koloriert*
*H. 30 cm, B. 44,7 cm*
*Bez.:* Die Emichsburg, eine Parthie in der engl. Anlage nächst dem Königlich-Würtemb. Residenz-Schloß zu Ludwigsburg.
Nach der Natur gezeichnet und gestochen von Friderich Weber.

Ludwigsburg, Städtisches Museum, Inv.-Nr. 1047 W 76

Die östlich des Ludwigsburger Schlosses in der Querachse des Alten Corps de logis in den Jahren 1802–1804 nach

DAS CARROUSEL NEBST                    DEM OBERN SEE UND

einem Theil des Spielplatzes vis à vis der mittlern Portale      des König. Würtemb. Residenz-Schlosses zu Ludwigsburg

Nach der Natur gezeichnet und      gestochen von Friderich Weber

1045

Thourets Entwürfen erbaute Emichsburg erhebt sich über der Felswand eines alten Steinbruchs und ist teilweise auch in diese hineingebaut. In einem der unteren Gelasse waren ursprünglich lebensgroße Figuren des Ritters Emich (des halblegendären Stammvaters des Hauses Württemberg) und seines Beichtvaters aufgestellt (siehe die untere Rand-Vignette). Im Gegensatz zu den gotischen Kapellen im Hohenheimer Garten weist die Emichsburg keinerlei konkret mittelalterliche Formen auf und erinnert mehr an zeitgenössische Bühnenarchitekturen als an eine Burg des deutschen Mittelalters. Im vorderen Pavillon befand sich denn auch bis 1954 ein elegantes Teezimmer in zeitgenössischen Empireformen. (Vergleichbar ist der modern-klassizistische Innenausbau, den Thouret 1805 für den am Alten Schloß in Stuttgart zu errichtenden gotisierenden Küchenbau plante.)

*Memminger, S. 433ff.*                    K. M.

1045*

## ANSICHT DES SPIELPLATZES IM LUDWIGSBURGER SCHLOSSGARTEN

Friedrich Weber
um 1810

*Kupferstich, koloriert*
*H. 30,3 cm, B. 44,7 cm*
*Bez.:* Das Carrousel nebst dem Obern See und einem Theil des Spielplatzes vis a vis der mittlern Portale des König. Würtemb. Residenz-Schloßes zu Ludwigsburg. Nach der Natur gezeichnet und gestochen von Friderich Weber.

Ludwigsburg, Städtisches Museum,
Inv.-Nr. 1052 W 77

1046

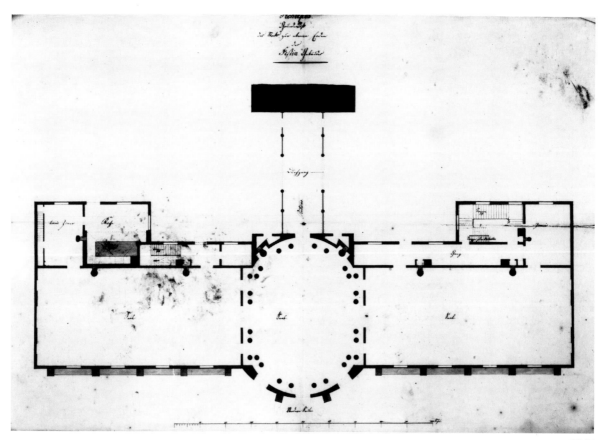

1047

Zwischen zwei vom Schloß ausgehenden barocken Achsen war von 1799 an der Ludwigsburger Landschaftsgarten angelegt worden. Die östliche dieser Achsen endet an der Stelle, wo Herzog Karl Eugen sein riesiges Opernhaus erstellt hatte, das Herzog Friedrich II. dann abbrechen und durch den ovalen Schüsselesee – Zentrum des neuen Spielplatzes – ersetzen ließ. Vom Spielplatz des seit 1798 aufgelösten »Englischen Dörfles« in Hohenheim ließ der Herzog einige Teile – wie z. B. die Russische Schaukel – hierher übertragen, anderes ließ er nach Thourets Entwurf neuerrichten, wie das auf der Vedute rechts sichtbare »Carrousel« mit seinen lebensgroßen Pferden und Hirschen.
Die Gartenanlage wurde im 20. Jahrhundert stark verändert; See und Karussell (mit Ausnahme der Figuren) sind indessen noch vorhanden.

*Memminger, S. 431ff.*                                          K. M.

## 1046*

### Ansicht der Kapellen- und Amor-Insel im Garten von Monrepos bei Ludwigsburg

Unbekannter Zeichner
um 1810

*Federzeichnung, Sepia*
*H. 14 cm, B. 41 cm*

Ludwigsburg, Städtisches Museum, Inv.-Nr. 1029

In den 1801–04 anstelle des weiten Wasser-Parterres Herzog Karl Eugens (1755ff) nach Thourets Entwurf angelegten Landschaftsgarten in Monrepos wurden wie auch andernorts Bauten aus dem 1798 aufgegebenen Hohenheimer »Dörfle« übertragen. Auf zwei Inseln des vor dem Schlosse neugeschaffenen Seegartens wurden die gotische Kirche und die Römischen Bäder – beide in leicht abgewandelter Gestalt – wiedererrichtet, letztere als Amortempel für eine Replik der berühmten und von Herzog Friedrich II. sehr geschätzten Statue Danneckers (vgl. Nr. 1613).
Der Amortempel verfiel bereits um die Mitte des 19. Jahrhunderts; die Fundamente wurden jüngst ergraben. Die Kirche brannte im Zweiten Weltkrieg aus und steht seitdem als Ruine.

*Memminger, S. 446ff.*                                          K. M.

## 1047*

### Grundriss des Festinbaues in Monrepos bei Ludwigsburg

Nikolaus Friedrich von Thouret (?)
um 1810

*Federzeichnung, laviert*
*H. 45 cm, B. 64,7 cm*
*Bez.:* Monrepos, Grundriß des Stocks zu ebener Erde des Festin-Gebäudes

Stuttgart, Hauptstaatsarchiv, E 221, Bü. 122

In der Achse des Seeschlosses, das seit 1804 den Namen Monrepos trug, und als Abschluß des kleinen Gartenparterres wurde 1804 nach Thourets Entwurf der Festinbau errichtet, der mit seinen drei geräumigen Sälen und dem wenige Jahre später hinzugefügten Theater auf Monrepos nun auch größere höfische Geselligkeiten und Festlichkeiten ermöglichte. Nach König Friedrichs Tod (1816) wurden die Räume nur noch selten benutzt, und schon 1819 wurde der Bau abgerissen. Mit Hilfe des Grundrisses und der Beschreibung Memmingers aus dem Jahre 1816 läßt sich der Bau in großen Zügen rekonstruieren.

*Memminger, S. 444ff. – Faerber, S. 281f.*                     K. M.

# Das Neue Schloß in Stuttgart und die Königlichen Anlagen

Seitdem der herzogliche Hof 1775 endgültig nach Stuttgart zurückgekehrt war, wurde am Ausbau des dreißig Jahre zuvor begonnenen Neuen Schlosses stetig gearbeitet. Der zunächst etwas schleppende Gang dieser Arbeiten wurden beschleunigt, nachdem Württemberg 1806 zum Königreich erhoben worden war. Zudem entstanden im näheren Umkreis des Schlosses damals die Hofkirche, das Hoftheater und der Redoutensaal. Seitlich des Neuen Schlosses wurden in den Jahren 1807/08 das Nesenbachtal entlang als ausgedehnter Volksgarten die Königlichen Anlagen geschaffen, die schließlich bis zum Kahlenstein (heute Rosenstein) oberhalb des Neckars und des Bellevuegartens geführt wurden (Kat.-Nrn. 1057–1058).        K.M.

1048

## 1048*

### ENTWURF ZU EINER PRUNKVASE FÜR DAS HAUPTTREPPENHAUS IM NEUEN SCHLOSS IN STUTTGART

Nikolaus Friedrich von Thouret
1812

*Federzeichnung, aquarelliert*
*H. 39 cm, B. 22,8 cm*
*Bez.:* Thüren Verkleidung auf der Marmor Treppe im Königl. Schlosse, ist im Juni 1813 an Ort und Stelle gekoḿen.
NFThouret im Dec. 1812.

Stuttgart, Württembergisches Landesmuseum,
Inv.-Nr. 1953 – 483

Die nach den Entwürfen La Guêpières ausgebauten Paraderäume im Corps de logis des Neuen Schlosses blieben weitgehend unverändert, als König Friedrich den Bau im Innern neu gestalten ließ. Die nach Thourets Entwurf dem Medici-Krater nachgebildete Prunkvase stand wohl auch nur wenige Jahre auf dem Absatz der Haupttreppe und mußte unter König Wilhelm I. der Ildefonso-Gruppe Platz machen. Bezeichnend für die damals große Beliebtheit des antiken Kraters ist, daß König Friedrich für den 1816 modernisierten Marmorsaal im Neuen Corps de logis des Ludwigsburger Schlosses das Stück gleich in vierfacher Ausführung herstellen ließ.

*Faerber, Tafel 60 links.*        K.M.

## 1049*

### AUFRISSE EINER SCHMAL- UND EINER LÄNGSWAND UND GRUNDRISS ZUM ROTEN MARMORSAAL IM NEUEN SCHLOSS IN STUTTGART

Nikolaus Friedrich von Thouret
1814

*Feder, aquarelliert*
*H. 58,3 cm, B. 33,4 cm*
*Bez.:* Stuttgardt, im Marz. 1814.
Projekt zur Decorazion des Mittlern Speise Saals im Alten Flügel des Königl. Residenz Schlosses, da solcher auf Allerhöchsten Befehl mit Alabaster bekleidet werden solle.
Hofbaumeister NFThouret d.K.C.V.O.R.

Stuttgart, Württembergisches Landesmuseum,
Inv.-Nr. 1953 – 488

1049

1050*

## AUFRISSE DER RÜCK- UND FENSTERWAND UND GRUNDRISS ZUM AMORTEMPEL IM NEUEN SCHLOSS IN STUTTGART

Nikolaus Friedrich von Thouret
um 1815

*Federzeichnung, aquarelliert*
H. 46 cm, B. 34,8 cm
*Bez.:* Wirkliches Fenster / Spiegel Fenster / vidit R;
*spätere Aufschrift:* Apollo Tempel *(sic)*

Stuttgart, Württembergisches Landesmuseum,
Inv.-Nr. 1953 – 489

Fast alle die von König Friedrich im Neuen Schloß umgestalteten Räume hatten ein auf Liebe und Freundschaft bezogenes Bildprogramm. Eines der letzten (1815/16) nach Thourets Entwurf umgebauten Interieurs wurde ganz ausdrücklich Amor geweiht. Ein im Kopfbau des Gartenflügels gelegenes Kabinett wurde durch den Einbau einer Apsis mit kassettierter Kalotte zu einem Tempel umgestaltet, der eine Nachbildung von Danneckers berühmtem Amor aufnahm (vgl. Kat.Nr. 1046). Der zwischen Vestibül und Grüner Galerie gelegene kleine Raum

Erst in den letzten Lebensjahren König Friedrichs wurden auch im Stadtflügel des Neuen Schlosses einige Räume verändert. Möglicherweise bot der angekündigte Besuch Kaiser Alexanders I. von Rußland im Frühjahr 1814 den äußeren Anlaß, Vestibüle, Treppenhaus und Speisesaal (»Roter Marmorsaal«) auszubauen. Thouret lieferte die Entwürfe, die dann auch – unter Abänderung einiger Details – zur Ausführung gelangten. Die Wände wurden indessen nicht mit Marmor, sondern mit rotem Alabaster bekleidet, Material, das man möglicherweise dem knapp zwanzig Jahre zuvor vollendeten Hohenheimer Gartensaal entnommen hatte. (Denkbar ist auch, daß R. F. H. Fischer das Material ursprünglich für seinen Ovalsaal vorgesehen hatte, der dann unter Thouret mit blauem Anhydrit bekleidet wurde.) Der Hohenheimer Saal wurde in den vergangenen Jahren rekonstruiert, der Rote Marmorsaal hingegen brannte 1944 aus und wurde nicht wiederhergestellt. In der Nische die von Memminger erwähnte Statue des kapitolinischen Antinous.

*Memminger, S. 204f. – Faerber, Tafel 60 rechts.*     K.M.

1050

besaß nur ein Fenster, dem zur Wahrung der Symmetrie ein verspiegeltes Scheinfenster zugeordnet wurde.

Bereits unter König Wilhelm I. wurde der Raum verändert und vermutlich unter König Karl um 1865 dann gänzlich zerstört.

*Faerber, Tafel 61 oben.*                                        K. M.

1051*

## KABINETT DER KÖNIGIN KATHARINA IM NEUEN SCHLOSS IN STUTTGART

Unbekannter Künstler
um 1825

*Aquarell*
*H. 24,2 cm, B. 46,4 cm*

Den Haag, Koninklijk Huisarchief, Album der Königin Sophie, Blatt 19

Wenige Wochen nach dem Tode König Friedrichs im Herbst des Jahres 1816 wurde Thouret von König Wilhelm I. beauftragt, die Erdgeschoßräume des Gartenflügels und des angrenzenden Corps de logis im Neuen Schloß als königliche Wohnung herzurichten. So wurde der ovale Raum unter dem Blauen Marmorsaal zum Kabinett der Königin Katharina umgestaltet. Dies geschah – wie offenbar auch in den anschließenden Räumen – mit einfachen Mitteln; auf die in König Friedrichs Wohnung noch selbstverständlichen Wandbespannungen und Deckenmalereien wurde hier verzichtet. Repräsentation wurde zugunsten des Wohnlichen hintangestellt. Vor dem Trumeau ist Danneckers Büste des Kronprinzen Wilhelm sichtbar.

Im späteren 19. Jahrhundert wurden auch diese Räume verändert. Erhalten blieb der Kamin, der erst im Brand 1944 zugrundeging.                          K. M.

1051

1052*

## INNENANSICHT DER HOFKIRCHE
## IN DER AKADEMIE AM NEUEN SCHLOSS
## IN STUTTGART

Wilhelm Murschel
um 1840

*Aquarell*
*H. 38,1 cm, B. 46,7 cm*
*Bez.:* W. Murschel

Den Haag, Koninklijk Huisarchief, Album der Königin
Sophie, Blatt 16

Nachdem die Grenzen Württembergs sich mehrfach erweitert hatten und das Land zum Königreich geworden war, reichte für den sehr zahlreich gewordenen Hof die Kirche des Alten Schlosses nicht mehr aus. So wurde im Jahre 1808 die Akademiekirche, Zentrum der ehemaligen Karlsschule, nach Thourets Entwürfen zur neuen Hofkirche ausgebaut. Im Zuge des Umbaues wurden die beiden Geschosse vereinigt, wobei die Kolonnaden des Erdgeschosses und die Emporen des Hauptgeschosses beibehalten wurden. Vollkommen neugestaltet wurde der liturgische Bereich mit Kanzel, Altar und Orgel, deren mittlere Partie von einem großen Gemälde Philipp Friedrich Hetschs, die Himmelfahrt Christi darstellend, verdeckt wurde.

Um Vorstudien für die ungewohnte Aufgabe eines sehr großen Altar-Orgel-Gemäldes zu betreiben, begab sich Hetsch 1808 nach Paris. Dort mag das heute in Schloß Ludwigsburg befindliche Gemälde entstanden sein, das die gen Himmel fahrende Christusgestalt noch ohne die in der monumentalen Ausführung hinzugefügten Assistenzfigu-

ren zeigt. Hetschs Orgel-Altarbild wurde nach der Aufgabe der Akademiekirche dem Museum vaterländischer Altertümer überwiesen und ist seit dem Zweiten Weltkrieg verschollen.

Im Jahre 1865 wurde der Hofgottesdienst in die Kirche des Alten Schlosses zurückverlegt. Thourets Hofkirche wurde in der Folge verbaut, brannte 1944 aus und wurde später mit den übrigen Ruinen der Karlsschule abgebrochen.

*Memminger, S. 248f. – Fleischhauer, Hetsch, S. 60 u. S. 79, Nr. 163. – Katalog der Staatsgalerie, S. 71.*    K. M.

1053

## 1053*

## INNENANSICHT UND GRUNDRISS DES REDOUTENSAALES IN STUTTGART

E. J. Zeller
1845

*Lithographie, Tafel 12 des 3. Heftes (1846) aus E. J. Zeller, Stuttgarts Privatgebäude 1806–44, 3 Hefte, Stuttgart 1845/46*
*H. 30,5 cm, B. 44,1 cm*
*Bez.: Concert- genañt Redouten-Saal*
*Iñere Ansicht / Grundriss*
*erbaut 1813 durch Ob.Baurath Prof. v. Thouret*

Stuttgart, Württembergisches Landesmuseum,
Inv.-Nr. 1953 – 559

Nach dem Brand des Kleinen Komödienhauses an der Planie im Jahre 1802 ließ König Friedrich im folgenden Jahr in großer Eile die alte Reitschule Herzog Friedrichs I. zum »Neuen Kleinen Theater« umbauen. Nach der durchgreifenden Erneuerung des Opernhauses wurde das Thea-

ter nach Thourets Entwurf im Jahre 1813 zum Redoutensaal umgestaltet. Bei nur mittleren Ausmaßen war der Saal mit seinen korinthischen Kolonnaden und seinem Tonnengewölbe von einer beachtlichen Monumentalität. Als ihn Zeller 1845 publizierte, tat er dies ausdrücklich angesichts des bald zu erwartenden Abbruchs. Wenige Jahre später mußte der Redoutensaal denn auch dem Königsbau weichen.

*Faerber, S. 237f., Tafel 82 oben.*    K. M.

## 1054*

## ANSICHT DER ANLAGEN MIT DEM NEUEN SCHLOSS IN STUTTGART

W. Nilson
1809

*Radierung, koloriert*
*H. 31,4 cm, B. 47 cm*
*Bez.: gezeichnet von W. Nilson*

Ludwigsburg, Städtisches Museum, Inv.-Nr. 1387

Die nach Thourets Entwurf 1807/08 geschaffenen Königlichen Anlagen entfalteten sich – vergleichbar dem wenige Jahre älteren Ludwigsburger Schloßgarten – entlang einer ausgeprägten Hauptachse, die vom Gartenflügel des Neuen Schlosses ihren Ausgang nahm. Das von Danneckers Nymphengruppe überragte Ovalbassin mit dem zu einer Mittagskanone führenden Stichkanal (daher der volkstümliche Name »Epaulettensee«) bildete das Zentrum des oberen Gartenbezirks und wiederholte die entsprechende Anlage im Ludwigsburger Schloßgarten von 1799. Im Hintergrund der Vedute sind das Lusthaus (Hoftheater) und die katholische Kirche St. Eberhard zu sehen.

Dieser dem Schloß unmittelbar vorgelagerte Teil der Anlagen wurde 1865 zum Rosengarten, einem königlichen Privatgarten, umgestaltet und 1961 vollständig verändert.

*Lang, S. 11ff., Abb. 5.*    K. M.

1054

1055*

## Ansicht der Hauptallee mit dem Vogelhaus in den Anlagen in Stuttgart

Friedrich Müller
um 1810

*Radierung, koloriert*
*H. 35,5 cm, B. 47 cm*
*Bez.:* Ansicht des Vogelhauses von der Vorderseite
Nebst deßen vortrefflichen Umgebungen in den König.
Anlagen bei Stuttgart.
zu finden bei Fr. Müller in Stuttgart
nach der Natur bez. u. gest. v. Fr. Müller

Ludwigsburg, Städtisches Museum, Inv.-Nr. 1417

Die vom Gartenflügel des Neuen Schlosses ausgehende
Hauptalle der Anlagen endete in einem Insel-Rondell, das
das von J. G. Klinsky 1810 erbaute Vogelhaus trug, eine
der Attraktionen des Gartens. Das Insel-Rondell lag in
einem See, der ebenso wie die seitlich der Hauptachsen
gelegenen Partien des Gartens nach landschaftsgärtneri-
schen Gesichtspunkten gestaltet war. Die Hauptallee
diente in ihrer mittleren Bahn den Spaziergängern, die

beiden seitlichen Bahnen waren Reitern und Wagen vorbe-
halten. Jenseits des Vogelhauses führte sie weiter bis zum
Tor und fand kurz darauf in der Meierei ihren Abschluß.
In der Vedute ist rechts die von Thouret erbaute königliche
Retraite sichtbar.
Das Vogelhaus wurde bereits 1818 abgebrochen; die
Retraite wurde 1944 zerstört.

*Lang, S. 24f., Abb. 6.*                    K.M.

1055

1056

## AUFRISSE UND GRUNDRISSE VON VIER ABTRITTEN IN DEN ANLAGEN IN STUTTGART

Nikolaus Friedrich von Thouret
1811

*Federzeichnung, aquarelliert*
*H. 43,5 cm, B. 28,2 cm*
*Bez.: Abtritte für die K. Anlagen /*
*Im Febr. 1811 Hofbaumeister Thouret*

Ludwigsburg, Städtisches Museum, Inv.-Nr. 1423

Um den Zwecken eines Volksgartens gerecht werden zu können, mußten die Anlagen auch eine Anzahl von Abtritten bieten, die an »blinden« Wegen aufgebaut wurden. Im Jahre 1811 entwarf Thouret einige Häuschen in unterschiedlicher Gestalt – offensichtlich teils in der Tradition von Grabmälern, teils in der von Eremitagen. Zwei Jahre später gelangten diese oder ähnliche Bauten dann auch zur Ausführung.

*Faerber, Tafel 67 oben. – Lang, S. 33, Abb. 27.*     K. M.

1057*

## PLAN DES GARTENS UND LANDHAUSES BELLEVUE BEI BAD CANNSTATT

Unbekannter Künstler
um 1820

*Federzeichnung, aquarelliert*
*H. 46 cm, B. 28 cm*
*Bez.: Plan von Bellevue bey Canstadt*

Ludwigsburg, Städtisches Museum, Inv.-Nr. 1840

Der im Jahre 1806 von König Friedrich erworbene, am Neckarknie unterhalb des Kahlensteins (später Rosenstein) landschaftlich sehr reizvoll gelegene Besitz wurde zehn Jahre später für das Kronprinzenpaar als bescheidener Landschaftsgarten neu angelegt. Das einfache, unmittelbar an der Uferstraße stehende Haus wurde vermutlich zur selben Zeit nach Ferdinand Fischers Plänen umgebaut. Die Kleinbauten in dem den Hang sich hoch hinauf ziehenden Garten gehen wohl auf Thourets und auf Klinskys Entwürfe zurück. Der an der höchsten Stelle des Gartens errichtete Belvedere-Pavillon ist sehr ähnlich einem von Thouret im Jahre 1803 im Taschenkalender für Natur- und Gartenfreunde publizierten Entwurf.
In den zwanziger Jahren des 19. Jahrhunderts ging der Garten im Rosensteinpark auf. 1843 wurden die Bauten abgebrochen.

*Gerhardt, S. 51ff. – Hagel, S. 58, Kat.Nr. 45.*     K. M.

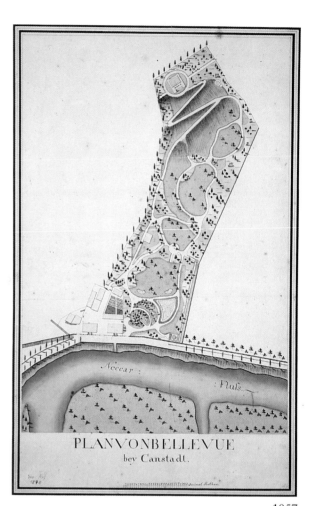

PLAN VON BELLEVUE
bey Canstadt.

1057

1058*

## Wandaufriss und Grundriss des mittleren Vorsaals und des Speisezimmers im Landhaus Bellevue bei Bad Cannstatt

Ferdinand von Fischer
1815/16

*Federzeichnung, aquarelliert*
H. 32,5 cm, B. 45,2 cm
*Bez. oben:* Zeichnung zu Verzierung von zwei Zimmern mit Stukkatorarbeit im Erdgeschoß des Haupt-Gebäudes zu Bellevue.
*seitlich:* Im Speißzimmer ist Rücksicht auf Beibehaltung der blauen Tapete genommen worden; sollte dieses nicht der Fall seyn, so kann solches noch reicher mit Stukkatorarbeit verziert werden.
*unten:* Hofbaumeister Fischer.

Stuttgart, Stadtarchiv, Inv.-Nr. 5741

Als im Jahre 1816 der Bellevuegarten angelegt wurde, erfuhr auch das Innere des sehr einfachen, kaum zwanzig Jahre alten Landhauses einige Veränderungen. Im ersten Obergeschoß wurde eine Galerie eingebaut, und im Erdgeschoß wurden nach Ferdinand Fischers Entwürfen für das Kronprinzenpaar mehrere Räume in nicht allzu aufwendiger Weise neu hergerichtet.
Im Mittleren Vorsaal sind als Alternativen zu den Topfpflanzen-Pyramiden Statuen von Bacchus und Ceres vorgesehen.
Nach den schweren Hochwasserschäden des Jahres 1817 wurde das Schlößchen nur noch selten benutzt und 1843 abgebrochen.                                                    K.M.

1058

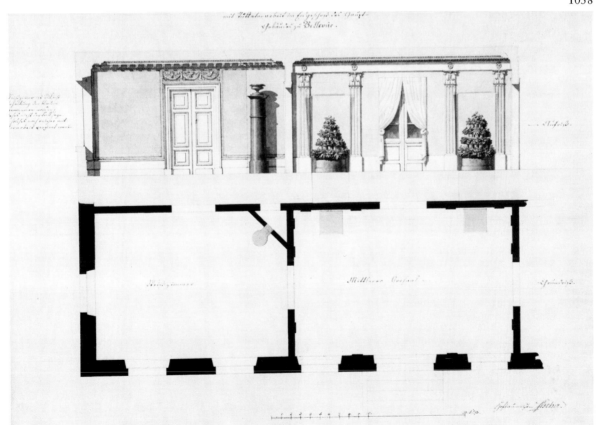

1059

durch den Ravensburger Kreisbaurat Bühler fertiggestellt werden konnte, lassen sich zur Urheberschaft des interessanten Projektes keine sicheren Aussagen machen.

*Kraume, S. 11ff, S. 62ff, S. IV, Taf. 9, Abb. 16/17.*     K. M.

1060*

## Fassadenaufriss zum Mausoleum der Königin Katharina auf dem Rotenberg

Giovanni Salucci
1819

*Federzeichnung, aquarelliert*
*H. 58,6 cm, B. 81,8 cm*
*Bez.:* Elevation du Coté d'entrée de l'Eglise et des Caveaux des Tombes Royales par Salucci premier Architecte du Roi

Ludwigsburg, Städtisches Museum, Inv.-Nr. 2309

Zu Anfang des Jahres 1819 starb ganz überraschend Königin Katharina. Ihrem Wunsche, auf dem Gelände der Stammburg des Hauses Württemberg beigesetzt zu wer-

1059*

## Fassadenaufriss und Querschnitt der Katholischen Pfarrkirche in Oberdischingen

Bühler (?)
1828

*Federzeichnung, aquarelliert*
*H. 44,5 cm, B. 31,9 cm*

Stuttgart, Hauptstaatsarchiv, B 82, Bü 53

Bereits im Jahre 1774 plante Franz Ludwig Graf Schenk von Castell – wohl im Rahmen des sehr großzügigen, von Michel d'Ixnard entworfenen Schloß-Projektes – den Bau einer neuen Pfarrkirche. Erst 25 Jahre später griff er diesen Plan wieder auf und ließ wohl 1800–06 die durch Kreuzarme erweiterte, kuppelüberwölbte Rotunde errichten, deren Entwurf höchstens in ganz allgemeinen Zügen mit einem Projekt d'Ixnards in Verbindung gebracht werden kann. Wahrscheinlicher ist, daß um 1800 ein neuer Entwurf ausgearbeitet wurde, möglicherweise unter Beteiligung Thourets. Da aber aus der Zeit um 1800 fast keine Archivalien überliefert sind, und der Bau erst 1828–1832

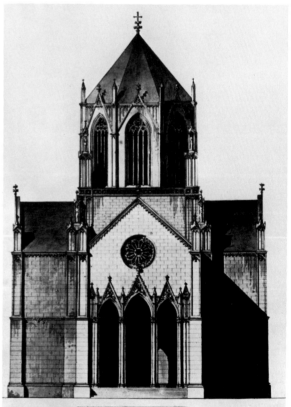

1061

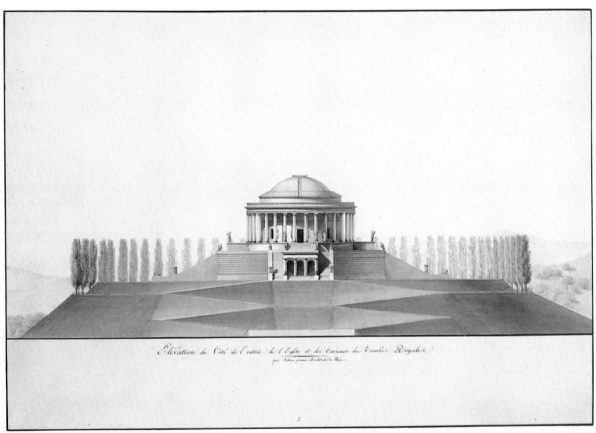

*Élévation du Côté de l'entrée de l'Église et des Caveaux des Tombes Royales, pour Katerina premier Architecte du Roi*

1060

den, entsprach König Wilhelm I. und beauftragte den Hofarchitekten Salucci, Pläne zu einem Mausoleum zu entwerfen, das nun an der Stelle der gänzlich zu beseitigenden Burg errichtet werden sollte. Dieser Akt eines königlichen Vandalismus war um so bemerkenswerter, als eben in diesem Jahr auf dem völlig zerfallenen Hohenzollern die ersten »Restaurierungs«-Arbeiten begannen. Salucci hatte eine doppelte Aufgabe zu erfüllen: einmal sollte eine Gruft für das Königspaar angelegt werden, zum andern sollte darüber zu Ehren der Königin eine russisch-orthodoxe Kirche entstehen. Gleichwohl entwarf Salucci eine mehr in der Tradition des Mausoleumsbaues stehende Kirche, den Innenraum als Tetrakonchos mit Kuppel und Opaion, den Außenbau als mächtigen Tholos mit Kolonnaden, die dann in der Ausführung auf vier Portiken reduziert wurden. Im Jahre 1824 wurde der Bau eingeweiht.

*Speidel, S. 46ff.*                                                K. M.

1061*

## FASSADENAUFRISS ZUM MAUSOLEUM DER KÖNIGIN KATHARINA AUF DEM ROTENBERG

Joseph Thürmer
1819

*Federzeichnung*
*H. 52,6 cm, B. 43,1 cm*
*Bez.:* Joseph Thürmer inv. in Rom

Stuttgart, Württembergisches Landesmuseum,
Inv.-Nr. 1953 – 562

Nach dem Tod der Königin Katharina im Januar 1819 lieferten auch die beiden damals in Rom lebenden Architekten J. Thürmer und M. Knapp Entwürfe zu einem Mausoleum auf dem Rotenberg. In ausdrücklicher Opposition zu dem heidnisch-antiken Projekt Saluccis legten sie Pläne vor, die sich an christlich-mittelalterlichen Vorbildern orientierten und in der Folge keinerlei Beachtung fanden. Thürmer sah einen von einem achteckigen Vierungsturm überragten Zentralbau auf dem Grundriß eines Griechischen Kreuzes vor mit einer in Maßwerk aufgelö-

sten Portalfront, die offensichtlich von Thourets fünfzehn
Jahre älterer Inselkirche in Monrepos angeregt worden
war. Die einfachere Alternative zeigt eine dreibogige Por-
talloggia mit Radfenster darüber.

*Speidel, S. 51f.*                                      K. M.

## 1062*

## FASSADENAUFRISS ZUM MAUSOLEUM DER KÖNIGIN KATHARINA AUF DEM ROTENBERG

Nikolaus Friedrich von Thouret
1819

*Federzeichnung, aquarelliert*
*H. 29,7 cm, B. 33,7 cm*

Stuttgart, Staatsgalerie, Graphische Sammlung,
Inv.-Nr. 3650

Das Projekt zum Mausoleum der Königin Katharina
beschäftigte im Frühjahr und Sommer des Jahres 1819
mehrere Architekten in Stuttgart und Rom, und auch der
vormalige Hofarchitekt und Vorgänger Saluccis in diesem
Amt, Thouret, reichte einen Entwurf ein, der einen außerordentlich strengen, noch ganz der französischen Revolutionsarchitektur verpflichteten Außenbau zeigt: einen
durch Kreuzarme erweiterten, kuppelgekrönten Rundbau,
belichtet allein durch ein Opaion und durch die Eingangs-
tür – in diesen Grundzügen dem ausgeführten Bau Saluccis
ähnlich. Im etwas reicher gestalteten Innenraum hatte
Thouret offensichtlich die Aufstellung einer Replik von
Danneckers Christus-Statue vorgesehen, die die Mutter
der Königin Katharina, Kaiserin Maria Fjodorowna von
Rußland, im Jahr zuvor für die Moskauer Erlöserkirche
bestellt hatte.

*Speidel, S. 55, Abb. 35. – Gauss, S. 105.*            K. M.

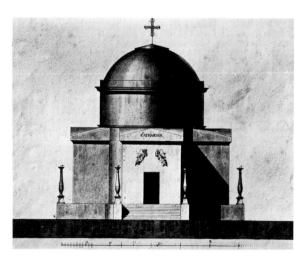

1062

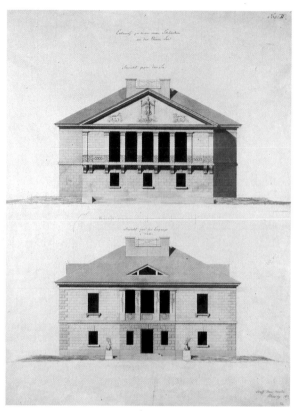

1063

## 1063*

## AUFRISS DER VORDER- UND RÜCKFASSADE DES BÄRENSCHLÖSSLE IM SOLITUDEPARK

Johann Gottfried Klinsky
1817

*Federzeichnung, aquarelliert*
*H. 64 cm, B. 48 cm*
*Bez.:* Entwurf zu einem neuen Schlöschen an den
Bären See
Ansicht gegen den See
Ansicht von der Eingangs Seite
Hoff Baumeister Klinsky 1817

Stuttgart, Württembergisches Landesmuseum,
Inv.-Nr. 1953–756

Nachdem die Solitude mit ihren ausgedehnten Gartenanlagen und Jagdrevieren unter König Friedrich schon fast
aufgegeben worden war, wandte König Wilhelm I. ihr
wieder ein gewisses Interesse zu und ließ in den angrenzenden, durch schnurgerade Alleen erschlossenen Wäldern
und auch in der benachbarten Fasanerie Härdtle verschiedene Jagdpavillons neu errichten. So wurde auch das von
R. F. H. Fischer 1768 erbaute Bärenschlößle 1817 erneu-

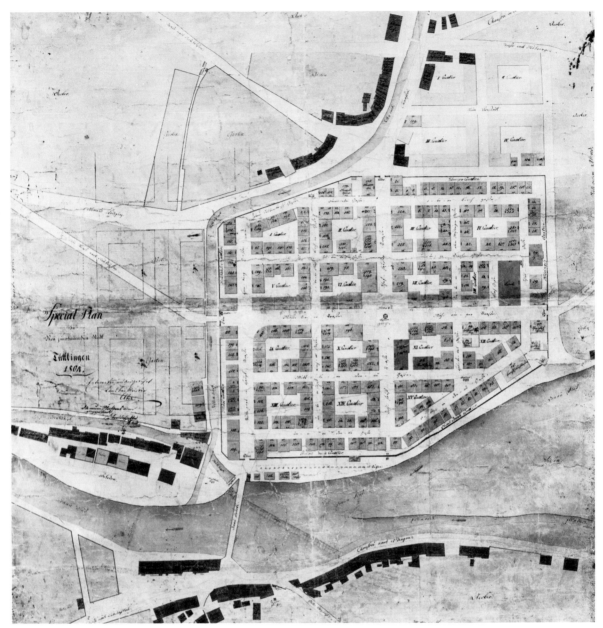

ert. Der von Klinsky eingereichte Entwurf (vgl. seine ähnlichen, zwanzig Jahre zuvor im Taschenkalender für Natur- und Gartenfreunde publizierten Vorschläge für Gartenbauten) wurde allerdings nicht ausgeführt. Vielmehr wurde ein damals in Freudental überflüssig gewordener Pavillon aus der Zeit König Friedrichs hierher versetzt. 1944 wurde der kleine Bau bis auf den Sockel zerstört.

K. M.

1064*

## Plan zur Neuanlage der Stadt Tuttlingen

Carl von Uber
1804

*Federzeichnung*
*H. 97 cm, B. 91 cm*
*Bez.:* Special-Plan der Neu zu erbauenden Stadt Tuttlingen 1804 / Entworfen und ausgefertigt Landbaumeister Uber.

Tuttlingen, Heimatmuseum

Die württembergische Oberamtsstadt Tuttlingen brannte im Jahr 1803 vollständig ab. Im Jahr darauf wurde der Wiederaufbau nach einem Plan eingeleitet, der die mittelalterlichen Fluchtlinien völlig preisgab und auf etwas erhöhtem, hochwassergeschütztem Terrain eine ganz neue Stadtanlage mit rasterartig verlaufenden Gassen und quadratischem Marktplatz im Schnittpunkt der beiden Hauptstraßen vorsah. Landbaumeister Carl von Uber hatte diesen Plan ausgearbeitet, offenbar in Anlehnung an den zwanzig Jahre älteren Entwurf seines Amtsvorgängers Johann Adam Groß d. J. für die 1782 abgebrannte Stadt Göppingen. Die am Rand der Stadt gelegene Pfarrkirche wurde erst 1815–17 nach Plänen des Bauinspektors Niefer erbaut.

*Kramer, S. 7, Abb. S. 13.*                    K. M.

# PLASTIK UND MALEREI

## Plastik

Lange bevor die Auswirkungen der Französischen Revolution ganz Europa bewegten, hatten Künstler und Kunstschriftsteller mit den Traditionen höfisch und religiös orientierter Plastik des Barock und Rokoko gebrochen. Vorbereitet durch Gedanken der Aufklärung und befeuert durch die Schriften Johann Joachim Winckelmanns strebten die Bildhauer in ihren Werken einem neuen, bürgerlichen Ideal vom Menschen nach. In den Meisterwerken der griechischen Plastik der Antike erschienen Natürlichkeit, Sittlichkeit und Schönheit – Maximen des Menschenbildes der Aufklärung – vorbildlich verwirklicht. Aufgabe der Bildhauer war es, durch Nachahmung der antiken Kunst Leitbilder für ihre Zeitgenossen zu schaffen, deren ehtische Wirkungsmöglichkeit aus Winckelmanns Worten über den antiken ›Apoll vom Belvedere‹ im Vatikan hervorgeht: »Ich vergesse alles andere über dem Anblicke dieses Kunstwerkes, und ich nehme selbst einen erhabenen Stand an, um mit Würdigkeit anzuschauen.« Noch 50 Jahre später schrieb Goethe 1817: »Der Hauptzweck aller Plastik, welches Wortes wir uns künftighin zu Ehren der Griechen bedienen, ist, daß die Würde des Menschen innerhalb der menschlichen Gestalt dargestellt werde.«

Einer solchen Kunst, die nach den Anschauungen Winckelmanns die griechische Antike als höchstes Naturideal verstand und nachbildete, war in Württemberg durch die Akademiegründung von Herzog Karl Eugen der Boden bereitet. Dort studierten junge Kunsttalente nach den Regeln der neuen Theorie des Klassizismus (Kat.Nrn. 1554 und 1065). Die heute kaum bekannten Werke von Bildhauern, die als Lehrer an der Karlsakademie wirkten, machen den Übergang der Plastik vom Spätbarock und Rokoko zum frühen Klassizismus deutlich (Kat.Nrn. 1066–1070).

Die besten jungen Bildhauer der Akademie, Johann Heinrich Dannecker (1758–1841) und Philipp Jakob Scheffauer (1756–1808), erhielten herzogliche Reisestipendien zur Fortsetzung und Vervollkommnung ihrer Studien in den Kunstzentren Paris und Rom. Vor allem in Rom, umgeben von Skulpturen der Antike und Künstlerkollegen aus ganz Europa, konnten die Stuttgarter Stipendiaten so leben und arbeiten, wie es ihrem Ideal von einem freien, aus der Inspiration heraus schaffenden Künstlerdasein nahekam. Ihre vertraglich festgelegte Bindung an den Hof verpflichtete sie jedoch zur Rückkehr nach Stuttgart, sobald man dort nach ihnen verlangte. Das geschah im Oktober 1789.

In Stuttgart waren Leben und Kunstschaffen der Bildhauer wieder unmittelbar von der Gunst des Hofes abhängig. Unter diesen Bedingungen konnten sich die künstlerischen und existentiellen Hoffnungen von Dannecker und Scheffauer kaum erfüllen. Die politischen, wirtschaftlichen und gesellschaftlichen Umwälzungen, die Baden und Württemberg im Zeitalter Napoleons erschütterten, ließen den Künstlern nicht die Förderung zuteil werden, die zu einer glücklichen Entwicklung ihrer Fähigkeiten notwendig gewesen wäre. Allein Dannecker konnte in den schwierigen Jahren zwischen 1790 und 1820 durch seine günstigen Verbindungen noch einigermaßen seinen Vorstellungen entsprechend leben und arbeiten. Erst kürzlich konnten seine Werke nach langer Zeit erstmals fast lückenlos der Öffentlichkeit vorgestellt werden.

Sein noch weniger bekannter Kollege Scheffauer beklagte sein unglückliches Los in Briefen an einen Freund und Gönner in Würzburg: »Ich sehe wohl ein, daß die gegenwärtige Zeiten allen Gewerb besonders aber den bildenden Künsten einen harten Stos geben…« Auch der bevorzugte Dannecker konnte sich nur selten eines ihn beflügelnden Auftrags von seiten des Hofes erfreuen. 1798 schrieb er an Goethe: »…unser Erbprinz (d.i. Friedrich, Sohn von Herzog Friedrich Eugen und späterer König, Anm. d.Verf.) ist jezo Herzog, er hat weit mehr Gefühl und Verstand vor die Kunst als sein Vatter (denn der hatte weniger als nichts): nur befürchte ich, daß die liebe Kunst bloß als Decoration betrachtet und gehalten wird.«

So konnten die Bildhauer ihre Ideen von vorbildlicher Menschlichkeit zum großen Teil nur im kleinen Format und in billigem Material darstellen, wenn sie Abnehmer dafür finden wollten. Eine Äußerung Scheffauers aus dem Jahr 1798 macht dies deutlich: »Ich habe wirklich mehrere Stücke in Cararischem Marmor fertig und kan (ob ich gleich mir schmeicheln darf, daß es nichts gewöhnliches ist) durchaus nichts absezen.«

Aus Baden sind uns heute kaum die Namen von Bildhauern aus dieser Zeit, noch weniger ihre Werke bekannt. Künstler wie Xaver Marchand, Tobias Günther oder Joseph Kayser (Kat.Nr. 295) sind so gut wie vergessen. Ebenso Maximilian Joseph Pozzi (Kat.Nrn. 1120–1121), der als Schüler der ehemals blühenden Zeichnungsakademie des Mannheimer Hofes (Kat.Nr. 1065) später auch Aufträge für Max I. Joseph in München ausführte.

Nicht ganz so eingeengt wie seine Stuttgarter Kollegen lebte und arbeitete der Bildhauer Landolin Ohmacht (Kat.Nrn. 1150ff.). Er stammte aus dem Gebiet der Freien Reichsstadt Rottweil und lehnte die Bindung an den Hof ab. Durch zahlreiche Reisen erwarb er sich einen großen Kreis von Bekannten in Deutschland und der Schweiz, der ihm nicht weniger zahlreiche Aufträge für Bildnisse und dekorative Stücke in meist kleinem, ›bürgerlichem‹ Format eintrug. Auch seine Werke sind heute kaum noch bekannt.

*Zur Einführung: S.Gohr, Die Antike in der Kunsttheorie von J.J. Winckelmann bis Friedrich Schlegel, in: Bertel Ausst.-Kat. Thorvaldsen. Skulpturen, Modelle, Bozzetti, Handzeichnungen. Gemälde aus Thorvaldsens Sammlungen, Köln 1977, 9ff. – M. Maek-Gérard, Die Skulptur um 1800, in: a.O., 25ff. – v. Holst 1987, 13ff. – Zitate: Spemann 1909, Anhang 155 Nr.253 (Scheffauer). – v.Holst 1987, 273 zu Nr. 95 (Dannecker). – Zu den badischen Künstlern vgl. die Artikel bei Thieme-Becker. – Zu Ohmacht zuletzt: Sporhan 1986.*         Ulrich Hübinger

# Malerei

Aufgrund der geistesgeschichtlichen Strömungen und der politischen Umwälzungen der Zeit vollzog sich auch für die Künstler ein Wandel in bezug auf ihre soziale Stellung. Ihr sozialer Aufstieg war eng verknüpft mit ihrer Loslösung von der traditionellen Bindung an das Handwerk und an die höfische Kunst. Die Künstler orientierten sich nun an dem gebildeten aufstrebenden Bürgertum, von dem sie ihre Aufträge erhielten.

Die schwerpunktmäßige Darstellung der Malerei im deutschen Südwesten um die Wende des 18. zum 19. Jahrhundert will dem künstlerischen Werdegang der Maler folgen, von ihrer Ausbildung in den Residenzstädten Stuttgart und Karlsruhe bis hin zu ihren Studienaufenthalten in den beiden großen Kunstzentren der Zeit, Paris und Rom, in denen sie wertvolle Anregungen für ihr künstlerisches Schaffen aufnahmen.

Des weiteren werden die bevorzugten Bildgattungen in der Malerei dieser Zeit vorgestellt: die Historie, das Bildnis sowie die Landschaftsdarstellung.  Isabella Fehle

*Abgekürzt zitierte Literatur:*

*Allroggen-Bedel 1982*
A. Allroggen-Bedel, Die Antikensammlung in der Villa Albani zur Zeit Winckelmanns, in: Forschung zur Villa Albani. Antike Kunst und die Epoche der Aufklärung, hg. H. Beck/P. C. Bol, Berlin 1982 (= Frankfurter Forschungen zur Kunst, 10).

*Arnason 1975*
H. H. Arnason, The sculptures of Houdon, London 1975.

*Arndt 1979*
K. Arndt, Denkmal und Grabmal. Notizen zur Entwicklung seit dem Klassizismus, in: Kat. Bonn 1979, 17ff.

*Atzel 1782*
J. J. Atzel, Schreiben über einen Versuch in Grabmälern nebst Proben, in: Wirtembergisches Repertorium der Litteratur 1782, 217ff.

*Atzel 1783*
J. J. Atzel, Ideal eines teutschen Gartens, in: Wirtembergisches Repertorium der Litteratur 1783, 394ff.

*Ausgewählte Werke*
Ausgewählte Werke aus den Württembergischen Landeskunstsammlungen, 3. Mit Beiträgen von W. Fleischhauer/ H. H. Jostenl..., Stuttgart 1936.

*Baert 1849*
Ph. Baert, Mémoires sur les sculpteurs et architectes des Pays-Bas, in: Compte Rendu des séances de la Commission Royale d'Histoire ou Recueil de ses Bulletins, ser. 1.15, 1849.

*Balet 1911*
L. Balet, Ludwigsburger Porzellan. Figurenplastik, Stuttgart 1911 (= Kataloge der Kgl. Altertümersammlung in Stuttgart, 1).

*Bartsch 1976*
G. Bartsch, Akademismus und Idealismus am Beispiel des Bildhauers Johann Heinrich Dannecker (1758–1841), Diss. Hamburg 1976.

*v. Baudissin 1931*
K. v. Baudissin, Katalog der Staatsgalerie zu Stuttgart. Amtliche Ausgabe, Stuttgart 1931.

*Baum 1917*
J. Baum, Deutsche Bildwerke des 10. bis 18. Jahrhunderts, Stuttgart 1917 (= Kataloge der Altertümersammlung in Stuttgart, 3).

*Beck 1902*
D. Beck, Lavaters Beziehung zu Schwaben – ein Gedenkblatt zu seinem 100. Todestag, in: Diöcesan-Archiv von Schwaben 20.3/4, 1902, 33–50.

*Beeh 1974*
W. Beeh, Bildwerke um 1800–1970 im Hessischen Landesmuseum Darmstadt, Hanau 1974 (= Kataloge des Hessischen Landesmuseums Darmstadt, 6).

*Beenken 1944*
H. Beenken, Das 19. Jahrhundert in der deutschen Kunst, Aufgaben und Gehalte. Versuch einer Rechenschaft, München 1944.

*Beringer 1907*
J. A. Beringer, Goethe und der Mannheimer Antikensaal, in: Goethe-Jahrbuch 28, 1907, 150ff.

*Bloch 1979*
P. Bloch, Der Tod aus der Sicht der Hinterbliebenen, in: Kat. Bonn 1979, 27ff.

*Boehringer 1981*
Chr. Boehringer, Lehrsammlungen von Gipsabgüssen im 18. Jahrhundert am Beispiel der Göttinger Universitätssammlung, in: Antikensammlungen im 18. Jahrhundert, Hg. H. Beck/P. C. Boll..., Berlin 1982 (=Frankfurter Forschungen zur Kunst, 9).

*Bottari 1750*
G. Bottari (Hg.), Musei Capitolini, 2: Augustorum et Augustarum Hermas continens, Rom 1750.

*Brambach 1884*
W. Brambach, Bildnisse zur Geschichte des Badischen Fürstenhauses. Vorarbeiten zu einem kritischen Verzeichnisse Badischer Fürstenporträts, Karlsruhe 1884 (=Mittheilungen aus der Großherzoglich Badischen Hof- und Landesbibliothek und Münzsammlung, 5).

*Brandt 1986*
R. Brandt, »... ist endlich eine edle Einfalt und stille Größe«, in: Johann Joachim Winckelmann 1717–1768, hg. Th. W. Gaethgens, Hamburg 1986, 41ff. (= Studien zum 18. Jahrhundert, 7).

*Breitbart 1911*
O. Breitbart, Johann Valentin Sonnenschein 1749–1828, in: Anzeiger für Schweizerische Altertumskunde, N. F. 13, 1911, 272ff.

*Bucher 1986*
W. Bucher, Plastiken von Valentin Sonnenschein, in: Schloß Jegenstorf, Ausstellung 1986, 30ff.

*Bushart 1968*
B. Bushart, Augsburg und die Wende in der deutschen Kunst um 1750, in: Festschrift W. Gross, München 1968, 261ff.

Deonna 1951
W. Deonna, Le silence, gardien du secret, in: Zeitschrift für Schweizerische Archäologie und Kunstgeschichte 12, 1951, 28ff.

Devigne 1928
M. Devigne, Pierre François Lejeune, in: Thieme-Becker 22, 1928, 591ff.

Ducret 1959
S. Ducret, Die Zürcher Porzellanmanufaktur und ihre Erzeugnisse im 18. und 19. Jahrhundert, 2: Die Plastik, Zürich 1959.

Erouart 1982
G. Erouart, Architettura come pittura. Jean-Laurent Legeay un piranesiano francese nell'Europa dei Lumi, Mailand 1982.

Faerber 1949
P. Faerber, Nikolaus Friedrich Thouret. Ein Baumeister des Klassizismus, Stuttgart 1949.

Feulner 1929
A. Feulner, Skulptur und Malerei des 18. Jahrhunderts in Deutschland, Wildpark-Potsdam 1929.

Finn/Licht 1983
D. Finn/F. Licht, Antonio Canova. Beginn der modernen Skulptur, München 1983.

Fittschen 1977
K. Fittschen, Katalog der antiken Skuplturen in Schloß Erbach, Berlin 1977 (=Archäologische Forschungen, 3).

Fleischhauer 1929
W. Fleischhauer, Philipp Friedrich Hetsch. Ein Beitrag zur Kunstgeschichte Württembergs, Stuttgart 1929.

Fleischhauer 1939
W. Fleischhauer, Das Bildnis in Württemberg 1760–1860. Geschichte, Künstler und Kultur, Stuttgart 1939.

Fleischhauer 1957
W. Fleischhauer, Philipp Jacob Scheffauer im Bildnis, in: Festschrift E. Meyer. Studien zu Werken in den Sammlungen des Museums für Kunst und Gewerbe Hamburg, Hamburg 1957.

Fleischhauer 1965
W. Fleischhauer, Zur Bildniskunst Danneckers, in: Studien zur europäischen Plastik. Festschrift Th. Müller 1965, München 1965, 323ff.

Führer 1959
Führer durch das Württembergische Landesmuseum Stuttgart. Kunstgeschichtliche Sammlungen, Stuttgart 1959.

Füßli 1813
Füßli's Allgemeines Künstlerlexikon oder kurze Nachricht von dem Leben und den Werken, 2.7, Zürich 1813.

Gauss 1976
U. Gauss, Die Zeichnungen und Aquarelle des 19. Jahrhunderts in der Graphischen Sammlung der Staatsgalerie Stuttgart. Bestandskatalog, Stuttgart 1976.

Gauss 1987
U. Gauss, Johann Heinrich Dannecker. Der Zeichner, Stuttgart 1987.

Gerlach 1973
P. Gerlach, Antikenstudien in Zeichnungen klassizistischer Bildhauer, Diss. Köln 1973.

Gessner 1972/1974
S. Gessner, Sämtliche Schriften 1/3, Zürich 1972/1974 (=Salomon Gessner. Sämtliche Schriften in drei Bänden, hg. M. Bircher).

Graham 1979
J. Graham, Lavater's essays on physiognomy. A study in the history of ideas, Bern 1979 (= European University Studies, Ser. 18.18).

Grate 1985
P. Grate, Hubert Robert et l'iconographie d'Augustin Pajou, in: Gazette des Beaux-Arts 106, 1985, 7ff.

Grotkamp-Schepers 1980
B. Grotkamp-Schepers, Die Mannheimer Zeichnungsakademie und die Werke der ihr angeschlossenen Maler und Stecher, Diss. Frankfurt 1980.

Haakh 1863
A. Haakh, Beiträge aus Württemberg zur neueren deutschen Kunstgeschichte, Stuttgart 1863

Harnack 1896
O. Harnack, Deutsches Kunstleben in Rom im Zeitalter der Klassik. Ein Beitrag zur Kulturgeschichte, Weimar 1896.

Hartmann 1969
J. B. Hartmann, Die Genien des Lebens und des Todes. Zur Sepulkralikonographie des Klassizismus, in: Römisches Jahrbuch für Kunstgeschichte 12, 1969, 11ff.

Hartmann 1977
J. B. Hartmann, Zu Thorvaldsens Rezeption der nordischen Kunst in Rom um 1770–1797, in: Bertel Thorvaldsen. Untersuchungen zu seinem Werk und zur Kunst seiner Zeit, Köln 1977, 129ff.

Haskell/Penny 1981
F. Haskell/N. Penny, Taste and the antique. The lure of classical sculpture 1500–1900, New Haven/London 1981.

Hessel/Isenberg 1976
Hölderlin. Dokumente seines Lebens. Briefe, Tagebuchblätter, Aufzeichnungen, hg. H. Hessel/K. Isenberg, Frankfurt 1976.

Himmelmann 1976
N. Himmelmann, Utopische Vergangenheit. Archäologie und moderne Kultur, Berlin 1976.

Hirt 1789
A. Hirt, Über zwey Statuen von den Herrn Dannekker und Scheffauer, in: Italien und Deutschland in Rücksicht auf Sitten, Gebräuche, Litteratur und Kunst 1789.2.

Hofmann 1921
F. H. Hofmann, Johann Peter Melchior 1742–1825, München/Berlin/Leipzig 1921 (= Einzeldarstellungen zur süddeutschen Kunst, 2).

Hofmann 1982
E. Hofmann, Peter Anton von Verschaffelt. Hofbildhauer des Kurfürsten Carl Theodor in Mannheim, Diss. Mannheim 1982.

v. Holst 1982
Chr. v. Holst, Staatsgalerie Stuttgart. Malerei und Plastik des 19. Jahrhunderts, Stuttgart 1982.

v. Holst 1987
Chr. v. Holst, Johann Heinrich Dannecker. Der Bildhauer,
Stuttgart 1987.

Howard 1970
S. Howard, Bartolomeo Cavaceppi and the origin of neo-
classic sculpture, in: Art Quarterly 33, 1970, 120ff.

Howard 1982
S. Howard, Bartolomeo Cavaceppi. 18th century restorer,
New York/London 1982.

Ingersoll-Smouse 1912
F. Ingersoll-Smouse, La sculpture funéraire en France au
XVIIIe siècle, Paris 1912.

Inventar Kassel 1938
G. Ganßauge/W. Kramm/W. Medding, Kreis der Twiste,
Kassel 1938 (= Die Bau- und Kunstdenkmäler im Regie-
rungsbezirk Kassel, 3).

Kat. Bonn 1979
Wie die Alten den Tod gebildet. Wandlungen in der Sepulkralkultur 1750–1850, Ausstellung Bonn 1979 (= Kasseler Studien zur Sepulkralkultur, 1).

Kat. Bregenz 1968/69
Angelika Kauffmann und ihre Zeitgenossen, Ausstellung
Bregenz/Wien 1968/69.

Kat. Bruchsal 1981
Badisches Landesmuseum Karlsruhe. Barock in Baden-
Württemberg. Vom Ende des Dreißigjährigen Krieges bis
zur Französischen Revolution, 1: Katalog, Ausstellung
Bruchsal 1981.

Kat. Frankfurt 1986/87
Französische Zeichnungen im Städelschen Kunstinstitut
1550–1800, Ausstellung Frankfurt 1986/87.

Kat. Göttingen 1979
Archäologisches Institut der Universität Göttingen. Die
Skulpturen der Sammlung Wallmoden. Ausstellung zum
Gedenken an Christian Gottlob Heyne 1729–1812, Göt-
tingen 1979.

Kat. Kassel 1979
Aufklärung und Klassizismus in Hessen-Kassel unter
Landgraf Friedrich II. 1760–1785, Ausstellung Kassel
1979.

Kat. Köln 1985
Wallraff-Richartz-Museum Köln. »Land der Wunder«.
Italienische Reiseskizzen, Architekturstudien und Veduten
des 19. Jahrhunderts aus dem Nachlaß J. I. Hittorff, Ausstellung Köln 1985.

Kat. Marbach 1970
Hölderlin zum 200. Geburtstag, Ausstellung Marbach
1970 (= Sonderausstellungen des Schiller-National-
museums Marbach, 21).

Kat. München 1979/80
Zwei Jahrhunderte englische Malerei. Britische Kunst und
Europa 1680–1880, Ausstellung München
1979/80.

Kat. München 1980 III.2
Wittelsbach und Bayern, III.2: Krone und Verfassung.
König Max I. Joseph und der neue Staat, Ausstellung
München 1980.

Kat. Stuttgart 1925
Das schwäbische Land. Ausstellung schwäbischer Kunst
des 19. Jahrhunderts, Ausstellung Stuttgart 1925.

Kat. Stuttgart 1954
Jubiläums-Ausstellung des Stadtarchivs Stuttgart.
Gemälde und Plastiken, Ausstellung Stuttgart 1954.

Kat. Stuttgart 1959
Alt-Ludwigsburger Porzellan, Ausstellung Schloß
Ludwigsburg 1959.

Kat. Stuttgart 1976
Gottlieb Schick. Ein Maler des Klassizismus, Ausstellung
Stuttgart 1976.

Kat. Stuttgart 1986
Kunst des 19. und 20. Jahrhunderts in Baden-Württemberg. 25 Jahre Galerie der Stadt Stuttgart im Kunstgebäude. Erwerbungen seit 1961, Ausstellung Stuttgart
1986.

Kat. Treviso 1957
Mostra Canoviana. Catalogo a.c. L. Coletti, Ausstellung
Treviso 1957.

Kat. Wien 1978
Klassizismus in Wien. Architektur und Plastik, Ausstel-
lung Wien 1978 (Sonderausstellung des Historischen
Museums der Stadt Wien, 56).

Kat. Wörlitz 1986
Staatliche Schlösser und Gärten Wörlitz, Oranienbaum,
Luisium. Friedrich Wilhelm von Erdmannsdorff
1736–1800 zum 200. Geburtstag, Ausstellung Wörlitz
1986.

Kat. Zürich/Wolfenbüttel 1980
Maler und Dichter der Idylle. Salomon Gessner
1730–1788, Ausstellung Zürich/Wolfenbüttel 1980 (=
Ausstellungskataloge der Herzog-August-Bibliothek, 30).

Kerler 1905
H. Kerler, Zur Lebensgeschichte des Bildhauers Philipp
Jakob Scheffauer, in: Literarische Beilage des Staatsanzei-
gers für Württemberg 1905, 94ff.

Klaiber 1959
H. A. Klaiber, Der württembergische Oberbaudirektor
Philippe de La Guêpière. Ein Beitrag zur Kunstgeschichte
der Architektur des Spätbarock, Stuttgart 1959 (= Veröffentlichungen der Komission für geschichtliche Landeskunde in Baden-Württemberg, Reihe B, 9).

Knauss 1925
B. Knauss, Das Künstlerideal des Klassizismus und der
Romantik, Reutlingen 1925 (= Tübinger Forschungen zur
Archäologie und Kunstgeschichte, 4).

Krauß 1907
R. Krauß, Die schöne Literatur, in: Herzog Karl Eugen
von Württemberg und seine Zeit 1, Stuttgart 1907, 411ff.

Ladendorf 1958
H. Ladendorf, Antikenstudium und Antikenkopie. Vorarbeiten zu einer Darstellung ihrer Bedeutung in der mittelalterlichen und neueren Zeit, Berlin ²1958 (= Abhandlungen d. Sächs. Akademie d. Wiss. zu Leipzig, phil.-hist.
Klasse, 46.2).

Lammel 1986
G. Lammel, Deutsche Malerei des Klassizismus, Leipzig
1986.

Landenberger 1958
M. Landenberger, Johann Valentin Sonnenschein als Mo-
delleur der Ludwigsburger Porzellanmanufaktur. Eine
stilkritische Untersuchung, in: Keramik-Freunde der
Schweiz, Mitteilungsblatt 44, 1958, 26ff.

Lankheit 1979
  K. Lankheit, Friedrich Weinbrenner und der Denkmals-
  kult um 1800, Basel/Stuttgart 1979 (= Schriftenreihe d.
  Inst. f. Gesch. u. Theorie d. Architektur an d. Eidgenöss.
  Techn. Hochschule Zürich, 21).

Lankheit 1980
  K. Lankheit, Rokoko und Antike. »Teste di Cesari« in
  Porzellan, in: Forschungen und Funde. Festschrift
  B. Neutsch, Innsbruck 1980, 273ff.

Lill 1914
  G. Lill, Ludwigsburger Figurenplastik in Amberger Ausformungen, in: Festschrift des Münchner Altertums-Ver-
  eins zur Erinnerung an das 50jährige Jubiläum, München
  1914, 153ff.

Lippold 1936
  G. Lippold, Die Skulpturen des Vatikanischen Museums,
  3. 1/2, Berlin/Leipzig 1936.

Louis 1939
  A. Louis, Un sculpteur belge en Italie au XVIIIe siècle,
  François Lejeune, in: Bulletin d'Institut Historique Belge à
  Rome 20, 1939, 249 ff.

Mackowsky 1927
  H. Mackowsky, Johann Gottfried Schadow. Jugend und
  Aufstieg 1764–1797, Berlin 1927.

Maek-Gérard 1982
  E. Maek-Gérard, Die Antike in der Kunsttheorie des 18.
  Jahrhunderts, in: Forschungen zur Villa Albani. Antike
  Kunst und die Epoche der Aufklärung, hg. H. Beck/
  P. C. Bol, Berlin 1982, 1ff (= Frankfurter Forschungen
  zur Kunst, 10).

Maser 1971
  Cesare Ripa. Baroque und Rococo pictorial imagery. The
  1758–60 Hertel edition of Ripa's Iconologia with 200
  engraved illustrations, hg. A. Maser, New York 1971.

Matsche-v. Wicht 1979
  B. Matsche-v. Wicht, Das Grabmal im Landschaftsgarten,
  in: Kat. Bonn 1979, 45ff.

Memminger 1817
  J. D. G. Memminger, Stuttgart und Ludwigsburg mit
  ihren Umgebungen, Stuttgart/Tübingen 1817.

Moritz 1795
  K. Ph. Moritz, Götterlehre oder mythologische Dichtun-
  gen der Alten, Nachdruck der Ausgabe Berlin 1795,
  Berlin/München/Wien 1968.

Mozin 1803
  D. J. Mozin, Les charmes du Wurttemberg et des plusieurs
  belles contrées de la Suabe et de la Suisse, Stuttgart 1803.

Nagler 1845
  Neues allgemeines Künstlerlexicon oder Nachrichten von
  dem Leben und den Werken …, bearb. G. K. Nagler, 15,
  München 1845.

Nau 1967
  E. Nau, Hohenheim. Schloß und Gärten, Konstanz/Stutt-
  gart 1967.

Neumeyer 1938
  A. Neumeyer, Monuments to ›genius‹ in German classi-
  cism, in: Journal of the Warburg Institute 2, 1938, 159ff.

Noack 1927.1
  F. Noack, Das Deutschtum in Rom seit dem Ausgang des
  Mittelalters, 1, Stuttgart/Berlin/Leipzig 1927.

Pelzel 1979
  Th. Pelzel, Anton Raphael Mengs und neoclassicism, New
  York/London 1979.

Pfeiffer 1907
  B. Pfeiffer, Die bildenden Künste unter Herzog Karl Eugen, in: Herzog Karl Eugen und seine Zeit 1, Stuttgart
  1906, 615ff.

Pfeiffer 1912
  B. Pfeiffer, Klassizistische Bildwerke an Grabmälern in
  und um Stuttgart, in: Festschrift zur Feier des 50jährigen
  Bestehens der k. Altertümersammlung in Stuttgart 1912,
  Stuttgart o. J., 137ff.

Plagemann 1967
  V. Plagemann, Das deutsche Kunstmuseum. Lage. Baukörper, Raumorganisation, Bildprogramm, München
  1967 (= Studien zur Kunst des 19. Jahrhunderts, 3).

Pötzl-Malikova 1982
  M. Pötzl-Malikova, Franz Xaver Messerschmidt, Wien
  München 1982.

Praz 1976
  M. Praz/G. Pavanello, L'opera completa di Canova, Mailand 1976 (= Classici dell'arte, 85).

Réau 1964
  L. Réau, Houdon. Sa vie et son œuvre 1–4, Paris 1964.

Richter 1965. 1/2
  G. M. A. Richter, The portraits of the Greeks 1/2, Prince-
  ton 1965.

Röttgen 1986
  St. Röttgen, Winckelmann, Mengs und die deutsche Kunst,
  in: Johann Joachim Winckelmann 1717–1768, hg. Th.
  Gaethgens, Hamburg 1986, 161ff (= Studien zum 18.
  Jahrhundert, 7).

Rohr 1911
  J. Rohr, Der Straßburger Bildhauer Landolin Ohmacht.
  Eine kunstgeschichtliche Studie samt einem Beitrag zur
  Geschichte der Ästhetik um die Wende des 18. Jahrhun-
  derts, Straßburg 1911.

Rupprecht 1963
  B. Rupprecht. Plastisches Ideal und Symbol im Bilderstreit
  der Goethezeit, in: Probleme der Kunstwissenschaft, 1:
  Kunstgeschichte und Kunsttheorie im 19. Jahrhundert,
  Berlin 1963, 195ff.

Sachs/Badstübner/Neumann 1975
  H. Sachs/E. Badstübner/H. Neumann, Christliche Ikonographie in Stichworten, München 1975.

Sakmann 1899
  Eine ungedruckte Voltaire-Correspondenz, mit einem Anhang: Voltaire und das Haus Württemberg, hg. P. Sakmann, Stuttgart 1899.

Schefold 1939
  M. Schefold, Katalog der Staatsgalerie zu Stuttgart. Nachtrag 1939. Amtliche Ausgabe, Stuttgart 1939.

Schefold 1946
  K. Schefold, Tochter der Niobe, in: Phoebus. Zeitschrift
  für Kunst aller Zeiten 1, 1946, 49ff.

Schiering 1981
  W. Schiering, Der Mannheimer Antikensaal, in: Antiken-
  sammlungen im 18. Jahrhundert, hg. H. Beck/P. C. Bol,
  Berlin 1981, 257ff. (= Frankfurter Forschungen zur
  Kunst, 9).

**Schmidt 1921**
R. Schmidt, Ein Familienmonument aus Ludwigsburger Porzellan im Frankfurter Kunstgewerbemuseum, in: Jahrbuch für Kunstsammler 1, 1921, 23ff.

**v. Schneider 1938**
A. v. Schneider, Die plastischen Bildwerke, vorwiegend oberrheinischer Herkunft, Karlsruhe 1938 (= Veröffentlichungen des Badischen Landesmuseums, 1)

**Seib 1979**
G. Seib, Adels- und Fürstenmausoleen, in: Kat. Bonn 1979, 75ff.

**Sichtermann/Koch 1982**
H. Sichtermann/G. Koch, Römische Sarkophage, München 1982.

**Simon 1910**
K. Simon, Arbeiten des Bildhauers Landolin Ohmacht in Frankfurt 1–4 (mit Nachtrag), in: Alt-Frankfurt. Vierteljahresschrift für Geschichte und Kunst 2, 1910, 13ff (1), 83ff (2), 115ff (3); 3,1911, 122 (Nachtrag); 5, 1913, 50ff (4).

**Souchal 1980**
F. Souchal, Les frères Coustou et l'evolution de la sculpture française du Dôme des Invalides aux Chevaux de Marly, Paris 1980.

**Souchal 1981**
F. Souchal, French sculptors of the 17th and 18th centuries. The reign of Louis XIV, G–L, Oxford 1981.

**Spickernagel 1981**
E. Spickernagel, Zwischen Venus und Juno. Frauenideale in Beispielen klassizistischer Malerei, in: Städel Jahrbuch N. F. 8, 1981, 301ff.

**Spemann 1909**
A. Spemann, Dannecker, Berlin/Stuttgart 1909.

**Sporhan 1986**
L. Sporhan, Der Bildhauer Landolin Ohmacht aus Dunningen, in: Schwäbische Heimat 37, 1987, 217ff.

**Stavan 1979**
H. A. Stavan, Voltaire und Kurfürst Carl Theodor, Freundschaft oder Opportunismus?, in: Voltaire und Deutschland. Quellen und Untersuchungen zur Rezeption der französischen Aufklärung. Internationales Kolloquium Mannheim, Stuttgart 1979.

**Stein 1912**
H. Stein, Augustin Pajou, Paris, 1912.

**Tesdorpf 1933**
K. W. Tesdorpf, Johannes Wiedewelt. Dänemarks erster klassizistischer Bildhauer, ein Anhänger von Winckelmann, Hamburg 1933.

**Theuerkauff/Möller 1977**
Chr. Theuerkauff/L. L. Möller, Museum für Kunst und Gewerbe Hamburg. Die Bildwerke des 18. Jahrhunderts, Braunschweig 1977 (= Kataloge des Museums für Kunst und Gewerbe Hamburg, 4).

**Uhland 1953**
R. Uhland, Geschichte der Hohen Karlsschule in Stuttgart, Stuttgart 1953.

**Uhlig 1981**
W. Uhlig, Nicolas Guibal, Hofmaler des Herzogs Carl Eugen von Württemberg. Ein Beitrag zur deutschen Kunstgeschichte des ausgehenden 18. Jahrhunderts, Diss. Stuttgart 1981.

**Uriot 1763**
J. Uriot, Beschreybung der Feyerlichkeiten welche bey Gelegenheit des Geburtsfestes Sr. Herzoglichen Durchlaucht des Regierenden Herrn Herzogs zu Württemberg und Teck etc. etc., den 11ten und folgende Tage des Hornungs 1763 angestellet worden, Stuttgart 1763.

**Vierneisel-Schlörb 1979**
B. Vierneisel-Schlörb, Klassische Skulpturen des 5. und 4. Jahrhunderts v. Chr., München 1979 (= Glyptothek München. Katalog der Skulpturen, 2).

**Vogler 1892/93**
C. H. Vogler, Der Bildhauer Alexander Trippel aus Schaffhausen 1/2: Die Lebensgeschichte/Die Werke und die Beurteilung Trippels; Beilagen, Schaffhausen 1892/93 (= Neujahrsblatt des Kunstvereins und des historisch-antiquarischen Vereins zu Schaffhausen 1892/93).

**Wagner 1856/57**
H. Wagner, Geschichte der hohen Karlsschule 1/2, Würzburg 1856/57.

**Walzer 1958**
A. Walzer, Schwäbische Plastik im Württembergischen Landesmuseum Stuttgart, Stuttgart 1958.

**Walzer 1967**
A. Walzer, Bildwerke aus dem Württembergischen Landesmuseum Stuttgart, Stuttgart 1967.

**Wanner-Brandt 1906**
Album der Erzeugnisse der ehemaligen Württembergischen Manufaktur Alt-Ludwigsburg nebst kunstgeschichtlicher Abhandlung von B. Pfeiffer, hg. O. Wanner-Brandt, Stuttgart 1906.

**Weber 1956**
W. Weber, Was in Ludwigsburg an Philipp Jakob Scheffauer erinnert. Zum 200. Geburtstag des schwäbischen klassizistischen Bildhauers, in: Hie gut Württemberg 7, 1956, 49f.

**Wegner 1944**
M. Wegner, Goethes Anschauung antiker Kunst, Berlin 1944.

**Wegner 1980**
M. Wegner, Zustände, in: Eikones. Festschrift H. Jucker, Bern 1980 (= Antike Kunst, Beiheft 12).

**Wescher 1978**
P. Wescher, Kunstraub unter Napoleon, Berlin ²1978.

**Wintterlin 1895**
A. Wintterlin, Württembergische Künstler in Lebensbildern, Stuttgart 1895.

**Wünsche 1985/86**
R. Wünsche, »Göttliche, paßliche, wünschenswerthe und erforderliche Antiken«. L. v. Klenze und die Antikenerwerbungen Ludwigs I., in: Ein griechischer Traum. Leo von Klenze. Der Archäologe, Ausstellung München 1985/86.

**Zoege v. Manteuffel 1981**
C. Zoege v. Manteuffel, Erwerbungsbericht, in: Jahrbuch der Staatlichen Kunstsammlungen in Baden-Württemberg 18, 1981, 196ff.

## Stuttgart – Hofkunst und Akademie im späten 18. Jahrhundert

## Die Plastik

1065

**1065\***

### STATUE DES ›LAR‹ (IDOLINO‹)

Gipsabguß nach der antiken Bronzestatue in Florenz aus Formen der Mannheimer Zeichnungsakademie

Peter Anton Verschaffelt (1710–1793)
Mannheim, 1772

*Gips*
H. 150 cm

Land Baden-Württemberg, Liegenschaftsverwaltung

Die Faszinationskraft der antiken Skulpturen ist auch während des Mittelalters nie ganz erloschen. Besonders aber seit der Renaissance genossen sie unter Kennern und Künstlern wieder höchstes Ansehen. Originale und Nachbildungen dienten ihren Besitzern zur Repräsentation von Bildung und Geschmack, Macht und Tradition. Malern und Bildhauern waren sie Leitbilder beim Studium an den Akademien. Auch die griechisch-römische Mythologie und Geschichte blieb neben der christlichen Heilslehre eine Hauptquelle der Inspiration für die Künstler.

Um 1750 führten die geistigen Strömungen der Zeit zu einer Neubewertung der antiken Kunst, die von den Idealen des aufgeklärten Bürgertums geprägt war. Die klassische Kultur des antiken Griechenland erschien als ein Gegenbild zum selbstherrlichen Glanz der Fürstenhöfe im Stil von Versailles. Die expressiv bewegten Kunstwerke des Barock und die verspielt heiteren Darstellungen des Rokoko galten nun als dekadent. Sie ließen sich mit den Vorstellungen von menschlicher Natürlichkeit und Schönheit, von ›edler Einfalt und stiller Größe‹ oder ›Anmut und Würde‹ nicht vereinen.

Die klassischen Skulpturen der Antike galten dagegen als Reflex der neuen Ideale in vollendeter Form. Die Antikenbegeisterung der Jahrzehnte um 1800 erreichte Dimensionen von vorher unbekanntem Ausmaß. Der Bruch mit der Tradition des höfisch ausgerichteten Barock und Rokoko stellte die Künstler vor die Aufgabe, das klassische Griechenland in ihren Werken nicht nur formell wieder erstehen zu lasssen. Skulpturen und Gemälde sollten den Geist der Antike beinhalten, »vermittelst welchem die Alten dieses hohe und mannichfaltige Schöne, das sich in ihren Werken entdeckt, ... aus der Natur durch so zarte Linien abstrahiert haben« (Hirt 1789, 17).

Aufgeklärte Fürsten wie Karl Eugen von Württemberg und Karl Theodor von der Pfalz förderten die künstlerischen Tendenzen ihrer Epoche durch die Einrichtung von Akademien. Einzigartig in Europa war seit 1767 die Einrichtung eines ›Antikensaals‹ an der Mannheimer Zeichnungsakademie. Dort hatte der Hofbildhauer Peter Anton Verschaffelt (1710–1793) rund 70 Gipsabgüsse von den berühmtesten Antiken aufstellen können. Sie dienten vornehmlich dem kostenlosen Studium der Kunstschüler. Darüber hinaus wurde die Institution bald zu einem Anziehungspunkt für Künstler und Gelehrte aus ganz Deutschland – darunter auch Goethe und Schiller, der nach seinem Besuch begeistert schrieb:

»Der Mensch brachte hier etwas zu Stande, das mehr ist, als er selbst war, das an etwas größeres erinnert, als seine Gattung – ... Freund! Dieser Torso erzählt mir, daß vor zwei Jahrtausenden ein großer Mensch da gewesen, der so etwas schaffen konnte – daß ein Volk da gewesen, das einem Künstler, der so etwas schuf, Ideale gab – daß dieses Volk an Wahrheit und Schönheit glaubte, weil einer aus seiner Mitte Wahrheit und Schönheit fühlte – daß dieses Volk edel gewesen, weil Tugend und Schönheit nur Schwestern der nämlichen Mutter sind. – Siehe Freund, so habe ich Griechenland in dem Torso geahndet.«

Den Abguß der Jünglingsstatue führte Verschaffelt 1772 unter Verwendung von Formen aus dem Besitz der Zeichnungsakademie aus. Diese Formen waren schon kurz nach 1700 vom Original der antiken Bronzefigur in Florenz genommen worden. Im 18. Jahrhundert sah man in dem Jüngling unter anderem einen etruskischen Genius (›Lar‹). Für die Aufstellung der Figur im Badhaus des Schwetzinger Schloßparks fügte Verschaffelt den Baumstumpf mit gezielt herauswachsendem Zweig und die Schriftrolle hinzu, wofür er die Haltung der rechten Hand gegenüber dem Original leicht veränderte. Heute ist die Gipsfigur von 1772 im Badhaus durch eine Kopie ersetzt.

*Zur Rezeptionsgeschichte der antiken Skulpturen: Haskell/Penny 1981. – Geistige Strömungen im 18. Jhd. und Kunstentwicklung: Maek-Gérard 1982. – Bushart 1968. – Antikensaal Mannheim: Beringer 1907. – Grotkamp-Schepers 1980, 20ff. – Schiering 1981. – Hofmann 1982, 23f. – Schillerzitat: Meusels Miscellaneen artistischen Inhalts 28 (1786), 110f. – Abgüsse im Badhaus: Hofmann 1983, 285f., Abb. 354–357. – Zur Rezeptionsgeschichte des ›Lar‹: Haskell/Penny 1981, 240f. Nr. 50 Abb. 123 (›The Idol‹).*                                           U.H.

1066

1066*

### Büste eines römischen Kaisers, sogenannter Antoninus Pius

Pierre François Lejeune (1721–1790)
Stuttgart, um 1760

*Weißer und roter Marmor, Travertin, Achat, Bronzesockel*
H. 76,5 cm

Schloßverwaltung Ludwigsburg, Außenstelle des Staatl. Liegenschaftsamtes Stuttgart, Schloß Ludwigsburg, Inv.-Nr. KRGT 2849

Während seiner ersten Italienreise im Jahr 1753 hatte Herzog Karl Eugen von Württemberg in Rom den Brüsseler Bildhauer Pierre François Lejeune in seine Dienste genommen. Der Künstler hatte dort seit 1737 für verschiedene Auftraggeber Bildnisse, allegorische Figuren und Grabmonumente angefertigt.
Trotz ungünstiger Bedingungen blieb Lejeune bis 1778 in Stuttgart, wo er zahlreiche Werke für Schlösser und Parkanlagen geschaffen hat. Auch für die Ludwigsburger Manufaktur lieferte er Modelle. Daneben war er als Professor der 1761 gegründeten Académie des Arts und später der Karlsschule maßgeblich an der frühen künstleri-

schen Entwicklung der Bildhauereleven Johann Heinrich Dannecker und Philipp Jacob Scheffauer beteiligt (Kat.-Nrn. 1585/86).

Mit seinen plastischen Werken entsprach er dem Wunsch Karl Eugens nach repräsentativer Dekoration seiner Bauten im Stil französischer Vorbilder. Antike Götter, Helden und Herrschergestalten dienten der Verherrlichung von Persönlichkeit und Lebensstil des Herzogs.

Die Büste des römischen Kaisers Antoninus Pius, des Vorgängers von Mark Aurel, stand 1763 in der Spiegelgalerie des Neuen Schlosses in Stuttgart. Die antiken Bildnisse dieses Kaisers haben nur eine entfernte Ähnlichkeit mit der Büste von Lejeune. Möglicherweise mangelte es dem Künstler an einem geeigneten Vorbild. Im kostbar ausgestatteten Katalog des kapitolinischen Museums in Rom von 1750 ist m.E. ein vergleichbares Porträt des Kaisers abgebildet, das Lejeune gekannt haben könnte. Dort wird Antoninus Pius als ein Mann von besonnener Güte und Erhabenheit − als würdiger Herrscher − beschrieben.

Zu dieser Büste hat ein Kollege Lejeunes − Wilhelm Beyer (1725−1806), der Stuttgart schon 1767 verlassen hat − ein Pendant gearbeitet: die Büste des Kaisers Vitellius, der als Inbegriff unersättlicher Lüsternheit und Ausschweifung galt. Einander gegenübergestellt bildeten die beiden Büsten in der Spiegelgalerie ein sinniges Arrangement gegensätzlicher Herrschereigenschaften.

Die Verwendung verschiedenfarbiger Gesteinssorten ist typisch für Kaiserbüsten des 16. und 17. Jahrhunderts, wie sie Lejeune aus Rom kannte. Dort gehörten sie zur Standardausstattung von Palästen vornehmer Familien.

*Unveröffentlicht. − Uriot, 1763, 24f. − Zu Lejeune: Thieme-Becker 22, 1928 (mit älterer Literatur). − Louis 1939 (zu Lejeune in Rom). − Antoninus Pius: Bottari 1750, 31f., Taf. 37. − Vitelliusbüste von Beyer: Ausgewählte Werke 1936, 81 Nr. 20, Taf. 37f. − Farbige Büsten: Kat. Göttingen 1979, 87ff. − Wegner 1980, 193, Taf. 64.5. − Kaisergalerien: Lankheit 1980, passim.*   U.H.

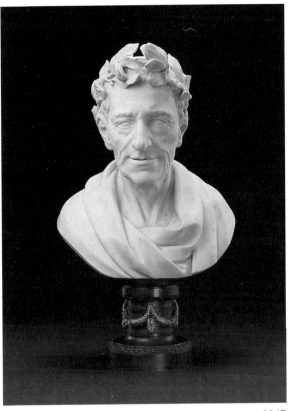

1067*                                      1067

## BÜSTE DES FRANZÖSISCHEN SCHRIFTSTELLERS UND PHILOSOPHEN VOLTAIRE (1694−1778)

Pierre François Lejeune (1721−1790)
Stuttgart, 1760/62

*Marmor, Bronzesockel*
*H. 61 cm*

Schloßverwaltung Ludwigsburg, Außenstelle des Staatl. Liegenschaftsamtes Stuttgart, Schloß Ludwigsburg, Inv.-Nr. KRGT 5753

Das rege Interesse des aufgeklärten Fürsten an den humanistischen Idealen seiner Zeit bezeugt diese Büste Voltaires, die Herzog Karl Eugen kurz nach 1760 zur Zierde seines Grünen Audienzzimmers von Lejeune anfertigen ließ. Wirklich begegnet sind sich Fürst und Dichterphilosoph jedoch nie. Ihre Korrespondenz war − in Gegensatz zu den schönen Ideen der Aufklärung −, meist von wenig erfreulichem Inhalt: es ging um Geld.

Eine bessere Verbindung pflegte Voltaire mit dem Mannheimer Kurfürsten Karl Theodor. Ihm machte der Franzose die Ehre wiederholter Besuche an seinem Hof.

1760 vollendete der Mannheimer Hofbildhauer Peter Anton Verschaffelt (1710−1793) eine Büste Voltaires − vielleicht nach Studien, die er 1758 machen konnte, als der

Dichter zum letzten Mal dort weilte. Lejeune hatte in Stuttgart nicht die Möglichkeit einer persönlichen Begegnung mit Voltaire. Um den Auftrag Karl Eugens zu erfüllen, kopierte er die Mannheimer Büste – vielleicht nach einem Gipsabguß – bis auf wenige Detailänderungen. Die realistische Darstellung der bewegten Züge des alten Voltaire entspricht der Tradition französischer Bildnisplastik des Barock. Verschaffelt war Schüler von Jean-Louis Lemoyne, einem Meister dieses Faches. Wie Lejeune hatte auch er längere Zeit in Rom an der französischen Akademie studieren können.

Im Vergleich mit dem Vorbild erscheint die Kopie Lejeunes härter und weniger plastisch. Lorbeerkranz, kurzes Haar statt modischer Lockenperücke und antikisch drapierter Mantel entrücken Voltaire aller Zeitgebundenheit. Statt dessen umgibt ihn der Glanz von schlichter Klassizität. So erscheint Voltaire gleichrangig mit den hochgeschätzten Schriftstellern der heroisch empfundenen Antike.

Im Stuttgarter Neuen Schloß diente die Voltairebüste der Steigerung des herzoglichen Ansehens, indem sie ihren Besitzer ganz auf der Höhe der Zeit als Verehrer des großen Vertreters der französischen Aufklärung auswies.

*Ausgewählte Werke 1936, 69f. Nr. 17, Taf. 29f. – Walzer 1958, 65f. – Führer 1959, 65. – Walzer 1967, 7 Nr. 47, 25f. – Voltaire und Karl Eugen: Sakmann 1899, 85ff., 117ff. – Kraus 1907, 422f. – Voltaire und Karl Theodor: Stavan 1979, passim. – Voltairebüste von Verschaffelt: Hofmann 1982, 135ff., Abb. 138 (mit der älteren Literatur).*    U.H.

1068.1*

### ALLEGORISCHES RELIEF ›LA MÉDITATION‹

(Das Nachdenken)

Pierre François Lejeune (1721–1790)
Stuttgart, 1767

*Carrara-Marmor*
*H. 180 cm, B. 90 cm*

Ludwigsburg, Staatliches Hochbauamt, Schloß Solitude

1068.2*

### ALLEGORISCHES RELIEF ›LE SILENCE‹

(Das Stillschweigen)

Pierre François Lejeune (1721–1790)
Stuttgart, 1767

*Carrara-Marmor*
*H. 180 cm, B. 90 cm*

Ludwigsburg, Staatliches Hochbauamt, Schloß Solitude

Die künstlerische Ausstattung der Schlösser des Herzogs Karl Eugen von Württemberg bestand vor allem aus erfindungsreich zusammengestellten Programmen von Sinnbildern (Allegorien), – Anspielungen auf die Qualitäten des Fürsten, seines Landes oder die Bestimmung des jeweiligen Gebäudes. Der Hofmaler Nicolas Guibal war bei der Konzeption solcher Programme besonders einflußreich.

Lejeune arbeitete 1767 an der Marmorausführung von zwei allegorischen Reliefs für Schloß Solitude. Die Modelle dazu hatten Karl Eugen besonders gut gefallen. Abgüsse davon waren schon zu Lebzeiten des Künstlers so beliebt, daß jeder, der »Praetension an Geschmack machen wollte«, sie »in Gyps in der Stube« hatte. Lejeune selbst war so stolz auf seine Erfindung, daß er den Herzog darum bat, die Modelle an den Kardinal Albani, den Gönner Winckelmanns, nach Rom senden zu dürfen. 1769 ernannte die Accademia di San Luca in Rom den Künstler zu ihrem Ehrenmitglied, nachdem dort »zwei ausgezeichnete Werke von seiner Hand« – wahrscheinlich die zitierten Modelle – eingereicht worden waren.

Die Darstellung des Nachdenkens und des Stillschweigens sollte die ursprüngliche Bestimmung der Solitude als Ort erholsamer Zurückgezogenheit des Herzogs von den Staatsgeschäften versinnbildlichen. Das ›Nachdenken‹ in Gestalt einer reizvoll-antikisch gewandeten Frau steht neben einem Postament und stützt sich in sinnender Haltung auf einen daraufliegenden geschlossenen Folianten. Ihren rechten Zeigefinger hält sie noch zwischen die Seiten, um deren Inhalt nun ihre Gedanken kreisen. Besonders in sich gekehrt erscheint sie durch ihre halb geschlossenen Augen.

Als Pendant zu seinem weiblichen Gegenüber bildete Lejeune das ›Stillschweigen‹ als jungen Athleten mit geschickt drapiertem Lendentuch. Auch hier wird die akademisch-antikische Pose augenfällig durch das Postament mit darübergehängtem Bärenfell, das dem Jüngling als Stütze dient. Seinen rechten Zeigefinger hält er auf seinen geschlossenen Mund. Er verkörpert kluge Verschwiegenheit.

Den Gesten beider Figuren liegen Anweisungen aus ikonologischen Nachschlagewerken zur Darstellung von Allegorien zugrunde, die schon seit dem 16. Jahrhundert weit verbreitet waren. Lejeune modifizierte diese Vorlagen jedoch, indem er seine Figuren ›à l'antique‹ darstellte. Für das ›Nachdenken‹ wählte er eine Musenfigur von einem römischen Sarkophagrelief als Vorbild, das er frei kopierte. Das ›Stillschweigen‹ läßt an eine ähnliche Quelle denken und verbindet vielleicht Darstellungen des mythischen Jägerhelden Hippolytus mit der traditionellen Vorlage für ›Harpokrates, den Gott des Stillschweigens‹, mit dem Zeigefinger auf dem Mund. Das Bärenfell ist allerdings eine Idee von Lejeune und vermutlich eine Anspielung auf den Bärensee nahe bei Schloß Solitude.

Ungefähr gleichzeitig mit den Reliefs entstanden sind zwei Ludwigsburger Porzellanfiguren verwandten Themas nach Entwürfen von Guibal, die Valentin Sonnenschein zugeschrieben werden.

Um 1770 wurden beide Reliefs von Monrepos nach Hohenheim transportiert, wo sie in eine Wand der Bibliothek eingelassen wurden. Nach Auflösung des Hohenheimer Schlosses kamen sie ins Neue Schloß nach Stuttgart.

1068.1                    1068.2

Pfeiffer 1907, 701 (mit der älteren Literatur). – Klaiber 1959, 102, 108 (zur allegorischen Bedeutung). – Schreiben Lejeunes an Herzog Karl Eugen: Stuttgart, Hauptstaatsarchiv A 20 Bü. 624. – Ehrenmitgliedschaft Lejeunes an der Accademia di San Luca in Rom: Baert 1849, 204f. – Zur Allegorie des Nachdenkens: Maser 1971, zu Taf. 186 ›meditatio‹. – Zur Allegorie des Schweigens: Deonna 1951, 28ff. – Antike Musenfigur: Sichtermann/Koch 1982, Abb. 171 (ehemals in Rom). – Hippolytus: a. O., Abb. 171. – Ludwigsburger Porzellanfiguren: Landenberger 1958, 26, Taf. 1.1. (jetzt Württembergisches Landesmuseum Stuttgart). – Landenberger 1983, 235f. – 1783 hat Wilhelm Beyer für den Wiener Hof auch einen ›Harpokrates‹ gearbeitet: Kat. Wien 1978, 146, Nr. 286, Abb. 30.

U. H.

1069*

### STATUETTE EINER HIRTIN

Johann Valentin Sonnenschein (1749–1828)
Zürich, 1775/1779

*Terrakotta, Reste eines bronzefarbenen Überzugs*
*H. 34,4 cm, B. 23 cm, T. 20 cm*
*Bez. am Rand der Basis: V. SONNENSCHEIN*

Stuttgart, Württembergisches Landesmuseum,
Inv.-Nr. 1980–116

Herzog Karl Eugen ließ den talentierten Stuttgarter
Schneidersohn Johann Valentin Sonnenschein seit 1763
von seinem Hofstuckateur Ludovico Bossi ausbilden.
Durch Förderung von Nicolas Guibal entwickelte der
junge Künstler jedoch schon bald Fähigkeiten, die
über den Rahmen seiner Aufgaben als Handwerker in den
herzoglichen Schlössern weit hinausreichten. Die Anforderungen Karl Eugens erlaubten Sonnenschein aber nicht,
seinen künstlerischen Neigungen und Vorstellungen nachzugehen. Kurz nach seiner Ernennung zum Professor an
der herzoglichen Akademie, wo die späteren Hofbildhauer
Johann Heinrich Dannecker (1758–1841) und Philipp
Jacob Scheffauer (1756–1808) zu seinen Schülern zählten,
entschied er sich für die Flucht nach Zürich.
Erst in der Schweiz fand Sonnenschein die Freiheit zur
vollen Entfaltung seines Talents. 1779 stellte ihn der Rat
der Stadt Bern als Lehrer der dortigen Kunstschule an, wo
er bis zu seinem Tode mit großem Erfolg wirkte.
In Stuttgart hat der Künstler neben seinen Stuckarbeiten
auch Modelle für die Ludwigsburger Porzellanmanufaktur geliefert. Acht in Blei gegossene Puttengruppen im
Badhaus des Schwetzinger Schloßparks werden ihm ebenfalls zugeschrieben.
In Zürich stand Sonnenschein in enger Verbindung mit
dem Dichter-Maler Salomon Geßner (1730–1783). Dieser
beschrieb in seinen ›Idyllen‹ den unschuldigen Zustand
ursprünglichen Hirtendaseins in einem arkadisch verklär-
ten Griechenland der Antike. Sein Ideal von natürlicher
Einfachheit und wahrer Empfindung entsprach einer
Sehnsucht gebildeter Schichten dieser Zeit.
»Schwül ists noch, neigt sich gleich die Sonne schon; noch
schmachten alle Gewächse: Laß uns hier ans Ufer herun-
tergehen, wo kleine Wellen das Bord schlagen… Ha, bey
den Nymphen! Ich werfe mein Gewand hier ans Ufer, und
laufe bis an den Busen in diese angenehme Kühlung. …«,
ruft die Hirtin Daphne ihrer Gefährtin Chloe zu, mit der
sie später süße Geheimnisse austauschen wird. Sonnenscheins Figur erscheint wie eine plastische Illustration zu
dieser ›Idylle‹ von Geßner. Eine Zeichnung Sonnenscheins
zeigt die gleiche Figur in besonders reizvoller Ansicht. Der
Bildhauer hat sich in seinen Werken noch öfter mit den
›Idyllen‹ Geßners auseinandergesetzt.
In der Figur der Hirtin zitiert Sonnenschein in freier
Abwandlung das Motiv der antiken Venus Kallipygus (›die
mit dem schönen Hintern‹, Statue in Rom), die auch unter
der Bezeichnung ›La bergère grecque‹ (›Die griechische
Hirtin‹) bekannt war.

1069

1070

*Zoege v. Manteuffel 1981, 196ff. Abb. 11. – Zu Valentin Sonnenschein: Breitbart 1911. – Bucher 1986. – Zu den Stuttgarter Porzellanfiguren: Landenberger 1958. – Ducret 1959, 142ff. – Puttengruppen in Schwetzingen: Pötzl-Malikova 1982, 268f. Nr. 126. – Salomon Geßner: Kat. Zürich/Wolfenbüttel 1980. – Zitat: Geßner 1974, 84. – Zeichnung der ›Hirtin‹: Ducret 1959, 144 Abb. 231. – Geßnerthemen bei Sonnenschein: a. O., 149 Abb. 238; 175 Abb. 279. – ›Venus Kallipygus‹: Haskell/Penny 1981, 316ff. Nr. 83 Abb. 168.* U.H.

## 1070*

## STATUETTENGRUPPE ›DER TOD ABELS‹

Johann Valentin Sonnenschein (1749–1828)
Zürich, 1775/1779

*Terrakotta*
*H. 31,5 cm, B. 33,5 cm, T. 22,5 cm*
*Bez. auf dem Sockel:* TOD ABELS / ITZT WANKT ER ZUM ERSCHLAGNEN HIN. UND WOLLT IHN VON DER / ERD AUFHEBEN. ABER BRUDER ERWACHE. HÖLLEN-ANGST FAST MICH. WIE SEIN BLUT TRIEFENDES / HAUPT HANGT. WIE OHNMÄCH-TIG. TOD. OH HÖLLEN-ANGST ER IST TOD ICH WIL FLIHEN . . S. GESSNER

Stuttgart, Württembergisches Landesmuseum, Inv.-Nr. 1980–260

Wohl ebenfalls in Zürich entstand Sonnenscheins Figuren-gruppe *Der Tod Abels* – durch die Inschrift eindeutig auf Geßners besonders erfolgreiches Werk von 1758 bezogen. Die Kritik an seiner utopisch-idyllischen Hirtenromantik und die Anregung des Zürcher Literaturwissenschaftlers Johann Jacob Bodmer (1698–1783) hatten den Dichter zur Bearbeitung dieses tragisch-erhabenen Themas aus dem Alten Testament in epischer Form veranlaßt.
Der Ackerbauer Kain und der Schafhirte Abel, die Söhne des ersten Menschenpaares Adam und Eva, hatten Gott ihre Gaben dargebracht. Doch nur das Opfer Abels fand Anerkennung. Aus Enttäuschung und Neid erschlug Kain daraufhin seinen Bruder, und beging so den ersten folgen-schweren Mord in der Menschheitsgeschichte des bibli-schen Mythos.
Die unverfälschte Empfindung eines vorzeitlichen Men-schen über seine grausige, unbewußt begangene Untat – dies plastisch auszudrücken hat Sonnenschein wahr-scheinlich zu dieser Gruppe angeregt. Im Gegensatz zu früheren Darstellungen des Themas, die den Mord selbst schildern, wählte er den Moment unmittelbar nach der Tat. Die sentimentale Stimmung der Szene appelliert an das Mitgefühl des Betrachters. Die am Boden kriechende Schlange ist ein Hinweis auf die Erbsünde, deren Opfer auch Kain geworden ist.
Den Anschauungen seines Lehrers Guibal entsprechend, hat Sonnenschein in Proportion und Ausdruck seiner Figuren Natur- und Antikenstudium harmonisch mitein-ander verbunden. Die herkules-ähnliche Gestalt des Kain

und das Gruppenmotiv erinnern entfernt an Darstellungen der antiken Kunst. Der Tod Abels galt in der Kunst traditionell als ein Sinnbild für den Opfertod Christi: für die Figur des Abel griff Sonnenschein möglicherweise auf Pietà-Darstellungen seiner Zeit zurück. Kleinteiliges Bei-werk wie Hirtenstab und Kürbisflasche und die realistisch aufgefaßte Rasenbank sind noch der Porzellankunst des Rokoko verpflichtet.

*Geßners Epos: Geßner 1972. – Dazu: Kat. Zürich/Wol-fenbüttel 1980, 71ff. – Zur Tradition des Themas in der Kunst: Sachs/Badstübner/Neumann 1975, 201 s. v. ›Kain und Abel‹. – Maser 1971, zu Taf. 168. – Als mögliche antike Anregung könnte man in Betracht ziehen: J. J. Winckelmann, Kunsttheoretische Schriften, 7 (Baden-Baden 1967): Monumenti antichi in editi, 131, Abb. 97 (= Studien z. dt. Kunstgeschichte, 345). – Pietà: z. B. Kat. Bruchsal 1981.1, 239f. B 78.* U.H.

## 1071*

## ENTWURF FÜR EIN GRABMONUMENT

Johann Jacob Atzel (1754–1816)
Stuttgart, um 1782

*Tuschzeichnung, laviert*
*H. 48,8cm, B. 33,4 cm*
*Bez. auf der Inschriftplatte:* MEMENTO MORI

Stuttgart, Archiv der Stadt, Inv.-Nr. B 2777

»Ich sinne auf Grabmäler für edle und erhabene Men-schen, deren Andenken unsern Herzen theuer und ehrwür-dig seyn muß. Zwar wird es nie geschehen, daß wir miteinander zu ihnen hinwandeln, und dann das Gedächt-niß der Edlen wie eine Abendsonne über unsere Seele kömmt; oder daß wir, unter einem feierlich schwermüthi-gen Nachthimmel an sie hin gelagert, bald in ehrerbietiges Grauen, bald in eine süße Wehmut aufgelößt werden. Dennoch bin ich entschlossen, ohne alle diese Hoffnungen fortzufahren, und Ihnen von Zeit zu Zeit meine Skizzen vorzulegen.«
Johann Jacob Atzel, Karlsschüler und seit 1778 Kabinetts-Dessinateur in Stuttgart, machte 1782 in seinem ›Schrei-ben über einen Versuch in Grabmälern‹ Vorschläge für Monumente herausragender Persönlichkeiten aus der deutschen Geschichte. »In einer einsamen, melancho-lischen Gegend« oder »in einem feierliche Eichenhaine« sollten diese Denkmale die Empfindungen der Spaziergän-ger rühren und die Nachahmung von Tugend und Leistung der Verstorbenen anregen.
Wahrscheinlich hängen Atzels Ideen mit einem Projekt des Herzogs Karl Eugen für den Englischen Garten von Schloß Hohenheim zusammen. Zeitweilig bestand sogar der Plan, eine Art Ruhmeshalle mit den Büsten von Nationalhelden zu errichten. Schließlich wurden nur zwei Monumente nach Entwürfen Guibals für Eberhard im Bart und Al-brecht von Haller in Gips ausgeführt.

1071

Atzel wünschte die Ausführung seiner Entwürfe »nach dem Geschmack der Griechen, deren Werke troz allen Moden ... bis in alle Ewigkeit Muster alles Schönen und Erhabenen in der Kunst bleiben werden«. Vermutlich ist die Tuschzeichnung eine Illustration seiner sentimentalen Phantasien. Das Archiv der Stadt Stuttgart besitzt noch einen weiteren Entwurf in der gleichen Art (Inv.-Nr. B 4390).

Der monumentale pyramidenbekrönte Sarkophag mitsamt seinem allegorischen Beiwerk zeigt deutlich, daß Atzel den »Geschmack der Griechen« nur aus zweiter Hand gekannt hat. Geprägt vom akademischen Unterricht an der Karlsschule orientierte er sich an Vorbildern aus der Tradition des französischen Louis-Seize-Klassizismus. Ähnliche Entwürfe zu phantastischen Grabmonumenten hatte 1770 der Architekt Jean Laurent Legeay (ca. 1710–1786) in Paris veröffentlicht.

*Kat. Stuttgart 1959, 177 Nr. 476. – v. Holst 1987, 146, Abb. 121 (dort auch Näheres zu Atzel). – Pfeiffer 1907, 728. – Atzels ›Schreiben‹: Atzel 1782. – Zum Park: Atzel 1783. – Park Hohenheim: Pfeiffer 1907, 668. – Nau 1967, 66, 69. – Entwurf Guibals für das Monument Eberhards: Uhlig 1981, 111f. – Zu Grabmal-Monumenten in Engli-*

*schen Parkanlagen: Matsche-von Wicht 1979. – Arndt 1979, 17ff. – Französische Grabmalkunst im 18. Jhd.: Ingersoll-Smouse 1912. – Legeay-Entwurf: Kat. Frankfurt 1986, 148f. Nr. 120. – Zu Legeay: Erouart 1982. – Zu Monumenten verdienter Persönlichkeiten seit ca. 1750: Neumeyer 1938. – Atzel veröffentlichte 1796 während seiner Tätigkeit in Bayreuth noch andere Entwürfe zu pantheonähnlichen Totenhäusern: vgl. Kat. Bonn 1979, 235, 266, Nr. 205.*                                    U. H.

1072*

### ERINNERUNGSBILD ZUM ANDENKEN AN LOUISE HIRSCHMANN

Sixt Jacob Brecht (1754–1838)
Fellbach bei Stuttgart, 1785

*Eglomisé (Radierung auf Goldfolie, schwarz hintermalt)*
*H. 19 cm, B. 13,5 cm*
*Bez. auf dem Inschriftenblock:* Louisens Andenken gewidmet
*Am unteren Rand rechts:* desiné par M. S. J. Brecht à Fellbach 1785
*Auf der Rückseite:* VIRO ILLVSTRI / AMPLISSIMO ATQVE EXCELLENTISSIMO / JOHANNI FRIDERICO / KAVFMANN / SERENISSIMO DVCI WIRTEMBERGIAE ET TECCAE / A CONSILIIS REGIMINIS, rel. / BONARUM ARTIVM FAVTORI HVMANISSIMO / IN SINGVLARIS OBSERVANTIAE / ARGVMENTVM / NEPTISQVE SVAVISSIMAE PRAEMA- / TVRA MORTE EXSTINCTAE / LOVISAE HIRSCHMANNAE, / VIRGINIS PRAECLARIS ANIMI ET CORPORIS DOTIBVS ORNATAE, / MEMORIAM, / LABORVM SVORVM, IN HOC ARTIVM GENERE, / SPECIMEN / D.D.D. / M. SIXTVS JACOBVS BRECHT, NAGOLDENSIS. S.M.CAND.

Stuttgart, Württembergisches Landesmuseum, Inv.-Nr. E 1405

Während Herzog Karl Eugen im Englischen Garten von Schloß Hohenheim Grabmonumente historischer Persönlichkeiten errichten ließ – darunter auch Nachbildungen vom ›Grabmal Neros‹ und der Cestius-Pyramide in Rom –, hatten sich seine Untertanen natürlich mit weniger Aufwand zu begnügen. Bei ihnen fand der Denkmalskult im kleinen statt, beschränkt auf den privaten Bereich. Im Rahmen von Familie oder Freundeskreis reichte die Empfindung von inniger Verbundenheit mit einem Menschen aus, um diese durch die Darstellung von Monumenten der Liebe, Freundschaft oder Erinnerung im antikischen Stil über die Zeitgebundenheit hinaus zu erheben.

Die Goldradierung des Fellbacher Pfarrers Brecht für den Regierungsrat Johann Friedrich Kaufmann (von 1774 bis 1802 Intendant der Ludwigsburger Porzellanmanufaktur) zum Andenken an die frühverstorbene Louise Hirschmann ist ein Beispiel dieser bürgerlichen Monumente, die in den Wohnhäusern einem intimen Persönlichkeitskult Ausdruck gaben. Die Pyramide mit drapierter Urne als Bekrö-

1072

## Die Malerei

»Nun habe ich Tage hier erlebt, wie ich sie in Rom lebte.« (Spemann, Anhang S. 60). So äußerte sich Goethe bei seinem Abschied über seinen Aufenthalt in der herzoglichen Residenzstadt Stuttgart zu dem Bildhauer J. H. Dannecker im Jahre 1797. Er hatte, meist in Begleitung Danneckers und des kunstsinnigen Kaufmanns Rapp, die Schlösser Hohenheim und Ludwigsburg besichtigt, die Werkstätten von Harper, Hetsch, Müller, Scheffauer und Thouret besucht und war vom regen Kunstleben, dem hohen Niveau des Kunstschaffens in Stuttgart beeindruckt.

Vor allem die Hohe Karlsschule, eine Gründung des Herzogs Karl Eugen, bestimmte das künstlerische Leben in der Stadt. Getragen von den Ideen der Aufklärung und merkantilistisch orientiert, war die Zielsetzung dieser Schule, qualifizierte einheimische Künstler für die Ausführung fürstlicher Projekte auszubilden. Da auf den theoretischen Kunstunterricht großer Wert gelegt wurde, die Kunst im Fächerkanon also zum wissenschaftlichen Fach avancierte, gingen aus der Schule nicht allein »Handwerker«, sondern umfassend gebildete Künstler hervor, die die Voraussetzungen mitbrachten, Ideen und Programm der klassizistischen Malerei zu tragen. Während N. Guibal und A. F. Harper die Karlsschüler in der Malerei unterwiesen, leitete J. G. Müller die 1776 gergründete Kupferstecherschule, die ihre Kosten mit dem Absatz der Reproduktionsstiche selbst deckte.

Der Tod des Landesfürsten im Jahre 1793 und die bald darauf folgende Auflösung der Hohen Karlsschule bedeutete einen gravierenden Einschnitt im Leben der bis dahin an den Hof und dessen Aufträge gebundenen Künstler. Diese Zäsur bewirkte, daß sich die nun »brotlos« gewordenen Künstler am aufstrebenden Bürgertum orientierten.

I. F.

nung in einer idyllischen Parklandschaft als sentimentales Denkmal für die im Medaillon dargestellte Verstorbene erinnert an ähnliche Bauten in den Englischen Gartenanlagen dieser Zeit. Die in nachdenklicher Trauer an einen halbverwitterten Grabstein gelehnte verschleierte Matrone und der umflorte Schädel auf dem Inschriftenblock verkörpern Vergänglichkeitsmelancholie noch ganz in barocker Manier. Die Widmung des Künstlers im Stil monumentaler römischer Grabinschriften ist auf die Rückseite des Bildes geklebt.

Entwürfe zu Grabdenkmälern zählten um 1800 zu den wichtigsten Aufgaben der Bildhauer (vgl. Kat.Nrn. 1137, 1139, 1141f.). Sie wurden nur selten wirklich ausgeführt. Häufig blieb es bei den Modellen aus Terrakotta, die als Zimmermonumente jedoch sehr beliebt waren.

*Unveröffentlicht. – Monumente in Hohenheim: Nau 1967, 27f. – Nachbildungen der Cestiuspyramide in Englischen Gärten: Seib 1979, 76f. – Bürgerlicher Denkmalskult: Kat. Bonn 1979, 227ff., 230f. – Zu S.J. Brecht: Fleischhauer 1939, 65. – Bürgerliche Grabmonumente um 1800: Beenken 1944, 441ff. – Ein Zimmermonument der Familie des Regierungsrats Kaufmann: Schmidt 1921.*

U.H.

1073*                                                                                    1073

## DIE WEIBER VON WEINSBERG

Nicolas Guibal (1725–1784)

*Öl auf Leinwand*
*H. 116,5 cm, B. 183 cm*

Schloßverwaltung Ludwigsburg, Außenstelle des Staatl.
Liegenschaftsamtes Stuttgart, Schloß Ludwigsburg,
Inv.-Nr. Sch.L. 4429

Die Darstellung aus der mittelalterlichen Historie Württembergs nimmt im Werk Guibals eine Sonderstellung ein.
Das historische Geschehen um den Stauferkönig Konrad III. aus dem Jahre 1140, das allgemein bekannt war,
überliefert Martin Crusius in seiner »Schwäbischen Chronick« wie folgt:
»Nach diesem übergab sich das Schloß des Welfen, Weins-
perg genannt, nach ausgestandener Belagerung an den König, welcher so dann ... denen daselbst sich befindenden
Frauen, besonders denen Adelichen, die Freyheit ertheilte,
so viel sie auff ihren Achßln tragen könnten, frey hinaus zu
tragen. Diese nahmen ihre Ehmänner auff den Rucken,
und ihre minderjährige Knaben auff die Arme, und trugen
dieselbe unter allgemeiner Verwunderung aller Zuschauer
vor das Thor hinaus, und liessen das Ubrige alles dahin-
den; dann sie sagten: Ihre Männer lägen ihnen näher an,
als alle silberne und güldene Kostbarkeiten und Kleider.
Als aber Herzog Friderich ihnen nicht dieses wollte gestat-

tet wissen, gab ihm der König zur Antwort: es gezieme sich
nicht, die einmahl gegebene Königliche Parole zu ändern;
Wie er sich dann auch diese That der Frauen dermassen
gefallen ließ, daß er ihnen noch darzu alle Kleider und
Kleinodien frey gab ...«
Nicht das tugendhafte Verhalten der Frauen von Weinsberg wird in Guibals Gemälde thematisiert, sondern der
die rechte Bildhälfte mit seinen Begleitern einnehmende
König Konrad III. steht im Vordergrund, dessen Einhalt
gebietende Geste für den zu den Pfeilen greifenden Soldaten bestimmt ist. Der Großmut eines Fürsten, der zu
seinem Wort steht, wird in diesem zwischen 1761 und
1767 entstandenen Gemälde verherrlicht – eine Allegorie
ganz in barocker Tradition, die hier Herzog Carl Eugen in
Auftrag gab.

*Martin Crusius, Schwäbische Chronick, worinnen zu fin-*
*den ist / was sich von Erschaffung der Welt an biß auf das*
*Jahr 1596 in Schwaben / denen benachbarten Gegenden /*
*auch vieler anderer Orten zugetragen. Übers. aus dem*
*Latein. von Johann Jacob Moser, Franckfurt 1733,*
*2. Theil, S. 568. – Wolfgang Uhlig, Nicolas Guibal –*
*Hofmaler des Herzogs Carl Eugen von Württemberg. Ein*
*Beitrag zur deutschen Kunstgeschichte des ausgehenden*
*18. Jahrhunderts, Diss. Stuttgart 1981, S. 74–76, WV Nr.*
*43.*                                                                        I.F.

1074

1074*

## ROMANTISCHE LANDSCHAFT

Adolf Friedrich Harper (1725–1806)

*Öl auf Leinwand*
*H. 50 cm, B. 65,5 cm*
*Bez. unten links:* Harper 1777

Stuttgart, Galerie der Stadt Stuttgart, Inv.-Nr. O-1182

Die Bilderfindung der 1777 entstandenen »Romantischen Landschaft« geht auf den englischen Landschaftsmaler Richard Wilson (1714–1782) zurück, dessen Schüler Harper 1752–56 in Rom war. Unter dem Eindruck des südlichen Lichts und der Atmosphäre Italiens schuf Wilson mit den bei Claude Lorrain studierten Gestaltungsmitteln stimmungsvolle Ideallandschaften. Bei einer mit »Solitude« betitelten Gruppe von Gemälden ist Harpers Landschaft in der Komposition wie in den einzelnen Motiven vorweggenommen. Allerdings wird Wilsons philosophische Aussage, die sich in der Gegenüberstellung der Eremiten zu der ruinösen Statue manifestiert, daß nämlich ein

kontemplatives christliches Leben zu Zufriedenheit und Weisheit führt, während Gewalt und Aggression nur tragische Zerstörung nach sich ziehen, bei Harper durch die Hinzufügung der Hirtenfiguren als Staffage und durch die veränderte Naturdarstellung verflacht. (Vgl. zur antiken Löwenstatue einen Rötelabklatsch Harpers nach Flaminio Vaccas »Schreitenden Löwen«; Staatsgalerie Stuttgart, Graphische Sammlung, Inv.-Nr. 2131).
Johann Wolfgang von Goehte, der bei einem Stuttgartaufenthalt 1797 Adolf Friedrich Harper in seinem Atelier besuchte, nannte ihn anerkennend einen »gebornen Landschaftsmaler«. »Die Begebenheiten und Bewegungen der

1075

Natur, indem sie Gegenden zusammensetzt, sind ihm sehr gegenwärtig, so daß er mit vielem Geschmack landschaftliche Gemälde hervorbringt. Freilich sind es alles nur imaginierte Bilder, und seine Farbe ist hart und roh, allein er malt aus Grundsätzen auf diese Weise, indem er behauptet, daß sie mit der Zeit Ton und Harmonie erhalten...« (Goethe, S. 73).

Harper wurde 1756 von Herzog Carl Eugen nach Stuttgart berufen, wo er drei Jahre später zum Hofmaler und 1761 zum Professor an der Academie des Arts ernannt wurde. 1784 trat er die Nachfolge Guibals als Galeriedirektor an. Zur dekorativen Ausstattung der Schlösser (u. a. Ludwigs-

burg, Solitude, Monrepos) mußte Harper in großer Anzahl »sowohl Landschaften als Blumenstücke, Arabesken und Zierrathen aller Art gleichsam schockweise aus dem Pinsel hervorzaubern« (A. Haakh S. 5), wodurch die Qualität seiner Gemälde litt.

Harpers Bedeutung liegt weniger in seinem künstlerischen Werk begründet, als vielmehr in seiner Lehrtätigkeit, die er erst 1761 an der Academie des Arts bzw. der Hohen Karlsschule ausübte. Er unterrichtete im Naturzeichnen und im Praktischen der Malerei. Allseits wegen seines liebenswürdigen Wesens geschätzt, förderte er seine Schüler – so empfahl er z. B. Hetsch als seinen Nachfolger –, leistete ihnen bisweilen finanzielle Unterstützung und unterhielt auch über die Ausbildungszeit hinaus ein freundschaftliches Verhältnis zu ihnen, wie der Briefwechsel mit J. H. Dannecker belegt.

*Adolf Haakh, Beiträge aus Württemberg zur neueren Kunstgeschichte, Stuttgart 1863. – Wintterlin 1895, S. 15ff. – Johann Wolfgang von Goethe, Sämtliche Werke. Jubiläums-Ausgabe in 40 Bänden, Bd. 29: Aus einer Reise in die Schweiz 1797, Stuttgart/Berlin 1903. – Adolf Spemann, Dannecker, Berlin/Stuttgart 1909, S. 76–87. – W. G. Constable, Richard Wilson, London 1953, S. 138, Abb. 28a, 29a, 136c. – Kat. Richard Wilson. The Landscape of Reaction, London 1982, S. 70ff, Nr. 101. – Fleischhauer 1929, S. 9f., 16, 19f. – Paul Köster, Eberhard Wächter (1762–1852). Ein Maler des deutschen Klassizismus, Diss. Bonn 1968, S. 16f.* I. F.

## 1075*

### TEMPEL DER MINERVA MEDICA

Adolf Friedrich Harper (1725–1806)

*Schwarze Kreide, weiß gehöht, auf grauem Papier*
H. 42,4 cm, B. 55,6 cm
*Bez. unten links:* Harper 1758

Stuttgart, Staatsgalerie, Graphische Sammlung, Inv.-Nr. 2118

Der seit dem 17. Jahrhundert fälschlicherweise als »Tempel der Minerva Medica« bezeichnete Zentralbau (um 320 n. Chr.) gehörte als Gartensaal zur Villa der Licinier in Rom.
Harper, der zunächst Schüler seines Vaters war, des preußischen Kabinettmalers Johann Harper, bildete sich in Frankreich weiter und kam schließlich 1752 nach Rom, wo er im Freundeskreis von Johann Joachim Winckelmann (1717–1768) verkehrte. Dem Vorbild seines Lehrers Richard Wilson (1714–1782) folgend, entstanden hier vor der Natur zahlreiche Studien antiker Architektur und Plastik. Zeitlebens griff Harper auf diese römischen Motive zurück, die er als Versatzstücke in seine frei komponierten, dekorativen Landschaften einfügte. Die ausgestellte Kreidezeichnung des sog. Tempels der Minerva Medica (vgl. auch Staatsgalerie Stuttgart, Graphische Sammlung, Inv.-Nr. 2116) diente Harper vermutlich als Vorlage für ein Gemälde, wiedergegeben in einem Kupferstich von Macarius Balleis (1761–1790), einem Schüler von Johann Gotthard Müller.

*Julius Meyer, Allgemeines Künstler-Lexikon, 2. Bd., Leipzig 1878, S. 651, Nr. 8.* I. F.

## 1076*

### KLASSISCHE LANDSCHAFT MIT HERDE UND JÄGER

Christian Gottlieb Schick (1776–1812)
um 1790–95

*Deckfarben auf rohweißem Bütten*
H. 49,7 cm, B. 46,7 cm
*Bez. verso:* v. Schick / die Idee ist mit dem Wasserfalle / bey Haslach entstanden.

Stuttgart, Staatsgalerie, Graphische Sammlung, Inv.-Nr. 6460

Chr. G. Schick komponierte aus einer Fülle von Landschaftsmotiven und verschiedenen, zusätzlich belebenden Versatzstücken, wie die antikisierende Architektur im Hintergrund, die Schafherde und Hirtenidylle, die Jagdszene im Vordergrund, ein künstlich-kulissenhaft wirkendes, in weiches Gegenlicht getauchtes Landschaftsbild. Das noch der Landschaftsmalerei des 18. Jahrhunderts verpflichtete Werk wird um 1790–95 datiert, stammt also aus Schicks Ausbildungszeit.
1787 wurde Schick in die Hohe Karlsschule aufgenommen. Seine Ausbildung als Maler erhielt er bei Ph. F. Hetsch, der »ihn sehr liebte und ihn seinen beiden anderen Schülern, Morff und Hartmann, vorzog.« (W. Fleischhauer, S. 24). Neben G. W. Morff (1771–1857) und Ch. F. Hartmann (1774–1842) zählten auch die künftigen Maler J. A. Koch (1768–1839), J. B. Seele (1774–1814), der spätere Bildhauer K. H. Schweikle (1779–1833) und die Architekten G. G. Barth (1777–1848) und N. F. Thouret (1767–1845) zu seinen Mitschülern.

*Fleischhauer 1929. – Kat. Stuttgart 1976, Nr. 3, Abb. 13.* I. F.

1076

1077

1077*

## DIE SCHLACHT ZU BUNKER'S HILL BEI BOSTON 1775

Johann Gotthard Müller (1747–1830) nach J. Trumbull

*Kupferstich*
H. 58,2 cm, B. 79,8 cm
*Bez.:* The Battle at Bunkers Hill near Boston / June 17th 1775
*links:* Painted by John Trumbull Esq^r
*rechts:* Engraved by J. G. Müller
*Mitte:* London, Published March 1798, by A. C. de Poggi Nº 91 New Bond Street

Kunstsammlungen Veste Coburg, Inv.-Nr. IV, 119, 34

Zu Johann Gotthard Müllers bedeutendsten Stichen gehört auch »Die Schlacht zu Bunker's Hill«, die schon 1821 im Kunst-Blatt (1821, Nr. 91, S. 367) hoch gelobt wurde: »Man kann es als das größte Meisterwerk des Künstlers betrachten. Wer das Gemälde gesehen, dessen originelle und wahre Naturmanier mit keiner andern zu

vergleichen ist, muß gestehen, daß es Müller in seiner größten Vollkommenheit wiedergegeben hat.«
Das Gemälde »Der Tod des General Warren bei der Schlacht von Bunker's Hill« des amerikanischen Historienmalers John Trumbull (1756–1843) ist das erste Bild einer Folge, in der Trumbull die Hauptereignisse des amerikanischen Unabhängigkeitskrieges darstellt. Trumbull, selbst Zeuge der Schlacht am 17. Juni 1775, schildert, wie die britischen Truppen erfolgreich die Befestigung des Hügels erstürmen und General Putnam mit erhobenem Degen – im Hintergrund links – die Amerikaner zum Rückzug aufruft. Inmitten des Kampfgeschehens ist durch Komposition und Lichtführung jene Szene hervorgehoben, in der der britische Major John Small einen Grenadier seiner eigenen Truppen daran hindert – in Wut über den Tod des Kameraden zu seinen Füßen –, auf den am Boden liegenden und von einer Kugel bereits tödlich getroffenen amerikanischen General Joseph Warren mit dem Bajonett einzustechen. Das dramatische Geschehen vermittelt die moralische Botschaft von Heldentum auf beiden Seiten des Schlachtfeldes: patriotischer Einsatz und Kampfgeist für Freiheit und Unabhängigkeit bis zur Selbstaufopferung

1078

1078*

## Der Tod des Konsuls Papirius

Johann Friedrich Leybold (1755–1838)
nach Ph. F. Hetsch
vor 1808

*Kupferstich*
*H. 46,3 cm, B. 54,5 cm*
*Bez.:* LA MORT DU CONSUL PAPIRIUS / à la prise de
Rome par les Gaulois. / Dedié á S. A. R^le le Prince Albert
de Saxe / Prince R^al de Pologne Duc de Teschen & / Peint
par Hetsch, Directeur de la Gallerie à Stouttgard. / Le
Dessein se trouve dans le Cabinet de S.A.R. Dessiné et
gravé par J. F. Leybold.
Par son très humble et très obeissant Serviteur J. F. Ley-
bold Professeur de l'ancienne Acad. Carol. à Stouttgard /
Nuremberg chés J. F. Frauenholz & C°

Stuttgart, Staatsgalerie, Graphische Sammlung,
Inv.-Nr. A 1921/323

Auf dem von Johann Friedrich Leybold (1755–1838)
gestochenen Gemälde »Der Tod des Konsuls Papirius«
von Philipp Friedrich Hetsch (1758–1839) ist eine Szene
aus der römischen Historie dargestellt. Nach Plutarch
(Camill. 22) und Livius (V 41) hätten während der Besetzung Roms durch die Kelten (390 v. Chr.) die »römischen
senes triumphales consularesque ... beschlossen, die Stadt
nicht zu verlassen, sondern mit allen Abzeichen ihrer
früheren Würden in aller Ruhe die Feinde in ihren Häusern
sitzend ... zu erwarten ...; die Kelten hätten sie zuerst wie
unbewegliche Statuen angestaunt, bis einer von ihnen es
wagte, einen der Greise an dem langen Barte zu zupfen; der
Greis habe ihn mit seinem elfenbeinernen Stabe auf den
Kopf geschlagen und dadurch gereizt, worauf erst der eine
und dann alle anderen ermordet wurden. Der Greis heißt
bei Liv. 41,9 M. Papirius ...« (Pauly-Wissowa, S. 1070).
Bei Hetsch ist jener Augenblick eindrucksvoll festgehalten,
in dem der greise Konsul im Angesicht der eingedrungenen
Kelten in würdevoller Haltung ruhig und unerschütterlich
seinem unausweichlichen Schicksal entgegensieht.
Die Wahl dieses anspruchsvollen Themas, nämlich des
würdevollen Tods des Tugendhaften, der klare Bildaufbau, die Reduktion auf wenige Figuren, die Gestaltung
eines bühnenartigen Raumes und die monumentale Komposition zeigen den Einfluß der Kunst Jacques Louis
Davids (1748–1825). Hetsch nahm Anregungen von
Davids »Schwur der Horatier« (1784) wie auch von dem
Gemälde »Marius in Minturnae« (1786) des David-Schü-
lers Jean-Germain Drouais auf (vgl. Kat.Nr. 1091); beide
Gemälde waren mit großem Erfolg in Rom ausgestellt, wo
sie Hetsch während seines Aufenthaltes (1785–1787)
sicherlich gesehen hat.
Die Vorlage für Leybolds Stich, die sich 1793 in der
Sammlung des Kammerherrn Johann Dietrich von Gem-
mingen befand, ist heute nicht mehr nachweisbar. Eine
später von Hetsch für sich selbst angefertigte Wiederho-
lung des Gemäldes, in kleinerem Format und im Hinter-

stehen hier Größe und Edelmut des Gegners gegenüber.
Im Jahr 1788 erhielt Johann Gotthard Müller den Auftrag,
Trumbulls 1786 vollendetes Gemälde für £ 1000 zu ste-
chen. Er arbeitete noch an dieser Platte, als Goethe ihn
während seines Stuttgartaufenthaltes 1797 besuchte:
»Das Gemälde ist von einem Amerikaner Trumbull und
hat Vorzüge des Künstlers und Fehler des Liebhabers. Die
Vorzüge sind: sehr charakteristische und fürtrefflich tok-
kierte Porträtgesichter; die Fehler: Disproportionen der
Körper unter einander und ihrer Teile. Komponiert ist es,
verhältnismäßig zum Gegenstande, recht gut, und für ein
Bild, auf dem so viele rote Uniformen erscheinen müssen,
ganz verständig gefärbt; ... Das Kupfer tut im ganzen sehr
gut und ist in seinen Teilen fürtrefflich gestochen«
(Goethe, S. 69).
Der Stich erschien dann 1798 bei dem Verleger A. C. Poggi
in London.

*Museum für Künstler und Kunstliebhaber, 18. St., 1792,*
*S. 427f. – Neues Museum für Künstler und Kunstliebha-*
*ber, 1. St., 1794, S. 118f. – Meusel Künstlerlexikon, Bd. 2,*
*1809, S. 72. – August Wintterlin, Württembergische*
*Künstler in Lebensbildern, Stuttgart/Leipzig/Berlin/*
*Wien 1895, S. 45f. – Johann Wolfgang von Goethe,*
*Sämtliche Werke. Jubiläums-Ausgabe in 40 Bänden, Bd.*
*29: Aus einer Reise in die Schweiz 1797, Stuttgart/Berlin*
*1903. – Kat. Stuttgart 1959, S. 77, Nr. 669. – Irma B.*
*Jaffe, John Trumbull. Patriot Artist of the American*
*Revolution, Boston 1975, S.144, 173, 176, 178, 187,*
*316f., Pl.1, Fig. 55, 56. – Helen A. Cooper, John Trum-*
*bull: The Hand and Spirit of a Painter, New Haven 1982,*
*S. 8, 10f, Nr. 4ff, Fig. 17, 25, 26.*                    I. F.

grund differierend, ist im Besitz des Germanischen Nationalmuseums Nürnberg (105 x 162 cm, Inv.-Nr. 911).
Der Kupferstecher Johann Friedrich Leybold war ein Altersgenosse von Hetsch und sein Mitschüler an der Hohen Karlsschule. Als 1776 eine Kupferstecherschule an der Militärakademie gegründet wurde, widmete er sich diesem Fach. Als vorzüglicher Zeichner wurde er bald Johann Gotthard Müllers erster Schüler und mit dem Unterricht der jüngeren Zöglinge betraut. 1781 wurde er zum herzoglichen Hofkupferstecher mit einem Gehalt von 300 Gulden ernannt, 1789 zum Professor an der Karlsschule, um »Zeichnen und Modelliren nach der Natur« zu unterrichten. Nach Aufhebung der Hohen Karlsschule siedelte Leybold 1798 nach Wien über, wo er dann die schon mehrere Jahre zuvor begonnene Arbeit an der Platte »Der Tod des Konsuls Papirius« fertigstellte. Das Blatt widmete er Herzog Albert von Sachsen-Teschen (1738–1822), der ihn 1797 zum sachsen-coburgschen Hofkupferstecher ernannt hatte. Offizielle Anerkennung fand Leybold in Wien, als er nach dem Tod von Jakob Matthias Schmutzer (1733–1811), dem Direktor der Kupferstecherakademie, zum k.k. Hofkupferstecher und zum Professor an dieser Schule ernannt wurde.

*Neue Miscellaneen artistischen Inhalts für Künstler und Kunstliebhaber, 2. St., 1796, S. 176. – Meusel, Teutsches Künstlerlexikon, 1. Bd., 1808, S. 565. – A. Andresen, Handbuch, 2. Bd., 1873, S. 51, Nr. 4/III. – Le Blanc, Manuel, 2. Bd., 1856, S. 549f., Nr. 27. – Wintterlin 1895, S. 55. – Fleischhauer 1929, S. 15f., 40, WV Nr. 125. – Paulys Realencyclopädie der classischen Altertumswissenschaften, bearb. von Georg Wissowa, Bd. 36, II, Stuttgart 1949. – Herbert Eichhorn, Studien zu den Historienbildern Philipp Friedrich Hetschs (1758–1838), ungedr. Mag.arbeit Tübingen 1985/86, S. 54ff. – Lammel 1986, S. 163, Abb. 80.*                                              I. F.

1079

## DIE HEILIGE FAMILIE

Christian Wilhelm Ketterlinus (1766–1803), nach Raffael

*Kupferstich*
*H. 45,6 cm, B. 33,8 cm*
*Bez.:* LA SAINTE FAMILLE. / Dedié À SA MAJESTÉ IMPÉRIALE, / MARIE FEDEROWNA, IMPÉRATRICE MERE.
Peint par Raphael. / Grandeur de Tableau 1 Ar. de haut sur 13 Vershoes de large.
Dessiné & Gravé d'àpres le Tableau Original de Raphael/ dans l'Hermitage de Sa Maj^e. Impèriale par W. Ketterlinus / Graveur d Histoire, de S. M. l'Empèreur: de Son Altesse Ser. Duc / reg^t. de Wirtemberg. Mem. act^l. de l'Acad^e. de Beaux Arts à / S^t. Petersbourg. / Par son tres humble tres obeissant / et tres fidèle Sujet W. Ketterlinus.

Stuttgart, Staatsgalerie, Graphische Sammlung,
Inv.-Nr. A 24430

Aus der Kupferstecherschule von Johann Gotthard Müller (1747–1830) ging auch Christian Wilhelm Ketterlinus (1766–1803) hervor. Ab 1780 an der Hohen Karlsschule, war er zunächst für die Malerei bestimmt, nach dem Tod seines Lehrers Nicolas Guibal 1784 erlernte er jedoch das Kupferstechen. Seine Ernennung zum Hofkupferstecher erfolgte im Jahre 1790.
Die Vorlage für Ketterlinus' Reproduktionsstich »La sainte famille« ist Raffaels Gemälde in der Eremitage in Leningrad (»Die Hl. Familie mit bartlosem Josef«; 0,74 x 0,57 cm; Inv.-Nr. 90). Ketterlinus widmete seinen Stich der zweiten Gemahlin von Großfürst Paul, Maria Feodorowna, der gebürtigen württembergischen Prinzessin Sophie Dorothea. Der bis zur Auflösung der Hohen Karlsschule 1794 dort tätige Ketterlinus war 1799 nach St. Petersburg berufen worden, wo er zum kaiserlichen Hofkupferstecher und Mitglied der Akademie der Künste ernannt wurde.

*Andresen, Handbuch, Bd. 1, 1870, S. 739, Nr. 1. – Le Blanc, Manuel, Bd. 2, 1856, S. 447, Nr. 2. – Adolf Rosenberg, Rafael, des Meisters Gemälde, Stuttgart/Berlin/ Leipzig ⁵1923, Taf. 36*                                          I. F.

# Karlsruhe – Akademie und Kunstverein

»Ich bin in Carlsruhe, lieber Freund! und bin vergnügt in dieser heitern angenehmen Stadt, aber doppelt vergnügt bin ich, weil auch da der Genius der Künste schon hauset, weil der gute Geschmack schon blüht und reift. Der Herr Markgraf erwirbt sich auch dadurch den ungeheuchelten Dank der Nachwelt, daß er weder Mühe noch Kosten spart, um dieser zarten Pflanze empor zu helfen.« (K. Lang, S. 68). Dieses emphatische Lob gilt dem Markgrafen Karl Friedrich, dem aufgeklärten absolutistischen Fürsten, der die Künste »als ein Bildungsmittel des Volkes« (Hartleben, S. 50 f) ansah. Deshalb gründete er eine »Höhere Zeichen- und Mahlerey-Schule« in Karlsruhe, deren Leitung er dem zum badischen Hofmaler ernannten Pforzheimer Ph. J. Becker (1759–1829) übertrug.

Das im Herbst 1786 fertiggestellte Akademiegebäude, das später den westlichen Flügel der Karlsruher Kunsthalle bilden sollte, beinhaltete neben den Unterrichtsräumen Beckers Atelier, seine Privatwohnung, die Sammlung von Antikenabgüssen, die Kupferstichsammlung und das Malereikabinett. Zudem war hier die 1770 gegründete architektonische Zeichenschule mit der Modellkammer untergebracht.

Als Studienmaterial dienten den Schülern neben Beckers eigenen Zeichnungen auch Gipsabgüsse nach Antiken, die ab 1784 gesammelt wurden, da der Leiter diese »zur Bildung des Geschmacks sowohl des Künstlers als des Liebhabers« (GLA 56-1810) für geeigneter hielt als eine Gemäldesammlung.

Die Kupferstichsammlung und das Malereikabinett der Markgräfin Caroline Luise standen ab 1811 nicht nur zu Unterrichtszwecken zur Verfügung, sondern sie wurden auch dem kunstinteressierten Publikum zugänglich.

In der Zeichenakademie erhielten die Künstler Feodor, C. L. Frommel, R. Kuntz und S. Reinhard ihre Ausbildung. Aufgrund der schwierigen Persönlichkeit Beckers konnte kein freundschaftliches Verhältnis zwischen den Schülern und ihrem Lehrer bestehen. Zudem erschwerten die mittelmäßige künstlerische Begabung des Lehrers und die unzureichende finanzielle Ausstattung der Akademie das Studium.

Das Kunstleben in Karlsruhe wurde 1818 durch die Gründung des »Vereins für bildende Künste«, später »Badischer Kunstverein«, bereichert. Während die Akademie vom Markgrafen ins Leben gerufen wurde, wurde der Kunstverein als einer der ersten in Deutschland durch die Initiative des gehobenen Bürgertums gegründet und von ihm getragen. Diese Vereinigung von Kunstfreunden veranstaltete bereits im Gründungsjahr eine »Ausstellung vaterländischer Kunstwerke«, in der vor allem Leihgaben von Mitgliedern gezeigt wurden. Unter anderen präsentierte man Werke von Feodor, C. L. Frommel, Chr. Haldenwang, C. Kuntz und S. Reinhard, wobei als Thema die klassizistisch orientierte Landschaftsmalerei dominierte.                                         I. F.

1080

1080*

## MARIA MIT DEM KIND

Detailstudie nach Raffaels Sixtinischer Madonna

Philipp Jakob Becker (1759–1829)

*Schwarze Kreide, mit weißer Kreide gehöht und Tuschfeder auf blauem Papier*
*H. 55,6 cm, B. 42,3 cm*

Karlsruhe, Staatliche Kunsthalle, Kupferstichkabinett, Inv.-Nr. VIII 1105-49

Raffaels »Madonna auf Wolken mit den Hl. Sixtus und Barbara« entstand 1512/13 im Auftrage Papst Julius' II. als Hochaltarbild für die Klosterkirche San Sisto in Piacenza. 1754 erwarb der Kurfürst von Sachsen August III., König von Polen, das Gemälde, das sich heute in der Dresdner Gemäldegalerie befindet.

Becker fertigte diese Kreidezeichnung wie auch eine weitere Detailstudie nach dem Gemälde Raffaels wohl während seines Dresdenaufenthaltes im Jahre 1788 an. Dort ließ er sich von dem Hofmaler Anton Graff (1736–1813), mit dem er sich angefreundet hatte, durch die berühmte Gemäldesammlung führen. In einem Brief vom 4. Februar 1789 schreibt Becker an A. Graff von dieser Reise: »Dresden schwebt mir immer vor den Augen und die Tage, die ich mit Ihnen in Betrachtung der schönen Kunstsachen daselbst zubrachte, kan ich mit Recht unter meine glücklich-

sten zählen, seitdem ich wieder in Deutschland bin. Hier
lebe ich mismuthig und, welch Unglück, ohne Freunde,
wenigstens ohne solche, die ein Künstler nöthig hat.«
(K. Obser, S. 176).
Dieses Blatt wie auch die folgenden drei Katalognummern
waren im großen Zeichnungssaal des Karlsruher Akade-
miegebäudes – unter Glas und gerahmt – als Studienmat-
rial aufgehängt. In dem von Becker 1823 erstellten Inventar sind sie unter den 122 Zeichnungen aufgeführt, die
Becker der »Gemaehlde Gallerie als Eigenthum zu überlassen sich anerboten hat« (GLA 47/1963).

*Karl Obser, Galeriedirektor Philipp Jakob Becker und
sein künstlerischer Nachlaß, in: Oberrheinische Kunst,
8. Jg., 1939, S. 154–176. – Staatliche Kunsthalle Karlsruhe, Kupferstichkabinett, Die deutschen Zeichnungen
des 19. Jahrhunderts, bearbeitet von R. Theilmann und
E. Ammann, Karlsruhe 1978, Bd. 1 Nr. 209, Bd. 2 Abb.
S. 235.* I. F.

1081*

## ALLEGORIE DER GESCHICHTE

Philipp Jakob Becker (1759–1829), nach A. R. Mengs

*Schwarze Kreide, mit weißer Kreide gehöht, Tuschfeder
und Pinsel in Blaugrün, laviert, auf elfenbeinfarbenem
Papier
H. 64,8 cm, B. 44,2 cm
Bez. unten rechts:* Plafond von Mengs./ Stanza dei Papiri
Vatican

Karlsruhe, Staatliche Kunsthalle, Kupferstichkabinett,
Inv.-Nr. VIII 1109-1

Die Symbolfigur der Geschichte, die ihr Buch auf die Flügel
des Chronos stützt, blickt zum doppelköpfigen Gott
Janus, der von Vergangenheit und Gegenwart kündet. Ein
Genius naht von links mit mehreren Schriftrollen. Wie
Janus weist auch die geflügelte Ruhmesgöttin Fama auf die
Pforte des Museums Clementinum.
Beckers Kreidezeichnung gibt das Hauptbild des Decken-
freskos in der Camera dei Papiri im Vatikan wieder, das
Anton Raphael Mengs (1728–1779) 1772/73 im Auftrage
Papst Clemens' XIV. ausführte. Das von Mengs selbst
entwickelte Bildprogramm nimmt Bezug auf die Bestim-
mung des Raumes als Aufbewahrungsort der Manuskripte
der vatikanischen Bibliothek. Das von Mengs Bewunderern wegen seiner »Harmonie und Ruhe« als »das erste
Freskogemälde der Welt« (zit. nach H. Tintelnot, S. 230)
gerühmte Werk steht noch in der Tradition barocker
Allegorik, während der Verzicht auf die illusionistischen
Gestaltungsmittel der barocken Deckenmalerei Mengs
klassizistischer Kunstauffassung entspricht.
Ein Stipendium des Markgrafen Karl Friedrich ermöglichte dem jungen Philipp Jakob Becker einen Studienaufenthalt in Rom, wo er ab 1777 für zwei Jahre Schüler des
»großen Mengs« war. Die Fürstlich Fürstenbergischen
Kunstsammlungen in Donaueschingen besitzen aus dem

1081

1082

Nachlaß Beckers eine getreue Kopie, die dieser nach dem Selbstbildnis von Mengs angefertigt hatte (Öl auf Leinwand; 98 x 79 cm; Inv.-Nr. 197).

*Hans Tintelnot, Die barocke Freskomalerei in Deutschland. Ihre Entwicklung und europäische Wirkung, München 1951. – Staatliche Kunsthalle Karlsruhe, Kupferstichkabinett, Die deutschen Zeichnungen des 19. Jahrhunderts, bearbeitet von R. Theilmann und E. Ammann, Karlsruhe 1978, Bd. 1 Nr. 185, Bd. 2 Abb. S. 233.*     I. F.

1082*

## MINERVA

Kopie nach einer hellenistischen Gemme (2. Jh. v. Chr.)

Philipp Jakob Becker (1759–1829)

*Schwarze und gelbe Kreide, Tuschfeder auf graublauem Papier*
*H. 31,9 cm, B. 33,8 cm*

Karlsruhe, Staatliche Kunsthalle, Kupferstichkabinett, Inv.-Nr. VIII 1105-82

Philipp Jakob Becker hielt neben einer »Auswahl von Abgüßen nach Anticken... auch Abdrücke von Gemmen und Medaillen, die artistischen Werth haben« (Brief vom 10. 3. 1808; GLA 205/1125), als Vorbildmaterial für die Kunststudenten als besonders geeignet.
Für die Publikation der berühmten Daktyliothek des Baron von Stosch lieferte Becker selbst Zeichenvorlagen. Das 1797 bei J. F. Frauenholz in Nürnberg herausgegebene Werk (Friedrich Schlichtegroll: Auswahl vorzüglicher Gemmen aus derjenigen Sammlung, die ehemals der Baron von Stosch besaß, die sich aber in dem kön. preussischen Cabinette befindet), das unter der Aufsicht von Johann Gotthard Müller gestochen wurde, wurde wie folgt in einer zeitgenössischen Kunstzeitschrift beurteilt: »Ueber den Werth dieser Abbildungen hat die Stimme der Kenner schon entschieden, und es ist zu hoffen, dass sie auf mehr als eine Art zu Veredlung des Geschmacks mitwirken werden. Vielleicht dass dadurch die Kunstallegorie auf ihre ursprüngliche Einfalt zurückgeführt, und dem Genie der Künstler eine neue Aussicht zu geistvollen Compositionen geöffnet wird. Wenigstens muß eine nähere Bekanntschaft mit den Göttersystemen der Alten den Künstler auch mit dem Geist ihrer Symbole vertrauter machen; und dazu können die Abbildungen einiger der bekanntesten Gottheiten des Alterthums vieles beytragen.« (Neue Miscellaneen artistischen Inhalts für Künstler und Kunstliebhaber, 7. St., 1797, S. 948.)

*Staatliche Kunsthalle Karlsruhe, Kupferstichkabinett, Die deutschen Zeichnungen des 19. Jahrhunderts, bearbeitet von R. Theilmann und E. Ammann, Karlsruhe 1978, Bd. 1 Nr. 246, Bd. 2 Abb. S. 237.*     I. F.

1083

1083*

## DIE FIGUR DES KASTOR VOM QUIRINALSPLATZ IN ROM

Philipp Jakob Becker (1759–1829)

*Tuschfeder und Tuschpinsel, mit weißer Kreide gehöht auf elfenbeinfarbenem Karton*
*H. 64,3 cm, B. 42,6 cm*

Karlsruhe, Staatliche Kunsthalle, Kupferstichkabinett, Inv.-Nr. VIII 1111

In der griechischen Mythologie gelten die Dioskuren Kastor und Pollux, die Zwillingssöhne des Zeus (oder des Spartanerkönigs Tyndareos) und der Leda als Heroen.
Die 5,6 m hohen Marmorskulpturen aus der römischen Kaiserzeit, die 1589 auf dem Quirinalsplatz aufgestellt wurden, stellen die Dioskuren als Rossebändiger dar. Der Legende nach verhalfen sie den Römern zum Sieg in der Schlacht am See Regillus (499 v. Chr.) und tränkten dann ihre Pferde an der Quelle der Juturna auf dem Forum Romanum, wo ihnen 484 v. Chr. ein Tempel geweiht wurde.

*Staatliche Kunsthalle Karlsruhe, Kupferstichkabinett, Die deutschen Zeichnungen des 19. Jahrhunderts, bearbeitet von R. Theilmann und E. Ammann, Karlsruhe 1978, Bd. 1 Nr. 251, Bd. 2 Abb. S. 238.*  I. F.

## 1084*

### DER MORGEN

Christian Haldenwang (1770–1831) nach Claude Lorrain

*Kupferstich*
*H. 57,1 cm, B. 70,9 cm*
*Bez.:* DER MORGEN
*links:* Claude Gelée le Lorrain pinx[t].
*rechts:* C. Haldenwang sculp[t]. 1822
*Mitte:* Gedruckt von Durand & Sauvé, in Paris

Karlsruhe, Staatliche Kunsthalle, Kupferstichkabinett, o. Inv.-Nr.

1084

Christian Haldenwang stach 1822 Claude Lorrains Gemälde »Der Morgen« (1666) nach einer Umriß-Vorzeichnung, die er nicht vor dem Original, sondern nach der »Kopie von einem Italiener« angefertigt hatte. Das Original (»Landschaft mit Jakob, Rachel und Lea«; 113 x157 cm; Leningrad, Eremitage), das 1806 durch den französischen General Lagrange von Kassel nach Schloß Malmaison gebracht wurde, erwarb dann 1814 Zar Alexander von Rußland. Es gehört zu einem Zyklus der »Vier Tageszeiten«, die Haldenwang in den folgenden Jahren (bis 1827) noch reproduzieren sollte. Er erfüllte sich damit einen »so lange gehegten Wunsch«, wie er 1821 in einem Brief an J. Fr. Frauenholz schrieb: »Schon seit 12 Jahren drängt es mich, nach dem lieblichen Claude, dessen Kompositonen meine Seele am meisten ergreifen, etwas Bedeutendes zu stechen, und hauptsächlich blieb mein Verlangen an denen herrlichen vier Tageszeiten stehen« (G. Kircher, S. 20).
Nach einer fast zehnjährigen Lehrzeit in Christian von Mechels Kupferstecherwerkstätte in Basel, die die zeitgenössische Vedute pflegte, und einer anschließenden Anstellung in der Chalkographischen Gesellschaft in Dessau (ab 1796) wurde der aus Durlach stammende Christian Haldenwang 1804 als Hofkupferstecher nach Karlsruhe berufen. Mit der Gründung einer »Landschaftlichen Zeichenschule« im Jahr 1810 kam er seiner Verpflichtung als Hofkünstler nach, unentgeltlich Unterricht zu erteilen. In seine Schule, die finanziell »keine zureichende Unterstützung« (Th. Hartleben, S. 235) erhielt, nahm er nie mehr als zwölf Schüler auf, die in der Regel zwischen dem neunten und fünfzehnten Lebensjahr eintraten. Zu seinen Schülern, die er wöchentlich vier Stunden unterrichtete, gehörte auch C. L. Frommel.
In Haldenwangs Werk finden sich neben Reproduktionsstichen nach alten Meistern (Ideallandschaften nach Claude Lorrain und Nicolas Poussin, Stiche nach Ruisdael und Potter) auch Ansichten aus der Schweiz, Österreich

und Baden. Diese in der klassizistischen Kunsttheorie gering geschätzten, heimischen Veduten stach er nach Vorzeichnungen von Zeitgenossen wie C. Kuntz, K. Ph. Fohr, Ch. de Graimberg.

*Theodor Hartleben, Statistisches Gemälde der Residenzstadt Karlsruhe und ihrer Umgebungen, Karlsruhe 1815. – Kunst-Blatt, 1821, Nr. 60, S. 240; 1823, Nr. 7, S. 27, Nr. 14, S. 55, Nr. 49, S. 196. – A. Andresen, Handbuch, 1. Bd., 1870, S. 640, Nr. 2/II. – Gerda Kircher, Vedute und Ideallandschaft in Baden und der Schweiz 1750 bis 1850, Heidelberg 1928. – Carsten Bernhard Sternberg, Die Geschichte des Karlsruher Kunstvereins, Diss. Karlsruhe 1977, S. 29 f. – Staatliche Kunsthalle Karlsruhe, Kupferstichkabinett, Die deutschen Zeichnungen des 19. Jahrhunderts, bearb. von R. Theilmann und E. Ammann, Karlsruhe 1978, Bd. 1 Nr. 1393, Bd. 2 Abb. S. 137 (Umriß-Vorzeichnung).*  I. F.

## 1085*

### JOHANN PETER HEBEL (1760–1832)

Feodor Iwanowitsch Kalmück (1763–1832) um 1815

*Kreidezeichnung, weiß gehöht*
*H. 39 cm, B. 31 cm*

Basel, Universitätsbibliothek

An der ersten Ausstellung des Karlsruher Kunstvereins beteiligte sich auch der badische Hofmaler Feodor Iwanowitsch Kalmück unter anderem mit einem Brustbild des Dichters Johann Peter Hebel (1760–1826). Bei der um 1815 entstandenen Kreidezeichnung aus der Basler Universitätsbibliothek, die einst im Besitz der Familie Friedrich Weinbrenners war, handelt es sich vermutlich um dieses Ausstellungsstück.

1085

Beckers »Akademie«, und ab 1791 konnte er seine Studien mit einem Stipendium in Rom fortsetzen. Sein Ruf als hervorragender Figurenzeichner verhalf ihm 1799 zu dem Auftrag, Lord Elgin nach Athen zu begleiten, um dort Antikenkopien, v.a. nach den Parthenonskulpturen, als Stichvorlagen anzufertigen. Als badischer Hofmaler war er seit 1806 wieder in Karlsruhe ansässig und führte Porträts von Freunden und Mitgliedern des badischen Fürstenhauses aus (vgl. Kat.Nr. 289). Das zeitgenössische Urteil, das Feodor zu »den vorzüglichsten Historienmahlern« (Meusel, 1.Bd., S. 230) zählte, beruhte auf seinen Darstellungen antiker, aber auch christlicher Themen, sowie den Allegorien zur badischen Geschichte (vgl. Kat.Nr. 275).

In seinem Gesamtwerk, das sich stilistisch sehr uneinheitlich darstellt, erweist sich Feodor v.a. bei seinen Grisaillen für die Emporenbrüstungen der Ev. Stadtkirche in Karlsruhe als reiner Klassizist. Gerade bei diesem Bilderzyklus aus dem Leben Jesu (1945 zerstört), bei dessen Themenauswahl Hebel beteiligt gewesen sein soll, ahmte er antike Steinreliefs formal und farblich nach.

*Johann Georg Meusel, Teutsches Künstlerlexikon. – Arthur von Schneider, Badische Malerei des 19. Jahrhunderts, Karlsruhe, 2. Aufl. 1968. – 1818–1968. Festschrift zum 150jährigen Jubiläum des Badischen Kunstvereins Karlsruhe, Karlsruhe 1968, S. 20, 43f, 55, Abb. 4. – Margrit-Elisabeth Velte, Leben und Werk des badischen Hofmalers Feodor Iwanowitsch Kalmück (1763–1832), Diss. Karlsruhe 1973, S. 63f, WV Nr. 13, Abb. 13. – Carsten Bernhard Sternberg, Die Geschichte des Karlsruher Kunstvereins, Diss. Karlsruhe 1977, S. 21ff.* I.F.

Das fast in Lebensgröße wiedergegebene Brustbild im Hochoval besticht durch die Lebendigkeit des Ausdrucks. Durch reiche Schraffur und Weißhöhung sind Gesichtszüge und Halsbinde äußerst plastisch modelliert. Diese Plastizität wird noch zusätzlich verstärkt durch den nur linear angelegten Rock. »In dem ruhig forschenden Blick und den gemütvoll behäbigen Zügen des Dichters sind wir gewohnt, die reinste bildhafte Verkörperung seiner alemannischen Wesensart zu sehen« (A.v. Schneider, S. 21). Das als so treffend und als hervorragend anerkannte Portrait des Dichters, dem schon eine »Bürgerlichkeit biedermeierlicher Prägung« (M.-E. Velte, S. 186f) anhaftet, illustriert mehrere Ausgaben seiner Werke.

Der aus Basel stammende und seit 1791 als Diakon am Karlsruher Lyceum tätige Hebel, der ab 1805 Kirchenrat, ab 1819 Prälat war, wurde bekannt durch seine 1803 in Mundart erschienenen »Allemannischen Gedichte für Freunde ländlicher Natur und Sitten«, durch den »Rheinländischen Hausfreund« und das »Schatzkästlein des rheinischen Hausfreundes«.

Im Karlsruher Gesellschaftsleben war der Maler durch Herkunft und Habitus eine »exotische« Gestalt: Feodor wurde um 1763 in Astrachan als »Sohn eines Tartarischen Fürsten oder Anführers einer grossen Horde« (Meusel, 1.Bd., S. 227) geboren, kam als Geschenk der Zarin Katharina II. mit Prinzessin Amalie Friederike von Hessen-Darmstadt 1774 an den badischen Hof. Da Feodor an Malerei interessiert war, erhielt er eine Ausbildung an der Karlsruher »Handzeichnungsschule« und dann in Ph.J.

1086*

## TAORMINA AUF SIZILIEN MIT BLICK AUF DEN ÄTNA

Carl Ludwig Frommel (1789–1863)

*Pinsel in Sepia über Bleistift, laviert auf elfenbeinfarbenem Papier*
H. 45,3 cm, B. 66,5 cm

Karlsruhe, Staatliche Kunsthalle, Kupferstichkabinett, Inv.-Nr. P.K. I 485–59

Die große Sepiazeichnung Frommels, die wohl während seiner Sizilienreise im Sommer 1816 oder kurz danach entstand, ist bereits bildmäßig angelegt durch die innere Rahmung des Motivs mittels Baumgruppe links und Felsenformation rechts, die tiefenräumliche Gestaltung durch die diagonale Wegführung und die Verteilung der Licht- und Schattenzonen, und durch die Belebung der Landschaft mit Figurenstaffage und antiken Versatzstücken im Vordergrund.

»Taormina« war unter den sieben Landschaftszeichnungen mit italienischen Motiven, die Frommel bei der ersten Ausstellung des Karlsruher Kunstvereins 1818 zeigte.

1086

1824 setzte er diese Zeichnung mit einigen Veränderungen in ein Ölgemälde (43 x 61 cm; Karlsruhe, Staatliche Kunsthalle, Inv.-Nr. 1140) um, das er wiederum selbst 1827/28 im Kupferstich reproduzierte. Ganz im romantischen Geiste gestaltete er im Gemälde eine dramatischere Stimmung und ersetzte die Staffage im Vordergrund durch eine Gruppe von vier Mönchen und einem einzelnen jungen Wanderer, der sich auf einem Felsen ausruht.

Seine Ausbildung als Maler und Kupferstecher erhielt Frommel, der »erste Zögling einer selbständigen badischen Kunstpflege« (G. Kircher, Kupferstecher, S. 29), bei Philipp Jakob Becker (1759–1829) und bei Christian Haldenwang (1770–1831). Während seines Aufenthaltes in Italien (1812–1817) verkehrte er im Kreise der Klassizisten und Nazarener. Nach seiner Rückkehr nach Karlsruhe erhielt er 1818 die Ernennung zum Professor für Malerei und Kupferstechkunst. Als Vorstandsmitglied, später Präsident (ab 1830) des neu gegründeten Karlsruher Kunstvereins und Nachfolger von Carl Kuntz (1770–1830), dem Direktor der großherzoglichen Gemäldegalerie, nahm er in den folgenden Jahrzehnten eine wichtige Stellung im Karlsruher Kunstleben ein.

Seit den zwanziger Jahren widmete sich Frommel verstärkt auch der heimischen Vedute. In der Umgebung von Karlsruhe und Baden-Baden und im Schwarzwald entdeckte er eine Fülle neuer Landschaftsmotive; sein Interesse fanden aber auch die mittelalterlichen Denkmäler Badens, die er als romantische Architekturstücke faßte. Das neue Tiefdruckverfahren des Stahlstiches, das er 1824 auf seiner Englandreise kennengelernt hatte, ermöglichte es ihm, durch eine hohe Druckauflage seine badischen Ansichten einem breiten Publikum verfügbar zu machen.

*Gerda Kircher, Die badischen Kupferstecher Gmelin, Haldenwang, Frommel – ein Beitrag zur Geschichte der Kunstpflege und insbesondere der Landschaftsdarstellung im Uebergang vom 18. zum 19. Jahrhundert, Diss. Heidelberg 1922. – Gerda Kircher, Vedute und Ideallandschaft in Baden und der Schweiz 1750 bis 1850, Heidelberg 1928. – Arthur von Schneider, Badische Malerei des 19. Jahrhunderts, Karlsruhe [2]1968, S. 73. – Carsten Bernhard Sternberg, Die Geschichte des Karlsruher Kunstvereins, Diss. Karlsruhe 1977, S. 22f., 189. – Staatliche Kunsthalle Karlsruhe, Kupferstichkabinett, Die deutschen Zeichnungen des 19. Jahrhunderts, bearb. von R. Theilmann und E. Ammann, Karlsruhe 1978, Bd. 1 Nr. 1111, Bd. 2 Abb. S. 30.* I. F.

## Die Künstler in Paris –
## Studium in der Weltstadt

Nicolas Guibal, Professor für Malerei an der Hohen Carlsschule, war der Meinung, daß »der Deutsche kein Feuer habe, daher, wenn der Künstler wandere, er zuerst nach Paris solle, und dann erst nach Italien, wenn er dort welches geholt;...« (Haakh, S. 6). In diesem Sinne schickten Guibal und andere Lehrer wie A. F. Harper und J. G. Müller, die selbst in Paris studiert hatten, ihre Schüler zur weiteren Ausbildung in die französische Hauptstadt. Die Metropole mit ihren vielfältigen Bildungseinrichtungen war in dieser Zeit neben Rom die wichtigste Kunststadt Europas. Das rege künstlerische Leben war geprägt von der Akademie und ihrer Selbstdarstellung in den Salons, von den zahlreichen Ateliers, einer öffentlichen Kunstkritik und dem Interesse eines bürgerlichen Publikums.

In diese Stadt mit ihrer anregenden Atmosphäre zogen die Schüler der Hohen Karlsschule nach abgeschlossenem Studium und hielten sich dort, ausgestattet mit einem Reisestipendium des Herzogs, meist mehrere Jahre auf. Ab etwa 1780 fanden sich in Paris folgende Karlsschüler ein: Ph. F. Hetsch, V. W. P. Heideloff, E. Wächter, J. H. Dannecker, Ph. J. Scheffauer und N. F. Thouret, die Malerin L. Simanowiz und nach der Jahrhundertwende auch der in Karlsruhe ausgebildete C. L. Frommel sowie der Darmstädter G. W. Issel.

Alle südwestdeutschen Künstler hatten als Ziel die Aufnahme in die Pariser Akademie vor Augen; vor allem wollten sie in den Lehrateliers anerkannter bzw. berühmter Künstler unterkommen, vorzugsweise bei J. L. David. Sie studierten im Musée Central des Arts (seit 1803 Musée Napoléon), besuchten die Akademie, arbeiteten in den Ateliers, wobei dem Studium am lebenden Modell große Bedeutung zugemessen wurde. Sie beteiligten sich auch an den Ausstellungen im Salon, so z. B. Schick, der 1800 sein in Paris entstandenes Gemälde »Eva« dort vorstellte. Für die meisten deutschen Künstler schloß sich dem Studium in Paris ein Aufenthalt in Rom an.                    I. F.

1087

1087*

### BÜSTE DES MALERS HUBERT ROBERT
(1733–1808)

Augustin Pajou (1730–1809)
Paris, 1787

*Terrakotta*
*H. 56 cm (Büste), 9 cm (Sockel)*
*Bez. auf der Rückseite:* H. Robert Peintre du Roi par Pajou 1787

Paris, Ecole Nationale Supérieure des Beaux-Arts, Inv.-Nr. 4286

Nicolas Guibal war der Auffassung, daß seine Schüler das nötige ›Feuer‹ nur durch Fortsetzung ihres Studiums in Paris erhalten könnten. Schon Valentin Sonnenscheins Gesuch um eine Reise dorthin hatte er mit diesem Argument unterstützt. Das Gesuch wurde jedoch abgelehnt. Dannecker und Scheffauer erhielten 1783 durch geschickte Vermittlung ein herzogliches Stipendium und konnten ihre Studien bis 1785 im Atelier des Bildhauers Augustin Pajou (1730–1809) in Paris fortsetzen. Pajou war mit Guibal gut befreundet. Beide Künstler vertraten die Lehre des französischen Akademismus, nämlich daß nur der Künstler ein Meister werden könne, der gelernt habe, Natur- und Antikenstudium in seinem Schaffen vernünftig zu vereinen.

Die in Paris entstandenen Arbeiten der jungen Stuttgarter Hofbildhauer sind heute zerstört und verschollen. Scheffauer erhielt für seine Figur eines ›Pluto‹ die Medaille der Pariser Akademie. Pajous Einfluß läßt sich noch besonders an den Porträts ablesen, die Scheffauer zwischen 1790 und 1800 in Stuttgart geschaffen hat. Sein Lehrer in Paris zählte zu den gefragtesten Meistern in diesem Metier.

Die Büste des besonders als Maler stimmungsvoller Ruinenlandschaften bekannten Hubert Robert (1733–1808) gehört zu den herausragenden Porträtschöpfungen von Pajou. Robert war ein alter Freund von Pajou und galt allgemein als liebenswürdiger Bonvivant. Im realistischen Erfassen von Charakter und Geist des Dargestellten liegt die besondere Stärke der französischen Porträtplastik des 18. Jahrhunderts (vgl. Kat.Nrn. 1557 und 1067). Künstler hielt man für besonders geeignete Modelle, weil die Darstellung des ihnen innewohnenden ›Feuers‹ eine besondere Herausforderung an den Porträtisten bedeutete. Der Maler Robert besaß dieses Feuer, und sein Freund Pajou hat es in der Büste meisterhaft zum Ausdruck gebracht.

*Grate 1985. – Stein 1912, 40f., Taf. 3. – Reisegesuch Sonnenscheins: Stuttgart, Hauptstaatsarchiv A 20 Bü. 625. – Parisaufenthalt Danneckers und Scheffauers: v. Holst 1987, 28f, 118ff Nr. 9f. – Wintterlin 1895, 65f.*

U. H.

1088

1088*

## BILDNIS DES STUTTGARTER HOF-BILDHAUERS PHILIPP JACOB SCHEFFAUER (1756–1808)

Philipp Friedrich Hetsch (1757–1817)
Paris, 1783

*Öl auf Leinwand*
*H. 80 cm, B. 64 cm*

Privatbesitz

Das Bildnis des jungen Hofbildhauers Scheffauer vermittelt einen Eindruck vom Lebensgefühl des Künstlers während seines zweijährigen Aufenthaltes in Paris. Sein Freund und Kollege Philipp Friedrich Hetsch (1758–1838) hat ihn in lässiger Haltung und Kleidung gemalt, als ob er gerade beim Zeichnen innegehalten hätte.

Hetschs Gemälde ist eine freundliche Parodie auf ein kurz vorher entstandenes Bildnis des Pariser Lehrmeisters Pajou von Adelaide Labille-Guiard, einer Malerin, die ebenfalls am Unterricht in dessen Atelier teilnahm. Pajou ist in gleicher Haltung und Kleidung wie Scheffauer dargestellt – nur ist er gerade mit der Bearbeitung einer seiner frühen Büsten, dem Porträt seines Lehrers Jean-Baptiste Lemoyne beschäftigt.

Auch Scheffauer posiert liebenswürdig-selbstbewußt vor einem kleinen Kunstwerk, einer Terrakottafigur im Hintergrund. Vielleicht ist diese Figur als eigene Arbeit des Stuttgarter Künstlers zu verstehen, vielleicht auch nur als Studienobjekt. Die Darstellung ›Aeneas flieht mit seinem Vater Anchises und seinem Sohn Ascanius aus dem brennenden Troja‹ zitiert die berühmte Kolossalgruppe, die François Lepautre (1659/66–1744) 1716 für den Tuileriengarten vollendet hatte. Auch dieser Bildhauer ließ sich seinerzeit stolz vor einem eigenen Werk porträtieren – vor dem Terrakottamodell zu der erwähnten Kolossalgruppe. Verkleinerte Reproduktionen der Gruppe Lepautres waren im 18. Jahrhundert sehr beliebt und weit verbreitet. Möglicherweise benutzte Pajou eine dieser Reproduktionen für seinen Unterricht. Die Auseinandersetzung seiner Schüler mit den Meisterwerken der französischen Plastik des ›Grand Siècle‹ war sicherlich obligatorisch. Die Thematik des trojanischen Sagenkreises hat auch Dannecker in seiner Figur des ›Mars‹ angesprochen, die ebenfalls in Pajours Atelier entstand.

*Fleischhauer 1939, 36. – Fleischhauer 1957, 250 Abb. 2. – Kat. Stuttgart 1959, 189 Nr. 541. – Bildnis Pajous: Stein 1912, Taf. 1. – Kolossalgruppe Lepautres: Souchal 1981, 377 Nr. 9 a. – Bildnis Lepautres: a. O., 375 (m. Abb.). – Reproduktionen der Gruppe Lepautres: a. O., 377f. Nr. 9 b. – Theuerkauff/Möller 1977, 263ff. Nr. 155. – Nachbildungen: Gazette des Beaux-Arts 107, 1986, Suppl., 5 Nr. 23 (L. Guiard zugeschrieben). – Feulner 1929, 45 Abb. 30 (J. P. Prokop). – Danneckers Mars: v. Holst 1987, 118f Nr. 9.*

U. H.

1089

seine bis dahin unzulängliche künstlerische Ausbildung an, die er an der Hohen Karlsschule begonnen hatte. Zunächst hatte er an der Militärakademie, später Karlsschule, ab 1773 Jura studiert. Erst 1781, als 19jähriger, konnte er nach langem Drängen seinen Wunsch, Malerei als Hauptstudium zu wählen, beim Herzog durchsetzen, der seine Erlaubnis anfänglich verweigert und an sein Standesbewußtsein appelliert hatte (»Schämt Er sich nicht, Er, ein Regierungsratssohn, Maler werden zu wollen?«) (zit. nach P. Köster, S. 10). Bereits nach zwei Jahren Ausbildung bei N. Guibal und A. F. Harper wird er – was ihm durchaus recht ist – entlassen. Rückblickend kritisiert er später die Erziehungsmethoden und den allgemeinen Kunstunterricht an dieser Anstalt. Nach einem halbjährigen Studium in der Mannheimer Antikensammlung reiste er nach Paris.

Als die revolutionären Unruhen ausbrachen, blieb er in seine Arbeiten vertieft weiter dort. Die Akademie, dessen Schüler er war, zollte ihm Anerkennung mit dem Auftrag, anläßlich des Revolutionsfestes am 14. Juli 1790 Zeichnungen für den geplanten Triumphbogen anzufertigen. Wächter gehörte in Paris zum Bekanntenkreis der Sängerin Rosine Helene Baletti, in deren stets offenem, gastfreundlichem Hause einige Württemberger (Georg Kerner und Karl Friedrich Reinhard), aber auch der Minister Jacques Necker, Madame de Staël und Napoleon Bonaparte verkehrten. Zu diesem Kreis gehörte auch die Malerin Ludovike Simanowiz, geb. Reichenbach, mit der Wächter befreundet war. Sie war eine Schülerin Guibals und vervollständigte mit Unterstützung des Herzogs Carl Eugen ihre Ausbildung in Paris bei dem Portraitisten Antoine Vestier (1740–1824). Wie Wächter von der Revolution begeistert, malte sie ihn mit zwei revolutionären Accessoires, nämlich trikolorer Kokarde am Zylinder.

*Wintterlin 1895, S. 122–128. – Fleischhauer 1939. – Paul Köster, Eberhard Wächter (1762–1852). Ein Maler des deutschen Klassizismus, Diss. Bonn 1968, S. 29, Kat. Nr. 264. – Kat. Schwaben sehen Schwaben, Bildnisse 1760 bis 1940 aus dem Besitz der Staatsgalerie Stuttgart, bearb. von A. Preiser, Stuttgart 1977, Nr. 13, Abb.*    I. F.

1089*

## EBERHARD WÄCHTER (1762–1852)

Ludovike Simanowiz (1759–1827)
um 1791/92

*Öl auf Leinwand*
*H. 59 cm, B. 47 cm*

Stuttgart, Staatsgalerie, Inv.-Nr. 949

In Paris entstand um 1791/92 das von der Ludwigsburgerin Ludovike Simanowiz angefertigte Bildnis des 30jährigen Historienmalers Eberhard Wächter. »Die ungewohnte, fast herausfordernde Haltung mit verschränkten Armen, die jähe Seitendrehung des Körpers, das kecke Herausblicken haben dem kleinen Bilde etwas Frisches, fast etwas gesucht Eigenartiges gegeben, was von der erregten Stimmung der Revolutionszeiten zeugen mag« (W. Fleischhauer, S. 52). Wächter war im Jahr 1785 zusammen mit dem Kupferstecher J.-G. Müller und dem späteren Verleger J. F. Cotta in Paris eingetroffen. Sogleich schrieb er sich in der Akademie ein, arbeitete daneben zunächst bei J.F.P. Peyron (1744–1814), wechselte dann aber ins Atelier von J.-B. Regnault (1754–1828), den er als hervorragenden Zeichner schätzte. »Hier war es nun, wo ich eigentlich anfing, das Versäumte nachzuholen und besonders nach möglichster Correction im Zeichnen zu streben.« (zit. nach P. Köster, S. 26). Hier spricht Wächter

1090

## SOKRATES DEN GIFTBECHER ENTGEGENNEHMEND

Christian Gottlieb Schick (1776–1812)

*Feder in Grau über Bleistift, Pinsel in Schwarzgrau, mit Deckweiß gehöht, auf olivgrün eingefärbtem Papier*
*H. 35,9 cm, B. 55,0 cm*

Stuttgart, Staatsgalerie, Graphische Sammlung,
Inv.-Nr. 2409

Schick wurde für die wohl während seiner Pariser Studienzeit (1798–1802) entstandene Zeichnung durch Jacques-Louis Davids Gemälde »Socrate au moment de prendre la

ciguë« von 1787 (Metropolitan Museum, New York)
angeregt. In der klassizistischen Historienmalerei, die sich
bevorzugt den antiken Stoffen zuwandte, wurde das Leben
des Sokrates mehrfach wiedergegeben. »Der humanisti-
sche Erziehungsoptimismus dieses Philosophen, sein mutiges Auftreten und der an ihm verübte Justizmord ließen
ihn besonders darstellenswert erscheinen« (G. Lammel,
S. 110). Wie J.-L. David schildert auch Schick jenen Augenblick, in dem der zum Tode verurteilte Sokrates,
umgeben von seinen Schülern, die Hand nach dem Schier-
lingsbecher ausstreckt. Auch die Gestaltung der räumlichen Situation, also des bildparallel angelegten Bühnen-
raumes mit dem Rundbogen – bei Schick wird daraus ein
abgeschlossener Kastenraum –, sowie die reliefartige Figu-
renanordnung stimmen überein. Unmittelbar übernommen hat Schick das Motiv des Schülers, der sich aus
Schmerz über den bevorstehenden Verlust des Lehrers zur
Wand abwendet. Doch Davids Komposition ist klarer
strukturiert, die Figuren sind eindeutiger zu geschlossenen
Gruppen zusammengefaßt, die Figuren selbst von kraft-
voller Körperlichkeit. Die Bildaussage wird konzentriert
auf die heroische, vorbildliche Haltung des Sokrates, der
bis zum Ende überzeugt lehrt und wirkt, der Tod bleibt
Nebensache. Bei Schick hingegen stehen Schmerz, Verzweiflung, menschliches Leid – fast Rührseligkeit – im
Vordergrund. Pointiert könnte man den Vergleich mit den
literarischen Kategorien wiedergeben: antikes Drama ver-
sus bürgerliches Trauerspiel.

*René Verbraeken, Jacques-Louis David jugé par ses con-
temporains et par la posterité, Paris 1973, Abb. 21. – Kat.
Stuttgart 1976, Nr. 23, Abb. 29. – Lammel 1986, S. 110,
Abb. 70.*                                             I. F.

## 1091*

## Marius in Minturnae

Christian Gottlieb Schick (1776–1812)
nach J.-G. Drouais

*Feder in Schwarzgrau über Bleistift auf rohweißem
Bütten
H. 16,8 cm, B. 22,7 cm
Bez. Mitte unten:* C. MARIVS.

Stuttgart, Staatsgalerie, Graphische Sammlung,
Inv.-Nr. 2377

1091

Die dargestellte Szene hält sich an Plutarchs »Leben des
Marius«. Der über die Kimbern siegreiche römische Feldherr Marius (156–86 v.Chr.), der mit dem Senat in
Konflikt gerät und von Sulla geächtet wurde, flieht in die
Sümpfe von Minturnae in der Campagna. Dort wird er
gefangen genommen und verurteilt und soll von einem
kimbrischen Soldaten getötet werden. »Nun hatte der
Theil des Zimmers, in welchem Marius ruhte, kein ganz
helles Licht, sondern lag im Schatten, und so kam es, wie
man sagt, dem Soldaten vor, als wenn die Augen des
Marius viele Flammen aussprühten und aus dem Dunkel
erscholl eine gewaltige Stimme, die ihm zurief: ›Mensch,
du erkühnst dich, den Cajus Marius zu morden?‹ Im
Augenblick ergriff der Barbare die Flucht . . .«.
Die von Gottlieb Schick in seiner Pariser Studienzeit
(1798–1802) angefertigte Umrißzeichnung gibt das
Gemälde »Marius à Minturnes« (Musée du Louvre, Paris)
von Jean-Germain Drouais (1763–1788) wieder. Der
begabte, von seinem Lehrer J.L. David sehr geschätzte
Drouais schuf den »Marius« 1786 in Rom, wo das Bild
noch im Entstehungsjahr in der Académie de France
gezeigt und vom Publikum bewundert wurde. Im folgenden Jahr wurde das Historiengemälde in Paris ausgestellt,
für die Kühnheit der Komposition, »le bon goût et la
science du dessin«, die wahrhafte Harmonie der Farben
und v.a. die Ausdrucksstärke hoch gerühmt. Das
Gemälde, das durch einen Kupferstich von Johann Heinrich Lips (1758–1817) »auch in Teutschland jedem
Kunstfreunde bekannt wurde«, begründete den Ruhm des
24jährig in Rom 1788 verstorbenen klassizistischen
Künstlers.

*Plutarch's Werke. Vergleichende Lebensbeschreibungen,
übersetzt von J. G. Klaiber, Bd. 10, Stuttgart 1838, S. 1218
(Zitat). – Kat. Stuttgart 1976, Nr. 8, Abb. 18. – Kat. Jean-
Germain Drouais 1763–1788, Rennes 1985, Nr. 11, Abb.
S. 49. – Lammel 1986, S. 163, Abb. 105.*              I. F.

1092

Der Darmstädter Issel, vermutlich ein natürlicher Sohn von Großherzog Ludwig I. von Hessen-Darmstadt, begann um 1803 als Autodidakt zu malen und sich auf zahlreichen Reisen, die er in hessischen Staatsdiensten unternahm, vornehmlich auf dem Gebiet der Landschaftsmalerei künstlerisch weiterzubilden. In Paris, wo er sich 1813 und im Winter 1814/15 aufhielt, verkehrte er im Kreise der David-Schüler, kopierte nach Claude Lorrain, N. Poussin und Ruisdael und trieb Naturstudien in Ermenonville. Es entstanden aber auch Landschaftsgemälde mit Motiven aus der Heimat!

*Karl Lohmeyer, Aus dem Leben und den Briefen des Landschaftsmalers und Hofrats Georg Wilhelm Issel 1785–1870, Heidelberg 1929, S. 19, WV Nr. 21, Abb. 5. – Wolfgang Becker, Paris und die deutsche Malerei 1750–1840, (Studien zur Kunst des neunzehnten Jahrhunderts, Bd. 10), Passau 1971. – Kat. Der Traum vom Raum. Gemalte Architektur aus 7 Jahrhunderten, Nürnberg 1986, Nr. 39, Abb. S. 295.*    I. F.

1092*

## SAINT-ETIENNE-DU-MONT, SAINTE-GENEVIÈVE UND DAS PANTHÉON IN PARIS

Georg Wilhelm Issel (1785–1870)
1815

*Öl auf Leinwand*
*H. 86 cm, B. 72 cm*

Heidelberg, Kurpfälzisches Museum, Inv.-Nr. G 354

Während seines Parisaufenthaltes hielt Issel den Blick durch das Fenster seines Zimmers in der Rue Clovis fest: Links ragt der »Tour Clovis«, der Turm der 1802–07 abgerissenen gotischen Klosterkirche Sainte-Geneviève empor. Dahinter wird das Panthéon mit einem Kreuzarm, der Tambourkuppel und Ringkolonnade teilweise sichtbar. Rechts wird die spätgotische, erst 1628 eingeweihte Kirche Saint-Etienne-du-Mont von Osten, vom Bildrand überschnitten, wiedergegeben. Die schlichte, nicht prätentiöse Ansicht über den Hinterhof und ein Wirtschaftsgebäude hinweg bietet sich als ein zufällig anmutender Bildausschnitt dar, aber Issel wählte ihn bewußt. »Er hatte ein Zimmer gegenüber dem Bauwerk gemietet, um alle Formen zu erfassen...« (Zit. nach W. Becker, S. 423 Anm. 1228). Sachlich-streng, in genau registrierender Zeichnung und ohne jegliche Figurenstaffage, ganz nüchtern, entstand hier also gleichsam ein Architekturportrait.

## Die Künstler in Rom

»Hier endlich ist allein Freiheit, Nacheiferung, Antike und Raffael«

(v. Ramdohr, 1787)

## Die Plastik

1093*

### DIE WERKSTATT DES BILDHAUERS ANTONIO CANOVA (1757–1822) IN ROM

(Reproduktion)

Francesco Chiaruttini (1748–1796)
Rom, um 1786

*Federzeichnung, aquarelliert*
*H. 38,5 cm, B. 56 cm*

Udine, Museo Civico

Am 30. August verließen Dannecker und Scheffauer Paris und ihren Lehrmeister Augustin Pajou (vgl. Kat. Nr. 1087), um ihre Studien in Rom fortzusetzen. Das herzogliche Stipendium war um vier Jahre verlängert worden, damit die jungen Künstler ihre vielversprechenden Talente an dem Ort weiterbilden konnten, wo die vorbildlichen Meisterwerke in unüberbotener Fülle vorhanden waren. Am 2. Oktober trafen die beiden Stuttgarter in Rom ein – der »Hohen Schule für alle Welt«, wie Winckelmann es einmal ausdrückte.

Rom war damals voll von bildungshungrigen Nordländern, die sich im Schatten vergangener Größe dem Ideal eigner, moralisch-ästhetischer Vervollkommnung nahe fühlten. Das große Interesse der Romreisenden galt auch den zeitgenössischen Malern und Bildhauern, die den Idealen der Zeit in ihren Werken Ausdruck gaben. Jedes neue Gemälde und jede neue Skulptur wurde unter reger Anteilnahme begutachtet und kritisiert.

Als aufregende Neuentdeckung galt der junge Venezianer Antonio Canova, der seit 1779 in Rom lebte und arbeitete. Er hatte das Glück, durch einflußreiche Freunde ziemlich schnell mit sehr prominenten Aufträgen betraut zu werden. Im Kreise von Verehrern Winckelmannscher Anschauungen hatte er sich zu einem überzeugten Klassizisten gewandelt. Schneller Erfolg und Unterstützung durch Gönner ermöglichten es ihm, ein großes Atelier zu führen, wo ihn auch Dannecker und Scheffauer kennenlernten.

Pajou schrieb 1786 aus Paris an seine ehemaligen Schüler nach Rom: »Sie sind von den schönsten Dingen umgeben, die jemals von Menschenhand vollendet wurden. Stellen Sie Betrachtungen über sie an, richten Sie Ihre Fragen an diese Dinge, und sie werden Ihnen sagen, was Sie annehmen sollen und was verwerfen. Monsieur Deseine sagte mir, er habe Sie an einen venezianischen Bildhauer vermittelt, einen Mann von großem Verdienst. Das ist ein Glück, zu dem ich Ihnen gratuliere! Lieben Sie diesen Mann von erhabener Gesinnung und beherzigen Sie folgende Ratschläge: mißtrauen Sie den Komplimenten der römischen Kollegen – sie sind nur verschwenderisch damit, und wehe denen, die auf sie hören! Die Künstler der Vergangenheit sprechen ehrlicher zu Ihnen…« (Übers. d. Verf.)

Die Zeichnung von Francesco Chiaruttini stellt Canovas Atelier zu der Zeit dar, als Dannecker und Scheffauer den Künstler kennenlernten. Damals arbeitete er gerade an den

1093

Figuren für das Grabmal des Papstes Clemens XIV. Ganganelli, das nach seiner Enthüllung 1787 mit Superlativen gelobt wurde und den internationalen Ruhm Canovas begründete. Auf der Zeichnung sieht man Gehilfen bei der Arbeit an den Grabmalfiguren, deren antikischer Stil und Ausdruck verhaltener Trauer den Intentionen der jungen Stuttgarter Bildhauer vollkommen entsprach.

Im Hintergrund links sind die beiden Figuren zu erkennen, die Canova in Rom bekannt gemacht hatten: der Gipsabguß nach seiner noch in Venedig gearbeiteten Marmorgruppe ›Dädalus und Ikarus‹ und – besser beleuchtet – ›Theseus als Sieger über dem Minotaurus‹, sein 1783 in Rom vollendetes Werk, das begeisterte Aufnahme gefunden hatte. Auf dem Wandbord darüber ist links der Bozzetto zur Figur der trauernd über den Sarkophag gebeugten Frau zu sehen. Dieses Motiv hat Scheffauer nach seiner Rückkehr aus Rom in Stuttgart immer wieder beschäftigt (vgl. Kat.Nrn. 1123, 1124).

*Kat. Treviso 1957, 2 (m. Abb.). – Bartsch 1976, 264 Anm. 318. – Winckelmann-Zitat nach Himmelmann 1976, 64. – Zu Canova und den auf der Zeichnung abgebildeten Frühwerken: Praz 1976, 90ff, Nr. 14, 21, 24. – Licht/Finn 1983, 53ff (Grabmal Clemens XIV.), 157ff (Dädalus und Ikarus/Theseus und Minotaurus). – Brief Pajous: Spemann 1909, Anhang 75 Nr. 143.*    U. H.

1094*

## VENUS UND ADONIS

nach einem Fresko aus einer antiken Villa in Rom

Angelo Campanella (1745–1811) nach A. Raphael Mengs (1728–1779)

*Kupferstich, koloriert, vergoldeter stuckierter Holzrahmen*
*H. 67, B. 92,5 cm*
*Bez.:* Antonio Raphaeli Mengs Caroli III Hispan. Reg. ut quondam Alexandri Magni Apelles, / Pictori; Graecorum summis artificibus comparando;
imaginem Adonidis morientis in sinu Veneris nuper / in exquiliis detectam, in aenea tabula expressam, Amicus Amico Dulcissimo D D D. MDCCLXXVIII. / Cum Privilegio SS.D.N. Pii VI.

Schloßverwaltung Ludwigsburg, Außenstelle des Staatl. Liegenschaftsamtes Stuttgart, Schloß Ludwigsburg, Inv.-Nr. Sch. L. 3022

Rom wurde in der zweiten Hälfte des 18. Jahrhunderts zu einem Mekka der deutschen Künstler und Kunstbegeisterten. Befeuert durch Winckelmanns Schriften und den legendären Ruf des Malers Anton Raphael Mengs pilgerten sie scharenweise in die Stadt, wo die antiken Monumente und Werke Raffaels in konzentrierter Fülle vorhanden waren. Fürsten und Kardinäle gewährten den bildungshungrigen Rombesuchern in liberaler Weise Zutritt zu ihren reichen Sammlungen. Gemeinsam zogen junge Künstler los, um zu zeichnen, zu studieren und zu entwerfen. Man traf sich im noch heute existierenden Caffè Greco und genoß das freie, wenn auch häufig armselige Leben fern von fürstlicher Reglementierung.

Aufgeklärte Regenten wie Herzog Karl Eugen kannten Rom und seine Kunstschätze aus eigener Anschauung. Sie förderten die Bestrebungen ihrer Künstler, sich dort im Angesicht vergangener Größe und im Umgang mit renommierten Kollegen weiterzubilden und zu vervollkommnen. Dannecker und Scheffauer blühten in dieser Umgebung auf und fühlten sich »im Paradies der Künste«.

Der kunstinteressierte Herzog Karl Eugen ließ sich durch seine römischen Geschäftsträger über kulturelle Ereignisse und Veröffentlichungen auf dem Laufenden halten. Er bestellte die kostbarsten Folianten und Tafelwerke, so z. B. die prächtig kolorierten Stiche von Giovanni Volpato nach Fresken Raffaels. Nicht weniger aufwendig war die Publikation antiker Fresken aus einer 1777 ausgegrabenen Villa. Mengs war von den guterhaltenen Darstellungen so beeindruckt, daß er sie begeistert kopierte. Nach seinen Gemälden wurden von Angelo Campanella Kupferstiche angefertigt und, wunderbar koloriert, von dem Architekten Camillo Buti herausgegeben.

Das ausgestellte Blatt zeigt die Stirnwand eines kreuzgratgewölbten Raumes der antiken Villa, wohl aus den 50er Jahren des 1. Jahrhunderts n. Chr. Das große Tafelbild in der Mitte stellt eine Szene aus der tragischen Liebesgeschichte zwischen Venus und dem unglücklichen Adonis dar, der die Warnung seiner Beschützerin überhörte und durch einen wilden Eber umkam.

*Unveröffentlicht. – Zur Ausgrabung der antiken Villa vgl. ein Gemälde von Thomas Jones (1742–1803): Kat. München 1979/80, 198f Nr. 97. – Gemälde von Mengs: Lam-*

*mel 1986, Abb. 6. – Dazu und zu den Campanella-Stichen: Pelzel 1979, 160f, Abb. 63f. – Zu Campanella: Thieme-Becker 5 (1911), 455f. – Diese Stiche schmückten auch das Schloß in Karlsruhe: Meusels Museum für Künstler und Kunstliebhaber 13 (1791), 74. – Vgl. noch Harnack 1896, 21f. – Kat. Köln 1985, 20 Nr. 88f, Abb. auf S. 10. – Deutsche Künstler in Rom: Noack 1927. 1, 249ff.*    U. H.

1095

## ÜBER MAHLEREI UND BILDHAUERARBEIT IN ROM

für Liebhaber des Schönen in der Kunst, Band 1–3

Friedrich Wilhelm Basilius Freiherr von Ramdohr
(1757?–1822)
Leipzig, 1787

*Kupferdruck*
*H. 20 cm, B. 12 cm*
*Aufgeschlagen Band 1, Titelseite; Band 3, Seite 154f:*
(Rom) ist der einzige Ort, wo der gute Geschmack gleichsam in Reserve ruht. Hier thut der Künstler keinen Schritt, der nicht seinen Geschmack für das Schöne entweder ausfüllt oder rege macht. Hier buhlt er nicht um die Gunst verwahrloster Weichlinge, und ihrer verzärtelten Freundinnen. Hier leidet die Vergleichung mit edler Schönheit, mit bedeutungsvoller Wahrheit keine witzige Carricaturen, keine Schattenrisse gezierter Anmuth. Hier endlich ist allein Freiheit, Nacheiferung, Antike und Raphael.

Stuttgart, Württembergische Landesbibliothek,
Sch. K. oct. 3013

Als Dannecker nach seiner Rückkehr aus Rom 1790 Heinrike Rapp heiratete, war in seinem ›Zubringensinventarium‹ der dreibändige Führer des Freiherrn v. Ramdohr durch die wichtigsten Kunstsammlungen Roms verzeichnet. v. Ramdohr beschrieb nicht nur die bedeutendsten Skulpturen und Gemälde, sondern fügte zwischendurch immer wieder auch Beurteilungen und theoretische Betrachtungen ein, um »zu zeigen, wie und auf was man bei einem Kunstwerke sehen soll, um wahren und dauerhaften Genuss davon erwarten zu können« – ensprechend der klassizistischen Sichtweise in der Nachfolge von Winckelmann und Mengs. Interessant sind seine Ausführungen über die künstlerische Ausbildung, die sich gegen die akademische Reglementierung wenden und stattdessen die Förderung der natürlichen Begabungen angehender Genies – ganz im Sinne Rousseaus – vorschlagen. Möglicherweise hat Dannecker die drei Bände noch in Rom selbst erworben.

Zusammen mit seinem Kollegen Scheffauer konnte er dort, unterstützt durch ein knappes Stipendium von Herzog Karl Eugen, von 1785 bis 1789 seine Kenntnisse erweitern und vertiefen. Beide Bildhauer führten in Rom die ersten Aufträge für den Hof Karl Eugens in Hohenheim aus (Kat.Nr. 1101).

1094

1096

In der »römischen Künstlerrepublik« (Fernow) konnten die Stuttgarter Stipendiaten eine bisher nicht gekannte Freiheit erleben. Der ungezwungene Umgang mit namhaften Künstlern und Kunstliebhabern aus ganz Europa, die sich kürzer oder länger in der »Hauptstadt der Welt« aufhielten, die Präsenz der Meisterwerke, die sie vorher nur als Reproduktionen kannten – all das bot ihnen Anregungen und Entfaltungsmöglichkeiten, die ihnen später nicht wieder vergönnt sein sollten. Nach der Rückkehr in die schwäbische Heimat, wo sie wieder ganz auf die Gunst der Auftraggeber und den eigenen Genius angewiesen waren, fühlten sie sich ernüchtert. Dannecker schrieb 1792 an den Bildhauer Alexander Trippel (vgl. Kat.Nr. 1097) nach Rom, ihm bliebe nun nichts anderes übrig, »als von Zeit zu Zeit den Antiken Saal in Mannheim (vgl. Kat.Nr. 1065) zu besuchen, und an die liebe Natur so traulich als möglich zu halten«.

*v. Ramdohr: ADB 27 (1888), 210ff. – Harnack 1896, 93ff. – Danneckers »Zubringensinventarium«: Spemann 1909, 32f. – v. Holst 1987, 36. – Zum Romaufenthalt: a.O., 30ff. – Zitat Fernow: Knauss 1925, 33. – Danneckers Brief an Trippel: Spemann 1909, Anhang 75f Nr. 144.*                                               U.H.

1096*

## WERKSTATT DES BILDHAUERS UND ANTIKENRESTAURATORS BARTOLOMEO CAVACEPPI (1716–1799) IN ROM

aus: B. Cavaceppi, Raccolta d'antiche statue, busti, bassirilievi ed altre sculture ristaurate, Band 1

Rom, 1768

*Kupferstich*
*H. 21 cm, B. 29,5 cm*
*Bez.:* Studio di Bartolomeo Cavaceppi, ove sono state restaurate le Statue contenute nella presenta Raccolta

Stuttgart, Württembergische Landesbibliothek, Altert. fol. 106

Entscheidenden Anteil an der Verbreitung des neuen Geschmacks an der Antike (vgl. Kat.Nr. 1065) hatte der Bildhauer und Restaurator antiker Skulpturen Bartolomeo Cavaceppi in Rom. In seiner Werkstatt wurden Tausende von antiken Fragmenten zusammengefügt und ergänzt. Fürstliche Sammler und Liebhaber aus ganz Europa bestellten bei ihm Figuren, die häufig nicht einmal zur Hälfte aus wirklich antiken Teilen bestanden. Seine Ergänzungen waren jedoch so virtuos, daß es auch heute manchmal noch schwerfällt, seine Arbeit von der antiken Substanz zu unterscheiden.
Eine Antikensammlung kam unter Herzog Karl Eugen, der sonst allen kulturellen Strömungen und Moden gegenüber aufgeschlossen war, am Stuttgarter Hof nicht zustande. Man beschränkte sich auf den Erwerb des aufwendig mit Stichen ausgestatteten dreibändigen Kataloges der von Cavaceppi restaurierten Statuen, Bildnisse und Reliefs. Erst aus den 90er Jahren des 18. Jahrhunderts sind die ersten Ankäufe von Antikenkopien aus Stuttgart in Rom bekannt (vgl. Kat.Nr. 1100). Dannecker konnte mit Unterstützung von Kronprinz Wilhelm nach 1806 einen Antikensaal mit Gipsabgüssen einrichten. Als König kaufte Wilhelm eine größere Anzahl von Kopien in Marmor aus renommierten römischen Werkstätten.
Auch in Cavaceppis Werkstatt kopierte man berühmte antike Skulpturen. Der Meister selbst machte seinem Namen als Bildhauer durch zahlreiche Skulpturen im Stil der Antike alle Ehre bei seinen Zeitgenossen. Während einer Reise durch Deutschland modellierte er Bildnisse seiner fürstlichen Gönner – darunter auch Friedrich des Großen. 1775 besuchte Herzog Karl Eugen während eines Romaufenthaltes das Atelier Cavaceppis, das schon Winckelmann wegen der Menge der dort zum Verkauf angebotenen Antiken als »Museo Cavaceppi« bezeichnet hatte.
Das aufgeschlagene Blatt vermittelt einen lebendigen Einblick in den florierenden Werkstattbetrieb. In der Mitte rechts ist ein Gehilfe bei der Arbeit mit einem Punktiergerät an einer Kopie der Dianastatue im Hintergrund dargestellt. Das Erlernen solcher technischen Fertigkeiten gehörte zu den ersten Aufgaben der jungen Stuttgarter Bildhauer während ihrer Studienjahre in Rom (vgl.

Kat.Nr. 1099). Scheffauer hatte seinen Arbeitsplatz in der Werkstatt Cavaceppis. Dort entstand sein erstes Werk im Auftrag des Herzogs Karl Eugen (Kat.Nr. 1101.1).

*Kat. Kassel 1979, 265 Nr. 517. – Howard 1982, 194, Abb. 4 (in diesen Ausgaben der ›Raccolta‹ diente die Werkstatts-darstellung als Frontispiz des zweiten Bandes von 1769). – zu Cavaceppis Bedeutung: Howard 1970. – Leben und Werk: Howard 1982. – Danneckers Antikensaal: Plage-mann 1967, 65. – v. Holst 1987, 72ff. – Ankäufe von Antikenkopien unter König Wilhelm I.: Noack 1927.1, 278. – Besuch des Herzogs Karl Eugen bei Cavaceppi: Stuttgart, HStA G 230 Bü. 68 (8. Februar 1775 »...nach-mittags besuchten sie die Fabriken der berühmtesten Künstler in Marmor, des Cavaceppi und anderer«). – Scheffauer in der Werkstatt Cavaceppis: v. Holst 1987, Statuetten und Bildnisse von Cavaceppis Hand: Kat. Kassel 1979, 283f Nr. 544f (Ceres, Flora). – Kat. Wörlitz 1986, 64f Nr. 19–22.* U.H.

1097*

## Statuettengruppe ›Bacchus bekränzt Ariadne‹

Alexander Trippel (1744–1793)
Paris, 1772/1775

*Gips, mit Resten der originalen Fassung
H. 40,3 cm, B. 26 cm, T. 24 cm*

Schaffhausen, Museum zu Allerheiligen, Inv.-Nr. P 245
HA 6139

Zu den wichtigsten Adressen für die deutschen Künstler in Rom zählte in den 1780er Jahren die Privatakademie des Schweizer Bildhauers Alexander Trippel. Dieser hatte sich nach langen entbehrungsreichen Wanderjahren 1778 ent-schlossen, für immer in der Stadt zu leben und zu arbeiten, wo er sich »wie neugeboren« fühlte. »Hier ist der einzige Ort, um sich in den Künsten zu vervollkommnen und besonders wo Liebe und Fleiß herrscht« schrieb er 1787 an den jungen Bildhauer Schmid nach Schaffhausen, der bei ihm studieren wollte.

Trippels Denken und Wirken war tief geprägt vom Vor-bild seines Lehrers, dem bedeutenden dänischen Bildhauer Johannes Wiedewelt (1731–1801). Der enge Freund Winckelmanns hatte seinem Schüler das neue Ideal der griechischen Antike (vgl. Kat.Nr. 1554) in Verbindung mit den akademischen Prinzipien des französischen Klassizis-mus aus dem ›Grand Siècle‹ Ludwigs XIV. vermittelt. Diese Lehren wurden für Trippel zum höchsten Anspruch an seine Kunst und die seiner Schüler:

»Da wir das Vollkommene in den Werken der Griechen haben, warum verwirrt man sich denn und verliert Zeit mit den unvollkommenen Bildern, die voll von Mängeln sind? Höchstens soll man nach Raphael's ausdrucksvollen Cha-rakterköpfen und Gruppen zeichnen, weil der die Figuren gut gestellt hat; auch bei Michel Angelo studiren, weil der seine Figuren gut zeichnet und die einzelnen Theile bestimmt ausführt; die Hauptaufmerksamkeit aber muß man auf die griechischen Statuen wenden und diese mit allem Fleisse nachzeichnen, damit man das Ebenmaß und die schöne Form lerne, und dann muß man componiren nach der Natur. Geben sie Acht, wenn Sie über die Strasse gehen: da sehen Sie die Frauen mit den Kindern vor der Thür sitzen und hören sie sprechen. Dann zeichnen Sie die Gruppe mit dem Ausdruck der Gesichter!«

Dannecker und Scheffauer gehörten zum Kreis der Studie-renden an Trippels Akademie. Der Einfluß dieses Lehrmei-sters spiegelt sich deutlich in den späteren Werken der Stuttgarter Hofbildhauer (Kat.Nrn. 1132, 1113). Trippel selbst zählt heute zu den Vergessenen. Seine Werke sind zum großen Teil verschollen oder zerstört. Bekannt ist allenfalls noch seine Goethebüste von 1789. Damals war er auf dem Höhepunkt seines Schaffens. Seine Zeitgenos-sen sahen in ihm einen wahren Erneuerer der Bildhauer-kunst im Stil und Geist der griechischen Antike. Er starb schon 1793 und überließ bis zur Ankunft Thorvaldsens dem gewandten Canova das Monopol klassizistischer Plastik in Rom.

1097

Die ausgestellte Figurengruppe zählt noch zu den Frühwerken Trippels aus der Zeit vor seiner Ankunft in Rom. Sie entstand in Paris, wo der Künstler drei Jahre verbrachte. Dargestellt ist letzte Episode aus der Geschichte der kretischen Königstochter Ariadne (vgl. Kat.Nr. 1130.1). Der Gott Bacchus fand die Geliebte des Theseus, den sie aus dem Labyrinth gerettet hatte, verlassen auf der Insel Naxos und erhob sie zu seiner himmlischen Braut. Selbstbewußt deutet der kleine Liebesgott, der rechts neben Ariadne am Boden sitzt, auf das Geschehen als Beweis der alles bezwingenden Macht seines Wirkens.

Die selig-beschwingte Stimmung der Gruppe erinnert in ihrer Leichtigkeit noch an verspielte Darstellungen des französischen Rokoko. Trippels Streben nach ›griechischer‹ Simplizität und Schönheit äußert sich aber im verhaltenen Ausdruck seiner Figuren, deren Zusammenstellung bewegte Kontraste zu vermeiden sucht. Deutlich wird seine intensive Auseinandersetzung mit dem Stil der antiken Meisterwerke in der großflächigen Modellierung, die auf kleinteilige Ausdruckssteigerung zugunsten erhabener Klarheit verzichtet. Für die Figur der Ariadne dienten Trippel antike Venusdarstellungen als Vorbild; der Bacchus ist Trippels eigenständige Interpretation des berühmten Apollon vom Belvedere, der für Winckelmann den Ausdruck höchster Vollkommenheit griechischer Kunst darstellte (vgl. Kat.Nr. 1156).

Für die Ausstellung wurde die Gruppe restauriert. Unter einem dicken Leimfarben-Anstrich kam die arg mitgenommene originale Oberfläche mit geringen Resten einer ursprünglichen dunklen Fassung zutage, die vielleicht – wie häufig im 18. Jahrhundert – eine Arbeit in Terrakotta oder Bronze suggerieren sollte. Die unglücklich zusammengestückten Fragmente von Bacchus' linkem Arm wurden neu aneinandergefügt.

*Hartmann 1977, 132f, Abb. 33. – Vogler 1892/93, 10, 52 Nr. 11. – Zu Trippel: Gerlach 1973, 248ff (mit Zusammenstellung von Lit.). – Dazu noch: Mackowsky 1827, 67ff. – Zu Wiedewelt: Tesdorpf 1933, passim. – Trippel-Zitat: J. H. W. Tischbein, Aus meinem Leben, 1 (Braunschweig 1861), 187f. – Dannecker und Scheffauer als Schüler Trippels: v. Holst 1987, 31 (und öfter); Spemann 1909, 20. – Trippels Goethebüste: Inventar Kassel 1938, 58, Taf. 41.3 (Ausführung Arolsen). – Vogler 1892/93, Taf. 2 (Ausführung Weimar). – Aktstudien Danneckers, möglicherweise in Trippels Akademie gezeichnet: Gauss 1987, 32ff Z 6–9.*　　　　　　　　　　　　　　　U.H.

## 1098*

## HOMER

Kopie nach der antiken Büste der Sammlung Farnese

Alexander Trippel (1744–1793)
Rom, um 1780

*Marmor
H. mit Sockel 61,5 cm
Bez. auf der Rückseite: TRIPPEL. fecit.*

1098

Schloßverwaltung Ludwigsburg, Außenstelle des Staatl. Liegenschaftsamtes Stuttgart, Schloß Ludwigsburg, Inv.-Nr. KRGT 11608

Am 2. April 1803 schrieb der Maler Philipp Friedrich Hetsch in Rom an Herzog Friedrich nach Stuttgart, er könne wegen eines Ausfuhrverbotes keine »guten Statuen, Büsten, Basreliefs oder Vasen, wenn sie antik sind« für ihn erwerben. Statt dessen sei aber ein »sehr schönes Stück der neueren Kunst feil, das in der besten Kunstsammlung mit allen Ehren bestehen kann. Es ist eine Büste Homers...« Friedrich ging auf das Angebot ein und kaufte die Büste. Ein Jahr später war der Transport nach Stuttgart glücklich überstanden.

Wahrscheinlich handelte es sich bei diesem Erwerb um die ausgestellte Kopie des berühmten antiken Originals aus der Sammlung Farnese von Alexander Trippel. Aus den Beständen des ehemaligen Kronguts ist nur noch eine andere Homerbüste bekannt, die aber zusammen mit einer Reihe von Kopien anderer Dichter-, Philosophen- und Kaiserbildnisse wohl erst 1816 von König Wilhelm I. erworben wurde. Die vielbeschäftigten Werkstätten von renommierten Bildhauer-Restauratoren wie Cavaceppi (Kat.Nr. 1096), Franzoni (Kat.Nr. 1100) oder Albacini arbeiteten solche Stücke auf Vorrat. Reiche Romtouristen z. B. erwarben Antikenkopien als anspruchsvolle Souvenirs. Auch Alexander Trippel arbeitete als Skulpturenrestaurator und Kopist. Auf einem Blatt seines unveröffentlichten schriftlichen Nachlasses ist neben Kopien von Cicero-, Cato- und Senecabildnissen auch eine Büste Homers verzeichnet. Ehemals in Basler Privatbesitz befanden sich Büsten nach dem Apoll vom Belvedere und der berühmten Niobe aus Florenz von Trippels Hand. Meisterhafte Kopien der bekanntesten antiken Skulpturen ließen sich leichter absetzen als die eigenen Erfindungen. Trippels Kopie der Büste Homers aus der Sammlung Farnese (heute in Neapel) übertrifft das antike Original bei weitem in der feinen Ausarbeitung der Details. Die idealen Bildniszüge des griechischen Barden galten bei den Gebildeten um 1800 als vollkommener Ausdruck der naiven götterbeseelten Weisheit des archaisch-ursprünglichen Dichters. Die trojanischen Epen waren durch die Übersetzungen von Johann Jakob Bodmer (1778) und Johann Heinrich Voß (1793) weit verbreitet worden. Auf der Suche nach darstellungswürdigen Themen setzte sich auch Dannecker mit den Werken Homers auseinander.

*Unveröffentlicht. – Korrespondenz zwischen Hetsch und Friedrich: HStA A.12 Bü. 67. – Zweite Homerbüste: Inv.-Nr. Krgt. 4249, als Leihgabe in der Universität Tübingen. – Eine Kopie desselben Originals von Cavaceppi: Kat. Göttingen 1979, 94ff, Nr. 52. – Antikenkopien von Albacini: a.O., 96ff, Nr. 53f. – Trippel als Restaurator: Fittschen 1977, 72ff, Nr. 24, Taf. 27f. – Als Kopist: Vogler 1892/93, 67. – Schefold 1946, 54. – Trippel-Nachlaß im Kunsthaus Zürich, Nr. 34. – Danneckers Beschäftigung mit Homer: Spemann 1909, 55f. – Gauss 1987, 90ff Z 42–75. – Zum antiken Vorbild: Richter 1965.1, 50 Nr. 7, Abb. 70–72. – Wegner 1944.*    U.H.

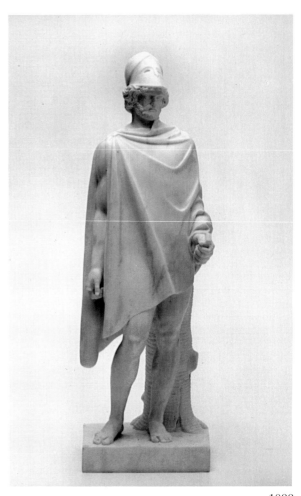

1099

## 1099*

### STATUETTE DES PHOKION, KOPIE NACH EINER STATUE AUS DEN SAMMLUNGEN DES VATIKAN

Philipp Jacob Scheffauer (1756–1808)?
Rom, 1785/1789?

*Marmor*
*H. 79 cm*

Schloßverwaltung Ludwigsburg, Außenstelle des Staatl. Liegenschaftsamtes Stuttgart, Schloß Ludwigsburg, Inv.-Nr. KRGT 5756

Das Erlernen der Marmorbearbeitung gehörte zu den ersten Aufgaben der Stuttgarter Bildhauer während ihres Studienaufenthalts in Rom. Bevor sie eigene Modelle in Marmor ausführten, übten sie ihre technischen Fertigkeiten zunächst im Kopieren antiker Vorbilder. Dazu boten ihnen die Werkstätten von Cavaceppi oder Trippel ausgezeichnete Gelegenheit. Die häufig in kleinerem Maßstab ausgeführten Kopien waren überdies als repräsentative Dekoration von Schlössern oder Landhäusern sehr geschätzte Objekte.

Die ausgestellte Statuette ist im Ludwigsburger Inventar des ehemaligen Kronguts als ›Theseus‹ von Scheffauer verzeichnet, ohne daß ersichtlich wäre, woher diese Zuschreibung stammt. In den Akten ließ sich die Figur im Rahmen der Ausstellungsvorbereitung nur bis in die Jahre 1821–23 zurückverfolgen. Damals stand sie im roten Gesellschaftszimmer der verwitweten Königin Charlotte Mathilde, bezeichnet als »kleine Marmorstatue Phozion vorstellend«. Die Modellierung der sichtbaren Körperteile und Details wie die Haar- und Bartbehandlung ähneln stilistisch entsprechenden Partien an der Figur des ›Winters‹ (Kat.Nr. 1101.4). Auch die wenig gekonnt wirkende Technik oder die zu breite Proportionierung des Kopfes im Vergleich mit dem Vorbild (s.u.) lassen hier an eine Schülerarbeit denken. Scheffauers Urheberschaft kann bis auf weiteres nicht besser nachgewiesen werden. Mit großer Wahrscheinlichkeit stammt die Arbeit aus der Zeit vor 1796, denn das Vorbild gehörte zu den Kunstwerken, die Napoleon für sein gigantisches Museumsprojekt nach Paris transportieren ließ.

Das Vorbild, eine Statue aus den Sammlungen des Vatikan, bestand aus verschiedenen, nicht zusammengehörenden antiken Teilen. Unter Beratung des Altertumsgelehrten Ennio Quirino Visconti hatte sie der Bildhauer und Restaurator Vincenzo Pacetti zu einer fast unversehrt erscheinenden Statue des attischen Staatsmannes Phokion (ca. 402–318 v. Chr.) zusammengefügt und ergänzt. Phokion war ein Anführer der Demokraten Athens. Er wurde als Opfer einer Verleumdungskampagne zum Tod durch den Giftbecher verurteilt. Der griechische Schriftsteller Plutarch hatte ihn als spartanisch einfach auftretenden Mann von hoher sittlicher Würde beschrieben. Er galt als Musterbeispiel eines tugendhaften und ehrenvollen Bürgers.

Die Wahl des Motivs läßt ebenfalls an Scheffauer als Autoren dieser Figur denken. Der Künstler neigte auch später vor allem zu ernsten Themen, manchmal auch hochdramatischen Inhalts (vgl. Kat.Nr. 1135). Die tragische Geschichte des vorbildlichen Staatsmannes, die Visconti in seinem Katalogtext von 1784 überlieferte, mag ihn dazu veranlaßt haben, die Statue aus dem Vatikan zu kopieren.

*Unveröffentlicht. – Zu Antikenkopien Danneckers aus der römischen Zeit: v. Holst 1987, 121ff, Nr. 11–13. – Wahrscheinlich ebenfalls in Rom entstand ein kleines Relief von Scheffauer, »eine Opferscene nach einem römischen Sarkophag ohne Jahr« (Wintterlin 1895, 79; jetzt Stuttgart, Württembergisches Landesmuseum, Inv.-Nr. 1939–163). – Inventar des Neuen Schlosses Stuttgart von 1821–23: HStA E. 20 Bü. 26. – Zum Vorbild aus dem Vatikan: E. Q. Visconti, Il Museo Pio Clementino, 2 (Rom 1784), 87ff zu Taf. 43. – Lippold 1936, 3.2, 83ff, Nr. 616. – Richter 1965.2, 158.* U.H.

## 1100*

## MINERVA

Kopie nach einer Büste aus der Sammlung Albani

Friedrich Distelbarth (1768–1836)
Rom, 1795

*Marmor*
*H. mit Sockel 56 cm*
*Bez. auf der Rückseite: Distelbart.Rom.1795.*

Schloßverwaltung Ludwigsburg, Außenstelle des Staatl. Liegenschaftsamtes Stuttgart, Schloß Ludwigsburg, Inv.-Nr. KRGT 5753

Nach dem Tod des hochverehrten Bildhauers Alexander Trippel im Jahre 1793 wurde seine Privat-Akademie in Rom noch einige Zeit lang weitergeführt. In einer Teilnehmerliste aus dem Jahr 1795 ist neben Friedrich Weinbren-

1100

ner und Nicolas Thouret auch Friedrich Distelbarth verzeichnet. Schon 1792 hatte der junge Künstler, Carlsschüler seit 1782 und ab 1790 von Dannecker ausgebildet, Trippel darum gebeten, gegen ein »kleines Auskommen« bei ihm in die Lehre gehen zu dürfen, was noch im gleichen Jahr gewährt wurde. Bis 1799 blieb er in Rom. Später arbeitete er in Paris als Restaurator antiker Skulpturen.

Die französische Metropole beherbergte für einige Jahre die bedeutendsten Kunstschätze aus den von Napoleon besetzten Gebieten. In einer beispiellosen Aktion waren seit 1796 auch die berühmtesten antiken Skulpturen – darunter die Laokoongruppe und der Apoll vom Belvedere – aus Rom nach Paris entführt worden. Im Refrain eines Liedes hieß es »Rome n'est plus dans Rome / elle est tout à Paris« – Paris sollte entsprechend der imperialen Idee Napoleons ›neues Rom‹ erscheinen. Die Ankunft der Meisterwerke antiker Plastik in Paris wurde als caesarischer Triumphzug inszeniert. Im November 1800 wurde die glanzvolle Antikengalerie im Musée Central des Arts (ab 1803 Musée Napoleon) der Öffentlichkeit zugänig gemacht.

Distelbarth 1803 als Gehilfe Danneckers in Stuttgart angestellt. Von ihm stammt beispielsweise die erste kolossale Ausführung von Danneckers bekannter Nymphengruppe in Sandstein für den oberen Schloßgarten. Unter König Wilhelm I. war Distelbarth unter anderem an der plastischen Dekoration des Schlosses Rosenstein beteiligt.

Während seiner römischen Studienjahre arbeitete Distelbarth nicht nur in der Werkstatt Trippels. Wie sein Lehrer
Dannecker zehn Jahre zuvor lernte auch er Canova kennen
und hatte Umgang mit Antikenrestauratoren und Kopisten. Er kümmerte sich z. B. um den Versand einer Mar-
morkopie der berühmten antiken Bronzebüste des ›Brutus‹
aus der Werkstatt des damals renommierten Francesco
Franzoni (1734–1818) nach Stuttgart.

Ein Zeugnis seiner Arbeit während dieser Zeit ist die
ausgestellte Minervabüste, vereinfachte Kopie einer viel-
bewunderten Antike aus der großartigen Sammlung des
Winckelmanngönners Kardinal Albani, über den v. Ramdohr (vgl. Kat.Nr. 1095) 1787 geschrieben hatte: »Ihm
gebührt das Lob, diesen Geschmack (an der Antike)
wiederhergestellt zu haben ... durch den Schutz, den er
Gelehrten und Künstlern angedeihen ließ. ... Die Künstler
wurden auf die Ideen von wahrer Schönheit, von einfacher
Größe und Bedeutung in den Werken der Alten zurückgeführt ... Die häufigen Ergänzungen verstümmelter Statuen
und die Lehren des Cardinals, der in dem Umgang mit der
Antike alt geworden war, verdrängten vorzüglich in der
Sculptur jenen ausschweifenden Kirchenstil der Schüler
des Algardi und Bernini, um dem reinern der Alten Platz zu
machen.«

Die Büste der Minerva, der Beschützerin von Kunst und
Wissenschaft, war für den jungen Distelbarth ein ebenso
geeignetes Vorbild wie zehn Jahre vorher für Dannecker,
der damals dieselbe Büste kopiert hatte. Das Original der
Sammlung Albani gehörte zu den berühmtesten Antiken in
Rom. Schon allein deshalb wurde auch sie ein Opfer des
napoleonischen Kunstraubs.

*Unveröffentlicht. – Teilnehmerliste von Trippels Akade-
mie: Trippel-Nachlaß im Kunsthaus Zürich, Blatt 37. –
Brief Distelbarths an Trippel: a. O. s. v. »Distelbarth 1«. –
Vgl. dazu besonders v. Holst 1987, 454 zu D 38. – Zu
Napoleons Kunstraub in Rom: Haskell/Penny 1981,
108ff. – Wescher 1978, 66, 73ff. – Zu Distelbarth:
Thieme-Becker 9 (1913), 331 (mit unrichtigen Daten, vgl.
jetzt v. Holst 1987, 453ff D 38f, D 42, D 49f, D 52, D 54).
– Zum ›Brutus‹: v. Holst 1987, 454 D 39 (die Büste jetzt
Stuttgart, Württ. Landesmuseum, Inv.-Nr. E.886; der
dazugehörige Sockel im Schloß Ludwigsburg, Inv.-Nr.
Krgt. 713). – Zum Vorbild aus der Sammlung Albani:
Vierneisel-Schlörb 1979, 136ff, Nr. 12. – Allroggen-Bedel
1982, 350 Nr. A77. – Wünsche 1985/86, 22 Abb. 12 und
öfter. – Zitat v. Ramdohr: vgl. Kat.Nr. 1095, dort Band 2,
S. 9. – Danneckers Kopie: v. Holst 1987, 121f, Nr. 11.*

U.H.

1101.1

1101.1*

## STATUETTE DER FLORA,
## ALLEGORIE DES FRÜHLINGS

Philipp Jacob Scheffauer (1756–1808)
Rom, 1786

*Marmor
H. 104,5 cm*

*Bez. an der rechten Seite der Plinthe:* SCHEFFAVER
inv.et.fec.Romae 1786

Schloßverwaltung Ludwigsburg, Außenstelle des Staatl.
Liegenschaftsamtes Stuttgart, Schloß Ludwigsburg,
Inv.-Nr. KRGT 1277

1101.2

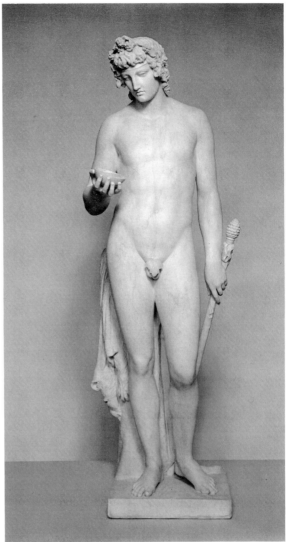

1101.3

1101.2*

## STATUETTE DER CERES, ALLEGORIE DES SOMMERS

Johann Heinrich Dannecker (1758–1841)
Rom, 1787

*Marmor*
*H. 110 cm*
*Bez. an der rechten Seite der Plinthe:* Dannecker./
Rom.1787.

Schloßverwaltung Ludwigsburg, Außenstelle des Staatl.
Liegenschaftsamtes Stuttgart, Schloß Ludwigsburg,
Inv.-Nr. KRGT 1276

1101.3*

## STATUETTE DES BACCHUS, ALLEGORIE DES HERBSTES

Johann Heinrich Dannecker (1758–1841)
Rom, 1788

*Marmor*
*H. 105,5 cm*
*Bez. am Baumstamm links:* DANECKER inv.et.fec./
Romae 1788

Schloßverwaltung Ludwigsburg, Außenstelle des Staatl.
Liegenschaftsamtes Stuttgart, Schloß Ludwigsburg,
Inv.-Nr. KRGT 1281

1101.4

## 1101.4*

### STATUETTE EINES FRIERENDEN ALTEN, ALLEGORIE DES WINTERS

Philipp Jacob Scheffauer (1756–1808)
Rom, 1788

*Marmor*
*H. 105 cm*
*Bez. an der rechten Seite der Plinthe:* Sc(heff)auer
inv.et.fec: Romae 1788

Schloßverwaltung Ludwigsburg, Außenstelle des Staatl.
Liegenschaftsamtes Stuttgart, Schloß Ludwigsburg,
Inv.-Nr. 1280

## 1101.5*

### REINZEICHNUNG DER FLORA, ALLEGORIE DES FRÜHLINGS

Philipp Jacob Scheffauer (1756–1808)
Rom, 1785/1786

*Feder über Bleistift, braun laviert; originale Montierung*
*auf größerem Blatt mit Umrandung*
*H. 25,5 cm, B. 15,5 cm*
*Bez. unten rechts:* Scheffauer, *auf dem Figurensockel*
*vorne:* Frühling

Ludwigsburg, Städtisches Museum, Inv.-Nr. 3673

## 1101.6*

### REINZEICHNUNG DES FRIERENDEN ALTEN, ALLEGORIE DES WINTERS

Philipp Jacob Scheffauer (1756–1808)
Rom, um 1786

*Feder über Bleistift, braun laviert; originale Montierung*
*auf größerem Blatt mit Umrandung*
*H. 29,2 cm, B. 18,3 cm*

Ludwigsburg, Städtisches Museum, Inv.-Nr. 3835

## 1101.7*

### REINZEICHNUNG EINER ALLEGORIE DES WINTERS (SATURN)

Philipp Jacob Scheffauer (1756–1808)
Rom, um 1786

*Feder über Bleistift, braun laviert, mit Umrandung*
*H. 25,5 cm, B. 15,5 cm*

Ludwigsburg, Städtisches Museum, Inv.-Nr. 3674

Während ihrer Studienjahre in Rom erhielten Dannecker und Scheffauer den ersten Auftrag des württembergischen Hofes. Herzog Karl Eugen verlangte ganz konventionell nach Dekorationsstücken für das neue Schloß Hohenheim. Die jungen Bildhauer sollten Allegorien der Vier Jahreszeiten verfertigen. Sinnbildliche Darstellungen dieser und anderer Art bildeten den traditionellen Rahmen für die herzogliche Selbstdarstellung in den Schlössern von Stuttgart und Umgebung (vgl. Kat.Nr. 1068). Der barocken Überlieferung nach waren die Charaktere für die Jahreszeiten in etwa vorgegeben: die jugendlich-nymphenhafte Göttin der Gärten Flora für den Frühling, die matronal-reife Korngöttin Ceres für den Sommer, der jugendliche Weingott Bacchus für den Herbst und ein alter Mann, der sich an einem Feuer wärmt, für den Winter. Scheffauer arbeitete Frühling und Winter, Dannecker Sommer und Herbst. Antike Vorbilder boten sich ihnen in

1101.5

1101.6

Rom in fast erdrückender Fülle – nur nicht für die Figur des Winters, dessen traditionelle Darstellung in der nachmittelalterlichen Kunst nicht auf antike Quellen zurückgeht. 1786 war Scheffauers Flora vollendet. In den Jahren bis 1788 folgten die restlichen Figuren. Sie wurden sogleich in verschiedenen Kunstzeitschriften mit großem Lob bedacht: »... Obwohl die bestimmten und hellen Principien, nach welchen die alten Künstler arbeiteten, bey uns noch in einem düstern Chaos liegen; so zeigen sich doch wirklich bessere Aussichten. Zwey junge Künstler, Danekker und Scheffauer, geben uns neue Beweise hiervon.« Die kritische Betrachtung der Figuren ›Herbst‹ und ›Winter‹ durch den Archäologen und Kunstgelehrten Aloys Hirt in der Zeitschrift »Italien und Deutschland«

steht beispielhaft für die Dispute und Überlegungen gebildeter Kreise in der Nachfolge von Winckelmann und Mengs, an denen auch die Künstler teilnahmen: »Man sucht nun das Antike und die Natur mit einem Fleiss, wovon man in der modernen (d. i. nachantiken; Anm. d. Verf.) Bildhauerey kein Exempel hat. Aber sind die Grundsätze, nach denen man zur Werke schreitet, nicht noch zu sehr schwankend? ist nicht noch eine große Vorarbeit zur Festsetzung dieser Grundsätze nötig? ist diese Festsetzung möglich? und Wie, und durch Wen?«

Der bewußt vollzogene Bruch der Klassizisten mit der durch Jahrhunderte ›gewachsenen‹ künstlerischen Überlieferung von Themen und Darstellungsweisen stellte die Künstler nun vor die Schwierigkeit, den Forderungen der

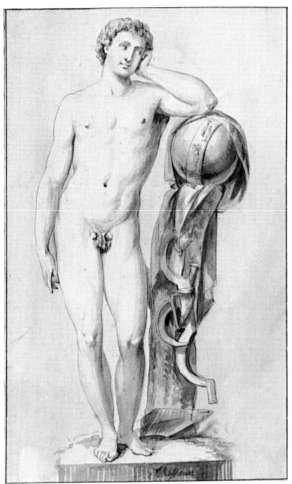

1101.7

Mit dem ›Winter‹ fiel Scheffauer die schwierige Aufgabe zu, die traditionell dafür vorgesehene Darstellung eines frierenden Alten zu ›antikisieren‹, damit auch diese Figur dem klassizistischen Ideal entsprach wie die übrigen drei. Vermutlich noch bevor die Ausführung der ›Vier Jahreszeiten‹ in Angriff genommen wurde, schickten die Künstler Modellzeichnungen zur Begutachtung nach Stuttgart. Daraus geht hervor, daß Scheffauer ursprünglich wohl eine andere Darstellung des ›Winters‹ im Sinn hatte. Dem freundlichen Hinweis von Frau Dr. Berger-Fix verdanke ich die Kenntnis dieser Blätter, die hier zum ersten Mal bekannt gemacht werden können. Interessant ist besonders die Zeichnung mit dem versonnenen Jüngling (Kat.Nr. 1101.7; bisher als ›Herkules, der sich auf den Himmelsglobus stützt‹ gedeutet). Das allegorische Beiwerk – Himmelsglobus mit den Sternzeichen der Wintermonate (Steinbock, Wassermann und Fische) und unbenutztes Gerät (Joch und Sichel der ruhenden Feldarbeit, Steuerruder des stilliegenden Verkehrs auf den Flüssen) lassen mich in dieser Zeichnung eine Allegorie des Winters erkennen, für die Scheffauer auf ältere Vorlagen mit Darstellungen des römischen Gottes Saturn zurückgriff. Mit dem Jüngling wollte Scheffauer vielleicht ein passendes Pendant zu Danneckers ›Bacchus‹ liefern. Ich vermute in dieser Zeichnung einen Alternativvorschlag des Künstlers, der zusammen mit den anderen Zeichnungen nach Stuttgart gesandt wurde. Dort entschied man sich jedoch für die gängige Darstellung des Winters als frierenden Alten, was durch die diplomatischen Äußerungen Hirts bestätigt wird: »... einem Künstler ist nicht immer erlaubt, eine Aufgabe nach seinem Sinn zu ändern; ... wer sichert ihn vor der Gefahr des Tadels, wenn er aus dem gemeinen Geleise tritt?« Als Hofbildhauer hatte Scheffauer den Anweisungen seines obersten Auftraggebers Folge zu leisten. Er lieferte also die Figur des Winters als alten Mann, gehüllt in ein schweres Manteltuch, mit dürrem Reisig für ein Feuer in der Linken. Antikisch-erhaben sollte seine Figur neben den anderen drei dennoch erscheinen: den Kopf seines ›Winters‹ hat Scheffauer Darstellungen des Jupiter-ähnlichen Gottes Serapis nachgebildet, der in seiner Eigenschaft als Herrscher der Unterwelt ein geeignetes Vorbild abgab.

gelehrten Theoretiker nach einer Erneuerung der Kunst im Geist der Antike gerecht zu werden. »... blos durch das Aufsuchen der Maximen, welche die Alten bey Einrichtung ihrer Kunstschulen beobachteten, dürfen wir eine bestimmte Verbesserung unserer Kunstwerke hoffen... Allein wie fern sind unsere Zeiten noch, die Antiken recht zu verstehen, ohne welches es doch unmöglich bleibt, mit wahrem Nutzen darnach zu studiren.«
Die Darstellung von Frühling, Sommer und Herbst bereitete den beiden Stuttgartern wohl kaum Schwierigkeiten. Meister Cavaceppi z.B. konnte ihnen bei der Auswahl geeigneter Vorbilder mit erfahrenem Ratschlag zur Seite stehen – er selbst war ein Spezialist für Statuetten dieser Art. Scheffauers ›Flora‹ ist eine freie Nachbildung der damals sehr geschätzten Kolossalstatue aus der Sammlung Farnese. Dannecker wählte für seinen ›Bacchus‹ ein weniger bekanntes Vorbild aus der Sammlung Ludovisi. Figuren wie die ›Ceres‹ hatte Cavaceppi selbst öfter ausgeführt.

*Zu den Statuetten: v. Holst 1987, 125ff, Nr. 14f (mit der älteren Literatur). – Statuetten von Cavaceppi: Kat. Kassel 1979, 283f, Nr. 544f. – Vgl. auch die verschiedenen Studien zur ›Ceres‹ aus einem Skizzenbuch Danneckers: Gauss 1987, 39f Z 14 fol. 2f. – Danneckers Reinzeichnungen der ›Ceres‹ und des ›Bacchus‹: a. O., 42 Z 16f. – Zur ›Flora Farnese‹: Haskell/Penny 1981, 217ff, Nr. 41. – Zum Dilemma der Künstler um 1800 zwischen klassizistischer Theorie und überlieferter Darstellungsweise: Rupprecht 1963, passim. – Zu Scheffauers Zeichnungen: unveröffentlicht. – Zu Saturn-Darstellungen vgl. z.B. J. Bialostocki, Stil und Ikonographie. Studien zur Kunstwissenschaft, Köln 1981, 163, Abb. 20. – Die Figuren (oder Abgüsse davon) standen zeitweise auch im ›Tempel der Cybele‹ im Englischen Garten von Schloß Hohenheim, vgl. den Stich von Heideloff: Faerber 1949, Taf. 2 unten.*

U.H.

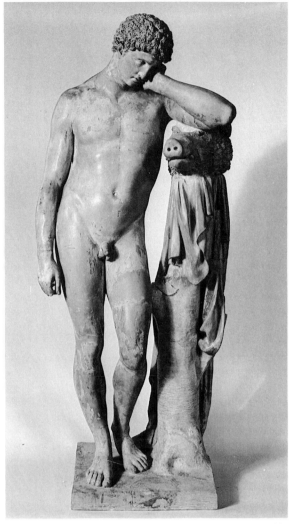

1102

Mit ihren römischen Arbeiten machten Dannecker und Scheffauer »dem Nahmen so Ehre..., daß fremde junge Künstler, wenn sie etwas aufstellen wollten, es zuvor ihrer Critik vorlegten, und sagten, man muß es vorher die Schwaben sehen lassen«.

Auch außerhalb von Rom waren sie bekannt geworden. Dannecker wurde die Ehrenmitgliedschaft der Akademien von Bologna und Mailand verliehen, Scheffauer die von Bologna, Mantua und Toulouse. Scheffauers Beziehung nach Toulouse hing mit seinem von dort stammenden Freund, dem Bildhauer Bernard Lange (1754–1839) zusammen. Lange hat 1789 ein Bildnismedaillon von Scheffauer in Rom angefertigt. Er arbeitete später in Paris, unter anderem als Antikenrestaurator im Musée Napoleon (vgl. Kat.Nr. 1100).

Die bisher unbekannt gebliebene Statuette des Meleager ist Scheffauers Aufnahmestück (morceau de reception) für die Académie Royale de Peinture et Sculpture in Toulouse. Das Motiv des stehenden Jünglings, der sich in nachdenklicher Pose an einen Baumstamm lehnt, hat Scheffauer auch für einen Entwurf zu einer Allegorie des Winters verwendet (Kat.Nr. 1101.7). Die Statuette des Meleager wird um die gleiche Zeit entstanden sein. Um das Datum zu präzisieren, wären noch weitere Nachforschungen zu Scheffauers Aufnahme an die Akademie von Toulouse anzustellen.

Meleager, eine tragische Heldengestalt der griechischen Sage, hatte zusammen mit einigen anderen Jagdgefährten (darunter Herkules und die dianaähnliche Atalante) einen monströsen Eber erlegt, den die Göttin Diana als Strafe für ein Versehen seines Vaters, des Königs von Kalydon, das Land verwüsten ließ. Die Trophäe, den Kopf des Ebers, überließ Meleager der mutigen Atalante. Darüber kam es zum Streit mit anderen Jagdteilnehmern, der blutig endete und schließlich auch Meleager das Leben kostete.

Scheffauer hat den unglücklichen Helden, dessen Geschichte ein beliebtes Thema der französisch orientierten Hofkunst des Barock war, im Gegensatz zu seinen Vorläufern nicht im heftig bewegten Kampf mit der Bestie dargestellt. Er bevorzugte statt dessen den Moment unmittelbar nach dem Höhepunkt des Jagdabenteuers (vgl. auch Kat.Nr. 1070). Fast melancholisch betrachtet der vom Kampf ermattete Meleager die unheilbringende Trophäe, als ahne er das tragische Ende der Geschichte schon im voraus. Die sentimentale Stimmung der Figur erinnert an Jünglingsfiguren der griechischen Spätklassik – und an eine wenig zuvor vollendete Statuengruppe des aufstrebenden Stars unter den Bildhauern Roms: den ›Theseus‹ von Canova, den Scheffauer mit Sicherheit kannte (vgl. Kat.Nr. 1093). In formaler Hinsicht bediente sich Scheffauer der Anregung verschiedener antiker Statuen aus römischen Sammlungen: das den Helden bezeichnende Attribut des Eberkopfes übernahm er von der berühmten Meleagerstatue aus dem Vatikan, Haltung und Ausdruck des Kopfes gehen auf den hochgeschätzten ›Antinous vom Capitol‹ zurück. Er fügte diese Anregungen zu einer eigenständigen Auffassung des griechischen Jagdhelden zusammen, dessen einfach konturierte Ausstrahlung von ›stiller Größe‹ ganz dem Ideal der Klassizisten entgegenkam.

1102*

## Statuette des sagenhaften griechischen Jagdhelden Meleager

Philipp Jacob Scheffauer (1756–1808)
Rom, 1785/1789

*Terrakotta*
*H. 97 cm, B. 41 cm, T. 31 cm*
*Bez.: SCHEFFAVER f. a Rome*

Toulouse, Musée des Augustins, Inv.-Nr. 49-3-113

*Unveröffentlicht. – Erwähnt bei Thieme-Becker 29 (1935), 600 s.v. ›Scheffauer‹. – R. Mesuret, in: Revue du Louvre 11 (1961), 274. – Weitere Werke Scheffauers aus seiner römischen Zeit: Bildnismedaillon einer Herzogin von Santa Croce (verschollen; erwähnt bei Harnack 1896, 105). – Modell zum Relief mit den Musen der Poesie und Komödie (Marmorausführung von 1792 noch heute im Bibliothekszimmer von Schloß Monrepos bei Ludwigsburg; vgl. v. Holst 1987, 136ff zu Nr. 17). – Wintterlin 1895, 68. – Scheffauers Bildnismedaillon von Lange: Fleischhauer 1957. – Theuerkauff/Möller 1977, 301f, Nr. 176. – Vgl. zur Mitgliedschaft Scheffauers an der Toulouser Akademie jetzt v. Holst 1987, 445 D 22, 446 D 24. – Canovas ›Theseus‹ von 1782: A. Munoz, Antonio Canova. Le opere (Rom 1957), 22, Taf. 7. – Licht/Finn 1983, 159ff. – Spätklassische Jünglingsfiguren: z. B. der ›Narkissos‹, von dem eine von Canova restaurierte Replik bekannt ist, vgl. dazu Vierneisel-Schlörb 1979, 198ff, Nr. 18. – Barocke Meleagerdarstellungen: z. B. von Nicolas Coustou (Souchal 1980, 251f, Nr. 46, Taf. 15). – Meleager Vatikan: Haskell/Penny 1981, 263ff, Nr. 60. – ›Antinous Capitol‹: a. O., 143f, Nr. 5.*    U.H.

# Die Malerei

Seit der Mitte des 18. Jahrhunderts bildete sich in Rom eine deutsche Kolonie aus Gelehrten, Schriftstellern und bildenden Künstlern, die dem Maler A. R. Mengs und dem Kunsttheoretiker J. J. Winckelmann, den Wegbereitern der klassizistischen Kunst, folgend, die fruchtbare Begegnung mit der Ewigen Stadt suchten.

In diesen Kreis stießen im Laufe der Jahre auch die jungen Künstler aus dem deutschen Südwesten, die nach dem Parisaufenthalt ihre künstlerische Ausbildung in Rom vervollkommnen wollten. Somit folgten sie den Spuren ihrer Lehrer N. Guibal, A. F. Harper und Ph. J. Becker, die sie in der Heimat unterrichtet hatten. Rasch fanden sie Anschluß an die deutsche Künstlerkolonie, in der ein reges gesellschaftliches Leben herrschte.

In den Jahren vor und nach 1800 kamen folgende Künstler nach Rom: die an der Hohen Karlsschule in Stuttgart ausgebildeten E. Wächter, Ph. F. Hetsch, N. F. Thouret, F. Hartmann und G. Schick, die aus Baden stammenden W. F. Gmelin, Feodor, F. Weinbrenner und C. L. Frommel sowie der Heidelberger K. Ph. Fohr.

Ihre Leitbilder in Rom waren die Maler J. A. Koch, Reinhard, Carstens, der Kunstschriftsteller Fernow und später die Nazarener Cornelius und Overbeck. Neue Eindrücke empfingen die Künstler durch die Kunstschätze Roms, die sie studierten; sie setzten sich mit den Werken der Antike und der Renaissance, vor allem mit denen Raffaels auseinander. Meist in Gruppen besuchten die deutschen Künstler die Sammlungen, sie unternahmen Wanderungen in die Umgebung Roms, z. B. in die Campagna, in die Albaner Berge, nach Tivoli. Die beliebtesten Treffpunkte waren das Caffè Greco und das Haus des preußischen Ministerresidenten Wilhelm von Humboldt, in denen man verkehrte und das unabhängige Leben genoß; man kann also von einer deutschen Künstlerrepublik am Tiber sprechen.    I. F.

1103*

## Selbstbildnis Philipp Friedrich Hetsch (1758–1839)

um 1787–90

*Öl auf Leinwand*
*H. 144 cm, B. 113 cm*

Stuttgart, Staatsgalerie, Inv.-Nr. 920

Im Jahr 1787 kehrte Philipp Friedrich Hetsch nach einem zweijährigen Romaufenthalt nach Stuttgart zurück und wurde dort zum Professor für Malerei an der Hohen Karlsschule ernannt. In diesen Jahren (um 1787–90) malte er sein Selbstbildnis.

1103

*Fleischhauer, Hetsch, S. 44f, WV Nr. 14, Abb. 6. – Kat. Schwaben sehen Schwaben, Bildnisse 1760–1940 aus dem Besitz der Staatsgalerie Stuttgart, bearbeitet von A. Preiser, Stuttgart 1977, Nr. 14, Abb. S. 34. – Staatsgalerie Stuttgart, Malerei und Plastik des 19. Jahrhunderts, bearb. von Christian v. Holst, Stuttgart 1982, S. 91 u. Abb. – Lammel, Malerei, S. 187, Abb. 128.*    I. F.

## 1104*

### BRÜCKE VON TIVOLI

Philipp Friedrich Hetsch (1758–1839)

*Kreide, weiß gehöht, auf blaufasrigem Bütten*
*H. 56,1 cm, B. 44,7 cm*

Stuttgart, Staatsgalerie, Graphische Sammlung,
Inv.-Nr. 2330

Tivoli, an den Hängen der Sabiner Berge, war seit der 2. Hälfte des 18. Jahrhunderts ein beliebtes Ausflugsziel für die in Rom lebenden deutschen Künstler, die Studien nach der Natur, aber auch das Landleben genießen wollten. Die Ansicht zeigt den Ponte di San Rocco, die heute nicht mehr existierende Brücke über den Anio, und durch den Brückenbogen hindurch Tivoli und die Wasserfälle. Dieses Motiv findet sich auch in Gemälden und Zeichnungen von Ph. J. Becker, J. Ch. Reinhart, Ph. Hackert und

Selbstbewußt präsentiert er sich vor einem Landschaftshintergrund mit einem weiten, anspruchsvoll drapierten, über die Schulter geworfenen Mantel, einem breitkrempigen Hut und einer vornehmen Pose – nicht als Künstler, sondern als Bildungsreisender. »In der etwas elegischen Gesamtstimmung von gedämpfter Farbigkeit, südlicher Nacht, Relief und efeuumranktem Gefäß ›all'antica‹ äußert sich ein Wesenszug des Künstlers.« (Kat. Staatsgalerie 19. Jh., S. 91).
Bei diesem Gemälde fühlt man sich erinnert an das 1786/ 87 in Rom entstandene Gemälde von J. H. W. Tischbein (1751–1829), »Goethe in der Campagna« (Frankfurt, Städelsches Kunstinstitut).
In einem Brief vom 6. Januar 1785 schreibt Hetsch enthusiastisch aus Rom »von dem ›Vergnügen eines Künstlers, der sich an einem Orte befindet, wo ihn alles, was er nur anblickt, beseelt‹, und er hält es nicht für möglich, ›daß man ohne großen Nutzen von Italien seyn kann, wenn man nur natürliche Anlagen hat‹« (W. Fleischhauer, S. 15).
Unmittelbare Anregung für dieses Selbstbildnis fand Hetsch sicherlich in der zeitgenössischen römischen Portraitmalerei, vornehmlich in den zahlreichen Bildnissen von Pompeo Batoni (1708–1787), der seine meist englischen Auftraggeber, die sich auf der obligaten Kavalierstour in Rom einfaden, vor römischen Ruinen oder/und mit antiken Versatzstücken darstellte.

1104

anderen. Wie reizvoll Tivoli war, beschreibt Goethe in seiner »Italienischen Reise«: »Diese Tage war ich in Tivoli und habe eins der ersten Naturschauspiele gesehen. Es gehören die Wasserfälle dort mit den Ruinen und dem ganzen Komplex der Landschaft zu denen Gegenständen, deren Bekanntschaft uns im tiefsten Grunde reicher macht« (16. Juni 1787).

*Goethes Werke. Hamburger Ausgabe in 14 Bänden, hrg. v. Erich Trunz, Bd. XI (Autobiographische Schriften 3), Hamburg 7. Aufl. 1967 (Zitat S. 350f). – Gauss 1976, Nr. 545 und Abb. – Sammlung Georg Schäfer, Schweinfurt. Deutsche Malerei im 19. Jahrhundert, Germanisches Nationalmuseum, Nürnberg 1977 (J. Ch. Reinhart Nr. 145, Taf. 1). – Staatliche Kunsthalle Karlsruhe, Kupferstichkabinett, Die deutschen Zeichnungen des 19. Jahrhunderts, bearb. von R. Theilmann und E. Ammann, Karlsruhe 1978 (Ph. J. Becker Nr. 173, Abb. S. 232).*    I. F.

## 1105*

### DIE SCHLAFENDE ARIADNE

Philipp Friedrich Hetsch (1758–1839)
*Kreide auf gelblichem Bütten*
*H. 25,2 cm, B. 35,7 cm*

Stuttgart, Staatsgalerie, Graphische Sammlung,
Inv.-Nr. 2269

Die Studie zeigt die bekannte hellenistische Marmorskulptur, die als Kopie aus späthadrianisch-frühantoninischer Zeit sich seit Anfang des 16. Jahrhunderts in den Vatikanischen Sammlungen befindet. Ariadne, Tochter des Königs Minos, schläft einsam und enttäuscht ein, nachdem ihr Geliebter Theseus, dem sie aus dem Labyrinth verhalf (Ariadnefaden!), sie auf Naxos verlassen hat.

*Gauss 1976, Nr. 541 und Abb. – Kat. Meisterwerke aus der Graphischen Sammlung. Zeichnungen des 19. und 20. Jahrhunderts, Stuttgart 1984, Nr. 102, Abb. S. 15.*    I. F.

1105

## 1106*

### TULLIA ÜBER IHRES VATERS LEICHE HINWEGFAHREND

Philipp Friedrich Hetsch (1758–1839)
1786
*Feder in Braun, Pinsel in Braun und Hellgrau, mit Deckweiß gehöht, auf rohweißem Bütten*
*H. 46,5 cm, B. 67,8 cm*

Stuttgart, Staatsgalerie, Graphische Sammlung,
Inv.-Nr. 5596

Wiedergegeben ist das tragische Ende des 6. römischen Königs Servius Tullius (578–534 v. Chr.), wie es die Geschichtsschreiber Ovid (Fasti IV, 585–610), Valerius Maximus (IX, 11) und Livius (I, 48) überliefern. Der prächtige Wagen der Königstochter Tullia wird an einer Straßenkreuzung von seinem berittenen Lenker abrupt angehalten. Die Pferde bäumen sich vor dem am Boden liegenden Leichnam des Königs Servius Tullius auf. Tullia, die ihren Gatten Tarquinius Superbus zur Ermordung ihres Vaters angestiftet hatte, befiehlt kaltblütig, zum Entsetzen der umstehenden Menge, über den toten Vater hinwegzufahren.

Diesen schon bildmäßig angelegten Entwurf führte Hetsch 1786 während seines Romaufenthaltes als großformatiges Gemälde (205 x 305 cm; Öl auf Leinwand; ehem. Schloßmuseum Stuttgart) aus. Anregung dafür waren sicherlich zwei Darstellungen des Tullia-Themas von Jean Bardin (1732–1809) und François Guillaume Ménageot (1744–1816), die 1765 für den von der Pariser Akademie ausgeschriebenen Großen Rompreis entstanden waren. Während in Hetschs Zeichnung die dynamische Komposition, der stürmische Bewegungsablauf und die Emotionalität der Figuren noch von barocker Tradition geprägt sind, wird in der großen, in Öl ausgeführten Fassung mit der Verwendung von ungebrochenen Lokalfarben und klar umrissenen Formen der klassizistische Einfluß Davids faßbar.

*Fleischhauer 1929, S. 39, WV Nr. 123, Abb. 36. – Nicole Willk-Brocard, François-Guillaume Ménageot (1744 bis 1816), Peintre d'histoire, Directeur de l'Academie de France à Rome, Paris o. J., Kat. Nr. 1, Abb. 4. – Wolfgang Becker, Paris und die deutsche Malerei 1750–1840, (Studien zur Kunst des neunzehnten Jahrhunderts Bd. 10), Passau 1971, S. 395 Anm. 500, Abb. 71 (J. Bardin). – Gauss 1976, Nr. 534 und Abb. – Kat. Meisterwerke aus der Graphischen Sammlung. Zeichnungen des 19. und 20. Jahrhunderts, Stuttgart 1984, Nr. 100, Abb. S. 13. – Herbert Eichhorn, Studien zu den Historienbildern Philipp Friedrich Hetschs (1758–1838), ungedr. Mag. arbeit Tübingen 1985/86, S. 44, Abb. 3.*    I. F.

1106

1107*

## DER TOD DES ANANIAS

Christian Gottlieb Schick (1776–1812) nach Raffael

*Bleistift auf rohweißem Papier*
*H. 24,5 cm, B. 37,0 cm*

Stuttgart, Staatsgalerie, Graphische Sammlung,
Inv.-Nr. 2465

Schicks Skizzenbücher aus Rom und seine zahlreichen
Zeichnungen zeigen seine künstlerische Auseinanderset-
zung mit den Meistern der italienischen Malerei, mit
Raffael, Michelangelo, Masaccio, Signorelli, Giotto und
Cimabue. Er studierte aber auch antike Skulptur wie z.B.
den Apoll von Belvedere, den Laokoon, und fertigte
Skizzen von römischen Bauwerken.
Die Zeichnung stellt eine Kopie dar nach Raffaels Bildtep-
pich in der Pinacoteca Vaticana in Rom. »Der Tod des
Ananias« gehört zu einer Serie von zehn Teppichen mit
Szenen aus dem Leben der Apostel Petrus und Paulus. Die

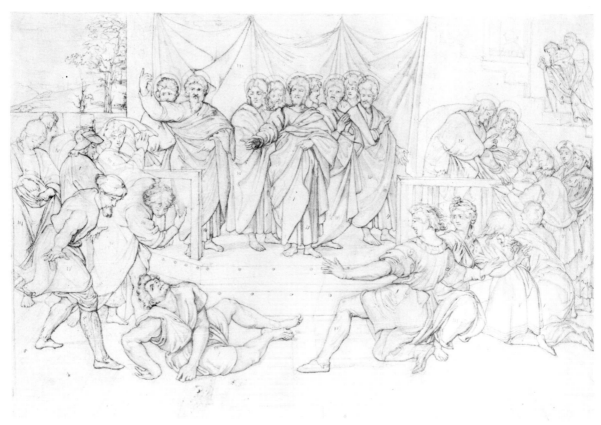

1107

Darstellung zeigt die Bestrafung des Ananias, der zugunsten der christlichen Urgemeinde seinen Acker verkauft,
aber einen Teil des Ertrages mit Wissen seiner Frau Saphira
zurückbehalten hatte und es Petrus gegenüber leugnete
(Apostelgesch. V, 3–5).
Zu diesem Werk Raffaels äußert sich Goethe in seiner
»Italienischen Reise« begeistert: »... die Anschauung der
Teppiche nach Raffaels Kartonen hat mich wieder in den
Kreis höherer Betrachtungen zurückgeführt« (8. Juni
1787). Die Teppiche sind »alle männlich gedacht... sittlicher Ernst, ahnungsvolle Größe walten überall... Nehmen wir vor allem die Beschämung und Bestrafung des
Ananias vor Augen... Wenig Kompositionen wird man
dieser an die Seite setzen können; hier ist ein großer
Begriff, eine in ihrer Eigentümlichkeit höchst wichtige
Handlung in ihrer vollkommensten Mannigfaltigkeit auf
das klarste dargestellt. Die Apostel als fromme Gabe das
Eigentum eines jeden, in den allgemeinen Besitz dargebracht, erwartend; die heranbringenden Gläubigen auf der
einen, die empfangenden Dürftigen auf der andern Seite,
und in der Mitte der Defraudierende, gräßlich bestraft...«
(Nachtrag Juni 1787).

*Oskar Fischel, Raphael, Berlin 1962, Abb. 220 (Karton). –*
*Goethes Werke. Hamburger Ausgabe in 14 Bänden, hrg.*
*v. Erich Trunz, Bd. XI (Autobiographische Schriften 3),*
*Hamburg 7. Aufl. 1967 (Zitate S. 350, 363). – Gauss*
*1976, S. 170.*                                    I.F.

1108*

## Adelheid und Gabriele von Humboldt

Christian Gottlieb Schick (1776–1812)

*Feder in Braun über Bleistift auf rohweißem Bütten*
*H. 20,8 cm, B. 10,7 cm*

Stuttgart, Staatsgalerie, Graphische Sammlung,
Inv.-Nr. 2414

*Kat. Gottlieb Schick. Ein Maler des Klassizismus, bearb.*
*von Ulrike Gauß und Christian v. Holst, Stuttgart 1976,*
*Nr. 162, Abb. 112.*                                        I. F.

1109*

## Adelheid und Gabriele von Humboldt

Christian Gottlieb Schick (1776–1812)

*Feder in Braun über Bleistift auf bläulichem Bütten*
*H. 18,7 cm, B. 12,1 cm*

Stuttgart, Staatsgalerie, Graphische Sammlung,
Inv.-Nr. 2415

In diesen Vorstudien (vgl. Kat.Nr. 1108) zu einem
Gemälde von 1809 sind zwei kleine Mädchen in verschiedenen Stellungen zueinander vor wechselndem Hintergrund wiedergegeben.
Schick erhielt in Rom bereits 1804 den Auftrag, die beiden
jüngsten Töchter der Familie Humboldt zu malen. Die
Arbeit kam zu diesem Zeitpunkt nicht zur Ausführung,
weil die Mädchen nach Ansicht des Vaters noch zu klein
waren. Das dann zwischen April und Juni 1809 ausgeführte Gemälde (vgl. Kat. Schick Nr. 157, Abb. 109), das
1945 leider verbrannt ist, hatte Caroline von Humboldt
als Geschenk für ihren Gatten Wilhelm gedacht. Die
Geschwister, die neunjährige Adelheid und die siebenjährige Gabriele, sitzen Hand in Hand in einer Laube eng
aneinander geschmiegt. Schick nahm hier aus der Vorzeichnung von Kat. Nr. 1108 (oben) die Komposition auf,
variierte aber in der Gestik. Das Motiv der zärtlichen
Umarmung von Geschwistern kannte der Künstler sicherlich aus den Halbfigurendarstellungen von Th. Gainsbo-
rough und F. Gérard aus der zweiten Hälfte des 18.
Jahrhunderts.
Das Kinderbild, das die Mädchen ganzfigurig vor einem
Landschaftshintergrund zeigt, und dessen »natürlicher
Ausdruck und innige Auffassung den Künstler bereits
stark der Romantik« (K. Lankheit, S. 88) annähert, wurde
von den Zeitgenossen gerühmt.
Zu Wilhelm von Humboldt, der seit 1802 preußischer
Resident im Vatikan war, und seiner Gattin Caroline hatte
Schick, der die Familie bereits von seinem Parisaufenthalt
her kannte, auch in Rom engen Kontakt. Das Haus der
Humboldts (Palazzo Tomati) entwickelte sich in kurzer

1108

Zeit zum gesellschaftlichen Mittelpunkt Roms. V. a. deutsche Künstler und Gelehrte verkehrten häufig dort, u. a.
Christian Daniel Rauch, Bertel Thorvaldsen, Johann Martin Wagner, Johann Christian Reinhart, Wilhelm Friedrich
Gmelin und Karl Ludwig Fernow. Über seine Beziehung
zur Familie Humboldt, die ihn vielseitig förderte, schrieb
Schick: »Jeden Abend bin ich dort und trinke meinen
Thee; es scheint auch, ich sey recht gern dort gesehen, weil
ich, wenn ich nur ein einzig Mal fehle, gleich von ihnen
gezankt werde... Auch genieße ich hier des Umgangs der
geistreichsten Leute... Unter allen Menschen, die sich in
der dortigen Gesellschaft versammeln, bin ich es allein, der
keinen hohen Titel hat und von geringem Herkommen ist;
doch bin ich durch hundert Proben schon überzeugt

1109

## APOLL UNTER DEN HIRTEN

Christian Gottlieb Schick (1776–1812)
1806–08

*Öl auf Leinwand*
*H. 178,5 cm, B. 232 cm*

Stuttgart, Staatsgalerie, Inv.-Nr. 701

Das großformatige Historienbild malte Schick ohne Auftrag 1806–08 in Rom. Mit großem Erfolg wurde es noch im Jahr 1808 im Palazzo Rondanini, 1809 auf dem Kapitol und dann 1812 bei der ersten Kunstausstellung in Stuttgart ausgestellt.

Zur Strafe für die Tötung der Zyklopen muß Gott Apoll ein Jahr lang die Herden des thessalischen Königs Admetos hüten. Der lorbeerumkränzte Gott, mit Leier und Hirtenstab ausgezeichnet, spricht zu den Hirten, die sich um ihn versammelt haben und ihm aufmerksam zuhören, über Musik und Dichtkunst. Von rechts tritt Admetos (mit Szepter) zur Gruppe hinzu. Andächtig richten sich alle Blicke auf die Hauptfigur Apoll, der durch erhöhtes Sitzen und weitausgreifenden Redegestus herausgehoben ist.

»Apoll erscheint als Erzieher. In dieser Auffassung von Musik und Dichtung als unmittelbar wirksam werdender Erziehungsfaktoren, als Mittel einer ästhetischen, den Menschen im wahrsten Sinne des Wortes bildenden Erziehung, äußert sich eine spezifisch idealistische Vorstellung von Kunst, die Schick mit seinem Landsmann Schiller teilt, wenn sie sich nicht sogar von diesem direkt herleitet.«

»Das hohe Pathos des Themas, ein Gott macht einfaches Landvolk mit höherer Bildung vertraut, die diesem Pathos adäquate Form, die Subordination des Niederen unter das Höhere, beides jedoch auf der einen Ebene klassischer Schönheit und Harmonie, die sorgfältige Durchbildung und koloristische Behandlung des Ganzen und der Einzelheiten – all diese Faktoren ließen das Gemälde, in das Schick sein ganzes Können und seinen ganzen Ehrgeiz investierte, zu dem bedeutendsten und bekanntesten Historienbild des Künstlers werden, und nicht nur des Künstlers, sondern der gesamten deutschen Malerei seiner Zeit« (Kat. Schick, S. 142).

*Abbildung siehe Bd. 2 dieses Kataloges, S. 557, Abb. 34. – Kat. Gottlieb Schick. Ein Maler des Klassizismus, Stuttgart 1976, Nr. 121, Farbabb. 97. – Staatsgalerie Stuttgart, Malerei und Plastik des 19. Jahrhunderts, bearb. von Christian v. Holst, Stuttgart 1982, S. 130f, Abb. S. 131, Farbabb. S. 13. – Lammel, Malerei, S. 166f, Abb. 98.*    I.F.

worden, daß ich nicht der am wenigsten geliebte bin – diesem Hause verdanke ich es, wenn sich meine Geistesfähigkeiten um einige Grade heben... Kurz, ich bin durch die Humboldt'sche Familie sehr in die Höhe gerückt worden, und betrachte mich ordentlich als ein Glied dieser Familie« (Kat. Schick, S. 29).

*Klaus Lankheit, Das Freundschaftsbild der Romantik, Heidelberg 1952. – Kat. Gottlieb Schick. Ein Maler des Klassizismus, bearb. von Ulrike Gauss und Christian v. Holst, Stuttgart 1976, Nr. 160, Abb. 110.*    I.F.

1111

1111*

## BELISAR

Eberhard Wächter (1762–1852)
um 1797

*Bleistift, schwarze Kreide, weiß gehöht,
auf hellbraunem Papier*
H. 49,5 cm, B. 66,9 cm

Stuttgart, Staatsgalerie, Graphische Sammlung,
Inv.-Nr. 6479

Der aufsehenerregende Erfolg des philosophischen Romans »Bélisaire« von Jean François Marmontel (1723–1799), der 1766 (1767 in deutsch) erschien, leitete eine Reihe von bildlichen Darstellungen ein, die sich mit dem grausamen, ungerechten Schicksal des einstigen Feldherrn beschäftigten, z.B. von J.F.P. Peyron und F.A. Vincent. Der ruhmreiche Feldherr des byzantinischen Kaisers Justinian I., fälschlicherweise des Verrats bezichtigt, fiel in Ungnade und wurde auf Befehl des Kaisers geblendet.

Die unmittelbare Anregung, sich mit diesem Stoff zu befassen, erhielt Wächter durch J.L. Davids Gemälde »Bélisaire« (288 x 312 cm; Lille, Musée des Beaux-Arts), das 1781 im Salon ausgestellt war. Wie David stellt Wächter jene Szene dar, in der der blinde, zum Betteln verurteilte Belisar von einem seiner ehemaligen Soldaten wiedererkannt wurde. Während jedoch in Davids Gemälde Belisar als gebrochener Mensch, als bemitleidenswertes Opfer erscheint, trägt Wächters Held sein Unglück gefaßt, mit innerer Größe und ethischer Kraft. Hier sind die Hauptfiguren im Vordergrund in einer schmalen, bildparallelen Raumzone angeordnet, gleichsam aneinandergereiht. Die Stadtmauer im Hintergrund durchzieht die ganze Bildbreite ebenfalls parallel zur Bildebene. Aufrecht, reglos, frontal zum Betrachter sitzt der Blinde mit seinem Stab – leicht rechts aus der Bildmitte gerückt – auf einer Säulentrommel. Der ihn begleitende Knabe bittet scheu die beiden links stehenden Männer um eine Gabe. Der Soldat, der bei David voller Entsetzen zurückweicht, als er seinen früheren Kriegsherrn erkennt, »sitzt diesem nun still, von Trauer und Nachdenken gebeugt, zu Füßen« (P. Köster, S. 104). Nicht Dramatik und gestenreicher Pathos beherrschen die Szene wie in der französischen Historienmalerei, sondern Stille, Ernst und Würde werden durch die strenge Komposition und die kräftig, ja wuchtig modellierten Körper ausgedrückt. Diese für Wächter neue Gestaltungsweise geht auf den Einfluß von Asmus Jakob Carstens (1754–1798) zurück, den er während seines Romaufenthaltes kennengelernt hatte.

Seit 1793/94 beschäftigte sich Wächter nachweislich mit dem Belisar-Thema. Die großformatige, bildmäßig angelegte Kreidezeichnung entstand um 1797 in Rom. Vermutlich im Auftrag des Prinzen Rezzonico sollte als Gegenstück zum »Hiob« (vgl. Kat.Nr. 1173) ein monumentales, lebensgroßes Belisar-Gemälde entstehen, das allerdings nicht zur Ausführung kam.

*Paul Köster, Eberhard Wächter (1762–1852). Ein Maler des deutschen Klassizismus, Diss. Bonn 1968, S.102ff, WV Nr.113. – Kat. French Painting 1774–1830: The Age of Revolution, Paris 1974/75, Nr.139, Abb. S.55 (Peyron), Nr.199, Abb. S.49 (Vincent). – Gauss, 1976, Nr. 1577 u. Abb. – Kat. David e Roma, Rom 1981, Nr.30, Abb.* I.F.

## Anspruch und Wirklichkeit –
*Ideale von Menschen und der Welt*

### Plastik in Stuttgart 1790–1810

Glanz und Elend der württembergischen Hofbildhauer
Dannecker und Scheffauer

Die beiden jungen Hofbildhauer Johann Heinrich Dannecker und Philipp Jakob Scheffauer kehrten von ihrer
Studienreise, die sie in die Kunstzentren Paris und Rom
geführt hatte, getrennt nach Stuttgart zurück. Scheffauer
traf schon gegen Ende des Jahres 1789 dort ein, Dannecker
kam im Januar 1790 nach. Das freie Leben und die
intensive Anregung im Kreise von Kollegen aus ganz
Europa hatte besonders in Rom tiefen und nachhaltigen
Eindruck auf die beiden Stuttgarter gemacht. Das »Paradies der Künste« mit seinen unermeßlichen Schätzen, vor
allem den Skulpturen der Antike, lag nun wieder weit
entfernt jenseits der Alpen. In Stuttgart mußten sich
Dannecker und Scheffauer erst einmal wieder an die ganz
und gar anderen Verhältnisse in der kleinen Residenzstadt
gewöhnen. Beiden fiel es keineswegs leicht. Dannecker
schrieb an den Lehrer und Freund, den Bildhauer Alexander Trippel nach Rom: »Wo sollte aus Schwaben etwaß
kommen, das Ihnen Vergnügen machen könnte? Das Land
ist wohl fett, aber wahrhaftig für eine Künstler Seele, wie
die Ihrige, dürr Land«.
Beide Bildhauer versuchten, durch Fürsprache des württembergischen Geschäftsträgers in Rom bei Herzog Karl
Eugen zu erreichen, daß ihnen ein zweiter Romaufenthalt
bewilligt werde. Es kam nicht dazu. Sie wurden zu Professoren an der Hohen Karlsschule ernannt und blieben in
Stuttgart.
Dem selbstbewußten Dannecker gelang es nicht zuletzt
durch seine guten Beziehungen zu dem Architekten Reinhard Ferdinand Fischer, sich ziemlich schnell und vorteilhaft zu arrangieren. Die meisten Auftragsarbeiten für den
Stuttgarter Hof fielen ihm zu, und durch die glückliche
Heirat mit der reichen Kaufmannstochter Heinrike Charlotte Rapp war ihm auch der materielle und gesellschaftliche Boden bereitet, auf dem sich relativ sorglos schaffen
ließ.
Scheffauer erreichte in Stuttgart weder das Ansehen unter
den gebildeten Bürgern noch die Anerkennung seiner
Arbeit durch den Hof wie sein ehemaliger Reisegefährte
Dannecker, der seine bevorzugte Position geschickt zu
bewahren wußte. Scheffauer war von seinem Wesen her zu
wenig nach außen gewandt, um sich und seine Kunst
richtig in Szene setzen zu können. Das mag ein Grund
dafür sein, daß wir heute nur so wenig über ihn wissen,
obwohl seine Werke in verschiedenen Kunstjournalen zu
seinen Lebzeiten oft überschwenglich gelobt wurden.
1794 schrieb der Künstler an seinen Würzburger Gönner,
den Professor und Geistlichen Rat Franz Oberthür: »...
ich unterliege fast der Cabalen die mir gemacht werden,

obgleich mit dem reinsten Gewissen so wohl von Seiten
meines Talents als meines moralischen Charakters –. Mein
Herzog kennt mich nicht einmal dem Namen nach ...«.
Die unglückliche Lage Scheffauers ist aber nicht allein auf
die »Ränke und Schleichwege« Danneckers und dessen
einseitige Bevorzugung durch Fischer für die höfischen
Aufträge zurückzuführen. Die Zeitereignisse stellten sich
einer dauerhaften Anregung und Förderung beider Künstler entgegen. 1794 wurde nach dem Tod von Herzog Karl
Eugen die Hohe Karlsschule aufgelöst, so daß Dannecker
und Scheffauer ihre Professuren verloren. Größere Aufträge ließen in den politisch und wirtschaftlich schwierigen
Zeiten um 1800 auf sich warten. Das Interesse an der
Kunst der Hofbildhauer blieb in Stuttgart auf den relativ
kleinen Kreis der herzoglichen Familie und des Bildungsbürgertums beschränkt. So konnten die Ideen der beiden
Künstler nur selten über das kleine Format von Entwürfen
hinaus gedeihen. Zu dieser Situation, die nicht nur in
Württemberg herrschte, schrieb Goethe 1804: »An den
Künstler... darf man in unseren Tagen keine so hohen
Forderungen machen, weil er mehr als jemals mit Hinder-
nissen zu kämpfen hat und äußerst selten Gelegenheit zu
bedeutenderen Arbeiten findet. Wer daher nur Leidliches
zuwege bringt, verdient schon geneigte Aufnahme; wem
Gutes gelingt, der ist schon alles Lobes wert.«
Vor diesem wenig lichten Hintergrund muß auch das
Schaffen der Stuttgarter Bildhauer betrachtet werden.
Zwei Künstler mit dem anspruchsvollen Selbstverständnis
eines Dannecker und Scheffauer waren damals in Stuttgart
schon zuviel, – und dazu kamen noch junge Talente wie
Friedrich Distelbarth (1768–1836), Ludwig Mack d.Ä.
(1767–1835) und Bernhard Frank (1770–1836). Es ist
also nicht verwunderlich, wenn man sich am Hof für den
einen Künstler entschied, dessen Arbeiten – aus welchem
Grund auch immer – am besten gefielen – und das war
Dannecker.
Danneckers Leben und Werk konnte soeben anläßlich
einer Ausstellung in der Stuttgarter Staatsgalerie fast lük-
kenlos dokumentiert werden. Daraus ist klar ersichtlich,
daß er trotz aller Widrigkeiten der Zeit im Rahmen der
Stuttgarter Möglichkeiten eine privilegierte Stellung
besaß, die es ihm erlaubte, seine Fähigkeiten unter Beweis
zu stellen, wenngleich Goethe dazu bemerkte: »...(er)
würde in einem reichern Kunstelemente noch mehr leisten
als hier, wo er zu viel aus sich selbst nehmen muß. ...ihm
mangelte ... nur an einer glücklichen Pflege von aussen, die
seinem reichen Naturell die gehörige Richtung gegeben
hätte«.
Wieviel mehr noch trifft diese Bemerkung auf Scheffauer
zu, über dessen Person und Kunst wir nicht einmal annähernd so gut unterrichtet sind. Zeitlebens litt dieser Mann
unter den engen Verhältnissen in Stuttgart, die ihm neben
Dannecker beschieden waren. Er fühlte sich durch seine
benachteiligte Lage wohl zu Recht fehl am Platze und
versuchte voll Hoffnung auf Besserung seiner Verhältnisse
durch einflußreiche Freunde nach Dresden oder Wien
vermittelt zu werden: »...da hätt ich doch auch einen
Wirkungskreis vor mir, welches vor einen Künstler, der
fühlt, was er im Stand ist zu leisten, in einer großen Stadt

wie Wien und so vielen reichen Gönnern allemal der Fall
ist, dann hier bin ich eigentlich mit meiner Kunst lebendig
Tod und will mich auch hie und da ein günstiger Stral in
meiner finstern Gruft beleuchten, so wissen ihn Neid und
Zwietracht so auf zufangen, daß ich immer in Nacht und
Dunkel bleibe.«

Sein Wunsch, an einem anderen Ort als Stuttgart unter
weniger beengten Bedingungen die Möglichkeit zur Entfaltung seines Könnens zu finden, erfüllte sich jedoch nie.
Er mußte sich mit seiner bitteren Lage in der württembergischen Residenzstadt abfinden, die sich auf sein Schaffen weiterhin nachteilig und hemmend auswirkte. 1798
schrieb er, wiederum an Oberthür, der Verständnis für den
unglücklichen Künstler zeigte: »Würde mein Kunstgefühl
(in dem ich lebe und webe) nicht meine wenige erworbene
Kenntniße noch erhalten und es nur auf äussere Aufmunterung ankäme, o so wäre ich bereits zum Handwerker
gesunken. ...Kurz in meiner Vaterstadt werde ich nie
glücklich seyn, noch es werden.« Er sollte damit leider
recht behalten. Zusätzlich machte ihm seine labile
Gesundheit das Leben schwer, was schon 1808 seinen zu
frühen Tod zur Folge hatte.

Scheffauers trauriges Los erinnert an die Situation des
jungen Bildhauers Valentin Sonnenschein (vgl. Kat. Nr.
1069), der 1775 aus Stuttgart nach Zürich geflohen war.
Er hatte das Glück, in der Schweiz seine Begabung voll
entfalten zu können.

*Situation in Stuttgart nach der Rückkehr aus Rom: v.
Holst 1987, 32ff. – Brief an Trippel: a.O. (Zitat) und
Spemann 1909, Anhang 75f, Nr. 144. – Zu Scheffauer:
Wintterlin 1895, 57ff. – Briefwechsel Scheffauers mit
Oberthür: Kerler 1905, 94ff. – Spemann 1909, Anhang
139ff. Nr. 229–258 (hier zitiert aus Nr. 239, 245, 236,
253). – Zitat Goethe von 1804: bei Lammel 1986, 123. –
Goethe zu Dannecker: v. Holst 1987, 52.* U.H.

1112*

## Physiognomische Fragmente zur Beförderung der Menschenkenntniss und Menschenliebe, Band 3

Johann Caspar Lavater (1741–1801)
Leipzig/Winterthur, 1777

*aufgeschlagen Seite 197 mit Tafel 57:*
Musiker – / Zweytes Fragment. / Niklas Jomelli. /
Ein großer Kopf schattirt.

Laßt uns einige Versuche wagen, über einzelne musikalische Physiognomien – einige Bemerkungen oder Vermu-
thungen vorzulegen. Wir wollen bey Jomelli anfangen.
Mitnichten erhabner Kopf der Griechen, wie etwa ein
Wortprangender Candidat der schönen, von den Griechen ererbten, Künste sagen möchte! Auch kein hassens-
würdiges Gesicht, wie's etwa mancher süßlicher
Geschmäckler anekeln wird! – Es ist ein Virtuose aus dem
achtzehnten Jahrhundert. Vielleicht in den glücklichen
Momenten, wo der Genius in sich selbst sich auf- und
niederregt; nichts sieht, nichts hört, nichts fühlt, als ein
werdendes Gewebe, an das er gern mit abgehenden Fäden
die Herzen der Untenwohnenden knüpfen möchte – Sonst
aber vorliegendes Bild mit menschlichen Namen genen-
net, Niklas Jomelli. In der bürgerlichen Welt Capellmei-
ster und Director des glänzenden Württembergischen
Orchesters. Seine Opern und sonstige Werke bewunderte
die Welt, und adelte ihn dafür: Genie. – Er bewürkte
unter andern neue Gefühle in den Sterblichen, als er die
Brüder der Schattirungen in der Mahlerey, das musikalische DECRESCENDO und DIMINUENDO, näher ans
Licht zog, und auf Beute ausgehen ließ...

...Und nun der Physiognomist – was sagt er zu diesem
Kopf? ein Kopf, der allenfalls Genie ist, wenigstens es
seyn kann – wenig ruhig forschender, stillauseinander-
lesender Verstand – mehr Feuer als Genauheit in seinen
Werken; mehr Pomp als Eleganz; mehr hinreißende
Gewalt als sanftziehende Zärtlichkeit – das scheint mir
wenigstens dieß Gesicht deutlich genug auszusprechen.
Die Stirne nicht schwer suchend – vorergreifend! Muthi-
ges, festfassendes, ganz zurückgebendes Auge. Kräftige,
markige Nase; ohne Adel und Feinheit. Mund voll sinnlichen Gefühles; Kraft unterm Munde. Reichthum und
Überfluß leicht empfangener, leicht zurückgegebener
Gefühle im Kinne – und gute Nahrung im Unterkinne.
Schade, daß gerade das Ohr eines Virtuosen so unbe-
stimmt gezeichnet ist, doch, so viel man sieht, – frey,
stark, markig. ...

Stuttgart, Württembergische Landesbibliothek,
Ra 18 Lav 1

Mit der ihm eigenen gefühlsbetonten Sprache zeichnete
der Zürcher Pfarrer und Schriftsteller Johann Caspar
Lavater sein Charakterbild des württembergischen Hofkapellmeisters Nicolas Jomelli nach einem Bildnis des
Tonkünstlers, gestochen von Gottlieb Friedrich Riedel
(1724–1784). Lavaters vierbändiges Werk der ›Phy-

grund moralischer Maximen, die er im *vollkommensten Menschen*, Jesus Christus, verwirklicht sah. Er widmete die verschiedenen Bände seines jahrzehntelang nachwirkenden, dabei heftig umstrittenen Werkes den herausragenden Philanthropen unter den deutschen Fürsten seiner Zeit, u. a. dem Markgrafen Karl Friedrich von Baden. Nach Lavaters Tod schuf Dannecker seine Büste unter Verwendung der Totenmaske, – eines der wenigen ›realistischen‹ Bildnisse innerhalb Danneckers Œuvre. Ein gleichzeitig entstandenes Bildnismedaillon des berühmten Predigers von Scheffauer ist leider verschollen.

*Zu Lavater: ADB 18 (1883), 783ff. – NDB 13 (1982), 746ff. – Zur Physiognomik Lavaters: Graham 1979. – Porträtstich Jomellis von Riedel: Pfeiffer 1907, 3683. – Danneckers Lavaterbüste: v. Holst 1987, 56ff, 3263ff, Nr. 92. – Scheffauers Lavatermedaillon (angeblich lebensgroß): Wintterlin 1895, 384f. – Zu Lavaters Popularität in Württemberg: Beck 1902.*    U. H.

## 1113*

## BILDNIS SCHILLERS

Johann Heinrich Dannecker (1758–1841)
Stuttgart, 1794

*Gips mit originaler gelblicher Fassung*
*H. 79 cm*

Marbach, Schiller-Nationalmuseum/Deutsches Literaturarchiv, ohne Inv.-Nr.

*Niclas Jomelli.*

1112

»siognomischen Fragmente‹ besteht zum großen Teil aus solchen Charakteranalysen nach Kupferstichen von Bildnissen bedeutender Staatsmänner, Philosophen, Wissenschaftler oder Künstler. Der Verfasser war völlig der Überzeugung, Wesen und Anlage des menschlichen Charakters ließen sich von seiner äußeren Erscheinung her mit allen dazugehörenden Zufälligkeiten ablesen und bestimmen. So kritisierte er heftig die idealisierenden Tendenzen in der Bildniskunst nach dem antiken Schönheitsideal: *Jedes Ideal, so hoch es über unsere Kunst, Imagination, Gefühl erhaben seyn mag, ist doch nichts, als Zusammenschmelzung von gesehenen Würklichkeiten. ...O da und dort eine Warze weglassen; einen starken Zug ziehen; einen scharfen Einschnitt abstümpfen; eine weit vorhängende Nase abkürzen – das könnt ihr Mahler und Bildhauer ... wollte Gott, ihr thätet's nur nicht so oft ohne Sinn und Zweck, nach bloßen Moderegeln, die mir schon so manches Gesicht, das mir, trutz aller Euerer faktiçen Kunstregeln, mit seinen keckern Zügen, schärfern Einschnitten, und all dem Unwesen, dem Ihr so menschenfreundlich, die Ihr meynt, zu steuren suchet, – so viel anziehender und höhersprechend war, als Euer feinpolirtes Nachbild mit all seiner Idealschminke.*
In seinen ›Fragmenten‹ formulierte Lavater ein ideales Menschenbild im Geiste der Aufklärung vor dem Hinter-

»Meine Büste ist sehr gut geraten; jedermann ist damit zufrieden. Gewiß ist sie in einem schönen und edlen Stil gearbeitet, und ich habe nichts dagegen, daß die Idee, als hätte ich so ausgesehen, in der Welt bleibt«, schrieb Goethe im September 1787 aus Rom. Dort vollendete der junge Dannecker ungefähr zur gleichen Zeit seine Allegorie des Sommers, die ›Ceres‹ mit dem schönen Ährendiadem, für Herzog Karl Eugen (Kat.Nr. 1101.2). Goethe hatte im Atlier des Bildhauers Alexander Trippel, der zu den führenden Künstlern in Rom zählte (vgl. Kat.Nr. 1097, 1098), Modell zu einer Büste gesessen. Trippel verherrlichte den Dichter in seinem Bildnis als einen neuen Apoll. Drapiert mit antikem Gewand und Mantel, der auf der rechte Schulter von einer Fibel in Form einer Tragödienmaske gehalten wird, den von einer langen Lockenfülle umschäumten Kopf in erhaben-stolzer Pose leicht nach rechts gewandt, vermittelt Trippels erste Goethebüste die heroische Idee eines Lieblings der Musen, wie der Kunstgelehrte Alois Hirt wenig später dazu bemerkte. Wieviel schlichter im Verhältnis dazu hatten dreißig Jahre vorher Verschaffelt und Lejeune den großen Voltaire verherrlicht (Kat.Nr. 1067)!
»Ganze Stunden könnte ich davor stehen, und würde immer neue Schönheiten an dieser Arbeit entdecken. Wer sie noch gesehen, der bekennt, daß ihm noch nichts so ausgeführtes, so vollendetes von Skulptur vorgekommen

ist. Ich selbst habe einige Abgüsse nach Antiken in meinem Zimmer stehen, die ich seitdem nicht mehr ansehen mag«, schrieb Schiller im September 1794 aus Weimar an seinen Jugendfreund Dannecker in Stuttgart, nachdem er von ihm das erste Original seiner Gipsbüste erhalten hatte. Die beiden ehemaligen Karlsschüler hatten sich knapp ein Jahr zuvor in Ludwigsburg nach langer Zeit zum ersten Mal wiedersehen können. Dannecker hatte die Begegnung so tief empfunden, daß er in Erinnerung daran das Bildnis seines Freundes modellierte.

Die ausgestellte Büste ist ein weiteres Originalexemplar dieser ersten Schillerbüste von Dannecker, nach deren Vorbild alle späteren Versionen gearbeitet wurden. Auch Schiller erscheint apollon-gleich mit der energischen Wendung seines lockenumströmten Kopfes. Der schön und lässig drapierte Mantel über dem feinplissierten, antikischen Hemd weckt den Gedanken an einen Klassiker, den Schiller heute auch noch darstellt.

Danneckers noch immer unumstrittene Meisterleistung wurde in dieser frühen Version durch Abgüsse unter den Freunden und Verehrern des Dichters verbreitet. Die apollinische Verklärung des bewunderten Geisteroheroen entsprach den an der Antike orientierten literarischen und künstlerischen Idealen der Zeit. Doch ist hier nicht nur allgemein der göttlich inspirierte Schriftsteller gemeint – dargestellt ist Schiller, den ein anderer Jugendgefährte mit folgenden Worten beschrieb: »Seine Stirne war breit, seine Nase war dünn, knorplich, weiß von Farbe, in einem merklich scharfen Winkel hervorspringend, sehr gebogen auf Papageienart und spitzig. Die rothen Augenbrauen inclinirten sich bei der Nasenwurzel nahe zusammen. Diese Parthie hatte sehr viel Ausdruck und etwas Pathetisches. Der Mund war ebenfalls voll Ausdruck, die Lippen waren dünn, die untere ragte von Natur vor ... das Kinn war stark, die Wangen blaß, eher eingefallen als voll und mit Sommerflecken übersät; die Augenlider waren meist inflammirt, das buschige Haupthaar war roth, von der dunklen Art. Der ganze Kopf, der eher geistermäßig als männlich war, hatte viel Bedeutendes, Energisches ...«

Von körperlichen Schwächen ist in Danneckers Schillerbüste nichts zu spüren. Die Augen blicken voll konzentrierter Energie, der Mund verrät entschlossenen Ausdruckswillen, die feine Nase betont noch diese von Dannecker als »adlermäßig« empfundene Erscheinung. Der Bildhauer vermittelt uns seine persönliche, antikisch veredelte Idee von der Individualität seines Dichterfreundes. Er beschränkte sich dabei auf die wesentlichen physiognomischen Kennzeichen und brachte so das Beste von seinem Freund – sein Ideal – zur Erscheinung.

Dannecker hat mit dieser Büste auch ein hohes Ideal der Kunstauffassung seiner Zeit erreicht. Winckelmann hatte schon 1756 betont: »Der einzige Weg für uns, groß, ja wenn es möglich ist, unnachahmlich zu werden, ist die Nachahmung der Alten«. Als Schiller seinem Freunde Dannecker 1797 berichtete, er möge nun neben seiner Büste die Abgüsse der Antiken gar nicht mehr sehen, bestätigte er ihm, daß »die Alten« übertroffen habe.

v. Holst 1987, 206ff, Nr. 58b (mit der gesamten älteren Literatur). – Zitat Goethe: Goethes Werke, 11 (Hamburg 1964), 397. – Trippels erste Goethebüste, Auftragsarbeit für den Prinzen Christian von Waldeck: Inventar Kassel 1938, 58, Taf. 41.3. – Vgl. dazu: Vogler 1892/93, 65 Nr. 84a. – Goethes Werke a.O., 391f (zu Trippels theoretischem Konzept und dem Vorbild einer antiken Apollonbüste). – Zitat Schiller: nach v. Holst 1987, 210 zu Nr. 58. – Zitat Jugendgefährte: a. O., 206 (Georg Scharffenstein, ein Freund Danneckers). – Zitat Winckelmann: Maek-Gérard 1982, 33 Anm. 103.

U. H.

## 1114*

### SELBSTBILDNIS DES STUTTGARTER HOFBILDHAUERS JOHANN HEINRICH DANNECKER

Johann Heinrich Dannecker (1758–1841)
Stuttgart, 1796

*Gips, bronziert*
*H. 74,5 cm*

Stuttgart, Staatsgalerie, Inv.-Nr. P 703

Das Selbstverständnis eines Künstlers läßt sich hervorragend an seinem Selbstbildnis ablesen. Wie sah sich der Stuttgarter Hofbildhauer Johann Heinrich Dannecker, und wie wollte er gesehen werden? Zwei Jahre nachdem er seine erste Version der Büste seines Freundes Schillers vollendet hatte (Kat. Nr. 1113), stilisierte er sein Selbstbildnis in ganz ähnlicher Weise. Von der äußeren Aufmachung her unterscheidet sich seine Erscheinung kaum von einem fürstlichen Porträt – zu vergleichen ist seine Büste des Herzogs Karl Eugen, die nicht lange vorher entstand. Aufrechte Haltung, lebhafte Kopfwendung und Zielbewußtsein im geradeaus gerichteten Blick erwecken den Eindruck von Sicherheit und hoher Selbsteinschätzung des 38 Jahre alten Künstlers. Er war von seinen Fähigkeiten überzeugt, als er während der Arbeit an der ersten Marmorfassung der Schillerbüste an den Dichter schrieb: »...es ist nicht eines jeden Sache so ein Bild zu machen. ... – lieber will ich sterben, und das sterben ist so meine Sache nicht – als der Welt nicht gezeigt haben, daß ich verdiente Dein Bild gemacht zu haben.«

Knapp zehn Jahre vorher hatte sich sein Künstlerkollege, der Maler Philipp Friedrich Hetsch, während eines Romaufenthaltes in einem Selbstbildnis ähnlich weltoffen und gutgelaunt als gebildeten Reisenden im Stil von Adelsporträts dargestellt (Kat. Nr. 1103). Auch Dannecker erscheint mit seinem nach klassischem Vorbild drapierten Mantel als ein Mann von kultivierter Bildung. Der Künstler ist allenfalls am ideenreich-feurigen Ausdruck des Gesichts (vgl. z. B. die Büste des Malers Hubert Robert von Danneckers Lehrer Augustin Pajou, Kat. Nr. 1087, der allerdings nach »bürgerlich«-realistischen Stilprinzipien vorging) zu erkennen.

1114

1115*

## RELIEFMEDAILLON MIT BILDNIS SCHILLERS

Bernhard Frank (1770–1836) nach Johann Heinrich
Dannecker (1758–1841)
Stuttgart, nach 1798

*Gips, stuckierter vergoldeter Holzrahmen, gewölbtes
Schutzglas*
*Dm. mit Rahmen 26,3 cm*
*Etikett auf der Rückseite bez.:* Friedrich Schiller im Jahre
1793 / nach dem Leben gezeichnet und modellirt, / von
Hofbildhauer Bernhard Frank in Stuttgart. / Gegen das
Nachformen ist ein allergnädigstes / Privilegium ertheilt. /
NB. Beim Anschauen des Bildes muss das Licht / von der
linken, zur rechten Hand fallen.

Stuttgart, Württembergisches Landesmuseum,
Inv.-Nr. E 161

Ein Beispiel für die fast kultische Verehrung, die Schiller im
privaten Bereich von Wohnhäusern bildungsbürgerlicher
Kreise schon zu Lebzeiten zuteil wurde, ist dieses Reliefmedaillon in einem mit Leier und Schwänen verzierten repräsentativen Rahmen. Die Symbole des Musenführers Apollon verherrlichen den lorbeerbekränzten Dichter und Den-
ker, dessen Büste Dannecker schon 1794 ebenfalls antiken
Darstellungen des göttlichen Sängers aus dem Olymp
angeglichen hatte (Kat. Nr. 1113). Nach dieser Büste
fertigte Dannecker 1796 ein Medaillon an – dazu als
Pendant noch ein weiteres Medaillon nach seiner Selbstbildnisbüste.
Das ausgestellte Stück ist eine Kopie nach Danneckers
originalem Schillermedaillon von seinem Schüler Bern-

Als Hofbildhauer besaß Dannecker mit Sicherheit nicht
die Autonomie und Freiheit, die sein Selbstbildnis suggeriert. Dennoch hat ihm seine Selbsteinschätzung dabei
geholfen, die im Rahmen der Stuttgarter Verhältnisse
privilegierte Stellung unter den Hofkünstlern zu erreichen,
die es ihm ermöglichte, später ein großes Atelier im eigenen
Haus zu leiten. Dort war auch seine Büste aufgestellt, die
Goethe während seines Besuches in Stuttgart 1797 »ohne
Übertreibung geistreich und lebhaft« fand.

*Holst 1987, 232f, Nr. 72. – Büste Herzog Karl Eugen:*
*a. O., 1431ff, Nr. 21. – Dannecker-Zitat: a. O., 227 zu Nr.*
*69.* U. H.

1115

hard Frank. Dieser kaum bekannte Stuttgarter Künstler besuchte von 1784–1792 die Hohe Carlsschule, wo er auch Schüler von Scheffauer war. Unter dessen Anleitung besorgte der junge Frank die Ausführung eines schönen Grabmals nach einem Entwurf des Lehrmeisters in Winterbach bei Schorndorf.

Später arbeitete Frank eine Zeitlang im Atelier Danneckers, wo er das Kopieren von Meisterstücken erlernen sollte. Das Schillermedaillon nach Danneckers Vorbild ist ein Zeugnis dieser Übungen. Großzügig überließ Dannecker seinem Schüler die Verbreitung der Kopie, nachdem Frank 1798 zum Hofbildhauer ernannt worden war. Das Datum »1793« auf dem Etikett bezieht sich auf Danneckers Zusammentreffen mit Schiller in diesem Jahr, das ihn zu seiner ersten Version der Büste des Dichters angeregt hatte.

*Unveröffentlicht. – Kat. Stuttgart 1959, 188, Nr. 537. – Zum Original Danneckers und den Kopien von Frank: v. Holst 1987, 229ff, Nr. 70. – Zum Medaillon nach Danneckers Selbstbildnisbüste: a. O., 231, Nr. 71. – Zu Bernhard Frank: Thieme-Becker 12(1916), 338f. – Grabmal in Winterbach nach Scheffauers Entwurf: v. Holst 1987, 147f, Abb. 124.* U.H.

1116

## 1116*

### BÜSTE DER AUGUSTE CHARLOTTE SCHENCK VON GEYERN (1769–1838)

Johann Heinrich Dannecker (1758–1841)
Stuttgart, um 1795-1800

*Gips*
*H. 64 cm*

Stuttgart, Württembergisches Landesmuseum,
Inv.-Nr. 1962–49

Dannecker erweist sich auch in der Büste der Auguste Charlotte Schenck von Geyern als ein Meister im Harmonisieren von realistischen Bildniszügen, so daß der Eindruck von klassischer Ausgewogenheit entsteht. Die etwa im Alter im 25 bis 30 Jahren Dargestellte war Tochter des Kriegsratspräsidenten und Generalmajors Karl Ludwig von Holle und heiratete 1790 den Oberstallmeister und späteren Oberhofmeister Alexander Ernst Schenck von Geyern.

Diese Büste ist das früheste bekannte Frauenporträt Danneckers, entstanden in der Zeit, als er auch die erste Schillerbüste und sein Selbstbildnis vollendete. Der seelenvoll-milde Ausdruck der jungen Frau entspricht Schillers Ideal von Anmut und Würde und bringt die vollendete Menschlichkeit einer vorbildlichen Frau zur Erscheinung. Dieser Eindruck wird noch bestärkt durch die antikische Nobilitierung. Dannecker glich dieses Bildnis dem Vorbild der antiken Niobe-Statue an, die als Verkörperung beispielhafter Mütterlichkeit ein Frauenideal der Zeit um 1800 darstellte. Dannecker kannte diese hochgeschätzte

Antike mindestens durch Abgüsse. Auch sein römischer Lehrmeister Alexander Trippel hatte den Kopf dieser vieldiskutierten Statue kopiert.

*Holst 1987, 239ff, Nr. 76 (mit der älteren Literatur). – Zur ›Niobe‹: Haskell/Penny 1981, S. 274ff, Nr 66. – Zur idealen Bedeutung der Figur um 1800: Spickernagel 1981, 309. – Kopie von Trippel: Schefold 1948, 56 (heute verschollen).* U.H.

## 1117*

### BÜSTE DES ERNST SCHENCK VON GEYERN (1791–1808)

Johann Heinrich Dannecker (1758–1841)
Stuttgart, 1808

*Gips*
*H. 47 cm, B. 21,8 cm, T. 18,2 cm*
*Bez. auf der Vorderseite:* ERNST SCHENCK / VON GEYERN, *auf der Rückseite:* Dannecker 1808 fecit

Stuttgart, Württembergisches Landesmuseum,
Inv.-Nr. 1962–10

1117

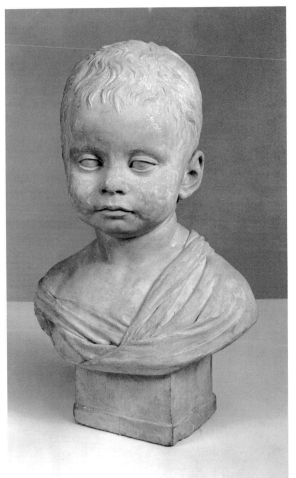

Porträts an die Aufschrift eines früheren Entwurfs Danneckers für ein Grabmonument erinnert fühlen: »Jetzt erst lebt er!«

*Holst 1987, 314f, Nr. 114.*                                    U. H.

1118*

### BÜSTE DES PRINZEN KARL PAUL FRIEDRICH (1809–1810) VON WÜRTTEMBERG

Johann Heinrich Dannecker (1758–1841)
Stuttgart, 1810

*Terrakotta*
*H. 35 cm*

Stuttgart, Staatsgalerie, Inv.-Nr. P 533

Die Hermenbüste des Ernst Schenck von Geyern, Sohn der Auguste Charlotte Schenck von Geyern, entstand 1808 kurz nach dem Tod des knapp 17jährigen Jungen. Der stille empfindsame Ausdruck des von langen, mittelgescheitelten Locken umspielten Porträts weckt Reminiszenzen an Jünglingsköpfe der griechischen Klassik. Wie schon bei der Schillerbüste hat Dannecker auch hier die Gottähnlichkeit des Menschen durch die antikische Stilisierung erreicht. Der junge Verstorbene erscheint in seiner ganymed-ähnlichen Schönheit als Liebling der Olympier, den sie in der Blüte seiner Jugend in zeitlose Sphären entführten. Man mag sich beim Anblick dieses denkmalartigen

1118

1119*

## Büste der Prinzessin Pauline von Württemberg (1810–1856)

Johann Heinrich Dannecker (1758–1841)
Stuttgart, 1813

*Gips*
*H. 41,5 cm*
*Bez. auf dem Sockel vorne:* PAULINE

Schloßverwaltung Ludwigsburg, Außenstelle des Staatl.
Liegenschaftsamtes Stuttgart, Schloß Ludwigsburg,
Inv. Nr. NN 43

Dannecker wurde während seines langen Lebens kein
Nachwuchs beschert, doch er liebte Kinder sehr, deren
natürliche Unbefangenheit seinem eigenen Wesen entsprach. Mehrere Male hat er Kinderporträts modelliert,
dabei oftmals aus dem traurigen Anlaß des Todes. So
entstand die Büste des kleinen Prinzen Carl Paul Friedrich,
Sohn des Prinzen Paul von Württemberg und seiner
Gemahlin Charlotte geb. Prinzessin von Sachsen-Hild-
burghausen, der im Mai 1810 kaum 15 Monate nach
seiner Geburt starb.
Das Bildnis seiner Schwester Pauline zeigt die Prinzessin im
Alter von drei Jahren. Sie heiratete später Herzog Wilhelm
von Nassau. Beide Büsten belegen Danneckers Fähigkeit
beim Erfassen charakteristischer Züge selbst bei noch so
wenig ausgeprägten Persönlichkeiten wie diesen kleinen
Mitgliedern der königlichen Familie Württembergs. Ihr
hoher gesellschaftlicher Rang ist aus den Bildnissen nicht
zu ersehen. Dannecker beschränkte sich auf die Darstellung des kindlichen Wesens: ganz unbewußt träumend der
kleine Prinz, voll von aufgewecktem Interesse Prinzessin
Pauline.

*v. Holst 1987, 3334ff, Nr. 125a, 81 Abb. 59 (Carl Paul*
*Friedrich); 356f, Nr. 137 (Pauline).*　　　　　　U. H.

1120*

## Reliefmedaillon mit Bildnis des Grossherzogs Karl Friedrich von Baden

Maximilian Joseph Pozzi (1770–1842)
Karlsruhe/Mannheim, um 1810

*Marmor*
*H. 15,8 cm, B. 12,5 cm*
*Bez. unter dem Büstenabschnitt:* Pozzi

Karlsruhe, Badisches Landesmuseum, Inv.-Nr. C 5132

Wäre uns die Physiognomie des greisen badischen Regenten nicht bekannt, dann wären wir nicht mit Sicherheit in
der Lage, in diesem Reliefbildnis ein Fürstenporträt zu
erkennen. Karl Friedrich erscheint bar allen repräsentativen Aufwandes – bis auf die schlicht-elegante Idealisierung

1120

seiner Aufmachung im Stil eines römisch-republikani-
schen Konsuls: seinem dezidierten Selbstverständnis als
menschenfreundlich-maßvollem Herrscher entsprechend
hat Pozzi den Fürsten wie einen Mann des Volkes dargestellt. Es ist nicht ausgeschlossen, daß dieses fein modellierte Bildnis Karl Friedrichs erst nach seinem Tod in
Auftrag gegeben wurde, um einem Verehrer des philanthropischen Landesvaters sein Andenken auf stilvoll-
dekorative Art zu bewahren.
Das krasse Gegenteil zu dieser zurückhaltenden Fürsten-
idealisierung bildet das prunkvoll gerahmte Bildnis König
Friedrichs I., das Martin von Muralt, ein Scheffauer-
Schüler, nach einem überlebensgroßen Vorbild seines Lehrers kopierte (Kat.-Nr. 362). Umgeben von einer Fülle
imperialer Machtinsignien ist Württembergs erster König
im heroischen Erscheinungsbild eines römischen Kaisers
dargestellt.

*v. Schneider 1938, 70 Nr. 241. – Zu weiteren Bildnissen*
*Karl Friedrichs vgl. Kat.-Nr. 295. – Zu Pozzi vgl. das*
*Medaillon Kat.-Nr. 1121*　　　　　　　　　　　U. H.

1121

## 1121*

### RELIEFMEDAILLON MIT BILDNIS DES JEAN BAPTIST THIERRY AUS SCHWETZINGEN

Maximilian Joseph Pozzi (1770–1842)
Mannheim, um 1805

*Alabaster*
*H 10,6 cm, B. 7,9 cm*
*Bez.: unter dem Büstenabschnitt* Pozzi, *auf der Rückseite alte Aufschrift* Jean Baptist Thierry 1761 *(1781 ?)*

Karlsruhe, Badisches Landesmuseum,
Inv.-Nr. V 12473

Maximilian Joseph Pozzi, ein Sohn des Mannheimer Hofstuckateurs Giuseppe Pozzi, studierte an der Mannheimer Zeichnungsakademie, wo er 1793 mit einer Goldmedaille ausgezeichnet wurde. Zwischen 1799 und 1801 arbeitete er für den Hof in München, danach vor allem in Mannheim und Karlsruhe, wo er 1808 zum Hofbildhauer ernannt wurde.

Das Reliefbildnis des Schwetzinger Bürgers Jean Baptist Thierry zeigt den Dargestellten im Alter von etwa 50 Jahren. Er trägt noch eine altmodische Zopffrisur, die mit der neuen Mode des Directoire oder gar Empire allenfalls das locker frisierte Haar mit zum Teil recht kurz geschnittenen, frei flatternden Strähnen gemeinsam hat. Eine

solche Frisur trug beispielsweise König Friedrich I. von Württemberg noch auf Münzbildnissen von 1810. Nicht lange vorher wird das Bildnis des Herrn Thierry von Pozzi angefertigt worden sein, so daß die nur schwer lesbare Jahreszahl auf der Rückseite vielleicht das Geburtsdatum des Dargestellten (1761 wäre plausibel) meint.

Die elegante Drapierung des stoffreichen ›römischen‹ Mantels und die selbstbewußt-geistreichen Züge charakterisieren Jean Baptist Thierry als einen Mann von Bildung und kultivierter Eleganz, die an Danneckers Selbstbildnisbüste (Kat. Nr. 1114) oder auch noch das Selbstbildnis des Malers Philipp Friedrich Hetsch als Bildungsreisenden in Rom (Kat. Nr. 1103) erinnert.

*v. Schneider 1938, 70 Nr. 273. – Zu Pozzi: Thieme-Becker 27 (1933), 334 s.v. »Maximilian Joseph«. – Ein weiteres Bildnisrelief des Künstlers: Ausstellung von Werken der Kleinporträtkunst... 1700–1850 (Kat. Mannheimer Altertumsverein 1909), 26 Nr. 204.*          U.H.

## 1122*

### RELIEFMEDAILLON MIT BILDNIS DER CAROLINE SCHEFFAUER, GEB. HEIGELIN (1768–1808)

Philipp Jacob Scheffauer (1756–1808)
Stuttgart, 1790/1795

*Gips, bronziert*
*H. 20,7 cm, B. 15,5 cm*

Privatbesitz

Das Medaillon aus dem Besitz einer Nachfahrin Scheffauers wurde 1959 erstmals als Bildnis der Caroline von Stachelhausen, geb. Scheffauer (Tochter des Bildhauers) bekannt gemacht. Die ausgeprägten Bildniszüge und die abenteuerlich-kunstvolle, von Bändern gehaltene Frisur ›à la grecque‹ lassen ein Alter der Dargestellten nicht unter 20 Jahren vermuten. Scheffauers Tochter wurde 1791 geboren, was bedeutet, daß es sich bei dem Bildnis unmöglich um sie handeln kann. Die feine und lockere Modellierung z.B. des Haars entspricht vielmehr dem Stil Scheffauers aus der Zeit um 1795. Am 4. Januar dieses Jahres schrieb der Künstler an seinen Gönner Professor Franz Oberthür nach Würzburg: »Für Sie, bester Hr. Gevatter, hab ich folgendes beygepackt: ...meiner Frau Portrait gleich wie die Fürstin es hat«.

Ein weiteres Exemplar von diesem Bildnis erkenne ich in dem ausgestellten Reliefmedaillon. Vergleicht man es mit dem kürzlich von der Städtischen Galerie Stuttgart erworbenen Porträtgemälde von Philipp Friedrich Hetsch, das ebenfalls Scheffauers Frau darstellt, so beseitigt die Übereinstimmung von physiognomischen Details wie Nase oder Mund jeden Zweifel. Die junge Frau auf dem Medaillon ist Caroline Scheffauer, geb. Heigelin (1768–1808), Tochter des Goldarbeiters Johann Eberhard Heigelin (Kat. Nr. 1123), die Scheffauer kurz nach seiner Rückkehr aus Rom 1791 geheiratet hat.

1122

1123

Die Frau des Hofbildhauers erscheint hier in reizend antikischer Aufmachung im Stil französischer Frauenbildnisse des Louis Seize, nicht unähnlich der ›Vestalin‹ Scheffauers, die um 1790/1794 entstand. Die nachlässig-spielerische Erotik, idealisiert durch die griechische Verbrämung, verleiht der jungvermählten Goldarbeiterstochter die inspirierende Ausstrahlung einer intim-vertrauten Muse des Künstlers. Ganz ähnlich hat auch Hetsch seine Frau in einem Gemälde von 1790 dargestellt.

*Kat. Stuttgart 1959, 189 Nr. 543. – Stilistisch übereinstimmend zwei Musenbüsten des Künstlers, signiert und 1794 datiert, in der Sammlung Schloß Fachsenfeld. – Brief an Oberthür: Spemann 1909, Anhang 146f, Nr. 240. – Bildnis der Frau Scheffauers von Hetsch: Kat. Stuttgart 1986, 86 Nr. 380. – Fleischhauer 1929, 49, 72 Nr. 32, Abb. 16. – Zur antikischen Drapierung vgl. die Büste einer jungen Frau von Augustin Pajou, dem Lehrer Scheffauers in Paris: French paintings and sculptures of the 18th century (Ausstell. Kat. Heim Gallery, London 1968), 17 Nr. 65. – ›Vestalin‹ von Scheffauer: v. Holst 1987, 160ff zu Nr. 33 Abb. 143. – Bildnis der Christiane Hetsch: v. Holst 1982, 90. – Scheffauers Heiratsdatum: Pfeiffer 1907, 731 Anm. 102.*    U. H.

1123*

### BÜSTE DES STUTTGARTER GOLDARBEITERS UND HOFJUWELIERS JOHANN EBERHARD HEIGELIN (1734–1812)

Philipp Jacob Scheffauer (1756–1808)
Stuttgart, 1790/1795

*Gips, 1937 terrakottafarben gefaßt*
*H. 71,5 cm*

Stuttgart, Württembergisches Landesmuseum,
Inv.-Nr. 1937–19

1124

Die beiden Büsten konnten 1937 aus dem Besitz von Nachfahren der Dargestellten erworben werden. Der gutgelaunte Mann mit dem lässig offengelassenen Hemd wurde damals als der Bankier Christian Hermann Heigelin identifiziert, der als Geschäftsträger des dänischen Königs in Neapel lebte. Nun wurde kürzlich eine Büste gleichen Stils wie die beiden ausgestellten veröffentlicht, die sich in Weimar befindet und ebenfalls den Bankier Heigelin darstellen soll. Sie gilt als ein Werk Scheffauers, der den Mann später noch einmal in einem kostbaren marmornen Bildnismedaillon dargestellt hat. Die Weimarer Büste hat mit dem Medaillon so große Wesensverwandtschaft, daß an der Identität des Porträtierten nicht gezweifelt zu werden braucht.

Wen stellt aber die Stuttgarter Büste dar? Wintterlin berichtet in seinem summarischen Werkverzeichnis Scheffauers von einer dritten Heigelin-Büste, nämlich jener des Schwiegervaters von Scheffauer, des Goldarbeiters Johann Eberhard Heigelin. Diesen wird man in unserer Büste also höchstwahrscheinlich vor sich haben.

Die andere Büste, nicht minder freundlich erscheinend, jedoch mit würdig-hochgeschlossenem Hemd und Halstuch, ist ein Bildnis des Carl Georg Heigelin, Stiefbruder des Bankiers Christian Hermann. Carl Georg Heigelin war Polizeikommissar und Ratsverwandter in Stuttgart, zeitweilig wohl auch Bürgermeister. Eine Abschrift seiner Lebensbeschreibung ging unglücklicherweise verloren, so daß nicht mehr über ihn in Erfahrung zu bringen war.

Die beiden Büsten und auch jene in Weimar sind stilistisch eng verwandt mit der Büste des Calwer Handelsmannes Johann Martin Vischer, die Scheffauer wohl um die Mitte der 1790er Jahre angefertigt hat. So können auch unsere Büsten als sichere Werke dieses Bildhauers gelten, nahegelegt auch durch die familiäre Verbindung Scheffauers mit den Heigelins. Der realistisch aufgefaßte Ausdruck gelassener Bonhomie und die alles Antikische weglassende zeitgenössische Kleidung beider Heigelin-Büsten ist ein klares Zeichen dafür, wie sehr Scheffauer von der Bildnisplastik seines Pariser Lehrmeisters Augustin Pajou beeindruckt gewesen sein muß. Scheffauers Porträtbüsten vermitteln in ihrer schlichten, oft fast naiv erscheinenden realistischen Stilisierung eine von Danneckers Bildnissen völlig verschiedene Aussage. Ihnen fehlt der »veredelnde Schleier« antikischer Proportionierung der Porträtbüsten Danneckers. Der französischen Auffassung folgend, wollten sie Bürgerbildnisse im besten Sinne sein – eine Idealisierung eigener Art.

1124*

## BÜSTE DES STUTTGARTER POLIZEIKOMMISSARS UND RATSVERWANDTEN CARL GEORG HEIGELIN (1741–1803)

Philipp Jacob Scheffauer (1756–1808)
Stuttgart, 1790/1795

*Gips, 1937 terrakottafarben gefaßt*
*H. 69 cm*

Stuttgart, Württembergisches Landesmuseum,
Inv.-Nr. 1937–20

*Beide Büsten werden hier erstmals veröffentlicht. – Büste des Bankiers Heigelin in Weimar: v. Holst 1987, 50 Abb. 32f, 120 zu Nr. 10 Anm.1, 212 zu Nr.60 Anm.2. – Marmormedaillon Bankier Heigelin: v. Holst 1982, 123f (Stuttgart, Staatsgalerie Inv.-Nr. P 763). – Zu den drei Heigelin-Büsten: Wintterlin 1895, 83. – Zur Büste des Carl Georg Heigelin: vgl. eine zweite, dick übermalte Ausformung im Besitz des Stadtarchivs Stuttgart, dort bisher irrtümlich als Büste des Malers Viktor Heideloff angesehen (Kat. Stuttgart 1954, 33 (Inv.-Nr. S 207). – Zum Charakter der Bildnisse Danneckers: v. Holst 1987, 48ff, 80ff. – Als Beispiel der Porträts von Pajou vgl. Kat. Nr. 1087.      U.H.*

1125

Als edler Auftraggeber der Büste hat mit aller Wahrscheinlichkeit der Hofkammerrat Johann Martin Notter (1735–1802) zu gelten, der zusammen mit Jakob Friedrich Hasenmayer, dem Vater der Elisabeth Friederike Zahn (Kat. Nr. 1126), einen großangelegten, äußerst einträglichen Wechsel- und Salzhandel betrieb. Als er starb, galt er als einer der reichsten Männer Alt-Württembergs. Die Erinnerungsbüste als ehrenvolles persönliches Denkmal auf dem Schreibtisch des Pietisten Notter war ein ›historisches‹ Porträt, das Scheffauer wahrscheinlich nach der Vorlage eines Gemäldes gearbeitet hat (vgl. auch Kat. Nr. 1128). Im Stil der 1790er Jahre hat er den Verstorbenen durch den lässig umgeworfenen toga-ähnlichen Mantel als eine Verkörperung überzeitlich wirksamer Kaufmannstugend dargestellt, auf deren pietistischer Ausprägung der Wohlstand der Leute von Calw beruhte.

*Kat. Stuttgart 1925, 52 Nr. 578. – Für freundliche Hinweise über Dargestellten und Auftraggeber danke ich W. Staudenmeyer im Stadtarchiv Calw. – 1794 hat Scheffauer noch drei weitere »Marmorstücke nach Calb verkauft«: Spemann 1909, Anhang 142f, Nr. 235 (Brief an Oberthür vom 14. Juli 1794); dabei handelte es sich wahrscheinlich um drei Reliefs: »2 Köpfe…von profil ganz im antiken Stil« und das »Basrelief der Artemisia… samt der reichvergoldeten Rahme«: a. O. Nr. 234 (Brief vom 26. März). – Eine Kopie des ›Artemisia‹-Reliefs befindet sich auf dem Hoppenlau-Friedhof in Stuttgart am Grabmal der Caroline Friederike von Misani (vielleicht von Martin v. Muralt): v. Holst 1987, 425f. zu Nr. F 22 Abb. 402.*

## 1125*

### Büste des Handelsherrn Ludwig Stuber (1701–1758) aus Calw

Philipp Jacob Scheffauer (1756–1808)
Stuttgart, 1793/1794

*Marmor*
*H. 58,5 cm*

Stuttgart, Staatsgalerie, Inv.-Nr. P 761

Im Februar 1794 berichtete ein Stuttgarter Korrespondent in Meusels Journal ›Neues Museum für Künstler und Kunstliebhaber‹ über seinen Besuch im Atelier Scheffauers: »Herr N., ein sehr angesehener Kaufmann zu Kalw, liess von Herr Scheffauer die Büste seines vor mehr als 30 Jahren verstorbenen Wohlthäters St. aus Cararischem Marmor verfertigen. Mit Freuden bezahlte er die beträchtliche Summe für die schöne Büste, um sie auf seinem Arbeitstische aufzustellen, und Auge und Herz an dem Anblicke seines verewigten Freundes zu weiden. Laut will ich's sagen, daß diess ein Reicher that – in der Stille es that!«
Mit diesem Werk ist die ausgestellte Büste des ›Ratsherrn Stuber‹ sicher identisch, der sich durch seine barocke Allonge-Perücke als Mann aus einer im Jahre 1794 längst vergangenen Zeit ausweist. Es handelt sich um den Calwer Handelsmann und Bankier Ludwig Stuber, der 1758 im Alter von 57 Jahren starb. Zeitweilig hatte er das Amt eines Ratsverwandten inne.

## 1126*

### Büste der Elisabeth Friederike Zahn geb. Hasenmayer (1771–1830) aus Calw

Philipp Jacob Scheffauer (1756–1808)
Stuttgart, 1795–1800

*Gips*
*H. 68 cm*

Stuttgart, Württembergisches Landesmuseum,
Inv.-Nr. 1961–11

Elisabeth Friederike Zahn war die Tochter des Calwer Handelsherrn Jakob Friedrich Hasenmayer, Compagnon von Johann Martin Notter in einem Unternehmen, das einen großen Teil Südwestdeutschlands mit bayerischem Salz belieferte und seinerzeit als einträglichste Handelsgesellschaft der Stadt galt. Als junges Mädchen arbeitete Elisabeth Friederike schon als rechte Hand ihres Vaters im Comptoir des Betriebs. Sie wuchs in einer Umgebung ständig wachsenden Wohlstands auf. Die führenden Familien von Calw ließen sich vom Stuttgarter Hofarchitekten Reinhard Ferdinand H. Fischer palastähnliche Wohnhäuser errichten. In ihren Lebenserinnerungen berichtet Frau Zahn, wie ihre immer schlicht und bescheiden gebliebene Großmutter den Einzug weltstädtischer Pracht in das

1126

Kaum weniger modisch als die Verlegergattin, doch viel zurückhaltender im Ausdruck, ließ sich Friederike Zahn in ihrer Büste darstellen. Mit großer Wahrscheinlichkeit ist sie als eine Arbeit von Scheffauer anzusehen, der in den 1790er Jahren mehrmals Aufträge für Calwer Kaufmannsfamilien ausführte. Um sicher zu urteilen, ist heute aber zu wenig über das Gesamtwerk des Künstlers bekannt. Zu vergleichen wäre eine Büste der Reichsgräfin Louise Karoline von Hochberg in Privatbesitz (vgl. Kat. Nr. 288), die wahrscheinlich ebenfalls von Scheffauer stammt.
Bis auf die modische Aufmachung im ›griechischen‹ Stil ist in diesem Bildnis nichts von klassizistischer Idealisierung zu spüren. Auch das spricht für die Urheberschaft Scheffauers, der in seinen Porträtbüsten mehr der Tradition französischer Kunst verpflichtet blieb als sein Kollege Dannecker (vgl. Kat.-Nrn. 1123 u. 1124).

*Fleischhauer 1965, 323ff, Abb. 1f. – v. Holst 1987, 428f, F 25 Abb. 409. – Lebenserinnerungen: Fleischhauer a. O., Anm. 4. – Eine Illustration zum Leben im Haus der Familie Hasenmayer vermittelt der Schattenriß von C. F. Hoerning: Fleischhauer 1939, 64f. – Schon 1790 hatte Scheffauer die Büste der Sibylle Plieninger modelliert: Schefold 1939, 42 E. P. 116 (Kriegsverlust).*    U.H.

pietistisch geprägte Calw kommentierte: »Kinder, Kinder, Calw wird Straßburg!«
1790 heiratete die gebildete junge Frau den Juristen Christian Jakob Zahn (1765–1830), der als Geschäftspartner von Johann Friedrich Cotta in Tübingen mit Hilfe des Calwer Kapitals dessen Verlag und Buchhandlung zu glänzendem Erfolg verhalf. Die Frau Cottas, berühmt durch das Gemälde von Schick (Kat. Nr. 1163), war indessen gar nicht nach dem Geschmack der Calwer Kaufmannstochter: »Sie war weder schön noch reich, und hatte ein bösartiges Herz. Verstand konnte man ihr nicht absprechen, aber sie wendete ihn niemals zum Guten, sondern immer nur zur Erreichung ihrer Absichten an.« Reiselust und Geltungsstreben, von Wilhemine Cotta zur Schau getragen, waren der eher maßvollen Elisabeth Zahn zuwider: »Ich sah sie noch mit allem Glanz und Schimmer des Luxus und der Moden umgeben, mit Spitzen, Brillanten und Straußenfedern geschmückt…«

1127

1127*

## Reliefmedaillon mit Bildnis einer Unbekannten

Philipp Jacob Scheffauer (1756–1808)?
Stuttgart, 1800–1805(?)

*Gips, teilvergoldeter Holzrahmen, gewölbtes Schutzglas
H. 47,5 cm, B. 35 cm*

Stuttgart, Württembergisches Landesmuseum,
Inv.-Nr. 13573

Das Bildnismedaillon einer unbekannten Dame aus den
Depotbeständen des Württembergischen Landesmuseums
stammt ursprünglich aus Tettnanger Privatbesitz. Der
schlichte Realismus der Porträtzüge in Verbindung mit der
äußerst modischen Musenfrisur in antikisierend ›griechischem‹ Stil läßt wiederum an Scheffauer als Künstler
denken (vgl. z.B. Kat.Nr. 288). Von ihm sind mehrere
Medaillons in dieser Art bekannt, die auch stilistisch
übereinstimmen. Die ornamental-erstarrt wirkende
Behandlung der von Bändern gehaltenen Lockenfülle
weist vor allem auf die späten Arbeiten des kranken
Scheffauer aus der Zeit um 1805 hin (vgl. Kat.Nr.
1130.2).

*Unveröffentlicht. – Vgl. das Bildnismedaillon der Friede-
rike v. König in der Sammlung Schloß Fachsenfeld (unveröffentlicht) und die Idealbildnisse in Stuttgarter Staatsgalerie: v. Holst 1982, 122f.*          U.H.

1128*

## Büste der Emilie Pistorius (1776–1816)

Johann Heinrich Dannecker (1758–1841)
Stuttgart, 1816

*Marmor
H. 69,5 cm
Bez. auf der Rückseite:* Dannecker fecit/1816

Stuttgart, Württembergisches Landesmuseum,
Inv.-Nr. 1966–332

Emilie Pistorius, Tochter des Stuttgarter Regierungsrates
Karl Friedrich Feuerlein, war in erster Ehe mit dem Calwer
Kaufmann Johann Martin Vischer (Onkel der Elisabeth
Friederike Zahn, vgl. Kat.Nr. 1126) verheiratet. Nach
dessen frühem Tod im Jahr 1801 wurde sie wenige Jahre
später die Frau des angesehenen Stuttgarter Hofrates
Ferdinand Pistorius. Ihre Calwer Freundin Elisabeth Friederike Zahn, eine Nichte ihres ersten Mannes, berichtet in
ihren Lebenserinnerungen über die »blendende Schönheit«, das »vortreffliche Herz und … engelreine Gemüth«
der wohlhabenden Stuttgarterin. Erst 40 Jahre alt starb sie
schon 1816 an den Folgen einer schweren Geburt.
Nach dem Tode der hochgeschätzten Frau, die notleiden-
den Familien wohltätigen Beistand geleistet hatte, schuf

1128

Dannecker ihre Büste nach einem (heute verschollenen)
Gemälde von Philipp Friedrich Hetsch und den Zügen
ihrer Tochter. Antikische Überhöhung der Verstorbenen
beschränkt sich hier ganz auf das schlicht drapierte Manteltuch. Es überwiegt der Eindruck der realistischen Wiedergabe der individuellen Züge von Emilie Pistorius, deren
»blendende Schönheit« in der Büste matronal-würdevoll
ausgereift erscheint. Ihren biederen Charakter betont noch
die hohe Zopfkrone, die wie ein schwäbisches Pendant zu
den eleganten Diademen im Stil der Antike wirkt, die bei
Bildnissen fürstlicher Damen so häufig sind. Es war wohl
der Wunsch des Auftraggebers, seiner verstorbenen Gattin
auf diese Weise ein persönliches Denkmal zu setzen. Ein
realistisch aufgefaßtes Porträt wie dieses bildet in Danneckers Werk die Ausnahme.

*v. Holst 1987, 370ff, Nr. 142. – Lebenserinnerungen der
Elisabeth Friederike Zahn: vgl. Kat.Nr. 1126.*          U.H.

1129*

## Ariadne und Theseus, Relief

Philipp Jakob Scheffauer (1756–1808)
Stuttgart, 1798

*Marmor*
*H. 106 cm, B. 63 cm*
*Bez. rechts unten:* Scheffauer fec / Stuttgard 1798

Stuttgart, Württembergisches Landesmuseum,
Inv.-Nr. E 801

Wie viele Arbeiten von Scheffauer entstand dieses Relief ohne Auftrag. Der Künstler ließ es sich trotz seines geringen Gehaltes nicht nehmen, von Zeit zu Zeit Marmor zu bestellen, um seine Ideen seinem Selbstverständnis und -anspruch entsprechend in kostbarem Material ausführen zu können. Da Aufträge des Stuttgarter Hofes während der 1790er Jahre in Scheffauers Werkstatt so gut wie gar nicht eingingen, war der Bildhauer gezwungen, an anderer Stelle nach Interessenten für seine Arbeiten Umschau zu halten. Über seinen Würzburger Gönner Professor Franz Oberthür knüpfte er z.B. Kontakte zum Grafen Egloffstein und der Fürstin von Hohenlohe-Oehringen. Ob er außer den Büsten dieser Herrschaften noch andere Werke dorthin verkaufen konnte, ist heute nicht bekannt. Ein weiteres Medium zur Bekanntmachung seiner Werke waren die Kunstzeitschriften von Meusel oder Wieland, wo öfter mit überschwenglichem Lob von seinen Arbeiten berichtet wurde. Dort erschienen ganze Listen mit Preisangaben von fertiggestellten Stücken des Künstlers. Dennoch hatte Scheffauer mit dem Verkauf seiner Marmorarbeiten große Schwierigkeiten. Die »für Kunst leidigen Zeitumstände« führten dazu, daß sein Atelier nach und nach zu einem Depot seiner Werke wurde, die eigentlich die Kabinette von kunstsinnigen Kennern zieren sollten. Unter solchen Bedingungen war natürlich an großformatige Figuren gar nicht zu denken. Scheffauer verlegte sich auf die Anfertigung von Reliefs.

Erst seit Übernahme der Regierungsgeschäfte in Stuttgart durch Herzog Friedrich Eugen besserte sich Scheffauers Lage. Auch Herzog Friedrich, der spätere König, schätzte die Reliefarbeiten des Künstlers offenbar wegen ihrer dekorativen, dem Zeitgeschmack entsprechenden Qualitäten und kaufte im Laufe der Jahre eine größere Anzahl davon. Dazu gehört auch das ausgestellte Stück, das im Atelier des Künstlers zehn Jahre auf einen Interessenten hatte warten müssen, bis es König Friedrich nach dem Tod Scheffauers schließlich für das »Weiße Zimmer« im Stuttgarter Neuen Schloß – laut Memmingers Beschreibung ein Lieblingsaufenthalt Friedrichs – zusammen mit weiteren Reliefs des Künstlers erwarb (Kat. Nr. 1132).

Dargestellt ist eine Szene aus der griechischen Sage um die schöne kretische Königstochter Ariadne, deren wechselvolles Schicksal in der Zeit um 1800 ein besonders beliebtes Thema war. Der attische Königssohn Theseus war nach Kreta gekommen, um dort den monströsen Stiermenschen Minotaurus zu töten, dem jährlich die zehn besten Jungen

und Mädchen aus Athen geopfert werden mußten. »Nun wählte... Theseus nach dem Ausspruch des Orakels die Liebe zur Führerin, indem er aus den Händen der Ariadne den Knäul empfing, der ihm einen sicheren Ausgang aus dem Labyrinth verschaffte. Mit dem Faden der Ariadne in der Hand stieg er nun mutig mit seinen Gefährten in die unterirdische Wölbung nieder, bis er selbst an den Aufenthalt des Minotaurus kam, mit dem er sich in Kampf einließ und ihn mit Hülfe der Ratschläge Ariadnens überwand.« Scheffauer wählte für sein Relief den Augenblick, da Ariadne dem attischen Helden das rettende Garnknäuel mit sprechender Geste übergibt. Sie erscheint als edle Retterin im Namen der Menschlichkeit und Liebe, während Theseus in heroischer Nacktheit, geschmackvoll drapiert und zum Kampfe gerüstet als ein Inbegriff von Wagemut und Kraft auftritt. Ohne die Liebe der klassisch-schönen Königstochter hätte jedoch auch der Held nichts ausrichten können. Der Kritiker im »Neuen Teutschen Merkur« sah in Scheffauers Figuren« ein Ideal von schöner Männlichkeit und schöner Weiblichkeit.«

1129

Die intim einander zugewandte Stellung von Ariadne und Theseus bildete Scheffauer einem antiken Meisterwerk nach, – dem ›Orpheusrelief‹ aus der Sammlung des Winckelmanngönners Kardinal Alessandro Albani in Rom, das der Bildhauer während seines Romaufenthaltes sicher im Original hatte studieren können. In Stuttgart konnte Scheffauer Winckelmanns »Monumenti Inediti« benutzen, wo dieses Relief 1767 erstmals veröffentlicht worden war.

*Unveröffentlicht. – Meusels Neue Miscellaneen artistischen Inhalts 9 (1799), 103. – Der Neue Teutsche Merkur 1801.11, 231 Nr. 2. – Morgenblatt für gebildete Stände 1808, 1106. – Füßli 1813, 1476f. – Memminger 1817, 222. – Nagler 1845, 159. – Wintterlin 1895, 79. – Scheffauer erwähnt das Relief in einem Brief an Oberthür: Spemann 1909, Anhang 155f Nr. 253. – Zitat: Moritz 1795, 231. – Orpheusrelief Albani: Allroggen-Bedel 1982, 387 A 664, Abb. 149. – J. J. Winckelmann, Kunsttheoretische Schriften, 7: Monumenti antichi inediti, Nachdruck d. Ausg. Rom, 1767, Baden-Baden/Straßburg 1967 (=Studien z. dt. Kunstgeschichte, 345), 113ff, Abb. 85.*                                    U. H.

1130.1

## 1130.1*

### BACCHUS UND ARIADNE, RELIEFTONDO

Philipp Jakob Scheffauer (1756–1808)
Stuttgart, 1802 (?)

*Gips, vergoldeter Holzrahmen*
*Dm. 56,5 cm*

Sammlung Schloß Fachsenfeld

## 1130.2*

### AMOR UND PSYCHE, RELIEFTONDO

Philipp Jakob Scheffauer (1756–1808)
Stuttgart, 1801 (?)

*Gips, vergoldeter Holzrahmen*
*Dm. 56,6 cm*

Sammlung Schloß Fachsenfeld

Wintterlin berichtet in seiner Scheffauer-Biographie, daß König Friedrich von Württemberg »im Jahre 1807 seiner Tochter, der Königin von Westfalen, …zwei Reliefs, Amor und Psyche und Bacchus und Ariadne, beide um 1801 und 1802 gefertigt, zu Weihnachten nach Paris sandte.« Wahrscheinlich handelt es sich hierbei jedoch um die beiden Medaillons, die sich nach Angaben des »Morgenblatts für gebildete Stände« noch im November 1808 im Nachlaß des verstorbenen Künstlers befanden. Füßli zitiert 1813 eine andere Zeitungsnachricht von 1808, nach der »zwey Basreliefs von Scheffauer in Rundungen…: Amor und Psyche, und Bacchus und Ariadne …für die

Königin von Westphalen« bestimmt waren. Möglicherweise verwechselte Wintterlin die Geschenksendung König Friedrichs von 1808 mit der von 1807, als ein anderes (heute verschollenes) Relief mit Amor und Psyche, genau beschrieben im Novemberheft des »Neuen Teutschen Merkurs« von 1801, an Katharinas Gemahl Jérôme gesandt worden war. Aus den angeführten Nachrichten geht allerdings nicht hervor, ob es sich bei den Rundreliefs um Marmor- oder Gipsausführungen gehandelt hat, so daß es nicht sicher ist, ob die beiden ausgestellten Medaillons mit den königlichen Geschenken identisch sind oder ob sie Abgüsse davon sind. Eindeutig ist nur, daß die beiden Rundreliefs die Darstellungen der Medaillons überliefern, die offenbar erst 1808 an Königin Katharina von Westphalen aus Stuttgart abgingen. Die Geschenke an Jérôme von 1807, außer dem erwähnten Relief noch eine rundplastische Gruppe ›Venus und Amor‹, deren Modell durch eine Amberger Ausformung nach Modeln der Ludwigsburger Porzellanmanufaktur bekannt ist, müssen mit den originalen (?) Reliefmedaillons für Katharina bis zu einer Klärung des gesamten verworrenen Sachverhaltes als verschollen gelten. Dies alles ist nur ein Beispiel für den beklagenswerten Stand der Forschung zum Werk eines Vergessenen unter den wenigen Bildhauern des deutschen Klassizismus.

Doch zurück zu den ausgestellten Stücken. Die Medaillons mit den Darstellungen zweier mythischer Liebespaare sind Pendants. Beide Male erscheint eine Sterbliche in enger Umarmung ihres göttlichen Geliebten – olympischer Lohn für ideale Weiblichkeit und allgemein-menschliche Tugend, die auf die Götter der Griechen so anziehend wirken konnte. Scheffauer illustrierte mit seinen beiden Reliefs Szenen aus griechischen Götter- und Heldensagen, die er vielleicht durch Karl Philipp Moritz' »Götterlehre

1130.2

oder mythologische Dichtungen der Alten« von 1795 kannte.

Über Ariadnes Schicksal schrieb Moritz: »Ariadne entfloh mit ihrem geliebten Theseus (aus Kreta, nachdem der Minotaurus bezwungen war; Anm. d. Verf., vgl. Kat. Nr. 1129); sie landeten auf Naxos, wo Theseus auf den Befehl der Götter sie verließ, weil Ariadnens Reize den Bacchus selber gefesselt hatten, der hier die einsame verlaßne Schönheit unter nächtlichem Himmel schlummernd fand und, da sie erwachte, zum Zeichen seiner Gottheit die Krone von ihrem Haupte gen Himmel warf, wo sie als leuchtendes Sternbild glänzte und Zeuge der Vermählung der Ariadne und des Bacchus war.« Scheffauer hat das glückliche Paar als Idealgestalten in griechischer Stilisierung dargestellt. Zwischen den Liebenden hängt das Fell des dem Bacchus geweihten Panthers, Sinnbild der beseligenden Macht des Gottes, durch welche alle Grausamkeit und Wut gezähmt wird.

Einen ähnlichen Liebestriumph zeigt das Medaillon mit Amor und Psyche. Moritz berichtet: »Unter der Psyche, mit Schmetterlingsflügeln abgebildet, dachte man sich gleichsam ein zartes geistiges Wesen, das, aus einer gröbern Hülle sich emporschwingend und verfeinert zu einem höhern Dasein, zu schön für die Erde, durch Amors Liebe selbst beglückt, zuletzt mit ihm vermählt ward und an der Seligkeit der himmlischen Götter teilnahm.« Die Königstochter Psyche, Verkörperung der menschlichen Seele, hatte als Geliebte des Amor zahlreiche leidvolle Prüfungen zu bestehen gehabt. Ihre Standhaftigkeit wurde schließlich durch die Vermählung mit dem Geliebten belohnt: »Gesang und Saitenspiel ertönte, und das ganze Chor der Götter nahm an der Hochzeitsfeier des himmlischen Amors teil...«

Beide Reliefs von Scheffauer waren ideale Geschenke für ein königliches, jungvermähltes Paar wie Katharina von Württemberg und Jérôme Bonaparte. In der herrschaftlichen Residenz des Königs von Westphalen in Kassel dienten sie als geschmackvoller Dekor ganz im antikenorientierten Stil der Zeit. Ein Kritiker schrieb über die Medaillons: »In den erstern (Amor und Psyche) herrscht ein schönes Ideal und eine außerordentliche Reinheit der Zeichnung; aber vielleicht sind die Haare zu streng symmetrisch geordnet. Die zweyte Gruppe hat mehr Feuer; die beyden Figuren, weniger Ideal, athmen Liebestrunkenheit, ohne jedoch die Grenzen der strengsten Decenz zu überschreiten.«

*Beide Reliefs werden hier erstmals veröffentlicht. – Morgenblatt für gebildete Stände 1808, 1106. – Füßli 1813, 1477 (mit Zitaten). – Nagler 1845, 159. – Winterlin 1895, 78. – Zum anderen Relief Scheffauers mit Amor und Psyche: Der Neue Teutsche Merkur 1801.11, 235f. – ›Venus und Amor‹: a.O., 230 Nr. 1. – Lill 1914, 159f. Abb. 9 (jetzt Stuttgart, Württembergisches Landesmuseum Inv.-Nr. 1959–56). – Zitate Moritz: Moritz 1795, 230f., 315, 320. – Kritiker: zitiert nach Füßli 1813, 1477. – Zum geistesgeschichtlichen Hintergrund des Ariadne-Verständnisses um 1800: E. Kemp, Ariadne auf dem Panther. Liebieghaus Museum alter Plastik (Ausst. Frankfurt 1979), 25ff.*
U.H.

1131.1

## STATUETTE DER ARIADNE AUF DEM PANTHER, MODELL

Johann Heinrich Dannecker (1758–1841)
Stuttgart, 1803

*Terrakotta, getönt*
*H. 31,7 cm, B. 27,8 cm, T. 9,5 cm*

Stuttgart, Staatsgalerie, Inv.-Nr. P 554

1131.2*

## STATUETTE DER ARIADNE AUF DEM PANTHER, REPRODUKTION

in verkleinertem Maßstab nach der Marmorstatue Danneckers von 1814
um 1850 (?)

*Gips*
*H. 32,7 cm, B. 27,3 cm, T. 11,4 cm*

Stuttgart, Württembergisches Landesmuseum, Inv.-Nr. 1958–3

Ganz im Gegensatz zu ihren berühmteren Kollegen Canova, Schadow oder Thorvaldsen hatten die Stuttgarter Hofbildhauer Dannecker und Scheffauer nur selten die Gelegenheit, ihre Ideen im großen Format zu verwirklichen. Die offiziellen Aufträge von seiten des Hofes

1131.2

beschränkten sich überwiegend auf dekorative Arbeiten oder Bildnisbüsten, meistens in wenig anspruchsvollem Material wie z.B. Gips. Wollten die Künstler ihren Ideen nachgehen, so hatten sie sich mit dem kleinen Format von Entwürfen oder Modellen zu begnügen, in der Hoffnung, daß ihnen daraufhin vielleicht der Auftrag zu größerer Ausführung gegeben werde. Dies war aber kaum jemals der Fall. Danneckers erste lebensgroße Marmorstatue entstand erst zwischen 1801 und 1806, als Herzog Friedrich die Figur der ›Trauernden Freundschaft‹ für das Grabmonument des Reichsgrafen Johann Karl von Zeppelin bei ihm bestellte (vgl. Kat. Nr. 1137.2).

Ein Dasein als autonome Künstlerpersönlichkeiten blieb den Stuttgarter Bildhauern aufgrund ihrer Bindung an den Hof versagt. Sie wagten nicht den selbstbewußten und riskanten Schritt, den der Maler Asmus Jacob Carstens (1754–1798) im Jahr 1795 unternommen hatte, als er von seinem Stipendiatenaufenthalt aus Rom nach Berlin schrieb: »Übrigens muß ich Euer Excellenz sagen, daß ich nicht der Berliner Akademie, sondern der Menschheit angehöre, die ein Recht hat, die höchstmögliche Ausbildung meiner Fähigkeiten von mir zu verlangen. ...Lasse ich doch alle dortigen Vorteile fahren und ziehe in die Armuth, eine ungewisse Zukunft... vor, um meine Pflicht gegen die Menschheit und meinen Beruf zur Kunst zu erfüllen...« Dannecker und Scheffauer fügten sich in ihr Stuttgarter Schicksal. Autonome Kunstwerke, die ganz ihrer Inspiration entsprangen, kamen dennoch zustande und fanden auch gelegentlich Abnehmer, wenngleich ein zeitgenössisches Zitat die Situation um 1800 doch treffend

zusammenfaßt: »Daß die Kunst in dieser Zeit brachliegen mußte, ist nur zu natürlich, – Sinn und Geld dafür fehlten.«

Sinn und Geld dafür besaß der Frankfurter Bankier Simon Moritz von Bethmann (1768–1826), der damit die Vollendung einer der bedeutendsten deutschen Skulpturen des 19. Jahrhunderts ermöglichte: Danneckers Ariadne, deren Ausführung in Marmor 1814 abgeschlossen war.

Seit 1803 hatte sich der Bildhauer mit dem Thema beschäftigt, das in dieser Zeit große Popularität genoß. Das bewegte Schicksal der schönen kretischen Königstochter zwischen Liebe und Leid beschäftigte Künstler, Literaten und Gelehrte (vgl. auch Kat. Nr. 1097). Dannecker wählte für seine Figur den Augenblick kurz vor dem ›happy end‹: auf einem Panther, dem Bacchus geweihten Tier, reitet die von Theseus unglücklich auf Naxos zurückgelassene Ariadne in lässig-elegantem Damensitz ihrem göttlichen Liebhaber entgegen. Ihren mit Weinlaub bekränzten Kopf hält sie erwartungsvoll in die Ferne gerichtet. Achtlos hält ihre Linke ein Tuch, das von ihrem Körper hinabgeglitten zu sein scheint, der sich so in seiner idealen Nacktheit darbietet.

»Die Idee des Künstlers, die sich prima vista ausspricht, war: Bezähmung der Wildheit durch die Schönheit«, schrieb ein begeisterter Kritiker 1805 über Danneckers erstes Gipsmodell. Die unmittelbar verständliche Symbolik eines Kunstwerkes durch Attitüde und Ausdruck der Darstellung zählte zu den kunsttheoretischen Forderungen der Zeit um 1800. Wenn in den Äußerungen zu der Figur auch der Eindruck des Erotischen immer wieder den idealen Gehalt zur Seite drängte, so bestätigte Heinrich Rapp, der Schwager und hilfreiche Freund des Künstlers, in einem 1817 erschienenen Artikel, daß Danneckers Meisterwerk doch ganz nach dem Sinn der Kunstgelehrten der Zeit war: »Wer nun auch ohne alle Kenntniß von mythologischer Anspielung dieses Gebilde betrachtet, der muß von der Wahrheit, von dem idealischen Wesen, und von der gewissenhaften Vollendung bis in die feinsten Theile, hingerissen werden. Trotz der Nacktheit wird hier der gemeine Sinn nichts Gemein-sinnliches sehen; er wird vielmehr einem höhern Wesen huldigen, das ihn in die Schranken der Ehrfurcht zurückweist.«

Heinrich Rapp schrieb 1810 an den Frankfurter Bankier Bethmann: »Sie können sicher darauf zählen, eines der allerersten Modernen Meisterwerke zu erhalten, das mit Ehren den antiken zur Seite steht.« Die geschickte Vermittlung von Danneckers Schwager führte dazu, daß Bethmann 1811 den Kaufvertrag unterzeichnete. Der Handel konnte aber nur deshalb zustandekommen, weil Kurfürst Friedrich schon 1805 alle Rechte über die Figur dem Künstler überlassen hatte. Als Hofbildhauer war Dannecker in seinem Kunstschaffen vorzüglich an die Weisungen seines fürstlichen Herrn gebunden. Mit der Unterzeichnung seines Anstellungsvertrages von 1783 hatte er sich dazu verpflichtet, daß er »ohne Höchst Deroselben Vorwissen und besonders gnädigste Erlaubnuß die Herzogliche Dienste niemals verlassen, oder anderwärts (sich) in die geringste Verbindung einlassen« werde. Dem Künstler lag die Ausführung der Figur, an der

Kurfürst Friedrich kein Interesse hatte, so sehr am Herzen, daß er seinen Herrn 1805 darum gebeten hatte, ihm »das … Bild der Ariadne als Eigenthum gnädigst (zu) überlassen.« Nur unter solchen Umständen konnte der Hofkünstler schließlich seine Idee, die diesmal nicht im Terrakotta- oder Gipsmodell stecken blieb, zur Vollendung bringen. Welche Bedeutung die ›Ariadne‹ für Dannecker hatte, läßt sich aus seiner Bemerkung » … ich trete von dem Vorsaz, es zu einem Hauptstük meines aestätischen Daseyns zu machen keinen Augenblick zurük« ermessen.

Danneckers Idee war bereits in dem Terrakottamodell von 1803 ausgereift zur Darstellung gebracht. Bei der 1814 vollendeten Marmorausführung veränderte er jedoch einige Details wie die Haltung des rechten Armes oder den Faltenwurf des Tuches, um die Überschaubarkeit der Figur zu vereinfachen und die Schönlinigkeit des Gesamtumrisses in ihrer Wirkung zu steigern. 1816 wurde die Statue im Bethmannschen Museum in Frankfurt aufgestellt. Umgeben von Abgüssen der berühmtesten Antiken erschien Danneckers »Hauptstük« als ein Klassiker der Moderne. Dessen schon zur Entstehungszeit legendären Ruf verbreiteten in der Nachfolge unzählige Reproduktionen in verschiedenen Größen und Materialien bis hin zur Ausführung in Marzipan.

*v. Holst 1987, 66ff, 285ff, Nr. 100f. – Beck 1985, 92ff. – E. Kemp, Ariadne auf dem Panther. Liebieghaus Museum alter Plastik (Ausstell. Frankfurt 1979). – Zitat Carstens nach v. Holst 1987, 93. – ›zeitgenössisches‹ Zitat nach Lammel 1986, 123. – Zu den Reproduktionen der ›Ariadne‹ im 19. Jahrhundert: E. Kemp, a.O., 38f, 60 Nr. 23–26. – Zum möglichen Vorbild für das Motiv hier noch ein Hinweis auf ein antikes Lampenrelief, von dem Dannecker vielleicht ein Exemplar kannte: J. Deneauve, Lampes de Carthage, Paris 1969, Taf. 90 Nr. 987 (die Darstellung ist mit Danneckers Figur fast identisch).*

U.H.

1132*

## DIANA UND AMOR, RELIEF

Philipp Jakob Scheffauer (1756–1808)
Stuttgart, 1800

*Marmor, vergoldeter Holzrahmen*
*H. 18,5 cm, B. 44,5 cm*
*Bez. links unten:* Scheffauer / fec: 1800

Stuttgart, Württembergisches Landesmuseum,
Inv.-Nr. 1939–162

Auch dieses kleine Relief gehört zu den Werken Scheffauers, die König Friedrich von Württemberg nach dem Tod des Bildhauers im November 1808 aus dessen Nachlaß erworben hat. Zusammen mit den drei anderen Reliefs des Künstlers bildete es ein dekoratives Ensemble im »Weißen Zimmer« des Stuttgarter Neuen Schlosses. Schon vorher hatte Friedrich im Bibliothekszimmer von Schloß Monrepos bei Ludwigsburg, wo auch die ›Liegende Sappho‹ von Dannecker aufgestellt wurde, sechs Reliefs von Scheffauer anbringen lassen. 1809 fanden vier weitere kleine Arbeiten des verstorbenen Künstlers Verwendung bei der Dekoration der Bibliothek des Königs im Ludwigsburger Schloß.

Das ausgestellte Stück wurde schon 1801 vom Korrespondenten des »Neuen Teutschen Merkur« in einer Liste von verkäuflichen Arbeiten Scheffauers aufgeführt und genau beschrieben: »Eine nach der Jagd ruhende Diana. Auf den rechten Arm gestützt liegt sie da, mit aufgeschürztem Gewande, die rechte Brust entblößt; in reizender Attitüde ihren Endymion erwartend. Amor unterhält sie und bringt ihr den Hirtenstab ihres Geliebten. – Das Gesicht ist edel und reizend zugleich; die ganze ruhende Gestalt ladet zur Liebe und zur Umarmung ein. (20 Louisd'or)« Zu der sagenhaften Liebesgeschichte zwischen der Göttin und

1132

ihrem sterblichen Favoriten schrieb Karl Philipp Moritz 1795 in seiner »Götterlehre«: »Unter allen Lieblingen der Götter hat die Dichtung den schönen Jäger Endymion des größten Vorzugs gewürdigt, weil Diana, die strenge Göttin der Keuschheit, selber, von seinen Reizen gefesselt, die macht der Liebe empfindet.«

Ähnlich hatte schon Alexander Trippel (1744–1793), einer der Lehrmeister Scheffauers in Rom (vgl. Kat.Nr. 1097), die Liebesgeschichte in einer heute verschollenen Marmorgruppe illustriert, die uns durch seine eigene Beschreibung bekannt ist: »Eine liegende Gruppe welche vorstelt die Diana und Amor welcher ihr die Fackel im Schlafe raubt um ihr die Liebe einzuflößen gegen den Endimion … mit ihrem linken Arm stützt sie sich um sich emporzuheben und mit der rechten Hand greift sie nach einem Pfeile um ihn zu strafen, der Amor ist in der Bewegung um zu flihen und in der Rechten hält er die Fackel und mit der Linken macht er die Bewegung du bist schon überwunden.« Die Beschreibung erinnert noch an verspielt-heitere Darstellungen aus der Kunst des Rokoko. Diese Ausstrahlung geht auch von Scheffauers Relief aus, doch hat sich der Künstler mindestens bei der Figur der Diana mit ihrem griechischen Profil und Gewand (das übrigens seiner in Rom entstandenen Flora nachgebildet ist, Kat.Nr. 1101.1) an den Stil der Antike gehalten, um den sich ja auch Trippel in Rom bemühte.

Ein offensichtlich als Pendant zum ausgestellten Stück gedachtes Relief von Scheffauer ist als Kaminverzierung im »Neuen Schreibzimmer« des Ludwigsburger Schlosses verwendet worden. Auch dieses Relief steht einer ähnlichen Darstellung von Trippel nahe, die in einer Zeichnung überliefert ist.

*Unveröffentlicht. – Der Neue Teutsche Merkur 1801.11, 234f Nr. 10. – Morgenblatt für gebildete Stände 1808, 1106. – Wintterlin 1895, 79. – Scheffauer beschäftigte sich auch bei seiner Gruppe ›Venus und Amor‹ mit der liegenden weiblichen Figur, vgl. Ausführungen zu Kat. Nr. 1130. – Trippels verschollene Gruppe: Vogler 1892/93, 55f Nr. 31. – Beschreibung in Trippels schriftlichem Nachlaß im Kunsthaus Zürich, Blatt 35. – Scheffauers Pendant zum ausgestellten Relief: Faerber 1949, Taf. 38. – K. Merten, Schloß Ludwigsburg, München/Berlin 1984, 26. – Trippel-Zeichnung: Hartmann 1977, 160 Abb. 41.*    U.H.

1133*

## MUSE DER LYRISCHEN DICHTKUNST, STATUETTE

Philipp Jakob Scheffauer (1756–1808)
Stuttgart, 1790/1793

*Biskuit, weiß übermalt*
*H. 57 cm, B. 94,5 cm, T. 34 cm*

Schloßverwaltung Ludwigsburg, Außenstelle des Staatl. Liegenschaftsamtes Stuttgart, Schloß Ludwigsburg, Inv.-Nr. Sch.L. 4201

Dannecker und Scheffauer haben während der ersten Jahre nach ihrer Rückkehr aus Rom auch einige Modelle für die Ludwigsburger Porzellanmanufaktur angefertigt, deren Stern zu dieser Zeit schon im Sinken begriffen war. Durch Vervielfältigung ihrer Erfindungen im kleinen, erschwinglicheren Format konnten die Bildhauer mit einer weiteren Verbreitung ihres Rufs als Künstler rechnen. Scheffauer z.B. trat in Verbindung mit dem Nürnberger Kunstverleger Frauenholz, dem er mehrmals Sendungen kleiner Figuren zugehen ließ. 1794 fügte er einer solchen Sendung ein Schreiben mit einer Liste der Stücke bei, darunter auch einige Biskuitfiguren nach Modellen von seiner Hand. Das weiße, weder bemalte noch glasierte Material entsprach durch seine an Marmor erinnernde Oberfläche dem antikisch orientierten Geschmack der Zeit.

Im »Possier, Formen und Modell Inventarium der Herzoglichen Porcelainen Fabrik auf den 24. Oktober 1793« ist unter der Nummer 123 eine Form »zu großer Muse Sitzent mit Leyer von H. Professor Scheffauer« verzeichnet. Aus dieser Form stammt die ausgestellte Biskuit-Statuette, die durch einen späteren weißen Anstrich einiges von ihrer ursprünglichen Finesse hat einbüßen müssen. Pfeiffer hat die Figur seinerzeit als Sappho identifiziert. Dazu besteht aber schon allein aufgrund der Bezeichnung im Inventar der Manufaktur keine Veranlassung. Scheffauer hatte wohl mit diesem idealen Geschöpf allgemeiner eine Darstellung der lyrischen Muse im Sinn. Das wird auch durch eine Variante der Figur mit Büchern statt des Saiteninstrumentes, die wahrscheinlich ebenfalls eine Personifikation der ›Dichtkunst‹ oder auch ›Gelehrsamkeit‹ meint, nahegelegt.

Als Anregung für die elegante Haltung der übereinandergeschlagenen Beine diente Scheffauer die antike Figur der ›Schlafenden Ariadne‹ aus den Sammlungen des Vatikan, die den Künstler während seines Romaufenthaltes sicher stark beeindruckt hat, denn er beschäftigte sich noch öfter mit dem Motiv. Der lorbeerbekränzte Kopf mit den zierlichen Korkenzieherlocken erinnert stark an eine ungefähr gleichzeitig entstandene lebensgroße Figur einer Opferdienerin aus Gips im Vestibül von Schloß Monrepos bei Ludwigsburg. Die zu lyrischen Gedanken anregende Muse mit dem schönen Profil griechischer Figuren und der freundlich-zugewandten Attitüde ließe sich, ähnlich wie die Figuren von Danneckers späterer Nymphengruppe,

1133

auch in monumentaler Größe vorstellen – sie erscheint daraufhin angelegt. Sie kam jedoch nie über das kleine Format der Biskuitfigur hinaus. Daß solche Arbeiten der Selbsteinschätzung Scheffauers als Künstler keineswegs genügten, bezeugt seine Antwort an den fürstbischöflichen Rat Franz Oberthür in Würzburg, der sich in Dresden um eine Anstellung des in Stuttgart unglücklichen Bildhauers bemüht hatte: »wenn (Ihr Freund) aber meine wenige Talente auf blose Porcellainfabrik oder Gipsabdrücke zu machen einschränkt, so möchte er doch einen zimlich kleinen Begriff von mir haben ...«

Wanner-Brandt 1906, 17 (m. Abb.). – Pfeiffer 1907, 732 (m. Abb.). – Weber 1956, 50. – Inventar der Manufaktur: Balet 1911, 47f. – Die gleiche Figur mit Büchern: Lill 1914, 159f, Abb. 10. – Kat. Stuttgart 1959, 103 Nr. 594 (Privatbesitz). – Schreiben Scheffauers an Frauenholz in Nürnberg 1794: Stuttgart, Archiv der Stadt, Inv.-Nr. A 7418 (dort sind als Werke Scheffauers »Die Freundschaft«, »Die Unschuld«, »Ein junger Bacchus« und »Eine Ceres« aus Biskuit angeführt, außerdem Terrakottafiguren: zwei verschiedene Figuren der »Artemisia«, »eine schlafende Venus« und »Bacchus und Ariadne«; einige dieser Figuren sind bei v. Holst 1987, 420 F 6, 425ff F 22 veröffentlicht). – Opferdienerin Monrepos: v. Holst 1987, 196 zu Nr. 49, Abb. 182. – »Schlafende Ariadne« Vatikan: Haskell/Penny 1981, 184ff, Nr. 24. – Zitat Scheffauer: Spemann 1909, Anhang 154 Nr. 254.   U. H.

1134

1134*

## Trauerndes Mädchen mit totem Vogel

nach Modell von Johann Heinrich Dannecker
(1758–1841)

Ludwigsburg, 1790

*Porzellan*
*H. 28,7 cm, B. 23,4 cm, T. 11,2 cm*
*Bez. mit Blaumarke CC und Krone*

Stuttgart, Württembergisches Landesmuseum,
Inv.-Nr. 10512

Der wichtigste Mittelsmann für Dannecker und Scheffauer
am Stuttgarter Hof war der Architekt Reinhard Ferdinand
Heinrich Fischer (1746–1813), der schon 1783 die Reise-
wünsche der beiden Bildhauer befürwortet und unterstützt
hatte. Während der 1790er Jahre vertrat er, beonders nach
dem Tod von Herzog Karl Eugen, etwas einseitig die
Interessen Danneckers, was bei Scheffauer Enttäuschung
und Resignation zur Folge hatte: »Unser neuer Herzog
(Ludwig Eugen), welches der vortrefflichste Herr ist, nimt
sich natürlich nicht wie unser Verstorbener der Sachen so
ins detaille an und glaubt daß die Praesidenten der Depar-
tementer nach Gewißen handeln, wie es wirglich der Fall
bei uns ist, Fischer hat sich das Vertrauen unsres Fürsten
ganz zu erwerben gewußt und durch ihn geht alles; was
hab ich also vor Aussichten?«

Dannecker fertigte schon kurz nach seiner Rückkehr für
seinen Gönner und Freund Fischer eine halblebensgroße
Statue an, die »ursprünglich für ein Vogelhaus im Garten«
des Architekten gedacht war. Dargestellt wurde ein Mädchen in griechisch-reizvoller Aufmachung, das auf einem
würfelförmigen Sockel sitzt und, leicht nach vorn gebeugt,
in nachdenklich-stille Trauer versunken einen toten Vogel
betrachtet, den sie in ihrer rechten Hand hält. Nach dem
kleinformatigen Modell zu dieser Figur wurden in der
Ludwigsburger Manufaktur Ausformungen in Biskuit und
Porzellan hergestellt.

Die Wehmut über den Tod des Vogels steht symbolisch für
die Trauer um den Verlust kindlicher Unschuld. Das
Mädchen, dem das über die linke Schulter hinabgerutschte
Gewand etwas vom Charakter einer jungen Venus verleiht, verharrt sinnend auf der Schwelle zwischen unbe-
wußter Kindlichkeit und erwachter Jugend. Diesen
Gedanken erläutern die drei Sockelreliefs: auf der einen
Seite verkörpert das sich küssende Puttenpaar unschuldige
Sinnenfreude, während auf der anderen Seite Amor den
zarten Seelenschmetterling opfert, den die weinende Psyche noch festhält, aber wohl schon aufgegeben hat. Das
Relief auf der Rückseite zeigt ein jugendliches Paar in einer
angedeuteten Landschaft, vielleicht den Hirten Paris vor
einer schönen Hirtin, die in aufgelöster Haltung weinend
auf einem Felsblock sitzt, ähnlich wie die Figur des trauernden Mädchens selbst. Das junge Hirtenpaar hat offenbar gerade die bestürzende und nachdenklich stimmende
Erfahrung des Verlustes von Unschuld gemacht, den Amor
und Psyche durch das Opfer des Seelenschmetterlings
bewirkten. Die Figur des Hirten, gekennzeichnet als Paris
durch die phrygische Mütze, hat Dannecker wenig später
für eines der Sockelreliefs seines Parzenmonumentes als
Verkörperung des jugendlichen Lebensalters wiederver-
wendet, dort mit dem Apfel in der Hand, den er der Venus
als der Schönsten unter den Göttinnen zusprach. Sie stellte
ihm die Heirat mit der Königstochter Helena in Aussicht,
deren Entführung den trojanischen Krieg zur Folge hatte.
Eine überzeugende Deutung der Figuren des rückseitigen
Sockelreliefs steht noch aus. Es ist nicht ausgeschlossen,
daß Paris vor der entführten Helena gemeint ist.

Das Thema jugendlicher Liebesverführung hat Dannecker
schon in Rom bei seinem Bozzetto für ›Amor und Psyche‹
beschäftigt, der nie in größerem Format zur Ausführung
kam. Über das Mädchen mit dem toten Vogel schrieb ein
zeitgenössischer Kritiker: » … hier ist die reinste Empfindung in antikes Gewand gehüllt und man träumt sich so
gern, so gern in die Zeiten zurück, wo die Mädchen noch
so waren und so trauerten … meiner Überzeugung nach
glaube ich, daß Herr D., wenn er Gelegenheit erhält, jene
Talente ganz zu entwickeln, es auf eine Art thun wird, die
seinen Namen mit Ruhm auf die späteste Nachwelt bringt.
Leider ist der cararische Marmor in Stuttgart so theuer!«
Danneckers erste Marmorfigur, die ›Liegende Sappho‹,
wurde erst 1802 vollendet, übrigens ohne Auftrag und
auch im kleinen Format. Das Mädchen mit dem toten
Vogel gelangte erst 1830 im Auftrag eines holländischen
Bankiers zur Ausführung in Marmor.

*v. Holst 1987, 151ff, Nr. 26 b.2 (irrtümlich Biskuit als Materialangabe; dort die gesamte ältere Literatur). – Zitat Scheffauer: Spemann 1909, Anhang 140 Nr. 231. – Danneckers ›Liegende Sappho‹: v. Holst 1987, 236ff, Nr. 75. – Marmorausführung des Mädchens mit dem toten Vogel (verschollen): a. O., 416 Nr. 171.*   U. H.

## 1135*

### PAETUS UND ARRIA, RELIEF

Philipp Jacob Scheffauer (1756–1808)
Stuttgart, 1796

*Marmor*
*H. 64 cm, B. 37,5 cm*
*Bez. rechts unten:* Scheffauer.fec: / Stuttgard 1796

Stuttgart, Staatsgalerie,
Inv.-Nr. P 140

Als wohl kurz nach 1808 die Wände des »Weißen Zimmers« im Stuttgarter Neuen Schloß mit vier Reliefs von Scheffauer geschmückt wurden, verwendete man auch dieses Stück, das jedoch nicht aus dem Nachlaß des verstorbenen Künstlers erworben worden war. Möglicherweise gehört es zu den beiden Arbeiten, die Herzogin Dorothee Sophie, die Gemahlin von Herzog Friedrich Eugen, um 1797 dem Bildhauer abgekauft hatte.

Dargestellt ist eine tragische Szene aus der römischen Geschichte. Dazu schrieb Friedrich Wilhelm v. Ramdohr 1787: »Die Geschichte des Paetus und der Arria ist bekannt. In der Erwartung eines schimpflichen Todes, mit dem Kaiser Claudius ihren Gemahl bedrohte (er war in eine Verschwörung verwickelt und wurde deshalb zum Selbstmord durch einen ihm übersandten Dolch gezwungen, Anm. d. Verf.), stieß sich Arria den Dolch in die Brust und überreichte ihn ihrem Gatten mit den auffordernden Worten: Es schmerzet nicht.

Welcher sichtbare Zeitpunkt aus dieser Begebenheit ist wohl für die bildenden Künste der geschickteste? Unstreitig der, wo sich Arria bereits entleibt hat, und – nicht wo sie ihm den Dolch mit den Worten darreicht: es schmerzet nicht; sondern wo sie mit dem letzten Ausdruck zärtlicher Empfindung auf den Paetus blickt, der sich nun auch ersticht. Hier ist der Augenblick, der den unzweideutigsten und reichhaltigsten Ausdruck liefert: Auch den wahrscheinlichsten. Denn die Seelengröße, die das Sprechen der Worte begleiten muß, wird in den bildenden Künsten zur Unempfindlichkeit, und der erschrockene Mann zu ihrer Seite bey jeder Auslegung ein Feigherziger.«

Scheffauer wählte für seine Darstellung der dramatischen Szene ungefähr den Zeitpunkt, den v. Ramdohr für den geeignetsten hielt. Als Vorbild dienten ihm antike Skulpturen: eine kolossale Marmorgruppe aus der Sammlung Ludovisi in Rom, die – obgleich von den Gelehrten bezweifelt – als Darstellung von Paetus und Arria galt, und ein römisches Sarkophagrelief mit Achill und der toten Penthesilea. Beide Antiken hatte Scheffauer in Rom sehen

1135

können. In Stuttgart konnte er Abbildungen davon aus den großen Tafelwerken als Anregung benutzen. Scheffauers Figuren erscheinen im Vergleich mit den antiken Vorbildern allerdings verhaltener im Ausdruck der Tragik. Beim Kopf des Paetus fühlt man sich an Winckelmanns Bemerkung zum ›Laokoon‹ (Kat. Nr. 1556) errinnert: »... wir wünschten, wie dieser große Mann, das Elend ertragen zu können.« Hier ist es nicht nur der »große Mann«, sondern vielmehr die Größe seiner Frau, die als ›exemplum virtutus‹ (sittliches Vorbild) dem Betrachter vor Augen geführt wird. Arria verkörpert ideale Gattenliebe, die auch den Tod nicht scheut, um sich noch zu beweisen.

Noch vor der Vollendung der Marmorausführung schrieb ein Kritiker in den »Neuen Miscellaneen artistischen Inhalts« von 1795 über Scheffauers Darstellung: »Des (Paetus) wehmütiger Blick und der Arria wallendes Kleid sind vorzüglich schön. Auf der Brust der Arria ist die offene Wunde sichtbar, der rechte Fuß verschwindet unter dem Kleid, der linke beugt sich vorwärts; ihr Arm ist noch um des Gatten Hals geschlungen. Die sinkende Arria liegt noch in Paetus linkem Arm; er neigt sich halb zu ihr hinab, und drückt mit empor gerichtetem Kopf den Dolch in seine Brust. Diese Vorstellung geht von jener in den Gärten Ludovici in Rom in so fern ab, dass dort Arria mit den Knien schon den Boden berührt, Paetus sie mit der linken Hand noch am Arme hält, und sich von oben herab eigentlich in die Gurgel sticht. Jene (Scheffauers) Ausführung hat vor dieser unläugbare Vorzüge; aber warum stellen beyde Künstler nicht die Scene in dem Augenblick dar, in welchem Arria ihr Paete, non dolet! ausspricht (vgl. die Tapisserie Kat. Nr. 409)? So wie die Scene hier aufgeführt ist, denkt man sich nicht Arria und Paetus sogleich. Paetus könnte ja wohl auch als der eifersüchtige Mörder seiner Geliebten gedacht werden.«

Die gegensätzlichen Auffassungen v. Ramdohrs und des Kritikers der ›Miscellaneen‹ machen deutlich, mit welchen Schwierigkeiten die Künstler der Zeit um 1800 bei der Wahl ihrer Darstellungen zu rechnen hatten. Es war nicht leicht, den hochgesteckten Zielen und Forderungen der gelehrten Kunsttheoretiker gerecht zu werden, besonders auch deshalb, weil diese nur selten in ihren Meinungen übereinstimmten. Dannecker konnte stolz sein, als Goethe 1797 anläßlich seines Besuches in Stuttgart über ihn schrieb: »Über einige Hauptpunkte habe ich mich mit Dannecker wirklich verständigt …«

*Unveröffentlicht. – Kat. Stuttgart 1925, 52 Nr. 580. – Schefold 1939, 42 E. P. 140. – Neue Miscellaneen artistischen Inhalts 1 (1795), 118. – Füßli 1813, 1476. – Memminger 1817, 222. – Nagler 1845, 159. – Wintterlin 1895, 79. – Zitat v. Ramdohr: vgl. Kat. Nr. 1095 (Titel), dort Band 2, 209f. – ›Paetus und Arria‹ aus der Sammlung Ludovisi: Haskell/Penny 1981, 282ff, Nr. 68. – Achill und Penthesilea: H. Sichtermann/G. Koch, Griechische Mythen auf römischen Sarkophagen, Tübingen 1975, Taf. 27 links. – Auch bei J.J. Winckelmann, Kunsttheoretische Schriften, 8: Monumenti antichi inediti, Nachdruck d. Ausg. Rom 1767, Baden-Baden 1967 (=Studien z. dt. Kunstgesch., 346), Abb. 139.*   U. H.

1036

1036*

## JAKOBS KAMPF MIT DEM ENGEL, RELIEF

Philipp Jakob Scheffauer (1756–1808)
Stuttgart, 1805

*Marmor*
*H. 57,5 cm, B. 34,5 cm*
*Bez. rechts unten: Scheffauer. f. 1805*

Stuttgart, Staatsgalerie, Inv.-Nr. P 764

Im Auftrag des Hofbankiers und Heereslieferanten Kaulla fertigte Scheffauer 1805 dieses Relief mit einer Szene aus dem Alten Testament an. Welcher Anlaß dem Auftrag zugrundelag, ist nicht bekannt. Er entsprach damit wahrscheinlich dem persönlichen Wunsch Kaullas, denn es ist keine weitere Beschäftigung Scheffauers mit Begebenheiten aus dem Alten Testament bekannt.

Dargestellt ist eine Szene aus der Episode Buch Genesis 32, 23–33, in deren Verlauf der Patriarch Jakob den Namen Israel (Gottesstreiter) erhält: »denn mit Gott und den Menschen hast du gestritten und hast gewonnen.« Das heroische Thema ist in der neuzeitlichen Kunst nur selten behandelt worden. Eine mögliche Anregung für Scheffauer war vielleicht ein Stich nach Rembrandts Gemälde (heute Berlin-Dahlem, Gemäldegalerie), dessen dramatischbewegte Figuren ähnlich gruppiert sind. Scheffauers Komposition der miteinander ringenden Gestalten bewahrt jedoch klassizistische Ruhe und Überschaubarkeit. Den

Patriarchen hat Scheffauer als bartlosen Jüngling in einer kurzen Tunika ebenso wie den Engel nach dem antikischen Schönheitsideal gebildet.

Danneckers Schüler Gottlieb Schick (1776–1812), der sich häufiger alttestamentarischen Themen zuwandte, äußerte sich über seine Beweggründe 1804: »Ich wähle gern bekannte Gegenstände, dazu noch solche, die ehrwürdig durch den Volksglauben sind – die man heilig nennt. Jeder erkennt sie auf den ersten Blick und überläßt sich ruhig dem Eindrucke, den das Bild auf ihn macht.«

*Haakh 1863, Verzeichnis der Kunstbeilagen (nach S. XXVIII), Taf. 5. – Wintterlin 1895, 80. – Kat. Stuttgart 1925, 52 Nr. 582. – v. Baudissin 1931, 248 Nr. 764. – Zum Hofbankier Kaulla: Sauer 1984, 356f. – Zitat Schick: Kat. Stuttgart 1976, 86 zu Nr. 41.* U. H.

1137

## ZIMMERMONUMENT ZUM ANDENKEN AN DEN REICHSGRAFEN JOHANN KARL VON ZEPPELIN (1767–1801)

1137.1*
Tischaufsatzschrank

Johannes Klinckerfuß (1770–1831) zugeschrieben
Stuttgart, 1801/1803

*Mahagoni, Eiche, Kiefer, vergoldetes Messing, Glas, Gouache und zwei Feder-/Pinselzeichnungen*
*H. 153 cm, B. 152 cm, T. 77,5 cm*
*Bez. auf der Vorderseite des Podestes für die Statuette:*
DE MON UNIQUE AMI VOILA CE QUI ME RESTE

1137.2*
Statuette der ›Trauernden Freundschaft‹

Philipp Jakob Scheffauer (1756–1808)
Stuttgart, 1801/1803

*Gips, dunkelbraun gefaßt*
*H. 79 cm, B. 56,5 cm, T. 28 cm*
*Bez. auf der Urne:* Bis zum Wiedersehen / jenseits / fliest um IHN / die Thräne *auf dem Urnensockel unter dem Bildnismedaillon* Ioh. Carl. v. Zeppelin R. Graf &&& / geb. d. 15. OCT. 1764 † d. 14. Iun. 1801

Aschhausen, Schloß

1137.1

1137.2

Der Tod des Reichsgrafen Johann Karl von Zeppelin im Juni 1801 bedeutete einen tiefen Einschnitt im Leben von Herzog Friedrich II. von Württemberg, dem späteren ersten König des Landes. Eine tiefempfundene Freundschaft hatte ihn mit dem Verstorbenen verbunden, der über lange Jahre hinweg sein engster Vertrauter gewesen war. Zeppelin hatte dem Fürsten in menschlicher Hinsicht nähergestanden als irgendjemand sonst. Zum Zeichen dieser Freundschaft ließ Friedrich »dem vorangegangenen Freund« nach Plänen von Nikolaus Thouret in Ludwigsburg einen pantheonähnlichen Grabtempel errichten. Im Innern sollte ein Monument aufgestellt werden, das die »Trauernde Freundschaft« darstellte. Der Herzog beauftragte seine Hofbildhauer Dannecker und Scheffauer, Modelle dafür anzufertigen.

Dannecker ging aus dem Wettstreit als Sieger hervor. Sein Entwurf wurde dem von Scheffauer vorgezogen: »Ausdruck der Figur ist schmerzliches Seufzen und Sehnsucht. … Ich glaubte, dem Feinfühligen mehr Nahrung zu geben, wenn er den Gedanken dabei haben kann, daß es Sehnsucht des Wiedersehens vorstellen soll. … Nun habe ich aber Einwendung von einigen bekommen, die mir sagen, es wäre ihnen lieber, wenn die Freundschaft in Schmerz auf den Sarg hingesunken wäre. Das ist zwar für den Freund der erste Ausbruch von Empfindung, aber von keiner Dauer, und ich denke, daß die Freundschaft keinen solchen starken Ausbruch der Empfindung dulden kann, ich stelle sie mir stiller und größer vor …«

Danneckers »Trauernde Freundschaft«, die wahrscheinlich ein älteres Figurenkonzept des Künstlers in leichter Abwandlung wiederholt, war 1805 in Marmor vollendet und kam zur Aufstellung in den Grabtempel nach Ludwigsburg. Über Danneckers Monument wurde an der Wand ein Bildnismedaillon des Reichsgrafen angebracht, das Scheffauer angefertigt hatte.

Scheffauers Modell der »Trauernden Freundschaft« hatte Herzog Friedrich jedoch keineswegs mißfallen. Der Bildhauer hatte versucht, »die seltene Freundschaft, womit einer der erhabensten Fürsten die erprobte Treue eines auserwählten Vertrauten auch nach dem Tode noch belohnte, bildlich auszudrücken. Er stellte … die Freundschaft selbst unter einer edlen weiblichen Figur vor, wie sie, in tiefen Schmerz versunken, nur den Verlust denkt, und die wenigen Reste des Geliebten in dem Aschenkrug mit ängstlicher Sorgfalt umfaßt.« Auch Scheffauer wiederholte in seiner Figur ältere Ideen in leicht modifizierter Form. Als prominentes Vorbild ist Canovas Statue der »Temperantia« vom Grabmal des Papstes Clemens XIV. Ganganelli in Rom anzusehen, die den Stuttgarter Bildhauer während seines dortigen Stipendiatenaufenthaltes tief beeindruckt hatte (vgl. Kat. Nr. 1093). Schon in den 1790er Jahren beschäftigte sich Scheffauer mehrmals mit der schmerzvoll gebeugten Frauenfigur, die er als »Trauernde Artemisia« mit der Urne ihres verstorbenen Gemahls in Form von Statuetten und eines Reliefs darstellte. Die Fürstin Artemisia aus Karien, eine Gestalt aus der Geschichte der Antike, hatte ihrem betrauerten Gemahl ein kolossales Grabmonument, das berühmte Mausoleum von Halikarnaß, errichten lassen. Sie galt als

Verkörperung vorbildlicher Treue und Gattenliebe. Für ein offizielles Freundschaftsmonument mußte das intime Motiv der Artemisia, das Scheffauer für seine Figur gewählt hatte, unangemessen erscheinen. Doch Herzog Friedrich ließ für seine Privaträume ein monumentales Möbel in zweifacher Ausführung herstellen, das zwei Gipsausformungen von Scheffauers Modell als Stellfläche diente. Der Ebenist Johannes Klinckerfuß fertigte diese ›Zimmermonumente‹ in Form von großen Tischaufsatzschränken an, in denen Erinnerungsstücke des verstorbenen Freudes aufbewahrt wurden.

Klinckerfuß verwendete einen Typus mit abgetreppter Decke, mittlerem Podest, kannelierten Beinen, Sockelplatte und triglyphenartig verzierter Zarge, wie ihn ähnlich schon sein Lehrer Roentgen in den 80er Jahren des 18. Jahrhunderts nach Petersburg geliefert hatte. Dieser benützte aber schlankere Beine und vergoldete Reliefplatten anstelle der eingelegten bildlichen Darstellungen.

Die romantische Darstellung (31x59,5 cm; nach Friedrich Webers Stich, möglicherweise von Ludwig Mäntler), die in die Front eingelassen ist, zeigt zwei Freunde, geleitet von einem Führer, bei einem Besuch des Ludwigsburger Zeppelin-Mausoleums in stimmungsvoll-mondheller Nacht. Ehrfurchtsvoll verharren sie vor dem Anblick des dramatisch beleuchteten Tempels der Freundschaft mit seiner elegischen Giebelinschrift. Zeppelins Mausoleum war 1801/02 im Auftrag Herzog Friedrichs II. nach Thourets Entwurf am Rande des Ludwigsburger Friedhofs erbaut worden. Der kleine Rundbau mit Kuppel und Porticus steht in der Tradition der Pantheon-Rezeptionen, die sich in der mitteleuropäischen Architektur seit etwa 1750 bereits auf die vielfältigste Weise manifestiert hatten, – gegen 1800 vor allem unter englischem Einfluß in der Gartenbaukunst. Die seitlichen Zeichnungen (31x37 cm) zeigen links das Innere des Mausoleums mit dem Kenotaph und der Statue der »Trauernden Freundschaft« von Dannecker, wirkungsvoll vom Mondlicht übergossen, das durch die Lukarne der Kuppel einfällt. Rechts erscheint Scheffauers nicht ausgeführter Grabmalentwurf vor einer imaginären Rundtempelarchitektur.

Die Beschläge des Möbels zeigen typische klassizistische Formen. Nicht figürliche oder pflanzliche Motive, sondern Kehlen, mit Messingblech ausgelegt, und exakt gebildete Triglyphen mit Tropfen, Rosetten und Perlleisten ergeben eine strenge, geometrische Wirkung vom Charakter eines architektonischen Monuments, noch hervorgehoben durch die einem sentimentalen Grabinschrift gleichkommenden Worte in vergoldeten Buchstaben: *DE MON UNIQUE AMI VOILA CE QUI ME RESTE* (Hier was mir blieb vom einzigen Freund).

Beide Ausführungen des für seine Zeit einzigartigen Denkmalmöbels bekrönt jeweils ein bronzeartig dunkelbraun gefaßter Abguß von Scheffauers Modell der »Trauernden Freundschaft«. Den Sockel für die Urne ziert beide Male das Bildnismedaillon des Verstorbenen, ebenfalls abgegossen nach dem Modell für das Marmorrelief, das im Ludwigsburger Mausoleum Verwendung fand. Die Zimmermonumente wurden in den Schlafgemächern des Herzogs in Stuttgart und Ludwigsburg aufgestellt, wo die

Gefühle des württembergischen Regenten allen Zwang der höfischen Etikette außer acht lassen durften und den inneren Impulsen des Menschen folgen konnten. Die Sehnsucht nach dem verlorenen Freund und die Hoffnung auf Vereinigung im Jenseits äußert besonders die Inschrift über dem Eingang zum Ludwigsburger Grabtempel: »Die der Tod getrennt, vereinigt das Grab«. Dieser Wunsch Friedrichs erfüllte sich nicht. Nach seinem Tod im Jahre 1816 wurde er – wie seine Vorgänger – in der Hofkapelle des Ludwigsburger Schlosses beigesetzt.

*v. Holst 1987, 58ff. – G. Himmelheber, Möbel als Denkmäler, in: Festschrift für Michael Meier, München 1985, 65ff, Abb. 24. – Danneckers Figur: v. Holst 1987, 259ff, Nr. 91. – Scheffauers Figur: a. O., 60f, Abb. 42f. – W. Weber, Schicksal eines Bildwerkes. Scheffauers ›Trauernde Freundschaft‹ für das Zeppelin-Grabmal in Ludwigsburg, in: Hie gut Württemberg 6 (1955), 47f. – Pfeiffer 1911, 140 ff. – Spemann 1909, 58. – Wintterlin 1895, 75f. – Haakh 1863, XIX. – Morgenblatt für gebildete Stände 1807, 807f (mit Umrißzeichnung: auf dem Urnensockel dort noch ein efeuumrankter Stab als Symbol für Dauer und Verläßlichkeit). – Zum Vorbild der Figur Danneckers vgl. die ›Poesie‹ von seinem »Lessing«-Monument: v. Holst 1987, 179ff, Nr. 41. – Vorbilder für Scheffauers Figur: »Temperantia« von Canova (Licht/ Finn 1983, 50ff, Abb. 1, 3); »Artemisia« (v. Holst 1987, 425ff F22). – Zum Vorbild des Möbeltypus von Roentgen: Greber, Roentgen II. Abb. 658f. – Zu den bildlichen Darstellungen: v. Holst 1987, 58 Abb. 40 (Mausoleum). – Gauss 1987, 122 zu Z 80 Anm. 1. – Eine weitere Zeichnung von Scheffauers Figur, vom Bildhauer signiert und »1802« datiert: Stuttgart, Archiv der Stadt Inv.-Nr. B 2930. – Zum Bildnismedaillon Zeppelins von Scheffauer: v. Holst 1987, 270 zu Nr. 93 Anm. 1, 58 Abb. 38 (erste Version von 1798) und 258f zu Nr. 91 Abb. 252 (Version Mausoleum Ludwigsburg). – Ein weiteres Exemplar befindet sich im Schloß Ludwigsburg: K. Merten, Schloß Ludwigsburg, München/Berlin 1984, 25. – Zum Gipsmodell und kleineren Versionen in Terrakotta: v. Holst 1987, 270 zu Nr. 93 Anm. 1. – Ein weiteres Terrakottamedaillon ist als Schillerbildnis der Jubiläumsausgabe seiner Gedichte von 1859 als Fotografie abgebildet (vgl. dazu Haakh 1863, XXII und Wintterlin 1895, 83f). – Die im Text verwendeten Zitate finden sich bei Spemann 1909, 59 und im Morgenblatt 1807 (s. o.). – Zur Aufstellung des Zimmermonumentes im Neuen Schloß zu Stuttgart: Mozin 1803, 43f. – Memminger 1817, 236f (dort wird Scheffauers Figur als »Weinender Genius« bezeichnet). – Christian Belschner, Reichsgraf Johann Carl von Zeppelin und sein Grabmal auf dem alten Friedhof in Ludwigsburg, in: Ludwigsburger Geschichtsblätter 1 (1900), 68ff.* U. H. / K. M. / W. W.

1138

1138*

## ENTWURF ZU EINEM MONUMENT FÜR SCHILLER

Johann Michael Knapp (1791–1861)
Stuttgart, 1813

*Federzeichnung, aquarelliert*
*H. 15,3 cm, B. 16,1 cm*
*Bez. rechts unten: M. Knapp f. 1813*

Stuttgart, Staatsgalerie, Graphische Sammlung, Inv.-Nr. 3537

*Gauss 1987, 138 Z 103 Anm. 2h. – Zum Stuttgarter Schillerdenkmal: S. Heinje, Zur Geschichte des Stuttgarter Schillerdenkmals von Bertel Thorvaldsen, in: Bertel Thorvaldsen. Untersuchungen zu seinem Werk und zur Kunst seiner Zeit, Köln 1977, 399ff.*

1139

## GRABMONUMENTE FÜR DEN ERBPRINZEN KARL LUDWIG VON BADEN (1755–1801)

Philipp Jakob Scheffauer (1756–1808)

1139.1*
Der Neue Teutsche Merkur. 12. Stück. December 1803

*aufgeschlagen: Frontispiz*
*Bez.:* Denkmal auf seine Durchl. den / Herrn Erbprinzen von Baden. / Von Scheffauer.

Stuttgart, Württembergisches Landesbibliothek, Miscell. oct. 1874

1139.2
Statuette der »Ehelichen Liebe«
(Fotografie nach dem Original)

Philipp Jakob Scheffauer
Stuttgart, 1802/03

*Terrakotta*
*H. 50 cm*
*Bez. auf dem Armband:* Amalie

Frankfurt a. M., Liebieghaus, Inv.-Nr. I. N. 713

Im Dezember 1802 berichtete ein Stuttgarter Korrespondent im »Neuen Teutschen Merkur«: »Unsere Künstler sind alle vollauf beschäftigt. Scheffauer hat auf vier Jahre Arbeit beim Markgrafen von Baden, Dannecker arbeitet an den Grabmälern der Grafen von Zepplin (vgl. Kat. Nr. 1137) und Lavaters. ...« Diese hoffnungsfrohe Botschaft beleuchtet die Lage der Kunst in Baden und Württemberg in den schwierigen Jahren um 1800 allerdings nur von einer Seite. Im folgenden Jahr schrieb Daniel Joseph Mozin über ein Denkmal auf die Genesung von Herzog Friedrich Eugen, zu dem Scheffauer 1795 vier Reliefs angefertigt hatte, es befinde sich in einem beklagenswerten Zustand, »der nur wenig von der Herrschaft der Künste zeugt; aber dies liegt zweifellos weniger an einem Desinteresse als an den Umständen der Zeit.«
Scheffauers Lage hatte sich jedoch seit der Übernahme der Regierung durch Herzog Friedrich Eugen langsam verbessert. Die Herzogin Dorothee Sophie nahm sich des Künstlers in wohltuender Weise an. Später war es vor allem Herzog Friedrich, dem die Arbeiten Scheffauers gefielen. Doch noch im Jahre 1806 schrieb Scheffauer an seinen Freund Oberthür nach Würzburg: »Bestellungen hab ich vor jezo wenige, wenn es aber wie man hofft allgemeiner Friede wird, so glaube ich wird es an Arbeiten nicht fehlen.«
Zurück zu der eingangs zitierten Nachricht. Durch die Vermittlung seines Freundes, Expeditionsrat Knapp, und dessen Verwandter, der Hofmeisterin von Moser in Karlsruhe, hatte Scheffauer vom Badischen Hof den Auftrag erhalten, Bildnisse der markgräflichen Familie anzufertigen (vgl. Kat.Nrn. 287, 288). Glücklich berichtete der

1139.1

Künstler 1804: »Meine letzte Arbeiten, die Busten des Königs von Schweden, seiner Gemahlin und die der Churf: von Bayern u:s:w: habe ich vorige Woche samtlichen Herrschaften in Karlsruhe aufgestellt, sie sind zu meinem großen Vergnügen mit ungetheiltem Beyfall aufgenommen worden. Der König hat mir ein Geschenk von 150 Dukaten gemacht...« Schon zwei Jahre zuvor war er von der Erbprinzessin Amalie Friedrike mit einem Grabmonument für ihren 1801 in Schweden tödlich verunglückten Gemahl, den Erbprinzen Karl Ludwig, beauftragt worden. Darüber schrieb der Korrespondent des »Neuen Teutschen Merkur« im April 1803:
»Dieses Grabmal wurde von der Gemahlin des zu früh verstorbenen Prinzen bei dem Künstler bestellt, und soll in ihrem Garten in einer gothischen Kapelle aufgestellt werden. Da es mit Glück und mit Kunstsinn erfunden, und mit Empfindung und Feuer ausgeführt ist; so folgt hier eine kurze Beschreibung.
Hinter einem Sockel hebt sich ein Piedestal, worauf ein einfaches Cinerarium (=Aschenurne, Anm. d. Verf.) im antiken Geschmacke ruht. Vorn in einer Füllung desselben zeigt sich das sehr ähnliche Bildniß des Verstorbenen en

Médaillon; auf den Seiten zwei trauernde Genien. Der Deckel des Aschenbehälters ist mit Wappen, Trauer-Masquen, und anderen Symbolen von Schlaf und Tod verziert. Im Piedestal steht die Aufschrift. Fußgestell und Cinerar sind durch ein geschmackvolles Gesimse verbunden. Die Höhe des ganzen Grabmals beträgt 10 Schuh. Unten auf dem Sockel sitzt eine edle weibliche Figur, die eheliche Liebe vorstellend – : das Haupt voll Schmerz und Sehnsucht aufwärts gekehrt; die Haare loshangend auf die Schultern; die Arme kraftlos herabgesenkt auf die Knie, die Hände gefaltet. ... Der Künstler dachte sich unter der Figur die Gattin des edlen Todten, wie sie einsam, und nur von ihrem Schmerz begleitet, sein Grab besucht. Erst stand sie lautweinend vor dem Male; dann setzte sie sich, vom Kummer ermattet, zu dessen Fuß nieder. – Diesen Moment haschte der Künstler; und, wie uns dünkt, ist er der natürlichste, für eine weibliche Figur der passendste, und ganz geeignet, um Mitleid und tiefe Rührung hervorzubringen. ...«

1803/1804 war das Monument vollendet, nicht sicher, ob in Marmor oder Gips. Es wurde im Englischen Garten der Erbprinzessin in der Kapelle des »Gothischen Thurms«, errichtet nach Plänen Weinbrenners (vgl. Kat. Nr. 1026), aufgestellt. Weinbrenners Bau wurde schon um 1870 abgerissen. Scheffauers Monument für den Erbprinzen Karl Ludwig ging im letzten Weltkrieg verloren und ist wahrscheinlich zerstört. In der bisher nicht identifizierten Terrakottafigur aus dem Frankfurter Liebieghaus hat sich die Figur der »Ehelichen Liebe« erhalten. Es ist nicht sicher, ob es sich bei dieser Figur um einen Teil des ursprünglichen Modells handelt, das Scheffauer im November 1803 dem Karlsruher Hof vorstellte. In den Jahren 1805/06 arbeitete Scheffauer an einer Ausformung – wahrscheinlich dieses Modells – in Terrakotta, das er seinem Gönner Oberthür nach Würzburg sandte. Aus den Briefen des Künstlers geht hervor, daß zur Figur der Trauernden noch das Piedestal mit dem Cinerarium gestellt werden sollte, das heute verloren ist (sichtbar auf der Abbildung des ›Neuen Teutschen Merkur‹).

Für die Figur der »Ehelichen Liebe« konnte Scheffauer auf die Erfahrung zurückgreifen, die er beim Wettstreit mit Dannecker um das bessere Modell für die Figur der »Trauernden Freundschaft« gemacht hatte. Die »Eheliche Liebe« erscheint mit Diadem, langem Schleier und hochgegürtetem griechischem Gewand in der gleichen Aufmachung wie seine frühere Figur für das Zeppelin-Monument (Kat. Nr. 1137). Im Ausdruck erinnert sie dagegen eher an die Figur, mit der Dannecker bei besagtem Wettbewerb das Rennen gemacht hatte. Wie sein erfolgreicher Kollege wählte Scheffauer diesmal nicht den ersten, nicht dauerhaften »Ausbruch von Empfindung«, sondern verlieh seiner »Ehelichen Liebe« durch den erhobenen Kopf und die gefalteten Hände den Ausdruck »inniger Wehmuth und Sehnsucht nach Wiedersehen«, mit dem Danneckers Figur so gut aufgenommen worden war. Die Grabinschrift bestätigt diese hoffnungsvolle Gestimmtheit: »Dem Vielgeliebten schmerzvollen/unvergänglichen Andenken/ und der süßesten aller Hoffnungen/der, des Wiedersehens.«

Es war übrigens nicht das einzige Mal, das Scheffauer eine Figur schuf, die in einem Gebäude von »gothischem Styl« ihre Aufstellung fand: für Thourets Inselkapelle von Schloß Monrepos bei Ludwigsburg fertigte er eine »Mater Dolorosa« oder »Magdalena« an, die jedoch auch ein Opfer des Zweiten Weltkriegs wurde.

*Terrakottafigur in Frankfurt: Beck 1985, 104f, Abb. 69, Farbtaf. VIII. – Zum Monument für den Erbprinzen Karl Ludwig vgl. die Korrespondentenberichte: Der Neue Teutsche Merkur 1803. 4, 290ff. – 1803.12, 663ff. – 1804.1, 63. – Nouvelles des Arts 1803.3, 58. – Taschenbuch auf das Jahr 1804 für edle Weiber und Mädchen (mir nicht zugänglich). – Füßli 1813, 1477. – Hartleben 1815, 115ff (mit Beschreibung des Gartens). – J. P. Mayer, 32 Ansichten mit dem Panorama und dem Plan von Carlsruhe (Nachdruck Karlsruhe 1965), Nr. 5. – Wintterlin 1895, 81f (zu seiner Zeit war das Monument »in einem Schloßgebäude des großherzoglichen Fasanengartens« aufgestellt). – Lankheit 1979, 66f, Abb. 53 (Frontispiz Neuer Teutscher Merkur), 54 (Entwurf zur Kapelle am Gothischen Thurm). – Zitate zur Kunstsituation in Stuttgart: Der Neue Teutsche Merkur 1802.12, 313. – D. J. Mozin, Les charmes du Wurttemberg et de plusieurs belles contrées de la Suabe et de la Suisse, Stuttgart 1803, 38 (zum Denkmal Friedrich Eugens). – Scheffauers Vermittlung nach Karlsruhe: Kerler 1905, 98. – Briefe Scheffauers an Oberthür: Spemann 1909, Anhang 157f, Nr. 257 (12. 8. 1806), 156 Nr. 254 (29. 2. 1804). – Terrakottaausformung des Erbprinzen-Monumentes für Oberthür: a. O., Nr. 256f. – Scheffauers Figur für die Inselkapelle Monrepos: Faerber 1949, Taf. 18 unten. – Wintterlin 1895, 74.*                    U. H.

1140

1140*

## Der Genius des Todes, Grabrelief

Philipp Jakob Scheffauer (1756–1808)
Stuttgart, 1805

*Marmor*
*H. 87 cm, B. 46 cm*
*Bez. auf der Standleiste:* Scheffauer f. 1805

Stuttgart, Staatsgalerie, Inv.-Nr. P 762

»Wenn unsere Alltagsdichter immer und immer vom Todeskampf, vom Brechen der Augen, vom Röcheln, Starren, Entsetzen und Erbeben als vom Tode singen: so ist dies Mißbrauch der Sprache: denn nicht Tod ist dies, sondern Krankheit ... Kein Schreckensgespenst ... ist unser letzter Freund; sondern ein Endiger des Lebens der schöne Jüngling, der die Fackel auslöscht und dem wogenden Meer Ruhe gebietet ...«. In seiner 1769 erschienenen Streitschrift »Wie die Alten den Tod gebildet« stellte Gotthold Ephraim Lessing (1729–1781) den seit dem Mittelalter gebräuchlichen Bildformeln für den Tod die antike, auf die homerischen Epen zurückgehende Auffassung des Todes als »Zwillingsbruder des Schlafes« entgegen. Wenigstens in der Kunst sollten Angst und Schrecken durch das Schöne überwunden sein. Zum Inbegriff dieser ästhetisierenden Auffassung vom Tod wurde seit Lessing die antike Figur eines geflügelten Knaben, der sich auf eine umgekehrte, verlöschende Fackel stützt.
Der klassizistische Genius ist schön und milde: »Welcher Künstler sollte nicht lieber einen Engel als ein Gerippe bilden wollen?« hatte Lessing gefragt.
Auch Scheffauer wählte häufiger den Genius mit der umgekehrten Fackel als Motiv für elegische Grabmonumente. Ein Beispiel ist das 1805 vollendete Grabrelief für eine Stuttgarter Beamtenfamilie. Ähnliche, Schlaf und Tod symbolisierende Genien verwendete er für das Grabdenkmal des Erbprinzen Karl Ludwig von Baden (vgl. Kat. Nr. 1139).

*Kat. Stuttgart, 1925, 52 Nr. 583 (m. Abb.). – v. Baudissin 1931, 248 Nr. 762. – Kat. Bregenz 1968/69, 131 Nr. 418, Abb. 367. – Hartmann 1969, 30, 26 Abb. 28. – Gerlach 1973, 58, 147 Anm. 237. – Zitate Lessing: nach Hartmann 1969, 21, 23.*    U. H.

1141

### ENTWURF ZU EINEM GRABDENKMAL FÜR ERZHERZOGIN ELISABETH VON ÖSTERREICH

Johann Heinrich Dannecker (1758–1841)
Stuttgart, 1792

*Terrakotta, bronziert*
*H. 21,5 cm, B. 26,7 cm, T. 12,8 cm*
*Bez. auf der Rückseite des Ruhebettes:* Dannecker 1792

Stuttgart, Staatsgalerie, Inv.-Nr. P 527

*v. Holst 1987, 184ff Nr. 44a. – Vgl. Canovas 1793*
*vollendete Marmorgruppe »Amor und Psyche«, die schon*
*1787 während Danneckers Romaufenthalt konzipiert*
*wurde: Licht/Finn 1983, 164ff Abb. 151f.*

1142*

### STATUETTE DER TRAUERNDEN CERES

Johann Heinrich Dannecker (1758–1841)
Stuttgart, um 1801

*Gips, terrakottafarben gefaßt*
*H. 23,5 cm, B. 20,6 cm, T. 12,5 cm*

Stuttgart, Württembergisches Landesmuseum,
Inv.-Nr. E 1480

*v. Holst 1987, 257f Nr. 90b. – Zum lebensgroßen Modell:*
*a.O. 392ff Nr. 151 (Marmorstatue für das Grabmal des*
*Prinzen Georg von Holstein-Oldenburg). – Gauss 1987,*
*174ff Z 149–156 (Entwurfszeichnung).*

1143

### STATUETTE DER VICTORIA

Johann Heinrich Dannecker (1758–1808)
Stuttgart, 1799

*Gips, bronzefarben gefaßt, Holzsockel*
*H. 54 cm*

Stuttgart, Staatsgalerie, Inv.-Nr. P 553

*v. Holst 1987, 253f Nr. 85.*

1144*

### STATUETTE EINES GEFALLENEN KRIEGERS

Johann Heinrich Dannecker (1758–1808)
Stuttgart, um 1800

*Terrakotta*
*H. 18,5 cm, B. 35,5 cm, T. 10,5 cm*

Stuttgart, Staatsgalerie, Inv.-Nr. P 508

*v. Holst 1987, 255 Nr. 87.*

1142

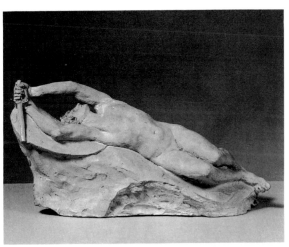

1144

## Ziervasen im Stil der Antike von Antonio Isopi (1758?–1833) und seinem Umkreis

Über Leben und Werk des Bildhauers Antonio Isopi, den Herzog Karl Eugen 1793 aus Rom nach Stuttgart berief, ist uns heute nur wenig bekannt. Allein durch die württembergischen Wappentiere Löwe und Hirsch, die nach seinen Modellen in Wasseralfingen gegossen wurden und den Eingang zum Hof des Stuttgarter Neuen Schlosses flankieren, ist uns sein Werk gegenwärtig. Tierfiguren zählten neben dekorativen Vasen und Ornamenten zur Spezialität seines künstlerischen Schaffens.

Goethe wurde während seines Aufenthaltes in Stuttgart 1797 auf das Geschick des Italieners aufmerksam: »...niemand kann sich ohne Anschauung einen Begriff von dieser Vollkommenheit der Arbeit machen.« Er schätzte Isopis Fähigkeiten so sehr, daß er den Künstler für einige Zeit zur Dekoration des Schlosses nach Weimar vermittelte.

Neben seinen Marmor- und Stuckarbeiten lieferte Isopi auch Modelle für keramisches und toreutisches Kunst-handwerk (vgl. Kat.Nr. 1205). Von 1810 bis 1817 leitete er das der Ludwigsburger Porzellanmanufaktur angegliederte Künstlerinstitut.

Für den Stuttgarter Hof fertigte Isopi eine größere Anzahl von Ziergefäßen im antiken Stil an, die wahrscheinlich häufig auf Vorlagen aus G.B. Piranesis »Vasi, candelabri, cippi, sarcofagi, tripodi ed ornamenti antichi« von 1778 zurückgehen. Die darin enthaltenen Stiche beeinflußten die kunsthandwerkliche Produktion des Klassizismus in ganz Europa noch bis etwa 1850.

*Zu Isopi und seiner Anstellung in Stuttgart vgl. v.Holst 1987, 449ff, D 31f, D 34–36. – Thieme-Becker 19 (1926), 245. – W. Seytter, Unser Stuttgart (Stuttgart o.J.), 590f. – Wintterlin 1895, 70 Anm. 1. – Ernennung zum Hofbild-hauer: HStA A 21 Bü. 812 (Dekret vom 11. Januar 1794). – Zur Anfertigung von Vasen mit Darstellungen nach Fabeln von Aesop: HStA A 12 Bü. 67 (Brief Isopis an Herzog Friedrich vom 5. Juni 1798). – Zur Fertigstellung der Vase mit Katze und Affe (v.Holst 1987, 452f zu D 36 Abb. 411–413): HStA A 16 Bü. 32 (Brief Isopis an Kurfürst Friedrich vom 22. Oktober 1804). – Zitat: Goethe in Schwaben, hg. P. Herwig (Göppingen o.J.), 22.*    U.H.

1145

**1145\***

## ZIERVASE MIT BACCHISCHEN MASKEN

Antonio Isopi (1758?–1833) ?
Stuttgart, um 1800 (?)

*Marmor*
*H. 51 cm*

Schloßverwaltung Ludwigsburg, Außenstelle des Staatl.
Liegenschaftsamtes Stuttgart, Schloß Ludwigsburg,
Inv.-Nr. KRGT. 4210

Zu den berühmtesten antiken Prunkgefäßen zählte um
1800 die 1771 von Gavin Hamilton entdeckte »Warwick-
Vase«, die G. B. Piranesi ergänzt hatte. Sie diente Isopi u. a.
auch für seine Gefäße mit Darstellungen nach Fabeln des
Aesop als Grundmodell. Das ausgestellte Stück mit acht
Masken von Silenen, Satyrn und Pan – Gestalten aus dem
Umkreis des weinseligen Gottes Bacchus – ist durch Form
und Dekor als einfachere Version des bekannten antiken
Vorbildes anzusehen, wie es ähnlich von der Berliner
Werkstatt Wagner und Sohn um 1843/44 in Silber ausge-
führt wurde.

*Unveröffentlicht. – Vgl. zum Vorbild und der einfacheren*
*Version: Kaiserliches Gold und Silber. Schätze der Hohen-*
*zollern aus dem Schloß Huis Doorn (Ausstellung Hanau*
*1985/86), 89ff Nr. 67f. – Kat. Berlin 1979, 246ff Nr. 469.*
U.H.

**1146\***

## ZIERVASE MIT LÄNDLICHEN SZENEN

Antonio Isopi (1758?–1833)
Stuttgart, um 1800

*Alabaster*
*H. 40 cm*

Schloßverwaltung Ludwigsburg, Außenstelle des Staatl.
Liegenschaftsamtes Stuttgart, Schloß Ludwigsburg,
Inv.-Nr. KRGT. 1125

Der fein ausgeführte Fries dieser Ziervase in Form eines
antiken Kelchkraters mit reichem Akanthusdekor (Fuß,
unterer Teil des Gefäßkörpers mit Henkeln) stellt idylli-
sche Naturszenen mit harmonisch gruppierten Tauben-
und Hühnerfamilien dar, die ähnlich auf antiken Reliefs
vorkommen.

*Unveröffentlicht.* U.H.

1146

**1147**

## ZIERVASE MIT DARSTELLUNG EINES BACCHANALS

Kopie nach dem antiken Original aus der Villa Borghese
in Rom

unbekannter Künstler aus dem Umkreis von Antonio
Isopi (1758?–1836), vielleicht Friedrich Distelbarth
(1768–1836)
Stuttgart, um 1810/1820 (?)

*Alabaster*
*H. 39,5 cm*

Schloßverwaltung Ludwigsburg, Außenstelle des Staatl.
Liegenschaftsamtes Stuttgart, Schloß Ludwigsburg,
Inv.-Nr. NN 9

**1148**

## ZIERVASE MIT DARSTELLUNG DER OPFERUNG IPHIGENIES

Kopie nach dem antiken Original aus der Sammlung
Medici in Florenz

unbekannter Künstler aus dem Umkreis von Antonio
Isopi (1758?–1836), vielleicht Friedrich Distelbarth
(1768–1836)
Stuttgart, um 1810/1820 (?)

*Alabaster*
*H. 39,5 cm*

Schloßverwaltung Ludwigsburg, Außenstelle des Staatl. Liegenschaftsamtes Stuttgart, Schloß Ludwigsburg, Inv.-Nr. NN 10

Seit der Renaissance galten zwei kolossale antike Marmorkratere aus dem Besitz der Familien Borghese und Medici in Rom und Florenz als unerreichte Meisterwerke der Dekorationskunst. Schon Ludwig XIV. ließ beide Prunkgefäße für den Schloßpark von Versailles kopieren. Die beiden ausgestellten Alabastergefäße sind ebenfalls Kopien nach den berühmten Vorbildern in Rom und Florenz, allerdings in verkleinertem Maßstab. Zum Zweck einer paarweisen Aufstellung wurde für beide Kopien die Form des reicher dekorierten Medici-Kraters übernommen. Möglicherweise sind die Reliefs Arbeiten des Dannecker-Schülers Distelbarth, von dem auch eine kolossale Ziervase aus Sandstein mit einem Figurenfries nach Thorvaldsen bekannt ist.

*Beide Gefäße bisher unveröffentlicht. – Zu den Vorbildern: Haskell/Penny 1981, 315f Nr. 81 (Krater Borghese), Nr. 82 (Krater Medici). – Zu den Kopien in Versailles: Souchal 1981, 151 Nr. 1 (von Simon Hurtrelle), 114 Nr. 12 (von Jean Cornu). Vgl. auch Kat. Berlin 1979, 226ff Nr. 410f (Kopien in Berliner Eisenguß).*    U. H.

1149

## Ziervase mit Greifen

Antonio Isopi (1758?–1836)
Stuttgart, um 1800/1836

*Marmor*
*H. 48 cm*

Schloßverwaltung Ludwigsburg, Außenstelle des Staatl. Liegenschaftsamtes Stuttgart, Schloß Ludwigsburg
Inv.-Nr. KRGT. 2995

Die Form dieses Ziergefäßes imitiert antike römische Urnen. Auf beiden Seiten sind Greifen in heraldischer Verdoppelung dargestellt, die jeweils einen Kandelaber flankieren.

*Unveröffentlicht.*    U. H.

# Ein bürgerlicher Künstler aus Dunningen bei Rottweil:

## Der Bildhauer Landolin Ohmacht (1760–1834)

Landolin Ohmacht wurde 1760 in Dunningen im Gebiet der Freien Reichsstadt Rottweil geboren. Schon früh zeigte sich seine Begabung zu plastischem Gestalten. Nach mehrjähriger Ausbildung in Werkstätten unbekannter Meister in Triberg und Freiburg ermöglichte ihm der Rottweiler Magistrat die Fortsetzung seiner erfolgversprechenden Studien bei dem angesehenen Mannheimer Hofbildhauer Johann Peter Melchior (1742–1825), der als Modellmeister bei der Frankenthaler Prozellanmanufaktur beschäftigt war (Kat. Nr. 1151). Während dieser Zeit erhielt Ohmacht durch Vermittlung seines Rottweiler Gönners, Obervogt Johann Anton Gaßner, seinen ersten Auftrag. Für die Heiligkreuzkirche der Freien Reichsstadt schuf er vier Holzreliefs mit Szenen aus dem Alten Testament und Bildnissen von Petrus und Christus (Kat. Nr. 1152).
Bis 1787 blieb Ohmacht bei seinem Lehrer Melchior, mit dem ihn eine tiefempfundene Freundschaft verband. In den folgenden Jahren unternahm der junge Künstler Reisen nach Basel (Kat. Nr. 1153) und Zürich. Der berühmte Prediger und Schriftsteller Johann Caspar Lavater war von der Persönlichkeit und den Arbeiten Ohmachts so angetan, daß er ihm eine Sammlung von Sinnsprüchen widmete.
Schon 1789 war der junge Bildhauer in der Lage, auf eigene Kosten eine längere Studienreise nach Italien zu unternehmen. Fast zwei Jahre lang hielt er sich vor allem in Rom auf, wo er zeitweise auch im Atelier des gefeierten Antonio Canova arbeitete (Kat. Nr. 1093). Nach seiner Rückkehr arbeitete er während der 1790er Jahre hauptsächlich für bürgerliche Auftraggeber in Frankfurt und Hamburg (Kat. Nr. 1161). Sein Können zeigte er besonders im Bereich der Bildnisplastik. Kleinformatige Büsten und Reliefmedaillons, häufig aus marmorähnlichem Alabaster, verbreiteten seinen guten Ruf in ganz Deutschland. Zu seinen bekanntesten Porträts zählt die Büste der Susette Gontard aus Frankfurt (Kat. Nr. 1154).
Gefragt waren auch seine ebenfalls meist kleinformatigen Kopien nach berühmten Meisterwerken der Antike (Kat. Nrn. 1156–1158). Solche Stücke verkörperten als qualitätsvoller Zimmerschmuck das klassische Bildungsideal im Sinne der Schriften Winckelmanns und seiner Nachfolger. Daneben setzte sich Ohmacht auch mit religiösen Themen auseinander (Kat. Nr. 1160), zu denen der Künstler aus dem katholischen Dunningen ein offenbar ungebrochenes Verhältnis auch in einer Zeit bewahrt hatte, da die Theorien und Anschauungen des »heidnisch«-antik orientierten Klassizismus das Feld beherrschten.
Die zahlreichen Auftragsarbeiten verhalfen Ohmacht schon früh zu einem solchen Wohlstand, daß er seiner

von französischen Revolutionstruppen bedrängten Heimatstadt Rottweil ein großzügiges Darlehen gewähren konnte. Die Summe entsprach etwa dem Sechsfachen vom Jahresgehalt eines Stuttgarter Hofbildhauers. Landolin Ohmacht zog es vor, als ein »freier« Bürger unter Bürgern seiner Arbeit nachzugehen. Verschiedene Male lehnte er höfische Stellenangebote ab. Eine Büste Napoleons, die er während dessen Aufenthalt beim Rastatter Kongreß modellieren sollte, kam nicht zur Ausführung, da der rastlose General schon abgereist war, als der Bildhauer eintraf.

Durch Vermittlung Friedrich Weinbrenners wurde Ohmacht 1801 nach Straßburg berufen, wo er die Reliefs für das Denkmal des Generals Desaix nach Plänen des Karlsruher Architekten anfertigte. 1803 ließ er sich dort nieder und verbrachte die restlichen Jahre seines Lebens als ein hoch angesehener Künstler. Heute zählt er zu den Vergessenen.

*Zu Landolin Ohmacht: Rohr 1911. – Sporhan 1986. – Thieme-Becker 25(1931), 583 f. – Die Scheibweise seines Namens ist umstritten: im Taufbuch ist er als ›Landelin Ohnmacht‹ verzeichnet, und so schreiben auch die Nachfahren des Künstlers ihren Namen; da der Künstler seine Werke mit ›Ohmacht‹ signiert hat, und unter diesem Namen bekannt ist, wird die gängige Schreibweise hier beibehalten. – Zum Desaix-Denkmal: Lankheit 1979, 36ff, Abb. 26 ff.*    U. H.

1150

1150*

### BILDNIS DES BILDHAUERS LANDOLIN OHMACHT (1760–1834)

Unbekannter Maler
um 1795

*Öl auf Leinwand*
*Dm 45 cm*
*Alte Aufschrift auf der Rückseite* Landolin Ohmacht
1760–1834

Rottweil, Archiv der Stadt

Das Bildnisgemälde von unbekannter Hand stellt den Künstler aus Dunningen bei Rottweil im Alter von etwa 35–40 Jahren dar. In dieser Zeit hielt sich Landolin Ohmacht für längere Zeit in seiner Heimat auf. Er half der Landschaftskasse der Freien Reichsstadt Rottweil, deren Magistrat seine Ausbildung so großzügig gefördert hatte, aus finanziellen Nöten, in die sie durch Kontributionszahlungen an den General der eingefallenen Revolutionstruppen geraten war. Daraufhin wurde Ohmacht das Ehrenbürgerrechts der Stadt verliehen. 1797 heiratete der Künstler in Rottweil Sophie Gaßner, die Enkelin seines alten Gönners Johann Anton Gaßner, Obervogt der Freien Reichsstadt.

Das Bildnis zeigt Landolin Ohmacht als einen selbstbewußten Mann in schlichter, dabei sehr würdevoller Aufmachung. Ganz ähnlich hat ungefähr zur gleichen Zeit Gottlieb Schick seinen Lehrer Dannecker dargestellt.

*Unveröffentlicht (den Hinweis verdanke ich Dr. Heribert Meurer). – Bildnis Danneckers von Schick: Kat. Stuttgart 1976, 54 Nr. 6.*    U. H.

1151

## 1151*

### RELIEFMEDAILLON MIT BILDNIS DES BILDHAUERS JOHANN PETER MELCHIOR (1742–1825)

Landolin Ohmacht (1750–1841)
Frankenthal, 1787

*Alabaster, geschnitzter vergoldeter Holzrahmen*
*H. 20 cm, B. 13 cm*
*Bez. auf der Rückseite:* Joh: Pet: Melchior / von Lindorff / aus dem Herzogthum Berg / Kur Pfälzischer Hof Bildhauer / nach dem Leben gearbeitet / von desselben Freund und / Schüler Onmacht / im iuly 1787.

Frankfurt, Historisches Museum, Inv.-Nr. X 20.166

Das Schaffen Landolin Ohmachts war entscheidend geprägt von seinem Frankenthaler Lehrmeister, dem Mannheimer Hofbildhauer Johann Peter Melchior. Ohmacht hat nie – wie beispielsweise seine Stuttgarter Kollegen Dannecker und Scheffauer – akademischen Unterricht erhalten. Er lernte unter verschiedenen Meistern aus der Werkstatttradition.
Melchior war ein Künstler, dessen Schaffen in der Zeit, als Ohmacht bei ihm lernte, klassizistischen Idealen nachstrebte. In seinen Schriften zeigt er sich als ein empfindsa-

mer Verfechter des Schönen und Erhabenen. Seine Porträtanschauung war stark von den moralischen Maximen der »Physiognomischen Fragmente« des Zürcher Predigers und Schriftstellers Johann Caspar Lavater beeinflußt (vgl. Kat. Nr. 1112).
Dieser Tradition folgt auch Ohmacht in seinem Bildnis des verehrten Lehrmeisters. Es entstand wohl kurz vor der Abreise des jungen Bildhauers in die Schweiz. Das kunstvolle Schnitzwerk, noch ganz in barocker Manier, stammt wahrscheinlich ebenfalls von Ohmacht und stellt eine Allegorie auf den gelehrten Bildhauer Melchior dar.

*Rohr 1911, 41f, Taf. 2. – Simon 1910, 14 Abb. 1. – Hofmann 1921, 176, Abb. 7.*                    U. H.

## 1152*

### RELIEFMEDAILLON MIT CHRISTUSBILDNIS

Landolin Ohmacht (1760–1834)
Rottweil, 1780

*Holz, vergoldet, mit späterer Übermalung*
*H. 60 cm, B. 50 cm*

Dunningen, Kath. Pfarramt St. Martin

Noch während seiner Studienzeit beim Modellmeister der Frankenthaler Porzellanmanufaktur Johann Peter Melchior erhielt Landolin Ohmacht anläßlich seines Aufenthaltes in Rottweil seinen ersten offiziellen Auftrag. Für die Heiligkreuzkirche sollte er vier Holzreliefs anfertigen. Das Medaillon mit dem Christusbildnis ist eines dieser frühen, noch ganz der spätbarocken Tradition verpflichteten Werke des Melchior-Schülers.
In seinem »Versuch über das sichtbare Erhabene in der bildenden Kunst« schrieb Ohmachts Lehrer Melchior ungefähr zur gleichen Zeit: »Die Kunst hat es in ihrer Gewalt, Empfindungen der Andacht und heiliger Liebe, der Ergebung und Unterwerfung in Gottes Willen, der Geduld im Leiden, der Sanftmuth und Vergebung, der Milde und des Mitleids, der Treue und Freundschaft und Hülfleistung, der Standhaftigkeit, des Muthes und anderer Tugenden einzuflößen und zu ernähren und bis zur thätigen Wirksamkeit anzufeuren.«
Ohmachts Christusdarstellung im Profil erinnert stark an Kupferstiche aus Lavaters »Physiognomischen Fragmenten« (vgl. Kat. Nr. 1112). Der Zürcher Prediger und Schriftsteller forderte von den Künstlern die Auseinandersetzung mit dem höchsten Ideal des »vollkommensten Menschen oder Jesu Christi«.

*Rohr 1911, 65f, Taf. 8. – Melchiors »Versuch« abgedruckt bei: Hofmann 1921, 65ff (Zitat: a.O., 96). – Lavater zu Christusdarstellungen: »Physiognomische Fragmente« (vgl. Kat. Nr. 1112), Band 4, 433ff. – Zur Problematik religiöser Kunst im ausgehenden 18. Jahrhundert: Beenken 1944, 439ff. – Vgl. auch Danneckers ›Christus‹: v. Holst 1987, 364ff Nr. 141.*                    U. H.

1152

1153

1153*

## BÜSTE DER SALOME OCHS-VISCHER
(1760–1804)

Landolin Ohmacht (1760–1834)
Basel, 1787/1788 (?)

*Marmor, Marmorsockel*
*H. ohne Sockel 12,5 cm, Sockel: H. 11,5 cm*

Basel, Historisches Museum, Inv.-Nr. 1974.162

Zahlreiche Auftragsarbeiten von seiten wohlhabender, gebildeter Bürgerfamilien ermöglichten dem jungen Landolin Ohmacht schon früh ein von Bindungen an höfische Gönner freies Leben. 1787 verließ der Künstler die Werkstatt seines Lehrmeisters Melchior und begab sich auf Reisen nach Frankfurt, Basel und Zürich, die er aus eigener Tasche finanzieren konnte. Die kleine Marmorbüste der Salome Ochs-Vischer aus Basel, Frau des Ratsschreibers Peter Ochs, den Ohmacht ebenfalls porträtierte, entstand wahrscheinlich während seines dortigen Aufenthaltes Ende der 1780er Jahre, noch bevor er Italien bereiste.

Die Hochschätzung Ohmachts wird deutlich aus der Widmung, die der berühmte Lavater einer Sammlung von Sinnsprüchen für den Künstler voranstellte:
»Nimm, Geweihter vom Geist, der bildet bildende Künstler!
Nimm, feinfühlender Künstler, voll Geistessanftmut und Stärke!
Dieses Zeichen der Lieb und des zweifelfreien Vertrauens
An mit deinem Blick, in dem von der ewigen Welt was
Milde schimmert, und sei der dir begegnenden Liebe,
Sey der nie dich ganz vergessenden Liebe des Schwächsten
Aller Sterblichen Lavaters Liebe gewiß wie des Lebens.«

*Unveröffentlicht (den Hinweis verdanke ich Mechthild Ohnmacht, deren ausführliche Forschung zum Werk Ohmachts nicht veröffentlicht sind). – Zu Basler Porträts von Ohmacht: Rohr 1911, 46 ff. – Büste des Peter Ochs: a. O., 47, Taf. 5. – Zitat Lavater: a. O., 15.*    U.H.

1154

das sein Mund erteilen konnte, indem er dem Freunde zuflüsterte: ›Nicht wahr, eine Griechin?‹ ...«

Hölderlin lebte seit Januar 1796 als Hauslehrer bei der angesehenen Frankfurter Kaufmannsfamilie Gontard. Mit der Herrin des Hauses, Susette Gontard, verband den Dichter eine heftige und tiefgehende Liebe, die unerfüllt bleiben mußte. »Nur ihr Bild möchte ich Dir zeigen, und so brauchte es keiner Worte mehr! Sie ist schön wie Engel. Ein zartes geistiges himmlisch reizendes Gesicht! Ach! ich könnte ein Jahrtausend lang in seliger Betrachtung mich und alles vergessen, bei ihr, so unerschöpflich reich ist diese anspruchslose stille Seele in diesem Bilde! Majestät und Zärtlichkeit, und Fröhlichkeit und Ernst, und süßes Spiel und hohe Trauer und Leben und Geist, alles ist in und an ihr zu Einem göttlichen Ganzen vereint. ... ›Wen die Götter lieben, dem wird große Freude, großes Leid zu teil.‹« In seinen Dichtungen gab er der Geliebten den Namen der Priesterin Diotima, die der Legende nach Sokrates zum Begriff der wahren Liebe geführt hat.

Die kleine Büste zählt zu den bekanntesten Werken von Ohmacht. Nach seiner Italienreise hielt er sich einige Zeit in Frankfurt auf, wo er Porträts der bedeutenden Familien der Stadt ausführte. Die ausgestellte Büste der Susette Gontard, die das »Griechische« der jungen Frau durch schlichte Idealisierung der weich modellierten Bildniszüge, stilisierte Frisur und antikische Drapierung anschaulich macht, hat Hölderlin mit Sicherheit gekannt.

*Simon 1910, 86, 116 Abb. 5. – Kat. Marbach 1970, 176f Nr. 190. – Zitate: Hessel Isenberg 1976, 82, 80. – Vgl. auch Hölderlins Diotima Susette Gontard, hg. A. Beck (Frankfurt 1980). – Eine weitere Büste der Susette Gontard von Ohmacht sowie eine Reliefdarstellung ihres Gesichtes en face wurden im Zweiten Weltkrieg zerstört.*

U. H.

## 1154*

### BÜSTE DER SUSETTE GONTARD (1769–1802)

Landolin Ohmacht (1760–1834)
Frankfurt, um 1790/1795

*Alabaster*
*H. 12 cm*
*Auf der Rückseite: Ohmacht f.*

Frankfurt, Privatbesitz

»... Er wurde auch der Frau des Hauses vorgestellt und bewunderte ihre hohe Schönheit, Hölderlin sandte der sorglich hin und herwandelnden das höchste Lob nach,

## 1155*

### RELIEFMEDAILLON MIT BILDNIS EINES UNBEKANNTEN MANNES

Landolin Ohmacht (1760–1834)
1799

*Alabaster, Messingrahmen*
*H. 7,9 cm, B. 6,3 cm*
*Bez. rechts hinter dem Kopf: Ohmacht f: 1799*

Stuttgart, Württembergisches Landesmuseum,
Inv.-Nr. 1955–75

In großer Zahl hat Landolin Ohmacht Bildnismedaillons wie dieses angefertigt. Das wenig anspruchsvolle marmor-ähnliche Material war erschwinglich, und die fein-charakterisierende Darstellungsweise Ohmachts entsprach vollkommen dem Geschmack der Zeit um 1800. Über den Dargestellten, der etwa 50 Jahre alt sein dürfte, ist nichts bekannt.

*Unveröffentlicht.*

U. H.

1156*

## Büste des Apollon, Kopie nach der Statue im Belvedere des Vatikan

Landolin Ohmacht (1760–1834)
um 1790/1800

*Marmor*
*H. 22 cm*
*Bez. auf der Rückseite: L. O.*

Schloßverwaltung Ludwigsburg, Außenstelle des Staatl.
Liegenschaftsamtes Stuttgart, Schloß Ludwigsburg,
Inv.-Nr. Sch. L. 3348

Wie für die meisten Künstler seiner Zeit kam die Reise
nach Italien und der Aufenthalt in Rom auch für Landolin
Ohmacht einer Offenbarung gleich (vgl. Kat.Nrn. 1093
bis 1095). Der Überlieferung nach zählte der Künstler die
beiden Jahre, die er 1789/1790 dort verbrachte, zu den
glücklichsten seines Lebens. Die Eindrücke, die er durch
die Begegnung mit den Meisterwerken der antiken Plastik
empfangen hatte, wirkten sich nachhaltig auf sein späteres
Schaffen aus.
Eine größere Anzahl von maßstäblich verkleinerten
Kopien besonders hochgeschätzter Antiken sind von ihm
bekannt. Die fein gearbeitete Büste nach dem berühmten
Apoll vom Belvedere stammt aus ehemals Königlich Würt-
tembergischem Besitz. Das Original in Rom stellte für
Winckelmann das »höchste Ideal der Kunst unter allen
Werken des Alterthums« dar. Zum Kopf der Statue
schrieb er: »Von der Höhe seiner Genugsamkeit geht sein
erhabener Blick, wie ins Unendliche, weit über seinen Sieg
hinaus: Verachtung sitzt auf seinen Lippen, und der

1156

Unmuth, welchen er in sich zieht, bläht sich in den Nüssen
seiner Nase, und tritt bis in die stolze Stirn hinauf. Aber der
Friede, welcher in einer seligen Stille auf derselben schwe-
bet, bleibt ungestört, und sein Auge ist voll Süßigkeit, wie
unter den Musen, die ihn zu umarmen suchen. ... Sein
weiches Haar spielet, wie die zarten und flüßigen Schlin-
gen edler Weinreben, gleichsam von einer sanften Luft
bewegt, um dieses göttliche Haupt: es scheint gesalbt mit
dem Oel der Götter, und von den Gratien mit holder
Pracht auf seinem Scheitel gebunden. Ich vergesse alles
andere über dem Anblick dieses Wunderwerks der Kunst,
und ich nehme selbst einen erhabenen Stand an, um mit
Würdigkeit anzuschauen. ...«

*Unveröffentlicht. – Zu Ohmachts Antikenkopien: Rohr*
*1911, 69. – Zitat Winckelmann: vgl. Kat. Nr. 1554, dort*
*Seite 392f. – Zum antiken Vorbild: Haskell/Penny 1981,*
*148ff Nr. 8.* U. H.

1155

1157

1157*

## ANTINOUS (LIEBLING DES RÖMISCHEN KAISERS HADRIAN)

Kopie nach einem Relief aus der Sammlung Albani
in Rom

Landolin Ohmacht (1760–1834), um 1800

*Alabaster*
*H. 17 cm, B. 14,8 cm*

Colmar, Musée d'Unterlinden

Das Antinousrelief aus der Sammlung des Winckelmanngönners Kardinal Alessandro Albani (vgl. Kat. Nr. 1095)
zählte im späten 18. Jahrhundert zu den meistgeschätzten
antiken Skulpturen. Dargestellt ist der vergöttlichte Knabe
aus Bithynien, den der römische Kaiser Hadrian zu seinem
besonderen Liebling erwählt hatte. Bei einer Bootsfahrt
auf dem Nil ertrank der Jüngling im Jahr 130 n. Chr.
Winckelmann hielt das antike Relief für einen Höhepunkt
der römischen Kunst. Als qualitätsvoller Zimmerschmuck
bezeugte die Kopie von Ohmacht die klassische Bildung
ihres Besitzers.

*Unveröffentlicht. – Ohmacht hat das Relief der Sammlung
Albani noch öfter kopiert: Mainzer Zeitschrift 8/9 (1913/
14), 141f, Abb. 31 (als Medaillon). – Ein weiteres Exemplar in Privatbesitz Rom (Hinweis von Mechthild Ohnmacht). – Ohmachts Lehrer Melchior schrieb schon 1788
an seinen Schüler: »Ich bin recht begierig, Ihren Antinous
zu sehen…« (Hofmann 1921, 29). – Zum Original in
Rom: Haskell/Penny 1981, 144ff, Nr. 6.*    U. H.

1158

1158*

## RELIEFMEDAILLON MIT BÜSTE DER MELPOMENE (MUSE DER TRAGÖDIE)

Kopie nach einer Statue aus den Sammlungen des Vatikan

Landolin Ohmacht (1760–1834)
um 1800

*Alabaster*
*H. 11,9 cm, B. 9,8 cm*
*Bez. am Rand rechts: ΩMAXT*

Darmstadt, Hessisches Landesmuseum, Inv.-Nr. Pl 36:50

Die Büste der mit Weinlaub bekränzten, nachdenklich zur
Seite blickenden Frau kopierte Ohmacht ebenfalls nach
einem berühmten antiken Vorbild. Die Statue der Melpo-
mene, Muse der Tragödie, hat Ohmacht hier maßstäblich
verkleinert in Büstenform als Relief ausgeführt. Den Eindruck eines antiken Meisterwerkes suggeriert die Signatur
des Künstlers in griechischen Buchstaben.

*Beeh 1974, Nr. 123 (dort als ›Bacchantin‹ bezeichnet) –
Zum antiken Vorbild vgl. Lippold 1936.1, 21f Nr. 499,
Taf. 4f.*    U. H.

1159

1160

## 1159*

### RELIEFMEDAILLON MIT BÜSTE DER HL. CÄCILIE, NACH EINEM GEMÄLDE VON RAFFAEL

Landolin Ohmacht (1760–1834)
um 1795

*Alabaster*
*H. 15 cm, B. 10,8 cm*

Darmstadt, Hessisches Landesmuseum,
Inv.-Nr. 36:53

Ohmachts Hochschätzung der Meister der italienischen Renaissance bezeugt dieses Reliefmedaillon, dessen Darstellung den Ausschnitt eines Gemäldes von Raffael plastisch umsetzt.

*Beeh 1974, Nr. 124. – Raffaels ›Hl. Cäcilie‹ in Bologna: P. L. de Vecchi, Raffael. Das malerische Werk (Freiburg 1983), 251 Nr. 78.*                     U. H.

## 1160*

### MARIA MIT DEM JESUSKNABEN, STATUETTE

Landolin Ohmacht
Frankfurt (?), 1792

*Marmor*
*H. 31 cm*
*Bez. auf der Rückseite:* Ohmacht f. 1792

Karlsruhe, Badisches Landesmuseum, Inv.-Nr. 79/401

Kurz nach seiner Rückkehr aus Italien hat Landolin Ohmacht diese Statuette der Maria mit dem Jesusknaben geschaffen, vielleicht für einen Auftraggeber in Frankfurt. Stil und Stimmung der Figur erinnern stark an ähnliche, die innige Beziehung zwischen Mutter und Kind betonende Darstellungen der italienischen Renaissancekunst. Der katholische Bildhauer Ohmacht hat auch in einer Zeit, als die Plastik des Klassizismus sich auf Themen der »heidnischen« Antike konzentrierte, christliche Sujets nicht ganz vernachlässigt. Er kann dadurch als ein Vorläufer der erst zehn Jahre später einsetzenden romantischen Bewegung angesehen werden. Doch Ohmacht wählte nicht die Kunstwerke des Mittelalters zum Vorbild sondern Michelangelo und Raffael. Seine Statuette stellt neben ihrer Eigenschaft als Andachtsbild die allgemeine Verkörperung eines Ideals von anmutiger Mütterlichkeit dar, wie wir es z. B. auch in Hetschs Bildnis der Friederike Rapp mit ihrer Tochter vor uns haben (Kat. Nr. 1164).

*Erwerbungsbericht, in: Jahrbuch der Staatlichen Kunstsammlungen in Baden-Württemberg 17 (1979), 249f. – Vgl. zum Thema: Spickernagel 1981, 309 ff. – Vgl. auch Ohmachts Reliefbildnis der Maria Sophia Bansa aus Frankfurt mit ihrem Sohn: Simon 1910, 84 Abb. 7.*   U. H.

1161

1161*

## Grabrelief für Catharina Wilhelmina Engelbach (1772–1795)

Landolin Ohmacht (1760–1834)
Hamburg, 1796

*Marmor*
*H. 66,8 cm, B. 54,2 cm*

Hamburg, Museum für Kunst und Gewerbe,
Inv.-Nr. 1899. 288.

Neben Porträts zählten Grabmonumente zu den häufigsten Aufträgen für die Bildhauer um 1800. Während Landolin Ohmacht sich in den 1790er Jahren länger in Hamburg aufhielt, kam Catharina Wilhelmina Louisa Engelbach, die Frau eines Hamburger Kaufmanns, bei einem tragischen Unfall ums Leben. Ohmacht fiel die Aufgabe zu, ein Grabrelief anzufertigen. In Anlehnung an Darstellungen der antiken Kunst erscheint die Verstorbene in griechischem Gewand mit verschleiertem Kopf, zurückgelehnt auf einem antikisierenden Stuhl sitzend. Der Kontakt zu ihren Kindern, die sich mit lebhaften Gebärden in ihren Schoß drängen, ist unterbrochen: in seliger Entrükkung hat die Verstorbene die Augen geschlossen. Ihre unsterbliche Seele fliegt in Form eines Schmetterlings davon. Neben der Büste Klopstocks zählt dieses Relief zu den wichtigsten Werken, die der Dunninger Bildhauer im Auftrage von Hamburger Patriziern ausführte.

*Theuerkauff/Möller 1977, 187ff Nr. 107. – Als Vorbild dienten Ohmacht wahrscheinlich Darstellungen der in ähnlicher Haltung sitzenden Phädra von römischen Sarkophagreliefs; dort erscheint auch die kindliche Gestalt eines Amor vergleichbar den Engelbach-Kindern: H. Sichtermann/G. Koch, Griechische Mythen auf römischen Sarkophagen, Tübingen 1975, Taf. 66. – Vgl. dazu P. A. Memmesheimer, Das klassizistische Grabmal, Eine Typologie, Diss. Bonn 1969, 38. – Büste Klopstocks: Theuerkauff/Möller 1977, 194ff Nr. 112.*   U. H.

# Themen der Malerei

In der südwestdeutschen Malerei um 1800 wurden vor allem drei Bildgattungen bevorzugt, nämlich Historien-, Portrait- und Landschaftsmalerei.

Die erste Stelle in der klassizistischen Kunsttheorie nahm die Historienmalerei ein. Dem humanistischen Bildungs-ideal entsprechend wurden Themen aus der antiken Geschichte, vorzugsweise aus der römisch-republikani-schen, aus der Bibel und der Mythologie gewählt, die nicht verspielt und frivol in Szene gesetzt wurden wie in der barocken Malerei. Vielmehr stellte man Begebenheiten antikisch-heroisch dar, die sittlichen Ernst, menschliche Größe und Tugendhaftigkeit aufzeigten, und die einen moralisierend-belehrenden Anspruch beinhalteten. Solche Darstellungen von hohen Idealen entsprachen dem aufge-klärten, gebildeten Bürgertum.

Daneben trat eine neue Strömung immer stärker in den Vordergrund: Mittelalterliche deutsche Geschichte wie auch Sagen und Legenden der Heimat wurden darstel-lungswürdig, wobei die moralische Aussageabsicht eben-falls betont wurde. Hier kamen neue, romantische Ten-denzen in der Malerei zum Tragen.

In der Portraitmalerei, die von der herrschenden klassizi-stischen Kunsttheorie weniger geschätzt wurde, stand sich antikisierende, idealisierte und realistisch-nüchterne Dar-stellungen gegenüber. Beide Richtungen verzichteten aber im Gegensatz zum Barock auf jegliche Standesattribute. Das Interesse galt vornehmlich der Persönlichkeit und der Physiognomie der portraitierten Personen.

Da die Auftraggeber vor allem dem Bürgertum angehör-ten, war weniger die Darstellung einer repräsentativen Pose als die einer privaten, familiären Atmosphäre gefor-dert. Bürgerliche Werte wie familiäre Verbundenheit, Zuneigung und Liebe, Betonung des Gefühls kamen in den Bildnissen stärker zum Ausdruck. Diese neuen Ideale wurden in Familien- und Einzelportraits veranschaulicht, was das erstarkte Bewußtsein des Bürgertums verdeut-lichte.

In der Landschaftsmalerei standen sich wiederum zwei Richtungen gegenüber. Die klassizistische Kunstauffas-sung forderte klassisch-heroische Landschaftsgemälde, die aus südlichen, vor allem italienischen Motiven kompo-niert sein sollten. Die Vedutenmalerei hingegen war weniger anerkannt, da sie die Wirklichkeit wiedergab. Besonders beim aufstrebenden Bürgertum war die Vedute beliebt, um so mehr, wenn sie eine Ansicht der heimatli-chen Landschaft abbildete. Die Beziehung zur Natur hatte sich nämlich verändert. In den Befreiungskriegen war ein Nationalbewußtsein erwacht, eine Besinnung auf die eigene Kultur, auf Geschichte und Heimat hatte begonnen. Die im Vergleich zur klassizistischen Landschaftsmalerei anspruchslosere Vedute bot sich zur Vervielfältigung als Druckgraphik an, was nicht nur die große Nachfrage aus dem Bürgertum befriedigte, sondern auch zur Popularisie-rung der Kunst beitrug. I. F.

1162

## Heinrike Dannecker, geb. Rapp
(1773–1823)

Christian Gottlieb Schick (1776–1812)
1802

*Öl auf Leinwand*
H. 91 cm, B. 70 cm

Stuttgart, Staatsgalerie, Inv.-Nr. 799

Heinrike Charlotte Dannecker, die erste Frau des Bildhau-ers Johann Heinrich Dannecker (1758–1841), stammte aus der wohlhabenden Stuttgarter Kaufmannsfamilie Rapp (vgl. das Bildnis ihrer Schwägerin von Ph. F. Hetsch, Kat.Nr. 1164). Von Kindheit an kannten sich Heinrike und Gottlieb Schick, der später bei ihrem Gatten studierte und sein Freund wurde.

Das Bildnis entstand unmittelbar nach der Rückkehr Schicks aus Paris im Jahr 1802. Hier liegt die unvollendet gebliebene, links und unten beschnittene erste Fassung des Portraits vor, das sich heute in der Berliner Nationalgalerie befindet. Die Dargestellte ist in strengem Profil wiederge-geben, nur den Kopf wendet sie dem Betrachter zu; dieses Motiv der Körperhaltung steht in antiker Tradition.

Das Berliner Portrait zeigt Frau Dannecker, die auf einem Steinblock sitzt, in ganzer Figur vor einer Landschaft mit tiefgelegtem Horizont. Auffallend ist dort die Farbzusam-menstellung der Kleidung, also von Rock, Bluse und Mieder, in Blau-Weiß-Rot. Diese Farben der Trikolore signalisieren nach E. Spickernagel (S. 305) die »Beziehung zwischen Revolution und neuem Frauenbild«.

Die Stuttgarter Skizze überzeugt »durch die Spontaneität der Kopfwendung, die Intensität des Blickkontakts, die Natürlichkeit und Warmherzigkeit, die die ganze Gestalt ausstrahlt. Gegenüber solcher Unmittelbarkeit in Form und Ausdruck wirkt die endgültige Ausführung eleganter, distanzierter, idealer« (Kat. Stuttgart 19. Jahrhundert, S. 126).

*Farbabbildung siehe Bd. 2 dieses Kataloges, S. 589, Abb. 5. – Kat. Gottlieb Schick. Ein Maler des Klassizismus, Stuttgart 1976, Nr. 32, Farbabb. 35. – Ellen Spickernagel, Zwischen Venus und Juno. Frauenideale in Beispielen klassizistischer Malerei, in: Städel-Jahrbuch, N.F. 8, 1981, S. 301–312. – Staatsgalerie Stuttgart, Malerei und Plastik des 19. Jahrhunderts, bearb. von Christian von Holst, Stuttgart 1982, S.126 u. Abb. – Lammel, Malerei, S. 309 Anm. 205.* I. F.

## 1163

### WILHELMINE COTTA, GEB. HAAS
(1769–1821)

Christian Gottlieb Schick (1776–1812)
1802

*Öl auf Leinwand*
*H. 133 cm, B. 140,5 cm*
*Bez. am Querbalken der Balustrade rechts:*
Schick faciebat 1802

Stuttgart, Staatsgalerie, Inv.-Nr. GVL 87

Das 1802 datierte, ganzfigurige Bildnis zeigt Ernestine Philippine Wilhelmine Cotta, die Pfarrerstochter aus Kilchberg bei Tübingen, die ab 1794 mit dem Tübinger Verleger und Buchhändler Johann Friedrich Cotta (1764–1832) verheiratet war.
In einem langen, weißen, fließenden Empirekleid sitzt sie in Pose elegant auf einer Steinbank unter Akazien und Fiskusbäumen. Dem diagonalen Schwung ihrer Körperhaltung antwortet, gleichsam als Gegengewicht, die Gegendiagonale, die durch den in die Tiefe führenden Quader angedeutet, durch das Rot des Schals und das Grün des Schirms manifestiert wird.
In der Literatur wird »Frau Cotta« häufig mit Darstellungen der Madame Récamier von J. L. David (1800) und F. Gérard (1802) verglichen, und es wird auf die englische Malerei des 18. Jahrhunderts hingewiesen, in der der Typus des ganzfigurigen Portraits in der Landschaft vorkommt. Aber »anstelle von mondänem Raffinement der Madame Récamier... und der Distinguiertheit englischer Adeliger in ihren Parks... bestimmen [bei Frau Cotta] trotz aller Pose und Bemühung um Vornehmheit unverbrauchte Vitalität und durchscheinende Schlichtheit den Ausdruck – gewissermaßen ein ländlich-kraftvolles Pendant zur wirklichen Weltläufigkeit der Pariserin. Im Gesicht finden sich selbst etwas derbe, dafür aber charaktervolle Züge. Die idealisierende Tendenz vermag die Individualität nicht auszulöschen, vielmehr zeigt sie sich in ihrer Eigenart auf reinere Weise auf« (Kat. Stuttgart 19. Jahrhundert, S. 128f).
Anregung speziell für das Sitzmotiv und die Armhaltung könnte Schick auch erhalten haben von J.-B.-F. Desorias (1758–1832) Portrait der Elisabeth Dunoyer (1797), das auch zudem einen Landschaftshintergrund aufweist (vgl. auch J. L. Davids »Madame de Verninac« von 1799).
Abschließend läßt sich sagen: »Für Schick charakteristisch ist die Verbindung von antikisierendem Sitzmotiv und realistischer Beobachtung und Prägung der Gesichtszüge, Statuencharakter und traulich umgebender heimischer Landschaft« (Kat. Schick, S. 82).

*Farbabbildung siehe Bd. 2 dieses Kataloges, S. 587, Abb. 4. – Kat. French Painting 1774–1830: The Age of Revolution, Paris 1974/75, Nr. 47, Abb. 146 (Gemälde von J.-B.-F. Desoria). – Kat. Gottlieb Schick. Ein Maler des Klassizismus, Stuttgart 1976, Nr. 39, Farbabb. 39. – Staatsgalerie Stuttgart, Malerei und Plastik des 19. Jahrhunderts,*
*bearb. von Christian von Holst, Stuttgart 1982, S. 128f. u. Abb., Farbabb. S. 12. – Lammel, Malerei, S. 185, 187, 197, Abb. 130.*                I.F.

## 1164*

### FRIEDERIKE RAPP, GEB. WALZ,
### MIT IHREM KIND

Philipp Friedrich Hetsch (1758–1839)
um 1788

*Öl auf Leinwand*
*H. 156 cm, B. 119,5 cm*

Stuttgart, Galerie der Stadt, Inv.-Nr. O–1888

Das lebensgroße, wohl um 1788 entstandene Bildnis zeigt Friederike Eberhardine Rapp (geb. 1764) mit ihrem 1787 geborenen Töchterchen Eberhardine Sophie auf dem Schoß. Die junge Frau sitzt mit übergeschlagenen Beinen vor ihrem Bett und reicht ihrem nackten, strampelnden Kind eine Locke ihres Haares zum Spielen. Die Komposition wirkt ruhig und ausgewogen, die Mutter-Kind-Gruppe bildet ein Dreieck und ist wie das Bett bildparallel angeordnet; der Vorhang im Hintergrund links, der wie das Laken und das Kissen die linke obere Diagonalhälfte ausgleichend belebt, führt durch die Faltengebung zum Zentrum des Bildes.
In der Graphischen Sammlung der Staatsgalerie Stuttgart befinden sich zwei Zeichnungen (Inv.-Nr. 2226, 2253) von Ph. F. Hetsch, in denen er unmittelbar aus dem Spiel von Mutter und Kind gewonnene Eindrücke festhielt. Vielleicht entwickelte er in diesen Studien die Bildidee für das vorliegende Gemälde, das natürlich und unbefangen in häuslich-privater Umgebung eine zärtliche und liebevolle Mutter-Kind-Beziehung wiedergibt. Ein Portrait von solcher Ungezwungenheit, trotz des großen Formats, konnte wohl nur entstehen, da der Künstler mit dem Ehepaar Rapp befreundet war.
In dem Stuttgarter Kaufmann und Kunstschriftsteller Gottlob Heinrich Rapp (1761–1832), der seit 1785 mit der Tochter des Stadtapothekers Walz verheiratet war, fand Goethe »einen thätigen Handelsmann, gefälligen Wirth und wohl unterrichteten Kunstfreund, der viel Talent in eigenen Arbeiten zeigt.« (zit. nach B. Zeller, S. 293). In ihrem geselligen Hause traf sich die bürgerliche Oberschicht Stuttgarts, hier verkehrten Schriftsteller und Gelehrte, mit Schiller und Goethe war Herr Rapp bekannt, mit dem Verleger J. F. Cotta und den Künstlern A. Harper, J. G. Müller, Ph. F. Hetsch, E. Wächter und v.a. J. H. Dannecker war er eng befreundet. Einer der Besucher des Hauses, Heinrich Voss, schilderte Frau Rapp in einem Brief an Charlotte Schiller: Sie ist »flink wie ein Reh und gar gesellig und angenehm im Umgange.« (zit. nach B. Zeller, S. 295).

*Kat. Ausstellung schwäbischer Kunst des 19. Jahrhunderts, Stuttgart 1925, Nr. 175. – Otto Fischer, Schwäbi-*

1164

1165

sche Malerei des neunzehnten Jahrhunderts, Stuttgart/
Berlin/Leipzig 1925, S. 13, Abb. 5. – Fleischhauer, Hetsch,
S. 45f, Abb. 11, WV Nr. 15. – Fleischhauer, Bildnis, S. 37
u. Abb. – Kat. Stuttgart 1959, Nr. 602. – Bernhard Zeller,
Gottlob Heinrich Rapp und das kulturelle Leben in Stutt-
gart um 1800, in: Zeitschrift für Württembergische Lan-
desgeschichte, 31. Jg., 1972, S. 290–311. – Kat. Gottlieb
Schick. Ein Maler des Klassizismus, Stuttgart 1976, S. 76.
– Herbert von Einem, Deutsche Malerei des Klassizismus
und der Romantik 1760 bis 1840, München 1978, S. 37,
Abb. 25. – Ellen Spickernagel, Zwischen Venus und Juno.
Fraueneideale in Beispielen klassizistischer Malerei, in:
Städel-Jahrbuch, N. F. 8, 1981, S. 304, 309, Abb. 9. – Kat.
Kunst des 19. und 20. Jahrhunderts, Stuttgart 1986,
Nr. 379, Farbtaf. S. 116.                                    I. F.


1165*

FRAU HÖNES

Gottlob Wilhelm Morff (1771–1857)
1816

Öl auf Leinwand
H. 62,5 cm, B. 52 cm
Bez. links oben: Morff p. 1816

Stuttgart, Staatsgalerie, Inv.-Nr. 1797

Das vor einen dunklen Grund gestellte Brustbild der alten
Frau Hönes wirkt überaus beeindruckend. Die bleiche
Greisin mit eingefallenen Gesichtszügen, hoher Stirn, mit
tiefen Augenhöhlen und den vielen Falten ist mit sachlich-
objektiver Portraittreue und unbestechlichem Realismus
wiedergegeben. Die Ausführung ist präzise, miniaturhaft
fein, der Farbauftrag glatt vertrieben.
»Wenn Morff das zerfallene Greisengesicht der Frau
Hönes 1816 und 1820 malt und Fältchen um Fältchen des
bereits zum Schemen eines Totenkopfes gewordenen
Gesichtes nachgeht, so ist eine menschlich packende
Andacht vor dem Objekt als einem Gleichnis der menschlichen Vergänglichkeit zu verspüren, die noch tiefer geht als
das Bestreben nach kunstfertiger Beherrschung der Wirklichkeit« (W. Fleischhauer, S. 155).
Gottlob Wilhelm Morff wurde 1771 als Sohn des herzoglichen Bauhofmalers Johann Jakob in Stuttgart geboren. Ab
1788 erhielt er seine Ausbildung an der Hohen Karlsschule
bei Ph. F. Hetsch; anschließend studierte er in München,
Wien und Paris. Ab 1810 war er unter König Friedrich
Hofmaler und fertigte noch höfisch-gefällige und verbindliche Miniaturbildnisse an.


Wintterlin 1895, S. 179–181. – Fleischhauer 1939. – Kat.
Schwaben sehen Schwaben, Bildnisse 1760–1940 aus dem
Besitz der Staatsgalerie Stuttgart, bearb. von Arno Preiser,
Stuttgart 1977, Nr. 27, Abb. S. 53.                          I. F.

1166

## THERESIA PFLUG, GEB. KÄUFLER
(1782–1842)

Johann Baptist Pflug (1785–1866)
um 1812

*Öl auf Leinwand*
*H. 76 cm, B. 56 cm*

Biberach, Städtische Sammlungen, Inv.-Nr. 6162

Johann Baptist Pflug porträtierte seine Frau Theresia um 1812 als Halbfigur vor dunklem Grund. Die etwa 30jährige Frau trägt ein messingfarbenes Empirekleid mit Schürze, weitem Ausschnitt und Spitzenkragen. Den Kopf ziert eine reichbestickte Haube mit goldgefaßter Schleife. Durch die Abbildung seiner Frau mit Schmuck und in ländlicher Festtagskleidung schuf Pflug ein repräsentatives Porträt.

Der Maler bemühte sich, genau beobachtend, um eine realistische Darstellung, um eine differenzierte Wiedergabe von Oberflächenstrukturen und Stofflichkeit, wie man z.B. an der weichen Modellierung des Gesichtes, den groben, fast derben Händen und der Gewandung ersehen kann. In der malerischen Ausführung orientierte sich Pflug an der holländischen Malerei des 17. Jahrhunderts, die er studiert und kopiert hatte.

Jahre später erzählte er darüber: »Da mir aber diese Gebundenheit nicht lange zusagte und ich verhältnismäßig viel Zeit dazu brauchte, so ging ich zu einer freieren Behandlung über und malte häusliche, ländliche und militärische Szenen. Ich besuchte deshalb häufig Tanzbelustigungen, Hochzeiten, Kirchweihen, Kegelschieben und Scheibenschießen und lebte mich recht ins oberschwäbische Volkstreiben ein; die günstige Tracht des Landvolkes gereichte meinen Bildern zu großem Vorteil. So war ich nun ganz vergnügt bei meiner Arbeit, ohne andere Meister nachzuahmen oder etwas von ihnen zu entlehnen; ich ging meinen eigenen Weg« (M. Zengerle, S. 121).

Pflug, der 1806–09 an der Münchner Akademie gelernt hatte, wurde ab 1810 in Biberach ansässig, wo er als Zeichenlehrer am Gymnasium tätig war. Im November 1812 heiratete er Maria Theresia Käufler, die »der letzten gefürsteten Äbtissin des Frauenstiftes Buchau dreizehn Jahre lang als Kammerjungfer gedient« (M. Zengerle, S. 24) hatte.

Mit seinen kleinformatigen, humorvollen Genreszenen aus dem Volksleben, mit denen er ab den 20er Jahren bekannt wurde, stand Pflug deutlich im Gegensatz zu der vom Klassizismus geprägten Stuttgarter Malerei der Zeit.

*Max Zengerle, Johann Baptist Pflug. Aus der Räuber- und Franzosenzeit Schwabens. Die Erinnerungen des schwäbischen Malers aus den Jahren 1780–1840, Weißenhorn 3. Aufl. 1975. – Städtische Sammlungen (Braith-Mali-Museum), Biberach an der Riß. Katalog der Gemälde und Skulpturen bis 1900, Band IIIa, Biberach 1975, S. 100. – Städtische Sammlungen Biberach, Johann Baptist Pflug*

*(1785–1866). Gemälde und Zeichnungen, bearb. von Idis B. Hartmann, Biberach 1985, S. 6f, 69, Abb. 2.*    I.F.

1167*

## DIE FAMILIE FISCHER

Philipp Friedrich Hetsch (1758–1839)
1788

*Öl auf Leinwand*
*H. 160 cm, B. 294 cm*
*Bez. auf der Rückseite: 1788*

Stuttgart, Staatsgalerie, Inv.-Nr. 1490

Philipp Friedrich Hetsch, der ab 1787 Professor an der Hohen Carlsschule war, portraitierte 1788 die Familie seines Freundes und Kollegen Reinhard Ferdinand Heinrich Fischer (1746–1813) in häuslich-privater Umgebung. R.F.H. Fischer, ein natürlicher Sohn Herzog Karl Eugens, war dessen bevorzugter Baumeister. Zur Entstehungszeit des Gruppenbildes war er gerade mit dem Bau von Schloß Hohenheim beschäftigt.

Mit seiner Gattin Juliane, geb. Bilfinger (1753–1822), die sich ihm liebevoll zuwendet, sitzt er wohlgelaunt auf einem kleinen Sofa, ihr vierjähriger Sohn Ferdinand (geb. 1784) zeigt ihnen einen Apfel und einen Lebkuchen. Die Tochter Franziska Wilhelmine Luise (geb. 1777) spielt auf dem Spinett, ihre Schwester Heinrike Franziska Charlotte (geb. 1775) blickt auf das Notenheft. Die jüngste Tochter, Charlotte Juliane Franziska (geb. 1778), die mit einer Handarbeit beschäftigt ist und als einzige zum Betrachter Kontakt aufnimmt, wurde später (1800) Hetschs zweite Frau.

In einem ungewöhnlich großen Querformat sind die Familienmitglieder in der vorderen Raumbühne groß ins Bild gesetzt, in zwei Dreiergruppen geordnet. Kleidung und Interieur geben Aufschluß über die hohe soziale Stellung des Auftraggebers, die Vitruv-Büste im Hintergrund weist auf den Beruf des Hausherrn hin.

Mit der genrehaften Schilderung des alltäglichen Beisammenseins steht dieses Familienbild in der Tradition der niederländischen Konversationsstücke des 17. Jahrhunderts und entsprechender Darstellungen der französischen Malerei des 18. Jahrhunderts. Die Betonung der familiären Verbundenheit und des häuslichen Glücks ist Ausdruck der neuen, bürgerlichen Ideale, ist ein »Monument des gesteigerten bürgerlichen Selbstgefühles« (Fleischhauer/Baum, S. 37/38).

*Fleischhauer, Hetsch, S. 46, Abb. 7, WV Nr. 16. – Fleischhauer/Baum/Kobell, Schwäbische Kunst, S. 37f. – Katalog der Staatsgalerie Stuttgart, Alte Meister, Stuttgart 1962, S. 94. – Kat. Schwaben sehen Schwaben, Bildnisse 1760–1940 aus dem Besitz der Staatsgalerie Stuttgart, bearb. von A. Preiser, Stuttgart 1977, Nr. 15, Abb. S. 36/37. – Angelika Lorenz, Das deutsche Familienbild in der Malerei des 19. Jahrhunderts, Darmstadt 1985, S. 61ff, 66f, 180, Abb. 10.*    I.F.

1167

1168*

## GRAF FERDINAND VON ZEPPELIN
## UND SEINE FAMILIE

Philipp Friedrich Hetsch (1758–1839)
um 1808–09

*Öl auf Leinwand*
*H. 160 cm, B. 127 cm*

Privatbesitz

Traulich vereint sitzt Graf Zeppelin mit seiner Familie auf
einer Parkbank vor einem Landschaftshintergrund. Liebevoll schmiegt sich die Mutter an den Vater, der den Arm
um sie gelegt hat, auf dem Schoß der Eltern die Kinder, die
gleichsam durch die Umarmung geschützt in die Mitte
genommen sind. Die pyramidal aufgebaute Figurengruppe
bildet eine harmonische, in sich geschlossene Einheit.
Dargestellt sind Graf Ferdinand von Zeppelin (1771
bis 1829) und seine Gemahlin Pauline (1785–1863), geborene Freiin von Maucler, mit ihren Kindern Mathilde
(1806–1894) und Friedrich (1807–1886). Im Jahr 1806
erhob König Friedrich I. von Württemberg Ferdinand von
Zeppelin in den erblichen Grafenstand. Als württembergischer Gesandter am Hofe Napoleons I. hielt er sich
dann in Paris auf, wo um 1808–09 dieses Gruppenbild
entstand.

Ph. F. Hetsch schuf kein Standesportrait in barocker
Tradition, das der sozialen Stellung seines Auftraggebers
entsprochen hätte, kein Bildnis mit offiziell-repräsentati-
ver Funktion. In dem Bestreben um Natürlichkeit orientierte er sich vielmehr an englischen und französischen
Vorbildern der Zeit und gestaltete eine stimmungsvolle,
private, liebevolle Idylle. Die Harmonie im Familienleben
wird noch zusätzlich durch das Hündchen, ein traditionelles Symbol für Liebe und Treue, ausgedrückt.

*Otto Fischer, Schwäbische Malerei des neunzehnten Jahr-
hunderts, Stuttgart/Berlin/Leipzig 1925, S. 14, 163,
Abb. 4. – Fleischhauer, Hetsch, S. 30, 62, WV Nr. 68, Abb.
28. – Geschichte des Geschlechts von Zepelin (Zeppelin),
bearb. von Erich Wasmansdorff, Görlitz 1938, S. 199,
Abb. nach S. 90. – Fleischhauer, Bildnis, S. 70, 95. –
Hanna Kronberger-Frentzen, Das deutsche Familienbild-
nis, Leipzig 1940, S. 25f, 41, Abb. 48. – Wolfgang Becker,
Paris und die deutsche Malerei 1750–1840 (Studien zur
Kunst des neunzehnten Jahrhunderts, Bd. 10), Passau
1971, S. 416 Anm. 1030. – Angelika Lorenz, Das deutsche
Familienbild in der Malerei des 19. Jahrhunderts, Darm-
stadt 1985, S. 92ff, Abb. 16. – Lammel, Malerei, S. 187.*
I. F.

1169*

## Die Konstanzer Familie Barxel

Wendelin Mosbrugger (1760–1849)
1813

*Öl auf Leinwand*
*H. 75 cm, B. 61 cm*

Konstanz, Rosgartenmuseum, Inv.-Nr. M 90

1169

In einer Parklandschaft vor einem Pavillon hat sich die
Familie des Konstanzer Kaufherrn und Stadtrates Joseph
Anton Barxel um einen Tisch versammelt. Das Gruppen-
porträt vereint drei Generationen: Die Eltern, der Stadtrat
und seine Frau Veronika, geb. Hüetlin, sind umgeben von
den sechs Töchtern und ihrem Sohn Simon, vom Gatten
der ältesten Tochter Veronika, Lukas Merk, und deren
zwei Kinder.
Mosbrugger bemüht sich, die große Personenzahl durch
verschiedene Haltungen und Gebärden der einzelnen übersichtlich zu gruppieren und sie miteinander in Verbindung
zu setzen. Die dichtgedrängte Gruppe, die sich dem Betrachter zuwendet, wirkt in ihrem repräsentativen Anspruch feierlich-steif. Das Interesse des Künstlers gilt v. a.
der physiognomisch genauen Wiedergabe der Personen,
deren Gesichter allerdings durchweg betont rundplastisch
modelliert sind; zudem fällt eine Unstimmigkeit in den
Körperproportionen auf. Dies ist sicherlich darauf zurückzuführen, daß Mosbrugger recht häufig Miniaturporträts
ausführte.
Der in Rehmen im Bregenzerwald geborene Maler, der an
der Mannheimer Akademie ausgebildet wurde, war seit
1794 in Konstanz ansässig und tätig. Als Porträt- und
Miniaturmaler erhielt er seine Aufträge aus dem gehobenen Konstanzer Bürgertum, aber auch von den Fürstenhö-
fen. Um 1806/07 wurde er nach Stuttgart berufen, um von
König Friedrich I. und Königin Auguste Mathilde großformatige Porträts zu malen und Bildnisminiaturen von Königin Katharina von Westfalen und ihrem Gemahl Jérôme
Bonaparte, dem König von Westfalen, anzufertigen. Als
Anerkennung dafür wurde er im Mai 1810 zum württembergischen Hofmaler ernannt. Am Hof in Karlsruhe porträtierte Mosbrugger dann auch Großherzog Karl von
Baden und seine Gemahlin Stephanie.

*Michael Bringmann, Sigrid von Blanckenhagen, Die Mos-*
*brugger. Die Konstanzer Maler Wendelin, Friedrich und*
*Joseph Mosbrugger, Weißenhorn 1974, S. 39f, Abb. 8,*
*WV Nr. W 67. – Angelika Lorenz, Das deutsche Familien-*
*bild in der Malerei des 19. Jahrhunderts, Darmstadt 1985,*
*S. 100f.* I. F.

1170*

CARL FRIEDRICH KURZ
MIT SEINEN BEIDEN KINDERN

Johann Friedrich Dieterich (1787–1846)
um 1815/16

*Öl auf Leinwand*
H. 165 cm, B. 119 cm

Stuttgart, Galerie der Stadt, Inv.-Nr. O–1633

Im Garten vor dichtem Laubwerk sitzt der Stuttgarter Lederhändler und Gerbermeister Carl Friedrich Kurz (1781–1861) neben der Büste seiner 1815 verstorbenen Gattin Louise, geb. Grunsky (1791–1815); vor ihm stehen die Kinder Maria (geb. 1811) und Carl Friederich (geb. 1814), die ein Lamm halten. Auf dem hohen Sockel der Büste, die als ein Werk von Ludwig Mack (1766–1835) gilt, sind die Lebensdaten der Verstorbenen wie auch die Geburtsdaten ihrer Kinder festgehalten.

Die Familiengruppe ist fast lebensgroß wiedergegeben, klar aufgebaut, die Farbigkeit gedämpft gehalten. Die groß ins Bild gesetzten Figuren von kräftiger Plastizität sind von einer »gewissen altertümlichen Primitivität« (W. Fleischhauer, Bildnis, S. 147). Eine feierlich-verhaltene Stimmung manifestiert sich im Ernst der Kinder. Das Lamm ist nicht dargestellt als ein Spielgefährte, der sie erfreut, sondern es erscheint vielmehr religiös-symbolisch aufgefaßt als Ausdruck der kindlichen Unschuld.

Das Motiv, verstorbene Personen in die Gemeinschaft der Lebenden miteinzubeziehen, ist sehr alt; bereits auf antiken Reliefs werden die Vorfahren mitdargestellt. In der europäischen Malerei werden seit dem 16./17. Jahrhundert – z.B. bei B. Strigel – die Verschiedenen quasi als noch Lebende in das Bild miteinbezogen. Ab dem 17. Jahrhundert findet man das Motiv oft als Bild im Bild wieder, gemalte Bildnisse der Verstorbenen werden in das Gruppenportrait eingebracht. In Büstenform läßt sich das Motiv bereits im 16. Jahrhundert nachweisen, aber v. a. mit dem ausgehenden 18. Jahrhundert werden häufig Büsten von verstorbenen Familienmitgliedern in das Bild aufgenommen. Die Einbeziehung der Vorfahren, Wohltäter oder Lehrer zeugt von geschichtlichem Bewußtsein; man versichert sich der Schatten als Beschützer durch ihre immerwährende Präsenz und behält sie zudem stets in Erinnerung.

Der aus Biberach stammende Künstler J. F. Dieterich erhielt seine Ausbildung 1802–10 bei den Hofmalern V. W. P. Heideloff (1757–1817) und J. B. Seele (1774 bis 1814) in Stuttgart, ab 1811 an der Münchner Akademie. Nach einem einjährigen Italienaufenthalt kehrte er 1816 nach Stuttgart zurück, wo er bei der Kunstausstellung in diesem Jahr mit seinem Gemälde »Christus in Emmaus« (Staatsgalerie Stuttgart) großes Aufsehen erregte. Dadurch wurde Königin Katharina auf ihn aufmerksam und ließ sich von ihm porträtieren. In den Jahren 1816–18 entstanden zahlreiche Bildnisse, u. a. von der Familie Kurz und von dem Staatsminister Vellnagel (vgl. Kat.Nr. 1170 u.

1171). Unterstützt durch eine königliche Pension weilte Dieterich 1818–22 abermals in Italien, wo er sich eng an die Nazarener anschloß. Nach seiner Rückkehr schuf er v. a. religiöse Historienbilder.

*August Wintterlin, Württembergische Künstler in Lebensbildern, Stuttgart/Leipzig/Berlin/Wien 1895, S. 247ff. –* Kat. Ausstellung schwäbischer Kunst des 19. Jahrhunderts, Stuttgart 1925, Nr. 50. – Otto Fischer, Schwäbische Malerei des neunzehnten Jahrhunderts, Stuttgart/Berlin/Leipzig 1925, S. 31, 165, Abb. 37. – Fleischhauer, Bildnis, S. 147. – Hanna Kronberger-Frentzen, Das deutsche Familienbildnis, Leipzig 1940, S. 30, 42, Abb. 56. – Wolf Stubbe, Johann Friedrich Dieterich: Bildnis der Familie Rauter, in: Jahrbuch der Hamburger Kunstsammlungen, 1. Jg., 1948, S. 17. – Fleischhauer/Baum/Kobell, Schwäbische Kunst, S. 99. – Mario Praz, Conversation Pieces. A Survey of the Informal Group Portrait in Europe und America, Rome 1971, S. 213.*      I.F.

1170

1171

## 1171*

### CHRISTIAN VON VELLNAGEL MIT SEINER TOCHTER

Johann Friedrich Dieterich (1787–1846)
1818

*Öl auf Leinwand*
*H. 76,6 cm, B. 64 cm*
*Bez. links unten:* D. v B. p. 1818

Privatbesitz

Trauernd sitzt Christian Ludwig August von Vellnagel (1764–1853) mit seiner sechsjährigen Tochter Friederike Charlotte (1812–1884), die sich an ihn schmiegt, vor der Büste der kurz zuvor verstorbenen Tochter Charlotte (1794–1818). (Frdl. Mitt. v. Prof. W. Fleischhauer.) Der von dem schweren Schicksalsschlag getroffene Vater ist von Schmerz gebeugt in sich versunken. »Romantisches Empfinden liegt schon in dem leidvollen Gesichtsausdruck des Ministers von Vellnagel« (Fleischhauer/Baum S. 100). Als Trost hält er seine jüngste Tochter im Arm, die in kindlicher Unbefangenheit und Natürlichkeit offen den Betrachter anblickt. Dadurch wird das Aufkommen einer rührselig-sentimentalen Stimmung vermieden. Das Bildnis gibt den Ausdruck einer ganz persönlichen Trauer wieder, es ist gedacht als Andenken an die Verstorbene, gleichsam als eine Art Epitaph.

Christian von Vellnagel war ab 1774 an der Hohen Carlsschule in Rechts- und Staatswissenschaften ausgebildet worden. Er bekleidete zahlreiche hohe Ämter, u. a. ernannte ihn König Wilhelm I. zum Staatssekretär. 1792 heiratete er Christiane Friederike Dertinger (geb. 1771); aus der Ehe gingen acht Töchter hervor. Der Tod der zweiten Tochter Charlotte, die als »Zierde ihrer angesehenen Familie« galt, traf die Familie sehr. Um 1810/11 hatte Ph. F. Hetsch das wohl künstlerisch begabte Mädchen zeichnend, mit einem Skizzenblock in der Hand, portraitiert (Staatsgalerie Stuttgart, Inv.-Nr. 2180).

*Schwäbische Kronik, 7. September 1853 (Nekrolog zu Christian von Vellnagel). – Otto Fischer, Schwäbische Malerei des neunzehnten Jahrhunderts, Stuttgart/Berlin/Leipzig 1925, S. 31. – Fleischhauer, Hetsch (vgl. WV Nr. 74). – Fleischhauer, Bildnis, S. 148f, Abb. S. 147. – Wolf Stubbe, Johann Friedrich Dieterich: Bildnis der Familie Rauter, in: Jahrbuch der Hamburger Kunstsammlungen, 1. Jg., 1948, S. 17. – Fleischhauer/Baum/Kobell, Schwäbische Kunst, S. 100, Abb. 37. – Kat. Stuttgart 1959, S. 173, Nr. 465, Abb. 28.* I. F.

## 1172

### CORNELIA, DIE MUTTER DER GRACCHEN

Philipp Friedrich Hetsch (1758–1839)
1794

*Öl auf Leinwand*
*H. 112 cm, B. 136 cm*
*Bez. l. u.:* Hetsch 1794

Stuttgart, Staatsgalerie, Inv.-Nr. 679

»Daß Kinder der schönste Schmuck der Frauen seyen, lehrt folgende Geschichte aus den Sammlungen des Pomponius Rufus. Es befand sich einst eine Kampanische Matrone als Gast bei Kornelia, der Mutter der Gracchen, und zeigte derselben ihren gesammten Schmuck, welcher für die damaligen Zeiten bedeutend war. Nun spann Kornelia dieses Gespräch so lange fort, bis ihre Kinder aus der Schule kamen, und rief dann aus: ›das ist mein Schmuck!‹« (Val. Max. IV,4).

Ph. F. Hetsch nimmt 1794 das Thema dieser römischen Historie auf, nämlich das vorbildhafte Verhalten einer Mutter, das in der zweiten Hälfte des 18. Jahrhunderts häufig dargestellt wurde, z. B. von A. Kauffmann, J. Zick und v. a. von französischen Künstlern (N. Hallé, F. Peyron, L. Gauffier, J.-B. Suvée, J. J. F. Lebardier). Diese bildlichen Darstellungen, die römisch-republikanische Bürgertugenden verherrlichten, gaben in Frankreich zur Zeit der Französischen Revolution Anlaß zu einer Zeremonie, in der reiche Damen der Pariser Gesellschaft ihren Schmuck dem Staat übergaben, um die Revolutionstruppen zu unterstützen.

Hetsch, der 1780 und 1782–84 in Paris weilte, gestaltete bei diesem Gemälde unter dem Eindruck der französischen

Kunst – v. a. der Historienmalerei Davids – den Bildaufbau einfach und streng. In einem schlichten Kastenraum ist die bildparallel angeordnete Figurengruppe pyramidal aufgebaut. In der Gegenüberstellung von Cornelia mit ihren Knaben Gaius und Tiberius und der jungen, prunksüchtigen Campanerin manifestiert sich die lehrhafte Aussage, nämlich Schmuck der einen gegen Schmuck der anderen. Diese tugendhafte Einstellung der Cornelia verdeutlicht auch die kleine Nischenstatue der Athene, der Göttin der Weisheit.

Der von Ernst und Pathos geprägte, monumentale Stil Davids wird bei Hetsch modifiziert – wohl beeinflußt von J. M. Viens (1716–1809) frühklassizistischer Malerei. Z. B. entsprechen die liebliche Süße der Kinder und die preziöse und grazile Pose der Campanerin dessen graziöser Formensprache, wodurch hier ein sentimentaler Ausdruck, eine »lyrische, sanfte Stimmung« (W. Fleischhauer, S. 42) entsteht.

*Abbildung siehe Bd. 2 dieses Kataloges, S. 555, Abb. 31. – Valerius Maximus, Sammlung merkwürdiger Reden und Thaten, übersetzt von Friedrich Hoffmann, 2. Bd., 31. H., Stuttgart 1828, S. 252. – Fleischhauer, Hetsch, S. 17, 41f, WV Nr. 135, Abb. 37. – Staatsgalerie Stuttgart, Malerei und Plastik des 19. Jahrhunderts, bearb. von Christian von Holst, Stuttgart 1982, S. 91f., Abb. S. 92, Farbabb. S. 10. – Herbert Eichhorn, Studien zu den Historienbildern Philipp Friedrich Hetsch (1758–1838), ungedr. Mag.arbeit Tübingen 1985/86, S. 65ff, Abb. 25. – Kat. Eva und die Zukunft. Das Bild der Frau seit der Französischen Revolution, Hamburg 1986, Nr. 272 u. Abb. – Lammel, Malerei, S. 163f., Abb. 3.*         I. F.

## 1173

### HIOB UND SEINE FREUNDE

Eberhard Wächter (1762–1852)

*Öl auf Leinwand*
*H. 194,6 cm, B. 274,5 cm*
*Bez. unten links:* Lib. Job. cap. I
*rechts oben in hebräischer Schrift:*
Der Name des Herrn sei gelobt

Stuttgart, Staatsgalerie, Inv.-Nr. 658

»Wächter war... in Rom, und besuchte einmal einen Freund, wo auf dem Tisch eine aufgeschlagene Bibel lag. Zufällig fiel sein Blick auf ein paar Verse, die so lauteten: ›Und da sie ihre Augen aufhoben von ferne, kannten sie ihn nicht – und saßen mit ihm auf der Erde sieben Tage und sieben Nächte, und redeten nichts mit ihm; denn sie sahen daß der Schmerz sehr groß war – ...‹ Dieses bei ihm sitzen in stummer Treu und Liebe, Tag und Nacht lang, das zündete in der durch und durch plastisch gestimmten Künstlerseele...« (zit. nach P. Köster, S. 86). Dieser Zufall, den R. Lohbauer schilderte, machte Wächter auf das Buch Hiob im Alten Testament aufmerksam und war

Anstoß für seine bildnerische Beschäftigung mit dieser Textstelle. Das Thema ist die Versuchung des gottesfürchtigen Hiob, der in seinem Glauben standhaft bleibt, obwohl er durch schwerste Schicksalsschläge getroffen wird. Den Verlust von Hab und Gut, den Tod seiner Kinder, körperliches Leiden und auch Verspottung erträgt er in Demut, Frömmigkeit und Gottesfurcht.

In einem schmalen Bildraum, den mächtige Quadermauern in verschiedenen Tiefenzonen abschließen, sitzen reliefartig nebeneinander aufgereiht Hiobs Freunde Elifas, Bildad und Zofar, die mit ihm sieben Tage und Nächte in Trauer zubrachten. In Alter, Typus und Gestik hat Wächter die drei Figuren sehr differenziert unterschieden. Der Dulder Hiob hockt rechts am Boden tief gebeugt und in sich versunken.

Durch einen Reliefraum von geringer Tiefe, durch schlichte bildparallele Reihung der Figuren und Kontrastierung von Frontal- und Profilansichten schuf Wächter einen strengen, einfachen, in sich geschlossenen Bildaufbau. Die Plastizität der wuchtigen Figuren, die gedämpfte Farbigkeit und der Verzicht auf jedwede Handlung tragen dazu bei, den Ernst der Situation, die Last des Leidens und Mitleidens, das Beispiel menschlicher Größe zum Ausdruck zu bringen.

Wächter hat hier formale Anregungen aus der antiken Reliefkunst, von Giotto, Raffael und Michelangelo übernommen und verarbeitet. Die monumentale Formensprache entwickelte er unter dem Einfluß von A. J. Carstens Malerei.

Seine erste Beschäftigung mit dem Hiob-Thema belegen Zeichnungen aus der Zeit um 1793/94. Die großformatige Gemäldefassung im Auftrag des Prinzen Rezzonico ist bereits 1798, als er Rom verließ, angelegt, aber erst 1808 weitgehend vollendet, nach Veränderungen im Hintergrund schließlich 1824 endgültig abgeschlossen.

*Paul Köster, Eberhard Wächter (1762–1852). Ein Maler des deutschen Klassizismus, Diss. Bonn 1968, S. 82ff, WV Nr. 58. – v. Holst 1982, S. 163, Abb. S. 164. – Lammel 1986, S. 164f, Abb. 96.*     I. F.

1174

aus. Von den verschiedenen Fassungen, die er anfertigte, ist die aus Schloß Ludwigsburg stammende, hier ausgestellte, die dritte und letzte. Während die zweite Fassung – er wurde mit ihr in die Berliner Akademie aufgenommen – mit Davids Vorlage stärker übereinstimmt, orientiert sich die dritte eher an der Textvorlage, übernimmt aber dennoch bestimmte Elemente von David, z.B. die bildparallele Liege, das Karyatiden-Motiv und den Vorhang im Hintergrund. Doch während David sein Liebespaar in der Tradition einer Museninspiration als »amour vertueux« darstellt, in der Harmonie der Gefühle und Ruhe der Leidenschaften zum Ausdruck kommen, faßt Hetsch die Situation genrehaft, aktiv, leidenschaftlich, aber durchaus nicht ohne Zartheit auf, vielleicht angeregt durch François Gérards Gemälde »L'Amour et Psyché« (1798; Musée du Louvre, Paris).

*Fleischhauer 1929, S. 22f, 53f, WV Nr. 146. – Richard Cantinelli, Jacques-Louis David 1748–1825, Paris/Bruxelles 1930, Kat.Nr. 60, Abb. 20. – Homer, Ilias, übertragen von Hans Rupé, Freising ²1961, S. 111. – Wolfgang Becker, Paris und die deutsche Malerei 1750–1840, (Studien zur Kunst des neunzehnten Jahrhunderts Bd. 10), Passau 1971, S. 48, 396 Anm. 501. – Gauss 1976, S. 91 (Inv.-Nr. 2212). – Gisold Lammel, Deutsche Malerei des Klassizismus, Leipzig 1986, S. 164, Abb. 97.*    I.F.

1174*

## Paris und Helena

Philipp Friedrich Hetsch (1758–1839)
um 1801

*Öl auf Leinwand*
*H. 54,5 cm, B. 46 cm*

Schloßverwaltung Ludwigsburg, Außenstelle des Staatlichen Liegenschaftsamtes Stuttgart, Schloß Ludwigsburg, Inv.-Nr. Sch. L. 4038

Ph. F. Hetschs Darstellung des mythologischen Liebespaares ist nicht ohne J.L. Davids Gemälde »Les amours de Pâris et d'Hélène« von 1788 (Musée du Louvre, Paris) zu denken, der eine Szene aus Homers Ilias umsetzte. In dieser Szene wirft Helena dem Paris vor, ihren Gatten Menelaos nicht besiegt zu haben. Darauf antwortet Paris: »Komm, wir wollen uns wieder versöhnen, in Liebe gelagert. / Denn noch nie hat also die Lust mir die Sinne verdunkelt, / Auch nicht damals, als ich dich fand und heimlich entführte, / Fort aus der lieblichen Flur Lakedaimon im segelnden Schiffe, / Und auf der Kranaë-Insel mich dir in Liebe gesellte, / Wie ich jetzt dich begehre, von süßem Verlangen getrieben. / Sprach's und nahte dem Lager zuerst; ihm folgte die Gattin. / Beide ruheten dann im feindurchbrochenen Bette« (Homer, 3. Gesang, V. 411–48).
Hetsch, der dieses sonst selten dargestellte Thema um 1800 aufnahm, ging von der Davidschen Komposition

1175*

## Die heilige Elisabeth mit dem Johannesknaben

Sophie Reinhard (1775–1843)

*Öl auf Leinwand*
*H. 87,5 cm, B. 111,5 cm*

Karlsruhe, Staatliche Kunsthalle, Inv.-Nr. 508

Die religiöse Unterweisung des Johannesknaben durch seine Mutter Elisabeth ist ein sehr selten dargestelltes Thema. Groß in den Bildausschnitt gesetzt sind die beiden Figuren in der vorderen Bildebene angeordnet. Elisabeth, deren Silhouette den Horizont überragt und die die Bibel aufgeschlagen auf ihren Knien hält, ist streng im Profil wiedergegeben. Aufmerksam lauscht Johannes im Fellgewand und mit Kreuzstab den Ausführungen der Mutter. Ein bewachsener Felsen mit einem Höhleneingang hinterfängt ihn.
Nach der Legende (ProtEv Jak. 22,3) soll Elisabeth mit ihrem Sohn vor dem von Herodes angeordneten Kindermord ins Gebirge geflohen sein. Ein sich öffnender Fels habe sie eingeschlossen und ihnen so Zuflucht vor den Häschern geboten.
»Sophia Reinhard ist eine vielseitig gebildete Künstlerin, deren Werke als Schöpfungen eines zarten, tiefen Gemüthes betrachtet werden müssen. In allen ihren Bildern ist Sinn und Gefühl, Einfachheit und Natur. Mehrere ihrer Gemälde wurden desswegen öffentlich gerühmt, und der

1175

## 1176*

### BIBELLESENDES MÄDCHEN

Marie Ellenrieder (1791–1863)
1823

*Öl auf Holz*
*H. 32,8 cm, B. 22,5 cm*
*Bez. auf der Rückseite:* Marie / Ellenrieder pinx. / Roma
1823

Karlsruhe, Staatliche Kunsthalle, Inv.-Nr. 513

Das religiöse Genrebild war der »Liebling des Publikums« auf der Karlsruher Kunst- und Industrie-Ausstellung im Mai 1823. »Es ist eine holde, freundliche Kindergestalt mit dem Ausdrucke frommer Aufmerksamkeit. Der Engel der Unschuld scheint ihr unsichtbar zur Seite zu stehen.« (Kunst-Blatt, 1823, Nr. 48, S. 190). Das Gemälde entstand im Auftrag des badischen Staatsministers Freiherr von Berstett im Winter 1822/23 in Rom.
Nach einem ersten künstlerischen Unterricht bei dem Miniaturmaler J. Einsle war die in Konstanz geborene Künstlerin auf Vermittlung des kunstinteressierten Bistumsverwesers Ignaz von Wessenberg 1813 an die Münchner Akademie gekommen, wo sie unter Peter von Langer

wahre Kenner wird nie ihren Werth vermissen« (Nagler, S. 397).
Die in Kirchberg 1775 geborene Künstlerin erhielt ihre erste Ausbildung bei Ph. J. Becker in Karlsruhe. Über die Schweiz reiste sie 1810 nach Italien, wo sie sich vier Jahre aufhielt und sicherlich Kontakt zu den Nazarenern hatte. Deren Einfluß wird an dem hier augestellten Objekt, das 1818 auf der ersten Ausstellung des Karlsruher Kunstvereins gezeigt wurde, deutlich sichtbar: Das Bemühen um eine monumentale Figurengestaltung, eine sich an altdeutscher und altitalienischer Malerei orientierende kräftige Farbigkeit und plastisch-zeichnerische Formgebung, wie auch die betont genrehafte Motivwahl aus der christlichen Thematik weisen darauf hin. Neben religiösen Historienbildern und Genreszenen widmete sie sich auch Darstellungen aus der badischen Geschichte. Bekannt wurde sie aber v. a. durch ihre Illustrationen zu Hebels »Allemannischen Gedichten«.

*Arthur von Schneider, Die Förderung des Klassizismus durch den Badischen Kunstverein, in: 1818–1968. Festschrift zum 150jährigen Jubiläum des Badischen Kunstvereins Karlsruhe, Karlsruhe 1968, S. 43, Abb. 14. – Edgar Hennecke, Wilhelm Schneemelcher, Neutestamentliche Apokryphen in deutscher Übersetzung, 1. Bd., Tübingen 4. Aufl. 1968, S. 289. – Staatliche Kunsthalle Karlsruhe, Katalog Neuere Meister 19. und 20. Jahrhundert, bearb. von Jan Lauts und Werner Zimmermann, Karlsruhe 1971/ 72, Bd. 1 S. 193, Bd. 2 Abb. S. 333. – Carsten Bernhard Sternberg, Die Geschichte des Karlsruher Kunstvereins, Diss. Karlsruhe 1977, S. 21, 23, 188.* I. F.

1176

(1756–1824) bis 1816 eine klassizistische Ausbildung erhielt. Ab 1822 lebte sie in Rom, wo sie sich dem Kreise um Friedrich Overbeck (1789–1869) anschloß. Marie Ellenrieders Verehrung für Raffael und das intensive Studium seiner Werke schlagen sich neben der moralisch-religiösen Botschaft der nazarenischen Kunst bereits in dem »Bibellesenden Mädchen« nieder, wie das Kolorit, die Malweise mit dem lasierenden, glatt vertriebenen Farbauftrag und der Ausdruck von Frömmigkeit zu erkennen geben. Bezeichnenderweise wiederholte Marie Ellenrieder diese Darstellung unter Hinzufügung eines Nimbus als »Betende Heilige«. »Man kann die Frömmigkeit nicht schöner, man kann die Schönheit nicht anziehender darstellen. Alle Grazien der Jugend und der Unschuld umschweben die holde Gestalt«, heißt es im Kunst-Blatt (1825, Nr. 49, S. 193). Aus einer tiefempfundenen Religiosität entstehen in dem Bemühen um eine Erneuerung der religiösen Kunst zahlreiche Madonnen- und Heiligendarstellungen, die in dem Spätwerk der Künstlerin zu »blutarmer Gefühlsseligkeit« und »übertriebene(r) Lieblichkeit« abgleiten (W. Fleischhauer, S. 127).

Nachdem sie 1824 in die Heimat zurückgekehrt war, wurden ihr auch große monumentale Aufgaben anvertraut. So gab Großherzog Ludwig für den Hauptaltar der Karlsruher Stephanskirche eine »Steinigung des Hl. Stephanus« (470 x 320 cm; entst. 1827/31) bei ihr in Auftrag. 1829 erfolgte ihre Ernennung zur badischen Hofmalerin.

*Werner Fleischhauer, Julius Baum, Stina Kobell, Die schwäbische Kunst im 19. und 20. Jahrhundert, Stuttgart 1952. – Friedhelm Wilhelm Fischer, Sigrid von Blanckenhagen, Marie Ellenrieder, Leben und Werk der Konstanzer Malerin. Ein Beitrag zur Künstlergeschichte des neunzehnten Jahrhunderts, Konstanz 1963, S. 32f, WV Nr. 251, Abb. 29 (WV Nr. 251A »Betende Heilige«). – Staatliche Kunsthalle Karlsruhe, Katalog Neuere Meister 19. und 20. Jahrhundert, bearb. von Jan Lauts und Werner Zimmermann, Karlsruhe 1971, S. 59 (Textbd.), Abb. S. 83 (Bildbd.). – Carsten Bernhard Sternberg, Die Geschichte des Karlsruher Kunstvereins, Diss. Karlsruhe 1977, S. 28ff.*                                                    I. F.

1177

1177*

## BELOHNUNG UND STRAFE

Carl Philipp Fohr (1795–1818)

*Feder und Pinsel in Tusche, Aquarell auf Karton*
*H. 19,8 cm, B. 24,5 cm*
*Bez.: Belohnung und Strafe. Badische Monatsschrift 1807*

Karlsruhe, Staatliche Kunsthalle, Kupferstichkabinett, Inv.-Nr. 1950–111

Nach der Sage begab sich einst auf der Burg Stolzeneck über dem Neckartal folgende Geschichte: »Auf Burg Stolzeneck lebte einst ein Ritter, der seine Schwester verließ, um in den Krieg zu ziehen. Ein fremder Ritter warb um die Einsame, doch wurde er nicht erhört. Da ermordete der Freier alles, was er lebend in der Burg fand, und warf das Mädchen in das Burgverlies. Nur der zahme Rabe des Fräuleins war entkommen und ernährte seine Herrin über ein Jahr lang mit Früchten und Wurzeln aus dem Wald. Als der Bruder nun zurückkehrte, fand er alles vor, wie geschildert. Den fremden Ritter aber, der ihn waffenlos bei seiner Schwester sitzend fand und mit dem Schwerte auf ihn einstürzte, zerhackte ein ›ungeheurer Schwarm‹ von Raben« (Kat. Fohr, S. 34).

Das vorliegende Aquarell ist das Blatt 20 aus dem »Skizzenbuch der Neckargegend«, das Carl Philipp Fohr im Winter 1813/14 nach seinen Skizzen sorgfältig ausarbeitete und im Frühjahr 1814 der Erb- und Großprinzessin Wilhelmine Luise von Hessen-Darmstadt als Geschenk überreichte. Das Skizzenbuch, das 1927 aufgelöst und in einzelnen Blättern verkauft wurde, bestand ursprünglich aus 30 Blättern. Diese bildmäßig ausgeführten Aquarelle zeigten meist Landschaften, in einigen Fällen schlossen sich daran Darstellungen historischer oder sagenhafter Begebenheiten an, die sich an diesen Orten zugetragen hatten.

»Diese Ableitung des realen Daseins einer Stadt, einer Burg, ja einer Landschaft von historischen Quellen kommt aus romantischer Anschauung.« (Kat. Fohr S. 18). »Die tiefe Beziehung der Romantik zur Geschichte, zu den nationalen Quellen der Dichtung und der Bildtafeln, zu der hohen Zeit der Frömmigkeit und Tatkraft bricht nun auch in diesen Figurendarstellungen des Neckarskizzenbuchs auf. Fohr ist als Romantiker hier zum ersten Male ganz faßbar.« (Kat. Fohr S. 15).

Seinen ersten Unterricht erhielt der in Heidelberg geborene Fohr bei dem Universitätszeichenlehrer Friedrich Rottmann gemeinsam mit dessen Sohn Carl und Ernst Fries. Der hessische Kammersekretär, spätere Hofrat und Landschaftsmaler Georg Wilhelm Issel (vgl. Kat.Nrn. 1186, 1092), der 1810 Fohrs Talent erkannte, förderte seine weitere künstlerische Ausbildung in Darmstadt. Während der hessische Hofbaumeister und Architekturhistoriker Georg Moller (1784–1852) Fohr in die gotische Baukunst einführte, machte ihn Philipp Dieffenbach, der Erzieher der Prinzen am Darmstädter Hof, mit dem deutschen Sagengut vertraut. Zudem stellte er ihn der Großprinzessin vor. In ihrem Auftrag fertigte Fohr 1814/15 das »Badische Skizzenbuch« an, worauf sie ihm ein Jahresgehalt aussetzte. Mit dieser finanziellen Unterstützung konnte er die langersehnte Reise nach Italien unternehmen.

*Willibald Reichwein, Sagen um die Burg Stolzeneck, in: Eberbacher Geschichtsblatt, Folge 61, 1962, S. 50–61. – Kat. Carl Philipp Fohr 1795–1818. Skizzenbuch der Neckargegend, Badisches Skizzenbuch, Heidelberg 1968, Nr. 20, Abb. 17. – Staatliche Kunsthalle Karlsruhe, Kupferstichkabinett, Die deutschen Zeichnungen des 19. Jahrhunderts, bearbeitet von R. Theilmann und E. Ammann, Karlsruhe 1978, Bd. 1 Nr. 979, Bd. 2 Abb. S. 15.* I.F.

1178*

## KIRCHGANG

Johann Baptist Seele (1774–1814)
1799

*Gouache*
*H. 26,5 cm, B. 30 cm*
*Bez.: Seele F. 1799*

Karlsruhe, Staatliche Kunsthalle, Kupferstichkabinett, Inv.-Nr. 1986–123

Die 1799 datierte Gouache »Der Kirchgang« zeigt uns eine in Stuttgart angesiedelte »Attacke« auf die weibliche Zivilbevölkerung: Auf dem Weg zur Stiftskirche werden

1178

hinter dem Rücken der Eltern zwei modisch gekleidete Mädchen von einem Soldaten in österreichischer Uniform angesprochen.

Die Szene macht den Betrachter zum Mitwisser des Geschehens. Bildaufbau und Typisierung der Akteure läßt eine Situationskomik entstehen. Während die alten, behäbigen Eltern in altfränkischer Kleidung (mit Zopf, Kniehosen, Haube) bieder und ahnungslos der Kirche zustreben, sind die nach neuester französischer Mode schick gekleideten Töchter durchaus nicht abgeneigt, sich auf einen Flirt mit dem kecken, draufgängerischen Soldaten einzulassen.

Die fest umrissenen Formen sind in einer zart lasierenden Technik klassizistisch klar und glatt modelliert. Dieses Motiv hat Seele auch leicht variiert in Öl ausgeführt. Bei einer auf Kupfer gemalten Fassung in Donaueschingen wurde der Schauplatz in ein Landstädtchen verlegt, und der Soldat trägt nun eine französische Uniform.

In zahlreichen Genreszenen meist dem Soldatenleben hielt Seele realistisch und genau beobachtet kleine Ereignisse der Jahre fest, in denen seine Heimat Schauplatz des Kriegsgeschehens war. Zu diesen Motiven regten ihn französische Vorbilder, v.a. der Genremaler Louis Léopold Boilly (1761–1845) und niederländische Darstellungen an.

Gefördert vom fürstenbergischen Hof erhielt der in Meßkirch geborene Künstler 1789–92 seine Ausbildung an der Hohen Karlsschule bei Ph. F. Hetsch. Einen Namen machte er sich v.a. durch seine Portraits und durch Genrebilder, die durch Reproduktion weite Verbreitung fanden, wie auch durch großformatige Schlachtenstücke (vgl. Kat.Nrn. 678, 683) und Reitergefechte. Doch in Stuttgart, wo er ab 1798 lebte, wurde er wegen dieser letztgenannten Bildgattungen von der klassizistisch orientierten Künstlerschaft abgelehnt. Über Seeles 1804 erfolgte Ernennung zum Hofmaler und Galeriedirektor äußerte

1179

sich G. Schick entrüstet und voller Verachtung in einem
Brief an J. H. Dannecker: »Mit welcher Stirne will dieser
Mensch neben Wächter stehen, wenn dieser wieder nach
Stuttgart kommt, wie mir Herr Direktor Hetsch geschrie-
ben hat. Wächter, der sein Brod mit Mühe suchen muß,
und der Husaren- und Dragoner-Mahler in Besoldung!«
(A. Spemann, S. 106).

*Adolf Spemann, Dannecker, Berlin/Stuttgart 1909. – Her-
mann Mildenberger, Der Maler Johann Baptist Seele,
(Tübinger Studien zur Archäologie und Kunstgeschichte
Bd. 5), Tübingen 1984, S. 32, WV Nr. 51b. – Hermann
Mildenberger, Johann Baptist Seele, Genreszenen aus der
Zeit um 1800, in: Schwäbische Heimat, 36. Jg., 1984,
S. 339–350.* I. F.

1179*

## ABEND AN DER KÜSTE BEI SALERNO

Johann Jakob Müller, gen. Müller von Riga (1765–1832)
um 1817/18

*Öl auf Leinwand*
*H. 59,5 cm, B. 84 cm*
*Bez. rechts unten Monogramm aus:* I I M d R

Stuttgart, Staatsgalerie, Inv.-Nr. 665

Die Küstenlandschaft bei Salerno, die Müller von Riga auf
seiner zweiten Italienreise (1817/18) kennengelernt hat,
gibt er topographisch richtig als Vedute wieder. Der
Landschaftsausschnitt wird im Vordergrund gleichsam
mit einer inneren Rahmung versehen, ein Gestaltungsmittel Claude Lorrains, dessen klassische Landschaften Müller von Riga studiert hatte. Auch in der Wiedergabe der
Lichteffekte, hier der Abendstimmung, ist er Claude verpflichtet. Speziell der Bildaufbau erinnert an dessen »Acis
und Galathea« (1657), das sich in Dresden befindet, wo
Müller von Riga 1798–1801 Schüler des Landschaftsmalers J. Ch. Klengel (1751–1824) gewesen war. Durch das
bildparallele Element der Brücke im Mittelgrund, das wie

1180

die höchste Erhebung im Hintergrund in die Bildmittel-
achse gerückt ist, wirkt die zerklüftete Landschaft klar und
ausgewogen. Mensch und Natur leben in Einklang, wie
durch die Staffagefiguren, v. a. den schlafenden Knaben,
verdeutlicht wird.
Müller von Riga lebte seit seinem Romaufenthalt
(1802–04) in Stuttgart, wo er 1811 zum Hofmaler
ernannt wurde. Hier beschäftigte er sich mit interessanten
Landschaftsmotiven wie der Burg Württemberg und Lichtenstein. Auch in diesen Darstellungen der schwäbischen
Landschaft verbindet er die an Claude studierten Stilmittel
mit um wahrheitsgetreue Wiedergabe bemühter Vedutenmalerei.

*Max Schefold, Der Landschaftsmaler Johann Jakob Mül-
ler aus Riga 1765–1832, in: Zeitschrift des Deutschen
Vereins für Kunstwissenschaft, Bd. 3, 1936, S. 399f,
Abb. 6. – Kat. Im Licht von Claude Lorrain. Landschafts-
malerei aus drei Jahrhunderten, München 1983, Nr. 177,
Abb. S. 257.*                                             I. F.

1180*

## STAMMSCHLOSS WÜRTTEMBERG

Friedrich August Seyffer (1774–1845)
1813

*Radierung*
*H. 59,5 cm, B. 86 cm*
*Bez. Mitte: Stammschloß Württemberg / Seiner Majestät
dem König Friderich von Württemberg, links: Stuttgart
beÿ Aug. Seÿffer, rechts: in allertiefster Ehrfurcht gewidmet von August Seÿffer, und: nach der Natur gez. u. gest.
von Aug. Seyffer.*

Stuttgart, Staatsgalerie, Graphische Sammlung,
Inv.-Nr. A 46 869

Über den breiten Flußlauf des Neckars hinweg erblickt
man das die Landschaft gleichsam beherrschende Schloß
Württemberg, zu dem J. D. G. Memminger die Leser seines
Buches »Canstatt und seine Umgebung« (1812) führt: Vor
uns liegt »das Stammschloß des Königl. Hauses, das sich
unmittelbar über dem Dorfe [Rotenberg], auf einem sanften, freundlichen Hügel erhebt, und schon durch seine

reizende Lage unsere Aufmerksamkeit in Anspruch nimmt. Das Schloß ist noch jetzt mit Graben und Wall und einer dreyfachen Mauer umgeben, und mag ehedem ziemlich fest gewesen seyn ... Auf den Mauern dieses ehrwürdigen Denkmals der Vorzeit fühlen wir uns sowohl durch den schönen Anblick der Natur als durch das Interesse der Geschichte angezogen, und der Zauber des Alterthums, der uns hier mehr als irgendwo ergreift, steigert jede Empfindung bis zur Begeisterung« (Memminger, S. 224). Dieses Motiv beschäftigte Seyffer längere Zeit. Schon 1810 ließ er im Morgenblatt eine Ansicht vom Schloß erscheinen. Nach einer in größerem Maßstabe und »bey weitem mehr ausgeführten« Vorzeichnung entstand dann die vorliegende Radierung, die – so wird sie 1812 angekündigt – »...gewiß nicht nur von jedem Vaterlandsfreunde, sondern auch von dem Freunde und Kenner der Kunst mit demselben Beyfalle aufgenommen werden [wird], mit dem schon die Zeichnung bey der letzten Kunstausstellung betrachtet, und selbst von Sr. Maj. dem König beehrt worden ist« (Memminger, S. 283). Aus dem Jahre 1819 sind dann noch fünf Zeichnungen von seiner Hand in einem kleinen Skizzenbuch erhalten, die die Burg in verschiedenen Ansichten wiedergeben. Vermutlich war Seyffer schon damals das Projekt König Wilhelms I. bekannt, an der Stelle der alten Burg eine Grabkapelle für seine verstorbene Gemahlin Katharina zu errichten. Diese Kapelle wurde 1820–24 von Giovanni Salucci (1769 bis 1845) als klassizistischer Rundbau ausgeführt.

Der aus Lauffen am Neckar stammende Seyffer gehörte zu den ersten, die sich fast ausschließlich der heimischen Landschaft widmeten. Als Zeichner und Stecher wurde er bei J. G. Müller ausgebildet. Doch im Gegensatz zu seinem Lehrer reproduzierte er nicht Vorlagen anderer Künstler, sondern arbeitete nach eigenen Motiven. Einerseits hielt er bekannte historische Bauwerke, wie z.B. die Burg Hohenstaufen, Stadtansichten, z.B. Cannstatt, als Veduten fest. Die topographisch genau erfaßten Ansichten belebte er zusätzlich mit Staffage und Vegetation, die seine Schulung an alten Meistern der klassischen Landschaftsmalerei zeigen. Aber andererseits fand er auch topographisch nicht bestimmbare, einfache Naturausschnitte würdig, festgehalten zu werden.

*Johann Daniel Georg Memminger, Canstatt und seine Umgebung. Ein Beytrag zur Geschichts- und Länderkunde, Stuttgart 1812. – Friedrich Gottschalck, Die Ritterburgen und Bergschlösser Deutschlands, 1. Bd., 2. verbess. und verm. Aufl., Halle 1815, S. 244. – Le Blanc, Manuel, 3. Bd., 1856, S. 495, Nr. 2. – Winterlin 1895, S. 200ff. – H. Th. Musper, August Seyffer (1774–1845), der Landschaftsradierer des Stuttgarter Klassizismus, in: Schwäbische Heimat, 3. Jg., 1952, S. 166, Abb.*    I.F.

1181

1181*

## Burg Liebenzell

Friedrich August Seyffer (1774–1845)

*Pinsel in Brauntönen auf Papier*
*H. 50,3 cm, B. 56,8 cm*
*Bez. links unten: n. d. Nat: gez: v: A: Seyffer*
*und: Die Burg Liebenzell / auf dem Schwarzwald*

Stuttgart, Staatsgalerie, Graphische Sammlung, Inv.-Nr. 6467

J.G.D. Memminger berichtet, daß Liebenzell, »das aber aus nicht mehr als 12 Häusern« bestanden habe, 1785 abgebrannt sei. Über dem wiederaufgebauten Städtchen »...auf steiler Felsenwand liegen die Ruinen einer Burg, von deren hohem Thurme der Sage nach, einst von einem Markgrafen von Baden der berüchtigte Tyrann Erkinger von Merklingen herabgestürzt wurde« (Memminger, S. 595).

In seiner Zeichnung gibt Seyffer den monumentalen viereckigen Bergfried wieder, der mit einer hohen Schildmauer verbunden ist. Die um 1200 erbaute, im 16. Jahrhundert zerstörte Burg setzt er knapp in den Bildausschnitt, zeigt sie in Untersicht, so daß das Bauwerk groß und mächtig aufragt. In verschiedenen Arbeiten hält Seyffer mittelalterliche Burgen wie z.B. Rosenstein, Lichtenstein, Hohenneuffen fest. Neben dem ästhetischen Reiz der Burgruinen ist dabei für ihn die bewußte Rückbesinnung auf Stätten der für Württemberg bedeutsamen Geschichte wichtig. Er beschäftigt sich also mit der Kultur- und Geschichtslandschaft der eigenen Heimat.

*J. D. G. Memminger, Stuttgart und Ludwigsburg mit ihren Umgebungen, Stuttgart/Tübingen 1817. – Gauss 1976, Nr. 1462 und Abb.*    I.F.

1182

1182*

## Der Sauerbrunnen bei Cannstatt

Friedrich August Seyffer (1774–1845)
vor 1812

*Radierung*
*H. 20 cm, B. 25 cm*
*Bez. links:* Seyffer f., *Mitte:* Der Sauerbruñen
bey Cantstatt

Stuttgart, Staatsgalerie, Graphische Sammlung,
Inv.-Nr. A 32 099

Ab 1807 lebte F. A. Seyffer zunächst in Cannstatt, der mit
einem »ausserordentlichen Reichthum an mineralischem
Wasser gesegnet(en)« Stadt (Memminger, S. 25). Die
kleinformatige Radierung »Der Sauerbrunnen am Sulze-
rain« entstand hier (vor 1812). Das wenig anspruchsvolle
Motiv, das in knappem Bildausschnitt gezeigt wird, erhöht
Seyffer durch Städter, die ihren Sonntagsspaziergang zur
Mühle machen, und durch eine stark stilisierte Wiedergabe der Natur.
Zum Sauerbrunnen, der von der Stadt nur »eine halbe
Viertelstunde« entfernt lag, schreibt Memminger 1812
folgendes: »Dieser Brunnen steigt jetzt nicht weniger als
243 Fuß aus der Tiefe herauf und zwar mit einer solchen
Masse und Gewalt, daß er auf der Stelle eine Mühle
betreibt… Das Wasser, das er liefert, ist das vorzüglichste
unter allen Canstatter Mineralwassern und kommt an
Geschmack und Eigenschaften dem Seltzer sehr nahe. Es
wird deßwegen auch am häufigsten benutzt. An der Quelle
mussirt es wie Champagner und braust und springt noch
im Glase in unzähligen kleinen Fontänen in die Höhe,
besonders wenn es mit neuem Wein vermischt wird«
(Memminger, S. 30).

*Johann Daniel Georg Memminger, Canstatt und seine
Umgebung. Ein Beytrag zur Geschichts- und Länder-
kunde, Stuttgart 1812, S. 25, 30, 282. – H. Th. Musper,
August Seyffer (1774–1845), der Landschaftsradierer des
Stuttgarter Klassizismus, in: Schwäbische Heimat, 3. Jg.,
1952, S. 165.*                                            I. F.

1183*

## Blick auf Karlsruhe von Süden

Carl Kuntz (1770–1830)
1804

*Öl auf Leinwand*
*H. 64 cm, B. 82,5 cm*
*Bez. links unten:* C. Kuntz. fc. 1804

Karlsruhe, Staatliche Kunsthalle, Inv.-Nr. 1715

Die von Südwesten gesehene Ansicht der Stadt Karlsruhe
ist eingebettet in ein Landschaftsbild. Der Blick des
Betrachters wird über die im Vordergrund angeordneten
Motive – die ländliche Staffage links und die Baumgruppe
rechts – wie auch durch diagonal verlaufende Licht- und
Schattenzonen zu der am Horizont liegenden Stadt geführt. Im Zentrum der Stadtansicht liegt der ummauerte
Park mit dem von Friedrich Weinbrenner 1802 erbauten
Sommerschlößchen der Erbprinzessin Amalie (1754 bis
1832). Die hier residierende Witwe des früh verstorbenen
badischen Thronfolgers Karl Ludwig (1755–1801) wurde
wegen der herausragenden ehelichen Verbindungen ihrer
Kinder, v. a. der Töchter, als »Schwiegermutter Europas«
bezeichnet. An der Südwestecke des Gartens stehen drei
weitere Bauten Weinbrenners: das »Vogelhaus«, ein Tem-
pelchen auf einem hohen Sockel, und daneben der gotische
Turm mit der Kapelle, die zum Gedächtnis des Erbprinzen
»das vortreffliche, von Professor Scheffauer in Stuttgart
verfertigte Denkmal enthält« (Kolb, 2. Bd., S. 132). Die
Stadtmauer führt weiter zum Ettlinger Tor, einem 1803
errichteten Säulenportikus Weinbrenners, und zu dem
dort liegenden Garten der Reichsgräfin von Hochberg
(1768–1820) mit dem von Weinbrenner erbauten, kup-
pelbekrönten »Lusthaus«. Über die nach Durlach führende Pappelallee wird der Blick zum rechten Bildrand,
zum Turmberg weitergeleitet. In der linken Bildhälfte
dominieren der monumentale Kuppelbau der Kath. Stadtkirche St. Stephan – links daneben ist noch der Schloßturm
sichtbar – und der Gebäudekomplex des Palais Fürstenberg, an das sich rechts der Wasserturm mit runder Kuppel
anschließt. Die erst 1808–14 erbaute Stephanskirche und
die 1807–11 errichtete Ev. Stadtkirche, deren Turm in der
Bildmitte sichtbar wird, sind erst später in das bereits 1804
vollendete Gemälde eingefügt worden.
Der 1770 in Mannheim geborene Künstler erhielt den
ersten Unterricht an der dortigen Zeichnungsakademie,
daneben studierte er in der kurfürstlichen Gemäldegalerie
v. a. die niederländischen Landschafts- und Tiermaler des
17. und 18. Jahrhunderts. Ein Studienaufenthalt in der

1183

Schweiz 1791/92 und in Oberitalien vermittelte ihm entscheidende künstlerische Anregungen, einerseits durch die
unmittelbare Begegnung mit der Alpenlandschaft, andererseits durch das Kennenlernen der in der Schweiz erfolgreich gepflegten Vedutenmalerei, die von der klassizistischen Kunsttheorie wenig geschätzt wurde. »Der Blick auf
Karlsruhe« zeigt, wie Kuntz die Anregung der Schweizer
Vedutenmalerei aufnehmend ein einheimisches Land-
schaftsmotiv genau beobachtet wiedergibt, es aber in eine
wohl überlegte Komposition mit traditionellen Motiven
der niederländischen Malerei, die er sehr schätzte, ein-
bindet.
1805 erfolgte seine Ernennung zum badischen Hofmaler.
In Karlsruhe gehörte zu seinen Pflichten, Prinzessin Ste-

phanie, der späteren Großherzogin, täglich Zeichenunterricht zu erteilen. Überregional bekannt wurde er durch die
Aquatintablätter »Ansichten des Schwetzinger Schloßgarten«, die 1795 im Kunstverlag Dominik Artaria erschienen.

*J. B. Kolb, Historisch=statistisch=topographisches Lexi-
con von dem Großherzogthum Baden, 3. Bde, Karlsruhe
1813–16. – Staatliche Kunsthalle Karlsruhe, Katalog
Neuere Meister, 19. und 20. Jahrhundert, bearb. von Jan
Lauts und Werner Zimmermann, Karlsruhe 1971/72,
S. 145 (Textbd.), Abb. S. 244 (Bildbd.). – Lieselotte Bene-
dict, Der badische Hofmaler Carl Kuntz 1770–1830,
Diss. Karlsruhe 1981, S. 43, WV Nr. 1.50.*    I. F.

1184

1184*

## BLICK AUF GERNSBACH

Carl Kuntz (1770–1830)

*Aquarell über Bleistift auf elfenbeinfarbenem Papier*
*H. 34,4 cm, B. 49,8 cm*

Karlsruhe, Staatliche Kunsthalle, Kupferstichkabinett,
Inv.-Nr. VIII 1821

Dargestellt ist der Blick auf Gernsbach vom rechten Murg-
ufer aus talaufwärts. Auf der Anhöhe im Hintergrund wird
Schloß Eberstein sichtbar.
Die beiden zartfarbigen, lichtdurchfluteten Landschafts-
aquarelle (vgl. Kat.Nr. 1185) geben jeweils einen realistischen Naturausschnitt, einen spontan festgehaltenen
Natureindruck wieder. Während Kuntz beim *Blick auf
Gernsbach* noch auf traditionelle Kompositionselemente –
das die Landschaft überragende Baummotiv als Rahmung
und die Tierstaffage mit Hirten – zurückgreift, nimmt er
sie beim »Blick auf Rotenfels« stärker zurück. Mit einer
sachlich getreuen Naturbeobachtung und der perspektivisch genauen Konstruktion der Bilder steht er für eine
realistische, fortschrittliche Vedutenmalerei, die jedoch
wegen der heimischen Motive von der zeitgenössischen
Kunsttheorie abgelehnt wurde.

*Staatliche Kunsthalle Karlsruhe, Kuperstichkabinett, Die
deutschen Zeichnungen des 19. Jahrhunderts, bearbeitet
von R. Theilmann und E. Ammann, Karlsruhe 1978,
Bd.1, Nr.2140, Bd.2, Abb. S.57. – Lieselotte Benedict,
Der badische Hofmaler Carl Kuntz 1770–1830, Diss.
Karlsruhe 1981, S.43, WV Nr.4.175, Abb.30.* I.F.

1185

1186

## 1185*

### ROTENFELS AN DER MURG

Carl Kuntz (1770–1830)
1803

*Aquarell über Bleistift auf elfenbeinfarbenem Papier*
*H. 34,9 cm, B. 50,7 cm*
*Bez. links unten:* C. Kuntz fc 1803

Karlsruhe, Staatliche Kunsthalle, Kupferstichkabinett,
Inv.-Nr. P. K. I 485–53

Der Blick fällt murgaufwärts auf Rotenfels mit der
1762–66 errichteten Kath. Pfarrkirche. Kuntz wählte den
Bildausschnitt so, daß Gebäude der Rotenfelser »Steinge-
schirr= u. Schmelz=Tiegel=Fabrik« an exponierter Stelle
vorne rechts standen. Diese Fabrik hatte Reichsgräfin
Luise Karoline von Hochberg 1801 anstelle des abgerissenen Eisenwerks errichten lassen.

*Staatliche Kunsthalle Karlsruhe, Kupferstichkabinett, Die*
*deutschen Zeichnungen des 19. Jahrhunderts, bearbeitet*
*von R. Theilmann und E. Ammann, Karlsruhe 1978,*
*Bd. 1, Nr. 2139, Bd. 2, Abb. S. 160. – Lieselotte Benedict,*
*Der badische Hofmaler Carl Kuntz 1770–1830, Diss.*
*Karlsruhe 1981, S. 43, WV Nr. 4.172, Abb. 27. – J. B.*
*Kolb, Historisch=statistisch=topographisches Lexicon*
*von dem Großherzogthum Baden, 3. Bd., Karlsruhe 1816,*
*S. 125.*                                                      I. F.

## 1186*

### BODENSEE BEI GEWITTER

Georg Wilhelm Issel (1785–1870)
1816

*Öl auf Papier*
*H. 29,5 cm, B. 29,6 cm*

Darmstadt, Hessisches Landesmuseum, Kupferstichkabinett, Inv.-Nr. HZ 1368

Die direkt vor der Natur aufgenommene Studie entstand
im Juni/Juli 1816 während Issels Aufenthalt in St. Gallen.
Ein bestimmter Landschaftsausschnitt wird aus unmittel-
barer Naturbeobachtung spontan erfaßt, wobei der
Künstler weniger interessiert ist an der topographisch
genauen Wiedergabe, als vielmehr an der Umsetzung der
Gewitterstimmung. In einer flüssigen, freien Malweise
werden sensibel atmosphärische Erscheinungen in nuan-
cierte Tonwerte umgesetzt.
G. W. Issel entdeckt die schlichte Landschaft. Einheimische Natur wird für ihn darstellungswürdig. Auf seinen
Reisen hält er Eindrücke besonders der südwestdeutschen
Landschaft, v. a. die Voralpenlandschaft, den Schwarzwald, die Gegend um Heidelberg, Freiburg und den
Bodensee fest, wobei gerade die Bodenseelandschaft ein
immer wiederkehrendes Thema in seinem Werk ist. In
seinen Naturskizzen, die oft nur ausschnitthaft Wald- und
Baumstudien zeigen, verzichtet Issel bewußt auf jegliche
Staffage, traditionelle Kompositionsmittel, auf jede
romantische Symbolik. In seiner selbständigen Land-
schaftsauffassung vertritt er die fortschrittliche Richtung,
den malerischen Realismus.

*Karl Lohmeyer, Aus dem Leben und den Briefen des*
*Landschaftsmalers und Hofrats Georg Wilhelm Issel*
*1785–1870, Heidelberg 1929, WV Nr. 67. – Kat. Darm-*
*stadt in der Zeit des Klassizismus und der Romantik,*
*Darmstadt 1978/79, Nr. 93, Abb.*                             I. F.

# KUNSTHANDWERK UND MÖBEL

## *Porzellan*

## Die Ludwigsburger Porzellanmanufaktur zur Regierungszeit Friedrichs (1797–1816)

Die Ludwigsburger Porzellanmanufaktur, 1758 von Herzog Karl Eugen als letzte der großen deutschen Manufakturen ins Leben gerufen, schien mit dem Tode ihres Gründers kurz vor dem Niedergang zu stehen. Nicht zuletzt durch ständige finanzielle Aufwendungen hatte der Herzog für die Manufaktur die Voraussetzungen geschaffen, durch Engagierung erfahrener Arkanisten und bedeutender Modelleure und Maler ein hohes künstlerisches Niveau zu erreichen, das in den 70er Jahren des 18. Jahrhunderts seine höchste Blüte fand.

Erst mit dem Regierungsantritt Herzog Friedrichs, des späteren Königs Friedrich I., wurden durch Streichung der Schuldenlasten und Versteigerung altmodisch gewordener Porzellanbestände erste Schritte zur wirtschaftlichen Gesundung des Unternehmens in die Wege geleitet. Daß nun Friedrich, wie einst Karl Eugen, für die Manufaktur zum Garanten günstiger Arbeitsbedingungen werden sollte, findet sich in einem Bericht des Oberfinanzkammerdirektors von Dünger über den Zustand der Ludwigsburger Porzellanmanufaktur aus dem Jahr 1808 bestätigt. »... indem es ein für allemal die allerhöchste Intention sind, daß die Fabrique unterhalten und betrieben werde, und mithin, wenn sie sich gegenwärtig in einer, dieser Absicht nicht entsprechenden Beschaffenheit, befinden sollte, die kräftigsten Maßregeln zu ihrem Wieder Aufkommen getroffen werden müßten«.

Freilich war das königliche Mäzenatentum verbunden mit dem Wunsch nach völliger künstlerischer Neuorientierung an französischen Geschmacksmustern. Mit der Einstellung des Franzosen David als neuen Fabrikdirektor 1810 wurden erste Zeichen gesetzt. David, der sich indessen sehr schnell als unfähig erwies, mit der bislang verwendeten Passauer und Hornberger Erde zu arbeiten, ließ den König um Import französischen Kaolins bitten. König Friedrich willfuhr nicht nur diesem kostspieligen Wunsch, sondern beauftragte David sogar, Vorlagen für die Gefäßproduktion aus Paris beizuschaffen. Beeindruckende Ergebnisse dieser nicht unbeträchtlichen Investitionen waren bald nach 1810 hergestellte Porzellangeschirre, die, gleichermaßen von ihrer strengen Formensprache wie von ihrem klarweißen Scherben geprägt, zu den schönsten Schöpfungen der Ludwigsburger Manufaktur unter König Friedrich I. zählen.

Um das so erreichte Niveau durch geeignete Nachwuchskräfte fortdauernd zu sichern, wurde 1810 in Verbindung mit der Fabrik ein Künstlerinstitut eingerichtet, das unter der Leitung des noch von Herzog Karl Eugen berufenen Hofbildhauers Antonio Isopi stand.

Die umfangreichen Reformmaßnahmen König Friedrichs und die durch ihn ermöglichten Berufungen qualifizierter Künstler hatten der Ludwigsburger Porzellanmanufaktur in den ersten zwei Jahrzehnten des 19. Jahrhunderts noch einmal zu einem Aufschwung verholfen, der jedoch mit dem Tod Friedrichs ein rasches Ende finden sollte. Schon 1817 ließ Wilhelm I. die Fabrik an Johann Georg Maierhuber verpachten, der 1816 als Direktor eingestellt worden war. Daß dessen Versuche, selbständig, ohne Protektion die Manufaktur zu leiten, vergeblich waren, zeigte sich schon nach kurzer Zeit. Nach einer Interimsverwaltung durch die Hofdomänenkammer und erneuter, ebenfalls fehlschlagender Verpachtung, verfügte König Wilhelm I. 1824 die Aufhebung der Manufaktur.

*HStAS E10, Bü 81. – Wanner-Brandt, Album. – Lahnstein/Landenberger, Ludwigsburger Porzellan.*

Uta Bernsmeier

*Abgekürzt zitierte Literatur:*

*Ausst. Kat. Das Uracher Rathaus*
  Hansmartin Decker-Hauff, Markus Otto, Walter Röhm, Das Uracher Rathaus und seine Kabinettscheiben, Ausst. Kat. Urach 1983.

*Hernmark, Gold- und Silberschmiede*
  Carl Hernmark, Die Kunst der Europäischen Gold- und Silberschmiede, 1450–1830, München 1978

*Kronberger-Frentzen, Altes Bildergeschirr*
  Hanna Kronberger Frentzen, Altes Bildergeschirr, Tübingen 1964.

*Lahnstein – Landenberger, Ludwigsburger Porzellan*
  Peter Lahnstein, Mechthild Landenberger, Das Ludwigsburger Porzellan und seine Zeit, Stuttgart 1978.

*Landenberger, Höfische Kunst*
  Württembergisches Landesmuseum Stuttgart, Höfische Kunst des Barock, Zweigmuseum im Schloß Ludwigsburg, Texte, herausgegeben von Mechthild Landenberger, Stuttgart 1980.

*Meister – Reber, Europäisches Prozellan*
  Peter Wilhelm Meister, Horst Reber, Europäisches Porzellan, Stuttgart 1980.

*Pazaurek, Steingut*
  Gustav E. Pazaurek, Steingut, Formgebung und Geschichte, Stuttgart 1922.

*Wais, Alt-Stuttgarts Bauten*
  Gustav Wais, Alt-Stuttgarts Bauten im Bild, Stuttgart 1951.

*Wanner-Brandt, Album*
  Otto Wanner-Brandt, Album der Erzeugnisse der ehemaligen württembergischen Manufaktur Alt-Ludwigsburg, Stuttgart 1906.

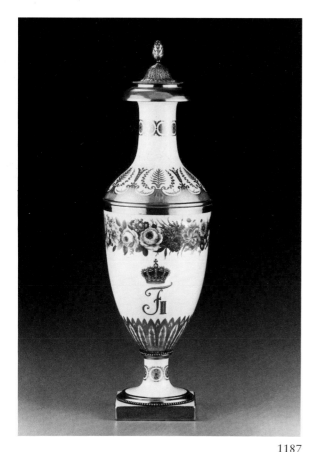

1187

Unter dem Blumenkranz ist auf Vorder- und Rückseite das goldene Monogramm *F II* unter goldenem und farbigem Kurfürstenhut angebracht. Den oberen und unteren Rand des Fußes schließen plastisch gearbeitete Perlstabbordüren ab.

*Landenberger, Höfische Kunst, S. 105. – Wanner-Brandt, Album, Kat.Nr. 1046.*                    U.B.

## 1187*

### VASENPAAR

Albrecht Walcher (Bemalung)
Ludwigsburg, 1803–1806

*Porzellan, farbig bemalt und vergoldet, Bronze vergoldet*
*H. 46,5 cm*
*Marke: Hirschstange in Unterglasurblau*

Stuttgart, Württembergisches Landesmuseum,
Inv.-Nr. 1945–41, 42

Der schlanke, eiförmige Vasenkörper ruht auf einem profilierten Glockenfuß mit Plinthe. Der hohe, zylindrische Hals der Vase wird von einem vergoldeten Bronzedeckel mit Pinienknauf bekrönt, der mit reliefierten Palmblättern verziert ist. Die Außenkante der Plinthe, der Fuß, der Gefäßansatz, die Schulter und der Hals sind mit reicher Goldmalerei in Form von umlaufenden Linien, Rosetten- und variierten Palmettenfriesen dekoriert.
Um die Leibung der Vase zieht sich ein wohl von Albrecht Walcher gemalter Blumenkranz. Mit fein nuancierter Palette sind die Rosen, Nelken, Narzissen und Aurikel als Blumengebinde mit großer plastischer Wirkung ausgeführt.

## 1188*

### TEILE EINES SPEISESERVICES

Ludwigsburg, um 1810

*Porzellan mit Vergoldungen*
*Terrine: H. 29,5 cm, B. 32,5 cm – Saucière: H. 10,4 cm, B. 22,2 cm – Schüssel: H. 2,9 cm, B. 22,3 cm, T. 22,7 cm – Salz-Pfeffergefäß: H. 10,9 cm, B. 14 cm – Besteck-bänkchen: H. 2,5 cm, B. 9,5 cm*
*Marken: Unter Terrine, Saucière, Schüssel und Besteck-bänkchen: ligiertes FR unter Krone in Rot – unter Salz- und Pfeffergefäß: ligiertes FR unter Krone in Gold*

Stuttgart, Württembergisches Landesmuseum,
Inv.-Nrn. 1957–233, 1935–330, 1957–245,
1969–694, 1957–293 u. 294

Terrine, Saucière, Schüssel, Salz- und Pfeffergefäß und Besteckbänkchen sind Teile eines umfangreichen Speiseservices, das wohl kurz nach 1810 von der Ludwigsburger Porzellanmanufaktur für König Friedrich I. hergestellt worden ist. Die einzelnen Geschirrteile, die von einer äußerst schlichten Linienführung geprägt sind, zeigen nur sparsam verwendeten plastischen Dekor. So ruhen die beiden Näpfchen des Salz- und Pfeffergefäßes auf zwei Löwenpranken, der Griff der Saucière ist als Entenkopf gestaltet und der eichelförmige Knauf des Terrinendeckels ist mit einem Kreis aus abgeflachten Kugeln besetzt. Weitere Akzentuierungen werden durch goldgehöhte Reliefs, in Form einer Palmette auf der Schulter der Saucière, verschlungener Linien auf dem Salz- und Pfeffergefäß und in Form von Rosetten auf den Besteckbänkchen erzielt. Die plastischen Details und die Kanten der Gefäße sind vergoldet.
Die strenge Formgebung der Serviceteile und der klarweiße Scherben des Porzellans stehen ganz im Zeichen der Orientierung der Ludwigsburger Porzellanmanufaktur an französischen Vorbildern. Vor allem durch den Import französischen Kaolins nach 1810 wurden hier Porzellane geschaffen, die durch ein zuvor nie erreichtes brillantes Weiß bestechen.

*Landenberger, Höfische Kunst, S. 104. – Wanner-Brandt, Album, Kat.Nr. 1134, 1135, 1137.*                    U.B.

1188

1189*

## Zwei Cremetöpfchen

Ludwigsburg, 1806–16

*Porzellan mit Vergoldungen*
*H. 10,7 cm*
*Marken: Ligiertes FR unter Krone in Gold bzw. Rot*

Stuttgart, Württembergisches Landesmuseum,
Inv.-Nr. 13584 a, b

Das konisch ansteigende Gefäß auf einem Hohlkehlfuß
besitzt einen eckig gebrochenen Henkel und einen leicht
überkragenden, kegelstumpfförmigen Deckel mit Spitz-
knauf. Die Ränder des Täßchens, des Deckels, der Knauf
und die Außenseite des Henkels sind vergoldet. Auf der
Stirn der einen Gefäßwandung und des Deckels ist,
gerahmt von einem Goldkreis, das goldene Monogramm
*F. R.*, auf der anderen das Monogramm *P. P.* in Ligatur
angebracht.
Die Cremetöpfchen gehören vermutlich zu einem für den
württembergischen Hof gefertigten, vielteiligen Tafelser-
vice, dessen Formstücke mit denen von Kat.Nr. 1188
identisch sind. Neben den sparsam eingesetzten Goldhö-

hungen an Rändern, Knäufen und Henkeln trägt dieses
Service jedoch als weiteren Dekor auf den Gefäßwandungen in Gold ausgeführte Monogramme.

*Wanner-Brandt, Album, Kat.Nr. 1138.*          U.B.

1189

## Bildnisse und topographische Ansichten auf Porzellan

Häufig sind Porzellangefäße des Empire mit Bildnissen, topographischen Ansichten und Gebäudedarstellungen geschmückt, die in ovalen oder trapezförmigen Bildfeldern bis zur Hälfte der Gefäßwandungen bedecken. Breite, mit klassizistischen Bordüren ornamentierte Goldrahmen, denen oft noch plastische Perlstäbe aufgesetzt sind, betonen den eigenständigen Bildcharakter dieser Darstellungen.

Das Portrait auf Porzellan ist zu Beginn des 19. Jahrhunderts nicht mehr Privileg nur fürstlicher Personen. Wie die königliche Familie und oft in repräsentativer Pose wiedergegebene Adlige lassen sich auch wohlhabende Bürger auf Tassen und Vasen, die durch Beschriftungen als persönliche Erinnerungsstücke gekennzeichnet sein können, in schlichter Zeittracht vor neutral-monochromem Hintergrund konterfeien.

Bereits in den letzten zwei Jahrzehnten des 18. Jahrhunderts beginnen realistische Landschafts- und Gebäudeansichten die Ideallandschaften abzulösen, mit denen oft Porzellane des Rokoko dekoriert waren. Topographische Genauigkeit und präzise Architekturschilderung bestimmen auch die Wiedergabe reizvoller württembergischer Gegenden und bekannter Schlösser, die nach populären druckgraphischen Vorlagen auf Prunkvasen und Geschirrteile der Ludwigsburger Porzellanmanufaktur gemalt werden.

*Württembergisches Landesmuseum Stuttgart, Höfische Kunst des Barock, Zweigmuseum im Schloß Ludwigsburg, Texte, hrsg. von Mechthild Landenberger, Stuttgart 1980, S. 85. – Peter Wilhelm Meister, Horst Reber, Europäisches Porzellan, Stuttgart 1980, S. 222ff.*    U.B.

1190\*

### Déjeuner des Prinzen Paul

K. H. Küchelbecker (Bildnisminiaturen), Toberer (Goldmalerei)
Ludwigsburg 1813

*Porzellan, farbig bemalt und vergoldet, Silber vergoldet*
*Kaffeekanne H. 24,5 cm – Milchkanne H. 18 cm – Zuckerdose H. 11 cm, L. 11 cm – Tassen H. 7,5 cm – Untertasse Dm. 13,5 cm – große Bechertasse H. 9 cm – große Untertassen Dm. 17 cm – Anbietplatte Dm. 36 cm – Zuckerzange L. 19,5 cm*
*Marken: Unter Kaffeekanne, Milchkanne, Tasse mit Bildnis der Katharina, kleinen Untertassen und großer Bechertasse: Ligiertes FR unter Krone in Gold; unter der Anbietplatte: Liegiertes FR in Rot*
*Malermonogramm unter der Milchkanne H. K., Malersignaturen: unter der Anbietplatte H. Küchelbecker fecit Ludwigsburgus MCCMXIII, auf der Anbietplatte, in der Weinlaubbordüre gravé par Toberer*

Stuttgart, Württembergisches Landesmuseum,
Inv.-Nr. 1945 – 246 bis 253, 1929–802

1190 b

1190a

Das aus Kaffeekanne, Milchkanne, Zuckerdose, drei Tassen mit Untertassen, Anbietplatte und Zuckerklammer bestehende Service ist sehr wahrscheinlich eine Auftragsarbeit für Prinz Paul, den zweiten Sohn des Königs Friedrich I. von Württemberg.

Deutlich ablesbar an den Gefäßformen und am ornamentalen Dekor, nimmt das Déjeuner Tendenzen einer das Kunsthandwerk nachhaltig beeinflussenden Ägyptenmode auf. Diese hatte nach 1800 in Frankreich als Folge des napoleonischen Ägyptenfeldzugs ihren Ausgang genommen und hatte durch zahlreiche Reisebeschreibungen und vielbändige Tafelwerke, in denen zum ersten Mal der Formenschatz ägyptischer Kunst und Architektur umfangreich publiziert wurde, weitere Verbreitung gefunden. An Kanopengefäße mit bekrönendem Lotusblatt bzw. Horusfalken erinnern Kaffee- und Milchkännchen, die mit Schlangen- und Krokodilhenkel weitere ägyptisierende Details erhalten. Schlangen bilden auch die hochgezoge-

nen Henkel der drei Bechertassen; ein die ganze Breite des Deckels einnehmendes Krokodil dient als Knauf der ovalen Zuckerdose. Im stilistischen Kontrast zu den ornamental verwendeten Hieroglyphenbändern stehen traditionelle Dekore des Empire: muschelförmig gefächerte Palmetten und oktogonale Weinblattbordüren, die die Bildnisse der Mitglieder der königlichen Familie auf Gefäßen und Anbietplatte rahmen. 1813 malte der aus Würzburg stammende K. H. Küchelbecker, der 1811 zu großzügigen Bedingungen für die Ludwigsburger Porzellanmanufaktur engagiert worden war, diese Bildnisminiaturen. Das Brustbild König Friedrichs ziert die Stirn der Kaffeekanne, das nach einem Gemälde Ph. F. Hetschs gemalte Bildnis Königin Charlotte Mathildes die der Milchkanne. Auf der Zuckerdose ist Prinz Paul wiedergegeben, auf den Tassenwandungen dessen Frau Charlotte, Kronprinz Wilhelm und Königin Katharina von Westphalen, geb. Prinzessin von Württemberg. Die vier Kinder des Prinzen Paul,

Charlotte, Friedrich, Pauline und August sind in einem Park spielend auf der Anbietplatte dargestellt.

Die reiche Goldmalerei, deren Wechselspiel von matten und glänzenden Flächen einen reizvollen Kontrast zu dem klaren weißen Scherben und dem warmen Olivgrün der plastisch gearbeiteten Details bildet, stammt von der Hand des 1810 in die Ludwigsburger Manufaktur eingetretenen Malers Toberer.

*Otto Wanner-Brandt, Album der Erzeugnisse der ehemaligen württembergischen Manufaktur Altludwigsburg, Stuttgart o. J., Nr. 1220–1225. – Württembergisches Landesmuseum Stuttgart, Höfische Kunst des Barock, Zweigmuseum im Schloß Ludwigsburg. Texte, hrsg. v. Mechthild Landenberger, Stuttgart 1980, S. 104. – Werner Fleischhauer, Philipp Friedrich Hetsch, Stuttgart 1929, S. 73.* U.B.

## 1191

### Medaillon mit Bildnis König Friedrichs I. von Württemberg

K. H. Küchelbecker
Ludwigsburg, 1812 oder 1813

*Porzellan, farbig bemalt und vergoldet*
*Dm 10,5 cm*
*Marke: Ligiertes* FR *in Gold unter Krone, Malersignatur:*
C. H. Kuchelbecker fecit 1812 *oder* 1813

Stuttgart, Württembergisches Landesmuseum,
Inv.-Nr. 5977

Das Medaillon in einem vergoldeten, gekehlten Rahmen, dessen innere Seite mit einem plastischen Perlstab besetzt ist, zeigt in farbiger Malerei das frontale, leicht gegen rechts gewendete Brustbildnis König Friedrichs. 1812 oder 1813, die Datierung auf der Rückseite des Porzellanmedaillons ist nicht eindeutig zu entziffern, malte K. H. Küchelbecker den württembergischen Monarchen in blauer Uniform mit rotem Ordensband und weißen Epauletten wohl nach einem Gemälde Johann Baptist Seeles. Von der Hand Küchelbeckers, der im Jahr 1811 in die Ludwigsburger Porzellanmanufaktur eingetreten war, stammen auch die ungefähr zeitgleich ausgeführten Bildnismedaillons auf den Gefäßwandungen des Déjeuners des Prinzen Paul (vgl. Kat. Nr. 1190).

*Gustav E. Pazaurek, Deutsche Fayence- und Porzellan-Hausmaler, Leipzig 1925, Bd. 2, S. 433.* U.B.

1192

## 1192*

### Tasse mit Bildnis König Friedrichs I. und Untertasse

C. D. Goll (Bemalung)
Ludwigsburg, um 1812

*Porzellan, farbig bemalt und vergoldet*
*Tasse: H. 8,9 cm – Untertasse: Dm. 15,4 cm*
*Marke: ligiertes* FR *unter Krone und über gekreuzten Blattzweigen in Gold, Malermonogramm* CG *in Gold*

Stuttgart, Württembergisches Landesmuseum,
Inv.-Nr. 1965–2

Neben dem zierlichen, zylindrischen Tassentyp mit schlichtem Ohrhenkel ist die Tassenform mit kurzer, konvex gebogener Lippe, stilisiertem Vogelhenkel und drei Löwenfüßen die gebräuchlichste Form der Ludwigsburger Porzellanmanufaktur in den ersten beiden Jahrzehnten des 19. Jahrhunderts. Auf der Stirn dieser Tasse ist im goldgerahmten Oval das frontale, leicht gegen rechts gewendete Brustbild König Friedrichs I. von Württemberg wiedergegeben.

Der Monarch ist in blauer Uniform mit silbernen Epauletten, roter Schärpe, dem Großkreuz des goldenen Adlerordens und dem Großkreuz des Militärverdienstordens dargestellt. Die übrige Wandung ist mit einer Groteskenranke mit zwei Adlern in Medaillons zwischen Palmettenbordüren in Gold dekoriert. Oberer und unterer Rand der Tasse, die Innenseite der Wandung, der Henkel und die Füße sind vergoldet.

Die Fahne der Untertasse nimmt die Dekorationsmotive der Tassenwandung, goldene Palmettenborten und Adler in Medaillons, wieder auf; ein drittes Medaillon zeigt das ligierte FR unter der Königskrone. Im Spiegel ist in farbiger Malerei das württembergische Königswappen mit Adlerorden und Militärverdienstorden auf Hermelinmantel unter der Königskrone wiedergegeben. Das Bildnis König Friedrichs kann durch das Malermonogramm C. G. als eine Arbeit des C. D. Goll aus Aachen angenommen werden.

*Württembergisches Landesmuseum, Höfische Kunst des Barock, Zweigmuseum in Schloß Ludwigsburg, Texte, hrsg. v. Mechthild Landenberger, Stuttgart 1980, S. 105.*
U. B.

1193

## 1193*

### Tasse mit Bildnis des Grafen Carl Ludwig Emanuel von Dillen (1777–1841) und Untertasse

C. D. Goll (Bemalung)
Ludwigsburg 1812

*Porzellan, farbig bemalt und vergoldet*
*Tasse H. 9,3 cm, Untertasse Dm. 15,2 cm*
*Marke: Ligiertes* FR *unter Krone in Gold, Malersignatur:*
C. D. Goll pinx. 1812

Stuttgart, Württembergisches Landesmuseum,
Inv.-Nr. 1965–1

Der zylindrische Tassenkörper mit kurzer, ausschwingender Lippe und stilisiertem Vogelhenkel ruht auf drei Löwenfüßen. Die Stirn der Tasse trägt im ovalen Goldrahmen eine Bildnisminiatur des Grafen Carl Ludwig Emanuel von Dillen. Die restliche Tassenwandung ist mit einer wellenförmig geführten Blattgirlande zwischen zwei Spitzenborten mit zopfartig verschlungenen Blattgirlanden nahezu flächendeckend in Goldmalerei dekoriert. Oberer und unterer Rand der Tasse, Henkel und Füße sind wie bei Kat. Nr. 1192 vergoldet. Spitzenborten und Blattgirlanden schmücken auch die Fahne der Untertasse.

Der auf der Tasse dargestellte Graf Dillen, ein bevorzugter Günstling am Hofe Friedrichs, avancierte nach dem Tod des Grafen Zeppelin zu einem der engsten Vertrauten des Königs. Im Rang eines Generalleutnants stehend, oblag ihm bis 1815 als Generaloberintendant und Oberschloßhauptmann die Leitung der Ludwigsburger Porzellanmanufaktur.

Durch die Signatur C. D. Goll pinx. 1812 ist die Bemalung der Tasse als eine frühe Arbeit des im Januar des Jahres 1812 zunächst für zwei Jahre in die Ludwigsburger Porzellanmanufaktur eingetretenen Aachener Miniaturmalers C. D. Goll gesichert. Goll führte die Bildnisminiatur des Grafen Dillen nach einem 1808 entstandenen Gemälde Johann Baptist Seeles aus. Die identischen Tassenformen und die ähnliche Anlage des Golddekors lassen vermuten, daß die mit der Malermarke C. G. signierte Portraittasse König Friedrichs (Kat. Nr. 1192) und die des Grafen Dillen als Gegenstücke entworfen und ausgeführt worden sind.

*Landenberger, Höfische Kunst, S. 105. – Hermann Mildenberger, Der Maler Johann Baptist Seele, Tübingen 1984, S. 253, Kat. Nr. 186.*
U. B.

1194

cher Tracht vor neutralem, grau-blau gewölktem Hintergrund dargestellt. Die Vorlagen für die Bildnisminiaturen waren vermutlich als Gegenstücke ausgeführt: Friederike Schwarzmann, in dunkelgrauem Kleid mit kurzen Puffärmeln und über die rechte Schulter drapiertem rotem Tuch, ist aus dem Profil leicht nach links dem Betrachter zugewandt wiedergegeben. Emmanuel Schwarzmann, mit braunen, in die Stirn gekämmten Locken, in dunkelgrauem Anzug mit verknotetem Halstuch und Schillerkragen, ist aus dem Profil nach rechts gedreht dargestellt.

Die Vase, so vermitteln ihre Beschriftungen, ist wohl als persönliches Erinnerungsstück an die Hochzeit des Ehepaars Schwarzmann in Auftrag gegeben worden. Die Frage, ob die Vase bereits im Jahr 1813 entstanden ist, oder zu einem späteren Zeitpunkt, bis 1824, ist unter stilistischen Gesichtspunkten nicht zu klären.

*Wanner-Brandt, Album, Kat.Nr. 1064.*          U.B

1195\*

## Ein Paar Tassen mit Bildnissen eines Mannes und einer Frau und Untertassen

Ludwigsburg, zwischen 1816 und 1824

*Porzellan, farbig bemalt und vergoldet*
*Tasse H. 6 cm, Tasse Dm. 6 cm, Untertasse Dm. 12,5 cm*
*Marken unter Tassen und Untertassen: Ligiertes WR*
*unter Krone in Gold*

Stuttgart, Württembergisches Landesmuseum,
Inv.-Nr. 14308 a, b

Die beiden innen vergoldeten, außen mit blauem Fond und goldener Weinlaubbordüre am oberen Rand dekorierten, zylindrischen Tassen zeigen auf der Stirn in Ovalmedaillons die Brustbildnisse eines Mannes und einer Frau. Die Frau, mit braunem, gescheiteltem Haar, in schlichtem grauem Kleid mit kleinem Spitzenkragen, und der Mann, in dunkelblauem Rock mit geknotetem weißem Halstuch, sind vor neutralem, beige-grauem Hintergrund dargestellt. Die in mattem Dunkelblau gehaltenen Untertassen tragen auf dem vergoldeten Rand der stumpfwinklig angesetzten Fahne zwischen Weinlaubbordüren in Majuskeln die Inschrift: *Aus kindlicher Liebe* und im Blattkranz die Initialen *F. B.* bzw. *R. F. B.* in der mattgoldenen Mitte des Spiegels.

Das Tassenpaar zeigt mit dem mattblauen Fond und der Golddekoration eine enge stilistische Verwandtschaft zur Hochzeitsvase des Ehepaars Schwarzmann (Kat.Nr. 1194). Die identische Provenienz der beiden Stücke kann als ein weiteres Indiz dafür gelten, daß Vase und Tassenpaar zusammen, vielleicht kurz nach 1816, in Auftrag gegeben worden sind. Möglicherweise handelt es sich bei den auf den Tassen dargestellten Personen – so wären die Monogramme *F. B.* und *R. F. B.* stimmig aufzulösen – um den bereits 1802 im Alter von 40 Jahren gestorbenen Rent-

1194\*

## Vase mit Bildnissen eines Ehepaares

Ludwigsburg

*Porzellan, farbig bemalt und vergoldet*
*H. 23 cm, Dm. 24,2 cm*
*Ohne Marken*

Stuttgart, Württembergisches Landesmuseum,
Inv.-Nr. 14404

Der zylindrische Vasenkörper mit konvex geschwungener, vergoldeter Lippe und vergoldetem Wulst als unterem Abschluß steht auf einem separaten vergoldeten Sockel. Den mattblauen Fond der Vase ziert unter der Lippe eine mattgoldene, umlaufende Weinlaubbordüre, die sich über dem Wulst wiederholt, unterbrochen durch die Inschrift: »Vermählt d. 12. Otbr. 1813«. Auf den Seiten, ebenfalls in Mattgolddekor, sind die Initialen und Daten »E. geb: d. 5. Juny 1788« bzw. »F. geb: d. 12. Sept: 1795« im Lorbeerkranz wiedergegeben. Vorder- und Rückseite der Vase zeigen in leicht trapezförmigem, vergoldetem und mit plastischem Perlband besetztem Rahmen die Halbfigurenbildnisse eines Mannes und einer jungen Frau.

Die beiden Personen, es handelt sich um Johann Christoph Emmanuel Schwarzmann, Ökonomieverwalter beim Stuttgarter Hoftheater, und um seine Ehefrau Wilhelmine Friederike Luise, geb. Böhm, sind in schlichter bürgerli-

1195

von 500 fl. alle zur farbigen Wiedergabe auf Porzellan benötigten Landschaftszeichnungen zu liefern. Bei dem großformatigen, König Friedrich dedizierten Blatt mit dem Stammschloß Württemberg handelt es sich vielleicht um ein Exemplar der für den König in Aussicht gestellten »Ansichten der schönsten Gegenden von Württemberg«. Neben den Ansichtsbildern zeigt das Vasenpaar aufwendige Goldmalerei. Die Rückseiten sind auf weißem Grund mit einer Leier, flankiert von Füllhörnern, und zwei gegenläufig angeordneten, beidseitig zu Voluten gedrehten Blattranken dekoriert. Der mit einer gravierten Blattbordüre verzierte Fuß, der Leibungsansatz, die Henkel, der Hals und die Lippe sind vergoldet. Die Schulter umzieht ein weißer, plastisch gearbeiteter Perlstab.

*HStAS E10, Bü 81. – Schefold, Württemberg, S. 640, 8817 und S. 842, Nr. 11370, Nr. 11374. – Landenberger, Höfische Kunst, S.103.* U.B.

kammer-Kanzlisten und Herzoglichen Landbau-Deputationssekretär Jacob Friedrich Böhm und seine Frau Regina Friederika Böhm, die Eltern der Friederike Schwarzmann. Das Tassenpaar wäre so als ein posthumes Zeugnis kindlicher Liebe zu verstehen. U.B.

## 1196*

### EIN PAAR AMPHORENVASEN

Ludwigsburg, um 1815

*Porzellan, farbig bemalt und vergoldet*
*H. 41 cm*

Stuttgart, Württembergisches Landesmuseum,
Inv.-Nr. 1945–276, 277

Der eiförmige Vasenkörper mit geschwungenem Hals ruht auf einem Glockenfuß mit schwarzer Plinthe. Die hochgezogenen Akanthushenkel sind mit Maskaronansätzen versehen.
Die Fronten der Vasenleibungen zeigen in farbiger Malerei württembergische Ansichten: Das Bildfeld der einen Vase gibt einen Blick vom linken Neckarufer auf Burg und Dorf Württemberg, das der anderen einen Blick auf den geschwungenen Neckarlauf und Cannstatt vom Kahlenstein aus. Beide Darstellungen, in ihren Goldrahmen beschriftet *STAMMSCHLOSS WÜRTTEMBERG* bzw. *BELLEVUE* und *CANNSTATT*, sind präzise Wiedergaben zweier druckgraphischer Vorlagen von August Seyffer. Der Kupferstich »Schloß Württemberg« war in frühester Fassung 1810 im »Morgenblatt für gebildete Stände« erschienen. Eine spätere, 1814 oder 1816 entstandene, wesentlich größere Ausführung widmete Seyffer König Friedrich I. Die Umrißradierung »Cannstadt vom Kahlenstein aus« ist 1813 datiert. Im Jahr 1815 hatte sich der Zeichner und Kupferstecher Seyffer der Intendanz der Porzellanmanufaktur erboten, für ein jährliches Gehalt

1196

1197

1198

## 1197*

### Helmkanne und Becken

Ludwigsburg, 1806–1816

*Porzellan, farbig bemalt und vergoldet*
*Kanne H. 19,2 cm, Becken Dm. 23 cm*
*Marken unter Kanne und Becken: Ligiertes FR unter*
*Krone in Gold*

Stuttgart, Württembergisches Landesmuseum,
Inv.-Nr. 1977–7

Der helmförmige, auf einem gewulsteten Hohlfuß ruhende
Kannenkörper besitzt einen ohrförmigen Henkel, der mit
einem Satyrmaskaron angesetzt ist und in einem Schlan-
genkopf ausläuft. Fuß, Schulter, Ausguß und Henkel sind
vergoldet. Die seitliche und hintere Wandung der Kanne
sind mit dem gleichen Goldspitzendekor verziert wie die
ausschwingende Fahne des runden Beckens auf abge-
schnürtem Hohlfuß: mit eckig gebrochenen Mäanderbän-
dern, zum Gitterwerk gekreuzten, geschwungenen Linien
mit eingesetzten Palmetten und Blattzweigbordüren.
Die Stirnseite der Kanne zeigt in trapezförmigem Goldrahmen eine farbig gemalte Ansicht von der Nordseite des
Ludwigsburger Schlosses mit den englischen Anlagen im
Vordergrund und der Emichsburg im linken Hintergrund.
Im Bildfeld ist sehr genau ein um 1805 entstandener Stich
Friedrich Webers wiedergegeben (vgl. Kat. Nr. 1044), nur
die Vordergrundszenerie mit den Staffagefiguren ist auf
der Kannenansicht leicht vereinfacht.

*Schefold, Württemberg, S. 349, Nr. 4852. – Peter Lahn-*
*stein, Württemberg Anno Dazumal, Stuttgart 1964, Abb.*
*S. 93. – Landenberger, Höfische Kunst, S. 103.    U. B.*

## 1198*

### Tasse mit Ansicht von Schlösschen Weil und Untertasse

Ludwigsburg, 1820–1824

*Porzellan, farbig bemalt und vergoldet*
*Tasse H. 10,2 cm, Untertasse Dm 16 cm*
*Marke unter der Tasse: Ligiertes WR unter Krone in*
*Gold*

Stuttgart, Württembergisches Landesmuseum,
Inv.-Nr. 1945–272

Nahezu die Hälfte der Tassenwandung nimmt ein von
einem goldenen Rahmen mit eingravierter Blumenbordüre
begrenztes Bildfeld ein, das in farbiger Malerei links das
Dorf Weil bei Esslingen, rechts das 1819–1820 von
Giovanni Salucci für Wilhelm I. als königliches Landhaus
erbaute Schlößchen Weil wiedergibt. Die restliche Tassenwandung zeigt auf mattviolettem Grund reiche Goldmalerei: eine sehr plastische Wirkung erzielende Feigenbor-
düre, gesäumt von Doppellinien, und als unteren Abschluß
eine zierliche Bordüre aus stilisierten Palmetten und Rosetten in alternierender Reihung. Die Innenseite der Tasse mit
einem Artischockenfries am oberen Rand, der Henkel und
die Füße sind vergoldet. Die außen weiße Untertasse zeigt
auf der Innenseite, ebenfalls auf mattviolettem Grund, die
gleichen Schmuckbordüren wie die Tassenwandung.   U. B.

# Malereien Königin Charlotte Mathildes auf Porzellan

Von der Hand Königin Charlotte Mathildes von Württemberg sind aus den Jahren 1810–1818 zahlreiche Malereien auf Ludwigsburger Porzellan erhalten. Die Arbeiten – es sind allesamt Grisaillemalereien, zumeist vor schwarzem, manchmal vor blauem oder gelbem Grund – sind mit dem goldenen Malermonogramm C. M. signiert.

Neben antikisierenden und mythologischen Motiven wie Sphingen, Amoretten und Profilköpfen von Heroen widmete sich Charlotte Mathilde vor allem dem pastoralen Sujet. Die Hühnerhofszenerien, Hunde, Schafe und Hirsche in Landschaften, mit denen Teller und Tassenwandungen bedeckt sind und die als Medaillons prunkvolle Vasen zieren, besitzen in ihrer fein abschattierten Strichelung durchaus graphische Qualitäten.                    U. B.

1199 b

1199 a

## 1199*

### FRÜHSTÜCKSSERVICE KÖNIG FRIEDRICHS I. MIT SERVICEKASTEN

Königin Charlotte Mathilde (Bemalung des Porzellanmedaillons), Johannes Klinckerfuß zugeschrieben (Servicekasten), Johann Conrad Kurz (1753–1833, Heirat 1788), (Löffel)
Stuttgart, 1810

*Silber vergoldet, Porzellan mit Grisaillemalerei, Porzellan, farbig bemalt und vergoldet, Glas geschliffen, Mahagoni, Eiche, Ebenholz, Messing, roter Samt
Glasschüssel: H. 9,8 cm, Dm. 17,1 cm – Teedose: H. 15,1 cm, B. 9,6 cm – Tasse: H. 7,6 cm, B. 12,7 cm – Untertasse: H. 2,4 cm, Dm. 14,9 cm – Löffel: L. 16,7 cm bzw. 16,3 cm – Zuckerklammer: L. 14 cm – Servicekasten: H. 18 cm, B. 44 cm, T. 34 cm
Malersignatur auf der Rückseite des Porzellanmedaillons: CAM 1810. Auf den Löffeln Beschau: Stuttgart (Pferd mit P), Meistermarke: ICK im Dreipaß, auf der Zuckerklammer: Beschau: Stuttgart (Pferd mit O), Meistermarke verschlagen*

Stuttgart, Württembergisches Landesmuseum, Inv.-Nr. 1945–105 a–h

Der schlichte rechteckige Kasten wurde von J. Klinckerfuß für König Friedrich gefertigt, der darin sein privates Service aufbewahrte. Es besitzt die bei württembergischen Möbeln häufig verwendeten Messingintarsien (Rauten- oder Mäandermuster), die glatt geschliffen und ebenfalls überpoliert sind. In derselben Technik ist auch der Schlüsselschild behandelt. Er erhielt eine feine Gravur, die das königliche Wappen zeigt. Die Porzellanplatte des Deckels bemalte Königin Charlotte Mathilde von Württemberg mit dem beliebten Motiv des Blumengebindes.

Auch das Frühstücksservice mit Tasse, Schüssel, zwei Teedosen, zwei Löffeln und Zuckerzange ist in sehr schlichten Formen gehalten. Die beiden viereckigen Teedosen und die runde Schüssel sind aus Glas und mit Steindelschliff dekoriert. Der Lippe der Glasschüssel ist ein vergoldeter Reif aufgesetzt; die beiden Teedosen besitzen vergoldete Drehverschlüsse, die, ebenso wie die zwei vergoldeten Löffel des Stuttgarter Goldschmieds Johann Conrad Kurz das gravierte Königsmonogramm *FR* tragen. Die gedrungene Doppelhenkeltasse und die Untertasse sind mit goldenen Weinlaubenbordüren und Friesen aus blauen stilisierten Blüten verziert.

Das trotz der unterschiedlichen Materialien harmonische Ensemble erhält einen besonderen Reiz durch den privaten Charakter, den es als persönliches Service König Friedrichs I. besitzt.                    U. B./W. W.

1200

1201

1200*

## Tasse mit Untertasse

Bemalung von Königin Charlotte Mathilde
Ludwigsburg, 1811

*Porzellan mit Grisaille- und Goldmalerei
Tasse H. 9,5 cm, Untertasse Dm. 15,5 cm
Malermonogramm CM 1811 in Gold auf Tasse und
Untertasse*

Schloßverwaltung Ludwigsburg, Außenstelle des Staatl.
Liegenschaftsamtes Stuttgart, Schloß Ludwigsburg,
Inv.-Nr. Sch. L. 1808

Die zylindrische Tasse mit ausschwingender Lippe ruht
auf drei Löwenfüßen. Der ohrförmige Henkel ist oben zur
Volute gedreht und mit einem kleinen Kugelknauf bekrönt.
Auf der Tassenwandung sind in Grisaillemalerei ein Hund
und ein liegender Hirsch in einer Landschaft mit Burg-
ruine dargestellt. Die leicht gewölbte Fahne der Untertasse
und die Lippe sind mit einer Bordüre aus Fliederblättern in
Form eines »Laufenden Hundes« in Goldmalerei dekoriert.
Die Innenseite der Lippe, die Löwenfüße, der Tassenhenkel
und die Ränder der Untertasse sind vergoldet.

*Wanner-Brandt, Album, Kat.Nr. 1079.*        U. B.

1201*

## Vase

Bemalung von Königin Charlotte Mathilde
Ludwigsburg 1814

*Porzellan, mit Grisaille- und Goldmalerei
H. 28,5 cm
Malermonogramm CM 1814 in Gold*

Stuttgart, Württembergisches Landesmuseum,
Inv.-Nr. 1945–109

Die urnenförmige Vase mit zwei Schwanenhenkeln und
umgebogener Lippe ruht auf einem Glockenfuß mit
Plinthe. Zwei goldgerahmte Medaillons auf Vorder- und
Rückseite der Vase zeigen auf blauem Grund in Grisaillemalerei ein von einem Amor nach rechts gelenktes Ziegen-
gespann, bzw. ein nach links gelenktes Pferdegespann. Der
Fuß und die restliche Gefäßwandung sind mit goldenen
Liliengewächsen, die rechteckig um die Bildfelder angeordnet sind und in senkrechter Fächerung vom Fuß- bzw.
Gefäßansatz ausgehen, dekoriert. Plinthe, Fußrand und
-wulst, die tiefangesetzten Henkel und die Lippe der Vase
sind vergoldet.

*Wanner-Brandt, Album, Kat. Nr. 1067.*        U. B.

1202

1203

1202*

VASE

Bemalung von Königin Charlotte Mathilde
Ludwigsburg, 1815

*Porzellan mit Grisaille- und Goldmalerei*
*H. 41,5 cm*
*Malermonogramm CM 1815 in Gold*

Stuttgart, Württembergisches Landesmuseum,
Inv.-Nr. 1945 – 107

Der eiförmige Vasenleib mit hohem, trichterförmigem
Hals steht auf einem Glockenfuß mit Plinthe. Die beiden
hochgezogenen Akanthushenkel mit Maskaronansatz, die
Lippe, der Gefäßansatz, der Fußrand und die Plinthe sind
vergoldet. Der Vasenkörper zeigt beidseitig in goldgerahmten Ovalmedaillons antikisierende Profilköpfe, die in
Grisaillemalerei auf schwarzem Grund ausgeführt sind.
Die restliche Wandung des Vasenkörpers, der Hals und
der Fuß sind mit senkrechten, geschwungenen und wellenförmig geführten Blattranken und Palmetten in Goldmalerei dekoriert.                                      U.B.

1203*

VASE

Bemalung von Königin Charlotte Mathilde
Ludwigsburg, 1818

*Porzellan mit Grisaille- und Goldmalerei*
*H. 19 cm*
*Malermonogramm CM 1818 in Gold*

Stuttgart, Württembergisches Landesmuseum,
Inv.-Nr. 1945 – 328

Die zylindrische Vase mit konvex geschwungener Lippe ist
fest mit ihrem abgesetzten, sich nach unten glockenförmig
erweiternden Fuß verbunden. Auf der Stirn der Wandung
ist in goldgerahmtem Medaillon vor schwarzem Grund ein
nach rechts gewandter Stier in Grisaillemalerei dargestellt.
Die restliche Fläche ist mit reichem Rankenwerk in Goldmalerei dekoriert.                                 U.B.

## Goldschmiedekunst

## Die Stuttgarter Goldschmiedekunst um 1800

Während bis in das 18. Jahrhundert die Augsburger Goldschmiede, die auch den württembergischen Hof mit repräsentativen Gold- und Silberarbeiten belieferten, dominant waren, konnte die Stuttgarter Goldschmiedekunst des Empire zu überregionaler Bedeutung geführt werden.

Das erhaltene umfangreiche Hofsilber König Friedrichs I. gibt einen eindrucksvollen Beleg für das hohe Niveau, auf dem die Stuttgarter Goldschmiede um 1800 zu arbeiten verstanden.

Weit mehr als vom französischen Stil, der sich durch aufwendigere Formen und üppigeren Dekor auszeichnet, zeigten sich die Stuttgarter Goldschmiede von der schlichten Formensprache der englischen Silberschmiedekunst beeinflußt. In der Nachfolge des auf den frühen Klassizismus stilbildend wirkenden Robert Adam war in England ein auf äußerste Reduktion und Eleganz abzielender Stil geprägt worden, der sicherlich auch von der Gemahlin König Friedrichs I., Charlotte Auguste Mathilde, geb. Prinzessin von Großbritannien, favorisiert wurde.

Von den wohl bedeutendsten Stuttgarter Goldschmiedefamilien des Empire, Sick und Hirschvogel, wurden um 1800 Gefäße, Leuchter und Tischgeräte geschaffen, in denen die nach Klarheit, Strenge und Schönlinigkeit verlangenden klassizistischen Formideale ihren vollkommenen Ausdruck finden.

*Landenberger, Höfische Kunst. – Hernmark, Gold- und Silberschmiede.*    U.B.

1204*

### Drei Prunkvasen

Joseph Hirschvogel (1760–1830)
Stuttgart, 1811

*Kupfer vergoldet, Bronze vergoldet, Silber vergoldet, Silber geschwärzt*
*H. 109 cm bzw. 77 cm*
*Auf den Plinthen signiert und datiert:* Verferdigt von Silberarbeiter Hirschvogel in Stuttgart den 19. Sept. 1811

Schloßverwaltung Ludwigsburg, Außenstelle des Staatl. Liegenschaftsamtes Stuttgart, Schloß Ludwigsburg, Inv.-Nr. KRGT 2682–2684

Zu den prunkvollsten Stuttgarter Goldschmiedearbeiten des Empire können drei große Krater-Vasen gezählt werden, die 1811 von dem Hofsilberarbeiter Joseph Hirschvogel gefertigt worden waren.

Die drei im unteren Teil halbkugelförmigen Vasenkörper mit weit ausgezogener Lippe ruhen auf einem Glockenfuß mit Plinthe und Nodus. Antikisierende Kymata dekorieren Nodus und Lippe, ein Flechtband umzieht den Fußrand, die glatten Henkel sind nach oben aufgebogen und bei der größten der drei Vasen mit vollplastisch gearbeiteten Schwänen besetzt. Einen reizvollen Schmuck bilden den Vasenleibungen aufgesetzte Friese mit reliefierten figürlichen Darstellungen. Die sehr subtil gearbeiteten Tiere und kleinen Szenerien wie Ziegen, Hase, Widder, Fuchs und ein von einem Putto gelenkter Ziegenwagen vereinen sich zu einem schön komponierten Reigen, der nach Modellen des Stuttgarter Hofbildhauers Antonio Isopi gegossen wurde. Unterhalb der Lippe ist eine breite umlaufende Weinlaubranke mit Trauben angebracht.

Wohl kurz nach der Fertigstellung der auf den Plinthen *19. Sept. 1811* datierten und noch mit *Silberarbeiter Hirschvogel* signierten Vasen war der aus Augsburg gebürtige Joseph Hirschvogel zum Königlichen Hof-Silberarbeiter ernannt worden, wie sein Dankschreiben vom 30. September 1811 an König Friedrich belegt. Sehr wahrscheinlich waren es diese Arbeiten Hirschvogels, die in der ersten Stuttgarter Kunstausstellung von 1812 als Beispiele der niveauvollen heimischen Goldschmiedekunst gezeigt und im ›Morgenblatt für gebildete Stände‹ als »Vasen von den reinsten und schönsten Verhältnissen« gerühmt wurden.

Die repräsentativen Krater-Vasen, die als Geschenk der Stuttgarter Weingärtner an König Friedrich I. überliefert sind, waren im gelben Zimmer des Stuttgarter Neuen Schlosses aufgestellt.

*HStAS E 5, Bü 36. – J. D. G. Memminger, Stuttgart und Ludwigsburg mit ihren Umgebungen, Stuttgart 1817, S. 201.*    U.B.

1204b

1204c

1205*

## SECHS GUSSMODELLE

Antonio Isopi (1758–1833)
Ludwigsburg, um 1810

*Ton*
*H. 11,7 cm bis 15,4 cm, B. 14 cm bis 19,9 cm*
*Bez. auf dem unteren Rand bei Inv.-Nr. 6786:* Isopi fece
*… in Ludwigsburg; bei den übrigen Inv.-Nrn.:* v. Isopi
fece

Stuttgart, Württembergisches Landesmuseum, Inv.-Nrn.
E 191, E 3189, E 3190, E 3193, E 3194, 6786

Von der Hand des Stuttgarter Hofbildhauers Antonio
Isopi hat sich eine Anzahl kleiner gewölbter Flachreliefs
mit Darstellungen einzelner Tiere oder Tiergruppen erhalten. In sechs dieser Tonmodelle sind Gußvorlagen für
einzelne Motive der figürlichen Friese zu sehen, die die
Leibung der drei von Joseph Hirschvogel gefertigten
Prunkvasen umziehen. Die kleinen Reliefs, die ein Rind,
ein Perlhuhn, einen Truthahn, einen springenden Hasen
und einen Hund, der von einem Faß aus ein Huhn anbellt,
zeigen, tragen allesamt die Künstlersignatur *v. Isopi fece.*
Von dem springenden Hasen existiert eine zweite, etwas
kleinere unsignierte Fassung.

Antonio Isopi war noch von Herzog Karl Eugen als
Hofbildhauer und Hofmarmorierer nach Württemberg
berufen worden. 1810 übernahm er die künstlerische
Leitung des von König Friedrich neu gegründeten Künst-
lerinstituts, an dem er für die Ausbildung geeigneter
Nachwuchskräfte für die Ludwigsburger Porzellanmanufaktur verantwortlich war. Isopi, der sich vor allem der
Kleinplastik und dem Kunsthandwerk widmete, hat sich
immer wieder mit dem Sujet der Tierdarstellungen
beschäftigt, in dem er sehr fein und nuancenreich zu
arbeiten verstand.

*Leo Balet, Kataloge der Kgl. Altertümersammlung in
Stuttgart, Bd. 1, Ludwigsburger Porzellan, Stuttgart 1911,
S. 41. – Thieme-Becker, Bd. 19, S. 254.*    U.B.

1205 a

1205 c

1205 b

1205 d

1205 e

1205 f

1206

1206*

## DÉJEUNER FÜR KÖNIG FRIEDRICH I.

Meister HLV (vermutlich ein Mitglied der Familie
Hirschvogel)
Stuttgart, um 1810

*Gold, getrieben, gegossen und graviert, schwarzes Holz
Tablett: H. 3,3 cm, B. 37,5 cm, T. 22,9 cm – Kaffee-
kanne: H. 15,1 cm, B. 15,5 cm – Teekanne: H. 11,1 cm,
B. 19,5 cm – Milchkanne: H. 12,5 cm, B. 12,5 cm –
Zuckerdose: H. 7,7 cm, B. 11,5 cm – Zuckerklammer:
L. 14,9 cm – Löffel: L. 15,2 cm – Teesieb: Dm. 5,6 cm
Meistermarke unter dem Tablett HLV*

Stuttgart, Württembergisches Landesmuseum,
Inv.-Nr. 1937–283 bis 290

Wie Kaffee- und Milchkanne des Meisters IS (vgl. Kat. Nr.
1210) zeigt auch das zwischen 1806 und 1816 vom Meister HLV, vermutlich einem Mitglied der Familie Hirschvogel, für König Friedrich I. von Württemberg hergestellte
Déjeuner die Orientierung der Stuttgarter Goldschmiede
an der durch klare Formen und sparsam eingesetzten
Dekor gekennzeichneten englischen Silberschmiedekunst.
Die Schlichtheit, von der das Kannenpaar des Meisters IS
bestimmt ist, findet bei diesem etwa zwanzig Jahre später
entstandenen Service zu noch größerer Verfeinerung in
den schönlinigen, wohlponderierten klassizistischen Um-
rißführungen.
Alle Gefäße des aus Tablett, Kaffee-, Tee-, Milchkanne,
Zuckerdose, einer Zuckerklammer, zwei Kaffeelöffeln
und einem Teesieb bestehenden Déjeuners sind auf spitz-
ovalem Grundriß aufgebaut. Die geradlinige Wandung der
Teekanne, die leicht konischen von Kaffee- und Milchkanne und die schiffchenförmige Gefäßwandung der auf
einem glockenförmigen Hohlfuß ruhenden Zuckerdose
wie das ovale Tablett tragen das ligierte Königsmonogramm *FR* unter der Krone. Die Ausgüsse bei Kaffee- und
Milchkanne sind schnabelförmig, bei der Teekanne als
s-förmig geschwungene Röhre gestaltet. Neben den zierlichen Gittern, die der Schulter von Zuckerdose und
Teekanne aufgesetzt sind, bzw. die Deckelränder der
beiden anderen Kannen und den Rand des Tabletts säumen, setzen die hochgezogenen, mit schwarzem Holz
eingelegten Kannenhenkel dekorative Akzente.

*Landenberger, Höfische Kunst, S. 80.*          U.B.

1207

1207*

## ZWEI LEUCHTER

Meister HLV (vermutlich ein Mitglied der Familie
Hirschvogel)
Stuttgart, 1810–1820

*Silber, vergoldet, getrieben und gegossen
H. 31,5 cm, Dm. 13 cm
Marken: Stadtbeschau Stuttgart (Pferd mit P),
Meistermarke HLV*

Stuttgart, Württembergisches Landesmuseum,
Inv.-Nr. 1937–338 d, f

Der nach oben sich erweiternde Schaft des Leuchters steht
auf einem runden, profilierten und getreppten Hohlfuß.
Die zylindrische Tülle mit kleinem Glockenfuß ruht in
einer Abtropfschale mit weit ausschwingendem Rand, die
ihrerseits durch einen Glockenfuß mit dem Leuchterschaft
verbunden ist.
Zeitgleich zu dem Leuchterpaar des Johann Christian Sick
(vgl. Kat.Nr. 1208) entstanden, zeigt diese Arbeit des
Stuttgarter Meisters HLV einen wesentlich reicheren
Dekor. Zwar ist auch hier die Kontur des Leuchters geprägt von straffer klassizistischer Linienführung, doch

werden mit den Kanneluren auf dem Leuchterfuß, den
Schaftringen und der Palmettenbordüre, die den Rand der
Abtropfschale umzieht, verstärkt dekorative Akzente
gesetzt.                                                    U.B.

## 1208*

### LEUCHTERPAAR

Johann Christian Sick (Heirat 1766, gest. 1824)
Stuttgart, 1810–1820

*Silber, getrieben und graviert*
*H. 26 cm, Dm. 12,3 cm*
*Marken: Beschau Stuttgart (Hirschstange),*
*Meistermarke SICK*

Stuttgart, Württembergisches Landesmuseum,
Inv.-Nr. 1937–482b, d

Über einem runden, getreppten Fuß erhebt sich der
schlanke Schaft des Leuchters, der an seiner dünnsten
Stelle von einem Nodus unterbrochen wird und nach oben
sich leicht erweitert. Auf der gerade eingezogenen Schulter
ruht eine trichterförmige Tülle mit weit ausgezogenem
Rand. Bis auf eine zierliche gravierte Palmettenbordüre am
oberen Ende des Schaftes und einem gravierten württembergischen Wappen unter der Königskrone auf dem Fuß ist
der Leuchter völlig schmucklos.
Das Leuchterpaar des Stuttgarter Silberarbeiters Johann
Christian Sick orientiert sich in seiner äußerst schlichten
Linienführung an der klaren, nahezu puristischen Formensprache des ausgehenden 18. Jahrhunderts.

*Leon de Groër, Les arts décoratifs de 1790 à 1850,*
*Fribourg 1985, S. 272f.*                                  U.B.

1208

## 1209*

### TABLETT, MILCHKANNE UND
### ZWEI RAHMKÄNNCHEN

Georg Christian Friedrich Sick (1794–1863,
Heirat 1816)
Stuttgart, um 1825

*Silber, vergoldet, getrieben, gegossen und graviert*
*Tablett: Dm. 33,5 cm – Milchkännchen: H. 16,9 cm,*
*B. 10,5 cm – Rahmkännchen: H. 14,2 cm bzw. 13,1 cm,*
*B. 13 cm bzw. 11,9 cm*
*Marken: Unter dem Tablett und auf dem Fußrand*
*der Milchkanne: Beschau Stuttgart (Pferd mit Q),*
*Meistermarke SICK*

Stuttgart, Württembergisches Landesmuseum,
Inv.-Nr. 1937 – 352a, 333, 303b, 304b

Wohl um 1825 schuf der Stuttgarter Goldschmied und Silberarbeiter Georg Christian Friedrich Sick die drei Kannen
und das Tablett für den württembergischen Hof. Die
bauchigen Rahmkännchen auf niederem Fußreif und das
eiförmige Milchkännchen auf einem getreppten und
gewulsteten Hohlfuß zeigen schon die Abkehr von den
strengen klassizistischen Formidealen und die Tendenz zu
den gefälligeren, wenn auch schlichten Formen des Biedermeier.
Die Ausgüsse der drei Kannen sind helmförmig gestaltet,
die hochgezogenen Ohrhenkel enden oben in Palmetten
und sind unten zu Voluten gedreht. Die Schulter der Kannen, die Fußreife der Rahmkännchen und den Rand des
Tabletts umzieht ein Fries aus reliefierten Palmblättern,
das obere Fußende des Milchkännchens ist mit einer
Sternchenbordüre verziert. Die Stirn der Kannen und die
Spiegelmitte des Tabletts tragen das gravierte württembergische Königswappen.

*Landenberger, Höfische Kunst, S. 80.*                     U.B.

1209

1210*

## Kaffeekanne und Milchkanne

Meister IS
Stuttgart um 1790

*Silber, innen vergoldet, getrieben, gegossen und graviert*
*Kaffeekanne: H. 15,7 cm, B. 15,9 cm – Milchkanne:*
*H. 13,8 cm, B. 13,5 cm*
*Marken: Unter der Milchkanne Beschau Stuttgart*
*(Pferd mit O), Meistermarke: IS*

Stuttgart, Württembergisches Landesmuseum,
Inv.-Nr. 1937–391, 388

Kaffeekanne und Milchkanne des Meisters IS, um 1790
entstanden, sind geprägt von einer äußerst schlichten
Linienführung. Der konische Kannenkörper mit ovalem
Querschnitt erhebt sich von einem niedrigen, gekehlt
ausschwingenden Fußreif. Dem sehr kräftig ausgebildeten
Schnabelausguß steht ein schlanker, hochgezogener Ohrhenkel gegenüber. Der flache Kannendeckel mit Kugelknauf trägt auf seinem Rand ein zierliches Stabgitter. Auf
einer Seite der Milchkannenwandung ist das württembergische Herzogswappen auf einem Hermelinmantel
unter der Krone eingraviert.
Die schlichten Kannen des Meisters IS zeigen deutlich die
Orientierung der Stuttgarter Silberarbeiter um 1800 an der
englischen Goldschmiedekunst, die gegen Ausgang des 18.
Jahrhunderts zu einem auf einfachen, wohlproportionier-
ten Formen beruhenden wirkungsvollen Stil gefunden
hatte.

*Landenberger, Höfische Kunst, S. 95.*                    U.B.

1210

1211

## Badische und württembergische Silberarbeiten

1212*

### TAFELAUFSATZ

Carl Ludwig Jung (Meister 1790/91, gest. 1806)
Mannheim, 1802–1806

*Silber, getrieben, gegossen und graviert, blaues Glas*
*H. 35,2 cm, B. 37 cm*
*Marken: Beschau Mannheim (13 i im Dreipaß),*
*Meistermarke JUNG*

Mannheim, Reiss-Museum

1211*

### KLEINES FRÜHSTÜCKS-SERVICE

Johann Conrad Kurz (1753–1833, Heirat 1778)
Stuttgart, um 1810

*Silber vergoldet, getrieben und graviert*
*Bouillonschale: H. 5,2 cm, B. 11,3 cm, L. 13,8 cm;*
*Becher: H. 7,5 cm, Dm. 6 cm; Salz- und Pfeffergefäß:*
*H. 3,9 cm, T. 5,5 cm, L. 7 cm; Eierbecher: H. 6,5 cm,*
*Dm. 4,3 cm; Messer: L. 23,9 cm; Gabel: L. 21 cm; Löffel:*
*L. 21,8 cm; Mark-Eierlöffel: L. 15,6 cm*
*Marken: Auf Becher, Eierbecher, Messer, Gabel, Löffel*
*und Mark-Eierlöffel: Beschau Stuttgart (Pferd mit P),*
*Meistermarke ICK im Dreipaß. Auf der Messerklinge*
*G. MÜLLER F*

Stuttgart, Württembergisches Landesmuseum,
Inv.-Nr. 1937–296 a–h

Das Frühstücks-Service, bestehend aus einer Bouillonschale, einem Becher, einem Salz- und Pfeffergefäß, einem Eierbecher und Messer, Gabel, Löffel sowie einem Mark-Eierlöffel, ist eine wohl um 1810 entstandene Arbeit des Stuttgarter Goldschmieds Johann Conrad Kurz.
Der zylindrische Becher und der kelchförmige Eierbecher auf getrepptem Fuß zeigen am oberen Rand umlaufende gravierte Linien. Die Bouillonschale und das Doppelgefäß für Salz und Pfeffer sind auf ovalem Grundriß aufgebaut. Die bauchige Bouillonschale mit einem schmalen, gekehlten Fußreif trägt einen ringförmigen Henkel an einer Breitseite; eine Schmalseite ist als breiter Ausguß gestaltet, der Rand der anderen Schmalseite ist leicht hochgezogen. Das Salz- und Pfeffergefäß auf getrepptem Hohlfuß besitzt die um 1800 gebräuchliche Wanzenform.
Alle Teile des Services verzichten auf schmückende Ornamentik und betonen durch ihre klarlinigen Konturen den Reiz des Materials.

*Landenberger, Höfische Kunst, S. 81.*        U.B.

Das ovale Tablett mit einem Rand aus Festongehängen ruht auf vier Füßen, deren Standflächen zu Voluten gedreht sind. Fest mit dem Tablett verbunden sind vier zylindrische und zwei ovale Halterungen für Glaseinsätze, die symmetrisch um einen Obelisken auf quadratischem Sockel angeordnet sind. Den Obelisken krönt ein ovales Körbchen, dessen unterer Teil, ein Gitter aus einander überlappenden Herzblättern, von einem senkrechten Rand mit Festongehängen abgeschlossen wird. Die Halterungen für die vier blauen Glasflaschen, deren Deckel durch Ketten mit dem oberen Rand des Obelisken verbunden sind, wie die Halterungen für die beiden Glaseinsätze

1212

für Salz und Pfeffer sind aus fein reliefierten Festongehän-
gen und von Girlanden umwundenen Rundbögen gebil-
det. In der Längsachse, zwischen zwei Flaschen, sind zwei
Behältnisse für Zahnstocher in Form kleiner Urnenvasen
angebracht.
Der Tafelaufsatz des Mannheimer Silberschmieds Carl
Ludwig Jung orientiert sich an den um 1800 in England
gebräuchlichen Gewürzgarnituren, die den französischen
Typ des Essig- und Ölständers mit Gefäßen für Salz,
Zucker und Pfeffer vereinen.

*Ferdinand Schmitt, Merkzeichen der Mannheimer Gold-
schmiede und deren Arbeiten, in: Mannheimer Geschichtsblätter, IX. Jahrgang, Heft 5, 1908, Sp. 103–105.
– Alain Gruber, Gebrauchssilber des 16. bis 19. Jahrhunderts, Fribourg 1982, S. 189ff.*                      U.B.

1213*

## DREI LÖFFEL UND DREI GABELN

Carl Ludwig Jung (Meister 1790/91–1806)
Mannheim, 1801–1802

*Silber, getrieben und graviert*
*Löffel L. 21,7 cm, Gabeln L. 21,2 cm*
*Marken: Beschau Mannheim, Meistermarke* JUNG

Mannheim, Reiss-Museum, Inv.-Nr. 175/17 a–c

Die um 1801 von dem Mannheimer Silberarbeiter Carl
Ludwig Jung gefertigten Besteckteile sind mit einem
Fadenmuster dekoriert. Bei dieser Zierart, die häufig auf
Augsburger Bestecken zu finden ist, begleitet ein Faden,
der zwischen Rillen eingebettet ist, den Rand des Besteck-
stiels. Seit 1760 wird diese Dekorform auch selbständig,
ohne begleitendes Ornament angewendet.
Die Ligationsmonogramme *MK* auf den Rückseiten dieser
Besteckgriffe sind wohl Gravuren aus der zweiten Hälfte
des 19. Jahrhunderts.

*Ferdinand Schmitt, Merkzeichen der Mannheimer Gold-
schmiede und dessen Arbeiten, in: Mannheimer Geschichtsblätter, IX. Jahrgang, H. 5, 1908, Sp. 103–105. –
Gertrud Benker, Alte Bestecke. Ein Beitrag zur Geschichte
der Tischkultur, München 1978, S. 23.*            U.B.

1213

1214

1215*

## LEUCHTERPAAR
## UND ZWEI LICHTPUTZSCHEREN

Wilhelm Bergmann (arbeitet zwischen 1789 und 1816)
Lörrach, 1803

*Silber, getrieben, gegossen und graviert*
*Leuchter: H. 21,7 cm bzw. 22 cm; Scheren: L. 14,7 cm*
*bzw. 15 cm*
*Marken: Beschau Lörrach (auffliegende Lerche),*
*Meistermarke BERGMANN und 13*

Karlsruhe, Badisches Landesmuseum, Inv.-Nr. 74/24a–d

Von einem tellerartigen, mehrfach profilierten Fuß erhebt
sich der kegelstumpfförmig ansetzende, dann nahezu
zylindrische Leuchterschaft. Die Tülle des Leuchters ist
urnenförmig ausgebildet, mit weit ausgezogenem Rand.
Den Ansatz des Schaftes und den unteren Teil der Tülle
zieren Kanneluren. Die beiden zu dem Leuchterpaar gehörigen Lichtputzscheren sind in ganz einfachen, funktions-
gerechten Formen gehalten.

1214*

## SALZSCHALE

Meister Storr
Heidelberg, 1800–1810

*Silber, getrieben und gegossen*
*H. 8 cm, Dm. 7,7 cm*
*Marken: Beschau Heidelberg (steigender Löwe und die*
Zahl 13 im Oval), *Meistermarke: STORR*

Heidelberg, Kurpfälzisches Museum, Inv.-Nr. GM 591

Auf einem Fuß aus vier nach unten auseinanderlaufenden
Blättern mit rechteckiger Plinthe ruht ein kleiner Korb, an
dem die beiden hochgezogenen, zu Voluten gedrehten
Henkel ansetzen. Die Henkel sind mit der schmalen Lippe
verbunden, welche ein Fries aus hängenden Weinranken
ziert. Zwischen Körbchen und Lippe ist beidseitig ein
geflügelter Sphingenkopf eingesetzt.
Mit dem ägyptisierenden Motiv des Sphingenkopfes, den
Rosetten und dem Weinlaubfries zeigt sich die Arbeit des
Heidelberger Meisters Storr orientiert an der durch reichen Dekor geprägten französischen Goldschmiedekunst
des Empire.
Der farblose Glaseinsatz ist eine moderne Ergänzung.

U.B.

1215

Das Leuchterpaar und die Lichtputzscheren waren ein Geschenk der Lehrer aus der Landgrafschaft Sausenberg bei Lörrach an den Sepzialsuperintendanten Sievert, wie die gravierte Widmungsinschrift auf den Leuchterschäften belegt: *Denkmal der Dankbarkeit für S$^e$ Hochwürden den Herrn Special Sievert von Sämtln Schullehrern der Dioces Sausenberg 1803.*

Die silbernen Leuchter und Scheren sind Arbeiten des aus Niederwesel stammenden Wilhelm Bergmann, der seit 1780 als Geselle bei dem Baseler Goldschmied Abel Handmann arbeitete und 1789 nach Lörrach übersiedelte.

*Jahrbuch der Staatlichen Kunstsammlungen in Baden-Württemberg, Bd. 12, München–Berlin 1975, S. 315. – Ulrich Barth, Der Goldschmied Wilhelm Bergmann zu Lörrach, in: Jahrbuch der Staatlichen Kunstsammlungen in Baden-Württemberg, Bd. 12, München–Berlin 1975, S. 171–178.*                                 U. B.

1216

1216*

## Kaffeekanne

Ludwig Kleemann (Heirat 1781, gest. 1821)
Ulm, um 1810

*Silber, getrieben und gegossen, Holz*
*H. 19,2 cm*
*Marken: Beschau Ulm, Meistermarke KLEEMANN und 13*

Ulm, Ulmer Museum, Inv.-Nr. 1916, 3735/4

Das konische Gefäß zeigt außer schmalen Profilen am oberen und unteren Rand keine Verzierungen. Der konkav geschwungene, oben abgeflachte Deckel trägt als Knauf einen Pinienzapfen. Im Kontrast zu dem schlichten Gefäßkörper steht der kräftig ausgebildete, hochgezogene J-förmige Henkel aus schwarzem Holz. Der lange, nach oben sich verjüngende Röhrenausguß ist – für eine Kaffeekanne ungewöhnlich tief – dicht über dem Bodenrand angesetzt.

Den Ulmer Gold- und Silberschmied Johann Ludwig Kleemann, von dessen Hand die um 1810 gearbeitete Kaffeekanne stammt, führten ausgedehnte Studienreisen nach Frankreich, Italien und in die Niederlande, bevor er sich endgültig in seiner Heimatstadt niederließ.

*Albrecht Weyermann, Neue historisch biographische artistische Nachrichten von Gelehrten und Künstlern, Ulm 1829, S. 222f.*                                 U. B.

# Glas

## Geschnittenes Glas

### 1217*

#### ZWEI BECHERGLÄSER

Gaggenau (?), um 1815

*Glas, geschliffen und geschnitten*
*H. 10 cm bzw. 9,5 cm, Dm. 7,9 cm bzw. 7,3 cm*

Staatliche Landesvermögens- und Bauabteilung, Schloß
Favorite bei Rastatt, Inv.-Nr. G 331, G 333

Das sehr schlichte, zylindrische Becherglas zeigt als einzigen Schmuck das badische Wappen unter der Krone. Das andere Becherglas, mit leicht konvex ausschwingender Lippe, zeigt neben Wappen und Krone als weiteren Dekor dicht aneinandergereihte, ringsum laufende Lanzettblätter über dem Bodenrand.                                    U.B.

### 1218*

#### BECHERGLAS

Gaggenau, um 1815

*Glas, geschliffen und geschnitten*
*H. 10,3 cm, Dm. 7 cm*

Staatliche Landesvermögens- und Bauabteilung, Schloß
Favorite bei Rastatt, Inv.-Nr. G 306

Die Wandung des Becherglases ist mit glatt und matt geschliffenen Feldern im Schachbrettmuster dekoriert. Die Front des Glases ziert ein von einer Perlenschnur gerahmtes Medaillon mit dem Ligationsmonogramm *SN* der Stephanie Napoleon unter der badischen Krone.    U.B.

1217

1218

1219*

## FLASCHE MIT STÖPSEL UND
## ZWEI BECHERGLÄSER

Schönmünzach, 1826

*Glas, geschliffen und geschnitten*
*Flasche H. 29,3 cm, Gläser H. 11,4 cm bzw. 11,3 cm,*
*Dm. 7,5 cm bzw. 7,6 cm*

Stuttgart, Württembergisches Landesmuseum,
Inv.-Nr. 710 a−c

Die beiden Bechergläser und die Flasche zeigen reichen
geschnittenen und geschliffenen Dekor. Die birnförmige
Flasche ist unten, über dem Boden mit eingeschliffenem
Stern, mit ringsum laufenden Lanzettblättern, am Schul-
ter- und Halsansatz mit einem breiten diamantierten Band
geziert. Schulter und Hals der Flasche sind facettiert. Die
zylindrischen Bechergläser zeigen über dem Bodenrand
Keilschliffornament und am oberen Rand ein diamantier-
tes Band. Auf der Front der Gläser und der Flasche ist unter
der Königskrone das königlich württembergische Wappen
zwischen gekreuztem Lorbeer- und Eichenzweig eingeschnitten. Die Rückseite der Flasche trägt die Aufschrift:
*Erste Schleifarbeit der Glashütte Schemenznach.*
Die Produktion der Glashütten spielte in Württemberg
unter König Friedrich I. eine sehr untergeordnete Rolle.
Um nicht nahezu den gesamten Glasbedarf durch ausländische Importe decken zu müssen, leitete König Wilhelm I.
ab 1823 durch gezielte Maßnahmen eine Aktivierung der
heimischen Glasproduktion ein. So erwarb er 1825 auf
Staatskosten Gebäude und Gelände der damals stilliegenden Glashütte Schönmünzach bei Schwarzberg. Mit dem
Glashüttenverwalter Kirn stellte er einen im Hüttenwesen
erfahrenen Mann ein, der durch Studien in Böhmen, im
Elsaß und in Bayern die Techniken renommierter Glashütten kennengelernt hatte.
Flasche und Bechergläser, erste Arbeiten der wieder ins
Leben gerufenen Schönmünzacher Hütte, dürften wohl
1826 entstanden sein, als die Glashütte ihren Betrieb
aufgenommen hatte.

*HStAS E 10, Bü 91.*                    U.B.

1219

# Glasmalereien des Uracher Zinngießers und Glasmalers Johann Georg Bühler (1761–1823)

Ab etwa 1795 widmete sich der Uracher Zinngießer Johann Georg Bühler neben seinem erlernten Handwerk einer nahezu in Vergessenheit geratenen Kunst, der Glasmalerei. Die Motive für den Versuch, alte Techniken wieder zu entdecken, mögen wirtschaftlicher Natur gewesen sein: einem stagnierenden Markt für Zinnware stand im ausgehenden 18. Jahrhundert ein gestiegener Bedarf an Glas gegenüber.

Zu den ersten datierten Arbeiten Bühlers gehören zwei Wappenscheiben im Uracher Rathaus, die des Uracher Oberamtmanns Röslin, einem Förderer Bühlers, von 1801 und die mit dem Wappen des Kurfürstentums Württemberg aus dem Jahr 1803.

Besondere Bemühungen Bühlers galten der Wiederentdeckung der Überfangtechnik, bei der die – zumeist rote – Farbe nicht in die Glasmasse eingemischt, sondern als dünner Überzug auf weißes Glas aufgebracht wird. Mit Hilfe einer alten Rezeptur experimentierte Bühler in verschiedenen Glashütten des Schwarzwaldes, bis ihm schließlich in der Glashütte Gaggenau die Herstellung des roten Überfangglases gelang.

Weshalb Bühler die Wiederentdeckung der Überfangtechnik für seine Arbeit nicht einsetzte, sondern zur Malerei mit transparenten Emailfarben zurückkehrte, ist ungeklärt. In keiner seiner bekannten Scheiben ist Überfangglas verarbeitet, nur in seinem Nachlaß fanden sich, wohl als Ergebnisse seiner Experimente, zwei »purpurrothe Glastafeln«.

*Ausst.-Kat. Das Uracher Rathaus, S. 75–81.*    U.B.

1220

1220*

## SCHEIBE MIT DEM WAPPEN DES KURFÜRSTENTUMS WÜRTTEMBERG

Johann Georg Bühler (1761–1823)
Urach, 1803

*Glas mit farbiger Email- und Ölmalerei*
*H. 28,5 cm, B. 22,4 cm*
*Bez. unten rechts:* [Bühle]r 1803

Stadt Urach

Die Wappenscheibe zeigt das württembergische Kurfürstenwappen auf einem Hermelinmantel unter der Kurfürstenkrone. Die Scheibe gibt das Kurfürstenwappen, bis auf einige Veränderungen bei den heraldischen Farben, sehr genau wieder. Unten am Wappenschild sind der Württembergische Militärverdienstorden und vermutlich der Goldene Adlerorden aufgehängt.

Diese Scheibe mit der seltenen Darstellung des Kurfürstenwappens schenkte Johann Georg Bühler 1803 dem Uracher Amts- und Stadtgericht zusammen mit einer Scheibe, die das Uracher Stadtwappen zeigt »zum Zweck, wenn neue Fenster auf das Rathaus gemacht werden, diese dort einfügen zu lassen«.

*Ausst.-Kat. Das Uracher Rathaus, S. 70.*    U.B.

1221*

## TRINKGLAS

Johann Georg Bühler (1761–1823)
Urach, Anfang 19. Jahrhundert

*Glas mit farbiger Emailmalerei*
*H. 10,9 cm, Dm. 8,6 cm*

Stuttgart, Württembergisches Landesmuseum,
Inv.-Nr. 6798

Das konische Becherglas zeigt in farbiger Emailmalerei
eine von zwei Pferden gezogene geschlossene Kutsche mit
Kutscher und Lakai, in der ein Mann mit rotem Ordensband sitzt. Auf der Rückseite des Glases ist die Inschrift
*Kaijser* angebracht.                                    U.B.

1222*

## TRINKGLAS

Johann Georg Bühler (1761–1823)
Urach, Anfang 19. Jahrhundert

*Glas mit farbiger Emailmalerei*
*H. 11,1 cm, Dm. 8,3 cm*

Stuttgart, Württembergisches Landesmuseum,
Inv.-Nr. 11697

Das konische Becherglas zeigt in farbiger Emailmalerei
einen vor einer Hauswand stehenden Mann mit Schürze,
der einen Stoffstreifen färbt. Gerahmt ist diese Szene von
einem Blütenkranz aus Tulpen, Vergißmeinnicht, Stiefmütterchen und Aurikeln, der unten mit einer Schleife
zusammengebunden ist. Dicht unter dem Becherrand,
beidseitig des Kranzes, sind die Monogramme *GM.* und
*MI.* aufgemalt.                                         U.B.

1221

1222

1223*

## TRINKGLAS

Johann Georg Bühler (1761–1823)
Urach, Anfang 19. Jahrhundert

*Glas mit farbiger Emailmalerei*
*H. 11 cm, Dm. 7,3 cm*

Stuttgart, Württembergisches Landesmuseum,
Inv.-Nr. 14244

Die Stirn des leicht konischen Becherglases trägt in farbiger Emailmalerei eine Rollwerkkartouche mit Blumenkorb und Fruchtgehängen und dem Monogramm *EI* in der Mitte. Auf der Rückseite ist die Inschrift *Monument de la reconnoissaie* angebracht.

*Ausst.-Kat. Das Uracher Rathaus, S. 76.*          U.B.

1224*

## ZWEI GLASSCHEIBEN

Johann Georg Bühler (1761–1823)
Urach, Anfang 19. Jahrhundert

*Glas mit farbiger Emailmalerei*
*19 x 15,4 cm bzw. 19,2 x 15,3 cm (im Rahmen)*
*Auf der Rückseite des Rahmens aufgeklebte Zettel mit der Schrift des 19. Jahrhunderts:* Bühler Zinngieser und Glasmaler in Urach +1824, *bzw.:* Gemalt von Bühler, Glasmaler u. Zinngieser in Urach +1824

Stuttgart, Württembergisches Landesmuseum,
Inv.-Nr. 1927–88 a, b

Die beiden rechteckigen Glasscheiben zeigen in den durch schwarze Linien begrenzten ovalen Bildfeldern zwei halbfigurig wiedergegebene Frauengestalten als Allegorien des Herbstes und des Winters in der zeitgenössischen Tracht um 1800. Die Personifikation des Herbstes in gepunktetem Kleid mit locker fallendem weißen Kragen ist als Weingärtnerin dargestellt, die Allegorie des Winters trägt als Attribut einen Muff.          U.B.

1223

1224a                                                              1224b

*Fayence und Steingut*

## Manufakturen in Baden und Württemberg

Seit der Mitte des 18. Jahrhunderts begann ein neues Material die Stelle der immer mehr an Bedeutung verlierenden Fayence einzunehmen: das Steingut. Von England ausgehend, verbreitete sich die helle, leichte Töpferware auch rasch auf dem europäischen Kontinent als preiswerte Alternative zum kostspieligen Porzellan. Der poröse, nahezu weiße Scherben des Steinguts benötigt im Gegensatz zum grauen oder braunen Scherben der Fayence keine deckende weiße Zinnglasur, und mit den im Vergleich zur Fayence dünnwandigen Gefäßen aus Steingut können dem Porzellan sehr ähnliche Produkte geschaffen werden.

Bereits 1794 wurde von Josef Burger in Zell am Harmersbach die erste süddeutsche Steingutfabrik gegründet. 1817 folgte die Gründung der Manufaktur in Hornberg, und 1820 rief Isidor Faist, der sich seine keramischen Kenntnisse in Zell angeeignet hatte, in Schramberg die erste württembergische Steingutmanufaktur ins Leben.

Die 1723 von Johann Heinrich Wachenfeld in Durlach gegründete Fayencefabrik stellte seit 1813 bis zu ihrer Schließung im Jahr 1847 auch Steingut her. Ehemals erfolgreiche Fayencemanufakturen wie die in Schrezheim und in Mosbach brachten noch im ersten Viertel des 19. Jahrhunderts Fayencen mit den traditionellen Formen des 18. Jahrhunderts auf den Markt, mußten aber 1852 bzw. 1836 nach Besitzerwechseln und finanziellen Schwierigkeiten die Produktion einer überlebten, nicht mehr konkurrenzfähigen Ware einstellen.

*Eckart Hölzl, Eleonore Pichelkastner, Bruckmann's Fayence-Lexikon, München 1981. – Pazaurek, Steingut. – Kronberger-Frentzen, Altes Bildergeschirr.*    U.B.

1225

1225*

### WALZENKRUG

Schrezheim, Anfang 19. Jahrhundert

*Fayence mit farbiger Scharffeuermalerei, Zinn*
*H. 21 cm, Dm. 9,5 cm*

Stuttgart, Württembergisches Landesmuseum, Inv.-Nr. 1936–14

Der zylindrische Gefäßkörper mit kleinem Ohrhenkel zeigt auf der Stirn in grüner, blauer, gelber und manganbrauner Scharffeuermalerei einen auf einem begrünten Baumzweig sitzenden Vogel mit gelbem, blauem und schwarz-braunem Gefieder zwischen Blattzweigen mit blauen Blüten. Der gewölbte Zinndeckel mit kugelknaufförmiger Daumenrast trägt die Gravur *GA. S. 1813.*

U.B.

1226

1227

1226*

## BIRNKRUG

Schrezheim, um 1820

*Fayence mit blauer Zinnglasur, Zinn*
*H. (o. Deckel) 25 cm, Dm. 10 cm*
*Ritzzeichen Sp*

Stuttgart, Württembergisches Landesmuseum,
Inv.-Nr. G 30

Der bauchige, birnförmige, blau glasierte Gefäßkörper mit
kurzer, leicht gedrückter Schnauze und tiefangesetztem
Ohrhenkel ruht auf einem konischen Fußring. Der Zinndeckel mit eichelförmiger Daumenrast, an der Schnauze
flach, in der Mitte gewölbt, trägt die Gravur *F. H.*    U. B.

1227*

## KAFFEEKANNE

Schramberg, um 1820

*Steingut*
*H. 14,1 cm, Dm. 9,6 cm*
*Prägestempel SCHRAMBERG 5*

Stuttgart, Württembergisches Landesmuseum,
Inv.-Nr. VK 1971 – 231

Der zylindrische Kannenkörper besitzt eine geschwungene
eingezogene Schulter, einen kurzen Hals und eine senkrechte, glatt abschließende Lippe. Der eingelassene Deckel
trägt einen Pinienknauf. Der Henkel mit kleiner gegenläufiger Ausbogung auf der Innenseite ist ohrförmig gestaltet,
die ungefähr auf halber Höhe des Gefäßes ansetzende
Tülle ist im unteren Teil mit Kanneluren verziert.    U. B.

1228

1228*

## TINTENZEUG

Schramberg, um 1820

*Steingut*
*H. 7,3 cm, B. 16,5 cm, T. 13,9 cm*
*Prägestempel* SCHRAMBERG D 2

Stuttgart, Württembergisches Landesmuseum,
Inv.-Nr. 1934–255

Das kastenförmige Tintenzeug auf rechteckigem Grundriß
mit geraden Wandungen besitzt eine überkragende Deckplatte mit zwei runden Einsätzen für Sand und Tinte.
Seiten und Fronten des Gefäßes sind mit reliefierten figürlichen und floralen Motiven dekoriert. Die Seiten des Sand-
und Tintenkastens zeigen in Medaillons beidseitig den
Rütlischwur, die der Federschale in kleineren Medaillons
einen am Strand stehenden Mann. Auf der Rückseite der
Federschale sind zwei allegorische Gestalten, vermutlich
Fama und Fortuna auf Seetieren reitend, dargestellt. Die
Front schmückt, der geschwungenen Kontur folgend, ein
Ovalmedaillon, das von zwei Blumengirlanden flankiert
wird.

*Pazaurek, Steingut, Sp. 11, Abb. Taf. 20.*          U.B.

1229*–1230*

## LEUCHTERPAAR

Mosbach, 1782–1799

*Fayence, blau gehöht*
*H. 21,9 cm, Dm. 12 cm*
*Blaumarke* CT

Karlsruhe, Badisches Landesmuseum, Inv.-Nr. V 3432,
3433

Das Leuchterpaar zeigt reichen plastischen, blau gehöhten
Dekor. Von einem breiten Glockenfuß mit umlaufenden
Lorbeerkränzen in vier trapezförmigen Ausschnitten und
vier querovalen Rosetten erhebt sich der nach oben leicht
verjüngte, kannelierte Schaft, der in der Mitte von einem
breiten Schaftring mit plastischen Festongehängen unterbrochen wird. Der umgekehrt kegelstumpfförmigen Tülle
sind vier plastische Rosetten aufgesetzt. Das untere und
obere Ende des Säulenschaftes sowie der Rand der Tülle
tragen Perlstabbordüren, die Basis zeigt einen umlaufenden Eierstab.

*Ausst.-Kat. Mosbacher Fayence 1770–1836. Städtisches*
*Reiss-Museum Mannheim 1970, Kat.Nr. 109, S. 60. –*
*Erika Brücke-Schwab, Mosbacher Fayencen, Mosbach*
*1981, S. 97.*          U.B.

1229–1230

**1231***

## BIRNKRUG

Friedrich Heinrich Kleiber (?), 1758–1831
Durlach, um 1810

*Fayence mit Scharffeuermalerei, Zinn*
*H. (o. Deckel) 17,5 cm, Dm. 12 cm*
*Auf der Unterseite manganviolette Malermarke K*

Durlach, Pfinzgaumuseum, Inv.-Nr. PfM 50

Der bauchige Gefäßkörper auf konischem Fußring besitzt einen nach oben leicht erweiterten Hals und eine gekniffene Schnauze. Der glatte Ohrhenkel ist mit blauer Querstrichelung verziert. Der Stirn ist ein Blumengebinde aus Margeriten, Astern und Tulpen in Blau, Ocker, Grün und Manganviolett, z. T. mit schwarzer Zeichnung, aufgemalt. Die Daumenrast des Zinndeckels ist muschelförmig.

*Ausst.-Kat. Durlacher Fayencen 1723–1847, Badisches Landesmuseum Karlsruhe 1975, Nr. 370, S. 343.*     U. B.

**1232***

## DECKELTERRINE

Johann Christoph Dumas (?)
Durlach, 1815

*Fayence, farbig bemalt*
*H. 13,8 cm, Dm. 15 cm*
*Schwarze Malermarke D.1815*

Karlsruhe, Badisches Landesmuseum, Inv.-Nr. C 9884

Das runde, bauchige Gefäß mit eingeschnürtem Hals und zwei miteinander verschlungenen Henkeln auf jeder Seite ruht auf einem profilierten Fuß. Der hohe, mehrfach gestufte, kegelstumpfartig ansteigende Deckel trägt einen blauen gedrückten Kugelknauf. Auf der Gefäßwandung und dem Deckel sind beidseitig die schwarzen Initialen *A:D:* wiedergegeben, umkränzt von blaugelben Blumengebinden aus Stiefmütterchen und Vergißmeinnicht. Der Deckel ist mit Streuzweigen bemalt.

*Ausst.-Kat. Durlacher Fayencen 1723–1847. Badisches Landesmuseum Karlsruhe 1975, Kat.Nr. 405, S. 368.*
U. B.

1232

1231

1233

1234

**1233***

SAUCIÈRE

Durlach, um 1820

*Steingut*
*H. 21,7 cm, B. 17, 6 cm*
*Prägestempel* DURLACH

Durlach, Pfinzgaumuseum, Inv.-Nr. PfM 259

Das leicht bauchige Gefäß besitzt einen erhöhten, spitz-ovalen Ausguß und einen hochgezogenen, profilierten Bandhenkel, der auf der gerundeten Schmalseite aufliegt. Die Sauciere ist durch ihren profilierten Fuß fest mit dem ovalen Unterteller verbunden.

*Ausst.-Kat. Durlacher Fayencen 1723–1847, Badisches Landesmuseum Karlsruhe 1975, Kat.Nr. 471, S. 410.*

U.B.

**1234***

EIERBECHERTELLER

Zell, um 1815

*Steingut*
*H. 6,9 cm, Dm. 19,5 cm*
*Prägestempel:* SCHNITZLER, LENZ & BURGER

Stuttgart, Württembergisches Landesmuseum, Inv.-Nr. E 1452

Der runde, flache Teller besitzt eine ansteigende, nach innen gewölbte Fahne mit profilierter Kante. In der Mitte steht auf hohem, geschwungenem Fuß ein halbkugeliges Salzgefäß mit einer Bordüre aus reliefierten, sich durchdringenden Kreisen. Wie das Salzfaß sind vier kleine Eierbecher fest mit dem Unterteller verbunden, deren Wandungen aus durchbrochenen, miteinander verschlungenen Kreisen das Schmuckmotiv des Salzgefäßes wiederaufnehmen.

Die 1794 von Josef Burger in Zell am Harmersbach gegründete Steingutfabrik arbeitete bald so erfolgreich, daß eine Vergrößerung des Betriebs notwendig erschien, die mit Hilfe der Kaufleute Lenz, Schnitzler und Knoderer finanziert wurde. 1805 wurde die badische Regierung von der nun entstandenen Firma Schnitzler, Lenz und Burger um ein offizielles Privilegium ersucht, Steingut in der Art des Englischen Wegdwood-Steinguts herstellen zu dürfen.

*Kronberger-Frentzen, Altes Bildergeschirr, S. 32f.* U.B.

1235

1236

1235*

TERRINE

Zell, um 1820

*Steingut*
*H. (m. Deckel) 22,5 cm, Dm. 19,5 cm*
*Prägestempel auf der Unterseite* ZELL

Stuttgart, Württembergisches Landesmuseum,
Inv.-Nr. G 395

Das runde, halbkugelige Gefäß mit nahezu waagerecht
eingezogener Lippe ruht auf einem profilierten, ausladen-
den Hohlfuß. Beidseitig liegt an der Gefäßwandung ein
oben zur Volute eingerollter Blatthenkel an. Der leicht
vorkragende, hohe konische Deckel wird von einem
gedrückten Pilzknauf mit reliefiertem Schuppendekor
bekrönt. U.B.

1236*

PFEFFER- UND SALZGEFÄSS

Zell, um 1820

*Steingut*
*H. 7,9 cm, B. 14,5 cm*
*Prägestempel* ZELL

Stuttgart, Württembergisches Landesmuseum,
Inv.-Nr. G 6, 471

Das Doppelgefäß für Salz und Pfeffer besteht aus zwei
Schälchen, die durch ein umlaufendes, profiliertes Gesims
und einen geradlinigen Steg, über den der mit Blattansät-
zen versehene Henkel geschwungen ist, miteinander verbunden sind. Das Gefäß ruht auf einem Gestell aus
plastisch gearbeiteten Festons und Schleifen auf profiliertem, der Kontur der Schalen folgenden Sockel.

*Pazaurek, Steingut, Abb. Taf. 13.* U.B.

1237

1237*

## KAFFEEKANNE

Zell, um 1820

*Steingut mit schwarzem Umdruckdekor*
*H. 27 cm, Dm. 19 cm*
*Prägestempel ZELL und O*

Freiburg, Augustinermuseum, Inv.-Nr. K 54/2a

Der birnenförmige Gefäßkörper mit abgesetztem, konvex ausschwingendem Halsring und eingelassenem Deckel mit Pinienknauf steht auf einem runden, mehrfach profilierten Hohlfuß. Auf halber Höhe des Gefäßes setzt eine s-förmige Tülle mit Schnabeltierkopf an. Ihr gegenüber ist ein ohrförmiger Bandhenkel mit kleiner, gegenläufiger Daumenrast angebracht. Auf den seitlichen Wandungen ist in schwarzem Umdruck eine Groteske unter einem Früchtekorb dargestellt, die jeweils von einer Urnenvase und einer der Tülle zugewandten allegorischen Frauengestalt mit Früchtekorb flankiert wird. Ein Medaillon unter der Tülle zeigt einen Tempel mit der Unterschrift »Friedens Tempel«. Den Halsring ziert eine Weinlaubbordüre.

Früh schon hatte die Zeller Manufaktur zur Dekoration ihrer Steingutware das in England entwickelte Umdruckverfahren übernommen.

*Kronberger-Frentzen, Altes Bildergeschirr, S. 34.*　　　U.B.

## Wechselbeziehungen zwischen französischem und deutschem Steingut

In den ersten Jahrzehnten des 19. Jahrhunderts nahm die französische Steingutproduktion, begünstigt durch die Kontinentalsperre Napoleons, einen steilen Aufschwung. Paris, das für die Steinguttherstellung selbst nur eine untergeordnete Rolle spielte, wurde zu einem bedeutenden Zentrum für die Dekoration der Ware mit schwarzem Umdruck. So bezog die Firma Stone, Coquerel et les Gros über Agenten populäre Panorama-Kupferstiche aus den Rheinbundstaaten und bedruckte nach ihrer Vorlage das in Creil/Oise hergestellte Steingut. Die verzierte Ware wurde dann vor allem in den Rheinbundstaaten vertrieben.

Die erste Steingutmanufaktur im süddeutschen Raum, Zell am Harmersbach, orientierte sich in ihren frühen Jahren sehr genau am Vorbild der Pariser Firma. Nicht nur übernahm sie für ihre Ansichtsteller die für Stone, Coquerel et les Gros typische Weinlaubbordüre, sondern arbeitete z. T. auch nach den gleichen Vorlagen.

*Pazaurek, Steingut, Sp. 31f. – Kronberger-Frentzen, Altes Bildergeschirr, S. 36.* U.B.

1238*

### TERRINE

Creil/Oise – Paris, nach 1806

*Steingut mit schwarzem Umdruckdekor*
*H. 26 cm, B. 31 cm*
*Marken: Schwarzer Firmenstempel* STONE COQUEREL & LE GROS PARIS *und die Zahl* 7

Stuttgart, Württembergisches Landesmuseum, Inv.-Nr. E 1456

Auf rundem, profiliertem Hohlfuß ruht der halbkugelige Gefäßkörper mit gekehltem Rand und zwei liegenden Henkeln mit hochgebogenem, balusterartigem Quersteg. Der hohe, leicht überkragende Deckel besitzt einen eiförmigen Knauf.

Auf den Seiten der Gefäßwandung sind Landschaften in schwarzem Umdruckdekor wiedergegeben. Dazwischen ist je ein Medaillon mit der Ansicht der badischen Residenzstadt Karlsruhe und der Unterschrift ... *UE DE L VILLE DE CARLSRUH* bzw. der Ansicht des Karlsruher Schlosses und der Unterschrift *VUE DE LA RESIDENCE DE A. DE GRAND DUC DE BADE* plaziert. Fuß-, Deckel- und Gefäßrand zeigen Weinlaubbordüren, unterhalb des Knaufes ist eine umlaufende Sternkranzbordüre angebracht. U.B.

1238

1239

1240

1239*

## TELLER MIT ANSICHT VON MANNHEIM

Creil/Oise – Paris, 1814

*Steingut mit schwarzem Umdruckdekor*
*Dm. 21,1 cm*
*Marken: Prägestempel* CREIL *schwarzer Stempel*
STONE, COQUEREL & LE GROS *und gemaltes*
*schwarzes Datum* 14 août 5

Mannheim, Städtisches Reiss-Museum, Inv.-Nr. 389

Der achteckige Teller mit flachem Spiegel und konvex
ansteigender, dann fast waagerechter Fahne trägt am
äußeren Rand eine Perlstabbordüre.
Im Spiegel ist eine Ansicht vom Rhein und der Stadtsilhou-
ette Mannheims mit der Unterschrift *VUE DE LA VILLE*
*DE MANHEIM* in schwarzem Umdruck wiedergegeben.
Der Rand ist mit der für die Pariser Firma Stone, Coquerel
et le Gros typischen Weinlaubbordüre bedruckt. Ungewöhnlich für einen Ansichtsteller ist die präzise Angabe
des Herstellungsdatums *14 août 5* auf der Rückseite der
Fahne.

*Kronberger-Frentzen, Altes Bildergeschirr, S. 36, Abb. 13.*
　　　　　　　　　　　　　　　　　　　　　　　　　U.B.

1240*

## TELLER MIT ANSICHT DES NEUEN KLEINEN THEATERS

Creil/Oise – Paris, um 1815

*Steingut mit schwarzem Umdruckdekor*
*Dm. 21,1 cm*
*Marken: Schwarzer Firmenstempel* STONE,
COQUEREL & LE GROS PARIS *und die Zahl* 43

Stuttgart, Württembergisches Landesmuseum,
Inv.-Nr. 7760

Form und Randbordüre wie Kat.Nr. 1239. Über der
Unterschrift *VUE DE PETIT THEATRE A STOUT-*
*GARD* zeigt der Spiegel des Tellers eine Ansicht vom
Neuen Kleinen Theater. Das Gebäude, ehemals Futter-
haus, war 1775 zu einem Reithaus für die Schüler der
Karlsakademie umgebaut worden. Als Ersatz für das
durch Brand zerstörte Kleine Theater wurde es, von
Thouret als Schauspielhaus eingerichtet, 1804 seiner
neuen Bestimmung übergeben. Nur bis 1811 diente das
Haus als Theatersaal, da es sich bald, trotz der 1808
erfolgten Erweiterungsmaßnahmen, als zu klein erwies.

*Wais, Alt-Stuttgarts Bauten, S. 339.*　　　　　　　U.B.

1241                          1242

1241*

## Teller mit Ansicht des Stuttgarter Rathauses

Creil/Oise – Paris, um 1815

*Steingut mit schwarzem Umdruckdekor*
*Dm. 21,3 cm*
*Marken: Schwarzer Firmenstempel* STONE,
COQUEREL & LE GROS *und die Zahl* 43

Stuttgart, Württembergisches Landesmuseum,
Inv.-Nr. 7761

Form und Randbordüre wie Kat.Nr. 1239. Der Spiegel des Tellers mit der Unterschrift *VUE DE LA MAISON DE VILLE ET DOUANE A STOUTGARD* gibt eine Ansicht des 1460–1468 erbauten Rathauses der Stadt Stuttgart mit links anstoßender Bürgerwache und Rathausplatz wieder. Der hier gewählte Bildausschnitt entspricht genau dem des Kupferstiches von Carl Gauger aus dem Jahr 1815. Die reiche Vordergrundszenerie des Stiches mit Planwagen, Reitern und Bürgern ist auf dem Ansichtsteller jedoch vereinfachend auf wenige Staffagefiguren reduziert.

*Wais, Alt-Stuttgarts Bauten, S. 213. – Schefold, Württemberg, S. 598, Nr. 8208.*                    U.B.

1242*

## Teller mit Ansicht des Stuttgarter Schlosses

Creil/Oise – Paris um 1815

*Steingut mit schwarzem Umdruckdekor*
*Dm. 21,2 cm*
*Marken: auf der Rückseite schwarzer Firmenstempel* STONE, COQUEREL & LE GROS PARIS *und die Zahl* 43

Stuttgart, Württembergisches Landesmuseum,
Inv.-Nr. 7759

Form und Randbordüre wie Kat.Nr. 1239. Im Spiegel des Tellers ist eine Ansicht des Stuttgarter Residenzschlosses von Norden mit Oberem See und Kanalarm, dem sogenannten »Epauletten-See« wiedergegeben. Auf der rechten Seite des Bildausschnitts ist das Opern- und Schauspielhaus, das vormalige Neue Lusthaus erkennbar. Der Betrachterstandpunkt des Ansichtstellers entspricht genau dem des Kupferstichs F. Müllers von 1810, die Vordergrundszenerie des Stichs ist hier allerdings vereinfachend verändert. Unter dem Umdruckbild die Beschriftung: *VUE DU PALAIS A STOUTGARD Côte des Jardins.*

*Wais, Alt-Stuttgarts Bauten, S. 442. – Schefold, Württemberg, S. 628, Nr. 8631.*                    U.B.

1243

**1243***

TELLER MIT ANSICHT DES STUTTGARTER
SCHLOSSES

Zell, um 1830

*Steingut mit schwarzem Umdruckdekor*
*Dm. 23,2 cm*
*Marke: Prägestempel ZELL und 6A*

Stuttgart, Württembergisches Landesmuseum,
Inv.-Nr. 1932–32

Der runde Teller besitzt eine konvex ansteigende, dann
nahezu waagerechte Fahne. Die den Rand der Fahne
umlaufende Weinlaubbordüre entspricht der auf den
oktogonalen Fahnen der Creiler Ansichtsteller. Die im
Spiegel wiedergegebene Ansicht von Stuttgarter Schloß,
Anlagensee und Neuem Lusthaus ist identisch mit der von
Kat.Nr. 1242, der obere Teil des Bildes ist hier jedoch
durch Wolkenfelder gefüllt und die Unterschrift *K. Pallast
in Stuttgardt 2. Ans.* im unteren Kreissegment in das
Bildfeld miteinbezogen. U.B.

# Das Schachspiel des Johann Friedrich Knoll (1780–1844)

Geislingen war seit dem 15. Jahrhundert das Zentrum der
Beindrechsler und Elfenbeinschnitzer in Deutschland. Im
18./19. Jahrhundert erhob die Beindrechslerfamilie Knoll
dieses Handwerk zeitweilig auf künstlerische Höhe.
Johann Friedrich Knoll (1780–1844) erbte vom Vater die
kunsthandwerkliche Geschicklichkeit sowie die Begabung
für Feldmesserei und für Verwaltungsgeschäfte.
Als Meisterwerk drechselte er aus dem schwer zu bearbeitenden Walroßbein ein Schachspiel, dessen 32 Figuren die
verschiedenen Nationen in den damals landesüblichen
Uniformen und Nationaltrachten darstellten. Dieses
Schachspiel, dessen Wert damals auf 1400 Gulden geschätzt wurde, wollte der Künstler am Wiener Hof anläßlich des Wiener Kongresses 1814/15 verkaufen.
Wie aus seinem Reisetagebuch zu entnehmen ist, bemühte
er sich vier Monate vergeblich, unter den europäischen
Fürsten einen Käufer für sein Schachspiel zu finden. Seine
Erlebnisse am kaiserlichen Hof schilderte er auf eindrück-
liche Weise in der Begegnung mit dem österreichischen
Kaiser Franz I., der, in finanziellen Nöten, das Schachspiel
nicht erwerben konnte.
Um sich den weiteren Aufenthalt in Wien leisten zu
können, mußte sich Knoll vom Grafen von Rechberg 50
Gulden entleihen mit dem Versprechen, diese Schuld
durch Vermessungsarbeiten abzugelten.
Wohl beunruhigt durch den kurzen Brief seines Sohnes
kehrte Johann Friedrich Knoll enttäuscht im Frühjahr aus
Wien zurück.
Sein Schachspiel kam im Jahre 1816 als Geschenk der
Amtskorporation Geislingen anläßlich der Thronbestei-
gung König Wilhelm I. an den königlichen Hof nach
Stuttgart. Hartmut Gruber

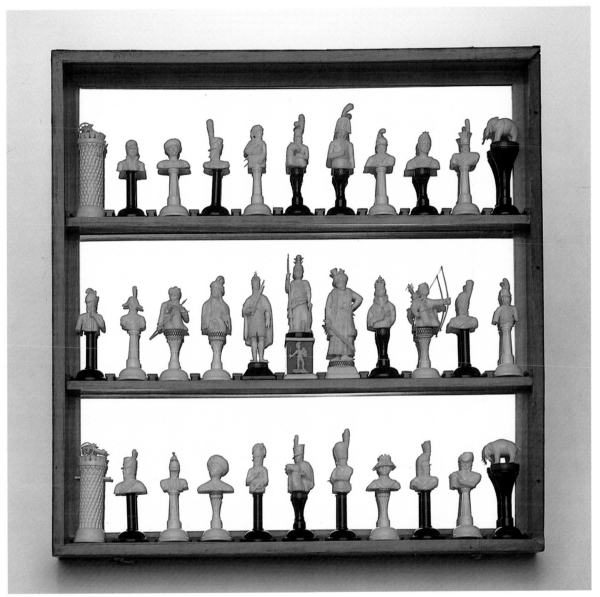

1244

1244*

## SCHACHSPIEL

Johann Friedrich Knoll (1780–1844)
Geislingen, 1813–14

*Bein, Nuß- und Ebenholz, schwarz lackiertes Holz,*
*gedrechselt und geschnitzt*
*Kasten: H. 8 cm, B. 46 cm, L. 46 cm*
*Figuren: H. 9,2–12,2 cm*
*Sign. u. dat. unter dem Sockel der weißen Königsfigur:*
KNOLL von GEISLINGEN BEI ULM FEC: 1813

Stuttgart, Württembergisches Landesmuseum,
Inv.-Nr. B 254/2

Das Schachspiel des Geislinger Elfenbeinschnitzers Johann Friedrich Knoll liegt in einem niedrigen quadratischen Kasten aus Nußbaumholz. Der abnehmbare Deckel mit Feldern aus Ebenholz und Bein in einem Nußbaumrahmen dient als Schachbrett. Über einem Spiegelboden sind in drei Reihen die 32 Figuren des Schachspiels in Falze eingeschoben. Die Schachfiguren ergänzt eine Ganzfigurenstatuette der Minerva, die, auf einem schwarzen Sockel stehend, in der rechten Hand eine Lanze hält, in der linken einen Schild mit Medusenhaupt. Attributiv ist ihr zu Füßen eine Eule beigegeben.
Die Schachfiguren, aus Bein geschnitzte Ganz- und Halbfiguren sowie Büsten auf gedrechselten Beinsockeln bzw. schwarz lackierten Holzsockeln, tragen die kurz nach 1800 gebräuchlichsten Uniformen und Nationaltrachten. Die Funktion der einzelnen Figuren im Spiel wird durch die Form der Sockel deutlich, die bei Springern, Läufern und Königinnen reicher gearbeitet und mit einem abschließenden Rautenfries verziert sind. Die prominentesten Figuren des Spiels, die Königspaare, sind als Sultan und Türkin bzw. König und Königin in Empirekostümen dargestellt. Die Genauigkeit, mit der die einzelnen Figuren ausgearbeitet sind, ermöglicht zum Teil präzise Bestimmungen der Uniformen und Trachten. Die feinen und nuancenreichen Schnitzereien geben ein Beispiel für das hohe handwerkliche Niveau der Geislinger Elfenbeinkünstler zu Beginn des 19. Jahrhunderts.    U.B.

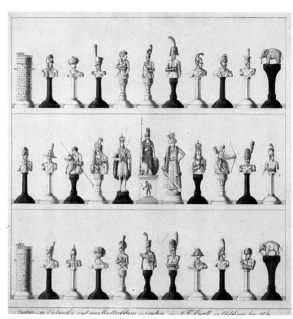

1245

1245*

## ZEICHNUNG ZUM SCHACHSPIEL DES JOHANN FRIEDRICH KNOLL

Geislingen, 1814

*Feder auf Papier, partiell braun und hellblau getuscht*
*H. 63,5 cm, B. 61,5 cm (im Rahmen)*
*Bez. unten: Ano 1813 u. 14 Entworfen und aus Wallrossbein gegraben von J. F. Knoll, von Geisslingen bey Ulm*

Geislingen, Kunst- und Altertumsverein,
Inv.-Nr. 580 G 2/10

Die Zeichnung des Schachspiels stimmt bis ins Detail mit den gedrechselten und geschnitzten Beinfiguren des Johann Friedrich Knoll überein. So ist nicht nur die Anordnung der Figuren in drei Reihen mit der Aufteilung des Nußbaumkastens identisch, selbst feine Ornamente und Uniformdetails sind präzise auf der Zeichnung festgehalten.
Bei dem Blatt handelt es sich wohl kaum um eine Entwurfs- oder Vorlagenzeichnung, vielmehr dürfte es den Zustand des fertiggestellten Schachspiels dokumentieren. Hierfür spricht auch die Beschriftung des Blattes am unteren Rand (s. o.).    U.B.

1246*

## PASSIERSCHEIN

für den Elfenbeinschnitzer Johann Friedrich Knoll für
seine Reise nach Wien im Jahr 1814

*H. 38,4 cm, B. 28,4 cm*

Geislingen, Kunst- und Altertumsverein, Inv.-Nr. 1702

1247*

## REISETAGEBUCH DES JOHANN FRIEDRICH KNOLL

*H. 19 cm, B. 11,5 cm*

Geislingen, Kunst- und Altertumsverein, Inv.-Nr. 1701

Seite 4, 5:
*Wasserreise von Ulm nach Wien*
*Sept. 1814 bis Febr. 1815*
*Heute also am 16. war ich in der Stuckgiesserei wo auf eine*
*Hitze von 380 Grad Metall geschmelzt wird und in*
*Scheubern, allwo ein mächtiger Garten samt Schloss sich*
*befindet, allwo bereits die franz. Kaiserin Louise wohnt.*
*Donnerstag am 17. u. 18. Nov. war das Schachspiel immer*
*noch in der Burg. Samstag am 19. ging ich in die Burg,*
*Graf (…) sagte mir, der Kaiser habe mein Schachspiel*
*nicht gekauft, ich soll es wieder mitnehmen. Ich ging in das*
*Vorzimmer des Kaisers hinein, in welches mir mein*
*Schachspiel gebracht wurde, es war vormittags 1/2 11 Uhr.*
*Nachdem ich Graf (…) sagte, ich wolle meine Arbeit der*
*Schätzung seiner Majestät überlassen, ging er in des Kai-*
*sers Zimmer hinein, und ich blieb stehen. Bald kam der*
*Kaiser u. der Graf und gingen durch das Zimmer, wo ich*
*war u. bei der Tür hinaus, in einer Viertelstunde kam der*
*Graf allein wieder durch das Vorzimmer und fragte ob der*
*Kaiser schon durch sei. Es war niemand da als ich u. ein*
*Bedienter.*
*Als ich nun merkte, daß der Kaiser wieder durch mein*
*Zimmer kommen wird, nahm ich mir vor ihn anzureden.*
*Der Kaiser kam wirklich ganz allein – ich trat vor ihn hin*
*u. sagte: »Ich bitte Eure Kaiserl. Majestät alleruntertänigst*
*um allergnädigste Abnahme meines Kunstprodukts.«*
*Der Kaiser blieb stehen und antwortete: »Ich kanns nicht*
*kaufen, ich kanns nicht kaufen, ich kanns nicht kaufen.«*
*Ich sagte hierauf: »Diese Arbeit ist mit unsäglicher Mühe*
*u. Fleiß verfertigt.« Der Kaiser antwortete: »Nützt alles*
*nichts, ich kanns nicht kaufen, ich kanns nicht kaufen.«*
*Der Kaiser blieb immer stehen u. sagte ich noch: »Ich bitte*
*allleruntertänigst, dass Eure Kaiserl. Majestät selbsttaxie-*
*xiere, ich lasse mir jeden Preis gefallen«, hierauf sagte der*
*Kaiser indem er fortging schnell und wie erzürnt »Pfui! das*
*tu ich nicht, ich handle nicht«. Gleich darauf kam Graf*
*(…) heraus u. sagte zu mir ganz freundlich: »Der Kaiser*
*kauft es nicht, will ihnen aber 100 f in Scheinen für ihre*
*Mühe geben. Ich sagte: »Ich nehme dies allerhöchste*
*Gnade mit alleruntertänigstem Dank an«, worauf Graf*
*(…) mir sogleich einen 100 f Schein holte u. ihn mir im*

*Namen des Kaisers gab, und somit war auch dieser Akt*
*beendet und ich ging meinen Weg weiter. Nun frage ich,*
*kann ich meine Schuldigkeit weitertreiben? Nein, ich*
*würde dieses Wagestück wahrlich nicht ausgeführt haben,*
*wenn ich nicht glaubte, es Weib und Kinder schuldig zu*
*sein. Wenn es aber nicht gerät, bin ich unschuldig, der*
*Kaiser hat sich einmal vorgenommen, jetzt kein unnötiges*
*Geld auszugeben. Und so wird es Gevatter Nietsche auch*
*gehen.*

1248*

## BRIEF DES MICHAEL KNOLL AN SEINEN VATER JOHANN FRIEDRICH KNOLL IN WIEN

datiert auf den 28. Februar 1814.

*H. 23,3 cm, B. 17 cm*

Geislingen, Kunst- und Altertumsverein, Inv.-Nr. 1701a

*An meinen lieben Vater in Wien*
*Geislingen, 28. Februar 1814*
*Lieber Vater!*
*Ich hoffe, mein Schreiben werde Ihn bei guter Gesundheit*
*antreffen, was uns anbelangt sind wir G. S. D. auch*
*gesund. Wir wünschen nur, dass Er bald und gesund ohne*
*das Schachspiel zu uns kommen werde. Ich will Ihm nur*
*berichten, dass ich nicht mehr in die französische Schule*
*gehe, denn wenn er um halb 4 Uhr gekommen ist, hat der*
*Herr Schelkopf gesagt, es habe ihn etwas verhindert, und*
*wenn ich meine Schrift habe nicht gleich corrigieren*
*können, so hat er mich geschlagen. Ich und des Schreiners*
*Fritz grüßen tausendmal.*
*Verbleibe Sein getreuer Sohn*
*Michael Knoll*

## Möbel

Das napoleonische Zeitalter brachte für die süddeutsche Möbelkunst nur bedingt Veränderungen mit sich. Es gab um die Jahrhundertwende keinen entscheidenden Wandel, wie er durch die Aufnahme klassizistischer Stilelemente im 18. Jahrhundert zu bemerken ist, sondern eine stetige Weiterentwicklung der Möbelformen zeichnete sich ab. So ging eine schlichtere Phase in eine repräsentative Periode über. Wie in Paris, wo aus der Konsolidierung der Stilstufen Directoire und Konsulat der Empirestil entstanden und seit Napoleons Erfolgen attraktiv geworden war, suchte man nun auch hier nach Möglichkeiten, die neuen Machtverhältnisse zu demonstrieren, und deshalb wurden wie im 18. Jahrhundert prächtige, pompöse Möbel geschaffen.

An den Höfen Badens und Württembergs hatte der Empirestil etwa seit 1806 in verstärktem Maße Anklang gefunden. Zuvor waren hier noch die Formen des führenden Ebenisten David Roentgen und die Modelle englischer Kunstschreiner einflußreich. So blieb das Spektrum der in Neuwied und London entwickelten Möbeltypen zu Beginn des 19. Jahrhunderts unverändert, und man findet in den privateren Räumen vor allem Schreibmöbel, Tische, Sitz- und Liegemöbel; Konsoltische und Sitzmöbel sind dagegen die wichtigsten Glieder der Empfangsräume. Die Stücke waren kleinteiliger und zweckmäßiger. Erst nach 1806 gab man in der von Frankreich geprägten Empirezeit massigeren, ja oft monumentalen Möbeln den Vorrang. Diese Steigerung wird auch in der Dekorierung deutlich, die jetzt aus gegossenen und feuervergoldeten Metallappliken und -beschlägen besteht. In streng modelliertem Relief werden antike Motive wie Palmetten, Sphingen, Masken, Lyren, Löwen usw. verwendet. Trotz der starken französischen Beeinflussung bewahren aber die südwestdeutschen Möbel einen eigenen Charakter, der eine gewisse Nüchternheit und Strenge bzw. Zweckmäßigkeit nie verleugnet. So brechen vorhandene Formentwicklungen nicht ab, sondern werden in der neuen Stilperiode konsequent weiterverfolgt.

Adolf Feulner, Kunstgeschichte des Möbels, PKG, Frankfurt a. M. – Ferdinand Luthmer, Innenräume. Möbel und Kunstwerke im Louis XVI- und Empirestil, Frankfurt 1898/1903. – Klaus Merten, Schloß Ludwigsburg, München 1984. – Hermann Schmitz, Deutsche Möbel des Klassizismus, Stuttgart 1923. – Georg Himmelheber, Möbel als Denkmäler, in: Schöndruck – Widerdruck. Schriftenfest für Michael Meier, München 1985. – Thomas Sheraton, Modell- und Zeichnungsbuch, Dresden 1794 (dt. Übersetzung). – Werner Fleischhauer, Schloßmuseum Ludwigsburg, Stuttgart 1954. – G. E. Pazaurek, Deutsche Fayence- und Porzellan-Hausmaler, Leipzig 1925. – Peter Philp, Möbel aus aller Welt, Eltville am Rhein 1979. – Josef Maria Greber, Abraham und David Roentgen, Möbel für Europa, Bd. I u. II, Starnberg 1980. – Dietrich Fabian, Roentgenmöbel aus Neuwied, Bad Neustadt 1986. – Ralph Fastnedge, Englisch Furniture Styles from 1500 to 1830, Harmondsworth 1955. – P. A. L. de La Mésangère, Collection de meubles et objets de goût, Paris 1807–1831. – Vivant Denon, Voyage dans la Basse et la Haute Egypt, Paris 1802. – Charles Percier und Pierre François Léonard Fontaine, Recueil de décorations intérieures, Paris 1801.
Wolfgang Wiese

*Abgekürzt zitierte Literatur:*

Himmelheber, Schreiner
  Georg Himmelheber, Zwei Mainzer Schreiner des 19. Jahrhunderts, in: Mannheimer Hefte 1964, S. 40–45.

Kreisel/Himmelheber 1973
  Heinrich Kreisel und Georg Himmelheber, Die Kunst des deutschen Möbels, Bd. III: Klassizismus, Historismus, Jugendstil, München 1973.

Kreisel/Himmelheber ²1983
  Heinrich Kreisel und Georg Himmelheber, Die Kunst des deutschen Möbels, Bd. III: Klassizismus, Historismus, Jugendstil, München 1983 (2. Auflage).

Luthmer/Schmidt
  Ferdinand Luthmer und Robert Schmidt, Empire- und Biedermeiermöbel aus Schlössern und Bürgerhäusern, Frankfurt a. M. 1922.

Lux
  Josef August Lux, Von der Empire- zur Biedermeierzeit, Stuttgart 1906.

1249

## Tischaufsatzschrank

Für ein Zimmermonument zum Andenken an den
Reichsgrafen Johann Karl von Zeppelin

Johannes Klinckerfuß (1770–1831) zugeschrieben
Stuttgart, 1801/1803

*Mahagoni, Eiche, Kiefer, vergoldetes Messing, Glas,
Gouache und zwei Feder-/Pinselzeichnungen
H. 153 cm, B. 152 cm, T. 77,5 cm
Bez. auf der Vorderseite des Podestes für die Statuette:*
DE MON UNIQUE AMI VOILA CE QUI ME RESTE

Aschhausen, Schloß

Zur Beschreibung vgl. Katalog-Nr. 1137

1250*

## Halbschrank mit Vitrinenaufsatz

Johannes Klinckerfuß zugeschrieben
Stuttgart, 1800

*Mahagoni, Kiefer, vergoldetes Messing, Glas, Gouachen
H. 220 cm, B. 134 cm, T. 68 cm*

Schloßverwaltung Ludwigsburg, Außenstelle des Staatl.
Liegenschaftsamtes Stuttgart, Schloß Ludwigsburg,
Inv.-Nr. SchL 2891

Der Halbschrank mit Pult- und Aufsatzvitrine enthielt
ehemals die Juwelen Herzog Friedrichs von Württemberg.
Johannes Klinckerfuß schuf ihn im klassizistischen Stil, der
noch eng mit den Werken des Ebenisten Roentgen verknüpft ist. Roentgen legte ebenfalls über die nüchternen
Korpusflächen ein strenges, lineares Geflecht aus Leisten,
Stäben oder Kehlen (vgl. Fabian, Roentgen-Möbel, Abb.
489). Auch bildete er zuvor die Treppendecke mit Podest,
Balustrade und Vasen.

Den Typus Vitrine aber findet man bei Roentgen nicht. Er
wurde in England entwickelt und durch Thomas Sheraton
(The cabinetmaker and upholsterer's drawing-book,
1794) in Europa verbreitet. Sheraton benützte ebenfalls
gemalte Einlagen, die die Türen schmückten. Er verlieh so
dem unteren Möbelteil ein besonderes »Gewicht«, um
einen Ausgleich zu dem hohen Aufsatz zu schaffen.

Die breiten Türrahmen, die nicht auf Eck gestellten Lisenen mit Kehlen und der kräftige Sockel mit niederen Füßen
sind wesentliche Merkmale des württembergischen Klassizismus um 1800.

*Th. Sheraton, Modell- und Zeichnungsbuch III, dt. Über-
setzung Dresden 1794, Taf. 28. – W. Fleischhauer, Schloßmuseum Ludwigsburg, Stuttgart 1954, S. 24. – K. Merten,
Schloß Ludwigsburg, München 1984, S. 34.* W.W.

1250

1251

## 1251*

### TISCH

Johannes Klinckerfuß zugeschrieben
Stuttgart, um 1800

*Mahagoni, Eiche, Messing*
*H. 79 cm, Dm. 86 cm*

Schloßverwaltung Ludwigsburg, Außenstelle des Staatl.
Liegenschaftsamtes Stuttgart, Schloß Ludwigsburg,
Inv.-Nr. SchL 3210

Der runde Tisch hat eine typisch englische Form aus der
Zeit um 1800. Drei nach außen gebogene Füße mit Rollen
tragen wie gefedert den runden Schaft. Diese Lösung war
von Thomas Sheraton entwickelt und in Europa verbreitet
worden (vgl. Sheraton, Modell- und Zeichnungsbuch II,
Pl. 25). Klinckerfuß griff die markante Beinform auf,
benützte aber als Schüler des Neuwieder Ebenisten Roentgen einen geraden Schaft mit Messingkehlen. Bis auf die
Perlstäbe der Beine sind die Metallbeschläge aus Messingblech geformt, das man gegen 1800 häufig um die Kanten
zog.
Das Möbel wurde in das Neue Schloß Stuttgart geliefert,
von wo es nach dem Tode König Friedrichs in den
Alterssitz der Königin-Witwe nach Schloß Ludwigsburg
gebracht wurde.                                    W. W.

1252

## 1252*

### TISCH

Johannes Klinckerfuß zugeschrieben
Stuttgart, 1810

*Mahagoni, Fichte, vergoldete und geschwärzte Bronze,*
*Messing, bemaltes Porzellan*
*H. 75 cm, B. 60 cm, T. 51 cm*

Schloßverwaltung Ludwigsburg, Außenstelle des Staatl.
Liegenschaftsamtes Stuttgart, Schloß Favorite bei
Ludwigsburg, Inv.-Nr. KRGT 855

Württembergische Empiretische um 1810 haben häufig
gerade, kantige Beine ohne Beschläge. Dagegen ist die
Zarge, die als breites, glattes Teil für Dekorationen genügend Platz bot, meistens mit Appliken besetzt. Der ovale
Tisch mit zwei bemalten Porzellanplatten und Tatzen
besitzt die genannten Eigenschaften. Als Geschenk der
Königin an ihren Gemahl Friedrich von Württemberg, der
ihn im blauen Zimmer beim Opernhaus aufstellen ließ,
diente das Ziermöbel wohl kaum Ablagezwecken, sondern
vielmehr der Ausschmückung des Raumes.
Den Typus mit konisch nach unten verjüngten Beinen und
mit Zwischenbrett gibt es schon bei Kunstschreiner Roentgen um 1790, jedoch im strengen klassizistischen Stil mit
Riefelblechen und Fußwürfeln (Greber, Roentgen II, Abb.
619–621). Klinckerfuß hatte ihn bei diesem kennengelernt und lehnte sich hier an die steife Form an.    W. W.

## 1253*

### SCHREIBSCHRANK

Johannes Klinckerfuß zugeschrieben
Stuttgart, um 1808

*Mahagoni, Eiche, Kiefer, Zeder, Tujawurzel, vergoldete*
*Bronze, Messing, Spiegelglas*
*H. 170 cm, B. 111 cm, T. 51 cm*

Schloßverwaltung Ludwigsburg, Außenstelle des Staatl.
Liegenschaftsamtes Stuttgart, Schloß Ludwigsburg,
Inv.-Nr. SchL 1272

König Friedrich von Württemberg hatte sich um 1809/10
in Schloß Ludwigsburg ein neues Schreibzimmer einrichten lassen. Es wurde mit Empiremöbeln ausgestattet, die
auch zwei gleiche Schreibschränke miteinschlossen. Aufbau, Konstruktion und Verarbeitung der beiden Möbel
weisen sie als Werke des Ebenisten Klinckerfuß aus.
Vorne auf zwei kräftigen Löwentatzen ruht der monumentale Schreibkasten. Er ist aus großen, glatten Flächen
zu einem nüchternen Block zusammengefügt, der durch
eine bewegte Furniermaserung pompös erscheint. An seinen vorderen Ecken befinden sich die charakteristischen
Hermenpfeiler, die die getreppte Decke mit Podest und
Giebel stützen. Sie sind wie die Tatzen nach vorne ausgerichtet, so als wollten sie in ihrer steifen Haltung dem
Herrscher huldigen.

Die Hervorhebung der Vorderseite wird bei geöffnetem Möbel noch deutlicher. Die innere Front mit kannelierten Säulen, Postamenten, Lisenen und Treppenstufen erinnert an eine antike Tempelhalle. Diese Gestaltung diente wohl mehr der Repräsentation als Ablagezwecken und hatte eine den Raum ausschmückende Funktion.

*Lux, Taf. 36, Abb. 5. – Kreisel/Himmelheber 1973, Abb. 307.*                    W. W.

**1254\***

## TISCHSCHREIBSCHRANK

Johannes Klinckerfuß zugeschrieben
Stuttgart, um 1815

*Mahagoni, Ahorn, Birkenwurzel, Kiefer, vergoldete Bronze, Messing, Leder*
*H. 130,5 cm, B. 80 cm, T. 46,5 cm*

Schloßverwaltung Ludwigsburg, Außenstelle des Staatl. Liegenschaftsamtes Stuttgart, Schloß Favorite bei Ludwigsburg, Inv.-Nr. KRGT 3238

Der Tischschreibschrank aus der Zeit um 1815 ist ein typisch württembergisches Empiremöbel. Johannes Klinckerfuß hat ihn aus kantigen Teilen klar und symmetrisch aufgebaut und mit vergoldeten Beschlägen prächtig dekoriert. Er verwandelte die Vorderfront in die Hauptansichtsseite, die den Betrachter zu beeindrucken hatte. Außer den beiden Löwen mit Palmette, den lyrenförmigen Beschlägen, Perlleisten und Kapitellen und Basen tritt vor allem das zentrale Reliefmedaillon der Klappe hervor. Es zeigt einen auf einer Mauer sitzenden Knaben mit Heft. In seiner Nähe steht ein Hahn, der vor aufgehender Sonne an das früh am Tage begonnene Studium erinnert. Dieses Motiv ist in gleicher Form bei den Petersburger Möbeln des Kunstschreiners David Roentgen zu finden (Greber, Roentgen II, Abb. 658). Klinckerfuß, der den Tischschreibschrank für Kronprinzessin Katharina von Württemberg, eine Enkelin von Katharina der Großen, schuf, übernahm es, um wohl an dessen Modelle zu erinnern.

*Kreisel/Himmelheber 1973, Abb. 294.*                    W. W.

1254b

1254a

1255

(erbaut 1760–65 nach La Guêpières Entwurf). Alle diese Arbeiten wurden nach Thourets Entwürfen im Auftrag des Kurfürsten Friedrich durchgeführt, der die Anlage im Jahre 1804 in Erinnerung an seinen Garten bei Viborg (Karelien) in Monrepos umbenannte (vgl. Kat.Nr. 1046).

*Lux, Tafel 2, Abb. 5. – Schefold, Württemberg, Nr. 5281.*
W. W./K. M.

## 1255*

### ZIERTISCH

Holzarbeiten von Johannes Klinckerfuß
Stuttgart, um 1805

*Birkenwurzel, vergoldete und geschwärzte Bronze,
Marmor, bemaltes Porzellan*
*H. 103 cm, Dm. 66 cm*

Schloßverwaltung Ludwigsburg, Außenstelle des Staatl.
Liegenschaftsamtes Stuttgart, Schloß Ludwigsburg,
Inv.-Nr. SchL 1907

Einzelne Möbel aus dem Neuen Schloß Stuttgart sind Schaustücke von besonders prächtiger Fasson. Sie bestehen aus Teilen, die man völlig in Metall formte, um einen noch kostbareren und repräsentativeren Eindruck zu erzeugen. So wurde auch der Schaft des Ziertisches aus Schloß Ludwigsburg als vielköpfige Bronzeherme mit ägyptisierendem Lotoskelch ausgebildet. Nur die Plinthe und der kreuzförmige Sockel bestehen noch aus Holz. Die gegossenen Delphine sind beliebte Motive der Empirezeit und wurden wie die plastischen Büsten streng modelliert. Dabei zeugen sie von einer großen künstlerischen Qualität. Ob Pariser oder Stuttgarter Bildhauer und Ziseleure diese Teile fertigten, muß jedoch offenbleiben.
In die Mitte der marmornen Tischplatte ist eine porzellanene Rundscheibe eingelassen, die eine Ansicht von Monrepos zeigt. Links auf der Insel erhebt sich die 1803 aus dem »Englischen Dörfle« in Hohenheim hierher versetzte Kirche, rechts am Ufer des Sees ist das 1801–04 auf eine hohe Arkatur gehobene Seeschloß Karl Eugens zu sehen

## 1256*

### ARMLEHNSESSEL

Georges Jacob (1739–1814)
Paris, 1800–06

*Mahagoni, teilweise vergoldet, braunes Leder*
*H. 94,5 cm, B. 59,5 cm, T. 49,5 cm*
*signiert G. IACOB*

Staatliches Liegenschaftsamt Heidelberg, Schloß
Schwetzingen, Inv.-Nr. G 1055

Der Fauteuil ist das einzige, signierte französische Möbel im Bestand der staatlichen badischen Schlösser. Allerdings läßt sich das durch die vergoldeten Sphingenköpfe als Stützen der Armlehne, die in vergoldeten Löwentatzen endenden Füße sowie durch den braunen Lederbezug gut charakterisierbare Möbel in den Inventaren der Empirezeit nicht nachweisen. Erst in einem Inventar des Karlsruher Schlosses im Jahre 1833 (GLA 56/4099) ist im »Sessions Zimmer des Geheimen Rats 1 fauteuil von Mahagoni Holz mit Holz vergolden Spinxen Köpf mit rothem Sammet bezogen« verzeichnet. Ohne das Leder abzunehmen, läßt sich nicht eindeutig feststellen, ob es sich um den Originalbezug handelt. Die hohe Polsterung spricht jedoch dagegen. Im gleichen Raum standen noch zwölf Stühle aus Kirschbaumholz, so daß bei den Ratssitzungen der Fauteuil für den Großherzog bestimmt gewesen sein muß. Vielleicht befand er sich ursprünglich in großherzoglichem Privatbesitz und wurde deshalb nicht in früheren Inventaren aufgeführt.
Georges Jacob war der Stammvater einer Dynastie von Menuisiers und Ebenisten, die während der Empirezeit zu den führenden Meistern zählten. Jacob war maßgeblich an der Ausbildung von streng klassizistischen Sitzmöbeln beteiligt, denn er kreierte Typen nach Entwürfen des Malers Louis David, mit dem er ebenso befreundet war wie mit den Architekten Percier und Fontaine.
Der hier gezeigte Fauteuil kommt einem Exemplar im Musée des Arts Décoratifs sehr nahe, das in die Zeit um 1800 datiert wird (Peter Meister und Hermann Jedding, Das schöne Möbel im Laufe der Jahrhunderte, Heidelberg 1958, Abb. 546). Allerdings verläuft die Rückenlehne dort gerader und ist nicht leicht nach hinten eingerollt.

*Luthmer/Schmidt, Tafel 16.* R. S.-D.

1256

dem zwölf weitere Exemplare vorhanden sind, gehört zur Ausstattung eines der beiden Räume; aufgrund eines Kaminschirmes mit ähnlichem Sprossenwerk wohl zum ersteren. Das Modell scheint Gefallen gefunden zu haben, denn in der Akademie der Wissenschaften in Heidelberg, dem ehemaligen Stadtpalais des badischen Fürstenhauses, befinden sich 30 weitere Stühle, die mit »Br«, was für Schloß Bruchsal steht, gemarkt sind.

Stühle mit gotischem Sprossenwerk in der Rücklehne wurden bereits Ende des 18. Jahrhunderts geschaffen. Unserem Stück ähnliche befinden sich im Stadtmusum München (Kreisel/Himmelheber, Klassizismus, Historismus, Jugendstil, Abb. 401). In Schwetzingen gibt es ein weiteres, zwölfteiliges Ensemble aus der gleichen Zeit, bei dem jedoch das Sprossenwerk der Lehne doppelt geschweift ist.

*Carl Ludwig Fuchs, Die Innenraumgestaltung und Möblierung des Schwetzinger Lustschlosses im 18. und 19. Jahrhundert. Diss. Heidelberg 1975, S. 543–544, 550 bis 552.* R.S.-D.

1257*

## STUHL

Südwestdeutsch, 1804/05

*Kirschbaum*
*H. 91,5 cm, B. 46,5 cm, T. 41 cm*

Staatliches Liegenschaftsamt Heidelberg,
Schloß Schwetzingen, Inv.-Nr. G 3860

»12 neu angeschaffte Kirschbaumene braun gepeizte Stühl neu garnirt mit Stahlfedern versehen, und mit obigem (weis und blau gestreift) Seiden-Moir überzogen«, heißt es auf Seite 73 im Inventar des Schwetzinger Schlosses von 1804 im »Compagnie Zimmer« des »Quartiers der Frau Reichsgräfin von Hochberg Excellenz« (GLA 56/4167). Im gleichen Zimmer ist eine »neue weis papierne Tapete – vorstellend die Schweizer Landschaften mit reichen papierene Ornamenten« aufgeführt. Auch im Ansprachzimmer, das ebenfalls eine neue Papiertapete erhielt, befanden sich »18 neu angeschafte Kirschbaumene braun gepeizte Stühl garnirt, und mit weisen mit Blumen gewürkten Seiden-Stoff auf dem Sitz überzogen«. Der hier gezeigte Stuhl, zu

1257

1258

treppenartig abgestufte Deckplatte, umgeben von Messinggalerien, bewirken eine grazile Leichtigkeit. Die lebhafte Maserung des Mahagoniholzes verleiht der Vorderfront ein bildmäßiges Aussehen, das durch sparsames Beschläg an der Schublade in Form von zu Voluten eingerollten Füllhörnern nicht beeinträchtigt wird. Im Innern sind um das offene Mittelfach Schubladen aus lebhaftem Wurzelholz gruppiert. Die Verarbeitung des Möbels ist ausgezeichnet: Feingliedrige Schwalbenschwänze an den Schubladen aus Kirschbaumholz, gute Paßform der Messingleisten um die Deckplatten. Diese Rahmungen sowie die mit Messing ausgeschlagenen Kanneluren der schräg gestellten Eckpfosten und die gute Verarbeitung sind Merkmale der Roentgen-Werkstatt in Neuwied, die sich auch aus diesem Atelier hervorgegangene Meister zu eigen gemacht haben. Der Sekretär könnte in der Karlsruher Hofwerkstatt und »Schreinerfabrik« von Johannes Gräßle und Johannes Höfle entstanden sein, zumal Höfle nachweislich in Neuwied bei Roentgen gearbeitet hat, ehe er sich in Karlsruhe niederließ (s. Aufsatzband, R. Stratmann-Döhler, Die Ausstattung der badischen Schlösser).

Die Säbelbeine sowie die Dreigliedrigkeit der Front – Klappe und darunter zwei Türen – weisen auf eine Entstehungszeit um 1800 hin.

Ein Teil der Perlstäbe, Rosetten und Galerien ist ergänzt.

R. S.-D.

1259*

## NACHTTISCH

Henri Geindrat, Joseph Künstler, Peter Schmuckert
Mannheim, 1812

*Mahagoni furniert, Linde geschnitzt und teilweise vergoldet, Blindholz Kiefer und Eiche, weißer Marmor, Messing vergoldet*
*H. 80 cm, B. 48 cm, T. 48,5 cm*
*Mit Bleistift an der Unterseite der Marmorplatte bezeichnet: faite a Mannheim / par Henri Geindrat, le 4 novembre / 1812.*

Staatliches Liegenschaftsamt Heidelberg, Schloß Schwetzingen, Inv.-Nr. G 1149

Kein in den staatlich badischen Schlössern erhaltenes Möbel ist so gut dokumentiert wie der kleine Nachttisch, der zusammen mit einer Bettstatt einst für das Paradeschlafzimmer der Großherzogin Stephanie im Karlsruher Schloß von Mannheimer Kunsthandwerkern gefertigt wurde. Ein ganzes Konvolut (GLA 56/902) ist angefüllt mit Angeboten, Rechnungen, Gegenangeboten, Moderationen sowie der Korrespondenz zwischen dem Oberhofmarschallamt in Karlsruhe und der nachgeordneten Behörde, dem großherzoglichen Bauamt in Mannheim, sowie der großherzoglichen Hof-Kommissionsverwaltung. Die Begleichung der Forderungen zog sich über ein Jahr hin. Obschon die Möbel längst in Benutzung waren, wurde von Karlsruher Handwerkern ein Gegenangebot

1258*

## SCHREIBSEKRETÄR

Südwestdeutsch, Karlsruhe (?), um 1800

*Mahagoni und Birkenwurzel (?), auf Nadelholz furniert, Kirschbaum, weißer Marmor, vergoldete Bronze und vergoldetes Messing*
*H. 143 cm, B. 93 cm, T. 46 cm*

Staatliches Liegenschaftsamt Heidelberg, Schloß Schwetzingen, Inv.-Nr. G 1331

Der relativ kleine Sekretär wurde noch in der Mitte des 19. Jahrhunderts so geschätzt, daß man ihn im Schlafzimmer eines Fremdenquartiers im 2. Obergeschoß des Karlsruher Schlosses aufstellte, wie ein aufgeklebter Inventarzettel bezeugt (Schloß-Inventar Carlsruhe / linker Flügel / Seite 758 / Nr. 22). Vermutlich handelt es sich um den Sekretär, der bereits 1814 im Schlafzimmer des Großherzogs Karl aufgeführt ist: »1 Schreibsecretaire von Mahagoni mit Bronze garnirt, oben mit weißer Marmorplatte u Messing vergoldeter Gallerie« (GLA 56/4098). Leicht geschweifte Säbelbeine, schräg gestellte vordere Eckpilaster sowie eine

1259

eingeholt, weil die Rechnungen der Mannheimer Künstler, die den Auftrag sehr kurzfristig hatten ausführen müssen, höher lagen als der Voranschlag und als diejenigen für ein kurz zuvor in das Mannheimer Schloß geliefertes Bett mit Nachttisch. Der Betrag wurde von 1990 fl 19 xr auf 1850 fl gekürzt, »moderiert«, wie man es bezeichnete, mit dem Zusatz: »Sehr hätten wir gewünscht noch mehr herunterhandeln zu können, es wollte uns dies aber, alles Zuredens ohngedacht nicht glüken«.

Der Bildhauer Joseph Künstler hatte für »4 Sphingen und 2 Fügierchen auf der einen Seite, auf den andern Seiten 2. Arabesquen Verzierungen nebst den verzierten Stäben« 50 fl, und Peter Schmuckert »an den Nacht Tisch 4 Fünchsen (Sphingen) 2 Figuren 2 Arabesch und sonstige Verzürungen, alles Sauber reparirt und Glanz und Matt mit Bariser Gold zu Vergolden« 52 fl veranschlagt.

Im Inventar von 1814 (GLA 56/4098) ist das Möbel als »1 Nachttisch Mahagoni Holz reich mit vergoldten Verzierungen« verzeichnet. Das wie ein viereckiges, nach oben sich verjüngendes Postament aufgebaute Möbel wird von vier auf einer Plinthe sitzenden Sphingen mit ausgebreiteten Flügeln gestützt. Wie die Lyra und Fackeln haltenden Mädchen und die Palmett- und Rankenornamente sind es höchst achtbare, qualitätvolle Schnitzereien, die jedoch nicht alle von der gleichen Hand stammen. Eines der vier von Kymastäben gerahmten Felder läßt sich als Tür öffnen. Zwischen den Rankenornamenten an den Seiten befinden sich bewegliche Messinggriffe, die vesenkt in das Holz eingelassen sind. Hölzerne Rollen am Boden des Möbels gewährleisten, daß es leicht hin- und hergeschoben werden kann. Der Nachttisch ist die genaue Kopie eines Entwurfs auf Tafel 356 im 1819 publizierten 2. Band der Meubles et objets de goût, der als Beilage zum Journal des Dames et des Modes 1811 erstmals erschienen war.

Er trägt zwei Inventarzettel: 1. *Inventar Carlsruhe / Rechter Flügel / Seite 260 / Nr. 38*, der dem Schloßinventar von 1859 entspricht (aber in diesem nicht unter den angegebenen Nummern aufgeführt ist) und 2. *Schloß Inventar Schwetzingen / Seite 293, Nr. 27* (Ende des 19. Jahrhunderts).

*Inv. Kdm Bd. X, 2, S. 81. – Luthmer/Schmidt, T. 18. – Himmelheber, Schreiner, S. 40ff. – Kreisel/Himmelheber 1973, S. 81/82, Abb. 331. – Kreisel/Himmelheber[2] 1983, Abb. 333. – Stratmann-Döhler, Die Ausstattung der badischen Schlösser, siehe Bd. 2 dieses Kataloges.*    R. S.-D.

1260

1260*

## Sessel

Südwestdeutsch, 1812–15

*Mahagoni furniert, vergoldete Bronze*
*H. 88 cm, B. 57 cm, T. 47 cm*

Staatliches Liegenschaftsamt Heidelberg, Schloß
Schwetzingen, Inv.-Nr. G 1646

Die bis zu den Vorderbeinen schwingenden Rückenlehnen und die in gegenläufigem Schwung zurückweichenden Hinterbeine verleihen dem Sitzmöbel in Gondelform eine elegant bewegte Silhouette. Darüber hinaus ziert den Sessel fein gearbeitetes Beschläg in Form von breiten Blatt-, Ranken- und Palmettenornamenten an Zarge und Lehne sowie Löwenköpfen und Kapitellen an den Arm- bzw. Rückenlehnen. Die Bespannung aus blauem Seidendamast wurde 1971–73 nach altem Vorbild aus dem Hôtel de Beauharnais in Paris, heute Botschaft der Bundesrepublik Deutschland, nachgewoben. Das Ensemble umfaßt 16 Stücke, muß aber ehedem noch viel umfangreicher gewesen sein, wie Inventarzettel vom Ende des vorigen Jahrhunderts vermuten lassen.
Sitzmöbel dieser Art erschienen im Journal des Dames et des Modes ab 1806 und wurden mit Vorliebe in Speisezimmern benutzt.
Der rechte Löwenkopf ist aus Holz ergänzt.          R. S.-D.

# MODE UND DEKORATIONSSTOFFE

## *Kostüme*

Beim Versuch, das Leben einer Epoche historisch zu erfassen, kann ein Blick auf die modische Kleidung der Zeit sehr hilfreich sein. Denn diese spiegelt die Denkweisen, Wünsche und Bedürfnisse ihrer Träger unmittelbar. So ist die Kleidung des 18. Jahrhunderts direkter Ausdruck der gesellschaftlichen Zwänge dieser Zeit, der Etikette bei Hofe, der sich jeder und alles unterzuordnen hatte. Die höfische Gesellschaft, bestehend aus Adel und hohem Klerus, bot nach außen hin ein geschlossenes Bild. Damen und Herren, Kinder wie Erwachsene unterwarfen sich derselben Mode mit enger Taille und breiten Hüften, trugen Perücken, alterslos weiß gepudert – hohe Schuhe, geschnürter Körper, voluminöse Röcke und Haaraufbauten nötigten zu denselben gezierten Bewegungen und Verhaltensweisen. So minimale Unterscheidungsmöglichkeiten existierten – die Nuance wurde zur Kunst –, so sparsam wurden die Privilegien verteilt. Eine relative Gleichheit innerhalb dieser elitären Schicht erleichterte die Manipulation durch den Alleinherrscher und König. Den anderen Ständen machte ebenfalls ihr Äußeres, das über Kleiderordnungen geregelt war, den ihnen gebührenden Platz in der Gesellschaft bewußt. Glanz und Luxus waren ihnen versagt. Es blieb, die Modesilhouette der Privilegierten in weniger kostbaren Materialien nachzuahmen. Wer jedoch arbeitete, mußte selbst darauf verzichten, denn die Kleidung des Rokokoadels war schlicht zu unbequem und schloß die Möglichkeit körperlicher Betätigung aus. So waren kurze Jacke, lange Hosen und Holzpantinen die Kleidungsstücke, die im öffentlichen Ansehen am tiefsten standen.

Da Adel und König kein Interesse an der Veränderung dieses Systems hatten, variierte die Hofkleidung kaum. Den einzigen Freiraum bot das Negligé, wie die bequeme Kleidung von Mann und Frau für den privaten Gebrauch genannt wurde. Die Negligékleidung, welche leichtere Stoffarten und weniger steife Schnitte bevorzugte, ließ sich vor allem von der englischen Mode anregen. Dort stand nicht der Hof, sondern das von Gewerbe und sportlicher Betätigung geprägte Leben der Bürger und des Landadels im Vordergrund. Von England kamen auch Impulse, die Kinderkleidung von der Erwachsenenmode zu trennen und eine ihren eigenen Ansprüchen gerecht werdende zu schaffen. Werte wie Bequemlichkeit und Schlichtheit begannen sich also in jenen Bereichen durchzusetzen, die vom Hof nicht reglementiert wurden. So gesehen war es nicht verwunderlich, wenn sich die Revolution im Grunde an einer Kleiderfrage entzündete. Die Kleidungsprivilegien waren ein Mißstand, der ganz offensichtlich war, als die Stände am 5. Mai 1789 von Ludwig XVI. einberufen wurden. Gemäß dem Hofzeremoniell von 1614 erschienen Adel und Klerus in prunkvollen Staatsroben, während dem Dritten Stand ein unscheinbares dunkles Kleid zugedacht worden war. Graf Mirabeau, Wortführer des Dritten Standes, protestierte und stellte den Antrag, alle Standesunterschiede in der Kleidung aufzuheben. Was bisher als Privileg gegolten hatte, wurde dadurch der allgemeinen Verachtung preisgegeben, daß man die höfische Mode als Livrée den Bediensteten und Lakaien überließ. Die Auseinandersetzung war folglich von vornherein nicht auf Verständigung, sondern Konflikt angelegt. Darüber hinaus zeigt sich, daß es nicht um die Gleichheit aller, sondern vorrangig um die politische und gesellschaftliche Anerkennung des Bürgertums ging, dessen Kleidung nun zu einem Ehrenkleid erhoben wurde. Farbe, Samt und Seide sowie Spitzengarnituren waren für lange Zeit in der Herrenkleidung diskreditiert, weil sie dem Bild des wirtschaftlich tätigen und auf Gelderwerb bedachten Bürgers nicht entsprachen.

Die bisherige Negligékleidung wurde als offizielle akzeptiert. Statt eines enggeschnürten Leibchens hielt eine Schärpe die Taille locker zusammen, die Reifröcke verschwanden, weite Dekolletés wurden von sog. Fichus verdeckt, die Absätze der Schuhe wurden niedriger. Das Haar fiel offen und wurde nur noch wenig gepudert. Extravagant waren allein die Hüte, die eine sehr hohe Kalotte aufwiesen und reichen Schmuck. Die Herrenmode bevorzugte Tuchstoffe und Leder oder die um 1790 modischen Streifenstoffe. Der Herrenanzug bestand aus Frack, Weste und Kniehose, hohem Hut und aufgebauschter Krawatte. Durch diese Entwicklung glichen sich Erwachsenen- und Kinderkleidung wieder aneinander an. Die Französische Revolution löste also keinen abrupten Modewechsel aus, sondern bewirkte eher eine Akzentverschiebung von der bisherigen höfischen Mode zur bürgerlich-privaten, die sich den Bedürfnissen ihrer Träger besser anpaßte. Typische »Unterschichtkleidung« wie die *Sans-culottes* (lange Hosen), die *Carmagnole* (kurze Jacke) oder die Jakobinermütze wurden nur von wenigen getragen und von der Allgemeinheit ebenso abgelehnt wie die historisierenden Entwürfe einer Revolutionsmode des Malers Jacques-Louis David. Den empfindsamen und »genialen« Tendenzen der Zeit entsprechend erfuhr das Individuelle eine stärkere Beachtung. Dies kam während des Directoire, jener Zeit, die in Frankreich auf die Schreckensherrschaft Robespierres folgte und als eine Reaktion auf diese betrachtet werden kann, in dem Phänomen der *Incroyables* und *Merveilleuses* zum Ausdruck. Eine durch die Revolution zu Besitz gelangte Personengruppe sah in der Kleidung eine Möglichkeit, den neuen Reichtum zu demonstrieren und sich dessen zu versichern. Dabei entwickelte sie eine merkwürdige modische Kreativität. Neuerungen wie die hohe Taille und die Schleppe, die Kurzhaarfrisuren für beide Geschlechter und flache Schuhe setzen sich – als Ausdruck der Antikenbegeisterung der Zeit – jetzt durch. Gleichzeitig, z. T. aus Mangel an ästhetischer Sensibilität, z. T. aus rigidem Abgrenzungswillen, wurden moralische Freizügigkeit und eine gewisse Nachlässigkeit im Äußeren bis hin zu arroganter Verkommenheit Mode. Die hauchdünnen Chemisen einiger

Damen, die um 1795–99 in Paris tonangebend waren, wie
Mme. Tallien, die Generalin Beauharnais und Mme.
Hamelin, und die rüpelhafte Erscheinung ihrer Begleiter
erregten bald kein Aufsehen mehr. Jugendlichkeit wurde
zum unangefochtenen Ideal. Solche Auswüchse blieben
jedoch auf eine kleine Gruppe in Paris beschränkt. Provinz
und Bauerntum wußten meist mit der antikisierenden
Mode nichts anzufangen und behielten die traditionelle
Kleidung bei.

Napoleon unterwarf auch die Mode seinem Diktat. Er
bekämpfte die »Auswüchse« und förderte die Übernahme
der »Empiremode« in ganz Europa. Statt dünnem Musselin wurden schwerere Stoffe wie Samt und Seide verwendet, die Schleppe fiel bei Tageskleidung weg, die Röcke
wurden – den Möglichkeiten des verwendeten Materials
entsprechend – enger und kürzer, eine Hofmode wurde
neu kreiert. Die Kleidung wurde wieder gediegen, steif und
elitär wie im Ancien Régime, nur daß die Taille etwas
höher saß. Die »Graecomanie« der Damenmode verkam
zu einem Eklektizismus, der sich Vorbilder quer durch die
Jahrhunderte nahm. Die Roben wurden mit bizarrem
Schmuck überhäuft, und nachdem um 1822 die Taille
gesunken war, hielten Korsett und Krinoline wieder Einzug. In der Herrenkleidung zeigte sich die Vornehmheit
in der Beachtung feiner Unterschiede. Edle Stoffe, qualitätvolle Verarbeitung und die peinliche Vermeidung jeder
Auffälligkeit prägten das Bild des »Dandy«. So blieb im
Biedermeier wie in der Folgezeit überhaupt modische
Exzentrik auf die Damenkleidung beschränkt, in der Herrenkleidung hatte sich die sachliche Note durchgesetzt.

Die hier aufgezeichneten Entwicklungslinien bestimmten
auch die Mode in Baden und Württemberg. Jenseits des
Rheines wurden die Pariser Modeneuheiten allerdings
vielfach mit einer gewissen Verzögerung aufgenommen.
Weitere detaillierte Informationen über diese Fragen enthält der Aufsatz »Kassizistische Damenmode in Baden und
Württemberg« in Band 2 dieses Kataloges.        Anita Auer

1261

1261*

## Herrenanzug

aus Rock (a), Weste (b), Hose (c)

Italien, um 1780

*Grüner Seidenatlas, bunt bestickt. Futter: weiße Seide,
weißes Leinen. (b) weißer Seidenatlas
(a) L. vorne 117 cm, L. hinten 115 cm, L. Ärmel 62 cm;
(b) L. vorne 50 cm, L. hinten 57 cm; (c) L. 75 cm,
Bundweite 86 cm*

Stuttgart, Württembergisches Landesmuseum,
Inv.-Nr. 1983–189 a–c

a) Vorne offener, nach unten abgeschrägter Rock mit
Stehkragen und engen langen Ärmeln mit Revers in reseda-
grünem Seidenatlas. Die zwei großen Taschen mit Klappen
sind in Höhe der Ärmelenden eingesetzt. Die Randverzie-
rung an den Kanten besteht aus bunter Seidenstickerei
(Blütenmuster) in Flachstich, einer blau unterlegten Tüll-

spitze und einer weiß-roten Abschlußkante. Die 23 großen Knöpfe sind ebenfalls bestickt.

b) Die enge kurze Weste aus weißem Seidenatlas, die an den vorderen Rändern ein wenig abgeschrägt ist, weist ähnliche Stickerei wie der Rock auf, nur in etwas kleinerem Format. Die Vorderteile sind mit Streublümchen bestickt.

c) Die Kniehose ist wie der Rock aus grüner Atlasseide und besitzt einen Verschluß mit Klappe. An den Knien wird sie mit kleinen, bestickten Knöpfen geschlossen. Links und rechts der Klappe befinden sich Taschen. Die Kniebänder sind bestickt.

Das Beispiel zeigt, daß sich Italien im 18. Jahrhundert ganz nach dem französischen Modegeschmack richtete. Für den höfischen Galaanzug, den »habit à la Française«, war Stickerei vorgeschrieben. Rock und Beinkleid wurden aus dem gleichen Stoff gearbeitet, während man die Weste bei einfarbigen Anzügen meist in einer hellen Farbe wählte. Der schmale Zuschnitt, der die Gestalt schlank und gestreckt erscheinen läßt, ist typisch für die Zeit um 1780.

A.A.

## 1262*

### DAMENKLEID (JUPE UND MANTEAU)

Frankreich, 1785/90

*Elfenbeinfarbener Taft, Besatz: 4,5 cm breite Silberborte, drei Sorten Tüllspitze*
*L. Mieder vorne 35 cm, Taillenweite 58,5 cm,*
*Jupe L. 92,5 cm*
*L. hinten (ganz) 158 cm, Saumweite 320 cm*

Stuttgart, Württembergisches Landesmuseum,
Inv.-Nr. 1984–45

Obergewand (Manteau) aus einem Mieder mit darangearbeitetem Rock, der, vorne geöffnet, den dazu passenden unteren Rock sehen läßt. Ein auf dem Vorderteil des Mieders aufgenähtes hochausgeschnittenes »Oberteil«, das scheinbar durch zwei Straßknöpfe zu schließen ist, besitzt nur schmückende Funktion. In das Miederteil des Manteau sind Fischbeinstäbe eingearbeitet. Drei davon verstärken die vertikalen Nähte der rückwärtigen Mitte, zwei die vorderen Kanten des vorne zu schnürenden Mieders. Die Taillennaht ist bogenförmig gearbeitet und weist vorne fünf Zaddeln als Schößchen auf. Das große viereckige Dekolleté wird von einer Tüllspitze gesäumt. Die anliegenden Ärmel reichen bis zum Ellbogen, öffnen sich nach vorn und zeigen mit Tüllspitze und Silberborte einen ähnlichen Besatz wie die seitlichen Kanten des Oberrockes.

Bei diesem eleganten Damenkleid für offizielle Anlässe handelt es sich um eine sog. »Robe à l'Anglaise«. Kennzeichnend für diesen Kleidtyp ist die Gestaltung der Rückenpartie mit den verstärkenden Fischbeinstäben, die eine durchgehende Vertikale bis zu einem Punkt unterhalb der Taille bilden, sowie der Verzicht auf »paniers«, an deren Stelle kleine Polster, sog. »culs postiches« (1780/90 in

1262

Mode), verwendet werden konnten. Für die Datierung gegen Ende des Jahrhunderts spricht auch das helle, einfarbige Grundmaterial. A.A.

## 1263*

### HERRENFRACK

Frankreich, Ende 80er bis Anfang 90er Jahre
18. Jahrhundert

*Olivgrüner Seidentaft mit Längsstreifen (Atlas-Kettbindung) in Weiß/Rot, Weiß/Grün; Leinenfutter in Braun und Naturfarben. Zwölf große, flache, mit Seidenfäden in den Farben des Fracks sternförmig überspannte Knöpfe; Tüllspitze (spätere Ergänzung).*
*L. vorne 115 cm, Ärmellänge 60 cm*

Stuttgart, Württembergisches Landesmuseum,
Inv.-Nr. 1986–275

Vorne offener Herrenfrack mit Rückenschlitz, rechts und links davon je eine Falte. Über den hohen Stehbund fällt ein Kragen mit spitzen Ecken. Die engen Ärmel sind in Form geschnitten und besitzen (jedoch nur auf der Vorderseite) dreiteilige Revers. Auf jeder Hüfte sitzt eine breite Tasche mit Klappe. An den schräg zugeschnittenen vorderen Kanten entsprechen den acht großen Knöpfen fünf

Fußlanges Kleid mit kurzen (stark veränderten) Ärmeln, halbrundem Halsausschnitt und etwas verkürztem Mieder. Lange Öffnung vorn. Zugvorrichtung in der stark gerafften einteiligen Vorderbahn und am Halsausschnitt. Seitenteile und Rücken extra geschnitten, darüber kurzer Schoß. Innenmieder zum Schnüren in Druckstoff und weißem Leinen. Rockfutter sehr schöner gestreifter Seidentaft (nur am Saum erhalten).

Das Mischgewebe mit dunkelbraunem Grund ist dicht gemustert. Über gepunktetem oder gestricheltem Grund eng zusammenliegende naturalistische Blumen, wie Rosen, Wicken, Herbstlaub u. a.

Dieses äußerst reizvolle Kleid in elsässischem bedrucktem Stoff muß zur »besseren« Kleidung seiner Trägerin gezählt haben, da der Rock offensichtlich mit Seidentaft abgefüttert war. Das etwas verkürzte Mieder läßt auf eine Entstehung in der Zeit nach 1796 schließen. In der Familie des ehemaligen Besitzers wird jedoch überliefert, daß dieses Kleid von einer Besucherin einer Jakobiner-Hinrichtung 1793 in Straßburg getragen sein soll, was demnach eher als Legende anzusehen ist.                    R. G.

1263

breite Knopflöcher, von denen höchstens die zwei obersten benutzt werden konnten.

Die in dieser Zeit übliche schmale Silhouette der Fräcke wurde durch die Verwendung von Streifenstoffen noch betont. Die Vorliebe für Streifen in der Zeit um 1790 bedeutet ein letztes Aufleben von Farbigkeit und Schmuckfreude in der nicht-höfischen Herrenkleidung.    A. A.

## 1264

### TAGESKLEID

Straßburg, 90er Jahre des 18. Jahrhunderts

*Bedrucktes Mischgewebe (Baumwolle/Wolle), Elsaß, 90er Jahre 18. Jh.; Futter: weißes Leinen, gestreifter Seidentaft*
*L. vorn 111 cm, L. hinten 126 cm*

Freiburg, Augustinermuseum, Inv.-Nr. K 36/30

## 1265

### TAGESKLEID

Spätes 18. Jahrhundert

*Gemustertes Seidengewebe, vermutlich französisch; Leinenfutter*
*L. vorne 118 cm, L. hinten 126 cm, L. Ärmel 58 cm*

Freiburg, Augustinermuseum, Inv.-Nr. K 77/14

Bodenlanges Kleid mit kurzem Mieder, sehr langen Ärmeln mit Aufschlag und tiefem, vorne halbrundem Dekolleté. Lange Öffnung vorne. Zugvorrichtung am Halsausschnitt und im Mieder. Innen weißes Leinenmieder mit Schnurverschluß vorne. Ärmelansatz, Bodensaum und Fältelung des Rocks am Mieder später verändert.

Der auffallend kostbare Seidenstoff ist mit schmalen Streifen gemustert: aufsteigende Blattranke auf grauem Grund und blattförmiges Blumenmotiv in Chiné-Technik auf violett/braunem Grund. Die Bahnbreite beträgt 48 cm.

Obgleich nachträglich verändert, gibt dieses Kleid dennoch einen Eindruck von der Mode in der Übergangszeit zwischen Revolution und Empire. Wie bei den Kleidern des späten 18. Jahrhunderts ist der in Falten angesetzte Rock füllig und fällt gerade herunter. Der Ärmelansatz befindet sich bei den Schulterblättern, das Mieder hingegen ist bereits etwas verkürzt, eine Tendenz, die sich im Empire noch verstärken sollte.              R. G.

1266*

## HERRENANZUG

aus Rock (a) und Hose (b)

Frankreich (?), 1790 – Anfang 19. Jahrhundert

*Braunschwarzes Tuch mit bunter Seidenstickerei*
*(Blumenbordüre mit Rosen) und appliziertem,*
*weißem Tüll; Futter: weißes Leinen*
*(a) L. 120 cm, L. Ärmel 62 cm; (b) L. vorne 74 cm,*
*Bundweite 100 cm*

Stuttgart, Württembergisches Landesmuseum,
Inv.-Nr. 1962/1 a, b

a) Vorne offener, nach unten abgeschrägter Rock mit
hohem Stehkragen, engen, langen Ärmeln mit Revers und
langen Schößen. Die Schöße sind an den Seitennähten
geschlitzt und gefaltet, außerdem befindet sich ein Schlitz
in der hinteren Mitte. Zwei seitliche Taschen mit Klappen,
deren Saum geschwungen ist. Am Kragen, den vorderen
Kanten, an den und unterhalb der Taschenklappen reiche
Blumenstickerei, ebenso an den Kanten der seitlichen
Schlitze, rechts und links des mittleren Schlitzes und an den
Ärmelaufschlägen. Die 23 Knöpfe sind ebenfalls bestickt.
b) Die Kniehose ist wie der Rock aus braun-schwarzem
Tuch gearbeitet und besitzt einen Verschluß mit Klappe.
Über und rechts und links der Klappe befinden sich
Taschen. An den Knien wird die Hose mit drei kleinen
bestickten Knöpfen geschlossen, die Kniebänder sind be-
stickt.
Die reiche Stickerei läßt darauf schließen, daß dieser
Anzug zu feierlichen Anlässen getragen wurde. Der Schnitt
des »habit à la française« des späten 18. Jahrhunderts mit
schmalem Rücken, engen Ärmeln und hohem Stehkragen
blieb für den höfischen Galaanzug der napoleonischen
Zeit verbindlich.                                    A. A.

1266

1267

## CHEMISE-ÜBERKLEID

Bremen, um 1800

*Baumwoll-Mousseline mit farbiger Seiden- und*
*Metallstickerei, Pailletten*

Bremen, Bremer Landesmuseum für Kunst- und Kultur-
geschichtge (Focke-Museum), Inv-Nr. 29.163

Vorne übereinandergeschlagenes Obergewand mit
Schleppe und halblangen Ärmeln, unter der Brust mit
einem Zierband zusammengehalten. Schmale gestickte
Bordüren an den Säumen, Streublumen über dem gesam-
ten Kleid.
Das in Frankreich in den 90er Jahren in Mode gekommene
»Chemise-Kleid« aus dünnem, fließendem Stoff – über
einem Trikot zu tragen – hat in diesem Extrem in Deutsch-
land wohl kaum existiert. Die Kleidung der Frau von Cotta
auf dem Porträt von C. fG. Schick in der Staatsgalerie
Stuttgart steht dieser französichen Mode nahe. Eine eher
deutsche Version eines erhalten gebliebenen Chemise-
Kleides ist das Übergewand aus Bremen, bei dem das
Unterkleid nicht mehr erhalten ist. Fraglos war dieses
Kleid mit seiner Stickerei ein Festkleid.

*Ein Hauch von Eleganz. 2000 Jahre Mode in Bremen,*
*Bremen 1964, Abb. 67, S. 62.*                     R. G.

Um 1770/80 entstand zum ersten Mal eine eigens auf die Bedürfnisse von Kindern zugeschnittene Kleidung, die sich in dieser Hinsicht von der Erwachsenenkleidung abhob. Die Unterschiede verschwanden jedoch zusehends gegen 1800, als sich die Kleidung der Erwachsenen ebenfalls vereinfachte. Für Damen und Mädchen wurden wieder dieselben Schnittformen verwendet. Das Beispiel zeigt zudem, daß trotz der Vorliebe für Musselin auch Seide, die z.T. noch vorrätig (Güterbeschaffung auf lange Sicht im 18. Jahrhundert!), auf jeden Fall leichter zu erhalten war, verarbeitet wurde.                                    A.A.

1268

## 1268*

### KINDERKLEID

Stuttgart, um 1800

*Olivgrünes Mischgewebe aus Baumwolle und Seide (Leinenbindung); Muster: schmale senkrecht verlaufende Streifen in Weiß/Grün/Oliv/Rosa/Weiß (Kett-Atlasbindung); Futter des Mieders: Leinen*
*L. 81 cm, L. Mieder 14,5 cm, L. Ärmel 31 cm;*
*B. Schulter 22 cm, B. Taille 27 cm, B. Rock 97 cm*

Stuttgart, Württembergisches Landesmuseum,
Inv.-Nr. 1933/657

Langes Kinderkleid mit hoher Taille, rundem Halsausschnitt und langen, bis auf den Handrücken reichenden Ärmeln. Der Verschluß des Kleides befindet sich vorne (Zugschnur in Taille und Halsausschnitt). Das Oberteil ist vorne leicht gekräuselt, im Rücken anliegend geschnitten: das rhombenförmige Rückenteil geht in den in zwei Falten gelegten Rock über. Die Nähte des Rückenteils sind durch Stickerei (Hexenstich) betont.

## 1269*

### FESTKLEID

Norditalien, wahrscheinlich 1805

*Elfenbeinfarbener Seidentaft; Dekor: Flachstickerei in Silberlahn; Futter des Mieders: Seidentaft*
*L. vorne 124 cm, L. hinten 210 cm, Ärmellänge 23 cm*
*Saumweite 388 cm, Taillenweite 79 cm*

Stuttgart, Württembergisches Landesmuseum,
Inv.-Nr. 1985–347

Hochtailliertes, bodenlanges Kleid mit Schleppe, großem viereckigem Dekolleté mit Zugschnurverschluß und kurzen Puffärmeln. Ein anliegendes, kurzes Oberteil ist mit einem vorne und seitlich glatt angesetzten Rock verbunden. Der (Schnür-)Verschluß des Kleides befindet sich im Rücken über der zentralen Faltenpartie des Rockes.
Der Dekor des Kleides besteht aus kleinen, in Silberlahn gestickten Streublümchen. Den Rocksaum betont eine breite Stickereibordüre mit girlandenförmig angeordneten Motiven: Blattbündel sind durch gezahnte Bänder und Punktreihen verbunden. Darunter verläuft ein breiteres, versetzt angeordnetes Band mit Schräglinien und Pünktchen in den Zwischenräumen ebenfalls girlandenförmig. Ein schmaleres, gerade verlaufendes Band bildet den Abschluß.
Obwohl das Kleid der Überlieferung nach von der Marchesa Secco d'Aragona di Mondonico anläßlich der Krönung Napoleons zum König von Italien 1805 in Mailand getragen worden sein soll, entspricht es formal nicht der französischen Hofkleidung. Von Napoleon 1804 zur Kaiserkrönung eingeführt, war diese für Veranstaltungen bei Hofe vorgeschrieben und wies als charakteristisches Merkmal eine separate, in der Taille befestigte Courschleppe und einen hohen gezackten Spitzenkragen (»Chérusque«) auf. Dekorative Überladenheit und die Verwendung kostbarer Materialien dagegen zeichnen auch die Gesellschaftskleidung der Zeit, worum es sich in diesem Fall wohl handelt, aus.                                    A.A.

1269

Tasche. Auf Vorder- und Rückseite sind jeweils gegenüber zwei Knöpfe angebracht, die evtl. der Befestigung von Hosenträgern dienten.

Der zuerst nur von jüngeren Knaben getragene Anzug aus langen, weiten Röhrenhosen und taillenkurzem Jäckchen wurde im ersten Viertel des 19. Jahrhunderts auch von den älteren übernommen. Hierbei ist anzumerken, daß das Tragen von langer Hose und kurzer Jacke – ursprünglich Elemente der Arbeitskleidung – noch lange Zeit als unschicklich galt.

Hohe Taille, doppelreihiger Verschluß und ganz einfache Kragenform entsprechen der Mode um 1805. Das kostbare Material läßt auf die Verwendung als Festtagsanzug schließen.                                                              A. A.

1270*

ANZUG EINES JUNGEN MANNES

aus Jacke (a) und Hose (b)

Frankreich, um 1805

*Goldgelber feingemusterter Seidentaft; Muster: kleine Dreiecke in Kettflottierungen; Futter: feines weißes Leinen*
*(a) L. vorne 31 cm, L. hinten 43 cm, L. Ärmel 60 cm, Taillenweite 83 cm; (b) L. 113 cm, Bundweite 76 cm, Hosenbeinweite 50 cm*

Stuttgart, Württembergisches Landesmuseum, Inv.-Nr. 1985–27 a/b

Jacke und Hose des Anzugs sind innen ganz gefüttert. Die zweireihig geknöpfte Jacke reicht knapp bis zur Taille, besitzt lange, enge und in Form geschnittene Ärmel mit Revers und einen Umlegekragen. Vorne sind zwei Taschen eingesetzt. Die weiten Hosen reichen bis über die Taille und sind auffallend lang. Sie haben vorne einen Klappverschluß, der Bund wird mit drei Knöpfen geschlossen. Rechts unterhalb des Bundes befindet sich eine kleine

1270

1271

Hochzeitskleidung im Sinne einer Sonderkleidung gab es um 1800 noch nicht. Man kleidete sich festlich, aber der allgemeinen Modelinie entsprechend. Erst in der Folgezeit etablierte sich das »weiße Kleid« eigens für diesen Anlaß. Im Stil entspricht das Kleid der Mode um 1805/07. Der Einfluß der 1804 geschaffenen Hofkleidung macht sich im Dekor der vorderen Rockbahn (die Courschleppe ließ nur diese frei), dem anliegenden Mieder und dem vorne glatt angesetzten Rock bemerkbar (vertikalisierende Tendenz). Die Schleppe, die zu diesem Zeitpunkt bei Tageskleidung verschwindet, wurde in diesem Fall wohl des formalen Anlasses wegen noch beibehalten.    A. A.

1272*

## HOCHZEITSKLEID

Südwestdeutschland, 1807

*Hellgrüne Seide; sieben kleine, kegelförmig gewölbte Knöpfe, mit Seidenfäden überspannt; Innenmieder: Leinen*
*L. vorne 124 cm, L. hinten 165 cm, L. Mieder 15 cm, L. Ärmel 29,5 cm; B. Schulter 25 cm, Taillenweite 73 cm, Saumweite 327 cm*

Stuttgart, Württembergisches Landesmuseum, Inv.-Nr. 1972–17

1271*

## HOCHZEITSKLEID

wahrscheinlich Königsberg, um 1805/07

*Feiner weißer Baumwollbatist; Weißstickerei in weißem Baumwollgarn in Flachstich, Knötchenstich, Stielstich, Durchbruch*
*L. vorne 117 cm, L. hinten 164 cm, L. Mieder 9–10 cm, L. Ärmel 22 cm; Miederweite 64 cm, Saumweite 458 cm*

Stuttgart, Württembergisches Landesmuseum, Inv.-Nr. 1977–75

Weißes, besticktes Damenkleid mit langer Schleppe, kurzen Puffärmeln und viereckigem Dekolleté. Das kurze Mieder liegt eng an und ist hinten durch Zugschnüre am Halsausschnitt und in der Taille zu schließen. Der Rock ist vorne glatt angesetzt, im Rücken gekräuselt. Stickerei auf Mieder, Puffärmeln, der vorderen Rockbahn und entlang des Rocksaumes. Am Miedersaum: Blattranke. Auf den Puffärmeln in vertikalen Streifen: Blattranke und Pünktchen. Vordere Rockbahn: Streublümchen, seitlich eingefaßt durch Wellenlinie, in deren Bogen Palmetten eingepaßt sind. Fast kniehohe Bordüre am vorderen Saum aus stilisierten Blatt- und Blütenmotiven über Voluten, jeweils zu einer größeren Dolde aufsteigend. Darunter nochmals Wellen- und Bogenfries. Die Bordüre setzt sich am restlichen Saum weniger hoch fort.

1272

Langes Kleid mit hoher Taille, ovalem Ausschnitt und kurzen, geraden Ärmeln, angeschnittene, halbrund endende Schleppe. Mieder vorne leicht gekräuselt, im Rücken anliegend geschnitten, Verschluß vorne (Seidenbänder in Taille und Halsausschnitt). Rock vorne ebenfalls leicht gekräuselt, im Rücken bis auf eine mittlere Quetschfalte glatt angesetzt.

Der Halsausschnitt und der senkrechte Verschluß ist mit einem gefälteten 2,5 cm breiten Band des Grundmaterials besetzt, ebenso der Rocksaum. Auf der Ärmelaußenseite befindet sich eine senkrechte, flache Falte, die an drei Stellen durch aufgesetzte Knöpfe geschlossen ist. Oberhalb des Ärmelsaums: Zugschnur mit Troddeln eingezogen.

Der Überlieferung nach trug dieses Kleid Henriette Christiane von Biberstein (1787–1825) zu ihrer Hochzeit mit dem Oberst Peter von Biberstein am 6. 10. 1807. Dies bestätigte auch das Hochzeitsbild eines unbekannten Malers, das im Krieg verloren ging.

Das Seidenkleid entspricht mit Schleppe und vorderem Verschluß einer Form, wie sie zwischen 1800 und 1807 üblich war. Der Saumdekor aus einem in Falten gelegten Band des Grundmaterials erinnert noch an Rokokoformen (vgl. Kat.Nr. 1501), während die Ärmel schon auf solche der Renaissance anspielen und ähnlich von Mme de Senonnes auf einem Porträt von 1806 (vgl. Boucher, Abb. Nr. 870) getragen werden.

*M. Braun-Ronsdorf, Ein Brautkleid aus der Empirezeit, in Documenta textilia, Festschrift für Sigrid Müller-Christensen, München 1981, S. 405–408. – F. Boucher, Histoire du Costume en Occident de l'Antiquité à nos Jours, Paris 1965.*     A. A.

1273

## 1273*

### DAMENKLEID

wahrscheinlich süddeutsch, 1811/13

*Weißer Musselin, eingestickte dreiteilige Blüten in verstreuter Reihung in dickerem Baumwollfaden*
*L. 134 cm, L. Mieder 17 cm, L. Ärmel 25 cm;*
*B. Schulter 34 cm, B. Taille 36 cm, B. Rock 102 cm*

Stuttgart, Württembergisches Landesmuseum, Inv.-Nr. E 2917

Sehr hochtailliertes, langes Kleid mit querovalem Halsausschnitt und kurzen Puffärmeln. Das vorne anliegende Mieder besitzt seitlich je zwei Abnäher, der Rock ist vorne ohne Falten angesetzt. Verschluß im Rücken (Zugschnur am Halsausschnitt, Haken und Öse in der Taille). Mittelpartie im Rücken gekräuselt. Oberhalb des Rocksaumes: eine ungefähr saumbreite Falte.

Das zweiteilig geschnittene Kleid mit anliegender Vorderpartie und rückwärtigem Verschluß, der durch eine Fülle von Falten auf beiden Seiten kaschiert wird, entspricht einem Typus, der seit ca. 1804 seine Vorgänger mit durchgehender Fältelung und Verschluß auf der Vorderseite (einteiliger Schnitt) ablöst. Dieses Empirekleid aus weich fallendem Musselin mit einfacher Streumusterung ist ein Paradigma antisierender Mode, deren Ideal schlichter Eleganz hier verwirklicht wurde.     A. A.

1274

1275

1274*

## KLEID EINES JUNGEN MÄDCHENS

wahrscheinlich süddeutsch, 1813/15

*Weißer Baumwollbatist, Tüllspitze mit eingesticktem Blumenornament*
*L. 129 cm, L. Mieder 15 cm, L. Ärmel 20 cm;*
*B. Schulter 30 cm, B. Taille 34 cm, B. Rock 109 cm,*
*B. Bahn 107 cm*

Stuttgart, Württembergisches Landesmuseum,
Inv.-Nr. E 2920

Sehr hochtailliertes Mädchenkleid mit ovalem Dekolleté, kurzen Puffärmeln und Verschluß am Rücken (Zugschnüre am Ausschnitt und in der Taille). Vorderpartie ohne Falten, Mittelbahn im Rücken gekräuselt. Das Mieder wird vorne durch fünf senkrecht verlaufende Tüllspitzen gegliedert, dazwischen plustert sich gekräuselter Batist leicht vor. Ähnlich sind die Ärmel gearbeitet. Der kniehohe Saumdekor besteht aus zwei parallel zum Saum verlaufenden Tüllspitzen, die oben und unten von gerafften Bändern gesäumt sind. In diese waren früher beigefarbene Seidenbänder eingezogen. Den unteren Abschluß bildet ein schlichter Saum.
Sehr hohe Taille und die Zunahme an Dekor (an Mieder, Ärmeln und Rocksaum) bestimmen die Mode um 1815. Die duftige plastische Saumverzierung aus zwischen Spitzenbändern gerafftem Batist ist auch auf einem Modekupfer von Horace Vernet (ca. 1815) zu sehen (vgl. M. Ginsburg, An Introduction to Fashion Illustration, London 1980, pl. 36).

A. A.

## 1275*

### DAMENKLEID

wahrscheinlich süddeutsch, um 1818/19

*Weißer Baumwollmusselin, weißer Tüll, Stickerei in
weißer Baumwolle und Applikationen
L. gesamt 129 cm, L. Mieder 23 cm, L. Ärmel 59 cm,
L. Gürtel 3,2 cm; B. Schulter 35 cm, B. Taille 31 cm,
B. Rock 114 cm, B. Bahn 117 cm*

Stuttgart, Württembergisches Landesmuseum,
Inv.-Nr. E 2919

Damenkleid mit relativ niederer Taille, die durch ein
breites gürtelartiges Zwischenstück betont wird, leicht
keulenförmigen Ärmeln, die bis auf den Handrücken
reichen, und querovalem Halsausschnitt. Der Verschluß
des Kleides befindet sich im Rücken: Bindebändchen am
Halsausschnitt, Bandverschluß in der Taille. Das anliegende Mieder weist vorne seitlich jeweils zwei Abnäher
auf, die Fülle des Rockes konzentriert sich auf den Rücken.
Dekor des Mieders: schmale, horizontal angeordnete Bänder mit eingesticktem Zickzackmuster, dazwischen Streifen aus gerafftem Musselin. An den Ärmelenden drei mal
vier Röllchen zwischen gerafften Partien. Verschluß: zwei
Batistknöpfe. Dekor oberhalb des Rocksaumes: Ranke
mit gestickten Blättern und applizierten Rosen mit Tüll-
zentrum. Darunter im Flach- und Knopflochstich Bogen-
kante und Blütenmotiv.
Die schon etwas tiefere Taille, die Betonung der Schulter-
partie und der Dekor des Rocksaumes mit plastischen
Motiven und Lochstickerei sprechen für eine Datierung
des Kleides um 1818/19. Dieses Beispiel zeigt auch, daß
weiße Musselinkleider noch in Mode bleiben, nachdem
man sich von den antikisierenden Formen ab- und eher
biedermeierlichen zuwandte. A.A.

1276

## 1276*

### DAMENKLEID

Deutschland, 1817/22

*Graugrüner Seidentaft, Leinenfutter
L. vorne 130 cm, L. hinten 133 cm, L. Ärmel 76 cm;
Taillenweite 73 cm, Saumweite 234 cm*

Stuttgart, Württembergisches Landesmuseum,
Inv.-Nr. 1981-68

Langes Kleid mit hoher Taille, langen, bis auf den Handrücken reichenden Ärmeln und großem viereckigem Halsausschnitt. Das Kleid wird im Rücken mit Bindebändchen
und Haken und Ösen geschlossen. Das anliegende Mieder
ist in senkrechte platte Fältchen gelegt, auf der Vorderseite
die Mittelpartie jedoch in querlaufende, so daß die Mitte
betont wird. Die Ärmel werden von vier Seidenschnüren
horizontal unterteilt und enden in Zackenmanschetten.
Der nur im Rücken gekräuselte Rock weist am unteren
Saum einen Dekor aus in Zickzack geführtem und gerafftem Band auf. Nähte und Säume sind z.T. mit Schnur
besetzt.
Die mehrfach abgebundenen Ärmel begegnen häufig in
dieser Zeit. Sie sind Ausdruck einer verstärkten Hinwendung zum Mittelalter, die von England ausgehend auf dem
Festland durch das Vorbild von Paris zur Mode wurde.
Diese Ärmel werden in England als »Marie' sleeve«, in
Frankreich als »à la Mameluck« bezeichnet. Mit der
Vorliebe für Detailformen der Renaissancekleidung geht
die Neigung zu einer phatasievollen Oberflächengestal-
tung (s. Mieder und Rocksaum) einher. A.A.

1277

1278

1277*

## DAMENKLEID

wahrscheinlich süddeutsch, um 1820/22

*Weißer Baumwollstoff, gemustert mit zwei senkrecht ver-*
*laufenden Hohlsaumbahnen, wechselnd mit einem nach*
*oben oder nach unten gerichteten zweiteiligen Blatt in*
*Knötchenstickerei bzw. Tambourierarbeit;*
*Besatz: ungemusterter Baumwollstoff*
*L. 129 cm, L. Mieder 27 cm, L. Ärmel 14 cm;*
*B. Schulter 38 cm, B. Taille 36 cm, B. Rock 110 cm;*
*B. Bahn 90 cm*

Stuttgart, Württembergisches Landesmuseum,
Inv.-Nr. E 2918

Langes Kleid mit relativ niedriger Taille, kurzen Puffärmeln und querovalem Halsausschnitt. Zugschnurverschluß im Rücken. Das Mieder liegt vorne an (je drei
seitliche Abnäher), der Rock hat vorne keine Falten,
während im Rücken die Mittelpartie von Mieder und
Rock gekräuselt ist. Elf Kordeln gliedern die Vorderseite des Mieders, indem sie am Dekolleté in größeren Abständen ansetzend zur Miedermitte hin eng zulaufen. Unterhalb des Ausschnittes ist ferner ein breiter Querstreifen
von gerafftem Musselin angebracht, ähnlicher Besatz auf
dem Rock, ungefähr in Wadenhöhe.
Kleider mit »fächerförmig« unterteiltem Mieder treten in
dieser Zeit häufiger auf. Auch die schon etwas tiefere
Taille, die breiten Schultern (querovales Dekolleté!) und
der weit ausgestellte Rock entsprechen der Mode um
1820/22. A. A.

1278*

## DAMENKLEID

mit abnehmbaren langen Ärmeln

Stuttgart, um 1822

*Rostroter Seidenatlas, Besatz: Schnur und Grund-
material; Futter: Baumwolle am Rocksaum, im Mieder
und in den langen Ärmeln
H. 125 cm, H. Taille 26 cm;
B. Schulter 42 cm, B. Taille 39 cm, B. Rock 108 cm*

Stuttgart, Württembergisches Landesmuseum,
Inv.-Nr. 1933/651 a u. b

Kleid mit relativ niedriger Taille, spitz zulaufendem Aus-
schnitt und Puffärmeln mit abnehmbaren langen Ärmeln.
Anliegendes Mieder (vorne je zwei seitliche Abnäher) und
vorne glatt angesetzter Rock. Verschluß im Rücken mit
Bindebändchen und Haken und Ösen in der Taille und am
Halsausschnitt. Mittelpartie des Rockes im Rücken
gekräuselt. Schmale wattierte Saumblende. Das Kleid
weist an Mieder, Ärmeln und Rocksaum Dekor aus
Schnur und dem Grundmaterial des Kleides auf.
Mieder: Besatz von roter Atlasschnur, eng gelegt (z. T. in
Schlaufen) und spitz zulaufend, dazwischen seidenbezo-
gene Knöpfchen. Ärmel: die Puffärmel sind von in der
Mitte geknoteten Stoffstreifen überfangen, an den Enden
der langen Ärmel: drei querverlaufende Streifen. Rocksaum: zwischen je zwei horizontal verlaufenden Streifen
des Grundmaterials: wattierte Stoffbauschungen, abwechselnd längs- und hochoval. Die meisten Nähte werden von
seidenüberspannter Schnur betont.
Da die Zeit des frühen 19. Jahrhunderts von kriegerischen
Auseinandersetzungen geprägt war, verwundert es nicht,
daß sich die Damenmode von den Militäruniformen anregen ließ. Die auf der Brust übereinander angeordneten
Litzen sind charakteristisch für die Husarenuniform,
ursprünglich der Armee Matthias' von Ungarn, die im 15.
Jahrhundert zum Kampf gegen die Türken gegründet
worden war. Die Husarenuniform wurde im 19. Jahrhundert als Kavallerieuniform aller europäischen Armeen
eingeführt. Vor allem in der Zeit von 1806–15, als die
napoleonische Kavallerie am meisten Erfolge aufzuweisen
hatte, wurden Details dieser Uniform in der Mode übernommen.
Die fast auf normaler Höhe liegende Taille und der
wattierte und dekorierte Saum sprechen für eine Datierung
um 1822.                                                    A. A.

1279

1279*

## TAUFKLEID

1820/30

*Bestickter Tüll, Seidenbänder, Untergewand aus
cremefarbener Atlasseide
L. 126 cm, L. Ärmel 24 cm, W. Taille 70 cm, Rock
120 cm*

Stuttgart, Württembergisches Landesmuseum,
Inv.-Nr. L 1973–80

Langes, gerade herabfallendes Kleid mit hoher Taille,
großem ovalem Halsausschnitt und halblangen Ärmeln. In
Taille, Halsausschnitt und an den Ärmeln Zugvorrichtung. Bestickter Tüll an den Handgelenken, am Halsausschnitt gereihte Margeriten, am unteren Saum Bordüre mit
Blattfries von geschweiftem Blatt; am Rande gebogt. Über
das ganze Kleid Streumuster aus kleinen, versetzten Blättern. Untergewand in Form des Obergewandes, allerdings
Puffärmel.

Diese Taufgarnitur des Hauses Hohenlohe-Langenburg löste wahrscheinlich die gestickte Garnitur des 18. Jahrhunderts, die ebenfalls an das WLM entliehen wurde, ab. Nachweislich wurde letztere für die Taufe des Erbprinzen bis 1794 benutzt. Falls diese Tradition mit der neuen Garnitur fortgeführt sein sollte, wäre diese Garnitur für die Taufe des Erbprinzen Karl 1829 entstanden. Schriftliche Überlieferungen gibt es zu diesem Taufkleid jedoch nicht. R. G.

## 1280

### DAMENKLEID

Süddeutsch, um 1830

*Schwefelgelber Seidenrips; Futter: Seide und Baumwolle (Gürtel)*
*L. vorne 114 cm, hinten 122 cm;*
*B. Schulter 48 cm, B. Taille 30 cm, B. Ärmel 42 cm*

Stuttgart, Württembergisches Landesmuseum,
Inv.-Nr. 1963/16

Langes Kleid mit enger Taille auf »normaler« Höhe (breites gürtelartiges Zwischenstück). Lange »Schinkenärmel«, die schmal auslaufen und Manschetten aufweisen, die mit drei Stoffknöpfen zu schließen sind. Spitz zulaufendes Dekolleté mit geraffter Partie (vorne und hinten). Verschluß rückseitig durch Haken und Ösen, Nähte z. T. schnurverziert. Der Rock ist vorne und hinten in mehrere Falten gelegt, der Rocksaum wattiert.
Seit Mitte der 1820er Jahre wurden die Ärmel immer bauschiger und als Folge davon das Dekolleté immer breiter. Ende 1820 hatte man die Fülle der sog. »Hammelkeulen« (»à la gigot«), »Schinken-« oder »Elefantenärmel« erreicht. Auch die Röcke wurden weiter, so daß (durch die Betonung von Schultern und Rocksaum) die Taille schmaler erschien. Die Biedermeiersilhouette war nun voll ausgebildet. A. A.

1280

# Accessoires

Das modische Zubehör, das bei verschiedenen Gelegenheiten die Kleidung vervollständigte, spiegelt den Stil der Zeit und hängt in Art und Gestaltung häufig von derjenigen der Kleidung ab. So erforderten die leichten Chemisen eine wärmende Überbekleidung. Breite Schals, die sich mannigfaltig drapieren ließen, entsprachen dem antikisierenden Zeitgeschmack. Insbesondere Kaschmirschals, die aus Indien über England nach Europa exportiert wurden, eroberten sich einen festen Platz im modischen Erscheinungsbild der Damen. Mit Palmkern- und Blumenmustern bildeten die handgewebten Schals einen belebenden Akzent auf dem Weiß der Kleidung. Durch die Kontinentalsperre rarer, aber nicht weniger beliebt gemacht, wurde die Eigenproduktion in Europa angeregt. Neben dem Kaschmir wurden auch Schals aus Seide, Musselin u. ä. getragen.

Die Vorliebe für dünne Musseline machte ein weiteres Accessoire unentbehrlich: das Handtäschchen. Da in die durchsichtigen Kleider keine seitlichen Taschen eingearbeitet werden konnten, wurden »balantines« oder »réticules« (zu »Ridikül« verballhornt) Mode, die antikisierend urnenförmig gestaltet und mit entsprechendem Dekor versehen oder einfache handgearbeitete Beutelchen mit Stickerei waren.

Schmuck galt als unelegant, weil er dem Ideal der Schlichtheit widersprach. Wer sich dennoch schmückte, wählte antikisierende Typen wie Oberarmreifen, Kameen, Schulterspangen.

Nachdem Perücken und Puder abgeschafft worden waren, rückten die Kopfbedeckungen wieder in den Blickpunkt. Die Vielfalt der Kreationen wird in den Abbildungen der Modejournale deutlich. Allgemein wurde die Haube im Haus und die Schute, ein Hut, der den Hinterkopf eng umschließt und das Gesicht mit einer Krempe rahmt, im Freien getragen. Zudem gab es Turbane, Baretts und sog. Toques (ohne Krempe). Für den Herrn endete die Zeit der Perücke mit der Entwicklung einer neuen Hutform. Der runde Hut, Urform des Zylinders, wurde von der Matrosenkleidung in die Mode übernommen.

Die Form des Schuhwerks ohne Absatz entsprach sowohl der »Graecomanie« als auch den naturverbundenen Tendenzen dieser Zeit. Sandalen und flache Schlüpfschuhe mit Kreuzbandschnürung nötigten zu einem tänzelnden Schritt. Neben Schleppe, Schleier und Schal entsprechen sie ebenfalls dem Bemühen um schöne Haltung und Bewegung, wodurch diese Mode ein hohes Maß an Kreativität und Disziplin bei der Trägerin voraussetzte. A. A.

## 1281*

### ZWÖLF KNÖPFE

um 1790

*Grund schwarz, Motive in Elfenbein mit Temperamalerei; Messing-Platte, vergoldete Kupferfassung*
*Dm. 3,7 cm*

Stuttgart, Württembergisches Landesmuseum,
Inv.-Nr. GT 27, 45

Die minutiös ausgeführten Miniaturen auf diesen Knöpfen sind im Stile der Malerei der Antike ausgeführt. Von den Darstellungen lassen sich die ersten drei Knöpfe der zweiten Reihe als Szenen aus der Sage des Herakles deuten (1. Auftrag an Herakles (?), 2. Herakles, 3. Herakles fängt die kerynitische Hirschkuh). Die übrigen Darstellungen sind Opferszenen, Abschiedszenen, wie sie in ähnlicher Weise häufig auf antiken Grabstelen wiedergegeben sind. Offensichtlich gab es gedruckte Vorlagen für Darstellungen dieser Art, zeigen doch andere Serien von Knöpfen ebenfalls diese Motive (siehe L. S. Albert and K. Kent, The Complete Button Book, New York 1949, S. 278 unten, S. 280).

Ohne Frage bietet sich ein Vergleich mit dem in England produzierten Wedgewood-Porzellan an, bei dem ebenfalls mit einem antiken Formenschatz in Weiß auf farbigem Grund gearbeitet wurde.

Knöpfe in dieser Größe gehörten in den neunziger Jahren des 18. Jahrhunderts zu den Herrenfracks mit schmaler Silhouette, ähnlich dem gestreiften Frack in der Ausstellung. R. G.

## 1282

### ZIERTASCHENTUCH

Frankreich, Ende 18. Jahrhundert

*Grund feinster Leinenbatist, Muster Bändchenstickerei mit Seidenbändern in Pastellfarben und Tambourierarbeit, Hohlsaum*
*H. 37,5 cm, B. 38 cm*

Stuttgart, Württembergisches Landesmuseum,
Inv.-Nr. GT 3380

Das mit einer umlaufenden Blütenranke in »müden« Farben verzierte Tüchlein wurde 1885 von einer Pariser Firma erworben und ist fraglos als eine französische Arbeit des ausgehenden 18. Jahrhunderts anzusehen. Offensichtlich hatte sich trotz der Revolution der hohe Stand der Pariser Kunsthandwerker auf dem Modesektor erhalten. Wie in den vergangenen Jahren waren Ziertaschentücher auch in der Zeit um 1800 beliebte Accessoires, die man in der Hand oder aus der Tasche herausfallend trug. R. G.

1281

1283*

## Gemustertes Seidenband

Frankreich, um 1800

*Grund grüner Seidenrips, Muster broschiert in Gelb,
Braun, zwei Tönen Violett, Blau, Rosa, Weiß, zwei
Tönen Braun
L. 138 cm, B. 17,5 cm*

Stuttgart, Württembergisches Landesmuseum,
Inv.-Nr. GT 10, 106

Auf dem langen Band eingewebte Rundmedaillons mit
antikisierenden Frauenporträts, die untereinander mit gelber Kette verbunden sind.
Das in Straßburg erworbene Band ist fraglos ein französi-
sches Produkt hoher Qualität. Bänder in dieser Breite
wurden vielfach als Klingelzüge benutzt.            R. G.

1283

## 1284

### EIN PAAR DAMENSCHUHE

London (?), Ende 18. Jahrhundert

*Violettes Leder mit handgemalten grünen Pünktchen, Futter in der vorderen Hälfte des Schuhs: grüne Seide, innere Leinensohle, Dekor: grünes Seidenband auf der Ledersohle: vier rautenförmig angeordnete runde Punzen*
*L. 24,8 cm, B. 6,5 cm, Absatzhöhe 3 cm*

Stuttgart, Württembergisches Landesmuseum, Inv.-Nr. 9435

Weit ausgeschnittene Schlüpfschuhe mit leicht nach oben gebogenen Spitzen und halb-keilförmigen, geschweiften Absätzen, die mit grünem Leder überzogen sind. Ganz schmale Sohlen. In den Ausschnitt eingezogene Zugschnur, die vorne zu binden ist. Beide Schuhe von gleicher Form (keine Unterscheidung nach rechtem und linkem Fuß). Einfassung und Nahtdekor von hellgrünem Seidenband, grüne und violette Schleifchen, grüne Rüsche.
Zusammen mit der Kleidung veränderte sich die Schuhmode um 1790: flachere Absätze, weitere Ausschnitte, spitze Enden. Die lebhafte Musterung des Leders und der relativ aufwendige Schmuck entsprechen noch Tendenzen des 18. Jahrhunderts.                                    A. A.

## 1285

### EIN PAAR DAMENSCHUHE

London, Ende 18. Jahrhundert

*Hellgrünes Leder, Futter in der vorderen Hälfte des Schuhs: weißes Leinen, Dekor: weißes und grünes Seidenband*
*auf der Ledersohle: vier rautenförmig angeordnete runde Punzen*
*Etikett auf der inneren Sohle: Taylor & Sons Warehouse, Nr. 9, Old Bond Street, London*
*L. 16,5 cm, B. 6,5 cm, Absatzhöhe 2 cm*

Stuttgart, Württembergisches Landesmuseum, Inv.-Nr. 9641 a+b

Weit ausgeschnittene, spitze Schlüpfschuhe mit halb-keilförmigen, geschweiften flachen Absätzen, die mit weißem Leder überzogen sind. In den Ausschnitt eingezogene Zugschnur. Beide Schuhe von gleicher Form. Randeinfassung und Nahtdekor von weißem Seidenband, ebenso die Rüsche. Rosette aus weißem und grünem Band. Auf dem Wrist: ausgeschnittener Dekor mit weißer Seide unterlegt (sandelenartiger Effekt) und von Tambourierarbeit eingefaßt.
Leichtigkeit des Schuhs, flache Absätze und der Dekor, der einen durchbrochenen Schuh vortäuscht, lassen das antike Vorbild der Sandale ahnen. Die Schuhe stimmen in der

Punzierung der Sohle, der Farbigkeit und dem Dekor mit dem vorigen Paar (Nr. 1531) überein, so daß auch für letzteres London als Herstellungsort vermutet werden darf.                                    A. A.

## 1286

### EIN PAAR DAMENSCHUHE

um 1800

*Weißes Leder, Futter: weißes Leder, leinene Schnürbänder, Seidengarnrosette*
*außen auf der Sohle: sternförmige Punze*
*L. 27 cm*

Stuttgart, Württembergisches Landesmuseum, Inv.-Nr. 14551 a–b

Sehr weit ausgeschnittene, absatzlose Schlüpfschuhe mit Spitzen, die stark nach oben weisen. Beide Schuhe von gleicher Form. Randeinfassung ehemals mit Zierstichen. Seidengarnrosette auf dem Wrist.
Während absatzlose Form und Kreuzbandschnürung an griechisch-römische Vorbilder erinnern sollen, weisen die nach oben gerichteten Spitzen auf den Orient als Herkunftsgebiet. Diese prägen die Schuhmode bis etwa 1807. Danach werden die Zehen wieder etwas runder.    A. A.

## 1287

### EIN PAAR DAMENSCHUHE

Paris, um 1820

*Weiße Atlasseide, Futter: weißes Leder und weißes Leinen, Ledersohle (innen und außen)*
*Etikett im linken Schuh: Aux deux Soeurs. Bobin, M.ᵈ Cordonnier pour Dames, Ci-devant Galerie de la place du Palais Royal. Presentement Galerie de Chartres, Nᵒ 23, 24 et 25. A Paris.*

Stuttgart, Württembergisches Landesmuseum, Inv.-Nr. 10950

Weit ausgeschnittene, absatzlose Schlüpfschuhe mit gerade verlaufendem Abschluß. Beide Schuhe von gleicher Form.
Die Form der Schuhe beeinflußte natürlich das Gehverhalten. Den »stöckelnden« Schritt des Absatzschuhs (Rokoko) löste ein tänzelnd-gleitender Schritt in flachen Schuhen ab. Während das Menuett mit seinen marionettenhaft abgezirkelten Bewegungen außer Mode kam, erfreute sich nun der Walzer großer Beliebtheit. Die Schuhform des späten Empires wurde in den Ballettschuhen konserviert.                                    A. A.

1290

1288

## 1288*

### FALTFÄCHER

Deutsch, um 1800

*Elfenbeinstäbe, Grund gelbe Seide, Muster Besatz von
Pailletten
L. 15,5 cm*

Stuttgart, Württembergisches Landesmuseum,
Inv.-Nr. 12924

Besatz an den äußeren Enden mit zum Blattfries angeordneten Pailletten und bogenförmigen Girlanden, daraus
stellenweise herunterhängende Enden.
Dieser qualitätvolle, aus einer schwäbischen Familie stammende Fächer ist ein gutes Beispiel für die strenge Ornamentik der Zeit um 1800.            R. G.

## 1289

### FALTFÄCHER

Deutsch, Anfang 19. Jahrhundert

*Palisander-Holzstäbe, Grund Papier, Dekoration
bedruckt und handcoloriert, aufgeklebte Pailletten
L. 24 cm*

Stuttgart, Württembergisches Landesmuseum,
Inv.-Nr. 1915 b

Am äußeren Rand Bogenfries, in der Mitte galante Szene in
Landschaft mit junger Frau in der Mitte, die von einem
Verehrer einen Brief zugesteckt bekommt. Sie wird von
einer alten Frau nach rechts fortgezogen.
Da Fächer im 18. und 19. Jahrhundert zu den persönlichen
Accessoires von Frauen gehörten, waren Fächerblätter ein
beliebter Platz für galante Szenen.            R. G.

## 1290*

### FRAUENHUT »CASQUETTE À LA MINERVE«

um 1805

*Goldolivfarbener Seidenstoff
H. 17 cm, Dm. 26 cm*

München, Münchner Stadtmuseum, Inv.-Nr. XII/327

Hut mit gerafftem Kopfteil und ausladender Krempe. Von
dem Reichtum der äußerst phantasievollen Kopfbedek-
kung dieser Zeit geben heute nur noch die Modejournale
einen Eindruck, da sehr wenig Exemplare erhalten geblieben sind. Die Bezeichnung läßt erkennen, daß man auch
bei den Accessoires der Antike nacheiferte.            R. G.

## 1291

### FALT-ZYLINDER

Paris, 1820

*Schwarzer Seidenfilz, schwarzes Seiden-Ripsband,
Futter: weißes Seidengewebe
H. 18 cm, B. 33 cm
Etikett DUVERT . . . St. Germain No. 20, Paris*

Stuttgart, Württembergisches Landesmuseum,
Inv.-Nr. 1985–163

Mit der neuen Männer-Mode kamen auch neue Formen
von Kopfbedeckungen auf, wie z. B. der Zylinder. Die
flach zusammenklappbaren Zylinder sind eine Erfindung
des frühen 19. Jahrhunderts.            R. G.

1292

**1293**

## BEUTEL

Deutsch, 1820/40

*Weißes Baumwollgarn und farbige Glasperlen:*
*Strickarbeit; Seidenband*
*H. 20,5 cm, B. 15 cm*

Stuttgart, Württembergisches Landesmuseum,
Inv.-Nr. 3084

Flacher, hoher Beutel mit umlaufender Bordüre von Blü-
tenranken am oberen und am unteren Rand. Dazwischen
kleine versetzte Seidenblümchen.
Perlstrickarbeit gehörte zu den beliebtesten Handarbeiten
des ausgehenden 18. und beginnenden 19. Jahrhunderts,
die vielfach von den Frauen im Hause ausgeführt wurde.
Auch dieser Beutel wird auf diese Weise entstanden sein.
R. G.

**1294**

## PERLBEUTEL (RIDICUL)

Deutsch, 1. Drittel 19. Jahrhundert

*Perlstrickerei mit weißem Baumwollgarn und bunten*
*Glasperlen*
*H. 25 cm, Umfang 56,3 cm*

Stuttgart, Württembergisches Landesmuseum,
Inv.-Nr. GT 8,560

Diese mit einer singulären kreisförmigen Mitte gearbeiteten
Täschchen wurden Ridicul genannt (nach dem französischen »réticule«). Sie dienten den Frauen als Handtäschchen. Da sie recht geräumig sind, konnten sie auch als Ar-
beitsbeutel vor allem für Handarbeitszeug benutzt werden.
R. G.

**1292**

## BEUTEL

1810/20

*Grund blauer Seidenatlas, Muster Seiden- und Brokat-*
*stickerei in Tambourierarbeit; geknüpfte Abschlußborte*
*mit Pailletten; geflochtene Seidenschnur; Futter rosa*
*Seidenstoff*
*L. 11 cm, Dm. 17 cm*

Stuttgart, Württembergisches Landesmuseum,
Inv.-Nr. Gt 15, 46

Länglicher Beutel mit rundem Boden, oben Zugverschluß.
Oben breiter Fries von Lotus und Palmetten im Wechsel.
Darunter Eule, umgeben von Blattkranz auf Vorder- und
Rückseite. Boden Spiralranken und Blüten aus einem
Zentralmotiv.
Diese außerordentlich qualitätvolle Arbeit läßt erkennen,
daß der Entwerfer der Vorlage mit der antiken Kunst sehr
vertraut war. Der Palmettenfries kommt in ähnlicher Form
auf griechischen Vasen vor, die Eule hingegen war in der
Antike das Attribut der Athena, der Schutzherrin der
Künste. R. G.

**1295**

## NOTIZBÜCHLEIN

1820/40

*Grund Gitterstoff über Karton, Muster Petit-Point-*
*Stickerei in farbigem Seidengarn; hellblauer Seidenatlas;*
*gelbliches Papier*
*H. 14 cm, B. 11 cm*

Stuttgart, Württembergisches Landesmuseum
Inv.-Nr. GT 19, 67

Auf Vorder- und Rückseite Park-Motive: Monopteros
zwischen Palme und Baum mit Säule, Sphinx und Lyra
zwischen Büschen. Randmotiv umwickelter Stab.
Petit-Point-Stickerei (halber Kreuzstich) war seit dem 18.
Jahrhundert für Dekorationstextilien eine beliebte Art von
Verzierung. Diese Stickereitechnik wurde nicht nur in
größeren Werkstätten, sondern auch im Hause gepflegt. Bei
dem Büchlein mag es sich um so eine Arbeit handeln. R. G.

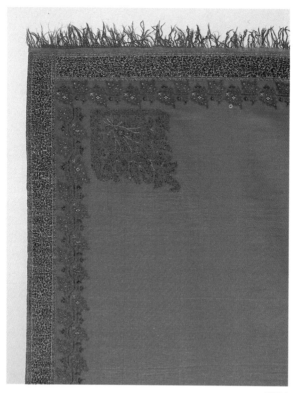

1296

## 1296*

### KASCHMIR-SCHAL

der Mathilde von Roeder, geb. Arnold (1824–1845),
Stuttgart–Großsachsenheim

Wien, um 1835

*Grund Köpergewebe (3 : 1) in feinem rotem Wollgarn,
Muster broschiert und lanciert in Grün, Weiß, Blau,
Hellblau, Hellrot, Gelb, Hellgrün (Wollgarn)
L. 303 cm, B. 144 cm*

Stuttgart, Württembergisches Landesmuseum,
Inv.-Nr. 1981–296

Langer rechteckiger Schal mit Eckmotiven von nahezu
viereckigen Blütensträußen und umlaufenden Randbordüren aus sehr kleinteiligen vegetabilen Ornamenten.
Kaschmirschals waren im 19. Jahrhundert ein sehr beliebtes Accessoire. Sie wärmten die Trägerinnen der dünnen
Baumwollkleider und waren zugleich ein wirksamer farb-
licher Kontrast. Die ursprünglich aus Indien importierten
Kaschmirschals wurden im 19. Jahrhundert sehr bald in
England und Frankreich imitiert. Werkstätten existierten
auch in Berlin und Wien. Bei diesem Wiener Exemplar sind
die ursprünglich orientalischen Ornamente stark europä-
isiert, die Randbordüren so stark abstrahiert, daß man die
ursprünglichen Formen kaum mehr erkennen kann.   R.G.

## 1297*

### SERVICE VON ZWÖLF KAFFEETASSEN MIT UNTERTASSEN UND EINER KAFFEEKANNE

mit Darstellungen von Kostümfiguren der Zeit 1815–20

Manufaktur Ginori, Doccia bei Florenz

*Porzellan, bemalt
Tassen H. 5,5 cm, Teller Dm. 11,5 cm, Kanne H. 22 cm*

Stuttgart, Württembergisches Landesmuseum,
Inv.-Nr. 1986–345

Die Tassen haben die für ihre Zeit typische Form mit nach
oben erweitertem Rand und volutenförmigem Henkel.
Von dem resedagrünen Grund ist jeweils ein viereckiges
bzw. ovales Bildfeld ausgespart mit Darstellung von sitzenden oder stehenden Damen und drei Herren in verschiedenen Kleidern der Zeit von 1815–20. Die Landschaft ist durch Bäume sparsam angedeutet. Die Vorbilder
waren zum größten Teil Modekupfer dieser Zeit.
Eine Tasse mit einem an einem Tisch sitzenden Paar ist
später ergänzt worden.
Das aus dem Besitz einer alten Familie in der Gegend von
Lucca stammende Service mag als Sonderauftrag einer an
Mode besonders interessierten Dame der Gesellschaft
entstanden sein.                                    R.G.

1298

1297

1298*

### MODEKUPFER MIT DER DARSTELLUNG DREIER NACHMITTAGSKLEIDER

aus der »Gallery of fashion«, Juni 1795, Fig. 37–39

Nikolaus Heideloff (1761–1837)
Southampton, Juni 1795

*Kupferstich, handkoloriert*
*H. 30 cm, B. 23,5 cm*

Stuttgart, Württembergische Landesbibliothek,
Signatur Ra 18 Gal 1

Drei englische Nachmittagskleider mit mäßig hoher
Taille:
Fig. 37: goldbestickter Batistunterrock mit schwarzem
und goldenem Randbesatz. *Robe à la Polonoise* aus
kirschfarbenem Satin.
Fig. 38: *Robe à la Polonoise* mit langen Ärmeln aus
saphirfarbenem Poplin (Zeug). An den Handgelenken
und am Saum schwarze Spitze.
Fig. 39: Schlichter Batistunterrock. Robe aus schwarz-
rosagestreiftem Satin, lange Ärmel aus weißem Satin.

A. A.

1299

## 1299*

### MODEKUPFER MIT DER DARSTELLUNG VON FRISUREN UND KOPFBEDECKUNGEN

aus der »Zeitung für die elegante Welt«, August 1803, Nr. 17, S. 830

Leipzig, August 1803

*Kupferstich, handkoloriert*
*H. 23,5 cm, B. 20 cm*

Stuttgart, Württembergische Landesbibliothek,
Sign. Miscell. qt. 561

Kopfbedeckungen und Frisuren:
Hüte, Schuten, z. T. mit halbem Schleier, Turbane, antiki-
sierende Frisuren, die Kopfform und Nackenlinie betonen.
A. A.

1300

## MODEKUPFER EINES DAMENKLEIDES

aus dem »Journal des Luxus und der Moden«,
August 1813, T. 22

Weimar, August 1813

*Kupferstich, handkoloriert*
*H. 18,8 cm, B. 11 cm*

Stuttgart, Württembergische Landesbibliothek,
Signatur Z 90 004

*Eine junge Dame in einer Robe von quadrillirtem schotti-*
*schen Taft nach neuestem Frankfurter Schnitt.*    A. A.

1301

## 1301*

### GOLDDOSE

Paris (?), Anfang 19. Jahrhundert

*Gold, transluzider graubrauner Schmelz, Brillanten,*
*Email-Malerei*
*L. 8,2 cm, B. 5,2 cm*

Stuttgart, Württembergisches Landesmuseum,
Inv.-Nr. 7,641

Längsovale Dose mit ovalem Medaillon mit der Darstellung einer sitzenden Dame als Halbfigur in antikisierender
Tracht vor antikisierender Architektur. Diese außerordentlich kostbare Arbeit ist zwar nicht gezeichnet, wird
aber dennoch als Pariser Arbeit anzusehen sein. Dafür
spricht die hohe Qualität und die Tatsache, daß sie
weiteren gesicherten Pariser Arbeiten ähnelt. Dosen dieser
Art dienten als Schnupftabakdosen.

*Kgl. Landesgewerbemuseum, Bericht über das Jahr 1907,*
*Stuttgart, Taf. II.*    R. G.

# Schmuck

Der äußerst schlichten Linienführung der Frauenkleidung um 1800 entsprach der die Kleidung ergänzende klassizistische Schmuck. Einfache, zumeist geometrische Formen wie Ovale, Rhomben, Rechtecke und Kreise bilden die Einzelglieder von Halsketten, Armbändern und Ohrgehängen. Die durch klaren Aufbau geprägten Schmuckstücke des frühen 19. Jahrhunderts bestechen durch den Kontrast matten und glänzenden Metalls, sparsam eingesetztes Ornament und die zarte Transparenz bevorzugter Edelsteine wie Aquamarin und Amethyst. In dem Bemühen um Annäherung an antike Schmuckformen wurde die Steinschneidekunst zu höchster Vollendung geführt. Die aus Onyx, Achat und Karneol geschnittenen Gemmen entnahmen ihre Bildthemen der klassischen Mythologie oder zeigten Bildnisse antiker Philosophen und berühmter Zeitgenossen.

Neben langen Ketten, die durch die Aneinanderreihung gleicher oder die regelmäßige Abfolge unterschiedlicher Zierelemente gebildet wurden, waren enganliegende Halsbänder mit gleichförmigen Schmucksteinen und Colliers aus einfachen Gold- und Perlenketten mit betontem Mittelstück der gebräuchlichste Halsschmuck um 1800. Anhänger waren zumeist in schlichten Formen gestaltet, häufig finden sich aber auch herzförmige Anhänger oder die noch im Biedermeier getragenen Kreuzanhänger aus Gold oder geschliffenen Edelsteinen. Zusammen mit dem Halsschmuck wurden oft auf gleichen Gestaltungsprinzipien basierende Steckkämme oder Diademe, Ohrgehänge und Armbänder zu Paruren gefügt, die durch strenge Symmetrie und klarlinigen Dekor zu eleganter Wirkung gelangen.

Typisch für den klassizistischen Schmuck sind Ringe mit zumeist spitzovalen oder rechteckigen Auflagen. In geschnitztem Elfenbein, aus menschlichem Haar gebildet oder in Miniaturmalerei zeigen sie antikisierende Genreszenen, Büsten und Architekturfragmente und tragen mit Tempeln, Obelisken, Altären und ineinander gelegten Händen dem im ausgehenden 18. Jahrhundert entstandenen Trauer- und Freundschaftskult Rechnung.

*Brigitte Marquardt, Schmuck. Klassizismus und Biedermeier 1780–1850, München 1983.* U. B.

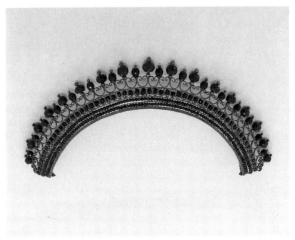

1302

1302*

## DIADEM

Paris (?), um 1800

*vergoldetes Silber und rote Korallen*
*H. 4 cm, B. 20 cm*

Stuttgart, Württembergisches Landesmuseum, Inv.-Nr. GT 13,19

Zwischen Metallbändern über zwei Reihen von kleinen roten Korallen eine Reihe größerer, facettierter Korallen. Abschluß Volutenband in Metall, darüber größere und kleinere facettierte Korallen im Wechsel. R. G.

1303*

## HALSSCHMUCK

Frankreich, zwischen 1798 und 1809

*Gold, Karneol, Perlen, Email*
*L. 45,5 cm*
*Garantiestempel für Kleinarbeiten aus Gold*
*(Hahnenkopf nach rechts)*

Pforzheim, Schmuckmuseum, Inv.-Nr. Sch 3544

Das Mittelornament dieses französischen Halsschmucks wird von einem Karneol in schlichter, rankenverzierter Goldfassung gebildet. Der äußere Rand der Fassung ist mit einer Reihe kleiner, ebenmäßiger Perlen besetzt.
Daß diese Schmuckform auch im süddeutschen Raum sehr gebräuchlich war, belegt eine aquarellierte Entwurfszeichnung aus dem um 1810 entstandenen Musterbuch des Schwäbisch Gmünder Schmuckwarenfabrikanten Debler.

*Brigitte Marquardt, Schmuck. Klassizismus und Biedermeier 1780–1850, München 1983, S. 158.* U. B.

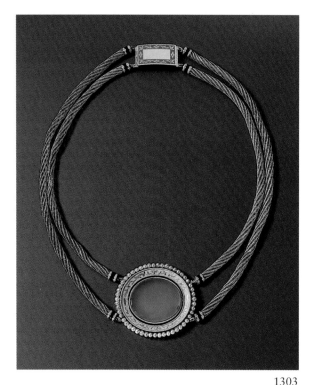

1303

**1306\***

### SCHMUCKGÜRTEL

Frankreich, zwischen 1798 und 1809

*Gold, Malachitkameen, Perlchen*
*L. 49 cm, B. 3,9 cm*
*Garantiestempel für Kleinarbeiten aus Gold (Hahnen-*
*kopf nach rechts)*

Pforzheim, Schmuckmuseum, Inv.-Nr. 1981/8

1307

### KREUZANHÄNGER

Deutschland, um 1810

*Gold, Amethyste, Halbperlen*
*H. 7,7 cm*

Pforzheim, Schmuckmuseum, Inv.-Nr. 1959/36

1308

### EIN PAAR OHRGEHÄNGE

vermutlich Deutschland, um 1820

*Gold, Amethyste*
*L. 7,7 cm*

Pforzheim, Schmuckmuseum, Inv.-Nr. Sch 1032 a, b

1309

### SCHMUCKPARURE MIT ZIERKAMM, KETTE, SCHNALLE UND EINEM PAAR ARMBÄNDERN

Frankreich, um 1820–25

*Bronze vergoldet, Gold, Amethyste*
*Zierkamm: B. 18,5 cm, Kette: L. 40 cm, Schnalle:*
*B. 4,1 cm, Armbänder: L. 17 cm*
*Garantiestempel für Kleinarbeiten aus Gold (Widderkopf*
*nach links)*

Pforzheim, Schmuckmuseum, Inv.-Nr. KV 1446 a–d, KV
1446 g

1304

### EIN PAAR OHRRINGE

Deutschland, zwischen 1800 und 1810

*Gold, Karneole, Perlchen*
*H. 4,1 cm*

Pforzheim, Schmuckmuseum, Inv.-Nr. Sch 3227 a, b

1305

### HALSKETTE

vermutlich Deutschland, um 1810

*Gold, Karneole, Email*
*L. 89 cm*

Pforzheim, Schmuckmuseum, Inv.-Nr. KV 658

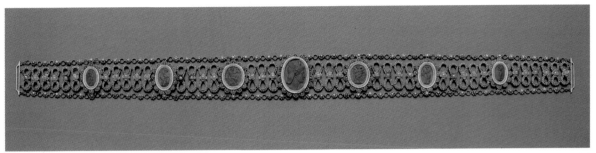

1306

## 1310

### Siegelring

Luigi Pichler (Steinschnitt), Fassung Italien,
Anfang 19. Jahrhundert

*Karneol, Gold*
*Ringkopf: 3,1 cm x 2, 6 cm*

Pforzheim, Schmuckmuseum, Inv.-Nr. 1954/114

Der Karneol-Intaglio, der im Hochoval das mythologische
Thema »Apollo und Marsyas« zeigt, ist eine signierte
Arbeit des Tiroler Steinschneiders Luigi Pichler. Die Dar-
stellung geht auf eine gräko-römische Gemme aus der
Sammlung Lorenzo de' Medicis zurück, die bereits im 15.
Jahrhundert sehr bekannt war.

*Heinz Battke, Geschichte des Ringes, Baden-Baden 1955,*
*Kat.Nr. 114, S. 81f.*                                    U.B.

## 1311

### Portrait-Siegelring

Deutsch, um 1800

*Karneol, Gold*
*Ringkopf: 2,7 x 2,2 cm*

Pforzheim, Schmuckmuseum, Inv.-Nr. 1954/117

Der hochovale Karneol-Intaglio zeigt einen nach links
gewendeten männlichen Kopf mit der seitenverkehrten
Inschrift *C. MELISSUS*, vermutlich der Besitzerbezeich-
nung. Vielleicht handelt es sich bei dem Dargestellten um
einen Nachfahren des süddeutschen Dichters Paul Schede,
der den Namen Melissus führte.
Der Reif ist wie die Steinfassung dreifach gerillt und teilt
sich an der Schulter zu zwei nach innen gedrehten Voluten,
zwischen die ein lanzettförmiges Blättchen gesetzt ist.

*Heinz Battke, Geschichte des Ringes, Baden-Baden 1955,*
*Kat.Nr. 117, S. 83f.*                                    U.B.

## 1312

### Bildnisring

Deutsch oder Italienisch, 1. Drittel 19. Jahrhundert

*Bandjaspis-Kamee, Gold*
*Ringkopf: 3,7 cm x 2,2 cm*

Pforzheim, Schmuckmuseum, Inv.-Nr. 1954/120

Die Kamee des Rings zeigt auf grünem Grund die Büste des
Sokrates im nach rechts gewendeten Profil. Das Bildnis ist
aus einer rotbraunen Schicht des Steines geschnitten. Der
flache, nach oben sich erweiternde Goldreif ist an den
Schultern mit einem strahlenförmigen Blattmuster verziert.

*Heinz Battke, Geschichte des Ringes, Baden-Baden 1955,*
*Kat.Nr. 120, S. 85.*                                    U.B.

## Dekorationstextilien: Weberei und Stickerei, Druck

Schon zur Zeit Ludwigs XVI. war es üblich, die Wände in Schlössern und großbürgerlichen Residenzen mit seidenen Tapeten zu bespannen, wie sie in den großen Manufakturen in Lyon produziert wurden. Während der Französischen Revolution kamen alle Bauvorhaben zum Erliegen, so daß diese Fabriken am Rande des Ruins standen. Napoleon nahm sich jedoch dieses Produktionszweiges an, die Umrüstung vieler Schlösser im Empire-Stil brachte den Lyoner Seidenhäusern große Aufträge. Ferner führte der Kaiser wieder eine Hoftracht ein, für die Seiden- und Samtstoffe erforderlich waren.                    R. G.

1313

### DREI BEDRUCKTE MÖBELBORTEN

England (?), um 1800

*Grund weißlicher (ehemals rosa) Seidenatlas, Muster grünlicher Druck*
*L. 60 cm, B. 9,5 cm; L. 40 cm, H. 9,5 cm*

Stuttgart, Württembergisches Landesmuseum,
Inv.-Nr. GT 5029–31

Diese Borten sind als Besatz für einen Sessel gearbeitet. In außerordentlich feinem Druck mit einer mythologischen Szene auf der quer verlaufenden Borte und Grotesken auf den senkrechten Borten geben sie einen Eindruck, von welch hoher Qualität auch Dekorationstextilien dieser Zeit waren. Ferner zeigen sie das starke Interesse an antiken Motiven, die mythologische Szene wirkt wie eine Kopie nach antike Vasenmalerei.                    R. G.

1314*

### BORTE FÜR EINE WANDBESPANNUNG VON SCHLOSS MONREPOS

1801–1804

*Grund blauer Seidensamt, Muster Seidenstickerei*
*in gelbem und blauem Seidengarn: Tambourierarbeit;*
*Details in Silberbrokat: Flachstich, Stielstich, Applikation*
*H. 24 cm, B. 60 cm*

Stuttgart, Württembergisches Landesmuseum,
Inv.-Nr. GT 6945

Querlaufendes Muster von Köcher, Pfeilen und Bogen, von denen sich nach beiden Seiten spiralig gewundene Weinranken mit Trauben und Blättern winden. Schloß Monrepos wurde unter Herzog Friedrich II. 1801 bis 1804 durch N. Thouret umgebaut. Im Rahmen der Erneuerung der Wandbespannung bei diesen Umbauten entstanden auch diese Borten, die heute noch im ehemaligen Schlafzimmer montiert sind.                    R. G.

1314

1315

### Gemusterte Seidentapete

Frankreich, 1825

*Lampas: Grund tiefblaue Kettfäden, Muster liséré und lanciert, weiße und blaue Schußfäden.*
*Bindung des Grundes Kettatlas.*
*L. 178 cm, B. 109 cm; Musterrapport H. 148 cm, B. 51 cm; Bahnbreite 52,5 cm*

Stuttgart, Württembergisches Landesmuseum, Inv.-Nr. 1985–29

Waagerechtes Reihenmuster von Lyren mit Schwänen über rechteckigem Panneau mit Blumenkränzen, im Wechsel mit Rosetten und Rhombenranken aus lilienartigen Blüten.
Rechts Teil einer zweiten Bahn nicht im Rapport angesetzt.
Selbst wenn diese Tapete zur Zeit der Restauration entstanden ist, vertritt sie doch fraglos das Genre der Empire-Stoffe mit ihren schweren Farben und klaren, übersichtlich gegliederten Mustern. Im Unterschied zu diesen Empire-Stoffen ist die Komposition dieses Stoffes jedoch starrer und die Formen weniger elegant. Für welches Projekt dieser Stoff gewebt wurde, ist nicht bekannt. Variante im Musée Historique des Tissue in Lyon.

*Étoffes Merveilleuses, Bd. II, Tokio 1976, Nr. 35.*     R.G.

## Druckstoffe

Gegensatz zu den exklusiven, teuren Seidengeweben waren Druckstoffe im 18. und 19. Jahrhundert und damit ebenso in der Zeit von 1780 bis 1820 außerordentlich beliebte Kleider- und Dekorationsstoffe, die wegen ihres erschwinglichen Preises eine große Käuferschicht fanden. Stoffe mit floralem Dekor dienten vornehmlich als Kleiderstoffe. Das ausgestellte Straßburger Kleid aus dem späten 18. Jahrhundert mit einem dichtgelagerten bunten Blumendekor auf dunklem Grund ist z. B. ein typisches Produkt der elsässischen Druckwerkstätten. Bei Dekorationsstoffen für Möbelbezüge, Wandbespannungen, Bett- und Fenstervorhänge hingegen dominierte in dieser Zeit der figürliche Dekor. Die sieben Exponate geben – abgesehen von ihrer künstlerischen und technischen Qualität – einen Eindruck von der Denkweise und dem Geschmack der Menschen ihrer Zeit. Sehr beliebt waren figurenreiche Szenen nach der antiken Geschichte und Sagenwelt, wie »olympische Götter«, »Ödipus«, »Belisar«, »Amor und Psyche«. Die Darstellungen sind zum Teil sogar genaue Kopien berühmter Gemälde. Ebenso interessierte man sich für die antiken Städte und Länder, wie Rom, Paestum und Ägypten.

Wegen ihrer weiten Verbreitung eigneten sich Druckstoffe auch für aktuelle Themen der Tagespolitik. Von besonderem Interesse sind eine französische Bettdecke und ein englisches Tuch, beide mit kommentierten Darstellungen des Kaisers Napoleon. Diese Drucke haben den Charakter von Flugblättern, wie sie in großem Umfang zur Zeit Napoleons kursierten und mit denen die Bevölkerung ihre wahre Einstellung zum Kaiser darlegte.

Während sich die Manufaktur des englischen Druckstoffes nicht identifizieren ließ, konnte festgestellt werden, daß die Mehrzahl der französischen Drucke Produkte der berühmten Manufaktur von Jouy bei Versailles sind. Dort hatte 1760 Christoph Philipp Oberkampf (1738–1815) eine Manufaktur eröffnet, deren als »toiles de Jouy« bekannte Druckstoffe sich alsbald größter Beliebtheit erfreuten. Daß die Dauphine Marie-Antoinette Oberkampf aufsuchte und die Mode der bedruckten Kattune mitmachte, verhalf diesen Stoffen zu großer Popularität. 1783 erhielt die Manufaktur den Titel »manufacture royal«, 1787 wurde Oberkampf geadelt. Auch Napoleon erkannte die Bedeutung des Unternehmens, das er 1806 und 1807 aufsuchte. Bei dieser Gelegenheit verlieh er Oberkampf persönlich das Kreuz der Ehrenlegion. Oberkampf hatte nicht nur einen unvergleichlichen Stil entwickelt, sondern stand auch auf der Höhe der technischen Entwicklung. Seinem bei ihm arbeitenden Bruder wird die Erfindung des Walzendrucks zugeschrieben, ein Verfahren, nach dem ab 1797 bei Oberkampf gedruckt wurde. Oberkampf war nach Lehrjahren in der Schweiz nach Frankreich gekommen, seine Familie stammt jedoch aus Vaihingen an der Enz in Württemberg. Dort hatten seine Vorfahren und zuletzt sein Vater eine Stoffärberei betrieben. Oberkampf selbst ist in Wiesenbach bei Ansbach geboren und kann als der erfolgreichste deutschstämmige Unternehmer aus unserem Raum zur Zeit Ludwigs XVI. und Napoleons angesehen werden. Nach ihm wurde eine Straße in Paris benannt und im späten 19. Jahrhundert ebenfalls die anliegende Metrostation.

In Baden und Württemberg hergestellte Druckstoffe sind nicht ausgestellt, denn über die Produktion von Druckstoffen im süd- und südwestdeutschen Raum liegen zwar zahlreiche Nachrichten vor, es ist aber bisher nicht gelungen, Druckstoffe diesen Werkstätten zuzuordnen. Von größter Bedeutung muß die Manufaktur von Johann Friedrich Schüle (geb. 1720 in Künzelsau, gest. 1805 in Augsburg) gewesen sein. Schüle betrieb nach Aufenthalten in Heidenheim und Ulm ab 1758 in Augsburg eine eigene Stoffdruckerei mit großem Erfolg, so daß er, nachdem er zuvor vom Herzog von Württemberg Hofrang und Titel erhalten hatte, 1772 vom Kaiser in dem erblichen Reichsadel und Ritterstand erhoben wurde. Schüle ließ Baumwolle in Augsburg weben, importierte aber auch ostindische Kattune. Diese Stoffe wurden appretiert, bedruckt, bemalt und gepreßt. Das Unternehmen erlag jedoch der Krise der Jahrhundertwende.    R. G.

1316*

### Bedruckter Dekorationsstoff

Frankreich, Manufaktur Oberkampf in Jouy, um 1800

*Grund: feines weißes Baumwollgewebe in Leinenbindung, Muster: Walzendruck in Rötlich-Braun*
*H. 74 cm, B. 96 cm; Musterrapport H. 52 cm*

Stuttgart, Württembergisches Landesmuseum, Inv.-Nr. 1986–336

Grund quadriert und fein schraffiert. Reihenweise gestreute Motive, jeweils zwei im Wechsel untereinander aus dem ägyptischen Kunstkreis: Altar, Obelisk, Festung am Nil, Grabmäler, Kamele, Sphinx, Mohammedaner, Pyramide.

Nach Abschluß der Expedition Napoleons nach Ägypten (1798–1801) setzte quasi eine Ägyptomanie ein, indem bevorzugt ägyptische Motive in die Kunst Eingang fanden. Weiteres Exemplar im Musée de l'Impression sur Étoffes in Mulhouse.

*Chefs-d'œuvre du Musée de l'Impression sur Étoffes, Mulhouse/Tokyo 1978, Band II, Abb. 7.*    R. G.

1316

1317

## BEDRUCKTER DEKORATIONSSTOFF

Frankreich, Manufaktur Oberkampf in Jouy, 1810
(datiert)
Entwurf: J. B. Huet (1745–1811)

*Grund: weißes Baumwollgewebe in Leinenbindung,*
*Muster: Walzendruck in hellem Braun*
*H. 64 cm, B. 81 cm*

Stuttgart, Württembergisches Landesmuseum,
Inv.-Nr. 1986–337

Grund in senkrechte Bahnen aufgelöst, Hintergrund
schraffiert oder geschuppt. Innerhalb der Bahnen jeweils
wechselnd schwebende oder gerahmte Szenen mit Psyche
und Amor. Linken Bahn: Psyche auf ihrem Wagen,
Toilette der Psyche. Zweite Bahn: Venus und Psyche,
Psyche füttert die Löwen, Psyche und Amor. Dritte Bahn:
Psyche und zwei Dienerinnen (?), Psyche betrachtet den
schlafenden Amor. Vierte Bahn: schlafende Psyche, Psyche
versucht, den entfliehenden Amor zurückzuhalten; Versöhnung von Venus und Psyche (?).
Das berühmte Märchen des Apulejus hat nicht nur Maler
in der Antike zur Darstellung angeregt, auch in der
Rainaissance und im Barock nahm man sich des galanten
Themas gerne an. Ein weiteres Exemplar des gleichen
Stoffes im Musée de l'Impression sur Étoffes in Muhl-
house.

*Kat. La Toile de Jouy, Dessins et cartons de J. B. Huet*
*(1745–1811), Mulhouse o. J., Nr. 28. – Ebenfalls Biblio-*
*thek Forney, Paris, Kat. G. Pitoiset, Toiles imprimées,*
*Paris 1982, Nr. 219.* R.G.

1318

## 1318*

### GEDENKTUCH

England, 1813/14

*Grund: feines Baumwollgewebe,*
*Muster: Kupferplattendruck*
*H. 75 cm, B. 88 cm*

Stuttgart, Württembergisches Landesmuseum,
Inv.-Nr. GT 16.288

Viereckiges Tuch mit achteckigem Mittelstück und acht
Randszenen, in den vier Ecken Medaillons. Abgrenzung
der einzelnen Szenen durch schmale Ornamentleisten, Ge-
samtrahmung durch breitere Borte von Weinblattranken
mit Trauben.

Mittelstück: *Stage of Europe Dec.ʳ 1812* bzw.: *Europäische Schaubühne in December 1812.* Auf dem Podium:
der stürzende Napoleon mit flehentlich erhobenen Händen, denen das Schwert entfällt, links: das personifizierte
Rußland (als Offizier), das auf Napoleon einschlägt,
rechts: das personifizierte Preußen, das den Säbel zu ziehen
droht. In derselben Ebene weiter links: das heranstür-
mende Schweden, weiter rechts kniet Jérôme mit Königskrone und gefalteten Händen. Ganz rechts und abgeson-
dert: drei Personen mit Kronen als *Rheinisches Bündnis.*
Sie wenden sich mit flehenden Gebärden an das personifizierte Österreich. Um und unterhalb der Bühne: Zivilisten,
die die Szene freudig begrüßen, zwei Zuschauer halten
Blätter in der Hand, die beschriftet sind: *Bulletine / 29ᵐᵉ*
und *Dispatches / from / Lᵒ CATHCART.* Die Szene wird

von düsteren Wolken überschattet. Aus ihnen bricht ein Strahlenbündel, in dessen Zentrum sich ein Feld mit allegorischer Szene befindet, Beischrift: *VICTORY scized his sword as it fell from his hand / saying ›EUROPE your Freedom secure‹ / Then hung it aloft in the Temple of Fame. / A TROPHY to RUSSIA while time shall remain. / Or the page HISTORY writes shall endure,* daneben in Fraktur (wie alle deutschen Beischriften, während die englischen in Antiqua gesetzt sind): *Aus seiner Hand das fallend Schwert der Sieg ergriff / und sagte: ›Sicher nun Europa, deine Freiheit‹. / Dann hängte es hoch in dem Ruhmes Tempel auf, / Für Russland eine Trophee lange da giebt's Zeit, / Oder die Seite Geschichte da schreibt, fortdauern soll.* Dargestellt ist die Personifikation des Sieges (Beischrift *VICTORY*) in der Mitte mit dem Schwert, rechts und links kniend *EUROPE* und *HISTORY*, im Hintergrund ist der Ruhmestempel angedeutet: zwischen zwei Posaune blasenden Figuren auf Basen ein Wappenschild mit Doppeladler, daneben eine kannelierte Säule und ein Rundbogenfenster.

Randszenen, beginnend links unten: 1. *BONAPARTE wickedly and ungrate / fully depriving his Holiness the Pope of his Territorial Possessions.* bzw.: *BONAPARTE gottlos und undankbar / beraubet Seiner Heiligkeit den Papst die Besitzungen zu seinem Gebiete gehoerig,* darunter: Bildnismedaillon mit Umschrift: *SCHILL.*
2. *BONAPARTE receiving Josephine the cast off Mistress / of Barras with the command of the Army of Italy* bzw.: *BONAPARTE empfaengt Josephine, die verworfene Geliebte / von Barras mit Befehle ueber die Italienische Armee.*
3. *BONAPARTE in Egypt professing / himself a Mahometan, and / trampling on the Bible* bzw.: *BONAPARTE in Egypten beken- / nend sich einen Mahomedaner / tritt die Bieble mit Fuessen,* darunter Bildnismedaillon mit Umschrift: *T. S. CHRISTOPHE ONE OF THE PATRIOTS SHOT AT MOSCOW 25 SEPR: 1812.*
4. *BONAPARTE ordering his Soldiers to fire / upon the Turkish Prisoners at Jaffa* bzw.: *BONAPARTE befiehlt seinen Soldaten auf die / Türkischen Gefaengenen zu Jaffa zu feuern.*
5. *BONAPARTE meanly betraying / his officers and cowardly deserting / his Troops in Egypt* bzw.: *BONAPARTE niedertraechtig seine / Officiere verraethend und feige verlas- / send seine Truppen in Egypten,* darunter Bildnismedaillon mit Umschrift: *HERMAN FRIESE ONE OF FOUR PATRIOTS SHOT AT BREMEN 5 APRIL 1813.*
6. *BONAPARTE after a mock trial ordering / the Duke D'Enghein to be Shot* bzw. *BONAPARTE nach falschem Verhoere ordinirt / den Herzog D'Enghein erschossen zu werden.*
7. *BONAPARTE destroying the / Patriotic but unfortunate / Toussaint L'Overture* bzw.: *BONAPARTE zerstört den patri- / otischen aber unglücklichen Toussaint L'Overture,* darunter Bildnismedaillon *HOFFER.*
8. *BONAPARTE and the infamous Godoy defrauding / Ferdinand the VII of his just rights at Bayonne* bzw.:

*BONAPARTE und der ehrlose Godoy betriegen / Ferdinand VII um seine billigen Rechte zu Bayonne,* rechts oben im Bildfeld schmales Leerfeld.
Die politische Situation in Europa im Dezember 1812 wird als eine Art Schaukampf auf einer Bretterbühne, die von Zuschauern umringt wird, dargestellt. Die Auffassung des politischen Geschehens, vor allem von solchem, das mit Kampfhandlungen verbunden ist, als Schauspiel/Spektakel ist in der Karikatur nicht unüblich. Historischer Hintergrund des »Bühnengeschehens« ist der verlustreiche Rückzug Napoleons aus Rußland und die Tauroggen-Konvention (preußisch-russischer Neutralitätsvertrag) im Dezember 1812. Hauptakteure sind der geschlagene Napoleon, dem das Schwert aus der Hand fällt, und die ihn bekämpfenden Länder Rußland (dargestellt ist wohl der russische Oberkammandant Kutusow) und Schweden (unter Bernadotte). Preußen (General Yorck?) droht nur. Jérôme, der am Rußlandfeldzug teilgenommen hat, wird in seiner zwiespältigen Situation dargestellt: kniend ist er ebenso auf der Verliererseite wie Napoleon, aber die Bittgeste mit erhobenem Haupt (und festsitzender Krone) zeigt, daß er nicht das Ziel der Wut des Gegners ist (er war von seinen westfälischen Untertanen nicht ungern gelitten). Abseits stehen das Rheinische Bündnis und Österreich. Der Rheinbund wird durch seine drei größten Staaten vertreten: die gekrönten Häupter von Baden, Württemberg und Bayern. Sie wenden sich hilfesuchend an Österreich (Franz I.), da dessen Haltung für sie entscheidend ist (sie fürchten um den Verlust der Erwerbungen von 1805!). Österreichs Haltung bleibt unentschlossen, da es die französische Vorherrschaft in Europa nicht gegen die russische eingetauscht wissen möchte. Mittelpunkt des Druckes ist also der Augenblick der ersten Niederlage Napoleons, welche das Zeichen zur Gegenwehr Europas setzt.
Im Kontrast zu den Personen auf der Bühne (gekrönte Häupter und Generäle) finden sich unter den Zuschauern nur Zivilisten. In ihren Händen halten sie Flugblätter wie z. B. das berühmte 29. Bulletin der Grande Armée vom 3. 12. 1812, in welchem Napoleon seinem Volk (verschleiernd) über den Rußlandfeldzug berichtet und eine Depesche *from L° Cathcart,* welche wohl den durch Sir William Shaw Lord Cathcart zustandegekommenen Subsidienvertrag vom 15. 6. 1813 meint. In diesem sichert England den Alliierten eine Unterstützung von 4 Mio. engl. Pfund zu, wenn sie ihrerseits sich verpflichten, keinen Frieden mit Frankreich ohne die Zustimmung Englands zu schließen (Sauner).
Die schwarzen Wolken über der Szene künden von drohendem Unheil.
Die Randszenen berichten Ereignisse aus dem Leben Napoleons zwischen 1796 und 1808. Es sind Schandtaten Napoleons, die er außerhalb Deutschlands begangen hat, und die seinen Charakter beleuchten: 1. Diebstahl, 2. moralische Verworfenheit, 3. Gottlosigkeit, 4. Gnadenlosigkeit, 5. Feigheit und Verrat, 6. Mord, 7. Wortbruch, 8. Betrug. Napoleon wird dabei *Bonaparte* betitelt.
Die Eckmedaillons stellen deutsche Freiheitskämpfer dar:
– Schill (Ferdinand): preußischer Offizier, der im Alleingang versuchte, Magdeburg zurückzuerobern;

– Hofer (Andreas): Tiroler Freiheitskämpfer;
diese berühmteren Beispiele werden ohne Vornamen und
erläuternde Umschrift gezeigt, dagegen mit Vornamen und
Umschrift:
– T. S. Christophe: *einer der Patrioten, die in Moskau am
25. September 1812 erschossen wurden* – vor dem Rußlandfeldzug waren viele deutsche Patrioten nach Rußland
emigriert;
– Herman Frise: *einer der vier Patrioten, die in Bremen
am 5. April 1813 erschossen wurden* – Bremen war eine
der von den Franzosen annektierten Hansestädte –, im
Norden Deutschlands gab es eine starke Freiheitsbewe-
gung.
Diese vier Personen stehen beispielhaft für die bereits
vorhandenen Unruheherde und geben Vorbilder und
Ansporn zum allgemeinen Aufruhr. Der häufige Gebrauch
der Vokabel *patriotic* (3x) sowie die Aufnahme der Szene
mit Toussaint L'Ouverture (= Führer der Freiheitsbewe-
gung auf Haiti während der Französischen Revolution)
weisen auf das Zielpublikum der Propaganda: die Patrioten in Deutschland, das Volk (nicht die zaudernden
gekrönten Häupter!).
Diese Propaganda ließ sich allein von England aus verbreiten, da in Deutschland die Zensur sehr streng war. England, der französische »Erzfeind«, hatte natürlich großes
Interesse daran, Europa zum Aufruhr gegen Napoleon zu
motivieren. So dominieren die englischen Umschriften, die
deutsche Übersetzung ist manchmal mangelhaft.
Anhaltspunkte für die Datierung geben das späteste
erwähnte Datum *3. April 1813* sowie die Tatsache, daß
keine Szenen aus Napoleons Leben aufgegriffen wurden,
die nach dem Frühjahrsfeldzug Napoleons im April/Mai
1813 liegen.
Es handelt sich also um die Zeitspanne zwischen dem
Rückzug aus Rußland und dem erneuten Losschlagen
Napoleons im Frühjahr, in welcher eine günstige Gelegenheit zur Befreiung Europas gesehen wird.
Der Typus der Karikatur, Lebensabriß Napoleons (Auf-
stieg und Fall) und Einschlagen der Verbündeten auf
Napoleon, ist in der Zeit um 1814 häufig, vgl. Cruikshank,
»Der korsische Kreisel« oder »Der Korse als Federball«.

Die Szenen lehnen sich formal stark an Bühnenbilder an,
auch die historisierende Kleidung und Architektur ist dem
Oberthema »Schaubühne« angeglichen.
Sich wiederholende Gesichtstypen, fehlende Porträtähn-
lichkeit bei den Hauptpersonen, stereotype, z.T. nicht
ganz nachzuvollziehende Orts- und Raumangaben, der
dünne, locker gewebte Baumwollstoff sind Zeichen geringer Qualität, einer billigen Massenherstellung des Druckes
zu Propagandazwecken.
Ein weiteres Exemplar befindet sich im Musée de l'Impression sur Étoffes in Mulhouse im Elsaß.

*St. Robinson, A history of printed textiles, Cambridge/
Massachusetts 1969, Abb. 20. – Kat. L'histoire vue à
travers la toile imprimée, Jouy-en-Josas 1981, Nr. 52.*
A.A.

1319

1319*

## BEDRUCKTER DEKORATIONSSTOFF

Nantes oder Rouen, 1810/20

*Grund: weißes Baumwollgewebe in Leinwandbindung,
Muster: Walzendruck in Violett
L. 111 cm. B. 64 cm; Musterrapport H. 58 cm
Bez. auf dem Baumstamm* Marius Rollet

Stuttgart, Württembergisches Landesmuseum,
Inv.-Nr. 1986–335

Zwei übereinander angeordnete figurenreiche Szenen im
Wechsel. Am linken Bildrand der in Ungnade gefallene
greise geblendete Belisar (ca. 494–565) mit einem Kind,
das den Helm Belisars ausstreckt und einer Dame, die eine
Münze hineinwirft. Hinter ihr ein ehemaliger Krieger
Belisars, der den Feldherrn erkennt und entsetzt die Hände
hebt.

1320

Wiedergabe nach einem Gemälde von J. L. David von 1781, jetzt in Lille im Musée des Beaux Arts. Kurz vorher Erscheinen des Romans von J. F. Marmotel (1723–1799) »Belisar« im Jahre 1767. In dieser Szene soll der Undank der Großen und die Unbeständigkeit des Glücks dargestellt werden. Graphische Vorlage ist noch nicht gefunden. Ähnlich aufgebaute Szene mit dem blinden Ödipus auf einem Sockel mit der Inschrift »Oedipe«, links neben ihm kniend Antigone, hinter ihm Ismene, die einen Krieger von rechts herbeiführt, wahrscheinlich der Bruder Polyneikes. Es handelt sich wohl um die Wiedergabe der 5. Hauptszene des »Ödipus auf Kolonos« von Sophokles, Vers 1249ff nach der Übersetzung von Ernst Buschor (München 1956). Polyneikes erscheint bei Ödipus auf Kolonos, um ihn zur Unterstützung im Bruderkampf zu bitten, Ödipus lehnt aber diese Unterstützung ab. Graphische oder bildliche Vorlage noch nicht gefunden.

Marius Rollet wird der Entwerfer bzw. Stecher der Vorlage gewesen sein. Nach Mitteilung des Musée de L'Impression sur Étoffes in Mulhouse läßt sich die Familie Rollet in der Gegend von Bolbec und Rouen nachweisen.

Demnach könnte der Stoff auch in Rouen entstanden sein. Der figurenreiche Stil ist jedoch eher für Druckstoffe aus Nantes typisch, so daß die Frage der Herkunft im Moment noch nicht aufgeklärt werden kann. Weiteres Exemplar in der Bibliothek Forney, Paris.

*G. Pitoiset, Toiles Imprimées, Bibl. Forney, Paris 1982, Abb. 220.*                                                        R. G.

1320*

## BEDRUCKTER DEKORATIONSSTOFF

Frankreich, Manufaktur Oberkampf u. Widmer, Jouy, 1821; nach Stichen des Bartholomeo Pinelli (1781–1835)

*Grund: weißes Baumwollgewebe in Leinwandbindung, Muster: Walzendruck in Rot*
*H. 67 cm, B. 68 cm*

Stuttgart, Württembergisches Landesmuseum, Inv.-Nr. 1986–339

Grund bedeckt von kleinem Reihenmuster mit Halbkrei-
sen und Halbrosetten, darauf figürliche Szenen und
gerahmte Architekturmotive. In der Mitte Pantheon in
Rom, links oben Paestum und auf einem Podest Skulptur
der Wölfin mit Romulus und Remus; rechts oben Titus-
bogen, dazwischen kochende Schäfer, vor einem Tabernakel
betende und Dudelsack spielende Schäfer; musizierende
und tanzende Schäfer auf dem Forum Romanum vor den
Resten des Tempels des Kastor und Pollux.

Der Stoff ist ein weiteres Beispiel für das große Interesse an
der Antike und vornehmlich an Rom, das damals alle
europäischen Künstler anzog. In spielerischer Weise sind
als Idyllen die Schäferszenen eingefügt, wobei die Dudel-
sackspieler wiederum an Rom anspielen mögen, kommen
doch seit alters her die Schäfer aus den Albaner Bergen zu
Weihnachten nach Rom und spielen vor den Kirchen. Ein
weiteres Exemplar im Musée d'Impression in Mulhouse.

*Chefs d'œuvre, Bd. 2, Taf. 48. Ebenfalls ein Beispiel in der
Bibliothèque Forney, Paris, dazu: G. Pitoiset, Toiles
imprimées, Bibl. Forney, Paris, 1982, Nr. 316.*    R. G.

## 1321*

## DECKE

Druck: vermutlich Rouen, um 1840, Neufassung eines
Entwurfes von George Zipelius (1808–1890)

*Grund: Baumwollgewebe in Leinwandbindung, Muster:
Walzendruck in Violett*
H. 300 cm, B. 253 cm; Musterrapport: H. 39 cm,
B. 84,4 cm

Stuttgart, Württembergisches Landesmuseum,
Inv.-Nr. 1986–346

Hochrechteckige Decke (aus drei Bahnen) mit Fransenbe-
satz an beiden Längsseiten und unten (bis auf die Mitte).
Sich überschneidende Blattranken geben rhombenförmige
Felder frei. Das Mittelfeld zeigt Napoleon zu Pferd mit
einem Soldaten der Leibgarde, im Hintergrund marschie-
ren weitere Soldaten, Bildunterschrift: *APRÈS VOUS!*
(Nach Ihnen!); rechts darüber: Napoleon und zwei unifor-
mierte Begleiter, die sich einem französischen Seemann
zuwenden, im Hintergrund Schiffe, Unterschrift: *PAR-
DON, EXCUSE, SIRE!* (Verzeihung, Entschuldigung,
Sire!); links Napoleon und ein Infanterist, der ihm den
Weg versperrt, vor einer Wand und rechts Landschaft,
Unterschrift: *ON NE PASSE PAS! Quand bien même que
vous seriez, l'petit caporal j'vous dis qu'on ne passe pas!*
(Kein Durchgang! Selbst wenn Sie der kleine Gefreite
wären, ich sage Ihnen, hier darf niemand durch!)
Der Entwurf dieser Decke ist eine Neufassung eines Origi-
nal-Entwurfs von George Zipelius aus Mühlhausen im
Elsaß. Bei diesem Original sind die einzelnen Szenen feiner
gezeichnet, die Rahmung ist zudem in Eichenlaub geformt.
Die Firma Koechlin-Ziegler ließ um 1840 eine Druckwalze
nach diesem Entwurf gravieren. Ferner ist bekannt, daß

die Firma Dollfus-Mieg Stoffe dieser ursprünglichen
Vision herstellte. Die Exemplare nach der vergröberten
Neufassung sind nicht bezeichnet, möglicherweise wurden
sie in Rouen gedruckt. (Freundliche Mitteilung vom
Musée de l'Impression sur Étoffes, Mulhouse/Elsaß. Dort
auch ein Beispiel der ursprünglichen Fassung.)
Thema der drei Darstellungen sind Begegnungen Napoleons mit seinen Soldaten. Bisher ließ sich lediglich eine
Szene deuten: *ON NE PASSE PAS . . .* zeigt Napoleon und
seine Wache vor jenem Haus in Ebersperg, in dem Napo-
leon die letzte Nacht vor der Einnahme Wiens zubrachte.
Diese Wache, der Rekrut Coluce, wurde von Napoleon
ausgezeichnet, er blieb dem Kaiser bis 1814 treu und zog
sich dann nach Nangis zurück, wo er ein Hotel mit dem
Namen »On ne passe pas« betrieb. Der Darstellung liegt
ein Stich von L. Ph. Debucourt (1755–1832) nach N. T.
Charlet (1792–1845) zugrunde.
Auch nach der Vertreibung Napoleons hatte der Kaiser im
Elsaß viele Verehrer. In diesem Zusammenhang sollte
nicht unerwähnt bleiben, daß Prinz Louis Napoléon, ein
Neffe Napoleons, gerade in Straßburg 1836 einen Putsch-
versuch gegen die Bourbonen unternahm. Zahlreiche
Druckstoffe von elsässischen Firmen dieser Zeit sind
Napoleon gewidmet. Allein die Firma Koechlin-Ziegler
druckte Stoffe mit der Darstellung der Apotheose Napo-
leons sowie Szenen aus dem Leben des Kaisers.

*J. M. Tuchscherer, The Fabrios of Mulhouse & Alsace
1801–1850, Leigh-on-sea, 1972, fig. 86, 88. 86 die
ursprüngliche Fassung von unserer Decke. – Katalog:
L'histoire vue à travers la toile imprimée, Jouy-en-Josas
1981, Nr. 52. Original in der Bibliothèque National Paris,
Nr. B. N. Est. Dc 102 nach freundlicher Mitteilung von
J. Brédif, Musée Oberkampf. – J. M. Tuchscherer, Fig. 86,
87.*    A. A./R. G.

1321

# LITERATUR IN GRENZEN – DICHTER IN BADEN UND WÜRTTEMBERG

Michael Kienzle und Dirk Mende

»Was bleibet aber, stiften die Dichter«

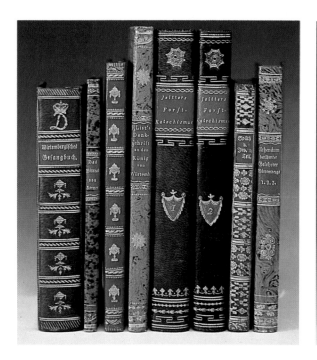 

Bücher aus der Bibliothek Vaterländischer Autoren als Beispiel württembergischer Buchbindekunst

*Der Antritt des neuen Jahrhunderts*

Edler Freund! Wo öffnet sich dem Frieden,
Wo der Freiheit sich ein Zufluchtsort?
Das Jahrhundert ist im Sturm geschieden,
Und das neue öffnet sich mit Mord.

Und das Band der Länder ist gehoben,
Und die alten Formen stürzen ein;
Nicht das Weltmeer hemmt des Krieges Toben,
Nicht der Nilgott und der alte Rhein.

Zwo gewaltge Nationen ringen
Um der Welt alleinigen Besitz,
Aller Länder Freiheit zu verschlingen,
Schwingen sie den Dreizack und den Blitz.

Gold muß ihnen jede Landschaft wägen,
Und wie *Brennus* in der rohen Zeit
Legt der Franke seinen ehrnen Degen
In die Waage der Gerechtigkeit.

Seine Handelsflotten streckt der Brite
Gierig wie Polypenarme aus,
Und das Reich der freien Amphitrite
Will er schließen wie sein eignes Haus.

Zu des Südpols nie erblickten Sternen
Dringt sein rastlos umgehemmter Lauf,
Alle Inseln spürt er, alle fernen
Küsten – nur das Paradies nicht auf.

Ach umsonst auf allen Länderkarten
Spähst du nach dem seligen Gebiet,
Wo der Freiheit ewig grüner Garten,
Wo der Menschheit schöne Jugend blüht.

Endlos liegt die Welt vor deinen Blicken,
Und die Schiffahrt selbst ermißt sie kaum,
Doch auf ihrem unermeßnen Rücken
Ist für zehen Glückliche nicht Raum.

In des Herzens heilig stille Räume
Mußt du fliehen aus des Lebens Drang,
Freiheit ist nur in dem Reich der Träume,
Und das Schöne blüht nur im Gesang.

Friedrich Schiller

Vielleicht hätte man in Süddeutschland die Literatur mit demselben Erfolg gepflegt wie im Norden, wenn die Fürsten diesem Studium ein wirkliches Interesse entgegengebracht hätten. Doch muß man auch einräumen, daß die gemäßigten Himmelsstriche mehr der Gesellschaft als der Dichtkunst günstig sind. […]
Süddeutschland, das in jeder Beziehung gemäßigt genannt werden muß, erhält sich in einem eintönigen Zustand äußern Wohlbehagens, der der Wirksamkeit der Geschäfte wie des Denkens ungemein abträglich ist. Der lebhafteste Wunsch der Bewohner dieser friedlichen und fruchtbaren Gegend besteht darin, ihre Existenz so fortzuführen, wie sie ist – und was schafft man mit diesem Wunsch? Er ist nicht einmal hinreichend, um das zu erhalten, womit man sich begnügt.

Germaine de Staël

## TÜBINGEN

Wir finden die Stadt mit ihren Straßen und Häusern abscheulich, ein schmutziges Nest, schwarz, klein, baufällig; die Stuben, die man uns anbietet, sehen schrecklich aus, mittelalterliche Fensterchen, schiefe Fußböden, klapprige Türen; zwei Stühle, ein Tisch, ein Bett und einige Nägel, um Kleider oder auch sich selbst daran aufzuhängen, sind die Möbel. Was man verlangt, ist nicht zu haben, fremd, vom Hörensagen bekannt; man schämt sich, man scheint sich frech, so viele Ansprüche zu machen. Dagegen ist die Landschaft prächtig, das Neckartal und das Ammertal laden zu den schönsten Spaziergängen ein, die Hügel bieten die reichsten Aussichten, die ganze Gegend hat einen lieblich schwermütigen Charakter. Man zeigt ein Gartenhäuschen vor der Stadt, wo Wieland gedichtet haben soll. Wie reizend fänden wir dieses Stück Natur, wie genügend diesen beschränkten Umfang, könnten wir unser berlinisch Leben darin fortführen!

Varnhagen von Ense, Anfang November 1808

## *Ludwig Uhland (1787–1862)*

*Frühlingsglaube*

Die linden Lüfte sind erwacht,
Sie säuseln und weben Tag und Nacht,
Sie schaffen an allen Enden.
O frischer Duft, o neuer Klang!
Nun, armes Herze, sei nicht bang!
Nun muß sich alles, alles wenden.

Die Welt wird schöner mit jedem Tag,
Man weiß nicht, was noch werden mag,
Das Blühen will nicht enden.
Es blüht das fernste, tiefste Thal;
Nun, armes Herz, vergiß der Qual!
Nun muß sich alles, alles wenden.

Ludwig Uhland

»Der einzige Dichter, von dem ich ganz gewiß weiß, daß er auf die Nachwelt kommt«

Christian Friedrich Hebbel

*Mittelpunkt der sog. Tübinger Romantik, Mittelpunkt des Freundeskreises um das »Sonntagsblatt für gebildete Stände« war der Poet, Jurist und Germanist Ludwig Uhland.*
*Uhland entstammte dem Tübinger Bildungsbürgertum, studierte seit 1805 und veröffentliche früh Romanzen, Balladen und Gedichte in bewußt naivem Volksliedton.*
*Seinen ersten Gedichtband veröffentlichte er 1815 in Cottas Verlag, der lange bevorzugte Zielscheibe der romantischen Kritiker gewesen war. Vor allem seine »Vaterländischen Gedichte« von 1817 machten ihn zum Repräsentanten der bürgerlich-liberalen Opposition, die gegen Friedrichs Staatsreich das ›Alte Gute Recht‹ aus dem Tübinger Vertrag setzte. Uhlands Gedichtsammlung wurde bis zum Tod des Autors 60mal aufgelegt und gehörte zu den erfolgreichsten Büchern des 19. Jahrhunderts.*
*Zusammen mit Justinus Kerner, dem er trotz politischer Differenzen in lebenslänglicher Freundschaft verbunden blieb, verfaßte er zwischen 1809 und 1813 die romantische Posse »Die Bärenritter«. Sein Trauerspiel »Ernst, Herzog von Schwaben« wurde im Hoftheater Stuttgart am 7. 5. 1819 zum ersten Mal aufgeführt, zur Verfassungsfeier bald darauf mit einem eigens zu diesem Anlaß verfaßten Prolog.*
*Mutig spielt Uhland im Prolog auf das Schicksal von Görres an, der sich nach dem Erscheinen von »Teutschland und die Revolution« vor der Verhaftung ausgerechnet nach Frankreich flüchten mußte, dessen Despotie er in den Freiheitskriegen bekämpft hatte:*

Das ist der Fluch des unglücksel'gen Landes,
Wo Freiheit und Gesetz darnieder liegt,
Daß sich die Besten und die Edelsten
Verzehren müssen in fruchtlosem Harm,
Daß, die für's Vaterland am reinsten glühn,
Gebrandmarkt werden als des Lands Verräter
Und, die noch jüngst des Landes Retter hießen,
Sich flüchten müssen an des Fremden Herd.

*1820–1826 vertrat Uhland die Stadt Tübingen im Land-
tag, 1829 wurde er zum Professor für Sprache und Literatur ernannt. 1833 wurde ihm der Urlaub zur Wahrnehmung seines erneuerten Landtagsmandates versagt,
worauf er um seine Entlassung aus dem Staatsdienst
ersuchte. Wilhelm I. von Württemberg kommentierte die
Entlassungsurkunde handschriftlich: »Sehr gerne Entlassung, da er als Professor ganz unnüz war.«
Die Popularität des »Klassikers unter den Romantikern«
war seiner Unbestechlichkeit und der Kontinuität seines
Eintretens für die demokratischen Ideale zuzuschreiben.
Obwohl er sich über Jahre zu germanistischen Forschungen zurückzog, obwohl er jahrelang als Schriftsteller ver-
stummte, blieb er doch über den Vormärz hinaus eine
Leitfigur bürgerlich-liberalen Selbstbewußtseins in Württemberg.
1848/49 wurde er Mitglied im Siebzehnerrat und württembergischer Abgeordneter der Nationalversammlung in
Frankfurt, wo er sich zusammen mit dem Landsmann
Friedrich Theodor Vischer der gemäßigten Linken anschloß. Bis zu seiner Verlegung und gewaltsamen Auflösung hielt er dem Paulskirchenparlament die Treue.*

*Ludwig Uhland*

1322

### Einkehr

Bei einem Wirte, wundermild,
Da war ich jüngst zu Gaste,
Ein goldner Apfel war sein Schild
An einem langen Aste.

Es war der gute Apfelbaum,
Bei dem ich eingekehret,
Mit süßer Kraft und frischem Schaum
Hat er mich wohl genähret.

Es kamen in sein grünes Haus
Viel leichtbeschwingte Gäste,
Sie sprangen froh und hielten Schmaus
Und sangen auf das Beste.

Ich fand ein Bett zu süßer Ruh
Auf weichen, grünen Matten,
Der Wirt, er deckte selbst mich zu
Mit seinem kühlen Schatten.

Nun fragt' ich nach der Schuldigkeit,
Da schüttelt' er den Wipfel.
Gesegnet sei er alle Zeit
Von der Wurzel bis zum Gipfel!

*Transskription nach der Gedichthandschrift Uhlands,
1811.*

*Über das am 20. November 1811 entstandene Gedicht
schreibt Kerner an Uhland: »Die Einkehr ist so herrlich
wie nur möglich, dabei so deutsch wie Lieder aus Fi-
schart.«*

Die Romantik ist nicht blos ein phantastischer Wahn des
Mittelalters. Sie ist hohe, ewige Poesie, die im Bilde
darstellt, was Worte dürftig oder nimmer aussprechen; sie
ist das Buch voll seltsammer Zauberbilder, die uns im
Verkehr verhalten mit der dunklen Geisterwelt; sie ist der
schimmernde Regenbogen, die Brücke der Götter, worauf,
nach der Edda, sie zu den Sterblichen herab und die
Auserwählten zu ihnen emporsteigen …

Ludwig Uhland

1322*

### Ludwig Uhland

Druckgraphik

H. Meyer nach e. Ölgemälde von Gottlob W. Morff
1818

Marbach, Deutsches Literaturarchiv

1323

*Der gute Kamerad*

Ich hatt' einen Kameraden,
Einen bessern findst du nit.
Die Trommel schlug zum Streite,
Er ging an meiner Seite
In gleichem Schritt und Tritt.

Eine Kugel kam geflogen,
Gilt's mir oder gilt es dir?
Ihn hat es weggerissen,
Er liegt mir vor den Füßen,
Als wär's ein Stück von mir.

Will mir die Hand noch reichen,
Derweil ich eben lad.
Kann dir die Hand nicht geben,
Bleib du im ew'gen Leben
Mein guter Kamerad!

1325

### SCHNUPFTABAKDOSE LUDWIG UHLANDS

*L. 14 cm, B. 5,5 cm*

Marbach, Deutsches Literaturarchiv

1326

### LUDWIG UHLAND:
### KEINE ADELSKAMMER!

Flugschrift. 3 S.
(1817)

Marbach, Deutsches Literaturarchiv

Keine Adelskammer!
Die altwürttembergische Verfassung wird mit Recht darum gerühmt, daß sich in ihr das Vertragsverhältnis zwischen Regenten und Volk so klar und ausgesprochen darlege. In ihr ist keine bourbonische Legitimität, sie ist ein Gesellschaftsverhältnis freier, vernünftiger Wesen. Sie gibt dem Regenten den Standpunkt, von dem ihn die Aufklärung der Zeit nicht verdrängen wird, sie gibt dem Volke die Stellung, in der auch ein über Menschenrecht aufgeklärtes Volk sich gefallen darf.
Eben in diesem Reinmenschlichen unsrer alten Verfassung löst sich das Rätsel, daß ein dreihundertjähriger Rechtszustand noch jetzt vollkommen zeitgemäß erscheinen kann, und g e r a d e jetzt, wo das Gefühl der Freiheit und der Menschenwürde neu erwacht ist.
Steht nun in dieser Verfassung, auf welche der neue Vertrag gegründet werden soll, das Verhältnis zwischen R e g e n t e n und V o l k so vernünftig, menschenwürdig und darum auch für unsre Zeit geläutert da: sollen wir dazu schweigen, wenn man uns zwischen A d e l und ü b r i g e m V o l k ein Verhältnis herbeiführen will, das jenen reinmenschlichen Verband durch Mystizismus und Vorurteil beflecken würde?

1323*

### LUDWIG UHLAND

Scherenschnitt

Luise Duttenhofer
1817

Marbach, Deutsches Literaturarchiv

1324

### LUDWIG UHLAND:
### DER GUTE KAMERAD

Handschrift
1809

Marbach, Deutsches Literaturarchiv

Der Adel nehme denjenigen Standpunkt ein, der seinen geschichtlichen Beziehungen und seinem Grundbesitz angemessen ist! Wir machen dem Adel seine R e c h t e nicht streitig.

Aber man spreche uns nicht von Söhnen Gottes und Söhnen des Menschen, man stelle nicht G e b u r t und V e r d i e n s t in Vergleichung! Adelsvorurteil ertragen wir nicht.

Darum k e i n e Adelskammer! (Prälaten und Gelehrte beruhigen uns nicht.) Kein Stand soll dem menschlichen Verkehr mit den andern enthoben sein, alle sollen sich gegenüberstehn, Auge in Auge, wie es Menschen gegen Menschen geziemt.

Man sage uns nichts von Rechten, (wären es auch Kasse und Ausschuß,) deren Ausübung wir durch Zugeben der Adelskammer zurückverlangen möchten, nichts davon, wie die Adelskammer in Steuersachen und sonst unschädlich gemacht werden könnte! Um die I d e e ist es zu thun, um die M e n s c h e n w ü r d e.

Unser Adel selbst hat die Trennung nicht begehrt, er wird nicht begehren, was die Zeit verwirft.

Dreißig Jahre lang hat die Welt gerungen und geblutet. Menschenrecht sollte hergestellt, der entwürdigende Aristokratismus ausgeworfen werden; davon ist der Kampf ausgegangen. Und jetzt, nach all dem langen, blutigen Kampfe, soll eben dieser Aristokratismus durch neue Staatsverträge geheiligt werden?

Hierzu einwilligen, ihr Volksvertreter, hieße den Todeskeim in die Verfassung legen, neue Umwälzungen vorbereiten, unsre vernünftige altwürttembergische Verfassung entweihen, die Sache des Vaterlandes und der Menschheit verlassen.

---

1327

## MORGENBLATT FÜR GEBILDETE STÄNDE, 18. NOVEMBER 1816.

darin: Zwey Kampfgedichte, die gegenwärtig in Stuttgart circulieren.

I. Gespräch, von Ludwig Uhland
II. Gegenstück, von Friedrich Rückert.

Marbach, Deutsches Literaturarchiv

### I.
*Gespräch, (gedruckt.)*

»Und immer nur vom alten Recht?
»Wie du so störrig bist!«
Ich bin des A l t e n treuer Knecht
Weil es ein G u t e s ist.

»Das B e s s r e, nicht das G u t e nur,
»Zu rühmen, sey dir Pflicht!«
Vom Guten hab' ich sichre Spur,
Vom Bessern leider! nicht.

»Wenn ich dir's aber weisen kann,
»So merk' und trau' auf mich!«
Ich schwör' auf keinen einzeln Mann,
Denn E i n e r bin auch ich.

»Ist weiser Rath dir kein Gewinn,
»Wo zündest du dein Licht?«
Ich halt' es mit dem schlichten Sinn,
Der aus dem Volke spricht.

»Ich sehe, daß du wenig weißt
»Von Schwung und Schöpferkraft.«
Ich lobe mir den stillen Geist,
Der mählig wirkt und schafft.

»Der ächte Geist schwingt sich empor
»Und rafft die Zeit sich nach.«
Was nicht von innen keimt hervor,
Ist in der Wurzel schwach.

»Du hast das Ganze nicht erfasst,
»Der M e n s c h h e i t großen Schmerz.«
Du meinst es löblich, doch du hast
Für u n s e r Volk kein Herz.

### II.
*Gegenstück (ungedruckt.)*

»Ich bin des Alten treuer Knecht,
Weil es ein Gutes ist.«
Das Gute bessern ist ein Recht,
Das nur ein Knecht vergisst.

»Vom Guten hab' ich sichre Spur,
Vom Bessern leider nicht.«
Verschließe nicht die Augen nur,
So zeig' ich dir das Licht.

»Ich schwör' auf keinen einzeln Mann,
Denn Einer bin auch ich.«
Wo dich das Ich nicht halten kann,
Sprich, woran hältst du dich?

»Ich halt' es mit dem schlichten Sinn,
Der aus dem Volke spricht.«
Schlicht sinn'ges Sprechen ist Gewinn,
Verworr'nes Schreyn ists nicht.

»Ich lobe mir den stillen Geist,
Der mählig wirkt und schafft.«
Doch braucht's zu jedem Werk zumeist
Auch Schöpferarmes Kraft.

»Was nicht von innen keimt hervor,
Ist in der Wurzel schwach.«
Und wo zu sä'n versäumt ein Thor,
Nie wurzeln wirds hernach.

»Du meinst es löblich, doch du hast
Für unser Volk kein Herz.«
Für es trag' ich samt andrer Last
Auch dieser Kränkung Schmerz.

1328

## Ludwig Uhland: Vaterländische Gedichte

Tübingen: Fues. 1817. 20 S.

Stuttgart, Sammlung Borst

1329

## Morgenblatt für gebildete Stände Nr. 124, 25. Mai 1818

aufgeschlagen: Ludwig Uhland
Der reichste Fürst

Marbach, Deutsches Literaturarchiv

1330

## Ludwig Uhland: Ernst, Herzog von Schwaben Trauerspiel in fünf Aufzügen

Heidelberg: Mohr und Winter. 1818. 157 (verdruckt 257) S.

Stuttgart, Sammlung Borst

1331

## Ludwig Uhland: Gedichte

Stuttgart und Tübingen: Cotta. 1815. 358 S.

Stuttgart, Sammlung Borst

1332

## Ludwig Uhland: Ludwig der Baier. Schauspiel in fünf Aufzügen.

Berlin: Reimer. 1819. 155 S.

Stuttgart, Sammlung Borst

1333*

## Theaterzettel zu Ludwig Uhlands Trauerspiel »Ernst Herzog von Schwaben«.

Zur »Verfassungsfeier«, 29. Oktober 1819

Stuttgart, Württembergische Landesbibliothek

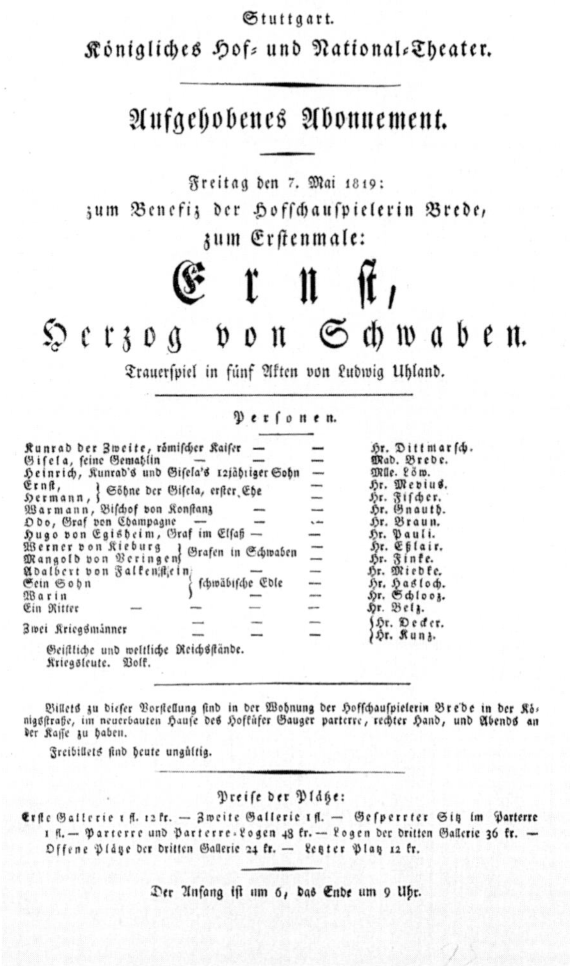

Stuttgart.
Königliches Hof- und National-Theater.

Aufgehobenes Abonnement.

Freitag den 7. Mai 1819:
zum Benefiz der Hofschauspielerin Brede,
zum Erstenmale:

Ernst,
Herzog von Schwaben.

Trauerspiel in fünf Akten von Ludwig Uhland.

Personen.

Kunrad der Zweite, römischer Kaiser — — Hr. Dittmarsch.
Gisela, seine Gemahlin — — — Mad. Brede.
Heinrich, Kunrad's und Gisela's 12jähriger Sohn — Mlle. Löw.
Ernst, } Söhne der Gisela, erster Ehe — Hr. Mevius.
Hermann, } — Hr. Fischer.
Warmann, Bischof von Konstanz — — Hr. Gnauth.
Odo, Graf von Champagne — — — Hr. Braun.
Hugo von Egisheim, Graf im Elsaß — — Hr. Pauli.
Werner von Kieburg } Grafen in Schwaben — Hr. Eßlair.
Mangold von Veringen } — Hr. Finke.
Adalbert von Falkenstein } — — Hr. Miedke.
Sein Sohn } schwäbische Edle — Hr. Hasloch.
Warin } — — Hr. Schlooz.
Ein Ritter — — — — Hr. Belz.
Zwei Kriegsmänner — — — Hr. Decker. Hr. Kunz.

Geistliche und weltliche Reichsstände.
Kriegsleute. Volk.

Billets zu dieser Vorstellung sind in der Wohnung der Hofschauspielerin Brede in der Königsstraße, im neuerbauten Hause des Hofküfer Gauger parterre, rechter Hand, und Abends an der Kasse zu haben.

Freibillets sind heute ungültig.

Preise der Plätze:
Erste Gallerie 1 fl. 12 kr. — Zweite Gallerie 1 fl. — Gesperrter Sitz im Parterre 1 fl. — Parterre und Parterre-Logen 48 kr. — Logen der dritten Gallerie 36 kr. — Offene Plätze der dritten Gallerie 24 kr. — Letzter Platz 12 kr.

Der Anfang ist um 6, das Ende um 9 Uhr.

1333

1334

1334*

## Uhland-Pokal

Geschenk der Stuttgarter Bürger an Uhland

Sick, nach einem Entwurf von Schnitzer
1834

*Silber*

Privatbesitz

1335

## Ludwig Uhland
## Gegen das Erbkaisertum

Redemanuskript zur Rede am 22. 1. 1849 in Frankfurt

Marbach, Deutsches Literaturarchiv

## *Justinus Kerner (1786–1862)*

*Poesie.*

*Poesie ist tiefes Schmerzen*
*Und es kommt das echte Lied*
*Einzig aus dem Menschenherzen,*
*Das ein tiefes Leid durchglüht.*

*Doch die höchsten Poesien*
*Schweigen wie der höchste Schmerz,*
*Nur wie Geisterschatten ziehen*
*Stumm sie durchs gebrochne Herz.*

Justinus Kerner

*Neben Uhland war es Justinus Kerner, dessen Name sich mit den Begriffen »Schwäbische Romantik« oder »Schwäbische Schule« am engsten verbunden hat. Beide versammelten noch andere Kommilitonen im Zeichen des romantischen Freundschaftskultes (z. B. Heinrich Köstlin und Karl Mayer) um das Projekt des »Sonntagsblatt für gebildete Stände«. Die Zeitung wurde seit 1807 im Tübinger Neuen Bau in nur einem handgeschriebenen Exemplar ausgelegt. In ihm wurden Aufsätze und Gedichte im romantischen Geschmack, Karikaturen und Polemiken vornehmlich gegen den im Cottaschen »Morgenblatt« vorherrschenden Klassizismus verfaßt.*

*Aufgewachsen in Ludwigsburg und Maulbronn, hatte Kerner auf Rat seines väterlichen Mentors Carl Philipp Conz das Studium der Medizin in Tübingen aufgenommen.*

*Florens und Clarus – so die romantischen Pseudonyme Uhlands und Kerners – gaben 1813 nach dem Gemeinschaftswerk »Die Bärenritter« zusammen mit Fouqué die Anthologie »Deutscher Dichterwald« heraus.*

*Nach seiner Promotion unternahm Kerner 1809 eine seiner wenigen Reisen nach Hamburg, Berlin und Wien. Poetisches Produkt dieser Reise waren die »Schattenbriefe« an die zurückbleibenden Freunde, vor allem an Uhland, die nach Ergänzungen und Ermunterungen durch Uhland später zu den »Reiseschatten« zusammengefaßt wurden. Die Reiseschatten sind wohl Kerners wichtigstes Werk und auch das interessanteste der schwäbischen Romantik.*

*Seit seiner nervösen Erkrankung als Jugendlicher und seiner Heilung durch den Arzt Eberhard Gmelin entwikkelte Kerner zunehmendes Interesse an magnetischen Heilverfahren und für okkulte Phänomene. Schon in Tübingen beherrschte Kerner das Maultrommelspiel meisterhaft, und sein Sohn Theobald berichtete, sein Vater habe Kranke und Tobende durch das Spiel dieses Instruments vollkommen beruhigen können.*

*Ab 1819 ist Kerner Oberamtsarzt in Weinsberg, wo er unterhalb der Weibertreu bald darauf sein Haus bezieht, das zum literarisch-geselligen Mittelpunkt Württembergs werden sollte, in dem sich neben den Mitgliedern der sogenannten »Schwäbischen Schule« (Gustav Schwab, Karl Mayer, Alexander von Württemberg, Nikolaus*

*Lenau, Hermann Kurz und vor allem Ludwig Uhland)
Emigranten aus Polen und Griechenland sowie Naturforscher trafen.*

*Kerners spätere melancholische, politischen Veränderun-
gen feindliche Weinsberger Idylle läßt vielleicht vergessen,
daß er die sozialen und politischen Zustände im Württemberg seiner Jugend genau registrierte. In der Reaktionszeit
nach den Karlsbader Beschlüssen hat er sich selbst vor
Sanktionen gefürchtet.*

*In seinem erst 1849 verfaßten »Bilderbuch aus meiner
Knabenzeit« schilderte er die gespenstische Leere in Ludwigsburg nach dem Tode des Herzogs Ludwig und die
politische Atmosphäre.*

1336

## 1336*

### JUSTINUS KERNER

Bleistiftzeichnung
von Carl Alexander Heideloff

Marbach, Deutsches Literaturarchiv

## 1337

### DER MARKTPLATZ IN LUDWIGSBURG

Kolorierte Radierung
Stuttgart, Ebner.

*H. 7,5 cm, B. 13,3 cm*

Anonym

Ludwigsburg, Städtisches Musem

## 1338

### JUSTINUS KERNER:
### DAS BILDERBUCH AUS MEINER KNABEN-
### ZEIT. ERINNERUNGEN AUS DEN JAHREN
### 1786 BIS 1804

Braunschweig: Vieweg. 1849. VIII, 419 S.

Stuttgart, Sammlung Borst

Es wurden damals mehrere Württemberger, selbst
Freunde meindes Bruders [Karl], z. E. ein Konsulent Bonz
in Ludwigsburg, ein Leutenant Pinasse, Landschaftskon-
sulent Batz, Hauptmann Bauer, der als geschätzter General im bayerischen Generalstabe starb und sich auch als
militärischer Schriftsteller bekannt gemacht hatte, ferner
Sekretär Hauff (Neffe meiner Mutter, Vater des Dichters)
und mehrere andere, auf herzoglichen Befehl in der Nacht
aufgehoben und auf die Feste Asperg abgeführt. Das
österreichische Armee-Kommando in Württemberg hatte
sie angegeben. Man hatte sie im Verdachte, in sträfliche
Verbindungen mit den Franzosen zur Errichtung einer
deutschen Republik getreten zu sein. Es wurde eine Staats-
kommission auf der Feste niedergesetzt, die die Gefangenen zu verhören hatte. [...]

Es hatte sich in Ludwigsburg unter den Familien eine
allgemeine Angst verbreitet, und wer nur in etwas kein
gutes Gewissen hatte, brachte die etwa verdächtig sein
könnenden Papiere und Bücher auf die Seite, und Hunderte, die sich gegen die politischen Verhältnisse geäußert,
erwarteten ihre Abführung auf die Feste.

Mein Bruder aber war an demselben Tage abends schon
wieder von der Feste zurück, es konnte ihm nicht die
mindeste Schuld beigemessen werden, und selbst bei einer
Audienz, die er sogleich darauf beim Herzog begehrte, und
in welcher er sich über den Vorfall beschwerte und nicht
Gnade, sondern Gerechtigkeit, forderte, wurde ihm alle
Genugtuung.

Unser Vetter Hauff, auch Bonz wurden bald vom Asperg
entlassen, und es erstreckte sich die Zahl der gefangen
Gebliebenen nur noch auf sechs; denn es beruhte die
Verhaftung bei einzelnen nur auf solchen Denunziationen
und ungegründetem Verdacht, und die Persönlichkeit der
gefangen Gebliebenen war gar nicht der Art, daß von
ihnen eine Staatsumwälzung und Errichtung einer deutschen Republik zu erwarten gewesen wäre.

1339

## Maultrommel aus dem Besitz Kerners

*Metall, L. 5 cm*

Marbach, Deutsches Literaturarchiv

### Meine Maultrommel

War die Leier mir zersprungen
Hab' ich mit dem kleinen Eisen
Der Natur oft nachgesungen
Ihre schmerzlich süßen Weisen.

In die Töne, die es spielte,
Hört' ich oftmals übertragen,
Was ich tief im Busen fühlte
Und nicht konnt' in Liedern sagen.

Justinus Kerner

Nun muß ich aber auch von Kerner mancherlei erzählen! Er ist nicht nach unserer norddeutschen Weise gebildet und gesprächig, aber den guten Willen hat er, sich anzuschließen und mitzuteilen. Mich beruhigt es, jemand in meiner Nähe zu haben – denn wir wohnen in demselben Hause – der sich so wohlwollend und teilnehmend bezeigt, und mich freut es jedesmal, wenn der liebe treue Mensch abends zu mir hereintritt und an meinem Tische seine Dissertation schreibt, während ich an meinen Sachen fortarbeite, als wäre niemand zugegen. Später sieht er dann mit Bewunderung, wie ich Tee trinke, anstatt des Schoppens Weins, der den Leuten hier so wohl schmeckt, und wir plaudern dann offen und frei über alles mögliche. Daß mir Tübingen nicht behagt und daß ich so manche bittere Bemerkung ausstoße, ist ihm eine wahre Herzenskränkung; er sieht wohl meistens ein, daß mein Tadel nicht ohne Grund ist, er erkennt in manchen Fällen sogar seine eigene Unzufriedenheit wieder; allein er will ihn doch nicht leiden und nimmt ihm wenigstens das Bittre, indem er den besten Humor daraus macht. Er hat den lebendigsten Sinn für Scherz, für alles Komische und Barocke, und eine Art von Leidenschaft, dasselbe ans Licht zu bringen und zu fürdern. Jedoch ist seine Gesinnung, wie die seines Freundes Uhland, durchaus rein, unzerstörbar rechtschaffen, edel, tapfer und so menschenfreundlich, gutmütig und zutraulich, daß er wohl nie jemanden aus freien Stücken gekränkt und immer gleich verziehen hat, wo er der Gekränkte war. Früher sollte er in Ludwigsburg die Handlung lernen, dann kam er zur Universität, er folgte der Bestimmung, die man ihm gab, empfand weder Vorliebe noch Abneigung, er meint, es sei so wenig Freude in der Welt, daß man nur eben etwas – gleichviel was – tun müsse, damit die Zeit verstreiche, und so das ganze Leben; den Vorteil hat er, daß, wie ihn nichts sonderlich freut, ihn auch nichts eigentlich schmerzt, und so lebt er munter und harmlos fort. Die vier Jahre, die er nun hier studiert, hat er ohne Anstrengung, doch mit großem Fleiß benutzt, außerordentlich viel gelernt und auch schon Kranke mit Geschicklichkeit und Erfolg behandelt. – Sobald er Doktor geworden, reist er nach Hamburg, und von da nach Kopenhagen oder Wien; auf ihn werden die großen Städte schon wirken! Zu seiner Dissertation hat er Bemerkungen über das Gehör gewählt. In seiner Stube lebt er mit Hunden, Katzen, Hühnern, Gänsen, Eulen, Eichhörnchen, Kröten, Eidechsen, Mäusen und wer weiß was sonst für Getier ganz freundschaftlich zusammen und hat nur seine Not, Tür und Fenster zu verwahren, daß ihm die Gäste nicht entschlüpfen; ob seine Bücher oder Kleider in Gefahr sind, ob ihn ein Tier im Schlaf anschnoppert oder, unversehens aufgeschreckt, nach ihm beißt, das kümmert ihn nicht. Seine Versuche sind schlau und sinnreich, und er sucht alle Quälereien zu vermeiden. Überhaupt steht er der Natur sehr nah, und besonders ihrer dunklen Seite. Seine Augen haben etwas Geisterhaftes und Frommes; sein Herz kann er willkürlich schneller schlagen machen, aber es nicht ebenso wieder hemmen; die Erscheinungen, welche neulich Ritter an Campetti beobachtet hat, die Pendelschwingungen des Ringes am seidenen Faden, das Umdrehen des Schlüssels mit dem Buche und alles dergleichen zauberhaft Magnetisches tritt bei ihm in auffallender Stärke hervor. Er selbst hat etwas Somnambules, das ihn auch im Scherz und Lachen begleitet. Er kann lange sinnen und träumen und dann plötzlich auffahren, wo dann der Schreck der andern ihm gleich wieder zum Scherze dient. Wahnsinnige kann er nachmachen, daß man zusammenschaudert, und obwohl er dies possenhaft beginnt, so ist ihm doch im Verlauf nicht possenhaft dabei zumut. In der Poesie ist ihm das Wunderbare der Volksromane, der einfache Laut und die Kraft der Volkslieder am verwandtesten, [...] er spricht mit Vorliebe die Landesmundart. In der Musik hat er sich die Maultrommel angeeignet und weiß dem geringen und doch wunderlichen Instrument die zartesten und rührendsten Töne zu entlocken. Nun denkt euch noch [...] einen schlanken, wohlgewachsenen hübschen Jungen, – so habt ihr ein vollständiges Bild meines Kerner's.

Karl August Varnhagen von Ense (1785–1858)

1340

## Justinus Kerner und Ludwig Uhland: Die Bärenritter

Handschrift von Justinus Kerner.
1809

Marbach, Deutsches Literaturarchiv

1341

## JouJou aus der Revolutionszeit aus dem Besitz Justinus Kerners

*Holz, Dm. 7 cm*

Marbach, Deutsches Literaturarchiv

1342

## Justinus Kerner
## Württemberger

3 Gedichte. »Kepler«, »Frischlin«, »Schubart«

Handschrift

Marbach, Deutsches Literaturarchiv

### 1.
### Kepler

Vom undankbaren Heimatland vertrieben,
Arm, preisgegeben jeglicher Beschwerde,
Sah er empor von dieser kalten Erde
Und lernte recht die warmen Sonnen lieben.
Der Erd' entlehntes Licht er gern entbehrte,
war ihm die hell're Heimath doch geblieben,
Von Sonnengold sein hehres Haupt umflossen,
Stunden die Himmel all' ihm aufgeschlossen.

### 2.
### Frischlin

Ihn dem zu eng der Erde weite Lande
Ihn schlossen sie in starre Felsen ein,
Er doch, voll Kraft, zerbrach den Felsenstein
Und ließ sich abwärts am unsichern Bande.
Da fanden sie im bleichen Mondenschein
Zerschmettert ihn, zerrissen die Gewande.
Weh Muttererde! daß mit linden Armen
Du ihn nicht auffingst schützend voll Erbarmen!

### 3.
### Schubart

Ihn stießen sie aus frischen Lebensgärten
In dunkle modernde Gewölbe nieder,
Mit Ketten seine Hände sie beschwerten:
Da stiegen Heil'ge liebend zu ihm nieder
Und wurden fortan Freund' ihm und Gefährten.
So sang begeistert er die frommen Lieder.
Und als den Kerker sie ihm aufgeschlossen,
Schien ihm die Welt von Graun und Nacht umflossen.

*Großen Einfluß übte auf Kerners Entwicklung dessen Bruder Georg aus. Georg Kerner war zunächst begeisterter Parteigänger der Jakobiner, später ihr erbitterter Gegner. Er nahm an den wechselnden Kämpfen in Paris teil und entrann mehrmals nur mühsam der Hinrichtung. Georg Kerner wurde später Armenarzt in Hamburg. Von ihm ist ein weitverbreitetes Gedicht erhalten.*

1343

## Georg Kerner (1770–1812)
## Das blaue Fieber

Um 1806

Gelbes Fieber ist verschwunden,
Hat das blaue losgebunden,
Wilder rast es durch die Lande
Und zerreißt die schönsten Bande,
Selbst der Freiheit hohen Bund
Stempelt es zum blauen Hund.

Noch einmal zur Höll hinab
Geht es nun in frischem Trab,
Satans Knechte en parade
Stehen da mit Spieß und Rad.
Werden nunmehr neu gemacht,
Die der Blaue hergebracht,
Und, nachdem sie gar gebraten,
In die Oberwelt verladen.

Sprengt nun auf das Grabgestein
Und läßt nach Europa ein
All die roten Mütz-Kujonen
Als ein Heer von Reichsbaronen,
Neue Sterne, neue Sonnen,
Neue Freuden, neue Wonnen
Strahlen von der blauen Brust
Einzig nur die Räuberlust.

Trauernd stehn zwar die Teutonen,
Die den Süd und Nord bewohnen.
Doch der Blaue schlug sie platt,
Und der Deutschen Spiel heißt Matt.
Sind nun geldlos ohne Blut,
Ohne Waffen, ohne Mut
Hingeschleudert zu den andern,
Die von Schmach zu Elend wandern.
Rauben, schinden, plündern, morden,
Güter für den neuen Orden,
Blaues Wunder unsrer Zeit,
Aller Narren Seligkeit.

Apenninen sind bezwungen,
Pyrenäen auch errungen,
Alpen hat er eingesteckt
Und die Hölle losgeweckt.

Ärger wüten nicht Hyänen,
Tiger hat er zu Mäzenen,
Flüsse hat er ausgesoffen,
Und noch steht der Schlund ihm offen.

Meere wollt er auch bezwingen
Und den Dreizack sich erringen,
Aber Wasser ist nicht Land,
Doch das Meer, es gibt ihm Sand;
Sand, die Augen zu verblenden,
Daß man glaubt, er wolle enden
Seine Lust nach neuen Siegen,
Nachspiel seiner Vorspielslügen.

Hört den Glockenschlag von Jammer,
Unter des Tyrannen Hammer
Stunden, Wochen, Monden, Jahre
Schwinden hin zur Totenbahre.

Und so seufzen Millionen
Unter seinen Skorpionen –
Zepter, Keule, wie man will,
Alles stumm und stier und still.

Ende, tönt's von allen Seiten,
Ende, Blauer, unsere Leiden'
Doch der Blaue gähnt und spricht:
»Nacht für euch, für mich nur Licht.«

Elend, Schmach und jede Plage
Sind die Losung unsrer Tage,
Und der blaue Hund, er bellt,
Bis sich Pest zu Pest gesellt.

Himmel, sende deine Blitze
Von Jehovens Donnersitze,
Und umgürt Europens Raum
Mit Gomorrhens Flammensaum.

Und sollt auch in neuen Welten
Dieses blaue Fieber gelten,
Dann zerschmettre Gott Diktator
Den verfluchten Welt-Äquator,
Und ersäuf den Erdenkreis
In des Blauen Todesschweiß.

1344

## JUSTINUS KERNER: REISESCHATTEN. VON DEM SCHATTENSPIELER LUCHS

Heidelberg: Braun. 1811. 268 S.

Marbach, Deutsches Literaturarchiv

Dritte und Vierte Vorstellung der ersten Schattenreihe, die sich satirisch auf Cottas »Morgenblatt« und auf Friedrich Hölderlin bezieht.

*Dritte Vorstellung*
Die Reisenden, die ich morgens zu Begleitern auf dem Postwagen bekam, waren: ein Chemikus, der wahnsinnige Dichter Holder, ein Pfarrer und ein Schreiner.
Mein Freund Holder, als er mich erkannte, fiel mir mit starker Liebeswut um den Hals und sprach: »Es ist doppelt erfreulich, daß ich dir in dieser Stadt und auf deiner Reise nach Norden begegne: denn wo in Gesangkraft ausströmt der Stern, daß als Komet er, ein Nachtmahlskelch der Schöpfung, schwebt durch die Himmel, da wird geboren ein Meer, das ist die Nordsee und das Eisen auf ihr. – Von Norden aber wird kommen Nieerhörtes: denn dahin weist das Eisen und sein Geist, die Magnetur.« – Hier geriet er in konvulsivische Verzuckungen, dann sprach er wieder: »O, ehrt mir den Metallgeist der Erde, und sein Auge, das Gold! und zerreißt nicht die Glieder und wuchert mit

ihnen, ein freches Volk! ha! ha! ha! so wollt' ich mein Leben auf einmal leben!« Hier stürzten ihm stromweis die Tränen aus dem Auge voll Seele.
Hernach sprach er wieder: »O Deutschland, das du geglättet bist, wie der Rücken eines Esels!«
Der Chemikus bemerkte gegen seinen Nebenmann, den Pfarrer, daß die Seele dieses Menschen viel zu viel Sauerstoff in sich haben müsse, und daß man ihm, um ihn radikal herzustellen, bloß eine Schweinsblase voll Wasserstoffgas beizubringen habe.
Der Pfarrer aber war nicht seiner Meinung. Denn ihm war aller Materialismus und insgeheim auch die Chemie gegen alle Moralität. Darum stand er mit vieler Gravität von seinem Sitze auf und hielt, während er beständig in seinen beiden Taschen rührte, folgende Rede: »Wir wollen Gott die Bestandteile aller Dinge, vor allem aber die Bestandteile unseres Körpers und unserer Seele anheimgestellt sein lassen, ja ich halte ein jedes Nachgrübeln hierüber (hier zog er ein Stück des Leipziger Zeitungsblattes für Genügsame aus der Tasche) für höchst naseweis und moralitätswidrig. Das ist wahr, und wohl zu erklären, wie von Tag zu Tag immer mehr und mehr das Verrücktsein (hier zog er die Reise durch die Erziehungsinstitute Deutschlands, von einem Manne von Geschmack, aus der Tasche) gleich einer Pest um sich greift und höchst ansteckend wird (der Chemikus zog bei diesen Worten ein Fläschchen voll Salzsäure aus der Tasche und fing zu räuchern an); denn würden wir nur einmal die Schriften neuerer Zeit lesen (hier zog er die wohlzubeherzigenden Worte eines alten sterbenden Mannes, wie dem Ungeschmack der neuesten Literatur Einhalt zu tun, aus der Tasche), so würden wir leicht einsehen, woher dieser Wahnsinnsstoff seinen Ursprung nimmt; wogegen nur eine von Jugend auf tief inokulierte Moralität (hier zog er ein Stück der Zeitschrift »Der schmeckende Wurm« aus der Tasche) die Kuhpocke sein kann.
Und nun, mein armer, verirrter (hier wandte er sich zu Holder, indem er ihm alle die Schriften zu überreichen suchte), höchstwahrscheinlich noch sehr jungen Freund! empfangen Sie, um mich mit dem Herrn Chemikus zu vergleichen, empfangen Sie hier das wahrste Wasserstoffgas in den Worten gebildeter, erfahrener, wackerer Leute, Schriften, die mir eine geehrte Redaktion des schmeckenden Wurms zu belobender Rezension – – o weh! « schrie der Pfarrer – denn hier faßte ihn mein wahnsinniger Freund bei der Gurgel und hätte ihn erdrosselt, wenn nicht der Kondukteur und ich zu Hülfe geeilt wären.
Der Postwagen hielt, und die Gesellschaft machte den Vorschlag: Holder auf den Sitz des Kondukteurs zu bringen, worüber aber der Chemikus insgeheim sehr erbost war: denn er erwartete von der Stickluft der Gesellschaft im Wagen eine radikale Heilung und hielt jenen Anfall bloß für eine, durch die Stickluft im Wagen veranlaßte, letzte Explosion des Sauer- und Wahnsinnstoffes.

*Vierte Vorstellung*
Aber siehe da! was wurde von dem Sitze des Kondukteurs gepackt, um statt Holder in den Wagen gebracht zu werden? Es war mein alter Freund, der Antiquarius und

Poete Haselhuhn, dem wegen seiner starken Leibeskonstitution und der vielen Westen und Hemden, die er übereinander zu tragen pflegte, vorn der Sitz angewiesen wurde, um dem Gepäcke hinten auf dem Wagen einigermaßen das Gleichgewicht zu halten.

Er erzählte, wie er im Sinne habe, zu dem großen Maienfeste zu reisen, das die Redaktion des schmeckenden Wurms und ihre sämtlichen Mitarbeiter veranstalteten, wie es ihn aber sehr schmerze, daß der alte Poet Damon, wegen eines Polypen in der Nase, nicht allda eintreffen werde. Hier gaben sich nun der Pfarrer und der Schreiner auch als Mitglieder des schmeckenden Wurms zu erkennen. Es entstund bald ein wechselweises Umarmen und Freundschaftslächeln, und die Herren Autoren wurden auch bald so menschenfreundlich und populär, daß sich alle drei auf einmal (denn einer für sich allein hätte es wohl nicht gewagt) den Vorschlag machten: auch einmal ein Volkslied zu singen. Die Stimme fiel allgemein auf: »Hier sitz' ich auf Rasen mit Rosen bekränzt«, das bei dem Geholper des Wagens und dem Tremulant ihres Gesanges sehr sonderbar ließ.

1345

JUSTINUS KERNER:
POETISCHER ALMANACH FÜR DAS JAHR 1812. BESORGT VON JUSTINUS KERNER

Heidelberg: Braun. (1812). 295 S.

Stuttgart, Sammlung Borst

1346

JUSTINUS KERNER:
DAS WILDBAD IM KÖNIGREICH WÜRTEMBERG BESCHRIEBEN VON DR. ANDREAS JUSTINUS KERNER

Tübingen: Heerbrandt. 1813. IV, 99 S.

Stuttgart, Sammlung Borst

1347

JUSTINUS KERNER:
NEUE BEOBACHTUNGEN ÜBER DIE IN WÜRTEMBERG SO HÄUFIG VORFALLENDEN TÖDTLICHEN VERGIFTUNGEN DURCH DEN GENUSS GERÄUCHERTER WÜRSTE

Tübingen: Osiander. 1820. 120 S.

Stuttgart, Sammlung Borst

1348

JUSTINUS KERNER:
DAS FETTGIFT ODER DIE FETTSÄURE UND IHRE WIRKUNGEN AUF DEN THIERISCHEN ORGANISMUS, EIN BEYTRAG ZUR UNTERSUCHUNG DES IN VERDORBENEN WÜRSTEN GIFTIG WIRKENDEN STOFFES

Stuttgart und Tübingen: Cotta. 1822. XXIII, 368 S.

Stuttgart, Sammlung Borst

## Friedrich Hölderlin (1770–1843)

»Mein höchstes Ideal ist Hölderlin«

Clemens Brentano

*Advocatus Diaboli*

Tief im Herzen haß ich den Troß der Despoten und
    Pfaffen,
Aber noch mehr das Genie, macht es gemein sich
    damit.

Friedrich Hölderlin

Hölderlin wuchs in Lauffen, Nürtingen und Markgrönin-
gen auf und absolvierte dann den für die schwäbische
Bürgerjugend der Zeit typischen Bildungsgang über die
Klosterschulen Denkendorf und Maulbronn bis hin zum
Tübinger Stift. Mit einigem Widerwillen hielt er sich
zwischen 1788–1793 im Stift auf, zusammen mit Hegel,
Schelling und Renz. Zu seinen Repetenten gehörte Karl
Philipp Conz. Die Französische Revolution wirkte auf
Hölderlin prägend wie nur das Griechenerlebnis und seine
spätere Freundschaft zu Susette Gontard. Bei den Stipen-
diaten rief die Revolution demokratisches Hochgefühl,
Ansätze zur Rebellion gegen Carl Eugens Bildungssystem
und revolutionär gesinnte Freundschaftsbünde hervor.
Die »heilige Freiheit«, Utopien des freien Lebens als
idealer Gegenwelt zu den »Lumpereien des politischen
und geistlichen Württembergs und Deutschlands« (Höl-
derlin) prägten die frühen Hymnen.
Nach dem theologischen Examen 1793 erstrebte Höl-
derlin eine Hofmeisterstelle – die einzige Möglichkeit, den
Pfarrdienst nicht antreten zu müssen. Schiller vermittelte
Hölderlin, seinen »liebsten Schwaben«, an Frau v. Kalb
auf das Gut Waltershausen bei Gotha, von wo aus er
später nach Jena, dann nach Weimar übersiedelte.
Als Hofmeister im Frankfurter Hause Gontard traf er die
»Diotima« des »Hyperion«, Susette Gontard. Der erste
Band des »Hyperion« erschien 1797 bei Cotta, der zweite
Band folgte 1799. Die jakobinischen Themen Freiheit,
Gleichheit, Brüderlichkeit werden in diesem Roman wie
auch im Trauerspiel »Empedokles« thematisiert. Bei-
spielsweise in der Tirade der ersten Fassung des Werks, mit
welcher der Philosoph die angebotene Königskrone
schroff ablehnt. Nach der erzwungenen Trennung von
Susette wanderte Hölderlin zurück nach Schwaben und
verbrachte glückliche Monate in Stuttgart im Hause Christian Landauers. In dieser Zeit entstand auch die Elegie
»Stutgard«.
Hölderlin nahm wiederum Hauslehrerstellen an, zuerst in
Hauptwil in der Schweiz, dann 1802 in Bordeaux, von wo
er nach einigen Monaten aus unklaren Gründen abreiste
und verstört und zerrüttet wieder zurück in die Heimat
wanderte.
1805 wurde Hölderlins Beschützer Isaak v. Sinclair in
Stuttgart wegen Hochverrats angeklagt, auch Hölderlin
wurde in die Untersuchungen verwickelt und wahrscheinlich aufgrund attestierten Wahnsinns von der Anklage
verschont. 1806 wurde Hölderlin in die Autenriethsche
Klinik in Tübingen eingewiesen und lebte dann von 1807
bis zu seinem Tod pflegebedürftig bei dem Schreinermeister Ernst Friedrich Zimmer in Tübingen.
Kerner, Schwab und Uhland bemühten sich um eine
Veröffentlichung der Gedichte Hölderlins. 1826 erschien
dann die erste, von Schwab und Uhland besorgte Sammlung »Gedichte« bei Cotta.

1349*

### Friedrich Hölderlin

M. Lämmel (nach Hiemer)
1792

*Stahlstich, H. 13,3 cm, B. 8,4 cm*

Marbach, Deutsches Literaturarchiv

*Friedrich Hölderlin*

Friedrich Hölderlin

*Auf einer Heide geschrieben*

Zwischen 1784 und 1788

Wohl mir! daß ich den Schwarm der Toren nimmer
    erblicke,
Daß jetzt unumwölkter der Blick zu den Lüften empor-
    schaut,
Freier atmet die Brust dann in den Mauren des Elends,
Und den Winkeln des Trugs. O! schöne, selige Stunde!
Wie getrennte Geliebte nach langentbehrter
    Umarmung
In die Arme sich stürzen, so eilt ich herauf auf die
    Heide,
Mir ein Fest zu bereiten auf meiner einsamen Heide.
Und ich habe sie wieder gefunden, die stille Freuden
Alle wieder gefunden, und meine schattigten Eichen
Stehn noch eben so königlich da, umdämmern die
    Heide
Noch in alten stattlichen Reihn, die schattigen Eichen.
Jedesmal wandelt an meinen tausendjährigen Eichen
Mit entblößtem Haupt der Jäger vorüber, dann also
Heischet die ländliche Sage; denn unter den stattlichen
    Reihen
Schlummern schon lange gefallene Helden der eisernen
    Vorzeit.
Aber horch! was rauschet herauf im schwarzen Gebü-
    sche?
Bleibe ferne! Störer des Sängers! – aber siehe,
Siehe! – wie herrlich! wie groß! ein hochgeweihetes
    Hirschheer
Wandelt langsam vorüber – hinab nach der Quelle des
    Tales. –
O! jetzt kenn ich mich wieder, der menschenhassende
    Trübsinn
Ist so ganz, so ganz aus meinem Herzen verschwunden.
Wär ich doch ewig fern von diesen Mauren des Elends,
Diesen Mauren des Trugs! – Es blinken der Riesen-
    paläste
Schimmernde Dächer herauf, und die Spitzen der
    alternden Türme,
Wo so einzeln stehn die Buchen und Eichen; es tönet
Dumpf vom Tale herauf das höfische Wagengerassel
Und der Huf der prangenden Rosse – – Höflinge!
    bleibet,
Bleibet immerhin in eurem Wagengerassel,
Bückt euch tief auf den Narrenbühnen der Riesen-
    paläste,
Bleibet immerhin! – Und ihr, ihr Edlere, kommet!
Edle Greise und Männer, und edle Jünglinge, kommet!
Laßt uns Hütten baun – des echten germanischen
    Mannsinns
Und der Freundschaft Hütten auf meiner einsamen
    Heide.

Friedrich Schiller an Charlotte von Kalb
Ludwigsburg, den 1. Oktober 1793

Einen jungen Mann habe ich ausgefunden, der eben jetzt
seine theologischen Studien in Tübingen vollendet hat,
und dessen Kenntnissen in Sprachen und den zum Hofmeister erforderlichen Fächern alle, die ich darüber befragt
habe, ein gutes Zeugnis erteilen. Er versteht und spricht
auch das Französische und ist (ich weiß nicht, ob ich dies
zu seiner Empfehlung oder zu seinem Nachteile anführe)
nicht ohne poetisches Talent, wovon Sie in dem Schwäbischen Musenalmanach vom Jahr 1794 Proben finden
werden. Er heißt Hölderlin und ist Magister der Philosophie. Ich habe ihn persönlich kennengelernt und glaube,
daß Ihnen sein Äußeres sehr wohl gefallen wird. Auch zeigt
er vielen Anstand und Artigkeit. Seinen Sitten gibt man ein
gutes Zeugnis; doch völlig gesetzt scheint er noch nicht,
und viele Gründlichkeit erwarte ich weder von seinem
Wissen noch von seinem Betragen. Ich könnte ihm vielleicht hierin Unrecht tun, weil ich dieses Urteil bloß auf die
Bekanntschaft einer halben Stunde und eigentlich bloß auf
seinen Anblick und Vortrag gründe; ich will ihn aber lieber
härter als nachsichtiger beurteilen, daß, wenn Ihre Erwartung je getäuscht werden sollte, dies zu seinem Vorteil
geschehe. [Auszug]

1350

## FREUNDSCHAFTSBAND AUS DER HÖLDERLINSCHEN FAMILIE

Unter den aufgedruckten Namen der Dichter seine
Schwester Henriette (Heinrike), eine Verwandte ihres
Mannes (Henriette Bräunlin) und Hölderlins Halbbruder
Carl Gok, Louis Blöst.

L. 62 cm

Marbach, Deutsches Literaturarchiv

1351

## FRIEDRICH HÖLDERLIN: HYPERION ODER DER EREMIT IN GRIECHENLAND

Tübingen: Cotta. – 2 Bände.
I. 1797. 160 S. – II. 1799. 124 S.

Stuttgart, Sammlung Borst

## 1352

### FRIEDRICH HÖLDERLIN ALS MAGISTER

Getuschter Schattenriß. 1790

Anonym

H. 27,5 cm, B. 18,7 cm

Marbach, Deutsches Literaturarchiv

> Dies ist die Zeit der Könige nicht mehr [...]
> Schämet euch,
> daß ihr noch einen König wollt; ihr seid
> Zu alt; zu eurer Väter Zeiten wärs
> Ein anderes gewesen. Euch ist nicht
> Zu helfen, wenn ihr selber euch nicht helft.

> Friedrich Hölderlin, Der Tod des Empedokles

## 1353

### WEM SONST ALS DIR.

Widmung Hölderlins für Susette Gontard im zweiten
Band seines »Hyperion«.
1799

Stuttgart, Württembergische Landesbibliothek

Friedrich Schiller an Johann Friedrich von Cotta
Jena, 9. März 1795

Hölderlin hat einen kleinen Roman, Hyperion, davon in
dem vorletzten Stück der Thalia etwas eingerückt ist, unter
der Feder. Der erste Theil, der etwa 12 Bogen betragen
wird, wird in einigen Monaten fertig. Es wäre mir gar lieb,
wenn Sie ihn in Verlag nehmen wollten. Er hat recht viel
genialisches und ich hoffe auch noch einigen Einfluß
darauf zu haben. Ich rechne überhaupt auf Hölderlin für
die Horen in Zukunft, denn er ist sehr fleißig und an Talent
fehlt es ihm gar nicht, einmal in der litterarischen Welt
etwas rechtes zu werden.

## 1354

### FRIEDRICH HÖLDERLIN:
### BUONAPARTE

Gedichtentwurf, anschließend an den Schluß der ersten
Fassung von »Der Wanderer«, der ersten Elegie Hölderlins
1797

Stuttgart, Württembergische Landesbibliothek

*Buonaparte*

> Heilige Gefäße sind die Dichter,
> Worin des Lebens Wein, der Geist
> Der Helden, sich aufbewahrt,

> Aber der Geist dieses Jünglings,
> Der schnelle, müßt er es nicht zersprengen,
> Wo es ihn fassen wollte, das Gefäß?

> Der Dichter laß ihn unberührt wie den Geist der Natur,
> An solchem Stoffe wird zum Knaben der Meister.

> Er kann im Gedichte nicht leben und bleiben,
> Er lebt und bleibt in der Welt.

## 1355*

### REISEPASS VON FRIEDRICH HÖLDERLIN
### DE BORDEAUX ... À STRASBOURG

1802

Stuttgart, Württembergische Landesbibliothek

1355

1356

FRIEDRICH HÖLDERLIN:
HÄLFTE DES LEBENS

Gedichthandschrift aus dem Stuttgarter Foliobuch
1802 oder 1803

Stuttgart, Württembergische Landesbibliothek

Mit gelben Birnen hänget
Und voll mit wilden Rosen
Das Land in den See,
Ihr holden Schwäne,
Und trunken von Küssen
Tunkt ihr das Haupt
Ins heilignüchterne Wasser.

Weh mir, wo nehm' ich, wenn
Es Winter ist, die Blumen, und wo
Den Sonnenschein,
Und Schatten der Erde?
Die Mauern stehn
Sprachlos und kalt, im Winde
Klirren die Fahnen.

Sinclair hielt Hölderlin von den politischen Verhandlungen keineswegs fern. Bei einem Abendessen im »Römischen Kaiser« mit Sinclair, Blankenstein und Weishaar, wo dessen Sendung nach Paris besprochen wurde, war der Dichter zugegen, und wie ihn der Kampf der württembergischen Stände anging, zeigt jener Brief an Seckendorf vom 12. März 1804, dessen Hintergrund wir nun erkennen; in den gewichtigen Sätzen von dem unendlichen und verjüngten Studium des Vaterlands, seiner Verhältnisse und Stände sprach Hölderlin sich schon über das revolutionäre Geschehen aus. Wie er die Französische Revolution als ein zeugendes Chaos angesehen hatte, so erschien ihm der Zusammenprall der Stände mit dem Gewaltherrscher als ein erregendes Schauspiel neuer, aus dem unterirdischen Grund aufgebrochener Kräfte der Verjüngung des Vaterlandes. Die revolutionäre Bewegung bedeutete für ihn kein politisches, sondern ein rein geistiges Ereignis, in welchem sich die Gegensätze beinahe ausglichen.

Werner Kirchner: Der Hochverratsprozeß gegen Sinclair.
Ein Beitrag zum Leben Hölderlins. 1969

Andenken
Aus den ›Vaterländischen Gesängen‹

Der Nordost wehet,
Der liebste unter den Winden
Mir, weil er feurigen Geist
Und gute Fahrt verheißet den Schiffern.
Geh aber nun und grüße
Die schöne Garonne,
Und die Gärten von Bourdeaux
Dort, wo am scharfen Ufer
Hingehet der Steg und in den Strom
Tief fällt der Bach, darüber aber
Hinschauet ein edel Paar
Von Eichen und Silberpappeln;

Noch denket das mir wohl und wie
Die breiten Gipfel neiget
Der Ulmwald, über die Mühl,
Im Hofe aber wächset ein Feigenbaum.
An Feiertagen gehn
Die braunen Frauen daselbst
Auf seidnen Boden,
Zur Märzenzeit,
Wenn gleich ist Nacht und Tag,
Und über langsamen Stegen,
Von goldenen Träumen schwer,
Einwiegende Lüfte ziehen.

Es reiche aber,
Des dunklen Lichtes voll,
Mir einer den duftenden Becher,
Damit ich ruhen möge; denn süß
Wär unter Schatten der Schlummer.
Nicht ist es gut,
Seellos von sterblichen
Gedanken zu sein. Doch gut
Ist ein Gespräch und zu sagen
Des Herzens Meinung, zu hören viel
Von Tagen der Lieb,
Und Taten, welche geschehen.

Wo aber sind die Freunde? Bellarmin
Mit dem Gefährten? Mancher
Trägt Scheue, an die Quelle zu gehn;
Es beginnet nämlich der Reichtum
Im Meere. Sie,
Wie Maler, bringen zusammen
Das Schöne der Erd und verschmähn
Den geflügelten Krieg nicht, und
Zu wohnen einsam, jahrlang, unter
Dem entlaubten Mast, wo nicht die Nacht
    durchglänzen
Die Feiertage der Stadt,
Und Saitenspiel und eingeborener Tanz nicht.

Nun aber sind zu Indiern
Die Männer gegangen,
Dort an der luftigen Spitz
An Traubenbergen, wo herab
Die Dordogne kommt,
Und zusammen mit der prächtigen
Garonne meerbreit
Ausgehet der Strom. Es nehmet aber
Und gibt Gedächtnis die See,
Und die Lieb auch heftet fleißig die Augen,
Was bleibet aber, stiften die Dichter.

Friedrich Hölderlin

## 1357

### MUSENALMANACH FÜR DAS JAHR 1808

Herausgegeben von Leo Freiherrn von Seckendorf
Regensburg: Montag- und Weißische Buchhandlung,
1807

Stuttgart, Württembergische Landesbibliothek

## 1358

### FRIEDRICH HÖLDERLIN: GEDICHTE

Stuttgart und Tübingen: Cotta, 1826

Stuttgart, Württembergische Landesbibliothek

## 1359

### LUDWIG UHLAND AN JOHANN FRIEDRICH COTTA

Stuttgart, 13. Mai 1825

Marbach, Deutsches Literaturarchiv

Euer Hochwohlgeboren

empfangen hiebei die Sammlung von Hölderlins Gedichten, wie sich dieselbe nunmehr nach Schwabs und meinem Erachten gestalten würde. Wenn wir Einiges im Hefte durchstreichen zu müssen glaubten, so wird dieses durch das in den Beilagen Hinzugekommene, worunter Mehreres, wie die schönen Fragmente des Empedokles, noch ganz unbekannt war, reichlich aufgewogen werden. Wir giengen davon aus, daß Alles wegzulassen sey, was aus einer Periode stammt, in der des Dichters ausgezeichnete Eigenthümlichkeit sich noch gar nicht entwickelt hatte, wie dieses z.B. mit den Hymnen in den Stäudlinschen Almanachen der Fall ist, welche noch offenbare Nachahmung von Schiller sind; sodann daß auch dasjenige wegbleiben müsse, worin die Klarheit des Geistes schon bedeutend getrübt erscheint. In letzter Beziehung mag die Grenzlinie schwerer zu ziehen seyn; aber Stücke wie Pathmos,

Chiron etc. konnten nicht wohl aufgenommen werden, wenn daran gelegen ist, daß Hölderlins Poesie, beim ersten Erscheinen seiner gesammelten Gedichte, in ihrer vollen und gesunden Kraft sich darstelle. Eher könnte vielleicht bei einer künftigen Auflage aus Brot und Wein, Heimkunft etc. noch Einiges beigefügt werden, daher auch die Handschriften aufzubewahren seyn werden.

Wenn der Sinn für eine großartige Poesie in Deutschland nicht erstorben ist, so muß diese Sammlung Aufsehen machen; es dürfte darum auch räthlich seyn, mit der Verlagshandlung nur auf eine Auflage von bestimmter Anzahl Exemplare abzuschließen.

Mehrere schon anderswo abgedruckte Gedichte bedauerten wir nicht mit dem Drucke collationiren zu können, da uns jene Zeitschriften und Almanache nicht alle zu Gebot standen. An der Anordnung der Stücke wäre vielleicht auch noch Einiges zu verbessern, wir wollten aber die Sache nicht länger aufhalten, da deren Erledigung gewünscht wird und wir ohnehin den langen Verzug theils mit der schwierigen Entzifferung der Handschriften, theils mit andern Hindernissen, welche in dieser Zeit eintraten, zu entschuldigen haben. Ohne Zweifel werden, wenn die Sammlung erst bekannt geworden ist, auch noch von mancher Seite Ergänzungen sich ergeben.

Das Angenehme dieser Welt hab ich genossen

Das Angenehme dieser Welt hab ich genossen,
Die Jugendstunden sind, wie lang! wie lang! verflossen,
April und Mai und Julius sind ferne,
Ich bin nichts mehr, ich lebe nicht mehr gerne!

Friedrich Hölderlin

## 1360

### HÖLDERLINS BRIEFTASCHE MIT KRONE UND INSCHRIFT »VIVE LE PRINCE!«

Marbach, Deutsches Literaturarchiv

# STUTTGART

Die Seele von Stuttgarts Leben jeder Art ist Nepotismus. Ohne Vettern haben Sie keine Geltung und wenn Sie mit einer goldenen Krone kämen. [...] Das Familienleben ist unfein, beschränkt, unschön, deshalb die Jünglinge rauh und gemein. Diese Jünglinge dürfen auch von den besten Lehrern nicht gezüchtigt werden, weil sie mit ihnen vervettert sind. Deshalb bleibt den Lehrern zur Unterhaltung nichts als Weib, Tabakpfeife und Neckarwein. Dieser Geist der Absonderung beschränkt auch die besten, denn individuell sind vortreffliche Männer darunter.

Therese Huber

Gutherzigkeit überall, aber wenig angenehme Menschen und keine Lebhaftigkeit; in der höheren wie in der niederen Weiberwelt wenig schöne Gesichter, aber dafür feste, gesundfarbige und eckige; zehnmal wohlgebauter als die Gesichter sind die Straßen, worin sie wandeln.

Jean Paul

## *Johann Christoph Friedrich Haug (1761–1829)*

*Haug war der Sohn des Stiftspredigers und Professors der Hohen Karlsschule, Balthasar Haug. Wie der Vater zuvor spielte der Sohn eine wichtige Rolle im gesellschaftlichen und literarischen Leben Württembergs.*

*Nach der Gymnasialzeit in Stuttgart bestimmte ihn Herzog Karl Eugen zum Studium der Rechte an der Karlsschule statt zum Theologiestudium. Er wird dort mit 13 Preismedaillen ausgezeichnet und in Anwesenheit Goethes zum Chevalier des Kleinen Ordens ernannt. Haug war Liebling des Herzogs und beliebt beim Freundeskreis um Schiller. Nach Abschluß der Studien wurde er Kabinettssekretär, bis er 1816 von König Friedrich zum Bibliothekar an der Königlichen Öffentlichen Bücher-Sammlung in Stuttgart ernannt wurde. Von 1807–1817 war Haug Autor und Redakteur an Cottas »Morgenblatt«. Wie seine Freunde Matthisson und Weißer nahm er eine klassizistische und antiromantische Haltung ein, die allerdings nie dogmatisch wurde.*

*Schon 1791 veröffentlichte er eine Sammlung von Sinngedichten und war in der Folgezeit mit seinen Epigrammen, Balladen, Rätseln und Scherzgedichten in zahlreichen Taschenbüchern, Kalendern und Almanachen vertreten. Darunter waren angesehene Publikationen wie Stäudlins Musenalmanach und Schillers Musenalmanach.*

*Am populärsten wurden die »Einhundert Hyperbeln auf Herrn Wahls ungeheure Nase«, herausgegeben unter dem Pseudonym Hophthalmos und später auf zweihundert Hyperbeln erweitert. Sie befassen sich ausschließlich mit der Nase des Herrn Stahl, vermutlich eines Mitschülers aus Zeiten der Karlsschule. Haug war mit Schiller befreundet, war schon als Jugendlicher von Schubart gelobt worden und förderte den jungen W. Waiblinger ebenso wie später Hölderlin.*

*Jean Paul nannte Haug »den reichsten Martial der Deutschen, dem sogar die schärften Eisspitzen leicht durch einen sanften Hauch zu eleganten Tautropfen werden«. Zusammen mit Logau ist Haug sicher einer der bedeutendsten Epigrammatiker, nicht zuletzt auch durch die zehnbändige »Epigrammatische Anthologie«, die er zusammen mit Weißer herausgab.*

*Seine Satiren zielen mehr auf allgemeine Charaktere, menschliche Schwächen und wunderliche Torheiten, die er immer witzig und versöhnlich benennt. Politische und gesellschaftskritische Bezüge finden sich unter den Hunderten von Epigrammen und Gedichten, die zum Druck gelangten, eher selten.*

*Auf seinen Grabstein wünschte er sich die folgende, selbstverfaßte Inschrift:*

> Der, der hier ruht,
> War froh und gut:
> Einst, hoff' ich taug's
> Zur Grabschrift Haug's.

1361

## 1361*

### Johann Christoph Friedrich Haug

*Ölgemälde*

August F. Oelenhainz (1745–1804)

Marbach, Deutsches Literaturarchiv

## 1362

### Epigramme und vermischte Gedichte / von Johann Christoph Friedrich Haug.

Wien u. Prag: Franz Haas, 1807. – Mit Kupfern. 17 cm
Erster Theil. 448 S.
Zweiter Theil. 332 S.

Stuttgart, Württembergische Landesbibliothek

## 1363

### Huldigung, den Würdigsten des schönen Geschlechts in zweihundert Epigrammen geweiht von Frauenlob dem Jüngeren / Hrsg. von [Johann Christoph] Fr[iedrich] Haug.

Tübingen: Hopfer de l'Orme, 1816. – 228 S., 10 cm

Stuttgart, Württembergische Landesbibliothek

## 1364

### Zweihundert Hyperbeln auf Herrn Wahl's ungeheure Nase / In erbauliche hochdeutsche Reime gebracht von Friedrich Hophthalmos [d. i. Johann Christoph Friedrich Haug], der sieben freien Künste Magister.

Zweite Originalausgabe.

St. Gallen: Scheitlin u. Zollikofer, 1841.
31 S.: Mit 5 Stahlstichen, gezeichnet u. radirt von Sonderland, 26 cm

Stuttgart, Württembergische Landesbibliothek

*Worthalten.*

Er hält doch größtenteils, was er verspricht,
Wenn bloß die *Nase* kommt, *Er* nicht.

*Kein Wortspiel.*

Freund! Ich nenn' ein solches Nasenbein,
Ohne Wortspiel, eine Nasenpein.

*Alterego.*

Wenn kaum in Durlach Er sich in den Wagen setzt
Hat Karlsruhs Volk sich längst an seiner Nas' ergetzt.

*Auf Wahls Nase.*

Wer Deine Nase mißt,
Stirbt, eh' er fertig ist.

*Als Wahl in eine Grube fiel.*

Kein Wunder, wenn er noch die Füße bricht:
Er sieht den Weg vor seiner Nase nicht.

*Wahls Ärger.*

Ich ärgre mich und rase –
Mich hindert meine Nase,
Die Wälder zu beschaun,
Ja, nur darin zu gehen,
Es wären denn Alleen
Gerade durchgehaun.

1365

## EPIGRAMMEN UND VERMISCHTE GEDICHTE / VON JOHANN CHRISTOPH FRIEDRICH HAUG

Berlin: Johann Friedrich Unger, 1805. 19,5 cm
Erster Band. Epigramme und Einfälle. 382 S.
Zweiter Band. Vermischte Gedichte. 532 S.

Stuttgart, Württembergische Landesbibliothek

*Unter Th-s Grabschrift.*

So starbst du Hungers, (wie wir lesen)
Und triebst Musik und Poesie?
Zum Hungertode, du Genie!
Wär' eines schon genug gewesen.

*Herrn Lieutenant von –*

Dein Klepper muß rennen, und – hungern dabei.
Er kostet dir jährlich mehr Peitschen, als Heu.

*Billige Forderung.*

Zur Messung der stattlichen Nase
(Vergieb die verkleinernde Phrase)
Sind Feldgeometer vonnöthen;
Allein sie verlangen Diäten.

*Klage.*

Ach! der junge Herr Baron
Spielt mit seinen Dorfgemeinen
Die verkehrte Passion:
Alle leiden hier für Einen.

*Der Mond an sämmtliche Junker.*

Herrn Von! – Wie *euch*, gebührte mir
Der Junkertitel ganz!
Von euren Ahnen borget ihr,
Ich von der Sonne – Glanz.

*Helene.*

Überall brillirt Helene
Gern als Dichterin und Schöne.
Nur ist, leider! ihr Gesicht
Selbstgemacht – die Verse nicht.

*Der Minister und der Sekretär.*

M.
Ihr wolltet mein System verdammen,
Und einzig meine Politik
Hielt doch den kleinen Staat zusammen!
S.
Ja, wie den Hangenden der Strick.

*Lebrün an Bonaparte, vor seiner Fahrt nach Egypten.*

Mir bangt, die Siegesgöttin flüchte;
Dein kühner Plan schließt Wunder ein.
Laß uns nur Helden der Geschichte,
Und nicht Romanenhelden seyn!

*Robespierre's Nachruf.*

Ihr guten Bürger! dankt ob meinem Schicksal Gott!
Denn wenn ich lebte, wärt ihr todt.

*Geld.*

Das böse Geld! Die böse Welt!
Traut keiner Aussenseite!
Die Leute machen falsches Geld;
Das Geld macht falsche Leute.

*Harpagon.*

An Gelde hat er Überfluß,
Und hungert, durstet, friert!!
Der reiche Mann und Lazarus
Sind hier amalgamirt.

1366

## PANORAMA DES SCHERZES: ZWÖLF-HUNDERT ANECDOTEN, WITZANTWORTEN, IRISCHE BULLS, NAIVITÄTEN, SCHWÄNKE, U.S.W. / VOM VERFASSER DER HYPERBELN AUF WAHLS GROSSE NASE [D. I. JOHANN CHRISTOPH FRIEDRICH HAUG]

Leipzig: C. H. F. Hartmann, 1820. – 16 cm
Erstes Bändchen. 372 S.
Zweytes Bändchen. 358 S.

Stuttgart, Württembergische Landesbibliothek

*Neuestes Almanachlesen.*

»Mein Almanach, allein,
»Wirkt ohne Küpferlein
»Durch seine weisen Sprüche.
»Willst Du Verleger seyn?«
Herr Autor! Sie verzeih'n.
Man liest nur – Kupferstiche.

*Glosse eines reisenden Fr.*

Ja, ja! – Der Neckar, den Sie haben,
Ist hübsch für einen Fluß in Schwaben.

*Scene während der französischen Revolution.*

Ein Kommandant von Sanskülotten sprach:
»Nicht länger geb' ich Eurem Willen nach.
»Ich lege, Patrioten, Brüder,
»Freiwillig meine Stelle nieder,
»Und rücke jetzt gern als Gemeiner ein,
»Um auch einmal doch Kommandant zu seyn.«

*Gespräch.*

»Was werden Ihre Neider sagen?« —
Sie wollt' ich eben darum fragen.

*Impromtü über Kl.*

Wir luden ihn zum Essen,
Er aber kam – zum Fressen.

## 1367*

### Schreibzeug Friedrich Schillers

Marbach, Deutsches Literaturarchiv

*1793, elf Jahre nach seiner Flucht aus Württemberg,
unternahm Schiller seine »Schwabenreise« zurück in die
Heimat. Diese Monate in Heilbronn, Tübingen, Ludwigsburg und dann in Stuttgart waren mehr von verlagspoliti-
scher und biographischer denn von literarischer Bedeutung für Schiller. Hier wurde sein Sohn geboren, er traf die
alten Freunde, er erlebte den Tod des Herzogs Karl Eugen
und das Ende der Hohen Karlsschule mit, er entschloß sich
zur dauerhaften Zusammenarbeit mit Cotta und ließ sich
von Dannecker modellieren. Der in Jena als Professor
Bestallte, zu diesem Zeitpunkt schon Leidende empfindet
seinen Freunden und der schwäbischen Heimat gegenüber
eine wohlwollende Distanz und entzieht sich allen Versuchen, ihn zum Bleiben zu bewegen.*

Friedrich Schiller an Friedrich Haug
Ludwigsburg, den 30. Oktober 1793

Recht verbindlichen Dank, lieber Freund, für die über-
schickten Schriften, und die freundschaftliche Mühe, die
Sie meinetwegen übernommen haben. Wie sehr wünschte
ich, auch schon Ihretwegen, Herrn Cotta willfahren zu
können, sei es durch welche Schrift es wolle. Aber ob ich
gleich an Göschen nicht gebunden bin, so ist derselbe doch
mein Freund, und hat ein freundschaftliches Recht wenigstens an die erste Anfrage von mir. Ich habe bereits wegen
meiner Schrift über die »Theorie des schönen Umgangs«
an ihn geschrieben, und wenn er solche auf Ostern nicht
drucken kann, wie ich haben will, so habe ich darüber freie
Hand. Wenn meine Tragödie »Die Johanniter« zustande
kommen sollte, so würde ich noch mehr freie Macht damit
haben (denn die Schrift über den ästhetischen Umgang
gehört eigentlich doch zu der über »Anmut und Würde«
als Pendant, sollte also billig gleichen Druck und Verleger
haben), auch würde, wie ich glaube, Herrn Cotta mit
einem dramatischen Stück ein größerer Gefallen geschehen. Doch müssen Sie ihn prevenieren, daß ich mit einer
Tragödie, die mir drei- und viermal soviel Arbeit kostet, als
die beste Schrift von historischem oder philosophischem
Inhalt, etwas teuer bin. Unter dreißig Carolin kann ich sie
Herrn Cotta nicht lassen, da muß er sehen, wie er mit den
Nachdruckern zurechtkommt. Ich habe die Schriftproben

1367

durchgesehen und finde einige darunter, die mir überaus
wohlgefallen. Auch hab' ich solche schon für mich notiert.
Es liegt aber übrigens nicht allein an Papier und Schrift,
daß eine Druckschrift gut ins Auge fällt. Beides kann gut
gewählt sein, und wenn es an einer guten geschmackvollen
Anordnung fehlt, so ist alles vergebens.

Friedrich Schiller an Gottfried Körner
Stuttgart, den 17. März 1794

Ich habe jetzt meinen Aufenthalt verändert, und zwar in
Rücksicht des gesellschaftlichen Umgangs sehr vorteilhaft,
weil hier in Stuttgart gute Köpfe aller Art und Hantierung
sich zusammenfinden. Ich kann es mir nicht verzeihen, daß
ich diesen Entschluß nicht früher gefaßt habe; denn selbst
in Rücksicht der Finanzen hätte ich nicht viel dabei
verloren. Nun werde ich einige Monate angenehm hier
zubringen; denn vor Ende Mai werde ich wohl nicht
abreisen. Ich hoffe, meinem Vater hier nicht ganz unnütz-
lich zu sein, ob ich gleich von den Verbindungen, in denen
ich bin, für mich selbst nichts erwarten kann.
Die Militärakademie ist jetzt aufgehoben; und dies wird
mit Recht beklagt, obgleich sie nicht mehr in ihrer Blüte
war. Außer den beträchtlichen Revenuen, welche Stuttgart
daraus zog, hat dieses Institut ungemein viel Kenntnisse,
artistisches und wissenschaftliches Interesse unter den
hiesigen Einwohnern verbreitet, da nicht nur die Lehrer
der Akademie eine sehr beträchtliche Zahl unter denselben
ausmachen, sondern auch die mehresten subalternen und
mittleren Stellen durch akademische Zöglinge besetzt sind.
Die Künste blühen hier in einem für das südliche Deutschland nicht gewöhnlichen Grade; und die Zahl der Künstler, darunter einige keinem der Eurigen etwas nachgeben,
hat den Geschmack an Malerei, Bildhauerei und Musik
sehr verfeinert. Eine Lesegesellschaft ist hier, welche des
Jahres 1300 Gulden aufwendet, um das Neueste aus der

Literatur und Politik zu haben. Auch ist hier ein passables Theater mit einem vortrefflichen Orchester und sehr gutem Ballett.

Unter den Künstlern ist Dannecker, ein Bildhauer, bei weitem der beste. Ein wahres Kunstgenie, den ein vierjähriger Aufenthalt in Rom vortrefflich gebildet hat. Sein Umgang tut mir gar wohl, und ich lerne viel von ihm. Er modelliert jetzt meine Büste, die ganz vortrefflich wird. Müller wird vielleicht auf Ostern mit meinem Kupferstich fertig sein.

Hetsch ist Dir schon bekannt. Dieser aber ist, was das Genie betrifft, mit Dannecker nicht zu vergleichen. Ein anderer geschickter Bildhauer, der mit Dannecker zugleich in Rom war, ist Scheffauer. Unter den Tonkünstlern ist Zumsteeg der geschickteste, der aber mehr Genie als Ausbildung besitzt...

Mein Fleiß wird diese acht Wochen durch nicht sehr groß sein, aber es wird mir nach einer acht Monate langen Dürre wohltun, mich wieder unter denkenden Menschen zu befinden.

1368

FRIEDRICH WILHELM VON HOVEN:
BIOGRAPHIE DES DOKTOR FRIEDRICH
WILHELM VON HOVEN

Von ihm selbst geschrieben.

Nürnberg, 1840. – S. 124ff.

Aber bald wurde das Interesse, welches ich an der französischen Revolution nahm, durch ein anderes, näheres Interesse bei mir verdrängt. Es war die Nachricht von der nahe bevorstehenden Ankunft Schillers, meines ältesten und geliebtesten Jugendfreundes, in Ludwigsburg. Schon waren bereits zehn Jahre vorüber, seit ich ihn nicht mehr gesehen hatte, und man kann sich leicht vorstellen, welche unaussprechliche Freude mir jene Nachricht verursachte. Ich dachte nicht mehr an die französische Revolution, ich dachte nur an meinen Freund, und mit Sehnsucht sah ich den schönen Tagen entgegen, welche ich nach so langer Zeit wieder mit ihm zu durchleben hoffen durfte. Schiller hatte den Entschluß, seine Familie und seine alten Freunde wiederzusehen, schon lange gefaßt, und der Entschluß wurde nun ausgeführt. Da er als Flüchtling nicht wagen durfte, sein Vaterland geradezu zu betreten, so begab er sich zuerst nach der damals noch freien Reichsstadt Heilbronn, um dort zu hören, wie die Nachricht von seinem vorhabenden Besuch in Stuttgart und Ludwigsburg und auf der Solitude, wo sein Vater Major und Aufseher über die herzoglichen Güter war, von dem Herzog aufgenommen werden würde. Er schrieb daher von Heilbronn aus selbst an den Herzog. Natürlich erhielt er von diesem unmittelbar keine Antwort, aber durch seine Bekannten erfuhr er, daß der Herzog sich öffentlich geäußert habe, Schiller befinde sich in Heilbronn und werde auch nach Stuttgart kommen, er werde aber von seinem Aufenthalt keine Notiz nehmen. Auf diese Nachricht verließ Schiller

sogleich Heilbronn und kam zuerst nach Ludwigsburg zu mir, seinem ältesten und vertrautesten Jugendfreunde. Sein Aufenthalt im Vaterland sollte ein halbes Jahr dauern, sein fixer Aufenthalt sollte in Ludwigsburg sein, seine Frau sollte hier ihr erstes Wochenbett halten, und erst am Schlusse seines Aufenthaltes im Vaterland wollte er einige Wochen in Stuttgart zubringen. Von meinen Empfindungen bei unserem Wiedersehen sage ich nichts, ich sage nur, wie ich ihn nach einer Trennung von so vielen Jahren gefunden habe. Er war ein ganz anderer Mann geworden; sein jugendliches Feuer war gemildert, er hatte weit mehr Anstand in seinem Betragen, an die Stelle seiner vormaligen Nachlässigkeit in seinem Anzug war eine anständige Eleganz getreten, und seine hagere Gestalt, sein blasses, kränkliches Aussehen vollendeten das Interesse seines Anblicks bei mir und allen, die ihn vorher näher gekannt hatten. Leider war der Genuß seines Umgangs sehr oft durch seine Kränklichkeit, heftige Brustkrämpfe, gestört; aber in den Tagen des Besserbefindens, in welcher Fülle ergoß sich der Reichtum seines Geistes, wie liebevoll zeigte sich sein weiches, teilnehmendes Herz, wie sichtbar drückte sich in allen seinen Reden und Handlungen sein edler Charakter aus, wie anständig war jetzt seine sonst etwas ausgelassene Jovialität, wie würdig waren selbst seine Scherze! Kurz, er war ein vollendeter Mann geworden. – Da er nur selten ganz frei von Brustkrämpfen war, so konnte er nicht viel und anhaltend arbeiten, indessen schrieb er doch fast täglich, meistens in der Nacht, einige Stunden an seinem »Wallenstein«, welcher damals der Hauptgegenstand seiner Beschäftigung war. [...]

Von dem französischen Freiheitswesen, für welches ich mich so sehr interessierte, war Schiller kein Freund. Die schönen Aussichten in eine glücklichere Zukunft fand er nicht. Er hielt die französische Revolution lediglich für die natürliche Folge der schlechten französischen Regierung, der Üppigkeit des Hofes und der Großen, der Demoralisation des französischen Volks, und für das Werk unzufriedener, ehrgeiziger und leidenschaftlicher Menschen, welche die Lage der Dinge zur Erreichung ihrer egoistischen Zwecke benutzten, nicht für ein Werk der Weisheit. Er gab zwar zu, daß viele wahre und große Ideen, welche sich zuvor nur in Büchern und in den Köpfen hell denkender Menschen befunden, zur öffentlichen Sprache gekommen; aber um eine wahrhaft beglückende Verfassung einzuführen, sei das bei weitem nicht genug. Erstlich seien die Prinzipien selbst, die einer solchen Verfassung zum Grunde gelegt werden müssen, noch keineswegs hinlänglich entwickelt, denn bis jetzt, sagte er, indem er auf Kants »Kritik der Vernunft«, die eben auf dem Tische lag, hinwies, sind sie es bloß noch hier; und zweitens, was die Hauptsache sei, müsse auch das Volk für eine solche Verfassung reif sein, und dazu fehle noch sehr viel, ja alles. Daher sei er fest überzeugt, die französische Republik werde ebenso schnell wieder aufhören als sie entstanden sei, die republikanische Verfassung werde früher oder später in Anarchie übergehen, und das einzige Heil der Nation werde sein, daß ein kräftiger Mann erscheine, er möge herkommen, woher er wolle, der den Sturm beschwöre, wieder Ordnung einführe, und den Zügel der

Regierung fest in der Hand halte, auch wenn er sich zum
unumschränkten Herrn nicht nur von Frankreich, sondern
auch von einem Teil von dem übrigen Europa machen
sollte.

»Zu dem Eroberer hatte er nie Neigung und Vertrauen, nie
hoffte er, daß irgend etwas Gutes der Menschheit durch
ihn werden könne. Seiner freien Seele war der Hauch der
Tyrannei durchaus zuwider. Als alle Welt voll war von
dem Ruhm Napoleons und des Feldherrn Genie und die
ungeheure Wirkung desselben auch manchen guten Kopf
und manches edlere Gemüt mit Zauberkraft magisch
umspann, da sein Name die allgemeine Losung war,
stimmte Schiller in den allgemeinen Beifall und Jubel nicht
ein; er war des ewigen Redens über den Helden der Zeit
müde, und wir hörten ihn sagen: ›Wenn ich mich nur für
ihn interessieren könnte! Alles ist ja sonst tot – aber ich
vermag's nicht; dieser Charakter ist mir durchaus zuwider.‹«

Karoline von Wolzogen
über Schillers Haltung zu Napoleon.

1369

1369*

## Goethe im Haus des Stuttgarter Kaufmanns Gottlob Heinrich Rapp

Luise Duttenhofer
Scherenschnitt

Marbach, Deutsches Literaturarchiv

*1797 logierte Goethe im Hause des kunstsinnigen Kauf-
manns Gottlob Heinrich Rapp – einem Schwager Dannek-
kers – in Stuttgart. Auch wenn Goethe seinen Stuttgarter
Aufenthalt mit den glücklichen Tagen in Rom verglich,
attestierte er doch der hiesigen Oper und dem Theater
schlimme Provinzialität. Die Architektur des Hohenheimer Schlosses empfand er als »völlig charakterlos« und die
des Neuen Schlosses als Beispiel dessen »was man vermeiden soll«.
Einzig den Bildhauer Dannecker, »als Künstler und
Mensch eine herrliche Natur«, hob er unter den württembergischen Künstlern hervor. Vor den Familien Rapps und
Danneckers las er aus der Handschrift von »Hermann und
Dorothea«.*

1370*

## Friedrich Rückert

Kupferstich nach e. Federzeichnung von Julius Schnorr
von Carolsfeld
1818

Wien, Akademie der Bildenden Künste

Friedrich Rückert (1788–1866)

1370

Die Beziehungen Rückerts zum deutschen Südwesten beschränken sich auf den Zeitraum zwischen Ende 1815 und Anfang 1817. In dieser Zeit war er auf Vermittlung Karl August von Wangenheims zweiter Redakteur des »Morgenblattes für gebildete Stände«.

Vor der Stuttgarter Zeit hatte Rückert seine »Geharnischten Sonette« publiziert. Sie beenden den Sonett-Krieg, der zwischen Voss auf der einen, den Heidelberger Romantikern auf der anderen Seite geführt worden war und in welchem sich Haug zu den ersteren, Goethe zu den letzteren geschlagen hatte. Seine »Geharnischten Sonette« stellten die Versform nun in den Dienst der patriotischen Absicht, der Befreiung des Landes von napoleonischer Fremdherrschaft. Inhaltlich verfällt Rückert zuweilen in Chauvinismus, auch formal erwies sich die Gedichtform eher als ungeeignet.

Bereits Rückerts Auftreten in Stuttgart in altdeutscher Tracht, Haarschnitt und Bartwuchs erregte Aufsehen. Dennoch ergaben sich Kontakte zu Dannecker wie zu Uhland. Mit ihm trat er 1816 in einen poetischen Wettstreit über das Thema, ob der Geliebten Treuebruch oder ihr Tod schlimmer sei.

In weiteren Kampfgedichten wird die Haltung der liberalen Opposition zum Verfassungsentwurf thematisiert, wobei Rückert Partei für den befreundeten Minister Wangenheim nimmt.

Liebeshändel und politische Schwierigkeiten seiner preußenfreundlichen Haltung wegen führten dazu, daß er seine Stellung im »langweiligen Stuttgart« aufgab und dank eines Vorschusses Cottas eine Fußreise nach Italien begann.

1371

1371*

## Christoph Martin Wieland (1733–1813)

Wieland bei Napoleon auf dem Erfurter Fürstentag

Kolorierte Aquatintaradierung von Johann Baptist Hößel
Nach einer Zeichnung von V. K. Schnorr.

1809

Marbach, Deutsches Literaturarchiv

## Friedrich von Matthisson (1761–1831)

Als Matthisson, vom König höchstselbst berufen, nach Stuttgart übersiedelte (1812), galt er immer noch als einer der bekanntesten Lyriker seiner Zeit. Seine Zukunft aber hatte er bereits hinter sich: 1781 debütierte er mit einer ersten Sammlung seiner Gedichte, seinen Ruhm jedoch begründeten die empfindsamen Landschaftselegien in der Nachfolge Klopstocks, die um seinen zweijährigen Aufenthalt am Genfer See (1787–89) entstanden (z.B. »Der Genfer See«, »Elysium«). Die Klassiker zollten ihm Lob: Wieland pries ihn, Schiller nannte ihn einen »Jünger der wahren Schönheit«. Die Romantiker schrieben Verrisse: A.W. Schlegel entdeckte das Epigonale an Matthisson, befand die Lyrik formal gekonnt, inhaltlich aber defizitär. Italien, die Schweiz und Tirol bereiste er als Begleiter der Fürstin Lusie von Anhalt-Dessau, deren Vorleser er war (seit 1794). Auf diesen Reisen erwarb er die Gunst des Herzogs (und späteren Königs) von Württemberg, der ihn später in den Adelsstand erhob und zum Ritter des Königlichen Württembergischen Civilverdienstordens ernannte. Nach dem Tod der Luise von Dessau berief der König den erfolgreichen Modepoeten als Privat- und Oberbibliothekar sowie Mitglied der Oberintendanz am Hoftheater nach Stuttgart. Friedrich Theodor Vischer konnte sich noch erinnern (1874), wie er Matthisson auf der Königstraße wandeln sah, »mit einer Katomiene, der man nichts weniger als den sentimentalen Zuckerbäcker der Poesie ansah«. Ihrer Tochter schrieb die geistreich-kritische Therese Huber, beschäftigt in der Redaktion von Cottas »Morgenblatt für gebildete Stände«: »Den Dichter Matthisson sehen wir sehr viel, aber stumpfer und geistloser wie dieser völlig veraltete Mann, bei dem ich seit 18 Jahren nie etwas von Geist kannte, gibt es nicht. Er hat eine gute arme Frau, die, um der Dichtermumie zu gefallen, ihr Vaterhaus verließ. Sie hat, da ihr Mann an des verstorbenen König Friedrichs Person attachiert war, sich zur subalternsten Rolle bei den Hofschranzen bequemt, obgleich es ihr freistand, unabhängig zu bleiben.« Als in Moskau Tausende württembergischer Soldaten für Napoleon verbluteten und erfroren (134 von 16000 sollten übrigbleiben), feierte der König im November 1812 sein »Dianenfest« bei Bebenhausen: 823 Stück Wildbret, gehetzt durch 350 Rüden, wurden, begleitet von den Klängen einer Militärkapelle, abgeknallt. Thouret hatte für das sich anschließende Bankett einen Rundtempel mit doppelter Säulenreihe gebaut, auf dessen Kuppeln die Königskrone strahlte. Matthisson, der sich die Ehre nicht nehmen ließ, das Fest preisend beschreiben zu dürfen, begeistert sich an zwei polierten Postamentöfen, geschmückt mit Vasen in echt griechischer Form und eleganten Teppichen als »wohltätige Frostableiter auf dem Fußboden: sie hätten die Wärme eines »glanzhellen Maitags Joniens« in die deutsche Novemberluft gezaubert. Von den Klassizisten geliebt, zählte Matthisson zur literarischen Elite Stuttgarts. Lyrik schrieb er kaum noch, überarbeitete vielmehr das Geleistete und verfaßte seine Memoiren (1810–16). 1828, vereinsamt durch den Tod seiner Frau (1824), scheidet er aus seiner dienstlichen Stellung und verläßt Stuttgart.

1372

1372*

### FRIEDRICH MATTHISSON

Scherenschnitt

Luise Duttenhofer

Marbach, Deutsches Literaturarchiv

Der Dichter Friedrich Matthisson (1761–1831) vor der Schillerbüste.

1373

### FRIEDRICH VON MATTHISSON GEDICHTE

Vollständige Ausgabe.
Tübingen: Cotta, 1811. – 2 Teile
I. XIV, 352 S. – II. XII, 365 S.

Stuttgart, Sammlung Borst

*Adelaide.*

Einsam wandelt dein Freund im Frühlingsgarten,
Mild vom lieblichen Zauberlicht umflossen,
Das durch wankende Blütenzweige zittert,
Adelaide!

In der spiegelnden Flut, im Schnee der Alpen,
In des sinkenden Tages Goldgewölken,
Im Gefilde der Sterne strahlt dein Bildniß,
Adelaide!

Abendlüftchen im zarten Laube flüstern,
Silberglöckchen des Mais im Grase säuseln,
Wellen rauschen und Nachtigallen flöten:
Adelaide!

Einst, o Wunder! entblüht auf meinem Grabe
Eine Blume der Asche meines Herzens,
Deutlich schimmert auf jedem Purpurblättchen:
Adelaide!

# Wilhelm Hauff (1802–1827)

*Die Zeit Napoleons hatte er als Kind und Jugendlicher in Stuttgart und Tübingen erlebt, wo er auch sein Studium begann. Als patriotische Höhepunkte galten die jährlichen Waterloo-Feiern zum 18. Juni auf dem Tübinger Wöhrd, zur Erinnerung an den Sieg über Napoleon. Hauff trug die Festgedichte vor: 1822, im Beisein der Herzogin Henriette von Württemberg, sein »Seid mir gegrüßt im grünen Lindenhain«, ein Jahr drauf »Reiß ab den Trauerflor, der dich verhüllte« und 1824 »So nahst du wieder, holde Siegesfeier«.*

### Zur Feier des 18. Junius

Seid mir gegrüßt im grünen Lindenhain,
Seid mir gegrüßt, ihr, meine deutschen Brüder!
Auf! sammelt euch in festlich frohen Reihn,
Stimmt fröhlich an des Sieges Jubellieder!
Daß heut der stolze Adler niedersank,
Daß sich mein Volk einlöste mit dem Schwerte
Sein Heldentum, der Freiheit Ruhm, die deutsche Erde,
Trag's zu den Wolken, donnernder Gesang!

Ja, so ersteht ein freies Vaterland;
O Bruderbund, dies hast du dir erkoren!
Hebt in die Lüfte auf die treue Hand,
Dem Vaterlande sei es fest geschworen!
O schöne Saat! Der junge Stamm erblüht,
Und schützend ragt er auf wie Deutschlands Eichen.
Blüh', schöner Stamm! Die Sonne kommt, die Schatten
      weichen,
Und fern dahin die dunkle Wolke zieht.

Trübt auch die Wolke unsers Festes Glanz,
Sind auch zerschlagen schon des Siegs Altäre,
Die jüngst noch in dem jungen Siegerkranz
Der Deutsche weihte seines Volkes Ehre,
Mög' Arglist auch und Trug mit finstrem Bann
Dem Siegervolke noch die Zunge binden, –
Begeisterung, des Jünglings Dank, soll's laut
      verkünden:
»Wer dort gekämpft, fiel nicht für einen Wahn!«

Denn auferstehen soll ein neu Geschlecht,
Wir fühlen Kraft in uns, uns dran zu wagen,
Zu kämpfen für die Freiheit und das Recht,
Um deutsch zu sein wie in der Vorzeit Tagen!
Ein hoher Sinn stieg auf aus blut'gem Streit.
Es kehrt der biedre Geist der Väter wieder,
Und stolzer stehn in deutscher Kraft und frei, o Brüder,
Wir auf den Trümmern der vergangnen Zeit!

Drum tretet mutig in die Kämpferbahn!
Noch gilt es ja, das Ziel uns zu erringen.
Fürs liebe Vaterland hinan, hinan!
Doch nur von innen kann das Werk gelingen,
Und nicht durch Völkerzwist, durch Waffenruhm.
Nein, unser Weg geht durch Minervas Hallen;
Laß und vereint zum Ideal, zum höchsten, wallen,
Erschaffen uns ein echtes Bürgertum!

1374

# Karl Philipp Conz (1762–1827)

*Conz, geboren in Lorch, war Kindheitsgespiele Schillers, durchlief die übliche Ausbildung bis hin zum Stift, das er gemeinsam mit Reinhard und Stäudlin besuchte. Vermutlich übte er als Repetent am Stift mit seiner Vorliebe für die Griechen, für Klopstock und Schiller Einfluß auf Hölderlin aus. Begeistert begrüßte er die Revolution, begeistert unterstützte er die Freiheitskriege. Weitere Stationen seiner Biografie waren das Predigeramt an der Karlsschule, die Pfarrstelle in Vaihingen und dann Ludwigsburg, wo er sich Kerners annahm. Ab 1804 lehrte er klassische Literatur in Tübingen. Auch wenn er sich nur schwer dem Einfluß Klopstocks, Matthissons und der antiken Vorbilder entziehen konnte, galt er doch als einer der bedeutendsten schwäbischen Klassizisten.*

1375*

KARL PHILIPP CONZ

Scherenschnitt

Luise Duttenhofer

Marbach, Deutsches Literaturarchiv

1374*

JOHANN HEINRICH DANNECKER
(1758–1841) ARBEITET AN SEINER
SCHILLERBÜSTE. IM HINTERGRUND SEINE
PLASTIK DER ARIADNE

Scherenschnitt

Luise Duttenhofer

Marbach, Deutsches Literaturarchiv

1375

# Gustav Schwab (1792–1850)

*In Tübingen galt er als Mittelpunkt der 1813 gegründeten burschenschaftlichen Verbindung »Romantika«, die sich überwiegend aus Stiftlern zusammensetzte. Mit Kerner, Uhland und Karl Mayer, die seine Gedichte in ihren Almanachen und dem »Deutschen Dichterwald« veröffentlichten, schloß er Freundschaft. 1817 kehrte Schwab in seine Geburtsstadt Stuttgart zurück: als Professor für »klassische Literatur und Antiquitäten« am Obergymnasium. Als erstes selbständiges Werk erschien 1819: »Romanzen aus dem Jugendleben Herzog Christophs von Würtemberg«. Zu seinen bekannteren Gedichten zählte »Der Riese von Marbach« (1815), in dem er die Sagengestalt des wilden Mannes in Verbindung brachte mit dem dort geborenen Friedrich Schiller.*

1376

GUSTAV SCHWAB:
ROMANZEN AUS DEM JUGENDLEBEN
HERZOG CHRISTOPHS VON WÜRTEMBERG
MIT GESCHICHTLICHEN BELEGEN

Stuttgart und Tübingen: Cotta. 1819. VI, 194 S.,

Stuttgart, Sammlung Borst

*Der Riese von Marbach.*

1. Seht ihr, wie freundlich sich die Stadt
Im Neckarfluß beschauet?
Wie sie sich ihre Berge hat
Mit Reben wohl bebauet?
Dort, wie die alte Chronik spricht,
Hat vor viel Jahren dumpf und dicht
Ein Tannenwald gegrauet.

2. Gelegen hat ein Riese drin,
Ein furchtbar alter Heide,
Er bracht' in seinem wilden Sinn
Das Schwert nicht in die Scheide;
Er zog auf Mord und Raub hinaus
Und baute hier sein finstres Haus,
Dem ganzen Gau zu Leide.

3. Die Steine zu dem Riesenhaus,
Ganz schwarz und unbehauen,
Grub er sich mit den Händen aus,
Fing eilig an zu bauen;
Er warf sie auf die Erde nur,
Daß einer auf den andern fuhr,
Bis fertig war das Grauen.

4. Es sei der Riese, sagt das Buch,
Aus Asia gekommen,
Ein Heidengötz', ein alter Fluch,
Zum Schrecken aller Frommen:
Mars oder Bacchus sei das Wort,
Davon Marbach, der Schreckensort,
Den Namen angenommen.

5. Die Steine längst verschwunden sind,
Der Wald ist ausgereutet;
Ein Märchen ward's für Kindeskind,
Das wenig mehr bedeutet.
Doch horchet wohl auf meinen Sang,
Der nicht umsonst mit seinem Klang
Es jetzt zurück euch läutet.

6. Denn ob des Schlosses Felsengrund
Versunken ist in Schweigen,
Wird man doch drauf zu dieser Stund'
Euch noch ein Hüttlein zeigen,
Und keine sechzig Jahr' es sind,
Daß drin geboren ward ein Kind,
Dem Wundergaben eigen.

7. Von gutem Vater ward's ein Kind,
Von einem frommen Weibe;
Auf wuchs es und gedieh geschwind,
Kein Riese zwar von Leibe;
Von Geist ein Riese wundersam,
Als ob der alte Heidenstamm
Ein junges Reis noch treibe.

8. Und als er groß gewachsen war,
Da sang er wilden Mutes
Von Räubern und von Mohren gar
Viel Arg's und wenig Gutes;
Von Trug und Mord und Lügenspiel
Und von den Griechengöttern viel,
Als wär' er ihres Blutes.

9. Auf einmal ward er stiller jetzt,
Begann ein ernstes Dichten,
Er las, in fremdes Land versetzt,
Tiefsinnige Geschichten;
Doch ward in des Gedankens Schoß
Er noch des Heidentums nicht los,
Laut pries er's in Gedichten.

10. Im Geiste drauf ins span'sche Land
Hat er Den Weg gefunden,
Davon gesungen allerhand
In gar großmächt'gen Kunden;
Nur den geweihten Glaubensmut,
Des heißen Landes fromme Glut
Hatt' er noch nicht empfunden.

11. Da jauchzt' ihm wohl die Menge zu
Auf seinen irren Zügen;
Er aber hatte keine Ruh,
Es mocht' ihn nicht genügen,
Es saß der edle Riesengeist
In sich gekehrt als verwaist,
Und seine Lieder schwiegen.

12. Da plötzlich sieh! erhebt er sich
Verklärt ganz und erneuet,
Der alte, stolze Wahn entwich,
Vom jungen Licht zerstreuet.
Es zieht vor uns sein Wallenstein
Ins Leben, in den Tod hinein,
Daß es das Herz erfreuet.

13. Es feiert die Friedländerin
Ein göttlich Liebessterben;
Maria wirft sich büßend hin,
Den Himmel zu erwerben;
Und hoch im ew'gen Glanze steht
Die Frankenjungfrau fromm erhöht
Bei allen Himmelserben.

14. Und, ach! da kommt der freie Tell
Mit seinen Eidgenossen;
Ihm folgt der gute Sänger schnell,
Er hat den Zug beschlossen,
Er singt im Himmel fort und fort,
Er denkt an dich, du Heimatort,
Aus dem die Riesen sprossen.

## *Johann Friedrich Freiherr Cotta von Cottendorf (1764–1832)*

»Das war ein Mann, der hatte die Hand
über die ganze Welt!«

Heinrich Heine

*Cotta, gebürtiger Stuttgarter, studierte in Tübingen Jura und übernahm 1787 dort die J. G. Cotta'sche Buchhandlung seines Vaters. Ohne nennenswerte Mittel und eigenes Kapital baute er den bescheidenen Verlag zu einer Bedeutung aus, die schon Zeitgenossen nur in Superlativen zu schildern vermochten. Karl Kerner nannte Cotta »Herrscher über alle Pressen Deutschlands«, Friedrich Perthes schrieb ihm (1816) einen Einfluß zu, »dessen ganze Größe wenige ahnen«, und Böttiger prägte 1807 die Bezeichnung Cottas als »den Bonaparte unter den Buchhändlern«, der alle verschlänge.*
*Der Erfolg des Verlags war maßgeblich der von Johann Christoph Friedrich Haug vermittelten Zusammenarbeit Cottas mit Friedrich Schiller zuzuschreiben, die 1793 begann. Über Schillers »Horen« kam Cotta in Verbindung mit Fichte, Goethe, Hegel, Herder, Hölderlin, den Humboldts, Jean Paul, Schlegel und Wieland. Durch großzügige Honorierung erwarb er sich die alleinigen Rechte an den Werken Goethes und Schillers. Cottas zahlreiche merkantile Unternehmungen, Zeitungs- und Zeitschriftengründungen waren immer auch von politischen Absichten getragen. Sein Eintreten für die Politik der Stände, für die Wiederherstellung des alten guten Rechts machte ihn zu einem »Zentralpunkt für Württemberg«, wie die Wiener Geheimpolizei feststellte. Seine »Allgemeine Zeitung« hatte unter der Feindschaft König Friedrichs gegen Cotta zu leiden. Nach 1815 unterstützte Cotta zunehmend Wangenheim und die Partei der königstreuen »Volksfreunde«, der Justinus Kerner und Friedrich List anhingen. Cottas soziale und unternehmerische Tätigkeit, die Schaffung eines Hilfswerkes für die hungernde Bevölkerung, die Gründung von landwirtschaftlichen Musterbetrieben oder etwa die Einführung der Dampfschiffahrt auf dem Bodensee können an dieser Stelle nicht beschrieben werden. 1817 wurde der Adel der Familie seiner Verdienste halber erneuert.*
*Durch sein »Morgenblatt für gebildete Stände« (1807 bis 1865) versammelte er Beiträge der wichtigsten regionalen und nationalen Schriftsteller. Es wurde zunächst von Weißer geleitet, der das Blatt als Organ gegen romantische Tendenzen führte. Ihm folgten die weniger dogmatischen Redakteure Haug, Rückert, Therese Huber, Herrmann und Wilhelm Hauff. Auch wenn J. Kerner Cotta 1809 einen »Lumpenhund« nannte, weil er Uhlands Gedichte nicht annahm, fand sich die gesamte schwäbische Romantik später bei Cotta verlegt.*

1377

1377*

JOHANN FRIEDRICH COTTA FREIHERR VON
COTTENDORF

Zeitgenössische Lithographie von unbekannter Hand

Marbach, Deutsches Literaturarchiv

## Bücher aus dem Cotta Verlag 1795–1816

(aus der Sammlung Hugo Borst)

### 1795

L. Ferdinand Huber:
Adele von Senange oder Briefe des Lord Sydenham.
Aus dem Französischen.
Tübingen: Cotta. 1795. 251 S.

### 1799

Johann Gottlieb Fichte:
Appellation an das Publikum über die durch ein Kurf.
Sächs. Confiscationsrescript ihm beigemessenen atheisti-
schen Aeusserungen. Eine Schrift, die man erst zu lesen
bittet, ehe man sie confisciert.
Jena und Leipzig: Gabler; Tübingen: Cotta. 1799. 118 S.

### 1800

Johann Gottlieb Fichte:
Der geschloßne Handelsstaat. Ein philosophischer
Entwurf als Anhang zur Rechtslehre, und Probe einer
künftig zu liefernden Politik.
Tübingen: Cotta. Im Spät-Jahre 1800. 290 S.

J. Friedrich Wilhelm Schelling:
System des transscendentalen Idealismus.
Tübingen: Cotta. 1800. XVI, 486 S.

Friedrich Schiller:
Wallenstein ein dramatisches Gedicht.
Tübingen: Cotta. 1800. – 2 Teile.
I. 238 S. – II. 250 S.

August Wilhelm von Schlegel:
Gedichte.
Tübingen: Cotta. 1800. VI, 255 S.

### 1801

Johann Wilhelm von Archenholtz:
Geschichte Gustavs Wasa, Königs von Schweden, nebst
einer Schilderung des Zustandes von Schweden von den
ältesten Zeiten an bis Ende des fünfzehnten Jahrhunderts.
Tübingen: Cotta. 1801. – 2 Bände.
I. X, 358 S. – II. 328 S.

Johann Gottlieb Fichte:
J. G. Fichte's Antwortschreiben an Herrn Professor Reinhold auf dessen im ersten Hefte der Beiträge zur leichtern
Übersicht des Zustandes der Philosophie etc. etc. (Hamburg, bei Perthes 1801.) befindliches Sendschreiben an
den erstern.
Tübingen: Cotta. 1801. 82 S.

Johann Gottlieb Fichte:
Friedrich Nicolai's Leben und sonderbare Meinungen.
Ein Beitrag zur Litterar Geschichte und zur Pädagogik des
angehenden Jahrhunderts. Herausgegeben von A. W.
Schlegel.
Tübingen: Cotta. 1801. IV, 130 S.

Friedrich Schiller:
Maria Stuart ein Trauerspiel.
Tübingen: Cotta. 1801. 237 S.

William Shakespeare – Friedrich Schiller:
Macbeth ein Trauerspiel von Shakespeare zur Vorstel-
lung auf dem Hoftheater zu Weimar eingerichtet.
Tübingen: Cotta. 1801. 161 S.

### 1802

Johann Wolfgang von Goethe – Voltaire:
Tancred. Trauerspiel in fünf Aufzügen, nach Voltaire von
Göthe.
Tübingen: Cotta. 1802. 104 S.

Johann Wolfgang von Goethe – Voltaire:
Mahomet. Trauerspiel in fünf Aufzügen, nach Voltaire
von Göthe.
Tübingen: Cotta. 1802. 102 S.

Johann Wolfgang von Goethe:
Was wir bringen. Vorspiel, bey Eröffnung des neuen
Schauspielhauses zu Lauchstädt. Von Göthe.
Tübingen: Cotta. 1802. 80 S.

Friedrich Schiller:
Turandot Prinzessin von China. Ein tragikomisches
Mährchen nach Gozzi.
Tübingen: Cotta. 1802. 155 S.

*1803*

Johann Wolfgang von Goethe:
Leben des Benvenuto Cellini Florentinischen Gold-
schmieds und Bildhauers von ihm selbst geschrieben
übersetzt und mit einem Anhange herausgegeben von
Goethe.
Tübingen: Cotta. 1803. – 2 Teile.
I. 316 S. – II. 334 S.

J. Friedrich Wilhelm Schelling:
Vorlesungen über die Methode des academischen
Studium.
Tübingen: Cotta. 1803. IV, 326 S.

*1804*

Johann Wolfgang von Goethe:
Taschenbuch auf das Jahr 1804. Die natürliche Tochter.
Trauerspiel.
Tübingen: Cotta. (1804). 224 S.

Friedrich Jean Paul Richter:
Flegeljahre. Eine Biographie.
Tübingen: Cotta. – 4 Bde.
I. 1804. 244 S. – II. 229 S. – III. 230 S. – IV. 1805. 311 S.

J. Friedrich Wilhelm Schelling:
Philosophie und Religion.
Tübingen: Cotta. 1804. VI, 80 S.

Christoph Martin Wieland:
Krates und Hipparchia ein Seitenstück zu Menander und
Glycerion. Zum Neujahrs-Geschenk auf 1805.
Tübingen: Cotta. (1804). 192 S.

*1805*

Johann Wolfgang von Goethe:
Winkelmann und sein Jahrhundert. In Briefen und
Aufsätzen herausgegeben von Goethe.
Tübingen: Cotta. 1805. – (In 2 Bände gebunden.)
XVI, 160 S., S. 161–496

Friedrich Jean Paul Richter:
Jean Paul's Freiheits-Büchlein; oder dessen verbotene
Zueigung an den regierenden Herzog August von
Sachsen-Gotha; dessen Briefwechsel mit ihm; – und
die Abhandlung über die Preßfreiheit.
Tübingen: Cotta. 1805. 138 S.

Jean Racine – Friedrich Schiller:
Phädra Trauerspiel von Racine. Uebersetzt von Schiller.
Tübingen: Cotta. 1805. 215 S.

Friedrich Schiller:
Die Huldigung der Künste. Ein lyrisches Spiel.
Tübingen: Cotta. 1805. 22 S.

Friedrich Schiller:
Theater von Schiller.
Tübingen: Cotta. – 5 Bände.
I. 1805. 550 S. – II. 1806. 651 S. – III. 1806. 604 S. – IV.
1807. 604 S. – V. 1807. 420 S.

*1806*

Johann Gottfried Herder:
Der Cid. Nach Spanischen Romanzen besungen.
Tübingen: Cotta. 1806. 236 S.

Louis-Benoît Picard – Friedrich Schiller:
Der Parasit oder die Kunst sein Glück zu machen.
Ein Lustspiel nach dem Französischen von Schiller.
Tübingen: Cotta. 1806. 111 S.

J. Friedrich Wilhelm Schelling:
Darlegung des wahren Verhältnisses der Naturphilo-
sophie zu der verbesserten Fichte'schen Lehre. Eine
Erläuterungsschrift der ersten.
Tübingen: Cotta. 1806. 164 S.

*1807*

Johann Heinrich Voss:
Luise ein laendliches Gedicht in drey Idyllen.
Vollendete Ausgabe. – Tübingen: Cotta. 1807. 352 S.

Louis-Benoît Picard – Friedrich Schiller:
Der Neffe als Onkel Lustspiel in drey Aufzügen. Aus dem
Französischen des Picard übersetzt von Schiller.
Tübingen: Cotta. 1807. 72 S.

Friedrich Schiller – Euripides:
Iphigenie in Aulis. Uebersetzt aus dem Euripides.
Tübingen: Cotta. 1807.

*1808*

Johann Wolfgang von Goethe:
Faust. Eine Tragödie von Goethe.
Stuttgart: Cotta. 1808. 309 S.

Alexander von Humboldt:
Ansichten der Natur mit wissenschaftlichen
Erläuterungen. Erster Band (alles).
Tübingen: Cotta. 1808. VIII, 334 S.

Heinrich von Kleist:
Penthesilea. Ein Trauerspiel.
Tübingen: Cotta. o. J. 176 S.

Johann Heinrich Voss – Theokrit:
Theokritos Bion und Moschos.
Tübingen: Cotta. 1808. 395 S.

*1809*

Johann Wolfgang von Goethe:
Die Wahlverwandtschaften. Ein Roman von Goethe.
Tübingen: Cotta. 1809. – 2 Teile. 306, 340 S.

Gustav Adolf W. von Helbig:
Russische Günstlinge.
Tübingen: Cotta. 1809. VIII, 502 S.

Friedrich Jean Paul Richter:
Des Feldpredigers Schmelzle Reise nach Flätz mit
fortgehenden Noten; nebst der Beichte des Teufels
bey einem Staatsmanne.
Tübingen: Cotta. 1809. XII, 132 S.

Friedrich Jean Paul Richter:
Dämmerungen für Deutschland.
Tübingen: Cotta. 1809. VIII, 248 S.

*1810*

Friederike Sophie Wilhelmine, Markgräfin von Bayreuth:
Denkwürdigkeiten aus dem Leben der Königl. Preußi-
schen Prinzessinn Friederike Sophie Wilhelmine (Schwe-
ster Friedrichs des Großen) Markgräfin von Bayreuth
vom Jahre 1709 bis 1733. Von ihr selbst in französischer
Sprache geschrieben.
Tübingen: Cotta. – 2 Bände.
I. 1810. 360 S. – II. 1811. 223 S.

Johann Wolfgang von Goethe:
Zur Farbenlehre. von Goethe.
Tübingen: Cotta. 1810. – Erster Band. Nebst einem Hefte
mit sechzehn Kupfertafeln. XLVIII, 654 S. – Zweyter
Band. XXVIII, 757 S. – Erklärung der zu Goethe's
Farbenlehre gehörigen Tafeln. 24, 12 S.

Friedrich Jean Paul Richter:
Herbst-Blumine, oder gesammelte Werkchen aus
Zeitschriften.
Tübingen: Cotta. – 3 Bände in 2.
I. 1810, XV, 192 S. – II. 1815. VIII, 282 S. – III. 1820.
VIII, 568 S.

Johanna Schopenhauer:
Carl Ludwig Fernow's Leben herausgegeben von Johanna
Schopenhauer.
Tübingen: Cotta. 1810. IV, 426 S.

*1811*

Johann Wolfgang von Goethe:
Aus meinem Leben. Dichtung und Wahrheit.
Von Goethe.
Tübingen: Cotta. – 6 Bände.
Erster Theil. 1811. XII, 515 S. – Zweyter Theil. 1812.
573 S. – Dritter Theil. 1814. 538 S. – Zweyter Abtheilung
Erster Theil. Stuttgart und Tübingen: Cotta. 1816, 444 S.
– Zweyter Abtheilung Zweyter Theil. 1817. 448 S. –
Zweyter Abtheilung Fünfter Theil. 1822. 506 S.

Johann Wolfgang von Goethe:
Philipp Hackert. Biographische Skizze, meist nach dessen
eigenen Aufsätzen entworfen.
Tübingen: Cotta. 1811. XII, 346 S.

*1812*

Johann Wolfgang von Goethe:
Gedichte.
Tübingen: Cotta. 1812. 408 S.

August F. Ernst Langbein:
Neuere Gedichte.
Tübingen: Cotta. 1812. VIII, 390 S.

J. Friedrich Wilhelm Schelling:
Denkmal der Schrift von den göttlichen Dingen etc. des
Herrn Friedrich Heinrich Jacobi und der ihm – [nämlich
Schelling] – in derselben gemachten Beschuldigung eines
absichtlich täuschenden, Lüge redenden Atheismus.
Tübingen: Cotta. 1812. VI, 215 S.

Ludwig Tieck:
Frauendienst, oder: Geschichte und Liebe des Ritters und
Sängers Ulrich von Lichtenstein, von ihm selbst beschrie-
ben. Nach einer alten Handschrift bearbeitet und heraus-
gegeben von Ludwig Tieck.
Stuttgart und Tübingen: Cotta. 1812.

*1813*

Friedrich Jean Paul Richter:
Vorschule der Aesthetik, nebst einigen Vorlesungen in
Leipzig über die Parteien der Zeit.
Zweite, verbesserte und vermehrte Auflage. – Stuttgart
und Tübingen: Cotta. 1813. – 3 Abtheilungen.
I. XXXVI, 336 S. – II. VI S., S. 337–736. – III. S.
737–1035.

*1814*

Friedrich Jean Paul Richter:
Levana oder Erziehungslehre.
Zweite, verbesserte und vermehrte Auflage. – Stuttgart
und Tübingen: Cotta. 1814. – 3 Bände.
I. XL, 251 S., – II. IV S., S. 253–550. – III. IV S., S.
553–803.

Friedrich de la Motte-Fouqué:
Corona. Ein Rittergedicht in drei Büchern.
Stuttgart und Tübingen: Cotta. 1814. XIV, 386 S.

Friedrich Jean Paul Richter:
Mars und Phöbus. Thronwechsel im J. 1814,
eine scherzhafte Flugschrift.
Tübingen: Cotta. 1814. XX, 50 S.

Friedrich Jean Paul Richter:
Museum.
Stuttgart und Tübingen: Cotta. 1814. XX, 379 S.

*1815*

Johann Gottlieb Fichte:
Ueber den Begriff des wahrhaften Krieges in Bezug auf
den Krieg im Jahre 1813. Ein Entwurf für den Vortrag,
mit einer Rede verwandten Inhalts herausgegeben.
Tübingen: Cotta. 1815. VI, 87 S.

Friedrich Rückert:
Napoleon. Politische Komödie in drey Stücken von
Freimund Reimar (pseud.).
Erstes Stück. Napoleon und der Drache, Stuttgardt und
Tübingen: Cotta. 1815. 60 S. – Zweites Stück. Napoleon
und seine Fortuna. Ebenda. 1818. 92 S.
(Das dritte Stück ist nicht erschienen)

J. Friedrich Wilhelm Schelling:
Ueber die Gottheiten von Samothrace vorgelesen in der
öffentlichen Sitzung der Baier'schen Akademie der Wissenschaften am Namenstage des Königes den 12. Oct.
1815. Beylage zu den Weltaltern.
Stuttgart und Tübingen: Cotta. 1815. 117 S.

Max von Schenkendorf:
Gedichte.
Stuttgart und Tübingen: Cotta. 1815. 189 S.

## 1816

Friedrich de la Motte-Fouqué:
Sängerliebe. Eine provenzalische Sage in drei Büchern.
Stuttgart und Tübingen: Cotta. 1816. 322 S.

Friedrich de la Motte-Fouqué:
Gedichte.
Stuttgart und Tübingen: Cotta. – 5 Bände in 4.
I. 1816. 212 S. – II. 1817. VI, 234 S. – III. 1818. IV,
272 S. – IV. 1820. 337 S. – V. 1827. 352 S.

Friedrich Schiller:
Friedrich Schiller's literarischer Nachlaß. Nebst dessen
Biographie vom Appellations-Rathe Körner. Original-
Ausgabe.
Wien: Kaulfuß und Armbruster; Stuttgart: Cotta. 1816.
LXXXVIII, 156 S.

### 1378

## COTTAS HAUPTKONTOBUCH.

Aufgeschlagen die Seite »Herr Geheimer Rat von Goethe
in Weimar«, 1796f.

Höhe 40,9 cm, Breite 18 cm, Faksimile

Marbach, Deutsches Literaturarchiv

### 1379

## JOHANN FRIEDRICH COTTA AN
## JOHANN WOLFGANG VON GOETHE

Tübingen, 5. Juli 1805

Euer Excellenz
gnädiges vom 14. Jun. ist meine lezte Beschäftigung vor
einem kleinen Ausflug ins Chamouni Thal.
Ich überneme den gnädig angebotenen Verlag Ihrer Werke
für 10,000 Th. sächs. in den festgesezten Terminen, das

das Ganze aber ein bedeutendes Kapital beträgt, so seze ich
voraus, 1) daß das Recht für diesen Verlag sich auf 6 Jahre,
von der Herausgabe der lezten Lieferung an gerechnet,
erstrecken werde; also zB. 1808 Ostern erscheint die lezte
Lieferung, so habe ich bis 1814 Ostern das Recht des
Verlags
2. ich bin nicht blos an die festgesezte, saubere und
geschmakvolle HandAusgabe mit deutschen Lettern
gebunden, sondern darf auch andre Formen wählen, wenn
ich es zB. rätlich fände, die Idee einer TaschenAusgabe
auszuführen
3. ich habe nach Verfluß der sechs Jahre das Vorrecht vor
jedem andern Verleger bei Eintrettung in gleiche Verbind-
lichkeit.
4. Sie vertretten mich bei den bisherigen Verlegern Göschen, Unger –
5. bis zum Absaz der ersten Auflage findet keine neue statt,
falls dieser auch länger als 6 Jahre erforderte.
Ich schmeichle mir bei meiner Rükkehr gegen das Ende
dises Monats die Bestätigung des Obigen von Hochdero
Gnade zu vernehmen, da ich glaube, daß Alles auf Billig-
keit gegründet ist und Euer Excellenz meine Gesinnungen
ebenfalls wie ich mir schmeichle, von keiner unvortheil-
haften Seite bekant sind.
Mit untertänigem Respekt

Euer Excellenz
Tübingen 5 Jul 1805                                    JFCotta

Dörfte ich meine Bitte wegen des DamenCal, nicht wieder-
holen: solte aus Faust sich nichts passendes finden?

### 1380

## JOHANN WOLFGANG VON GOETHE AN
## JOHANN FRIEDRICH COTTA

Weimar, den 14. Juni 1805

Marbach, Deutsches Literaturarchiv

Unterzeichneter hat die Absicht seine Schriften neu herauszugeben, und zwar sollte von keiner vollendeten Pracht-
ausgabe, vielmehr von einer saubern und geschmackvollen
Handausgabe mit deutschen Lettern die Rede seyn. Enthalten würde dieselbe alles was von meinen ästhetischen
Arbeiten einige Dauer verdient. Manches ungedruckte ist
hinzugefügt. [...]
Wie die Lieferungen einzutheilen und was sonst noch
weiter zu verabreden wäre, ist fenerer Überlegung anheim-
gegeben.
Das neue ist roth unterstrichen [hier kursiv].
Weimar den 1 May 1805.                                    G

Zu vorstehendem Promemoria welches Herr Cotta schon
kennt habe nur noch hinzuzufügen:
Das Recht für diese Auflage würde auf fünf bis sechs Jahre
zugestehen.
Ich wünschte dafür
                    zehentausend Thaler
zu erhalten und zwar eintausend bei Übersendung des

ersten Manuscripts, das übrige in drey auf einander folgenden Ostermessen als 1806, 1807, 1808 jedesmal 3000 rt
sächsisch.

W. den 14. Juni 1805　　　　　　　　　　　JWvGoethe

[Beilage]
Nur einen herzlichen Gruß und den Wunsch einer glück-
lichen Nachhausekunft in jedem Sinne lege ich bey
　　　　　　　　　　　　　　　　　　　　　　　　Goethe

　　　　　　　　　　　　　　　　　　　　　　　　1381

**1381\***

### ERSTE NUMMER DES »MORGENBLATTES FÜR GEBILDETE STÄNDE, 1. JANUAR 1807, MIT EINEM MOTTO VON SCHILLER

Nro. 1.
Morgenblatt für gebildete Stände.
Donnerstag, 1. Jänner, 1807.

Marbach, Deutsches Literaturarchiv

**1382**

### HEINRICH HEINE AN GEORG COTTA

26. März 1852

»Durch meinen körperlichen Zustand abgesperrt von den
Genüssen der Außenwelt, suche ich jetzt Ersatz in der
träumerischen Süße der Erinnerungen, und mein Leben ist
nur ein Zurückgrübeln in die Vergangenheit: da tritt oft
vor meine Seele das Bild Ihres seligen Vaters, des wackeren
würdigen Mannes, der mit der vielseitigsten Ausbildung
einen in Deutschland seltenen praktischen Sinn verband,
der so brav und ehrenfest war, auch so höflich, ja hofmän-
nisch höflich, so verurtheilsfrei, so weitsichtig, und der bei
seinen großen Verdiensten um die geistigen wie materiellen Interessen des Vaterlandes, dennoch von einer so
rührenden Bescheidenheit war, wie man sie nur bei alten
braven Soldaten zu finden pflegt. Das war ein Mann, der
hatte die Hand über die ganze Welt!«

## Zensur

*In keinem anderen Rheinbundstaat herrschte ein Ausmaß
an Zensur, wie in Württemberg unter Friedrich. Die
besondere Abhängigkeit von Napoleon erklärt nur ungenügend die Regelung und Knebelung der öffentlichen
Meinung bis ins kleinste Detail. Auch in der Zeit vor den
sieben Rheinbundjahren hatte sich Friedrich ein zensori-
sches Instrumentarium zur Unterdrückung jedes kritischen Räsonements geschaffen, das er bloß zu perfektio-
nieren brauchte. Bezeichnend: Sechs Wochen nach seinem
Tod am 30. Oktober 1816 wurde Cotta der zensurfreie
Druck einer politischen Zeitschrift gestattet.*

**1383\***

### KÖNIGLICH WÜRTTEMBERGISCHE ZENSURORDNUNG VOM 18. MAI 1808

in: Königliches Staats- und Regierungsblatt
Nr. 25 vom 4. Juni 1808, S. 273–276

Stuttgart, Württembergische Landesbibliothek

2. c) Königlich Württembergische Zensurordnung
vom 18. Mai 1808
Friderich, von Gottes Gnaden, König von Württemberg
Unsern Gruß zuvor, etc.
Wir haben Uns veranlaßt gesehen, das Censur-Wesen in
Unsern gesammten Königl. Staaten nach gleichförmigen
Grundsätzen einzurichten, und wollen in dieser Hinsicht
Folgendes verordnet haben.
§ 1. Es ist kein Buchdruker berechtigt, irgend eine Schrift
zu druken, ehe er dieselbe der Censur-Behörde übergeben,
und von dieser die Erlaubniß zum Druk erhalten hat. Die
Behauptung des Verfassers oder Bestellers, daß die Schrift
nicht zum Buchhandel bestimmt sei, kann hierin keine
Ausnahme begründen. Nur das Staats- und Regierungs-
Blatt und offizielle Aufsätze, welche von den hiezu befugten Königl. Behörden zum Druk gegeben werden, sind
hievon ausgenommen.
§ 2. Zu Besorgung der Censur-Geschäfte haben Wir in
Unserer Residenzstadt Stuttgart ein eigenes Censur-Collegium angeordnet. An dieses sind alle nicht für eine besondere Censur-Behörde sich eignende Drukschriften einzusenden, welche alsdann unter die einzelnen Mitglieder
nach Verschiedenheit der wissenschaftlichen Fächer oder
auch nach einem zu beobachtenden Turnus zu vertheilen
sind.
Sämtliche Mitglieder stehen übrigens miteinander in der
Maaße in einer collegialischen Verbindung, daß einzelne
Anstände, welche ein Censor nicht für sich selbst zu
erledigen sich getraut, collegialisch in Ueberlegung zu
ziehen, und nach der Stimmenmehrheit zu erörtern, oder
zu Höherer Entscheidung vorzulegen sind.
§ 3. Neben dieser allgemeinen Censur-Behörde bestehen
für einzelne Gattungen von Drukschriften auch in Zukunft
noch besondere Censur-Aemter.

Nro. 25.    1808.    273.

**Königlich-Württembergisches**

## Staats- und Regierungs-Blatt.

Samstag, 4 Jun.

Königl. Württembergische Censur-Ordnung.

Friderich, von Gottes Gnaden, König von Württemberg ꝛc. ꝛc. ꝛc.

Unsern Gruß zuvor, ꝛc.

Wir haben Uns veranlaßt gesehen, das Censur-Wesen in Unsern gesammten Königl. Staaten nach gleichförmigen Grundsäzen einzurichten, und wollen in dieser Hinsicht Folgendes verordnet haben.

§. 1.

Es ist kein Buchdruker berechtigt, irgend eine Schrift zu druken, ehe er dieselbe der Censur-Behörde übergeben, und von dieser die Erlaubniß zum Druk erhalten hat. Die Behauptung des Verfassers oder Bestellers, daß die Schrift nicht zum Buchhandel bestimmt sei, kann hierinn keine Ausnahme begründen. Nur das Staats- und Regierungs-Blatt und officielle Aufsäze, welche von den hiezu befugten Königl. Behörden zum Druk übergeben werden, sind hiervon ausgenommen.

§. 2.

Zu Besorgung der Censur-Geschäfte haben Wir in Unserer Residenzstadt Stuttgart ein eigenes Censur-Collegium angeordnet. An dieses sind alle nicht für eine besondere Censur-Behörde sich eignende Denkschriften einzusenden, welche alsdann unter die einzelnen Mitglieder nach Verschiedenheit der wissenschaftlichen Fächer oder nach einem zu beobachtenden Turnus zu vertheilen sind. Sämmtliche Mitglieder stehen übrigens mit einander in der Maaße in einer collegialischen Verbindung, daß einzelne Anstände, welche ein Censor nicht für sich selbst zu erledigen getraut, collegialisch in Ueberlegung zu ziehen, und nach der Stimmenmehrheit zu erörtern, oder zu höherer Entscheidung vorzulegen sind.

§. 3.

Neben dieser allgemeinen Censur-Behörde bestehen für einzelne Gattungen von Drukschriften auch in Zukunft noch besondere Censur-Aemter.

§. 4.

Die dem Censur-Collegium zunächst vorgesezte Behörde ist das Königl. Cabinets-Ministerium. Bei diesem hat nicht nur das Censur-Collegium selbst in wichtigern zweifelhaf...

1383

§ 4. Die dem Censur-Collegium zunächst vorgesetzte Behörde ist das Königl. Cabinets-Ministerium. Bei diesem hat nicht nur das Censur-Collegium selbst in wichtigen zweifelhaften Fällen anzufragen, sondern es sind auch die gegen das Collegium gerichteten Klagen der Schriftsteller, welche beschwert zu seyn glauben, daselbst anzubringen. Alle übrige Censur-Behörden haben in einzelnen Anstandsfällen von dem Censur-Collegio Bescheid einzuholen.

§ 5. Bei Ausübung des Censur-Amts haben die Censoren im Allgemeinen ihr Augenmerk darauf zu richten, daß nichts gedrukt werde, was eine Beleidigung für ganze Staaten und derselben Regenten, für gesezlich bestehende Religions-Gesellschaften, für obrigkeitliche Stellen oder für einzelne Stände, Corporationen oder Privat-Personen enthält, oder was dazu geeignet ist, das Gefühl für Sittlichkeit und Religion zu erstiken, oder eine dem obrigkeitlichen Ansehen und der Wirksamkeit der obrigkeitlichen Anordnungen nachtheilige Gemüthsstimmung zu erzeugen, oder das Publikum zu Maaßregeln aufzumuntern, welche der öffentlichen Ruhe und Ordnung gefährlich sind.

Hierdurch wird zwar nicht ausgeschlossen, daß jeder, der den Beruf dazu in sich fühlt, über Gegenstände der Religion, der Moral und der Staats-Wissenschaften nachdenken, und die Resultate seiner Untersuchungen durch den Druk bekannt machen darf. Man kann aber mit Recht erwarten, daß solches immer in dem gesezten, bescheide-

nen und würdigen Tone geschieht, welcher nicht nur der Wichtigkeit des Gegenstandes angemessen, sondern auch das Kennzeichen einer aufrichtigen Wahrheitsliebe und eines nach Beförderung ächter Aufklärung strebenden Forschungsgeistes ist, und daß die Schriftsteller sich keine Aeußerungen erlauben, welche, wenn sie mündlich in öffentlicher Gesellschaft geschehen würden, als Injurien oder als Volks-Aufwieglungen oder als grobe Ausbrüche von Unsittlichkeit nicht ungeahndet hingehen würden.

§ 6. Eine vorzügliche Aufmerksamkeit verdienen theils die für den Unterricht und die Unterhaltung der Jugend bestimmten, theils die dem größern Publikum gewidmeten Schriften.

Je tiefer sich die Eindrücke im jugendlichen Alter einprägen, und je mehr dem Staat daran gelegen ist, daß seine heranwachsenden Mitglieder zu guten nüzlichen und zufriedenen Staatsbürgern erzogen werden: desto sorgfältiger hat die Censur-Polizei darüber zu halten, daß in Jugendschriften keine gemeinschädlichen Irrthümer und gefährliche Grundsätze verbreitet, keine die Sittlichkeit und die bürgerliche Ordnung untergrabenden Neigungen erwekt werden.

Eben dieses findet auch bei den für das größere Publikum bestimmten Drukschriften statt. Was in einem wissenschaftlichen Werke unbedenklich zu einem Gegenstand unbefangener Untersuchung gemacht werden kann, was einem unterrichteten Gelehrten oder Staatsmann unter jeder Form des Ausdruks ohne Anstand gesagt werden darf, würde, wenn ein Volks-Schriftsteller unbehutsam davon Gebrauch machen wollte, bei ununterrichteten Lesern nicht selten die schädlichsten Mißverständnisse veranlassen, Religiosität und Sittlichkeit in ihren Grundpfeilern erschüttern, und gegen die wohlthätigen Staats-Einrichtungen Mißtrauen erregen.

§ 7. Bei den politischen Zeitungen ist ausser dem noch darauf Rüksicht zu nehmen, daß weder durch anstößige Urtheile, noch durch Anführung unrichtiger That-Umstände zu Beschwerden Anlaß gegeben, und daß besonders alle, was den politischen Verhältnissen gegen andere Staaten nicht angemessen ist, vermieden wird.

[...]

§ 9. Kein Censor soll die ihm anvertraute Censur-Gewalt weiter ausdehnen, als die Absicht der Censur-Anstalt nothwendig erfordert, und die ihm ertheilten Vorschriften mit sich bringen.

Wenn ein Censor in einem Manuskript eine Stelle unzuläßig findet, so ist er nicht befugt, die Fassung einseitig abzuändern; er hat sich vielmehr darauf zu beschränken, durch ein festzusezendes Merkmal eine Mißbilligung zu erkennen zu geben, wobei dem Schriftsteller frei steht, entweder die Stelle ganz wegzustreichen, oder dieselbe den Censur-Gesezen gemäß abzuändern, und alsdann dem Censur-Amt nochmals zur Beurtheilung vorzulegen.

[...]

§ 11. Zur Belohnung des Censors ist von jedem gedrukten Bogen eine Censur-Gebühr von zwölf Kreuzern zu entrichten, und von dem Buchdruker, welcher den Schriftsteller oder Verleger hierinn zu vertreten schuldig ist, sobald die censirte Schrift die Presse verlassen hat, samt einem

Exemplar dieser Schrift an die Censur-Behörde einzusenden. Sollte die Anwendung dieser Vorschrift in einzelnen Fällen einem Anstand unterworfen seyn, so ist deßhalb an die dem Censuramt vorgesezte Behörde besonderer Bericht zu erstatten.

§ 12.   Jedes Kreisamt hat von den in seinem Kreise befindlichen Buchdrukereien alle halbe Jahre ein Verzeichnis sämtlicher in diesem Zeitraum von ihnen gedrukten Schriften mit der Anzeige des Censors, welcher die Erlaubniß zum Druk ertheilt hat, sich übergeben zu lassen; und solches mit seinem Bericht an das Censur-Collegium einzusenden, welches hierauf mit den verschiedenen Censur-Behörden Rüksprache nehmen, und bei sich ergebenden Contraventionsfällen die angemessene Ahndung eintreten lassen wird.

[...]

Stuttgart, im Königl. Staats-Ministerium den 18. Mai 1808

Ad Mand. S. Reg. Maj.

Friedrich Rottmann, Blick auf Heidelberg von Westen. Kolorierter Kupferstich, um 1813. Vgl. Aufsatzband S. 575

# HEIDELBERG

In Heidelberg hat sich ein guter Teil des deutschen Feuers entzündet, welches später die Franzosen verzehrte.

Freiherr vom Stein

Wo man um H. steht, steht man auch schön. Man weiss oft gar nicht, wo man hin soll mit all' der Lust, die man empfindet; man möchte manchmal gern ein Kind seyn, um jauchzen und springen zu können oder sich von den schönen grünseidnen Kissen, den Bergen, herabzuwälzen. Das Sonnenlicht ist ganz rot vor Lust und Kraft, der Himmel scheint als einziger Sapphir und der Neckar ein schillernder Atlas zu seyn. Die Bäume, die Kräuter, das Gras, alles brennt vor jugendlicher Frische. Es ist wahrhaft ein Land, wo Wein, Gesang und Musik fliesst; denn beide Ufer, alle Berge tönen des Abends davon wieder. Kurz, beschreiben lässt sich H. nicht; man muss nur seinen Namen nennen, und dann schweigen.

Otto Heinrich Graf von Loeben

Heidelberg ist selbst eine prächtige Romantik; da umschlingt der Frühling Haus und Hof und alles Gewöhnliche mit Reben und Blumen, und erzählen Burgen und Wälder ein wunderbares Märchen der Vorzeit, als gäb' es nichts Gemeines auf der Welt.

Joseph von Eichendorff

Aber es trat grade damals in Heidelberg noch eine ganz besondere Macht hinzu, um jene glückliche Stimmung zu vertiefen. Es hauste dort ein einsiedlerischer Zauberer, Himmel und Erde, Vergangenheit und Zukunft mit seinen magischen Kreisen umschreibend – das war G ö r r e s .
Es ist unglaublich, welche Gewalt dieser Mann, damals selbst noch jung und unberühmt, über alle Jugend, die irgend geistig mit ihm in Berührung kam, nach allen Richtungen hin ausübte. Und diese geheimnisvolle Gewalt lag lediglich in der Großartigkeit seines Charakters, in der wahrhaft brennenden Liebe zur Wahrheit und einem unverwüstlichen Freiheitsgefühl, womit er die einmal erkannte Wahrheit gegen offene und verkappte Feinde und falsche Freunde rücksichtslos auf Tod und Leben verteidigte; denn alles Halbe war ihm tödlich verhaßt, ja unmöglich, er wollte die g a n z e Wahrheit. Wenn Gott noch in unserer Zeit einzelne mit prophetischer Gabe begnadigt, so war Görres ein Prophet, in Bildern denkend und überall auf den höchsten Zinnen der wildbewegten Zeit weissagend, mahnend und züchtigend, auch darin den Propheten vergleichbar, daß das »Steiniget ihn!« häufig genug über ihm ausgeworfen wurde. Drüben in Frankreich hatte er bei den Banketten der bluttriefenden Revolution, hier in den Kongreßsälen der politischen Weltweisen das Mene Thekel kühn an die Wand geschrieben, und konnte sich nur durch rasche Flucht vor Kerker und Banden retten, oft monatelang arm und heimatlos umherirrend ...

Sein durchaus freier Vortrag war monoton, fast wie fernes Meeresrauschen schwellend und sinkend, aber durch dieses einförmige Gemurmel leuchteten zwei wunderbare Augen und zuckten. Gedankenblitze beständig hin und wieder; es war wie ein prächtiges nächtliches Gewitter, hier verhüllte Abgründe, dort neue ungeahnte Landschaften plötzlich aufdeckend, und überall gewaltig, weckend und zündend fürs ganze Leben.

Joseph von Eichendorff, Halle und Heidelberg

## Joseph Görres (1176–1848)

Am Abend des 30. Oktobers 1806 stattete Görres, als Privatdozent für Philosophie frisch an die Universität Heidelberg berufen, Sophie und Clemens Brentano, den er aus gemeinsamer Schulzeit in Koblenz noch flüchtig kannte, seinen Antrittsbesuch ab. Sophie Brentano-Mereau verblutete in dieser Nacht an der Geburt eines Mädchens, Görres drückte den rasenden Brentano »fest, fest ans Herz«, stand ihm bei und brachte ihn andertags fort bis Darmstadt. Ihre Freundschaft, die daraus erwuchs, festigte sich in vielfältiger gemeinsamer Arbeit. Brentanos große Sammlung von Büchern, von handschriftlichen und gedruckten Quellen aus früheren Jahrhunderten, die er mit antiquarischem Furor zusammengestöbert hatte, bildete die materiale Grundlage für ihre besessenen Studien des Altdeutschen. Ihren Niederschlag fanden sie in Görres' »Die teutschen Volksbücher« (1807), die er hymnisch dem Freund widmete. Schon den Zeitgenossen galt diese »Würdigung der schönen Historien-, Wetter- und Arzneibüchlein« als »das erste umfassende kritische Werk über ältere deutsche Literatur« (Bernhard Docen, 1810), geschrieben auch mit politischer Absicht: über die Entdeckung und Aufarbeitung verschütteter, deutscher Kulturgeschichte zur nationalen Identität, die als verloren beklagt wurde, beizutragen. Begleitet wurden solche gelehrt-nationalistischen Studien von närrisch-intelligenten Kopfgeburten: aus den Anfangs- und Endbuchstaben ihrer Nachnamen (Brentano und Görres) zeugten sie die Figur von »BOGS, dem Uhrmacher« (1807) und schrieben eine hintergründige Satire auf den Typus des uhrengleich funktionierenden, verhaßten Philister, mit einer Fülle verrätselter Anspielungen auf zeitgenössische Literatur, Ereignisse und Erfindungen, sprachsaftig und -kräftig, artistisch und selbstironisch furios durcheinandergewirbelt. Daß Görres wie Brentano die von Achim von Arnim in Heidelberg begründete »Zeitung für Einsiedler« mit Beiträgen belieferten, spricht nur für ihre in Arbeit und Freundschaft gegründete Verbundenheit.

Vom Wintersemester 1806/07 bis zum Sommersemester 1808 hielt der universal gebildete, doch – man stelle sich vor: unpromovierte! – Görres Vorlesungen über Philosophie, Physiologie, Hygiene, Psychologie, Anthropologie, Ästhetik und Altdeutsche Literatur. Die Ankündigung seiner ersten Vorlesungen, vorgetragen mit dithyrambischem Pathos (allein der erste Satz zog sich über anderthalb Seiten hin!), geriet zur Sensation, unerhört in einer von Juristen beherrschten Universität. Statt der üblichen 15 kamen deren 70 Zuhörer. Sein thematisches Spektrum reichte von der asiatischen bis zur gegenwärtigen Kunst, die er in seinen mitreißenden Vorlesungen einzubeziehen verstand, etwa Philipp Otto Runges Zyklus »Vier Zeiten (Morgen.Tag.Abend.Nacht)«, in dem die Romantiker Friedrich Schlegels Stilprinzip der poetischen Arabeske, umgesetzt ins Bildnerische, ergriffen wiedererkannten. Runge selbst schilderte die Reaktion Ludwig Tiecks: »er schwieg stille, wohl eine Stunde, dann meinte er, es könne nie anders, nie deutlicher ausgesprochen werden, was er immer mit der neuen Kunst gemeint habe.« Görres feierte den Zyklus in seinem dithyrambisch-typischen Stil, immer bestrebt, Wissenschaft und Poesie auch sprachlich zu verschmelzen, immer versucht, spekulativ zu entgrenzen. Unter den begeisterten Zuhörern saß der junge Eichendorff, der sich ins Tagebuch notierte: »Zeigte uns Görres in der ästhetischen Stunde die 4 himmlischen Kupferstiche von Runge… Arabesken. Unendliche Deutung.« (9. Juli 1807). Görres zählte zum Zentrum der Heidelberger Romantik, als er jedoch keine feste Anstellung an der Universität erhielt, kehrte er wieder in sein altes Koblenzer Schulamt zurück. Die in Heidelberg gewonnenen Erfahrungen und Erkenntnisse wirkten fort: in seiner »Mythengeschichte der asiatischen Welt« (1810), die von Friedrich Creuzer, dem Altphilologen an der Heidelberger Universität, inspiriert wurde, in der Ausgabe des »altteutschen Gedichts ›Lohengrin‹« (1813) oder in der Sammlung der »Altteutschen Volks- und Meisterlieder« (1817).

Zum Schwerpunkt seiner Tätigkeit aber wurde die politische Publizistik. Erfahrung damit hatte er genug: Als Herausgeber zweier prorevolutionärer Zeitschriften, »Das rote Blatt« (1798) und »Der Rübezahl« (1798/99), gehörte er zu einem der Wortführer der deutschen Jakobiner, der für einen unabhängigen deutschen Rheinstaat sich eingesetzt hatte, die Ideale der Revolution aber durch die Übergriffe französischer Soldaten unter Napoleon, bei dem er persönlich interveniert hatte, verraten sah. Auch jetzt sollte politische Publizistik den Kampf um die nationale Identität und Einheit beflügeln. Als Herausgeber des »Rheinischen Merkur« (1814–16), der »fünften Großmacht gegen Napoleon«, geliebt, gehaßt und verboten, erlangte Görres in ganz Europa Bekanntheit: »niemand vermochte so gewaltig wie er vermittelst nationaler Erinnerungen den Haß der Deutschen gegen die Franzosen zu entflammen« (Heine). Nach dem Wiener Kongreß schrieb er an gegen die verstärkte Restauration und die wachsende Unterdrückung der bürgerlichen Opposition, so in seiner berühmten Streitschrift »Teutschland und die Revolution« (1819). Kurz vor seiner daraufhin beschlossenen Verhaftung gelang es Görres, über Frankfurt am Main nach Frankreich zu fliehen.

1384*

## JOSEPH GÖRRES

Kupferstich

Ludwig Emil Grimm

1815

Napoleons Proklamation an die Völker Europas vor seinem Abzug auf die Insel Elba

Gegen Teutschland hab ich vor allem zuerst den Blick gewendet. Ein Volk ohne Vaterland, eine Verfassung ohne Einheit, Fürsten ohne Charakter und Gesinnung, ein Adel ohne Stolz und Kraft, das alles mußte leichte Beute mir versprechen. Seit Jahrhunderten nicht verteidigt, und doch in Anspruch nicht genommen; voll Soldaten und ohne Heer, Untertanen und kein Regiment, so lag es von alter Trägheit einzig nur gehalten. Zwiespalt durfte ich nicht stiften unter ihnen, denn die Einigkeit war aus ihrer Mitte längst gewichen. Nur meine Netze durft ich stellen, und sie liefen mir wie scheues Wild von selbst hinein. Ihre Ehre hab ich ihnen weggenommen, und der meinen sind sie darauf treuherzig nachgelaufen. Untereinander haben sie sich erwürgt, und glaubten redlich ihre Pflicht zu tun. Leichtgläubiger ist kein Volk gewesen, und törigt toller kein anderes auf Erden. Aberglauben haben sie mit mir getrieben, und als ich sie unter meinem Fuß zertrat, mit verhaßter Gutmütigkeit mich als ihren Abgott noch verehrt. Als ich sie mit Peitschen schlug, und ihr Land zum Tummelplatz des ewigen Kriegs gemacht, haben ihre Dichter als den Friedensstifter mich besungen.

Görres

1384

1385

## JOHANN JOSEPH VON GÖRRES:

Die teutschen Volksbücher. Nähere Würdigung der schönen Historien-, Wetter- und Arzneybüchlein, welche theils innerer Werth, theils Zufall, Jahrhunderte hindurch bis auf unsere Zeit erhalten hat.

Heidelberg: Mohr und Zimmer. 1807. 311 S.

Stuttgart, Sammlung Borst

1.

*ALBERTUS MAGNUS von Weibern und Geburten der Kinder, sammt denen dazu gehörigen Arzneien; und Unterricht, wie sich sowohl die Gebährenden zu verhalten, als auch die Hebammen ihrer Pflicht gemäß, oder andere dabei benöthigte Personen ihren Dienst recht versehen sollen. Nebst einer Erklärung von den Tugenden der vornehmsten Kräuter, und von Kraft und Wirkung der Edelsteine, von der Art und Natur etlicher Thiere, aus Apollinaris größerm Kräuterbuch gezogen; auch ein bewährtes Mittel für die Pestilenz, und wie man sich wegen des Aderlassens verhalten soll. Aufs neue verbessert und den Landleuten zum Nutzen eingericht, mit dazu dienlichen Figuren. Gedruckt in diesem Jahr.*

Das erste Buch von Weibern und Geburten der Kinder, ist eine moderne Umarbeitung des Albertischen, wahrscheinlich durch die Endterische Verlagshandlung in Nürnberg veranstaltet, und enthält eine faßliche Auseinandersetzung der Erscheinungen der Schwangerschaft, und eine ganz verständige Anleitung für die Hebammen auf dem Lande, nach der sie in den meisten Fällen sich richten können; erläutert durch Holzschnitte, die die verschiedenen Lagen der Kinder in der Gebärmutter vorstellen. Das andere Buch von etlichen namhaften Kräutern und ihrer Tugend hingegen ist noch das Alte, und contrastirt seltsam mit dem Vorigen. Die Verbena, zwischen zwei Liebespersonen geworfen, stiftet großen Verdruß und Uneinigkeit; Lamium bei sich getragen, macht gütig und gnadenreich; Metel mit Martagon gemischt, giebt die Springwurzel, vor der alle Schlösser aufspringen, und mehr dergleichen, wissenschaftlich unsinnig, praktisch unschädlich, weil alle Angaben der mancherlei Eigenschaften auf Curiositäten und Neckereien hinauslaufen, die, da das Ganze keinen weitern Grund in der Wirklichkeit hat, sich selbst ohne irgend einigen Nachtheil zerstören. Das dritte Buch handelt von den Eigenschaften und Wirkungen etlicher Edelsteine. Es war eine seltsam kindisch naive Zeit, in der man glauben konnte, daß der Magnet unter das Haupt einer Frau gelegt, wenn sie unkeusch wäre, sie aus dem Bette fallen mache; daß ein Stein Ophthalmus, in ein Lorbeerblatt gewickelt, Unsichtbarkeit gebe; daß der Stein Meda gestoßen und in Wasser zergangen, dem die Hände abfallen mache, der sich darin wasche; daß der Agat den Menschen gewaltig mache, daß der Saphir Friede und Einigkeit bewirke, und mehr dergleichen. Die Zeit für diesen Glauben ist vorüber, aber man dulde ihn immerhin, da ohnehin dergleichen Dinge in der öffentlichen Meinung stillschweigend als Märchen gelten, und niemand weiter mehr berücken. Dasselbe ist beim vierten Buche der Fall, das von den Kräften und allerlei Tugenden einiger Thiere handelt. Im fünften Buche von viel köstlichen Arzneimitteln, besonders Aqua vitae, das ist vom lebendigen Wasser, oder vom Wasser des Lebens, meist unschädliche Tincturen und Latwergen aus dem Pflanzenreiche, selten mit Gewürzen versetzt, daher nicht leicht dem Mißgebrauche unterworfen, und allenfalls nur negativ schädlich, durch Verhinderung des Bessern, das aber dem Landmann nur selten geboten werden kann. Albertus magnus war übrigens bekanntlich scholastischer Philosoph, von 1254 an Provinzial der Dominikaner in Deutschland, 1260 Bischof zu Regensburg bis 1280, wo er starb in Cöln. Diesem, Umstand besonders, nebst seiner großen Celebrität ist es wohl zuzuschreiben, daß in diesem Buche ein Theil seiner Schrifften als Volksbuch so allgemeinen Umlauf gekommen. Ein und zwanzig Foliobände füllen diese Schriften, vom Dominikaner Peter Jammy gesammelt, und 1687 herausgegeben, worunter sein Werk von der Natur der Dinge und von den Geheimnissen der Weiber, zu diesem Buche zunächst die Veranlassung und den Stoff gegeben.

## 1386

### Clemens Brentano, Johann Joseph von Görres:

Entweder wunderbare Geschichten von BOGS dem Uhrmacher, wie er zwar das menschliche Leben längst verlassen, nun aber doch, nach vielen musikalischen Leiden zu Wasser und zu Lande, in die bürgerliche Schützengesellschaft aufgenommen zu werden Hoffnung hat, oder die über die Ufer der badischen Wochenschrift als Beilage ausgetretene Konzert-Anzeige. Nebst des Herrn BOGS wohlgetroffenem Bildnisse und einem medizinischen Gutachten über dessen Gehirnzustand.

o. O. u. V. 1807. 52 S.

Stuttgart, Sammlung Borst

*Selbstbekenntnisse des Uhrmachers BOGS, welcher zwar längst das menschliche Leben aufgegeben, nun aber doch in die bürgerliche Schützengesellschaft aufgenommen zu werden wünscht*

Nachdem meine Vorfahren bereits so lange das Leben unter Händen gehabt, ist es mir, Gott sei Dank, schon in der Gestalt einer wohleingerichteten Uhr überkommen, welche so in der Ordnung ist, daß jeder, der ihren Ketten und Rädern sich nicht drehend anschließt, gekettet und gerädert wird. Als Kind war ich schon so im Kreise herumgedreht, daß ich schon rund dumm war, da ich zu

Verstande kam, und das erste Wort, das ich redete, war an meine poetische und verliebte Kindermagd: »Mensch! lasse Sie mich unter kein Rad kommen, damit ich selbst ein gut Rad oder eine gesunde Speiche werden kann.« Endlich selbst zum Maschinenglied erwachsen, arbeitete ich, um Zeit zu gewinnen, an Uhren, und setzte mich in meinen Freistunden auf einen Ast, den ich hinter mir abhieb, um mit herunterfallend den Ast und die Zeit des Herabsteigens nicht zu verlieren. Auch wußte ich immer, wieviel an der Uhr ist, um nicht zu wissen, wieviel oder wenig an der Zeit sei. Auch verlieh mir Gott das Talent der Beredsamkeit, durch welches ich einstens dem Staate viele brave Uhrmacher erhalten, die auf dem Punkte waren, unter die Menschen zu gehen. Ich arbeitete damals im Auslande, und es war einer unserer Gesellen von einem holländischen Generalstaaten, weil er ihm zu viel von spanischen Nobels und dem Bruder Grafen erzählt, im Zorne elendiglich ermordet worden; am Grabe dieses Jünglings, der von Schelmuffskischer Abkommenschaft gewesen, waren alle Uhrmacher versammelt, eine Leichenpredigt zu hören, welche also begann:

»Selig der! dem, ermüdet an dem ewigen Einerlei des Drehens und Gedrehtwerdens, die Sonnenidee Ewigkeit einen unsterblichen Strahl in das Leben, tröstlicher noch in den Tod wirft. Aber leider ist das Werk verbaut durch sich selbst und das Gehäus, damit kein hindernder Staub es auf stillstehende Gedanken bringe. Der Verstand stehe einem still und der Kopf laufe mit einem davon, hat man uns zu fürchten gemacht, damit es uns nicht einfalle, stille zu stehen, und zu erstaunen über uns oder das Werk. Da liegt er nun, das unglückliche Schlachtopfer, der Verstand steht ihm stille, wie der Puls. O, hätte er die Ewigkeit außer der Zeit, und das Unendliche außer dem Raum gesucht, statt Uhren zu machen, hätte er die Ewigkeit der Idee in die Zeit als Musik, das Unendliche der Idee in den Raum als Bild gebracht, usw.«

– Sotanes und der Art unsinniges Geschwätz setzte mich in die größte Besorgnis um meine noch nicht konfirmierten, schwankenden Mitbrüder, welche ich bereits halb objektive und halb subjektive Gesichter schneiden sah; ich sprang also aufs Grab und unterbrach jenen von der neuen Schule angestellten Redner folgendermaßen:

»– Ho, Ho! daß wir nicht blind in die Migräne hineinrennen und gar Hirngeburten hervorbringen, sage Hirngespinste, in welchen keine Fliege, geschweige ein Pfennig hängen bleibt, so laßt uns an jenem alten, heidnischen Gott Jupiter, der zuletzt als Invalide unter die Planeten gesteckt worden war, ein warnendes Beispiel nehmen. Er mußte, weil er neben die Schule gegangen und in unehelicher Begeisterung mit irdischer Schönheit mancherlei unbrauchbare Phantasten, als da sind Götter und Helden, erzeugt, endlich selbst zur Strafe eine ewige Jungfrau, die Patrouin aller Schulen und Schulmeister, unter großen Schmerzen durch eine Kopfwunde gebären, welche ihm mit einem Beile gemacht worden. Lasset uns durch diese traurige Begebenheit das Verständnis eröffnet sein, damit es uns nicht mit der Holzaxt eröffnet zu werden braucht; bedenken wir Eltern, Weib und Kind, oder auch die schweren, gewissen Kosten einer schweren, ungewissen

Kur, und sehen wir lieber auf unser Maul; da haben wir
Wunde genug, auf welche uns Mutter Natur gewissermaßen mit der Nase gestoßen, das wir sie stopfen sollen – also
Brotstudium! Brotstudium! Heil dir Bauer, Müller, Bäk-
ker! dann erst: Heil dir Maul, Magen, Mensch! der wieder
Bauer, Müller, Bäcker werden kann. Dieser letzte Satz aber
ist mit dem Segen, der alle gute Absicht überrrascht, rund
geworden, und ich kehre auf ihm zurück, zu der Sache,
dem Uhrwerke des menschlichen Lebens, von welchem wir
ein so hoffnungsvolles Abbild hier der Wut des holländischen Generalstaaten aufgeopfert beweinen.

Laßt uns an dem Grab unsers Freundes nicht durch diesen
Prediger aus der neuen romantischen Clique, die gegen die
klassischen Uhrmacher einen Bund geschlossen, irrewer-
den, und bleibt bei der Erfahrung, daß keine Sonne ins
Leben als ein Uhrwerk scheinen darf, denn es könnte Staub
mit hineinfliegen, und das Ausputzen oder Einschmieren
kostet Geld. Ja selbst hineinzuhauchen ist gefährlich,
damit das Werk nicht anlaufe und roste; darum laßt uns
auch bei dieser Betrachtung, wie bei jeglicher, den Atem
anhalten; denn, hauchte Gott gleich Seele in den Erdenkloß, dem es not tat, Adam zu werden, so geziemt es uns
doch nur, mit dem Pflugschar das Erdenkloß zum Acker zu
bilden, und mit grünender Furche die Scharte Adams
auszuwetzen, weil unsere Seele das Metall ist, und wir nur
durch dieses beleben und belebt werden können; es ist
Feder und Gewicht an der Uhr und, wenn mans beim
Lichte besieht, was aber behutsam geschehen soll, gar die
Uhr selbst.«

So erhielt ich durch meine Geistesgegenwart viele brave
Uhrmacher bei Verstand.

1387

1387*

## PHILIPP OTTO RUNGE
## DER ABEND

Aus: Die Zeiten. 4 Blätter nach Philipp Otto Runge.
Kupferstich von J. G. Seyfert und Joh. A. Darnstedt.
1805.

Aus dem Besitz der Bettine von Arnim,
eigenhändig gekennzeichnet.

Frankfurt a. Main, Freies Deutsches Hochstift

Aber es ist der Vater im Himmelsraum, der zürnend so
mild und liebreich sie gesegnet, und er blickt aus der
Wolkenhöhe nieder auf das sinnige Spiel der Kinder um die
Mutter, und es reut des Fluches ihn, den er über Irdisches
gesprochen, es wird in Erbarmen sein Herzen bewegt, und
es will verzeihen der Allerbarmer der Einfalt, was die
Schlange in ihr verbrochen, und er will den Stachel des
Todes wieder stumpfen, denn ihn schmerzt's so Schönes
wieder zu zerbrechen. Und es löst der Zorn der Himmlischen sich in milde Wehmut auf, und es regnet Gnade auf
die Erde nieder, und es wird heiter und klar der Himmel
nun, und in der Klarheit steht das Kind mit dem Lamme,
unten aber wandelt der Erlöser an der Erde, und in ernster

Betrachtung stehen die Geister sinnend vor dem Geheimnis und den Symbolen des Leidens und der Versöhnung, es
ist das Kreuz vor ihnen aufgepflanzt, mit der Dornen-
krone, die in Rosen erblüht, und der Himmelsbecher hat
mit dem Wasser der Wiedergeburt und der Weihe sich
gefüllt.

Da ist andere Zeit geworden auf der Erde, romantische
Zeit; Silberglanz war Morgenlicht, Goldesschimmer ist
jetzt der Abendschein; flüssig, klares, lüftig Gold ist
ausgegossen; es sind die Berge und die Hügel und die
Bäume und die Sträuche und die Kräuter in die Tinktur
getaucht, und es rinnt der Schein an ihnen nieder, und sie
brennen in dem zarten Feuer, das sie nicht verletzt. Und es
blickt sich in die Erde wie ein klares, unergründlich tiefes
Auge nieder, denn sie hat das dunkle Augenlid nun
aufgeschlagen, weil sie sprechen hören in der Tiefe von
dem göttlichen Kinde, das sie sühnen soll; und es schaut
das Auge nun schwärmend und begeistert, und fromm und
betend zum Himmel auf, damit sie dort erschaue, das Heil,
das ihr nahen will, und schaue in seiner Herrlichkeit das
neue Leben.

In Occidente aber hat in den Lüften aus Rosen eine
Abendröte brennend sich gewebt, die Pforte der neuen
Zeit, und Nachtigallen schlagen in den Zweigen, es tönt
Trompetenruf und Hörnerschall, und die Laute atmet leise

Töne und die Flöte ihr Gesäusel, und der Triangel klingelt
zwischen durch, und fliegende Sterne steigen die Töne auf,
und es sammeln die Akkorde sich in Sternbilder am neuen
Firmamente unter der Rosenlaube, und es laufen die Töne
in leicht geschlungenen Bahnen um, und die Bilder bewegen sich im zierlichen Tanze, und schreiten dann wieder
groß einher und würdig, und es ist ein reizend bunt
Gewimmel, ein liebliches Gedicht, in dem die Luftgeister
sich bewegen, der alte Himmel aber blickt lächelnd auf das
kleine Bild herab, das ihn wallend in allen seinen Tiefen
widerspiegelt.

Um die Pforte her aber haben wundersame Gewächse sich
gesammelt; die Aloe streckt weit umher die Zackenblätter,
Orangen und Jasmin stehen in geweihten Gefäßen um die
Altäre, die Viole streut süße Düfte, und die Knaben,
Epheben im Tempel des neuen Gottes, tragen blühenden
Rittersporn. Beim Eintritte rufen sie grüßend den Wande-
rer an, und sprechen wunderbare Worte, die heilige Rede
der Weihe und der Heiligung ist in den Worten.

Und es kommen die Weisen vom Morgenlande über die
goldne Brücke hergezogen, denn zum Abend ist die Weisheit hingegangen, niedergegangen aber ist der Orient, tief
sind am Morgenhimmel die Bilder der jungen Zeit gesunken, weit steht der Lilienstengel unter der Erde schon, eben
ist die schöne Kindergruppe im Untergehen, und über
ihnen glüht der Morgenstern jetzt als goldner Hesperus,
und breitet milde Abenddämmerung über die Gesichte.

Da wollen die Dinge sich zur Ruhe neigen, hat die Erde ihre
Herrlichkeit gesehen, schließen sich die müden Augenlider, es soll neue Welt beginnen, und die alte untergehen,
aber nicht in Zornesfeuer, in Liebesfeuer soll sie sich
verzehren; und es beginnt ein Sinken und ein Vergehen in
Liebesbrunst, und es öffnet die Mutter weit die Arme, und
es sinken die Kinder, im Kelche sich eng umfassend, ihr
freudig in den Schoß, und betend stehen, die Händchen
faltend, die Mädchen auf den Antheren, und stürzen dann
nach in den Liebestod, und Hesperus wirft sich auch zu
seinen Lieben in die Fluten, und es bricht lieblich Tönen,
Schwanengesang aus der Rosenlaube, und die Kinder in
den Zweigen rühren zum freudigen Sterbgesang die Laute,
und es jauchzen die Hörner und die Trompeten jubelnd
auf, und es ruft die Mutter neue Schmeichelworte, und die
Sehnsucht zieht sie schnell herab; ein Freudenschrei! und
die krystallnen Wellen schlagen über ihnen hoch zusammen. Und sie liegen in Lust vergangen wieder an der
Mutter Herz, die Nacht aber breitet leise den Sternenman-
tel über die Schlafenden her, und es ist Stille, tiefes
Schweigen weit umher, und wieder Traumes Weben.

Görres, Vier Zeiten

## 1388

### JOHANN JOSEPH VON GÖRRES: TEUTSCHLAND UND DIE REVOLUTION

Coblenz: Hölscher. 1819. 212 S.

Stuttgart, Sammlung Borst

Die Nation, in ihren gerechtesten Erwartungen getäuscht,
und schon den Stachel des öffentlichen Schimpfes tief im
Herzen fühlend, sah nun auf die Konstituierung der einzelnen Bundesstaaten sich getrieben, und setzte nun all ihre
Kraft, und im Falle der Verweigerung, all ihren Trotz an
die Erreichung dieses letzten Zieles, von wo aus sie alsdann
später und gründlicher alles früher Aufgegebene wieder zu
erreichen hoffen durfte. Der dreizehnte Artikel, anfangs in
ziemlicher Währung ausgeprägt, dann täglich durch Kip-
per- und Wipperkünste beschnitten, ausgeschabt und
abgenagt, war endlich in seiner gegenwärtigen Gestalt
ohne Präge in den Umlauf eingetreten, so unscheinbar und
abgegriffen, daß man später seine Legende in ein Erwar-
tungsrecht der Völker eine Zeitlang umzudeuten wagen
durfte. Neben ihm hatte der König von Preußen dem
früheren Edikt vom Mai 1814, das die Form der künftigen
Vertretung festgesetzt, in den Einräumungen des Patentes
vom 5. April den Inhalt beigefügt, und dadurch die
Verfassung selbst schon in ihren allgemeinsten Umrissen
festgesetzt.

Auch war schon ein Anfang zur Konstituierung in einem
teutschen Lande geschehen, in Württemberg nämlich.
Nicht leicht war irgend anderswo der Wahnsinn der
Souveränität höher getrieben worden, vor allen andern
mußte darum auch dort der schärfste Gegensatz hervorge-
rufen werden. Als der Hof noch vom Kongresse aus, die
Bewegungen der neuen Zeit wahrgenommen, schien es
ihm ein leichtes Ding, ihre lauten Ansprüche mit einigen
liberalen Gaukeleien abzufinden, und daneben auch nicht
einen Fuß breit von der bisherigen Bahn zur unbeschränk-
ten Willkür abzuweichen. Die Gewalt, die bisher der
Despotism in despotischen Formen ausgeübt, durfte nur in
denselben Formen als Ausfluß ihrer Machtvollkommen-
heit, eine illusorische Freiheit setzen, wie es auch Napoleon am 13. Brumaire getan; und sie hatte statt rückgängig
zu werden, den Gipfel der Willkür erreicht, die da höh-
nisch eine sogenannte Freiheit durch Kabinettsordren
befiehlt. So wurde eine dortige erste Konstitution kom-
mandiert, und die Ständeversammlung zusammenberufen.
Aber es lebten in diesem Lande noch zu viele Menschen,
die wenigstens noch die letzten Strahlen der untergehenden Freiheit gesehen, und in ihnen entwickelte sich nun
ganz einfach aus der Natur der Dinge jener Widerspruch,
der sich schlechthin auf das alte Recht berief, die Usurpa-
tion mit allen ihren Folgerungen als ein Recht begründen-
des Faktum von vorn herein gänzlich negierte, sich hinter
ihr auf dem festen Boden der Geschichte niederließ, und
von da aus die Eidbrüchigkeit der usurpierenden Gewalt
vor der Welt laut anklagte. Einer solchen vereinten Masse
von Licht, Recht, Kraft und Festigkeit, konnte vom Standpunkt einer übelbefestigten Gewalt, deren Arm durch den

Sturz des obersten Gewaltverleihers zerschmettert war, nicht begegnet werden; und der Hof verstand sich, nachdem der unnütze Kampf eine Zeit lang gedauert hatte, zu den bekannten zwölf Artikeln, worin wenigstens eine aufrichtige Freiheit geboten war.

## Joseph von Eichendorff (1788–1857)

In der Tat, welch ein vortrefflicher Dichter ist der Freiherr von Eichendorff; die Lieder, die er seinem Roman »Ahnung und Gegenwart« eingewebt hat, lassen sich von den Uhlandschen gar nicht unterscheiden, und zwar von den besten derselben. Der Unterschied besteht vielleicht nur in der grüneren Waldesfrische und der kristallhaften Wahrheit der Eichendorffschen Gedichte.

Heinrich Heine

*Lieber alles*

Soldat sein ist gefährlich,
Studieren sehr beschwerlich,
Das Dichten süß und zierlich,
Der Dichter gar possierlich
In diesen wilden Zeiten.
Ich möcht am liebsten reiten,
Ein gutes Schwert zur Seiten,
Die Laute in der Rechten,
Studentenherz zum Fechten.
Ein wildes Roß ist's Leben,
Die Hufe Funken geben,
Wer 's ehrlich wagt, bezwingt es,
Und wo es tritt, da klingt es!

Joseph von Eichendorff

*»Endlich um 4 Uhr morgens fuhren wir mit Herzklopfen durch das schöne* Triumphtor *in* Heidelberg *ein, das eine über alle unsere Erwartung unbeschreiblich wunderschöne Lage hat. Enges blühendes Tal, in der Mitte der Neckar, rechts u. links hohe felsigte, laubigte Berge. Am linken Ufer* Heidelberg, *groß u. schön, fast wie* Karlsbad. *Nur Eine Hauptstraße mit mehreren Toren u. Märkten. Links überschaut von dem Abhange eines Berges die alte Pfalzburg, gewiß die größte u. schönste Ruine Deutschlands majestätisch die ganze Stadt. Alles schlief noch ... Nachmittags bestieg ich zum erstenmale den Heiligenberg, dessen untere Hälfte mit Weingärten, die obere mit Laubholz bedeckt ist, (mit Mauern umfaßter Fußsteig), u. obschon ich mich so verirrte, daß ich durchaus den Gipfel nicht erreichen konnte, so genoß ich doch die himmlichste Aussicht ganz unten auf die ganze Stadt, vor mir auf eine unendliche schimmernde Ebne, die sich bis Frankreich hin erstreckt, in der sich die Türme von Mannheim erheben, u. die vom Rhein, wie von einem Silberfaden durchschnitten, u. rechts von den blauen Rheingebirgen begrenzt wird. Gen Abend die Wirtstöchter in dem Gärtchen unter unseren Fenstern kokettierend zur Guitarre bekannte Lieder gesungen, die in mir alte Erinnerungen erweckten. Abends wieder im Saale gespeist, wo wir Bekanntschaft mit mehrern Studenten machten. Burschenlieder bis spät.* Perea *dem* Napoleon *gebracht ... Nachmittags schwärmte ich oben in dem* paradiesischen Hofgarten *herum, wo sich eine Terrasse über der anderen erhebt voll Alleen u. Brunnen, Klüften etc. (auch* Coffee-

*haus) u. durchkroch alle Treppen u. Winkel der alten herrlichen Burg. Eine Brücke über ein blühendes Tal führt durch ein* antiques *Tor in einen weiten gepflasterten Hof. 2 Hauptgebäude, eines von Friedrich, eines von* Ott Heinrich, *voll alter Statuen. Herrliche* Altane, *von wo man die ganze Stadt etc. übersieht. Alter Turm, dessen eine Hälfte abgerissen u. gesunken, so daß man in alle Gewölbe sieht. Herrlich, himmlisch«,* so schwärmte der 19jährige Eichendorff von seinen ersten Eindrücken in Heidelberg (Tagebuch, 17. und 18. Mai 1807). Er und sein Bruder Wilhelm setzten hier ihr in Halle 1805 begonnenes Studium der Jurisprudenz fort. Napoleon hatte die Universität Halle schließen lassen:
*»Dieses althallesche Leben aber wurde im Jahre 1806 beim Zusammensturz der Preußischen Monarchie unter ihren Trümmern mitbegraben. Die Studenten hatten unzweideutig Miene gemacht, sich in ein bewaffnetes Freikorps zusammenzutun. Napoleon, dem hier zum ersten Male ein Symptom ernsteren Volkswillens gleichsam prophetisch warnend entgegentrat, hob daher zornentbrannt die Universität auf, die Studenten wurden mit unerhörtem Vandalismus plötzlich und unter großem Wehgeschrei der Bürger nach allen Weltgegenden auseinandergetrieben und mußten, ausgeplündert und zum Teil selbst der nötigen Kleidungsstücke beraubt, sich einzeln nach Hause betteln. – Wunderbarer Gang der Weltgerichte! Dieselben vom übermütigen Sieger in den Staub getretenen Jünglinge sollten einst siegreich in Paris einziehen.«* (Eichendorff: Halle und Heidelberg)
In Heidelberg hörten die Brüder juristische Vorlesungen bei Anton Fr. Justus Thibaut, bei Johann Heinrich Voß und dessen Sohn Heinrich klassische Philologie und vor allem Philosophie bei Joseph Görres, den Eichendorff von seinen Lehrern am meisten liebte und dessen Collegia er in seinem Tagebuch mit »göttlich« und »himmlisch« superlativisch pries. Die Vorstellung eines poetisch beseelten Weltganzen, die der Naturphilosoph Henrik Steffens in Halle entwickelt hatte, fand in Görres' universal spekulativem Denken ihre von Eichendorff begierig aufgegriffene Ergänzung: in der Verschmelzung von Kosmologie, Religion, Poesie und Wissenschaft, dem bildhaften Denken, der Hochschätzung der Volkspoesie, dem Versuch, die symbolhaften Geheimnisse der Natur- und Dingwelt zu entziffern.
Eichendorff betrieb Sprachstudien (italienisch u. a.), lernte Gitarre spielen, erschloß sich durch Wanderungen mit Freunden das malerische Umland, schrieb und las. Seine frühe Lyrik stand noch stark unter dem Einfluß von Otto Heinrich von Loeben, mit dem er sich anfreundete und der als Isidorus Orientalis modernistisch inhaltsarm, doch formgewandt, Schiller und Novalis nachzutönen versuchte, mit großem Erfolg. Loeben vermittelte dem Freund den ersten Druck seiner Gedichte unter dem Pseudonym »Florens« in Asts »Zeitschrift für Wissenschaft und Kunst« (1810). Eichendorff blieb Loeben auch noch später freundschaftlich gesonnen, erkannte aber bald dessen dichterische Beschränktheit und karikierte ihn bissig in seinem ersten Roman, »Ahnung und Gegenwart« (1815), als den Typus des »schmachtenden« Autors, der

den »Afterkultus« der Romantik vertrat. Nachhaltig aber prägte die von Arnim und Brentano herausgegebene Liedersammlung »Des Knaben Wunderhorn« den jungen Eichendorff, dessen volksliedhaften Ton er sich unverwechselbar anverwandelte. Am 13. März 1808 trug er ins Tagebuch ein: »Mit Isidorus, Strauß u. Budde gegen Handschuchsheim spazieren. Mein Singen: Da droben auf jenem Berge u. polnische Lieder.« Die zweite des von ihm aus dem »Wunderhorn« zitierten Liedes setzt ein: »Da drunten in jenem Tale, / Da treibt das Wasser ein Rad.« Eines der bekanntesten Eichendorff-Lieder »In einem kühlen Grunde, / Da geht ein Mühlenrad« (1808), erstmals gedruckt im »Deutschen Dichterwald« (1813), hat literarisch im »Wunderhorn« seinen Ursprung, topographisch bezieht es sich auf die Förstermühle im »Kühlen Grunde« zu Rohrbach bei Heidelberg und die »verschwundene Liebste« Katharina Förster.
In Eichendorffs Heidelberger Zeit fiel auch ein Besuch des Königs von Württemberg, über den er im Tagebuch spottet (25. und 26. Juli 1807):
»Kam der König von Württemberg, der den Napoleon in Frankfurt salutiert hatte nach Heidelberg. Ich ging daher in den Karlsberg, wo er übernachtete, u. sah ihn dort absteigen. Echte Karikatur. – Dicker Kopf, noch mit 2 Locken verziert. Ungeheurer Bauch in Bandagen, sonderbar herabhängend. Kurze Beinchen. Grüner Frack, kurze Stiefeln ... Standen wir frühzeitig auf, u. sahen im Karlsberge das königliche Monstrum noch deutlicher und länger.«
Im Mai 1808 beendeten die Brüder Eichendorff ihr Studium in Heidelberg. Bildungsreisen nach Paris, Wien und Berlin schlossen sich an, in Wien wurde schließlich das juristische Examen abgelegt. Von Wien brach er auf und reihte sich ins Lützowsche Freikorps in Breslau ein, als ihn der Aufruf zur Bildung freiwilliger Jägereinheiten zum Kampf gegen Napoleon erreichte (März 1813):

> Ich hört viel Dichter klagen
> Von alter Ehre rein,
> Doch wen'ge möchten's wagen
> Und selber schlagen drein.

Eichendorff nahm teil an den Feldzügen von 1813 und 1815, ohne Feindberührung, was ihn schmerzte, und marschierte am 7. Juli 1815 in Paris mit ein. Sein großer Roman »Ahnung und Gegenwart« (1815), an dem er seit 1810 gearbeitet hatte, bilanziert nicht nur verschlüsselt seine eigene, ironisch kommentierte Entwicklung und die rückläufige und gefährliche Entwicklung romantischen Schwärmertums. Er ist auch, wie der Herausgeber Fouqué anmerkte, ein »getreues Bild der gewitterschwülen Zeit der Erwartung, Sehnsucht und Verwirrung«, des gesellschaftlichen Umbruchs also.

1389

1389*

## JOSEPH VON EICHENDORFF

Kostümiert als Schwarzer Ritter

Nach einer Miniatur von J. Raabe
1809

Wangen i. A., Deutsches Eichendorff Museum

1390

## DEUTSCHER DICHTERWALD.

Von Justinus Kerner, Friedrich Baron de la Motte-
Fouqué, Ludwig Uhland und Andern.

Tübingen: Heerbrandt, 1813

Marbach, Deutsches Literaturarchiv

*Das zerbrochene Ringlein*

In einem kühlen Grunde
Da geht ein Mühlenrad,
Mein Liebste ist verschwunden,
Die dort gewohnet hat.

Sie hat mir Treu versprochen,
Gab mir ein'n Ring dabei,
Sie hat die Treu gebrochen,
Mein Ringlein sprang entzwei.

Ich möchte als Spielmann reisen
Weit in die Welt hinaus,
Und singen meine Weisen,
Und gehn von Haus zu Haus.

Ich möcht als Reiter fliegen
Wohl in die blut'ge Schlacht,
Um stille Feuer liegen
Im Feld bei dunkler Nacht.

Hör ich das Mühlrad gehen:
Ich weiß nicht, was ich will –
Ich möcht am liebsten sterben,
Da wär's auf einmal still!

Joseph von Eichendorff

1391

## QUITTUNG EICHENDORFFS ÜBER
## EMPFANGENEN SOLD VOM 9. OKTOBER
## 1814 MIT EINEM LIEBESGRUSS FÜR LOUISE
## VON LARISCH

Wangen i. A., Deutsches Eichendorff Museum

Was sollt ich mich so sehr betrüben,
Daß Du so weit entfernt von mir?
Ruh' ich dahier und Du da drüben
Bist Du bei mir und ich bei Dir!

1392

## JOSEPH FREIHERR VON EICHENDORFF:
## AHNUNG UND GEGENWART

Nürnberg: Leonhard Schrag, 1815

Marbach, Deutsches Literaturarchiv

Die Nacht war indes angebrochen, die Sterne prangten an
dem heitern Himmel. Da erklang auf einmal Musik aus
dem nächsten Gebüsche. Es waren Spielleute aus dem
Kloster, die Leontin bestellt hatte. Rudolf stand bei den
ersten Klängen auf, sah sich ärgerlich um und ging fort.
Leontin, von den plötzlichen Tönen wie im innersten
Herzen erweckt, hob sein Glas hoch in die Höhe und rief:
»Es lebe die Freiheit!« »Wo?« – fragte Faber, indem er
selbst langsam sein Glas aufhob. – »Nur nicht etwa in der
Brust des Philosophen allein«, erwiderte Leontin, unangenehm gestört. »Diese allgemeine, natürliche, philosophische Freiheit, der jede Welt gut genug ist, um sich in ihrem
Hochmute frei zu fühlen, ist mir ebenso in der Seele
zuwider, als jene natürliche Religion, welcher alle Religio-
nen einerlei sind. Ich meine jene uralte, lebendige Freiheit,

die uns in großen Wäldern wie mit wehmütigen Erinnerungen anweht, oder bei alten Burgen sich wie ein Geist auf die zerfallene Zinne stellt, der das Menschenschifflein unten wohl zufahren heißt, jene frische, ewig junge Waldesbraut, nach welcher der Jäger frühmorgens aus den Dörfern und Städten hinauszieht, und sie mit seinem Horne lockt und ruft, jener reine, kühle Lebensatem, den die Gebirgsvölker auf ihren Alpen einsaugen, daß sie nicht anders leben können, als wie es der Ehre geziemt. – Aber damit ist es nun aus. – Wenn unserer Altvordern Herzen wohl mit dreifachem Erz gewappnet waren, das vor dem rechten Strahle erklang, wie das Erz von Dodona; so sind die unsrigen nun mit sechsfacher Butter des häuslichen Glückes, des guten Geschmacks, zarter Empfindungen und edelmütiger Handlungen umgeben, durch die kein Wunderlaut bis zu der Talggrube hindurchdringt. Zieht dann von Zeit zu Zeit einmal ein wunderbarer, altfränkischer Gesell', der es noch ehrlich und ernsthaft meint, wie Don Quixote, vorüber, so sehen Herren und Damen nach der Tafel gebildet und gemächlich zu den Fenstern hinaus, stochern sich die Zähne und ergötzen sich an seinen wunderlichen Kapriolen, oder machen wohl gar auch Sonette auf ihn, und meinen, er sei eine recht interessante Erscheinung, wenn er nur nicht eigentlich verrückt wäre. – Das alte große Racheschwert haben sie sorglich vergraben und verschüttet, und keiner weiß den Fleck mehr, und darüber auf dem lockern Schutt bauen sie nun ihre Villen, Parks, Eremitagen und Wohnstuben, und meinen in ihrer vernünftigen Dummheit, der Plunder könne so fortbestehen. Die Wälder haben sie ausgehauen, denn sie fürchten sich vor ihnen, weil sie von der alten Zeit zu ihnen sprechen und am Ende den Ort noch verraten könnten, wo das Schwert vergraben liegt.«

[...]

Friedrich sagte unterwegs: »Mir scheint unsre Zeit dieser weiten, ungewissen Dämmerung zu gleichen! Licht und Schatten ringen noch ungeschieden in wunderbaren Massen gewaltig miteinander, dunkle Wolken ziehn verhängnisschwer dazwischen, ungewiß, ob sie Tod oder Segen führen, die Welt liegt unten in weiter, dumpf stiller Erwartung. Kometen und wunderbare Himmelszeichen zeigen sich wieder, Gespenster wandeln wieder durch unsre Nächte, fabelhafte Sirenen selber tauchen, wie vor nahen Gewittern, von neuem über den Meeresspiegel und singen, alles weist wie mit blutigem Finger warnend auf ein großes, unvermeidliches Unglück hin. Unsere Jugend erfreut kein sorglos leichtes Spiel, keine fröhliche Ruhe, wie unsere Väter, uns hat frühe der Ernst des Lebens gefaßt. Im Kampfe sind wir geborgen, und im Kampfe werden wir, überwunden oder triumphierend, untergehn. Denn aus dem Zauberrauche unserer Bildung wird sich ein Kriegsgespenst gestalten, geharnischt, mit bleichem Totengesicht und blutigen Haaren; wessen Auge in der Einsamkeit geübt, der sieht schon jetzt in den wunderbaren Verschlingungen des Dampfes die Lineamente dazu aufringen und sich leise formieren. Verloren ist, wen die Zeit unvorbereitet und unbewaffnet trifft; und wie mancher, der weich und aufgelegt zu Lust und fröhlichem Dichten, sich so gern mit der Welt vertrüge, wird, wie Prinz Hamlet, zu sich selber sagen: Weh, daß ich zur Welt, sie einzurichten, kam! Denn aus ihren Fugen wird sie noch einmal kommen, ein unerhörter Kampf zwischen Altem und Neuem beginnen, die Leidenschaften, die jetzt verkappt schleichen, werden die Larven wegwerfen, und flammender Wahnsinn sich mit Brandfackeln in die Verwirrung stürzen, als wäre die Hölle losgelassen, Recht und Unrecht, beide Parteien, in blinder Wut einander verwechseln. – Wunder werden zuletzt geschehen, um der Gerechten willen, bis endlich die neue und doch ewig alte Sonne durch die Greuel bricht, die Donner rollen nur noch fernab an den Bergen, die weiße Taube kommt durch die blaue Luft geflogen, und die Erde hebt sich verweint, wie eine befreite Schöne, in neuer Glorie empor. – O Leontin! wer von uns wird das erleben!«

(Auszug)

## Otto Heinrich Graf von Loeben
## (1776–1825)

Er war einer der mystischsten und inbrünstigsten Schwärmer und klassizistischen Nachtöner der Zeit, der als Isidorus Orientalis in Heidelberg (und darüber hinaus) eine Gemeinde von Bewunderern um sich gesammelt hatte. »Des Novalis zweiter Teeaufguß« (Brentano) drängte es immer so zum Dichten, daß er die Lyrik nicht halten konnte und der Verleger mit Drucken nicht nachkam. Als am 5. Oktober 1807 über Heidelberg ein Komet sichtbar wurde, faßten die hymnischen Selbstbespiegler dessen Erscheinung als eine ihnen persönlich geltende Prophezeiung auf: daß Isodorus der »Herold der neuen Welt« sei und andere Überspanntheiten mehr. Eichendorff sah in Loeben, mit dem er als Student verkehrt hatte, einen jener zahllosen Repräsentanten der »unechten« Romantik, mit dem er in »Ahnung und Gegenwart« ironisch-brillant abrechnete:
»Ein anderer junger Dichter von mehr schmachtendem Ansehen, der neben der Frau vom Hause seinen Wohnsitz aufgeschlagen hatte, lobte zwar auch mit, warf aber dabei einige durchbohrende neidische Blicke auf den vom Lesen erschöpften Begeisterten. Überhaupt war dieser Friedrich schon vom Anfang an durch seinen großen Unterschied von jenen beiden Flausenmachern aufgefallen. Er hatte sich während der ganzen Zeit, ohne sich um die Verhandlungen der andern zu bekümmern, ausschließlich mit der Frau vom Hause unterhalten, mit der er Eine Seele zu sein schien, wie man von dem süßen zugespitzten Munde beider abnehmen konnte, und Friedrich hörte nur manchmal einzelne Laute, wie: ›mein ganzes Leben wird zum Roman‹ – ›überschwengliches Gemüt‹ – ›Priesterleben‹ – herüberschallen. Endlich zog auch dieser ein ungeheures Paket aus der Tasche und begann vorzulesen, unter andern folgendes Assonanzenlied:

Hat nun Lenz die silbern'n Bronnen
Losgebunden:
Knie' ich nieder, süßbeklommen,
In die Wunder.

Himmelreich, so kommt geschwommen
Auf die Wunden
Hast du einzig mich erkoren
Zu den Wundern?

In die Ferne süß verloren
Lieder fluten,
Daß sie, rückwärts sanft erschollen,
Bringen Kunde.

Was die andern sorgen, wollen,
Ist mir dunkel,
Mir will ew'ger Durst nur frommen
Nach dem Durste.

Was ich liebte und vernommen,
Was geklungen,
Ist den eignen tiefen Wonnen
Selig Wunder!

Er las noch einen Haufen Sonette mit einer Art von priesterlicher Feierlichkeit. Keinem derselben fehlte es an irgend einem wirklich aufrichtigen kleinen Gefühlchen, an großen Ausdrücken und lieblichen Bildern. Alle hatten einen einzigen, bis ins Unendliche breit auseinander geschlagenen Gedanken, sie bezogen sich alle auf den Beruf des Dichters und die Göttlichkeit der Poesie; aber die Poesie selber, das ursprüngliche, freie, tüchtige Leben, das uns ergreift ehe wir darüber sprechen, kam nicht zum Vorschein vor lauter Komplimenten davor und Anstalten dazu. Friedrich kamen diese Poesien in ihrer durchaus polierten, glänzenden, wohlerzogenen Weichlichkeit wie der fade unerquickliche Teedampf, die zierliche Teekanne mit ihrem lodernden Spiritus auf dem Tische wie der Opferaltar dieser Musen vor.«
Als Unterleutnant im »Banner der freiwilligen Sachsen« zog Loeben in den Befreiungskriegen gegen Frankreich. Der Frau von Staël setzte er, gut patriotisch, seine »deutschen Worte« gegen ihre Ansichten von deutscher Literatur entgegen. Die Spätfolgen seines Schlaganfalls magnetisierend zu heilen, hatte Justinus Kerner in Weinsberg vergeblich versucht.

1393

OTTO HEINRICH VON LÖBEN:
DEUTSCHE WORTE ÜBER DIE ANSICHTEN
DER FRAU VON STAËL VON UNSERER
POETISCHEN LITTERATUR IN IHREM WERK
ÜBER DEUTSCHLAND

Heidelberg: Mohr und Zimmer. 1814. 250 S.

Stuttgart, Sammlung Borst

## Johann Heinrich Voß (1751–1826)

*»In Heidelberg selbst aber saß der alte Voß, der sich bereits überlebt hatte und darüber ganz grämlich geworden war. Mitten in dem staubigen Gewebe seiner Gelehrsamkeit lauerte er wie eine ungesellig Spinne, tückisch auf alles junge und neue zufahrend, das sich unvorsichtig dem Gespinste zu nähern unterfing«* (Eichendorff). *Auf Wunsch des Großherzogs von Baden war er 1805 von Jena nach Heidelberg übergesiedelt und lehrte dort bis zu seinem Tode an der Universität. Seine Leistungen sind unbestritten: epochal seine Homer-Übersetzungen; viel gelesen und gerühmt seine Lieder, Elegien, Oden und Idyllen, allen voran sein bürgerlich-idyllisches Epos,* »Luise« *im volktümelnden Hexameter. Seine erbitterte Gegnerschaft der romantischen Bewegung gegenüber verstrickte ihn in dauernde Literaturfehden und -händel: Schlachten ums Sonett und das* »Wunderhorn« *wurden geschlagen. Im Sonett, eine von den Romantikern häufig benutzte, weil* »vollkommene« *(F. Schlegel) Gedichtform, sah er nur eine* »Unform alter Truvaduren, / Die einst vor Barbarn, halb galant, halb mystisch, / Ableierten ihr klingelndes Sonetto.« *Die Schlacht wuchs sich aus, wurde geschlagen zwischen dem Cottaschen* »Morgenblatt« *der Voßpartei und der* »Zeitung für Einsiedler« *der Romantiker, deren Beiträger Voß mit überlegenem Witz und überschäumender Phantasie Paroli boten: Görres'* »Sonettschlacht bei Eichstädt« *etwa oder Arnims* »Geschichte des Herrn Sonet und des Fräuleins Sonete, des Herrn Ottav und des Fräuleins Terzine. Eine Romanze in 90 + 3 Soneten.« *Als das* »Wunderhorn« *erschienen war, verriß es Voß ebenfalls im* »Morgenblatt« *und bezog Goethe, der es positiv rezensiert hatte, in seine gehässige Kritik mit ein. Goethe zitierte ihn dafür auf den Blocksberg:* »Hinweg von unserm frohen Tanz / Du alter neidischer Igel. / Gönnst nicht dem Teufel seinen Schwanz, / Dem Engel nicht die Flügel« *(Paralipomenon zum* »Faust«*). Voß und seine Partei aber waren in Heidelberg nicht zu schlagen: Nicht zuletzt ihrer Zänkereien wegen hatten die Romantiker dort das Feld geräumt.*

1394

JOHANN HEINRICH VOSS:
LUISE EIN LAENDLICHES GEDICHT IN
DREY IDYLLEN

Vollendete Ausgabe. – Tübingen: Cotta 1807. 352 S.

Stuttgart, Sammlung Borst

## Ludwig Achim von Arnim (1781–1831)

Vaterland.

In Varnhagen's Stammbuch.
Sommer 1806.

Fest beiß ich mich, mein schwankend Vaterland,
Und beiß' ich dich mit allen Zähnen,
Dir thut's nicht weh, ich mag nicht schrein.

Sei's Liebeswuth, sei's häßlich ohn Verstand,
So tief ich einbeiß', bist du gerne mein,
Willst Mutterbrust dem Kinde sein.

Er schwanke denn im Wind, du loser Sand!
Er schwankt, will meine lust'ge Wiege sein,
Mein Vaterland, und ich bin dein.

Achim von Arnim

Achim von Arnim war von hohem Wuchs und so auffallender männlicher Schönheit, daß eine geistreiche Dame einst bei seinem Anblick und Namen in das begeisterte Wortspiel: »Ach im Arm ihm« ausbrach; während Bettina, welcher, wie sie selber sagt, eigentlich alle Menschen närrisch vorkamen, damals an ihren Bruder Clemens schrieb: »Der Arnim sieht doch königlich aus, er ist nicht in der Welt zum zweiten Mal.«

Joseph von Eichendorff

*26. August 1806: auf Geheiß Napoleons wird der Buchhändler Johann Philipp Palm erschossen. Sein Vergehen: Die Verbreitung der antinapoleonischen Schrift* »Deutschland in seiner tiefen Erniedrigung«*. Arnim kommentierte bitter wie aufsässig:* »Der Tod des Buchhändlers Palm fordert jeden Deutschen, der je eine Berührung mit seiner Literatur hatte, zur Rache auf; eher wird es nicht gut, bis die Menschen es sich zum höchsten Glück wünschten, Märtyrer zu werden« *(an Rudolph Zacharias Becker, 19. September 1806). Arnims erste Interessen galten der Mathematik und den Naturwissenschaften. Am 10. Mai 1898 hatte er sein Studium in Halle aufgenommen (Rechtswissenschaft, Physik, Mathematik und Chemie) und schon früh zahlreiche naturwissenschaftliche Schriften und Aufsätze veröffentlicht. Ein Jahr drauf wechselte er an die Universität Göttingen. Durch den Umgang in literarischen Zirkeln verlagerten sich seine Interessen: Sein Entschluß, der Wissenschaft zugunsten der Kunst zu entsagen, wurde endgültig, als er Goethe persönlich begegnete und mit Clemens Brentano Freundschaft schloß. Im Juli 1801 wurde das Studium zu Ende gebracht, sein Erstlingsroman,* »Hollins Liebesleben«*, entstand, eine Bildungsreise durch mehrere europäische Länder nahm ihren Anfang. Schlüsselerlebnis wurde ihm die mit Brentano unternommene Reise den Rhein hinunter: Einquartiert auf dem Marktschiff fühlten sie sich als* »fahrende Spielmänner«*,* »im Gesange der Schiffer von tausend Anklängen der Poesie berauscht«*, überwältigt von den Formen der Volkskultur, ihren Liedern, ihren Gebräu-*

chen, fasziniert von Gestalten, die an den Rändern und jenseits der bürgerlichen Gesellschaft lebten, hingerissen von der Schönheit der Landschaft und den baulichen Zeugen vergangener Zeiten: »Das Leben war frisch angebrochen wie die echte Quelle des rheinischen Weines«. Der Plan zum »Wunderhorn«, ihrer Liedersammlung, nahm Gestalt an. Material hierfür sammelte Arnim auf seinen Reisen durch die Schweiz, Frankreich, Italien: mündlich Überliefertes, Bücher, Flugschriften. Der programmatische Aufsatz »Von Volksliedern« entstand, der den ersten Band des »Wunderhorns« als Nachwort abschließen sollte. Im Frühjahr 1805 reiste Arnim zu Brentano nach Heidelberg, wo sie beide den ersten Band zusammenstellten, überwachte den Druck anschließend in Frankfurt. Im Herbst 1805 wurden die ersten Exemplare ausgeliefert (Erscheinungsjahr im Titel 1806). Im Januar 1808 reiste Arnim zur Überwachung und Drucklegung des zweiten und dritten »Wunderhorn«-Bandes nach Heidelberg. Hier gründete er das maßgebliche publizistische Organ der südwestdeutschen Romantik: die »Zeitung für Einsiedler«. Sie erschien in 37 Nummern, vom 1. April bis 30. August 1808, und verstand sich nicht nur als Organ der Heidelberger Romantik. Neben den Freunden Brentano und Görres zählten zu den Beiträgern: Fouqué, die Grimms, Hölderlin, Jean Paul, Maler Müller, die Schlegels, Tieck, Zacharias Werner und Vertreter der schwäbischen Romantik wie Kerner und Uhland. Gleich in der ersten Nummer plazierte Arnim ein Liebesgedicht, »Lieben und geliebt zu werden«, adressiert an Bettina, die Schwester von Clemens, die er später heiraten sollte. Arnims literarische Attacken und Rundumschläge, vorgetragen in überlegenem Spott, provozierte die Gegner, allen voran Johann Heinrich Voß, der schon am 3. Mai 1808 in »Cottas Morgenblatt für gebildete Stände« die »Kriegserklärung an das philisterhafte Publikum« (Eichendorff in »Erlebtes«) zurückwies und gegen die Verhöhnung führender Blätter anzuschreiben versuchte. Brentano konterte mit seiner volksbuchartigen Erzählung, »Geschichte und Ursprung des ersten Bärenhäuters«, einer Satire auf die Herausgeber romantikkritischer Zeitschriften wie Cottas »Morgenblatt für gebildete Stände« und Kotzebues »Der Freimütige«: Cotta firmiert als »Messalinus Cotta«, Kotzebue als »Kuzbutzia«, Merkel, Mitarbeiter am »Freimütigen« und dem »Morgenblatt« als »Merkelia«, Reinbeck, Redakteur bei Cotta, als »Rinbeckia«. Gesammelt unter dem Titel »Trösteinsamkeit, alte und neue Sagen und Wahrsagungen, Geschichten und Gedichte« erschienen alle Beiträge der Einsiedler-Zeitung als Buchausgabe.
Zwischen dem 9. Oktober 1806, dem Kriegseintritt Preußens, und der Entscheidungsschlacht von Jena und Auerstedt am 14. Oktober 1806 schrieb Arnim jenen historisch aktuellen Aufsatz »Was soll geschehen im Glücke« (1961 erstmals veröffentlicht), in welchem er programmatisch seine politischen Ansichten formulierte, im Zentrum Napoleon, die Französische Revolution, die deutsche Frage, als Ziel die Verbindung der Errungenschaften der Französischen Revolution mit dem bewährten Alten: »jene neue Zeit ist die Chirurgie zur Besserung der Welt,

jene ältere die Medicin. Aber beyde sind nothwendig.« Patriotische Gedichte werden geschrieben und »Kriegslieder« für die preußischen Soldaten zusammengestellt, die er, als fliegende Blätter gedruckt, an die ausrückenden Truppen in Göttingen verteilte. Weiterhin veröffentlichte er, auch nachdem er Heidelberg verlassen hatte, Aufsätze und Gedichte in den »Heidelberger Jahrbüchern«.
1809 erschien Arnims Novellensammlung »Der Wintergarten«, den er Bettina widmete, Nacherzählungen aus alten deutschen Dichtungen, die er mit eigenen mischte, so der autobiographischen Erzählung »Ariel«, allesamt umfaßt von einer an Boccaccio und Cervantes geschulten Rahmenerzählung. Ein Jahr später folgte sein »großer Zeitroman« (Brentano), »Armuth Reichthum Schuld und Buße der Gräfin Dolores«, ein Buch, das er »seit Jahren als ein Liebling in sich gehegt« habe. Dieser Eheroman, entwickelt vor dem Hintergrund der politischen Auseinandersetzungen seit der Französischen Revolution bis 1809, feierte nicht mehr, wie noch die Frühromantik, die freie Liebe, sondern die Ehe als verpflichtende Ordnungsmacht: Ohne Ordnung des Privaten gibt es keine im politisch-öffentlichen Raum. Das Gegeneinander zweier Zeitalter wird, gebrochen im Thema der Ehe, versehen mit zahlreichen Bezügen zur Wirklichkeit, das, von zahllosen Episoden überwucherte, thematische Zentrum. Die Rettung des Alten, ohne auf die Errungenschaften des Neuen zu verzichten. Des Grafen »Lieblingsplan«: »alles Gute und Ehrenvolle, was sich in den adeligen Häusern nach seiner Meinung zugetragen habe, allgemein zu machen, alle Welt zu adeln.« Weiter erschienen: das Doppeldrama »Halle und Jerusalem« (1811), eine Sammlung von Novellen, die berühmteste wird »Isabella von Ägypten« werden (1812). 1811 gründete er die Christlich-Deutsche-Tischgesellschaft, ein privater, konservativer politischer Zirkel der einflußreichsten Männer Berlins, 1813 übernahm Arnim die Schriftleitung des »Politischen Korrespondenten« und veröffentlichte die »Schaubühne«, zumeist Bearbeitungen älterer Stoffe, der Ertrag sollte der Anschaffung von Kanonen dienen, mit denen der Landsturm mangelhaft nur ausgerüstet war. 1817 erschien das Hauptwerk dieser Zeit: der erste Band der »Kronenwächter«, ein historischer Roman zur »Erweckung des Volksgeistes«, dessen Plan zurückgeht in die Zeit des »Wunderhorns«. Achim verwertete die 1805 erstandene Chronik zur Vergangenheit der Stadt Waiblingen, Wolfgang Zachers »Chronicon Waiblingense«. Die politische Macht, vertreten durch den Bürgermeister Berthold, und die Kunst, in Gestalt des Malers Anton, beide werden in der Chronik erwähnt, scheinen zur Erneuerung Deutschlands tauglich. Zu Anton notierte sich Achim: »Die Auflösung ist endlich, daß die Krone Deutschlands nur durch geistige Bildung erst wieder errungen werde.«

1395

1395*

## LUDWIG ACHIM VON ARNIM

Silberstiftzeichnung und farbige Kreide
Anonym
Um 1810

Düsseldorf, Goethe-Museum

## 1396

## LUDWIG ACHIM VON ARNIM:
## WAS SOLL GESCHEHEN IM GLÜCKE

1806

Weimar, Goethe- und Schiller-Archiv

Was soll geschehen im Glücke

Napoleon hat den Geist der grösten Volksbewegung unsrer Zeit, der französischen Revoluzion, gefaßt, der schützt ihn, so lange er ihm folgt, er kann geschlagen werden, er wird endlich doch siegen. Ich nenne den Geist der französischen Revoluzion die Unterdrückung der Staatsgewalt des

Adels und der Geistlichkeit, die Bildung eines neuen Ritterthums des Geistes und der Wahrheit. Haben wir dagegen einen Streit? Nein; hingegen sind die Besten darin einverstanden. Und doch ist Streit gegen ihn; also nicht gegen die Sache, gegen i h n , wie er als ein beschränktes menschliges Talent jenen Geist deutet; er bewacht, so glauben wir, jene drey Thätigkeiten nicht allein nicht, er wendet sie fremdartig an gerade gegen ihren Zweck zu Familienbeförderung, Ehre und Rache. So menschlich jenes, so menschlich sind wir auch es nicht zu dulden, unmenschlich aber ist es sich zu widersetzen ohne die Kraft dazu zu haben. Es wird der Fall gesetzt, die Kraft wäre da, wie kann die Kraft ihre Richtung bekommen. Ich behaupte nur in der Versöhnung des Geistes alter und neuer Zeit, die in unsern Tagen einen so zweifelhaften Krieg geführt haben. Man glaubt fälschlich, daß sie sich einander gegenüberstehen wie Gutes und Böses durch einen unergründlichen Sündenstrom getrennt; das Unglück hat das Glück der Ueberlegung: wir können jetzt ruhig überdenken, wir fühlen daß die alte Zeit nicht viel taugte und die neue nicht vollendet ist, wer beyde vereinigen will muß beyde im Ganzen und in den Theilen auffassen und schon dadurch ist es in ihm verbunden. Der Verfasser des Napoleon Bonaparte sucht mit vielem Scharfsinne darzuthun, daß Napoleon seinem Volke wie ein Wesen fremder Art wunderbar entgegengesetzt wäre, daß eben in seiner Unbegreiflichkeit seine göttliche Uebermacht liege; ich glaube das Gegentheil, in ihm ist der gelungenste Ausdruck der Zeit, die ihn geboren, die meisten glauben, daß mit dem Tode Napoleons eben deswegen das gesammte Volk in einen Zustand des eigenen gesellschaftlichen ungehinderten Daseyns kommen würde, um alle Nationen in ihrer ruhigen Trägheit weiter nicht zu stören; ich glaube das Gegentheil, Napoleon wird ein neuer Napoleon folgen. Ich frage aber, ist der Krieg von Napoleon nicht aus eben den Quellen entsprungen, ist er nicht eben so listig und tapfer geführt worden mit viel ungeübteren Truppen? Dieselbe Prahlerey, Prunksucht bey aller Größe in allen, derselbe Spot und dann wieder die Benutzung des Heiligen? Weiter im Frieden dasselbe Zerstören aller historischen Verbindung, Vernichtung von Dokumenten um das Eigenthum aufzuheben, bewuste Lüge über Zeitgeschichte, gewaltsame Unterdrückung aller freyen Untersuchung: in allen nur die Absicht den Augenblick ganz zu erfüllen. Auf diesem Wege wurden der Adel und alle inneren Einrichtungen Frankreichs aufgehoben, die Rechte deutscher Fürsten in Frankreich, so wurde Genf ausgehungert, was in Napoleon menschlich schwach und gegen den Geist der Revoluzionsfortbildung ist, war vor ihm vielfach ärger, ja man sah die Möglichkeit wie er ohne den schnöden Krieg gegen England, als wahrer Zeitgeist sich hätte ausbilden können. Der Geist welcher ihm gegenübersteht, ich rede erst von seinem göttlichen Wesen, ist das ruhige Anschließen an die Vergangenheit um zur Zukunft zu gelangen, es muß etwas sich ganz selbst überleben, ehe es untergeht, kein gewaltsames Drücken und Fühlen an den Früchten, ehe sie reif sind, weil viel eben dadurch nicht reif werden, sondern vor der Zeit abfallen, darum gesellige Uebereinkunft, ein frommer Abscheu vor jeder Gewalt, aus Achtung gegen die Vorzeit nicht aus Furcht vor Strafe ein gegenseitiges Anerkennen des Eigenthums. Mit einem Bilde gesagt, jene neuere Zeit ist die Chirurgie zur Besserung der Welt, jene ältere Zeit die Medicin. Aber beyde sind nothwendig. [...]

Das ganze Volk muß aus einem Zustande der Unterdrükkung durch den Adel zum Adel erhoben werden und jedes Drittheil ein mächtigeres Reich bilden, als früher sie alle drey Theile zusammengenommen. Deutschland muß nicht allein von französischen Truppen befreit werden, um dann alles was sich indessen geschaffen, die neuen Staaten aus alten politisch völlig annulirten auf immer treu zu befestigen. Es muß nicht von uns die alte Reichsmumie wieder aufgestellt werden, die Friedrich mit ein Paar Regimentern verspottete, die Reichsstädte in kleine Reichsländer, die sich beym ersten Unglück trennen und ihr Daseyn einer früheren Zeit dankten, in der sie gröstentheils untergegangen. Die Reformation, ich meine die weltliche muß beendigt werden, aber der gröste rein deutsche Staat, er hat mehr deutsche Unterthanen jetzt als Oesterreich, Preußen muß die politischen Kräfte des Ganzen leiten, indem er das Verhältniß der Unterthanen zu den Fürsten wie in Wirtenberg sonst sichert so jene das neure Verhältniß von Preußen, doch so daß in diesem neuen Fürstenbunde ein Princip der steten Fortbildung in dem neuen deutschen Orden sey nicht allein ein stehendes Rechtsprincip wie sonst das Reichskammergericht. Auf diesem Wege kommen wir leicht zur wahren Auslegung der sehr wunderbaren Entstehung Preußens und seiner sehr wunderlichen Verfassung.

1397

## Ludwig Achim von Arnim:
## Lieben und geliebt zu werden

1808

Gedichthandschrift

Frankfurt a. Main, Freies Deutsches Hochstift

Lieben und geliebt zu werden
Ist das einzige auf Erden,
Was ich könnte, was ich möchte,
Was ich dächte,
Daß es mir noch könnte werden,
Lieben und geliebt zu werden.

Lieben und geliebt zu werden
Lehrt ihr mich, ihr muntern Herden,
Wenn gehörnte Böcklein springen,
Muß ich singen:
Lieben und geliebt zu werden
Wünsch ich mir, es wird mir werden.

Lieblich um geliebt zu werden
Treibt des Abends Gold die Herden
Mit dem frohen Sängergruße
Zu dem Flusse;
Könnt' ich meinen Sinn erkühlen,
Auszuströmen, auszufühlen.

Liebend auch geliebt zu werden,
Ach wer trüg' da nicht Beschwerden,
Seht die Stiere scharf sich drängen;
Leichte Gänge!
Streitend möcht' ich für sie sterben,
Für sie leben, sie erwerben.

Liebe, die ich lieben werde,
Ich der glücklichste der Erde,
Und sie muß mir bald begegnen,
Mich zu segnen;
Denn noch nie mit süßerm Schallen
Schmetterten die Nachtigallen.

Liebe tritt mir bald entgegen,
Wie dem Frühling warmer Regen,
Grüne Blätter und von allen
Tropfen fallen:
Und kein Tropfen soll verkommen,
Warum war ich doch beklommen?

Liebend und geliebt zu werden,
Lauscht der Wald dem Tritt von Pferden!
Kommt Sie da? Ich hör im Düstern
Vögel flüstern!
Nein, es jagen sich die Füllen,
Kinder lieben nicht im stillen.

Lieb ich um geliebt zu werden,
Still genügen mir Gebärden,
Vor mit leise reden, lachen,
Sie umwachen!
Mein vertrauter Lustgefährte
Wär' der Traum auf ihrer Fährte.

Liebend um geliebt zu werden
Reis' ich um die grüne Erde;
Ach wo wird der Blick mich finden,
Der mich bindet?
Und an welchem frommen Herde
Bleib ich um geliebt zu werden?

Lieben und geliebt zu werden,
Lieblich Dasein, lieblich Werden,
Heimlich Wesen und verstohlen,
Wo sie holen?
Ach in welchen öden Mauern
Mag sie lauern, mag sie trauern.

Liebend gleich geliebt zu werden,
Letzte Abendröt' beschere,
Löse auf die roten Schleifen
Himmelsstreifen:
Sinkt des Auges helle Wonne,
Mir im Herzen steigt die Sonne.

Wie mein Auge sich verklärte,
Alles flüchtet, was beschwerte,
Wie auf Wiesen Lüftlein zittern
Hell zu flittern:
Flitterwoche wird mein Leben;
Wird dann hell in Nacht verschweben.

Liebend so geliebt zu werden,
Ach zu arm ist diese Erde,
In die Lüfte muß ich küssen,
Sie zu grüßen:
Nur der Überfluß der Sterne
Gibt mir Zeichen aus der Ferne.

Liebend wieder g'liebt zu werden,
Lieget ruhig, liebe Herden,
Laßt euch nicht im Schlafe stören,
Mich zu hören!
Hört, ich muß nur Luft mir machen,
Singend in das Feuer sehn und wachen.

## 1398

### Ludwig Achim von Arnim: Zeitung für Einsiedler

Heft 1 (1808).

Heidelberg: Mohr und Zimmer

Frankfurt a. Main, Freies Deutsches Hochstift

»Das selten gewordene Blatt war eigentlich ein Programm der Romantik; einerseits die Kriegserklärung an das philisterhafte Publikum, dem es feierlich gewidmet und mit dessen wohlgetroffenem Porträt es verziert war; andrerseits eine Probe- und Musterkarte der neuen Bestrebungen: Beleuchtung des vergessenen Mittelalters und seiner poetischen Meisterwerke, sowie die ersten Lieder von Uhland, Justinus Kerner u.a. Die merkwürdige Zeitung hat nicht lange gelebt, aber ihren Zweck als Leuchtkugel und Feuersignal vollkommen erfüllt.«
Josef Freiherr von Eichendorff: Halle und Heidelberg o.J.

## 1399

### Tröst Einsamkeit

Herausgegeben von Ludwig Achim von Arnim.

Heidelberg: Mohr und Zimmer. 1808.

Frankfurt a. Main, Freies Deutsches Hochstift

daraus:
Clemens Brentano: Geschichte vom Ursprung des ersten Bärenhäuters.

*VII. Messallinus Cotta wird beschämt, Trauung, gelehrte Tierhetze, hohe Todesfälle, der dunkle Riese, Geschichte von der Ratte (indischen Ursprungs)*

Messallinus Cotta war bereits zurückgekehrt, und der Bärnhäuter langte auf einem Umwege auch vor dem Schlosse an und schickte seinen debauchierten Trompeter hinauf, den Herrn Messallinus Cotta um die Erlaubnis zu bitten, ihm und der Familie seine Aufwartung zu machen. Messallinus Cotta empfing ihn mit offnen Armen und setzte ihn zwischen seine beiden ältesten Töchter, die jüngste hatte er versteckt; die beiden Töchter wechselten in der Bemühung ab, ihm zu gefallen, und der küßte ihnen Hände und Füße, um zu sehen, ob er seinen Vergißmeinnichtsring nicht finde. Messallinus Cotta sprach davon, die Partie könne zustande kommen, Herr von Bärenhäuter werde eine andre heuraten; dieser aber wußte wohl, daß seine Eudoxia Rinbeckia nicht zugegen war, er begehrte daher, Messallinus Cotta sollte ihm die dritte Tochter auch vorstellen, daß er sich an der Ähnlichkeit der drei ergötzen könne; Messallinus Cotta mußte sie wohl rufen, und Eudoxia Rinbeckia nahm unten am Tisch Platz wie ein Turteltäublein, das seinen Gemahl verloren, denn sie mußte sich stellen, als habe sie als eine Verlobte keine Ansprüche auf diesen ansehnlichen Herrn; die Schwestern aber triumphierten und warfen ihr einen stechenden Blick nach dem andern zu. Bärnhäuter aber ging aus der Stube, warf seine Bärnhaut um und trat so wieder auf; Messallinus Cotta und Eudoxia Rinbeckia gerieten in große Angst. »Ich komme, Eure Tochter zu holen«, sprach er; »Eudoxia Rinbeckia, zeige mir den halben Trauring!« Eudoxia Rinbeckia erblaßte; »ich habe gehört, treuloser Messallinus Cotta, daß du deine Tochter einem andern versprochen«, – da war guter Rat teuer – Messallinus Cotta kniete nieder und schwur auf seinen gebogenen Knieen nebst Eudoxia Rinbeckia, daß dergleichen Exzesse nie wieder vorfallen sollten. Des trefflichen, gefühlvollen Herrn Obrist von Bärenhäuters Herz konnte nicht länger widerstehen, er verzieh, er warf den Wildschur ab und gab sich zu erkennen; ach, der Geliebte und Gefürchtete waren einer nur, und sie hatte Arme, ihn zu umarmen, namenloses Entzücken! St. Lukas' Ochs trat herein und gab sie zusammen, die ganze Gesellschaft der Tiere waren Zeugen, der Trompeter blies, daß das Haus zitterte, Messallinus Cotta stellte alle Gänsefüße bei, die er vorrätig hatte; nach Tisch war Tierhetze, die gelehrte Gesellschaft biß sich untereinander selbst, und da sie sich über die Maßen angriffen, verbiß sich der Hund in den Palmesel, daß er trotz aller Mittel nicht von ihm zu trennen war; man lief daher zum Brunnen, einen Eimer Wasser zu holen und auf ihn zu gießen, der Eimer war ungewöhnlich schwer, und als man ihn endlich heraufbrachte, sieh da, o Jammer, der Leichnam der ältesten Tochter Kuzbutzia hing daran, sie hatte sich aus Verzweiflung über Eudoxia Rinbeckias Glück ersäuft; dem Hund gingen unter Jammergeschrei die Zähne auseinander, alles war sehr betrübt, man sagte Trauer an, und jeder verfügte sich in seine Garderobe, die Trauerkleider anzulegen; als Eudoxia Rinbeckia das ihrige vom Zapfenbrette loshängen wollte, griff sie an einen menschlichen Leib: »Licht! Licht!« Messallinus Cotta kommt mit einem Brand aus der Küche, und siehe da, es war die zweite Tochter, Dykia Merkelia, die sich aufgeknüpft hatte; neues Geschrei, doppelte Trauer. Man sammelte sich, so gut man konnte. St. Markus' Löwe las eine Abhandlung über den Selbstmord vor, und die Stunde nahte heran, in welcher nach so vielen Stürmen der treffliche Bärnhäuter sich mit seiner werten Braut in sein Kämmerlein begeben sollte. Als er von dem Schwiegervater und der Dienerschaft an seiner Türe verlassen war, überfiel ihn ein wunderbarer Schauer; die Braut begab sich zur Ruhe. Der Obrist stand am Fenster, es pochte am Fenster, Eudoxia Rinbeckia kroch bang unter die Decke, es pochte wieder, der Obrist machte auf, da stand ein dunkler Riese, an seinem Knebelbart hingen die beiden ältesten Töchter des Hauses geknüpft. »Mein Knecht,« sprach der Riese, »jetzt sind die sieben Jahre um!« – Da spürte der Herr Obrist das einst gefressene Hasenherz sehr lebendig – »Und was nun,« sagte er, »der Teufel wird mich doch jetzt nicht holen!« – »Ei bewahre,« sagte der Geist, »das hieße dich auf der besten Karriere stören, ich habe meinen Teil« – da strich er sich den Bart –, »ich darf auch keinen Landsknecht in die Hölle bringen, ich will nur Abschied von dir nehmen, und befehl dir zum ewigen Gedächtnis, auf der Bärenhaut zu schlafen; kultivierte Welt, ermuntre deine Tiergesellschaft zum Schreiben!« – Indem ging der rote Mond hinter dem Riesen auf und schien ihm durch die leeren Augen, seine Stirne war transparent und darauf zu lesen: »*Eritis sicuti Deus* usw. *e. g. S. V.*« – »Esel,« schrie der Riese plötzlich, »was stehst du da und gaffst und läßt deine Braut allein?« und schlug ihm das Fenster vor der Nase zu, und sank an der Mauer hinunter. Der gute Obrist von Bärenhäuter faßte Mut, machte das Fenster wieder auf und schrie ihm nach: »Leben Sie wohl, mein Bester, empfehlen Sie mich Ihrer Frau Liebsten!« Aber er hörte nichts als ein leises Brotzeln der Gänsefüße in der Pfanne, er sah wieder an den Himmel und erblickte das Gestirn des nachmaligen Großen Bärs besonders hell; er zog ein treffliches Perspektiv hervor, welches er auf der Messe gekauft, und schaute hinauf, da sah er seine ehemaligen Brüder, die Landsknechte, ganz besonders lustig trinken und singen. Bald hörte er sie seinen Namen nennen, sich seiner erinnern, seine Gesundheit trinken, da schrie er hinauf: »Gesegne es euch Gott!« und der Stern drehte sich herum wie ein Drehtopf, und alle schrien großen Dank, und dabei flogen ihm so viele Gläser an den Kopf, daß er das Fenster schloß; zugleich fingen vor der Türe seine gelehrten Freunde und Messallinus Cotta an, alte Töpfe zu zerschmeißen, wie das bei alten, altvorderischen Hochzeiten Gebrauch war.

Solches doppelte Bombardement brachte ihn wieder zu Sinnen, er hob seine ohnmächtige Geliebte von dem Lager, legte sie einstweilen auf den Schrank und breitete, wie er seinem Geiste versprochen hatte, die Bärenhaut über das Bett aus, worauf er sie wieder zur Ruhe brachte, und im Glauben, sie schlummre sanft, legte er sich ruhig an ihre Seite und entschlief; plötzlich aber erweckte ihn ein entsetzliches »Auweh!« welches seine Gattin zu schreien anhob, »auweh! eine Ratte, eine Ratte!«[1] Er sprang flugs

mit gleichen Beinen zum Bette heraus und suchte nach der vermaledeiten Ratte, das ganze Haus erwachte, alles suchte nach der Ratte, sie hatte in das neu seidne Kleid der Braut ein großes Loch gefressen, aber man konnte sie nicht finden; Eudoxia Rinbeckia schimpfte auch über die Bärenhaut und behauptete, darin müßte sie noch stecken. Der Bärnhäuter wollte die Bärenhaut platterdings nicht wegtun, und die Braut verließ das Gemach und verfügte sich, auf dem Grabe ihrer verstorbenen Schwestern bei dem schönen Mondschein zu trauern; lebe wohl, schönes Gemüt!

1400

## LUDWIG ACHIM VON ARNIM: DER WINTERGARTEN. NOVELLEN VON LUDWIG ACHIM VON ARNIM

Berlin: Realschulbuchhandlung, 1809

Stuttgart, Sammlung Borst

1401

## LUDWIG ACHIM VON ARNIM: ARMUTH REICHTHUM SCHULD UND BUSSE DER GRÄFIN DOLORES

Eine wahre Geschichte zur lehrreichen Unterhaltung armer Fräulein aufgeschrieben.

Berlin: Realschulbuchhandlung o. J. (1810). – 2 Bände I. 348 S. – II. 416 S.

Stuttgart, Sammlung Borst

1402

## LUDWIG ACHIM VON ARNIM: DIE KRONENWÄCHTER

2. Titel: Bertold's erstes und zweites Leben. Ein Roman. Erster Band. Berlin: Maurer, 1817. – 441 S.

Stuttgart, Sammlung Borst

Waiblingen

Die Geschichten, welche hier neben der Karte von Schwaben vor uns liegen, berühren weder unser Leben, noch unsere Zeit, wohl aber eine frühere, in der sich mit unvorhergesehener Gewalt der spätere und jetzige Zustand geistiger Bildung in Deutschland entwickelte. Das Bemühen, diese Zeit in aller Wahrheit der Geschichte aus Quellen kennen zu lernen, entwickelte diese Dichtung, die sich keineswegs für eine geschichtliche Wahrheit gibt, sondern für eine geahndete Füllung der Lücken in der Geschichte, für ein Bild im Rahmen der Geschichte. Die Karte von Schwaben, wie sie Homanns Erben im Jahre 1734 herausgaben, muß noch jetzt nach so vielen Veränderungen, wohlgefallen. Diese sinnreichen Nürnberger haben alle Farben ihres weltberühmten Muschelkastens benutzt, die Grenzen der vielen Staaten augenscheinlich zu machen, auf daß ein jeder in dieser Farbenpracht den Bogen der Gnade erkennen möge, den Gott über dieses herrliche Land gestellt hatte, als er es nach freier Entwickelung durch Krieg und Friede mit der Kraft seines heiligen, deutschen Reichs für Jahrhunderte schützte. Ein mächtiger Strom, die Donau, entspringt in Schwaben, begrenzt den Erbfeind der Christenheit, den Türken. Ein anderer, der Rhein, findet erst im Bodensee seinen rechten Boden, der ihn zur Größe erzieht, wofür er die Grenze, von der er ungern scheidet, zu einer Inselwelt durchflicht. Der Bodensee selbst ein sanftes Abbild des Meeres, bezeichnet neben den Höhen eine reiche Tiefe des Landes. Wer nennt alle lieblichen Ströme, welche das Land durchrauschen! Wer nennt alle Berge von Schlössern gekrönt, von denen die Ströme entspringen, von denen die Heldengeschlechter herrschend zu den fernen Ebenen niedergezogen sind! Ganz Schwaben ist dem Reisenden ein aufgeschlagenes Geschichtbuch, hier war der früheste Mittelpunkt deutscher Geschichten und so seltsam alles umfassend die Deutschen sich später schaffend und zerstörend geregt haben, diese Vollendung in einem gewissen Sinne erreichen sie nicht wieder und so reiht sich das Bild des Unterganges unmittelbar an den Glanz der Hohenstaufen. Schöner ist das dauernde Steigen eines Landes, das in jeder Einrichtung das ungestörte Erbe der Jahrhunderte aufweisen kann, aber menschlich näher tritt uns als ein Bild des eignen Geschicks die Berührung mit großen Hoffnungen aus früheren Tagen in einem Volke, das bewahrsam und achtend gegen seine Vorzeit in Urkunden, Erinnerungen und Gebräuchen jedem Dorfe seine Denkwürdigkeiten erhalten hat. Suchen wir auf unsrer Karte den Neckarfluß und gehen wir mit Behagen an seinem Ufer von Reben umgrünt zum Einflusse der Rems und da hinauf durchs reiche Wiesental nach Waiblingen, so befinden wir uns auf dem Schauplatze unsrer Geschichte. Waiblingen versteckt sich jetzt, wie wir von Reisenden hörten, ungeachtet es an einem Hügel hinangebaut ist, hinter umgebenden Weinbergen. Ehemals ragte am Tore ein hoher Wachtturm hinaus, der mit vier kleinen Türmchen und einem höhern in der Mitte, alle fünf mit Schiefer wohlgedeckt, der Stadt schon aus der Ferne ein wehrhaftes Ansehen gab. Dieser Turm ist die Bühne, welche den Anfang unsrer Geschichten aus den engen Verhältnissen eines kleineren Städtleins zum Seltsamen erhebt; so verdient er eine nähere Beschreibung. Die vier Türmchen traten an den vier Ecken des Mauerwerks von Werkstücken heraus, auch ein gezähnter Gang zwischen ihnen war zur bessern Verteidigung hinaus gebaut. Unter dem mittleren Turme befand sich das Wachtzimmer, in dessen Mitte eine große Wurfschleuder gegen andringende Feinde aufgerichtet war, während die Wände hinlänglich mit Armbrüsten und Harnischen behangen waren, um bei raschem Angriff gleich eine bedeutende Zahl Bürger zu rüsten. Als Wächter wurde immer ein alter Kriegsmann gelöhnt, der des Schlafes entwöhnt, mit den Seinen abwechselnd eine ununterbrochene Wacht unterhalten mußte. Auf seinem Büffelhorne

zeigte er mit allgemein bekannten Zeichen an, wenn sich Not und Sorge, sei es durch Kriegsscharen und Räuber, oder durch Feuer und Wasser dem Stadtgebiete näherten. In solchem Fall kamen viel neugierige Gesellen zum Besuch, sonst mied jeder die enge Windeltreppe des Turms, der nicht besondere Freundschaft zu dem Wächter trug. Eine Winde im Wächterzimmer war zu doppeltem Gebrauche eingerichtet, sie hob in einem großen Eimer von der Stadtseite zu bestimmten Stunden seine Lebensmittel empor, und nahm in demselben Eimer von der Landseite nach dem unerbittlichen Torschluß alle verspätete Sendungen an Rat und Bürger der Stadt gegen mäßigen Lohn auf. Bei dem lebhaften Verkehr, dessen sich die Stadt jetzt als Vorratskammer der Neckarweine für Augsburg, durch Gerbereien und Ankauf von Schlachtvieh erfreute, war diese Art Nebengewinn ein Hauptunterhalt des Wächters geworden, der nach dem frühen Torschlusse mit Sehnsucht nach verspäteten Boten auf die Straße von Augsburg herunter blickte. Von Augsburg war das Tor genannt, so weit Augsburg davon entlegen sein mochte. Augsburg war damals gleichsam ein heiliger Name, weil die sichtbaren Quellen des Wohlstandes, das Geld und die Reisenden, die es brachten, von Augsburg entsprangen und nicht immer wieder dahin zurückkehrten; im zweiten Buche führt uns die Geschichte nach diesem Mittelpunkte des Handels, zu den reichen Geschlechtern, die, das neu entdeckte Amerika mitzuerobern, Schiffe ausrüsteten und die Kaiser durch Glanz und Erfindung froher Feste sich zu geselliger Freude verbanden.

## Clemens Brentano (1778–1842)

*Verzweiflung an der Liebe in der Liebe*

In Liebeskampf? In Todeskampf gesunken?
Ob Atem noch von ihren Lippen fließt?
Ob ihr der Krampf den kleinen Mund verschließt?
Kein Öl die Lampe? oder keinen Funken?

Der Jüngling – betend? tot? in Liebe trunken?
Ob er der Jungfrau höchste Gunst genießt?
Was ist's, das der gefallne Becher gießt?
Hat Gift, hat Wein, hat Balsam sie getrunken.

Des Jüngleins Arme, Engelsflügel werden –
Nein Mantelfalten – Leichentuches Falten.
Um sie strahlt Heil'genschein – zerraufte Haare.

Strahl' Himmelslicht, flamm' Hölle zu der Erde
Brich der Verzweiflung rasende Gewalten,
Enthüll' – verhüll' – das Freudenbett – die Bahre.

Clemens Brentano

Neben Görres standen zwei Freunde und Kampfgenossen: Achim von Arnim und Clemens Brentano, welche sich zur selben Zeit nach mancherlei Wanderzügen in Heidelberg niedergelassen hatten. Sie bewohnten im »Faulpelz«, einer ehrbaren aber obskuren Kneipe am Schloßberg, einen großen luftigen Saal, dessen sechs Fenster mit der Aussicht über Stadt und Land die herrlichsten Wandgemälde, das herüberfunkelnde Zifferblatt des Kirchturms ihre Stockuhr vorstellte; sonst war wenig von Pracht oder Hausgerät darin zu bemerken. Beide verhielten sich zu Görres eigentlich wie fahrende Schüler zum Meister, untereinander aber wie ein seltsames Ehepaar, wovon der ruhig mild-ernste Arnim den Mann, der ewig bewegliche Brentano den weiblichen Part machte. Arnim gehörte zu den seltenen Dichternaturen, die, wie Goethe, die poetische Weltansicht jederzeit von der Wirklichkeit zu sondern wissen, und daher besonnen über dem Leben stehen und dieses frei als ein Kunstwerk behandeln. Den lebhafteren Brentano dagegen riß eine übermächtige Phantasie beständig hin, die Poesie ins Leben zu mischen, was denn häufig eine Konfusion und Verwickelungen gab, aus welchen Arnim den unruhigen Freund durch Rat und Tat zu lösen hatte. Auch äußerlich zeigte sich der große Unterschied. [...]
Während Arnims Wesen etwas wohltuend Beschwichtigendes hatte, war Brentano durchaus aufregend; jener erschien im vollsten Sinne des Worts wie ein Dichter, Brentano dagegen selber wie ein Gedicht, das, nach Art der Volkslieder, oft unbeschreiblich rührend, plötzlich und ohne sichtbaren Übergang in sein Gegenteil umschlug und sich beständig in überraschenden Sprüngen bewegte. Der Grundton war eigentlich eine tiefe, fast weiche Sentimentalität, die er aber gründlich verachtete, eine eingeborene Genialität, die er selbst keineswegs respektierte und auch von andern nicht respektiert wissen wollte. Und dieser unversöhnliche Kampf mit dem eigenen Dämon war die eigentliche Geschichte seines Lebens und Dichtens und

erzeugte in ihm jenen unbändigen Witz, der jede verborgene Narrheit der Welt instinktartig aufspürte und niemals unterlassen konnte, jedem Toren, der sich weise dünkte, die ihm gebührende Schellenkappe aufzustülpen und sich somit überall ingrimmige Feinde zu erwecken. Klein, gewandt und südlichen Ausdrucks, mit wunderbar schönen, fast geisterhaften Augen, war er wahrhaft zauberisch, wenn er selbstkomponierte Lieder oft aus dem Stegreif zur Gitarre sang. Dies tat er am liebsten in Görres einsamer Klause, wo die Freunde allabendlich einzusprechen pflegten; und man könnte schwerlich einen ergötzlicheren Gegensatz der damals florierenden ästhetischen Tees ersinnen, als diese Abendunterhaltungen, häufig ohne Licht und brauchbare Stühle, bis tief in die Nacht hinein: wie da die Dreie alles Große und Bedeutende, das je die Welt bewegt hat, in ihre belebenden Kreise zogen, und mitten in dem Wetterleuchten tiefsinniger Gespräche Brentano mit seinem witzsprühenden Feuerwerk dazwischen fuhr, das dann gewöhnlich in ein schallendes Gelächter zerplatzte.

Joseph von Eichendorff

*»Dein Reich ist in den Wolken und nicht von der Erde«, hatte die Mutter Goethes dem kleinen Clemens ins Stammbuch geschrieben. 1200 Reichstaler, aus dem väterlichen Erbe jährlich gesichert, enthoben ihn der Notwendigkeit, irdisch geregelte, feste berufliche Verpflichtungen eingehen zu müssen. Zwar studierte er an mehreren Universitäten, kreuz und quer durch die Fächer, von den Kameralwissenschaften über Medizin bis zur Philosophie, doch den Entschluß, einen bürgerlichen Beruf zu ergreifen, verwarf er in dem Augenblick, als er Zugang zum Kreis der Jenaer Romantiker fand: zu den Schlegels, zu Heinrich Steffens und vor allem zu Ludwig Tieck, zu Fichte und am stärksten zu Sophie Mereau, seiner Geliebten und späteren Frau. »In der itzigen Zeit kann man nur unter zwei Dingen wählen, man kann entweder ein Mensch oder Bürger werden.« Der Exzentriker haßte den Bürger und verteidigte die »freie poetische Existenz«, »die fern von dem Abenteuer ist und fern von dem häuslichen Tod«, »nur im fantastischsten, romantischsten Leben könne er Ruhe finden«. Bürger und Poet, das schloß sich für ihn aus: »Die Poeten gehen bei der bürgerlichen Natur zu Grund.«
Sein Nonkonformismus und seine chaotische Lebensweise waren mit seiner poetischen Arbeitswut durchaus vereinbar. Er debütierte in allen Gattungen, die er, der romantischen Forderung nach ihrer Auflösung gemäß, virtuos durchmischte. Er schrieb Lyrik, verfaßte Satiren (»Satiren und poetische Spiele von Maria«, 1800) und Erzählfragmente, das Singspiel »Die lustigen Musikanten« (1803), das Lustspiel »Ponce de Leon« (1804), jenen »Maskenball von Worten und Gedanken«, bei dem »die verrücktesten Wortspiele wie Harlekine durch das Stück rennen und überall hin schlagen mit ihrer glatten Pritsche« (Heine). Übersetzungen legte er gleichfalls vor. Zum Hauptwerk dieser Zeitspanne aber wurde: »Godwi oder das steinerne Bild der Mutter. Ein verwilderter Roman von Maria« (1801/02), jener frühromantische Bildungsroman in der Nachfolge von Goethes »Wilhelm Meister«, autobiogra-*

phisch eingefärbt, kalkuliert verwirrt komponiert, mit farbigster Formenvielfalt, antibürgerlich durch und durch, Genuß und Sinnlichkeit, freie Liebe, Poesie und Phantasie als Tugenden preisend, mit Einlagen durchsetzt, die zu Brentanos bester Lyrik zählen (»Lore Lay«, »Ein Fischer saß im Kahne«), Sentiment und Ironie vereint.

Die Rheinreise mit seinem engsten Freund Achim von Arnim – »er war mir nahe wie mein Leben« – markierte für beide einen Abschnitt überhöhten Lebens, den sie später immer wieder beschwören werden. »Es setzten zwei Vertraute / Zum Rhein den Wanderstab, / Der braune trug die Laute, / Das Lied der blonde gab«, so dichtete er dem »Herzbruder«. Die Tradition der Rheinromantik und ihrer Dichtung nahm hier ihren Anfang, auch Brentanos Rheinlieder und -gedichte sowie sein Zyklus der »Rheinmärchen« stehen darin. Berauscht von der Volkspoesie, die sie den Rhein hinunter umgab, gewann der Plan eines »deutschen Volksgesangbuches« Kontur, der in Heidelberg, in das Brentano mit seiner Familie gezogen war, realisiert wurde: »Des Knaben Wunderhorn«. In der aufstrebenden Universitätsstadt, einer reichen Volkskultur, dem geselligen Umgang mit Gleichgesinnten – Creuzer, Görres, Daub, Loos –, der Nachbarschaft ihres Verlegers Zimmer und der Aussicht, auch Tieck an die Universitätsstadt berufen zu können, sahen sie die besten Voraussetzungen für ihre poetische Existenz, nicht zuletzt auch durch den landschaftlichen Reiz der Gegend und die Zeugen einer reichen historischen Vergangenheit, die sie sich in Wanderungen erschlossen und besangen. Den Titel »Wunderhorn« entlehnten sie einer alten französischen Romanze, die sie frei übertrugen und den Liederkranz eröffnen ließen. Das Material hatten sie in mehrjähriger Arbeit gesammelt: es auf ihren zahllosen Fahrten und Wanderungen dem Volke abgelauscht, es aus gedruckten und handschriftlichen Quellen zusammengetragen, Fliegenden Blättern vor allem, für die sie sich als erste interessierten, es über öffentliche Anzeigen in Zeitungen und Zeitschriften sich erbeten. Ihr Begriff von Volkspoesie war weit: Volks- und Kunstlieder rechneten sie darunter. In seinem Aufsatz, »Von Volksliedern«, der das Finale der dreibändigen Sammlung bildete, entwickelte Arnim die kulturpolitischen Ziele des »Wunderhorn«: Die bestehende Kultur wird einer scharfen Kritik unterzogen und die Utopie einer künftigen einheitlichen Volkskultur entwickelt, die gespeist werden sollte aus den Quellen der Volkspoesie. Wollte Arnim die nationalpädagogische Funktion der Liedersammlung in den Vordergrund rükken, so Brentano ihre Ästhetik. In der Volkspoesie fand er jene »höhere Natureinheit« verkörpert, aufgehoben vom »einsamsten, unwissendsten Landvolk, das wie ein Stein den Umriß einer verlorenen Blume, oft eine herrliche, poetische Reliquie, ewig, ewig wiederholt, wie ein Echo, das noch schallt von dem Ruf untergegangener Riesenstimmen.« Freundschaftlich überspielt, schlagen sich diese verschiedenen Interessen und Einschätzungen auch in der Bearbeitung des Materials nieder. »Restauration und Ipsefakten« (Bearbeitungen und Neudichtungen) galten beiden zwar als Selbstverständlichkeit, nur über die Vorgehensweise gab es unterschiedliche Auffassungen. Arnim

scheute sich nicht, konsequent seine kulturpolitischen Ziele verfolgend, einschneidende Änderungen am Material vorzunehmen, es mitunter weitschweifig zu ergänzen, es umzudichten oder einzukürzen, die Neuerungen nicht verschleiernd. Bretano paßte sich mehr dem Material an, schlüpfte in die Rollen der lyrischen Ichs, modernisierte mit altertümelnden Wendungen, verschliff die Bruchstellen und ließ mit kleinen, scheinbar unerheblichen Eingriffen den besonderen »Wunderhorn«-Ton erklingen. Die zweiten und dritten Bände, die hauptsächlich von Brentano in Kassel, der Mithilfe der Gebrüder Grimm wegen, lektoriert wurden, enthalten einen hohen Anteil unveränderter Originale, auch wenn diese, sofern verschiedene Varianten des gleichen Textes vorlagen, zu einer Version verschmolzen und verdichtet wurden. Im Titelkupfer zum »Wunderhorn« II, dessen Idee und Entwurf von Brentano stammte, vollzieht sich die Verschmelzung bildlich: Zwei Abbildungen des Oldenburger Horns werden kontaminiert (von 1648 und 1693); die Krümmung gibt den Blick frei auf Heidelberg und das unzerstörte (also nicht ruinöse) Schloß nach einem Merianstich (von 1619). Als Anhang zum »Wunderhorn« erschienen die »Kinderlieder« (1808).

Die Kritik am Verfahren blieb nicht aus: »poetische Falschmünzerey« wurde den »Wunderhornisten« vorgeworfen; die Gebrüder Grimm beklagten den Mangel an exakter, historischer Untersuchung; Johann H. Voß schrieb im »Morgenblatt« von einem »zusammengeschaufelten Wust von mutwilligen Verfälschungen, sogar mit untergeschobenem Machwerk«. Goethe aber, dem der erste Band zugeeignet war, sprach in der »Jenaischen Allgemeinen Literatur-Zeitung« das Machtwort: Im »Wunderhorn« sei »so wahre Poesie, als sie nur irgend sein kann«. Und Heine dufteten darin »die holdseligsten Blumen des deutschen Geistes«. Kaum zu ermessen der Einfluß auf die Lyrik im 19. Jahrhundert.

Zwischen 1801 und 1806 entstand die Urfassung der »Chronika des fahrenden Schülers (1818, stark verändert als Fragment veröffentlicht): eine Idealisierung des Mittelalters, wenn auch nicht die Verklärung seiner politischen und sozialen Verhältnisse sowie eine poetische Darstellung des frommen und armen Lebens. Zwischen 1803 und 1812 entwarf Brentano sein unvollendet gebliebenes Versepos »Die Romanzen vom Rosenkranz«, ein mittelalterlich-katolizierender Gedichtzyklus, der ein umfassendes Menschheitsgemälde nach Art der »Divina Comedia« von Dante abbilden sollte. »Das Ganze ist ein apokryphisch religiöses Gedicht« (Brentano), der Katholizismus spielerisch-ästhetisch genutzt, so daß Brentano nach seiner Wendung zum orthodoxen Katholizismus (1817) sich von »diesen geschminkten, duftenden Toilettensünden unchristlicher Jugend«, entschieden absetzte, ja die Romanzen sogar verbrennen wollte. Neben dem »Uhrmacher BOGS«, der Gemeinschaftsarbeit mit Görres, schrieb er Beiträge für die »Einsiedler«-Zeitung seines Freundes Arnim. 1809 schließlich erschien, als Bearbeitung volkstümlicher Literatur des 16. Jahrhunderts, in deren Umfeld er sich auskannte und lebte wie kaum einer, Jörg Wickrams Erzählung »Der Goldfaden«.

*Die lästigen Zankereien mit dem alten Voß und seinem
Klüngel, die Zustände an der Universität – »an keinem
gelehrten Ort vielleicht in Deutschland herrscht ein elendi-
gerer Brotneid« –, das als kulturfeindlich empfundene
gesellschaftliche Klima – »kein Ort aber ist so ohne allen
Kunstsinn und unköniglich als dieser und dies Land« –,
seine überstürzt geschlossene, entsetzliche wie tragikomi-
sche zweite Ehe mit Auguste Bußman nach dem Tod seiner
geliebten Sophie – einen Skandal hatte es gegeben, als
Auguste bei einem für Napoleon ausgerichteten Begrü-
ßungsempfang der deutschen Fürsten in Frankfurt dem
noch nicht verehelichten Brentano in aller Öffentlichkeit
um den Hals fiel –, all dies ließ ihn Heidelberg fliehen und
umherziehen, u.a. zu Arnim nach Berlin, später nach
Wien. Von da an vollzog sich ein Politisierungsprozeß.
Dem immer politisch denkenden und handelnden Arnim
hatte er in der Heidelberger Zeit noch schreiben können:
»ich habe kein Vaterland, Arnim, nur um Dich könnte ich
den Süden Deutschlands aufopfern« und ihn beschworen,
im Krieg gegen Napoleon nicht sein Leben einzusetzen.
»Die Lage Deutschlands ist so, daß sie kaum verdient, Dir
am Herzen zu liegen.« »Wem tut denn Frankreichs Sieg
weh? Schönen Seelen, die nach dem Ideal eines Staates
schmachten.« »Du weißt nicht, wie es mich erschreckt,
wärst Du Soldat; o sei keiner, der untergeht, keiner der
siegt: sei ein Mensch hoch über der Zeit und falle nicht in
diesem elenden Streit um Hufen Landes.« Brentano wurde
zu einem beherrschenden Teilnehmer in Arnims konservativer »Christlich-Teutschen Tischgesellschaft«, schrieb
patriotische Lyrik und Dramen, eine Kantate auf den Tod
der Königin Luise von Preußen als Opfer napoleonischer
Willkür. Und aus Wien heißt es, 1813 an Achim: »Du
Preußen, das ist der schönste, teuerst erkaufte Name.«*

1403

1403*

## Clemens Brentano

Zeichnung

Wilhelm Schadow
1805

1404

## Clemens Brentano:
## Godwi oder Das steinerne Bild
## der Mutter. Ein verwilderter Roman
## von Maria

Bremen: Wilmans. 1801. – 2 Bände.
I. 400 S. – II. XXXII, 455 S.

Stuttgart, Sammlung Borst

1405

## Clemens Brentano:
## Ponce de Leon. Ein Lustspiel

Göttingen: Dieterich. 1804. XVI, 280 S.

Stuttgart, Sammlung Borst

1406

## Ludwig Achim von Arnim und
## Clemens Brentano
## Die Wasserrüben und der Kohl...

Mischhandschrift, um 1805

Heidelberg, Universitätsbibliothek

*Mißheirat*
Mündlich

»Die Wasserrüben und der Kohl,
Die haben mich vertrieben wohl;
Hätt meine Mutter Fleisch gekocht,
Ich wär geblieben immer noch.

Wenn ich nur einmal Jäger wär,
Drei schöne Flinten kauft ich mir,
Drei schöne Flinten, einen Hund,
Ein schönes Mädchen kugelrund.«

Die schöne Jägrin fand er bald
Auf seinem Weg im dichten Wald;
Die Jungfer war wohl kugelrund,
Sie nahm ihn ohne Flint und Hund.

Er geht mit ihr vor Mutters Haus,
Die Mutter guckt zum Schornstein raus:
»Ach Sohn! ach lieber Sohne mein,
Was bringst mir für ein Stachelschwein?«

»Es ist fürwahr kein Stachelschwein,
Es ist die Herzallerliebste mein!«
»Ist es die Herzallerliebste dein,
Bring sie zu mir in Saal herein.

Ich will auftragen Rüb und Kohl.«
»Frau Mutter, das der Henker hol,
Ich bin Mosje, den Kohl veracht,
Den Schlüssel gebt, das Huhn ich schlacht.«

Die Alte hält den Jungen auf,
Springt zu und hält zehn Finger drauf;
»Du Bub, das Hühnlein leget frei
Mir alle Tage vier golden Ei.«

»Was doch der Braut mocht kommen ein,
Das Weggehn war nun gar nicht fein!«
Sie setzen sich zum Braten hin,
Uneins und doch in einem Sinn.

Die Alte lehrt den Sohn beim Mahl:
»Die Welt wird vornehm auf einmal,
Dir war die magre Wildkatz recht,
Ihr schien der fette Kater schlecht.«

Der Bub will alle Tage mehr,
Nun schleppt er gar ein Mädchen her.«
»Nun dann, Frau Mutter, gebet her
Ein ander Fleisch, das ich verehr.«

Die Alte winkt ihm freundlich zu,
Der Sohn sich setzt in guter Ruh,
Sie schlachtet einen Kater ab
Und bratet ihn am Zauberstab.

Die Jägrin sprach: »Herr Bräutigam,
Solch Wildbret ist mir gar zu zahm,
Es widersteht mir dies Geschlecht,
Ich bleib Mamsell und eß was recht.«

»Was Wildbret!« schreit der Bräutigam,
»Der Kater war von edlem Stamm,
Dies ist und bleibt das Wildbret mein!«
Die Jägrin läuft in'n Wald hinein.

(endgültige Druckgestalt)

## 1407

### FLIEGENDES BLATT

Aus der Sammlung Achim von Arnims zum
»Wunderhorn«

Heidelberg, Universitätsbibliothek

Die Zeichen dieser Zeit, bey Erscheinung eines erstaunens-
würdigen Schrecken-Spiegels in der Luft, welches an der
Türkischen Grenze, in der Gegend um Belgrad, den 16.
September dieses Jahres sich hat sehen lassen, und als ein
Finger Gottes alle sichere Sünder zur Buße ermahnet.
Gedruckt nach dem Regenspurger Exemplar. 1758

## 1408*

### LUDWIG ACHIM VON ARNIM; CLEMENS BRENTANO: DES KNABEN WUNDERHORN. ALTE DEUTSCHE LIEDER

Heidelberg: Mohr und Zimmer; Frankfurt: Mohr.
3 Bände.
I. 1806. S. 13–470. – II. 1808. 448 S. – III. 1808. 253 S. –
Anhang: 103 S.

Stuttgart, Sammlung Borst

## 1409

### JOHANN WOLFGANG VON GOETHE: REZENSION ZU »DES KNABEN WUNDER-HORN«

Jenaische Allgemeine Literaturzeitung,
Nr. 18 (1806) vom 21. 1. 1806, Sp. 137–138

Marbach, Deutsches Literaturarchiv

»Von Rechts wegen sollte dieses Büchlein in jedem Hause,
wo frische Menschen wohnen, am Fenster, unterm Spiegel,
oder wo sonst Gesang- und Kochbücher zu liegen pflegen,
zu finden sein, um aufgeschlagen zu werden in jedem
Augenblick der Stimmung oder Unstimmung, wo man
denn immer etwas Gleichtönendes oder Anregendes fände,
wenn man auch allenfalls das Blatt ein paarmal umschla-
gen müßte. Am besten aber läge doch dieser Band auf dem
Klavier des Liebhabers oder Meisters der Tonkunst, um
den darin enthaltenen Liedern entweder mit bekannten,
hergebrachten Melodien ganz ihr Recht widerfahren zu
lassen oder ihnen schickliche Weisen anzuschmiegen oder,
wenn Gott wollte, neue bedeutende Melodien durch sie
hervorzulocken.«

gangen voraussetzen dürfen, jene frische Morgenluft alt-deutschen Wandels, die noch in diesen Liedern weht... Vorzüglich wäre auf solche Lieder zu achten, welche die Kunstsprache mit dem Namen Romanze, Ballade, bezeichnet, das ist, in welchen irgendeine Begebenheit dargestellt wird, Liebeshandel, Mordgeschichte, Rittergeschichte, Wundergeschichte usw. Je älter und einfacher, je größer der Gewinn. Weiter scherzhafte und elegische Volkslieder, Spottlieder, charakteristische Kinderlieder, Wiegenlieder etc.... Alte Dienstboten, Kinderwärterinnen haben meistens diese Lieder im Gedächtnis, und viele Dörfer beurkunden ihren Reichtum an solchen meist in den gemeinsamen Gesängen der Spinnstuben. Die Lieder sind uns in der Mundart jeder Gegend willkommen, in der sie gesammelt sind, und kann von manchen die vortreffliche Melodie mitgewonnen werden, doppelt wert.«

## Karoline von Günderrode (1780–1806)

*Hochrot*

Du innig Rot,
Bis an den Tod
Soll meine Lieb dir gleichen,
Soll nimmer bleichen,
Bis an den Tod,
du glühend Rot,
Soll sie dir gleichen.

Caroline von Günderrode

Einmal kam sie mir freudig entgegen und sagte: Gestern habe ich einen Chirurg gesprochen, der hat mir gesagt, dass es sehr leicht ist, sich umzubringen; – sie öffnete hastig ihr Kleid und zeigte mir unter der schönen Brust den Fleck; ihre Augen funkelten freudig; ich starrte sie an, es ward mir zum ersten Mal unheimlich, ich fragte: Nun! – und was soll ich denn tun, wenn Du tot bist? – O, sagte sie, dann ist Dir nichts mehr an mir gelegen, bis dahin sind wir nicht mehr so eng verbunden, ich werd mich erst mit Dir entzweien; – ich wendete mich nach dem Fenster, um meine Tränen, mein vor Zorn klopfendes Herz zu verbergen, sie hatte sich nach dem andern Fenster gewendet und schwieg; – ich sah sie nach der Seite an, ihr Aug war gen Himmel gewendet, aber der Strahl war gebrochen, als ob sich sein ganzes Feuer nach innen gewendet habe; – nachdem ich sie eine Weile beobachtet hatte, konnte ich mich nicht mehr fassen, – ich brach in lautes Schreien aus, ich fiel ihr um den Hals und riss sie nieder auf den Sitz, und setzte mich auf ihre Knie und weinte viel Tränen und küsste sie zum *erstenmal* an ihren Mund und riss ihr Kleid auf und küsste sie an die Stelle, wo sie gelernt hatte das Herz zu treffen; und ich bat mit schmerzlichen Tränen, dass sie sich meiner erbarme, und fiel ihr wieder um den Hals und küsste ihr Hände, die waren kalt und zitterten und ihre Lippen zuckten, und sie war ganz kalt und starr und totenblass und konnte die Stimme nicht erheben; sie sagte leise: Bettine, brich mir das Herz nicht.

Bettina von Arnim

1408

1410

## CLEMENS BRENTANO
### »AUFFORDERUNG«, ZUR FORTSETZUNG DES »WUNDERHORNS« BEIZUTRAGEN

Badische Wochenschrift zur Belehrung und Unterhaltung für alle Stände. Hrsg. von Prof. Schreiber. Heidelberg. – Vom 11. Dezember 1807. S. 799 und 800.

Frankfurt a. Main, Freies Deutsches Hochstift

Im gleichen Sinn verfaßte Brentano 1806 ein »Circular«:

»Wir wünschen nämlich, recht viele brave deutsche Männer, die mit dem Landmann und den anderen untern Volksklassen in näherer Berührung stehen, dahin zu bewegen, alle älteren Volkslieder, welche die Tradition im Gesange dieser Stände noch erhalten hat, schriftlich aufzufassen. Das gewaltsame Vordringen neuer Zeit und ihrer Gesinnung droht diese Nachklänge alter Kraft und Unschuld ganz mit sich fortzureißen, und es scheint sich uns eine gute Gesinnung in dem Vorhaben zu bewähren, wozu wir Sie einladen, wir wollen nämlich literärisch zu befestigen suchen, was wir moralisch als beinahe unterge-

1411

Früh war der Tod um sie: drei ihrer Geschwister starben an Auszehrung, als sie sechs Jahre alt war, starb der Vater. Die wirtschaftliche Notlage der Familie zwang sie, ihre Geburtsstadt Karlsruhe zu verlassen und ins »von Cronstetten-Hynspergische adelige evangelische Damenstift« am Frankfurter Roßmarkt einzutreten. Schon bald zählten zu ihrem Freundeskreis die Geschwister Clemens und Bettina Brentano – Bettina sollte der Freundin in ihrem Briefroman »Die Günderrode« (1840) später ein Denkmal setzen. Die Günderrode vergrub sich in vielerlei Studien: der Literatur und Mythologie, der Geschichte und Philosophie. Lesend und schreibend erschuf sie sich ihre Gegenwelten, gab sich schreibend preis, Traum, Schmerz, Liebe und Tod wurden zu Schlüsselmotiven ihrer Bekenntnisdichtungen, melancholisch – resignativ gebrochen: »Drum leb ich, ewig Träume zu betrachten.« Die engen Grenzen der bürgerlichen Konventionen, die den Frauen Formen der Selbstbestimmung, sei es in der Liebe, sei es in der Arbeit, versagte, sie zumindest erschwerte, hatte die Günderrode klar erkannt, weil sie darunter litt wie kaum eine. » Warum ward ich kein Mann!«, so stöhnt sie und ist sich einig mit ihrer Freundin Lisette Nees von Esenbeck, die ihr schreibt: »Ich kann mich täglich weniger in die Welt und die bürgerliche Ordnung fügen, Caroline, mein ganzes Wesen strebt nach einer Freiheit des Lebens, wie ich sie nimmer finden werde. Die Liebe sollte doch, dünkt mir, frei sein, ganz frei von den engen Banden der Bürgerlichkeit.« Die Günderrode verzehrte sich in Liebe und Leid: Ihre leidenschaftliche Zuneigung für Friedrich Carl von Savigny blieb unerwidert, doch warf sie nicht aus dem Leben. Ihre Liebe zu Friedrich Creuzer aber brachte ihr den Tod. Ihn, Professor und Altertumsforscher an der Heidelberger Universität, hatte sie auf dem Altan des Heidelberger Schlosses kennengelernt (1804). Creuzer war »aus Dankbarkeit« mit der 13 Jahre älteren Frau seines verstorbenen Professors Sophie Leske verheiratet. Alle Versuche, sich aus der Familie zu lösen, scheiterten. Zwei Jahre währte diese Beziehung, erfüllte sich und erfüllte sich nicht in Liebes- und Arbeitsbriefen, in Dichtungen, verschwiegenen Treffen und abenteuerlichen Ausbruchsplänen. Creuzer, auch beruflich permanent überfordert, ist den Belastungen nicht gewachsen. Die Leidenschaft der Günderrode beglückt ihn, wie ihn ihre geistige Überlegenheit bedrückt: »Weh man hat gar nicht mehr recht den Mut, Dich kindlich zu necken und in Liebe untertan zu machen (wie wir Männer doch wollen), wenn man solche Weisheit betrachtet... Du mußt Dich Deiner Trefflichkeit entäußern – sonst kann ich ja bei Dir nicht froh werden.« Auch erschrecken ihn die Idealisierungen seiner Person, von denen er sich geschädigt fühlt: »Aber eins betrübt mich bei diesen und allen Deinen Liedern an mich, daß ihr Mittelpunkt unwahr ist. Ihr Mittelpunkt ist eine Anschauung von einer ganz seeligen göttlichen Ruhe, die mein Wesen seyn soll. Das ist nun leider nicht wahr, indem ich nur in der Reflexion existiere und im Denken...«

Unter dem männlichen Pseudonym »Tian« erschienen ihre »Gedichte und Phantasien« (1804) sowie ihre »Poetischen Fragmente« (1805). Nach einer letzten, geheimen Zusammenkunft in Frankfurt fiel der nach Heidelberg zurückgekehrte erschöpfte Creuzer in ein schweres, Nervenfieber und ließ der Günderrode die Nachricht zukommen, daß ihr Verhältnis aufgelöst sei.

Am 27. Juli 1806 fand ein Bauer die Günderrode am Rhein bei Winkel am Ufer unter Weidenbüschen. Sie hatte sich, des Lebens müde, ins Herz gestochen, zuvor ein Handtuch voll Steine um den Hals gebunden, damit sie auf den Grund des Rheins sinke. Den Dolch, versehen mit silbernem Griff, hatte sie schon lange bei sich getragen. Ein Arzt sezierte die Selbstmörderin, um aus dem Rückenmark die Todesursache zu erschließen. Lisette, die Freundin, erkannte scharfsinnig: »Sie fiel, ein Opfer der Zeit, mächtiger in ihr wirkender Ideen, frühzeitig schlaff gewordener sittlicher Grundsätze: eine unglückliche Liebe war nur die Form, unter der dies alles zur Erscheinung kam, die Feuerprobe, die sie verherrlichen oder verzehren mußte.« Die Veröffentlichung von »Melete«, eine Sammlung von Gedichten und Prosatexten unter dem Pseudonym »Ion«, ihre größte Liebeserklärung an Creuzer, ihren »Eusebio«, den »Einzigen«, wurde von ihm nach ihrem Selbstmord verhindert. Creuzer, der Begründer des Philologischen Seminars in Heidelberg (1807), der Herausgeber der Heidelberger Jahrbücher und Verfasser der für die romantische Ästhetik gewichtigen »Symbolik und Mythologie der alten Völker, insbesondere der Griechen«, er wird 87 Jahre alt werden. 1848 veröffentlichte er seine Erinnerungen »Aus dem Leben eines alten Professors«. Die Günderrode hat er nie mehr erwähnt.

## 1411*

### CAROLINE VON GÜNDERRODE

Druckgraphik

C. Lang nach e. Original-Portrait
1856

*H. 21,2 cm, B. 15,5 cm*

Marbach, Deutsches Literaturarchiv

## 1412

### KAROLINE VON GÜNDERRODE AN FRIEDRICH CREUZER

Frankfurt a. Main, Freies Deutsches Hochstift

Freitag, den 30. XI. 1804

Ich habe keine Ansprüche an Sie, nehmen Sie also was ich sagen werden für keinen Vorwurf, da dies mein letzter Brief ist, soll er Ihnen nur meine innerste Gesinnung enthüllen, denn heimlich schreiben mag ich Ihnen nicht; da diese Sache zur Sprache kam mußte sie durchgesetzt oder aufgegeben werden. – Meine Briefe waren Ihnen das liebste u Erfreulichste, Sie geben Sie auf, nicht gegen was Großes u Vortrefliches, nein, wie Sie selbst gestehen, »wegen eitler Besorgnis, wegen der Schwachheit in Gestalt des Weibes«. Es ist hier nichts Verdamliches, es ist nur schlim daß Sie sich für selbständiger halten als Sie sind u daß Sie sich nicht eingestehen wollen daß sie eigentlich Ihrer Frau in vielem Sinn angehören; u warum sollte das auch nicht sein, sie ist gut und liebt sie, und tadellos ist Niemand. Kehren Sie ganz und mit Bewustsein zu ihr zurük dann haben Sie doch Etwas für Ihre Opfer, wenn Sie aber ihr zu lieb imer das Liebste aufgeben u sie doch dafür nicht besitzen u festhalten mögen, so verarmen Sie unausbleiblich. Sie haben Ihre Frau zu Ihrem Schiksal heranwachsen lassen, aber man soll sich kein Schiksal geben, oder es ehren u nicht dawieder murren.
Leben Sie wohl, recht wohl u bleiben Sie mir gut.

d. 23. April 1805

Ich habe diese Nacht einen wunderbaren Traum gehabt, den ich nicht vergessen kann. Mir war, ich läge zu Bette, ein Löwe lag zu meiner Rechten, eine Wölfin zur Linken und ein Bär zu Füßen! Alle halb über mich herr und in tiefem Schlaf. Da dachte ich, wenn diese Tiere erwachten, würden sie gegeneinander ergrimmen und sich und mich zerreißen. Es ward mir fürchterlich bange und ich zog mich leise unter ihnen hervor und entrann. Der Traumm erscheint allegorisch, was denken Sie davon? Seitdem mir eingefallen, was Ihnen die Heyden schreiben wird, ist mein guter Geist von mir gewichen; ich wandle in wunderlichen Planen herum. Es ist mir innerlich unruhig und alles fremd. Sie selbst sind mir fremd, nicht der Empfindung, sondern der Kluft nach, die ich zwischen Ihnen und mir weiß und *deutlicher* einsah. Ich bin wie ausgestoßen aus meiner

süßen Heimat und bin unter meinen eigenen Gedanken so wenig an meinem Platze wie diese Nacht unter den Raubtieren, die der seltsame Traum mir zu Genossen gab.

## 1413

### FRIEDRICH CREUZER AN KAROLINE VON GÜNDERRODE

Dienstags Spät 23. Juli 1805

Ich bin wieder gesund, aber sehr traurig. Es ist die Trauer eines Gefangenen der mit Amt nicht entfliehen darf und dem Kerker, in den der Staat ihn eingebannt, um sich selber zu leben. Das heist dem ungestörten, freien seeligen Andenken an die Poesie.
Aber es ist Thorheit so zu klagen. Das hätte ich wissen können. Man kann nicht zweien Herren zugleich dienen: der *Welt* und dem *Himmel*. Da der ersteren einmal mich hingegeben in accordirte Dienstpflicht, so muß ich ihre Uniform tragen, muß es lernen, daß es Verbrechen ist etwas zu verfolgen dessen Wohnsitz außer den Gränzen des Staats liegt, und über die Sterne hinaus Wünsche zu hegen. – Ein gemessenes bürgerliches Wollen ziemet dem Manne, der nicht reich genug ist um frei seyn zu können; und jegliche seiner Bestrebungen muß einen festen Boden haben auf dem ein Vortheil erwachse entweder dem Lande, dessen Dichter er ist, oder seinem Hause, oder der Schule in die er zünftig gehöret. Diese Betrachtungen sind die Frucht der lezten acht Tage und ich schäme mich der Poesie vor Augen zu treten, an die ich in dieser Zeit so wenig würdig denken konnte. Der so lang erwartete Fremde ist seitdem hier und jeder freie (von Vorlesungen freie) Augenblick gehört ihm und dessen Familie an. Jezt ist er in Carlsruhe und ich schicke mich an aufzuathmen um der Poesie zu sagen, daß ich mich ihrer unwerther fühle und unvorbereiteter als jemals sie anzureden.
Sei es, sie muß es in Zeiten lernen muß einsehen lernen daß die Welt nicht ihr Vaterland, das bürgerliche Leben nicht ihr Clima, und ein Mann der bei beiden zum Lehn geht, ein untauglicher Pfleger ist der zarten Himmelsblume. Es wird immer ärger werden, und immer mehr seh ich es ein, wie ich werde mehr und mehr zurücksinken in den Wust des gemeinen Lebens. – Wie viel von dem Leben kann ich denn jezt noch mein nennen? Im eigentlichsten Sinn die ganze Woche hindurch ein paar Stunden, die ich etwa dem Schlafe abdarbe (wie diese der Mitternacht da ich jezt eben schreibe). Denn auch meine Abendmusezeit wird mir verkümmert – wenn ich die Einsamkeit im Freien suche muß ich diesem oder jenem Rede stehen, oder werde früher zu Hause überfallen. – So sind mir meine lieben Waldthäler schon ganz fremd geworden.
Es ist ein elendes Leben, das eines Lehrers auf der Universität. Die Ursachen gehörig erörtert würden ein Buch anfüllen. Zweifach elend jezt, da man dergleichen Leute kauft zum Lärmmachen, zum Anlocken – wie Englische Reuter – sie sollen bunt durch die Straßen ziehen, ihre Künste anpreißend und anbietend und wer den gefährlichsten Sprung macht – der ist der Gott des Tages. Dreifach elend

das Leben in einer neuen Universitätsstatt, die ein bisgen zu reden gibt – und den Fremden auf dem Wege liegt und warme Sonne hat für Ruhesuchende berühmte Leute.

Wo ist da Ruhe zu finden und Stille zur Betrachtung dessen, was einzig werth ist betrachtet zu werden – der ewigen Schöne und der hohen *Poesie?* – Es ist ebenso geschickt, sich in eine Mühle einzuquartieren um über die Harmonie der Sphären nachzudenken.

Freund! Freund! Lerne es einsehen, daß nicht blos Gleichartigkeit der inneren Wünsche dazu gehöret einander anzugehören und mit einander im Gemüthe vermählt zu werden, sondern auch eine Gleichartigkeit des äußeren Schicksals, des Standes, des Güterbesitzes kurz der ganzen Lage.

Denn das Geklagte ist noch nicht alles.

Jenes betraf den Staat. Auch das Haus hat seine Ansprüche, seine Sitten, sogar seine Rechte.

Der Freund begehret Wahrheit. Ich hoffe er sollte diese schon symbolisch angedeutet finden in meinem lezten Briefe in der Stelle, wo ein gewisser Mensch gestand: der bisher geführte Name der Fromme komme ihm gerechter Weise nicht mehr zu.

Indessen man begehrt die Wahrheit deutlicher ausgesprochen, und wie derselbe Mann bisher schon einigemal sie bekannt hat, selbst auf die Gefahr das Theuerste zu verlieren, so bleibt er ihr auch jetzt getreu in dem Bewußtseyn, daß diese Treue gegen die Wahrheit vielleicht seinen ganzen Werth ausmacht. Er kann nicht heucheln. Aber man mißdeute ihn auch nicht.

Hat der Freund wohl je etwas empfunden von der stillen Macht der Gewohnheit? Kennt er die Sitte des häuslichen Lebens? und versteht er die Abhängigkeit des häuslichen Lebens von zufälligen Beschränkungen: Namentlich von dem Raum und der Einrichtung der Wohnung? Bedenkt er den Zwang örtlicher Nähe? Berechnet er die geforderten und freiwillig dargebotenen Dienste, die der Leib herbeiführet – der oft kränkelnde Leib dessen der ihn nicht achtet noch schonet? Weis er, daß der gewesene Fromme, mitleidig von Natur nicht sein Auge verschließen kann gegen ein solches auf unzählige Momente des Lebens vertheilte Bemühtseyn um seine Person, daß derselbe Mensch verzärtelt worden und egoistisch von jeher gewesen ist, daß er folglich nicht gros genug ist um unbemerkt vorübergehen zu lassen das Bestreben einer Gutmüthigen seine Dankbarkeit zu gewinnen – daß er folglich nicht hast seyn kann, daß folglich wohl etwas geschah wobei seyn Gemüth nicht war?

Es ist unerträglich ewig nehmend ewig Schuldner seyn. Warum machte mich das Schicksal zum Bettler, daß ich borgen muß? Hart entzog es mir vor 6 Jahren das Kleinod, das es mir jetzt schadenfroh zeigt.

Ach warum lernte ich die Poesie nicht damals kennen?

## 1414

### KAROLINE VON GRÜNDERRODE AN FRIEDRICH CREUZER

18. Nov. 1805

Mein ganzes Leben bleibt Dir gewidmet, geliebter, süßer Freund. In solcher Ergebung in so anspruchsloser Liebe werd ich immer Dir angehören Dir leben und Dir sterben. Liebe mich auch immer Geliebter. Laß keine Zeit, kein Verhältniß zwischen uns treten. Den Verlust Deiner Liebe könnte ich nicht ertragen. Versprich mir mich nimmer zu verlassen. O Du Leben meines Lebens verlasse meine Seele nicht. Sieh es ist mir freier und reiner geworden, seit ich allem irdischen Hoffen entsagte. In heilige Wehmuth hat sich der ungestüme Schmerz aufgelöset. Das Schicksal ist besiegt. Du bist mein über allem Schicksal. Es kann Dich mir nicht mehr entreißen, da ich Dich auf solche Weise gewonnen habe.

## 1415

### TIAN (PSEUD.; D. I.: KAROLINE VON GÜNDERRODE): GEDICHTE UND PHANTASIEN VON TIAN

Hamburg und Frankfurt: Herrmann. 1804. 137 S.

Stuttgart, Sammlung Hugo Borst

*Ist alles stumm und leer*

Ist alles stumm und leer;
Nichts macht mir Freude mehr;
Düfte, sie düften nicht,
Lüfte, sie lüften nicht;
Mein Herz so schwer!

Ist Alles öd' und hin;
Bange mein Herz und Sinn;
Möchte, nicht weiß ich, was;
Treibt mich ohn' Unterlaß,
Weiß nicht, wohin!

Ein Bild von Meisterhand
Hat mir den Sinn gebannt;
Seit ich das holde sah,
Ist's fern und ewig nah,
Mir anverwandt.

Ein Klang im Herzen ruht,
Der noch erquickt den Muth,
Wie Flötenhauch ein Wort,
Tönet noch leise fort,
Stillt Thränenfluth.

Frühlinges Blumen treu
Kommen zurück auf's Neu;
Nicht so der Liebe Glück,
Ach, es kommt nicht zurück –
Schön, doch nicht treu!

Kann Lieb' so unlieb sein,
Von mir so fern, was mein?
Kann Lust so schmerzlich sein,
Untreu so herzlich sein?
O Wonn', o Pein!

Phönix der Lieblichkeit,
Dich trägt dein Fittig weit
Hin zu der Sonne Strahl,
Ach was ist dir zumal
Mein einsam Leid!

**1416**

**B**ETTINA VON **A**RNIM:
**D**IE **G**ÜNDERRODE

Grünberg und Leipzig: Levysohn. 1840. – 2 Teile.
I. 440 S. – II. VIII, 306 S.

Stuttgart, Sammlung Borst

**1417**

**F**RIEDRICH **C**REUZER:
**A**US DEM **L**EBEN EINES ALTEN **P**ROFESSORS.
**M**IT LITERARISCHEN **B**EILAGEN

Leipzig u. Darmstadt: Leske. 1848. 364 S.

Stuttgart, Sammlung Borst

## *Sophie Brentano-Mereau (1770–1806)*

*Schwärmerei der Liebe*

*Wenn um das hohe, starkgefühlte Leben,
das Göttliche, das uns im Innern glüht,
sich einst auch neue, schön're Formen weben,
ein andres Sein aus diesen Trümmern blüht;*

*Was ist dem Geist, zu neuem Sein geboren,
dann, was hienieden ihm zu Gott entzückt?
Mit jedem Sinn ging eine Welt verloren,
und seine schönsten Blüten sind geknickt.*

*In welches Labyrinth bin ich verschlungen?
hat eine traurige Notwendigkeit
mir dieses Leben furchtbar aufgedrungen?
O, Liebe! löse du den bangen Streit!*

Sophie Brentano-Mereau

»Die Mereau ist wieder hier. Von ihr habe ich ihnen zu
erzählen.« (Schiller an Goethe)

»Sagen Sie mir doch etwas von der Geschichte der kleinen
Schönheit.« (Goethe an Schiller)

*Geistvoll und gebildet war sie, anmutig und sehr schön.
Das Gerücht ging um: Die Mereau könne nicht mit einem
Manne im Zimmer sein, ohne von ihm umarmt zu werden.
Als »das Wahrzeichen Jenas« gerühmt und angehimmelt,
galt ihr Haus als geselliger und kultureller Mittelpunkt der
Stadt. Sie kannte sie alle: Goethe und Schiller, Herder und
Fichte, Jean Paul und die Schlegels, Kotzebue, Hölderlin
und Schelling, Arnim, die Brentanos und Tieck, die Günderrode und die La Roche. Mit 23 Jahren hatte sie den
Juristen Karl Mereau geheiratet, eher lustlos, doch ihm
verpflichtet, nachdem er sich über Jahre unermüdlich bei
Schiller für die Veröffentlichung ihrer dichterischen Werke
eingesetzt hatte.*
*Sophie Mereau lebte konträr zum überkommenen Rollen-
bild der Frau, das sie trotzdem überall einzwängte: Sie
wolle »kein Anhang des Mannes« sein, bekennt sie. »Selb-
ständigkeit« ist ihre Maxime: in ihrer Arbeit als Schriftstellerin und ihren leidenschaftlichen Beziehungen zu
ihren Gebliebten. »Gearbeitet. Zufrieden« wird häufig
ins Tagebuch notiert. Und: »Süße wonnevolle Momente.
Liebestrunkenheit.« Als einzige Frau hörte sie Vorlesungen bei Fichte, sie ließ 1801 die erste Scheidung in Jena
vollziehen, als sie sich von Mereau trennte. »Im Widerspruch zur Welt habe sie sich gebildet«, so Schiller, in
dessen »Thalia« und »Horen« sie veröffentlichte, und sei
so »zur Dichterin, zur Verfasserin von Romanen« geworden. Deren zwei hat sie geschrieben: »Das Blüthenalter
der Empfindung« (1794) sowie »Amanda und Eduard.
Ein Roman in Briefen« (1803). Neben Gedichten – ihr
»Feuerfarb« wurde von Beethoven vertont –, schrieb sie
Erzählungen, die vorwiegend in Almanachen erscheinen,
so auch die Erzählung »Marie« in Cottas »Flora« (1798).*

*Immer und immer wieder wird ein Thema variiert: Liebe,
die keines bürgerlichen Gesetzes bedarf, die Feier des
freien, ungesetzlichen und glücklichen Miteinanderlebens
sich Liebender, jenseits des Käfigs der Ehe; die Frau, die
nicht passiv bloß erduldet, sondern selbsttätig ihr Schicksal zu bestimmen versucht.*

*Doch auch sie heiratet wieder: am 29. November 1803
den um acht Jahre jüngeren Clemens Brentano, den sie
schon früher geliebt, von dem sie sich aber nach vieler
»schrecklichen Szenen« wieder getrennt hatte. »Lebe der
Liebe und liebe das Leben«, hatte sie ihm einst gedichtet.
Am 14. Mai 1803 fand das Wiedersehen statt: »Frühling
des Gemüts. Großer Wechsel. Blumen, Liebe, Andacht,
Leben« (Tagebuch). Täglich überschüttete sie der »gött-
che, unmenschliche Clemens« mit glühenden Liebesbrie-
fen. Als sie ein Kind mit ihm erwartete, kam es zur Heirat.
Am 11. Mai 1804 wurde ihr Sohn geboren, starb nach
sechs Wochen, Brentano hielt es in Marburg nicht länger
aus und suchte Wohnung in Heidelberg, der aufstrebenden
Universitätsstadt.*

*Vor und in der Ehe pflegte sie ihre schriftstellerische
Tätigkeit zielstrebig: bearbeitete mittelhochdeutsche
Lyrik, übersetzte spanische und italienische Novellen,
Boccaccio und Ninon de Lenclos, schrieb Beiträge für
Almanache und Taschenbücher, die sie auch selber heraus-
gab, »Kalathiskos« (1801/02), den »Göttinger Musen-
Almanach für das Jahr 1803«, die »Bunte Reihe kleiner
Schriften« (1815) mit ihren Sonetten an Brentano, den
»Ungenannten«, und Arnim. Clemens' Eifersucht und
Eifersüchteleien, seine quälende Überspanntheit ließen
Sophie oft verzweifeln, doch ihre leidenschaftliche Liebe
fesselte sie ebenso aneinander wie ihre dichterische Pro-
duktion, an der sie gegenseitig fördernd Anteil nahmen
und die sie zum Teil gemeinsam vollzogen. Die Zeitschrift
»Deutschland« zählte Sophie Brentano-Mereau zu den
beliebtesten Dichtern der Zeit, mit Claudius, Goethe,
Bürger und Herder; zu ihren Lebzeiten war sie berühmter
als ihr Mann.*

*Auch das zweite Kind, eine Tochter, starb wie das erste.
Vor der Niederkunft des dritten machten Sophie und
Clemens einen Spaziergang auf dem Heidelberger Schloß-
berg. Traurig und mit Tränen mußten sie mitansehen, wie
im Schloßgarten die alten Linden gefällt wurden, die sie so
liebte. Ins Tagebuch konnte sie noch notieren: »Sag, o!
Heilige Linde, wer durfte es wagen, / legen das mordende
Beil an den geheiligten Stamm, / daß dein ehrwürd'ges
Haupt, dein grünes vollendetes Leben.« Am 31. Oktober
1806 stirbt Sophie Brentano-Mereau an der Geburt ihrer
Tochter, auch diese überlebt nicht. Clemens ist außer sich
vor Verzweiflung. »Dich zu lieben, kann ich nicht verler-
nen«, hatte er ihr einst gestanden.*

1418

1418*

### Sophie Mereau

Getuschte Silhouette

um 1795

Frankfurt a. Main, Freies Deutsches Hochstift

1419

### Sophie Brentano-Mereau
### Kalathiskos

Berlin, 1801. – 1. Bändchen

Frankfurt a. Main, Freies Deutsches Hochstift

> Bildlich bezeichnete man durch Kalathisken die
>     Wohnung,
> welche mit freundlichem Arm griechische Frauen
>     umschloß.*
> Also deute das Bild den Inhalt mit leiser Beziehung,
> selber von weiblicher Hand, sey er den Frauen
>     geweiht! –
> Auch das schönste Geflecht des leichten harmonischen
>     Tanzes**
> deutete ehmals des Worts lieblich tönender Laut:
> Also schlinge auch hier der Rhythmus in freundlicher
>     Schwebung,
> und in melodischen Reih'n durch das Ganze sich hin! –
> Doch am gefälligsten wurden die Körbchen, der
>     Artemis heilig,
> ein vielsagend Geschenk, das man den Freundinnen
>     bot,***

Mit dem Worte benannt: – o sey es ein günstiges
    Zeichen
    diesem, mit Blumen gefüllt, niemals erscheine es leer!

\* Weil man die Spinn- und Arbeits-Körbchen (Kalathisken) bei
den Griechen zu dem unentbehrlichsten Hausrath der weiblichen
Wohnung rechnete, so gebrauchten sie die Künstler oft als
Symbol des Gymäceums.
\*\* Verschiedene griechische Schriftsteller bezeichnen mit dem
Namen Kalathiskos einen der beliebtesten Tänze nach Flöten.
\*\*\* Die Arbeitskörbchen der Griechinnen waren der Artemis
und Ceres geweiht und spielten an den heiligen Festen dieser
Göttinnen eine bedeutende Rolle. Sie waren ein gewöhnliches
Geschenk an Mädchen, Neuverlobte und junge Frauen.

## 1420

### SOPHIE MEREAU-BRENTANO: GEDICHTE

Berlin: Unger. – 2 Bändchen.
I. 1800. 151 S. – II. 1802. 169 S.

Stuttgart, Sammlung Borst

#### *Feuerfarb*

Ich weiß eine Farbe, der bin ich so hold,
die achte ich höher als Silber und Gold,
die trag' ich so gerne um Stirn und Gewand,
und habe sie *Farbe der Wahrheit* genannt.

Wohl reizet die Rose mit sanfter Gewalt;
doch bald ist verblichen die süße Gestalt:
drum ward sie zur Blume der *Liebe* geweiht;
bald schwindet ihr Zauber vom Hauche der Zeit.

Die Bläue des Himmels strahlt herrlich und mild;
drum gab man der *Treue* dies freundliche Bild.
Doch trübet manch Wölkchen den Äther so rein;
so schleichen beim Treuen oft Sorgen sich ein.

Die Farbe des Schnees, so strahlend und licht,
heißt Farbe der *Unschuld;* doch dauert sie nicht.
Bald ist es verdunkelt, das blendende Kleid:
So trüben auch Unschuld Verläimdung und Neid.

Und Frühlings, von schmeichelnden Lüftchen
    entbrannt,
trägt Wäldchen und Wiese der *Hoffnung* Gewand.
Bald welken die Blätter und sinken hinab:
so sinkt oft der Hoffnungen liebste ins Grab.

Nur *Wahrheit* bleibt ewig, und wandelt sich nicht:
sie flammt wie der Sonne allleuchtendes Licht.
Ihr hab' ich mich ewig zu eigen geweiht.
Wohl dem, der ihr blitzendes Auge nicht scheut!

Warum ich, so fragt ihr, der Farbe so hold,
den heiligen Namen der *Wahrheit* gezollt? –
Weil flammender Schimmer von ihr sich ergießt,
und ruhige Dauer sie schützend umschließt.

## 1421

### SOPHIE BRENTANO-MEREAU: AMANDA UND EDUARD EIN ROMAN IN BRIEFEN

Herausgegeben von Sophie Mereau.

Frankfurt am Main: Willmanns. – 2 Teile. 1803. 272,
205 S.

Stuttgart, Sammlung Borst

## 1422

### SOPHIE BRENTANO-MEREAU ICH SAH EIN SELIG THAL VOLL FRÜHLINGS-LEBEN

Gedichthandschrift, vor 1805

Frankfurt a. Main, Freies Deutsches Hochstift

Ich sah ein selig Thal voll Frühlingsleben,
In Blüt und süßen Farben rings entbrennen,
Und eine Herrlichkeit, die nicht zu nennen,
Schien es in ew'ger Jugend zu umschweben.

Kann die Natur wohl Schöneres erstreben,
Als solchen Reiz, solch seliges Entbrennen?
Der Frühling ist von Allem, was wir kennen,
Die Lust der Welt, das Göttliche im Leben!

Da las ich, was ein Gott Dir eingegeben,
In dunkler Ahndung, wunderbare Lichter,
Im tiefsten Ernst, erfreuliche Gesichte.

O! dacht' ich, zarte Blüten, glüh'nde Früchte,
Wie seid ihr hier vereint! Nein! nur der Dichter
Ist höchste Lust der Welt und Göttliches im Leben!

## 1423

### SOPHIE BRENTANO-MEREAU: BUNTE REIHE KLEINER SCHRIFTEN

Erster Druck

Frankfurt a. Main: Wilmans, 1805

#### *Auf eines Ungenannten Büste von Tieck*

Welch süßes Bild erschuf der Künstler hier?
Von welchem milden Himmelsreich erzeuget?
Nennt keine Inschrift seinen Namen mir,
Da diese holde Lippe ewig schweiget?

Nach Hohem lebt im Auge die Begier,
Begeistrung auf die Stirne niedersteiget,
Um die, nur von der schönen Locken Zier
Geschmücket, noch kein Lorbeerkranz sich beuget.

Ein Dichter ist es. Seine Lippen prangen
Von Lieb' umwebt, mit wundersel'gem Leben,
Die Augen gab ihm sinnend die Romanze,

Und schalkhaft wohnt der Scherz auf seinen Wangen,
Den Namen wird der Ruhm ihm einstens geben,
Das Haupt ihm schmückend mit dem Lorbeerkranze!

## Anne-Louise-Germaine de Staël-Holstein (1766–1817)

*Napoleon hatte seine unbequeme Kritikerin ins zehnjäh-rige Exil verbannt und diesen Bann bekräftigt, als ihr subjektiv-lebendiges, später vielfach übersetztes Buch, »De l'Allemagne«, 1810 in Frankreich verlegt werden sollte. Es wurde, vielfach übersetzt, zu einem der meist-diskutierten Bücher der Zeit.*

Ein verheißungsvoller Anfang: Im Jahre 1810, noch vor ihrer drucktechnischen Fertigstellung und Auslieferung, wird die Originalausgabe des großen Deutschlandbuches der Madame de Staël auf persönliche Intervention Napo-leons hin verboten, eingezogen und vernichtet. Als etwa drei Jahre später, im Herbst 1813, also wenige Monate vor der Kapitulation Napoleons, die französische Erstausgabe von *De l'Allemagne* im Londoner Exil der Autorin endlich erscheinen kann, ist sie innerhalb von drei Tagen vergrif-fen. Nicht minder begehrt ist bald darauf die erste, in dem von der bonapartischen Diktatur (vorläufig) befreiten Frankreich veröffentlichte und frei zirkulierende Edition vom Mai 1814, deren Druckfahnen die Emigrantin selbst in ihrem Reisegepäck mit sich führte, als sie im Gefolge der siegreichen alliierten Truppen in Paris eintraf. Innerhalb weniger Wochen werden in ganz Europa etwa 70000 Exemplare des voluminösen Werkes verkauft, das bis 1820 fünf Neuauflagen erzielt, bis 1870 gar auf weitere 15 Auflagen allein in französischer Sprache kommt. Um so erstaunlicher ist dieser Verkaufserfolg, als ein eifriger Zeitungsleser dieses Buch eigentlich nicht hätte zu kaufen brauchen, da wesentliche Teile seines Inhalts in den zahl-reichen und bisweilen heftigen Pressekontroversen, die seiner Veröffentlichung folgen, ausgiebig zitiert werden. [...]

Monika Bosse: Madame de Staël und der deutsche Geist, 1985

1424*

GERMAINE DE STAËL

Lithografie

H. 25,3 cm, B. 17,6 cm
Anonym (H. G.), Decarne

Marbach, Deutsches Literaturarchiv

1425

ANNE LOUISE GERMAINE
DE STAËL-HOLSTEIN:
DE L'ALLEMAGNE

Paris: Nicolle. 1813. – 3 Bände.
I. XXI, 360 S. – II. 399 S. – III. 416 S.

Stuttgart, Sammlung Borst

1424

zutraulicher hin, da die Liebe in Deutschland die Farbe des Romans trägt und Verachtung und Untreue hier seltener als irgendwo sind.

In Deutschland ist die Liebe eine Religion, aber eine poetische Religion, welche zu leicht duldet, was sich durch Empfindsamkeit des Herzens entschuldigen läßt. Man kann es nicht in Abrede stellen; der Heiligkeit der Ehe geschieht, in den protestantischen Ländern, durch die Leichtigkeit, womit sie getrennt werden kann, großer Abbruch. Da tauscht man so gelassen die Gatten aus, als ob es darum ginge, eine Nebenszene in einem Drama abzuändern. Die Gutmütigkeit beider Geschlechter läßt diese Brüche leicht und ohne Bitterkeit vor sich gehen; und da es unter den Deutschen mehr Einbildungskraft als wahre Leidenschaft gibt, so ereignen sich bei ihnen die seltsamsten Begebenheiten mit einer seltenen Kaltblütigkeit. Dadurch aber verlieren Sitten und Charakter ihre Festigkeit; der Geist der Paradoxie erschüttert die heiligsten Institutionen, und zuletzt gibt es über nichts mehr genügend feste Regeln.

Man darf mit Grund über die Lächerlichkeit einiger deutschen Frauen spotten, die ihren Geist unaufhörlich bis zu Ziererei hinaufschrauben und durch süßlich-gesetzte Worte alles verwischen, was ihren Verstand und ihr Gemüt hervorstechend und vorragend machen könnte; sie sind nicht falsch, aber auch nicht ohne Falsch; sehen und beurteilen nichts mit dem Lichte der Wahrheit, und die wirklichen Begebenheiten des Lebens tanzen vor ihren Augen vorüber wie phantasmagorische Bilder. Fällt es ihnen ein, sich leichtsinnig zu zeigen, so behalten sie auch dann noch den Anstrich von Sentimentalität, die in ihrem Vaterlande in so hohen Ehren gehalten wird. Ein deutsches Frauenzimmer sagte mit melancholischem Ernste: »Ich weiß nicht, wie es zugeht; aber die Entfernten schwinden mir gleich aus der Seele.« Eine Französin würde dem Gedanken eine heitere Wendung gegeben haben; aber im Grunde wäre es der nämliche gewesen.

Diese kleinen Lächerlichkeiten sind als Ausnahmen anzusehen, und es gibt, ihnen unbeschadet, unter den deutschen Frauen viele, die mit Wahrheit empfinden und ihre Empfindungen mit Einfachheit ausdrücken. Ihre gebildete Erziehung, ihre natürliche Reinheit der Seele, machen die Herrschaft, die sie ausüben, sanft und gleichförmig. Mit jedem Tag flößen sie uns mehr Teilnahme für alles, was groß und edel ist, ein, mehr Zutrauen in jede Art von Hoffnung, und verstehen sich vorzüglich darauf, den dürren ironischen Spott abzuhalten, der einen Hauch des Todes über alle Genüsse des Herzens verbreitet. Gleichwohl trifft man nur selten bei den deutschen Frauen jene Geistesschnelligkeit an, wodurch die Unterhaltung lebhaft und der Ideengang in rasche Bewegung gesetzt wird; eine Art von Vergnügen, die sich schwerlich anderswo findet als in den witzigsten und geistvollsten Gesellschaften von Paris.

*Drittes Kapitel*

*Die Frauen*

Natur und Geselligkeit sind für die Frauen eine große Schule, wo sie leiden lernen; und es darf, dünkt mich, nicht geleugnet werden, daß sie in unsern Tagen, in der Regel, besser sind als die Männer. Zu einer Zeit, wo der Egoismus das allgemeine Übel ist, müssen die Männer, im Besitz aller positiven Vorteile, weniger Edelmut, weniger Gefühl besitzen als die Frauen. Diese hängen nur durch die Bande des Herzens mit dem Leben zusammen; und selbst wenn sie sich auf Abwege verirren, sind diese Verirrungen eine Folge des Gefühls, das sie fortzieht. Ihre Persönlichkeit gehört immer zweien, während die des Mannes nur sich selbst zum Ziel hat.

Die deutschen Frauen besitzen einen eigentümlichen Reiz; sie haben eine rührende Stimme, blondes Haar, eine blendende Haut; sie sind bescheiden wie die Engländerinnen, nur nicht so schüchtern; man sieht es ihnen an, daß sie seltener auf Männer gestoßen sind, die ihnen überlegen waren, und daß sie überdies von den strengen Urteilen des Publikums weniger zu befürchten haben. Sie suchen durch die Empfindsamkeit zu gefallen, durch die Einbildungskraft zu interessieren; die Sprache der Dichtkunst und der schönen Künste ist ihnen geläufig; sie kokettieren mit der Schwärmerei, wie man in Frankreich mit Witz und Scherz Koketterie treibt. Der hohe Grade der Rechtlichkeit, der dem Charakter der Deutschen zum Grunde liegt, macht die Liebe für die Frauen und ihre Ruhe weit weniger gefährlich; vielleicht geben sie sich diesem Gefühl um so

# KARLSRUHE

Karlsruhe ist einer der angenehmsten und reizendsten Ruhepunkte des Lebens. Die Nachbarschaft Straßburgs hat eine gewisse Verflößung in die Manierung und in die Lebensart der Einwohner gebracht, welche sie von dem griesgrämischen und spießbürgerischen Charakter der übrigen Schwaben entfernt. Der Umgang der Karlsruher ist ungezwungen, verbindlich und aufgeklärt. Es ist – beinahe – atheniensische Urbanität. Die Stutzer sind hier erträglich. Der vortreffliche Äther, welcher die Stadt umfließt, hat den Geist und die Herzen der Einwohner mitgereinigt.

W. L. Wekherlin

## Johann Peter Hebel (1760–1826)

Er ist naiv – er ist von alter Kunst erhellt und von neuer erwärmt – er ist meistens christlich-elegisch – zuweilen romantisch-schauerlich – er ist ohne Phrasen-Triller – er ist zu lesen, wenn nicht einmal, doch zehnmal, wie alles Einfache. Mit andern, noch bessern Worten: Das Abendrot einer schönen friedlichen Seele liegt auf allen Höhen, die er vor uns sich hinziehen läßt – poetische Blumen ersetzt er durch die Poesie.

Jean Paul

»Ich bin von armen, aber frommen Eltern geboren, habe die Hälfte der Zeit in meiner Kindheit bald in einem einsamen Dorf, bald in den vornehmen Häusern einer berühmten Stadt zugebracht. Da habe ich frühe gelernt arm sein und reich sein.« Halb als Dörfler in Hausen aufgewachsen, halb als Städter in Basel, wo seine Eltern im Dienste einer Patrizierfamilie standen, kam Hebel, früh verwaist, aufs Gymnasium illustre nach Karlsruhe (1774), um sich auf das Theologiestudium vorzubereiten, das er in Erlangen aufnahm. Eine Hauslehrertätigkeit und das Präzeptoratsvikariat am Pädagogikum in Lörrach schlossen sich an. Ein enger Freundeskreis bildete sich nach dem Muster der Geheimbünde und Logen, der »Proteusbund«, zu dessen Kultstätte die mächtige Kuppe des Belchen erkoren wurde, für Hebel das Wahrzeichen des Oberlandes, ein Bund, abgehoben von allem irdischen Getriebe, das nicht »belchisch« (= wesentlich) war. 1791 berief man Hebel als Subdiakon an seine frühere Schule nach Karlsruhe, »ein heimlich mutterndes und bruttlendes Heimweh« nach dem geliebten und bedichteten Wiesental blieb ihm zeitlebens. Seine Unterrichtsfächer reichten von den alten Sprachen bis zu den Naturwissenschaften, in denen er seine Kenntnisse autodidaktisch so schnell erweiterte, daß ihm zwei naturforschende Gesellschaften in Jena und Stuttgart die Mitgliedschaft verliehen. Von seinen Predigtverpflichtungen wurde er befreit, dafür als Mitarbeiter in der kirchlichen Verwaltung herangezogen und dabei ebenso befördert wie auf der Schule, zu deren Direktor er schließlich ernannt wurde (1808). Über diesen »langen Umweg« erst nahm Hebels Karriere als Schriftsteller ihren Anfang. Er hatte begonnen, in der Mundart seiner Heimat zu dichten. 1803 erschienen, anonym, seine »Allemannischen Gedichte«. Für Freunde ländlicher Natur und Sitten, die rasch mehrere Auflagen erlebten und die Kritiker weit über Baden hinaus begeisterten. Goethe etwa war so hingerissen, daß er den Sohn von Johann H. Voß noch spät abends zu sich bitten ließ, selbst wenn er im Schlafrock wäre: »Als ich kam, sprudelte ein... Erguß über die Gedichte, der am andern Morgen um sieben Uhr schon Rezension war.« Hebel wurde zum literarischen Mittelpunkt Karlsruhes, verkehrte unverhofft »im Zirkel, wo die Hofluft weht«, durfte dem Markgrafen und seiner Gesellschaft aus seinen Werken vorlesen und revanchierte sich mit Gelegenheitsdichtungen zu manch höfischem Fest. Wer in der Residenz abstieg und was auf sich hielt, machte

Hebel seine Aufwartung. 1807 übernahm er die Redaktion des in Absatzschwierigkeiten geratenen, protestantischen badischen Landeskalenders. Umbenannt in »Der Rheinländische Hausfreund« und von Hebel überlegt wie überlegen redigiert, fand er auch außerhalb Badens weite Verbreitung:

»Der Kalender als Lesebuch für das Volk muß dem Herkommen und den Forderungen seines Publikums gemäß für den gemeinen Mann, der in seiner Art ebenso neugierig als der Gebildete ist, ein Stellvertreter der Zeitungen und Zeitschriften für das vorhergehende Jahr sein, das heißt, er muß die Haupt-Staatsbegebenheiten, wenn solche vorfielen, und etwas von respektablen Waldbränden, Mordtaten, Hinrichtungen, Naturerscheinungen etc. wenigstens als Lockspeise aus den Zeitungen, und schöne Handlungen, zweckmäßige kleine Erzählungen, neue Entdeckungen, Anekdoten etc. aus andern Zeitschriften vor sein Publikum bringen.«

In Hebels »Spiegel der Welt« werden sie alle abgespiegelt: vom Kaiser bis zum Kriminellen. Geschichten sind darunter, die zu den schönsten der Welt zählen. Schon Goethe hatte im »Unverhofften Wiedersehen« das literarische Ereignis der Herbstmesse 1810 gesehen. Die Auflage des »Hausfreundes« stieg auf 40000 Exemplare, schon im November des Vorjahres war beispielsweise der Jahrgang 1812 vergriffen. Dieser neue Erfolg ermutigte Hebel, bei Cotta eine leicht überarbeitete Auswahl seiner Geschichten aus dem »Hausfreund« herauszugeben. Ihr Titel: »Schatzkästlein des rheinischen Hausfreundes« (1811). Interesse und Verständnis für Politik gingen Hebel eher ab. Für einen Andreas Hofer hatte er nur Spott aufzubringen, Napoleon wurde fast nie kritisiert, die Franzosen kommen meist besser weg als die Preußen, und zum Winterfeldzug in Moskau 1812 fiel ihm nur ein: »Gegen den Winter ist mit Bajonett und Sturmmarsch nicht viel auszurichten, und ein warmer Pelz und ein Kalbsschlegel leisten da ganz andere Dinge als eine Brust voll Heldenmut.« Hochgeehrt und populär wie kaum einer ist Hebel, der Leineweber-Sohn, als Prälat der evangelischen Landeskirche gestorben. Sein Wohnhaus in Hausen ließ sich in den Kinderstuben des 19. Jahrhunderts zusammenleimen: Ein Ausschneidebogen lieferte hierfür die Vorlage.

1426

1426*

JOHANN PETER HEBEL

Kupferstich
von J. Lips nach einer Zeichnung von
Christian Friedrich Müller

um 1810

Marbach, Deutsches Literaturarchiv

Mißverstand

Im neunziger Krieg, als der Rhein auf jener Seite von französischen Schildwachen, auf dieser Seite von schwäbischen Kreissoldaten besetzt war, rief ein Franzos zum Zeitvertrieb zu der deutschen Schildwache herüber: »Filu! Filu!« Das heißt auf gut deutsch: »Spitzbube.« Allein der ehrliche Schwabe dachte an nichts so Arges, sondern meinte, der Franzose frage: Wie viel Uhr? und gab gutmütig zur Antwort: »Halber vieri.«

Johann Peter Hebel

1427

JOHANN PETER HEBEL
DIE SPINNE

Handschrift
1803

Karlsruhe, Badische Landesbibliothek

Nai, lueget doch das Spinnli a,
wie's zarti Fäde zwirne cha!
Bas Gvatter, mainsch, chasch's au n eso?
De wirsch mer's, trau i, bliibe loo.
Es macht's so subtil un so nett;
i wott nit, aß i's z'hasple hätt.

Wo het's die fini Riiste gnoo,
by wellem Maiser hechle loo?
Mainsch, wemme's wüßt, wohl menggi Frau,
si wär so gscheit un holti au!
Jetz lueg me, wie's sy Füeßli setzt
un d'Ärmel straift un d'Finger netzt!

Es zieht e lange Faden uus:
es spinnt e Bruck an 's Nochbers Huus;
es baut e Landstrooß in der Luft;
morn hangt si scho voll Morgeduft;
es baut e Fueßweg nebedra,
's isch, aß es ehne dure cha.

Es spinnt un wandlet uf un ab,
potz tausig, im Galopp un Trab! –
Jetz goht's ringsum, was hesch, was gisch!
Sihsch, wie ne Ringli worden isch?
jetz schießt's die zarte Fäden ii;
wird's öbbe solle gwobe sii?

Es isch verstuunt, es haltet still,
es waiß nit recht, wo's ane will.
's goht weger zruck, i sih's em a,
's mueß näumis Rechts vergesse ha.
Zwor, denkt es, sell pressiert jo nit;
i halt mi nummen uf dermit.

Es spinnt un webt un het kai Rast,
so gliichlig, me verluegt si fast.
Un 's Pfarers Christof het no gsait,
's seig jede Fade zemmeglait.
Es mueß ain gueti Auge ha,
wer's zähle un erchenne cha.

Jetz putzt es syni Händli ab;
es stoht un haut der Faden ab.
Jetz sitzt es in sy Summerhuus
un luegt die lange Strooßen uus.
Es sait: »Me baut si halber z'tot,
doch freut's ain au, wenn 's Hüüsli stoht.«

In freie Lüfte wogt un schwankt's,
un an der liebe Sunne hangt's;
si schiint em frei dur d'Bainli dur,
un 's isch em wohl. In Feld un Flur
siht's Mückli tanze, jung un faiß;
's denkt by n em selber: Hätt i ais!

O Tierli, wie hesch mi verzückt!
Wie bisch so chlai un doch so gschickt!
Wer het di au die Sache glehrt?
Denkwohl, der, wo n is alli nährt,
mit milde Händen alle gitt.
Bis zfride! Er vergißt di nit.

Do chunnt e Fliege; nai, wie dumm!
Si rennt em schier gar 's Hüüsli um.
Si schreit un winslet Weh un Ach.
Du arme Chetzer hesch dy Sach!
Hesch kaini Auge by der gha?
Was göhn di üüsi Sachen a?

Lueg, 's Spinnli merkt's enandernoo:
es zuckt un springt un het si scho.
Es denkt: I ha viil Arbet gha;
jetz mueß i au ne Brotis ha!
I sag's jo: der, wo alle gitt,
wenn 's Zyt isch, er vergißt ain nit.

1428

## Johann Peter Hebel: Allemannische Gedichte. Für Freunde ländlicher Natur und Sitten

Carlsruhe: Macklot. 1803. VIII, 323 S.

Stuttgart, Sammlung Borst

1429

## Johann Wolfgang von Goethe Rezension der Allemannischen Gedichte von Johann Peter Hebel

Jenaische Allgemeine Literatur-Zeitung Nr. 37 vom 13. Februar 1805, Sp. 289 f.

Der Verfasser dieser Gedichte, die in einem oberdeutschen Dialekt geschrieben sind, ist im Begriff, sich einen eignen Platz auf dem deutschen Parnaß zu erwerben. Sein Talent neigt sich gegen zwei entgegengesetzte Seiten. An der einen beobachtet er mit frischem, frohem Blick die Gegenstände der Natur, die in einem festen Dasein, Wachstum und Bewegung ihr Leben aussprechen und die wir gewöhnlich leblos zu nennen pflegen, und nähert sich der beschreibenden Poesie; doch weiß er durch glückliche Personifikationen seine Darstellung auf eine höhere Stufe der Kunst heraufzuheben. An der andern Seite neigt er sich zum Sittlich-Didaktischen und zum Allegorischen; aber auch hier kommt ihm jene Personifikation zu Hilfe, und wie er dort für seine Körper einen Geist fand, so findet er hier für seine Geister einen Körper. Dies gelingt ihm nicht durchaus; aber wo es ihm gelingt, sind seine Arbeiten vortrefflich, und nach unserer Überzeugung verdient der größte Teil dieses Lob.
Wenn antike oder andere durch plastischen Kunstgeschmack gebildete Dichter das sogenannte Leblose durch idealische Figuren beleben und höhere, göttergleiche Naturen, als Nymphen, Dryaden und Hamadryaden, an die Stelle der Felsen, Quellen, Bäume setzen, so verwandelt der Verfasser diese Naturgegenstände zu Landleuten und

verbauert auf die naivste, anmutigste Weise durchaus das Universum; so daß die Landschaft, in der man denn doch den Landmann immer erblickt, mit ihm in unserer erhöhten und erheiterten Phantasie nur Eins auszumachen scheint.

Das Lokal ist dem Dichter äußerst günstig. Er hält sich besonders in dem Landwinkel auf, den der bei Basel gegen Norden sich wendende Rhein macht. Heiterkeit des Himmels, Fruchtbarkeit der Erde, Mannigfaltigkeit der Gegend, Lebendigkeit des Wassers, Behaglichkeit und Darstellungsgabe, zudringliche Gesprächsformen, neckische Sprachweise, so viel steht ihm zu Gebot, um das, was ihm sein Talent eingibt, auszuführen.

Gleich das erste Gedicht enthält einen sehr artigen Anthropomorphism. Ein kleiner Fluß, die Wiese genannt, auf dem Feldberg im Österreichischen entspringend, ist als ein immer fortschreitendes und wachsendes Bauernmädchen vorgestellt, das, nachdem es eine sehr bedeutende Berggegend durchlaufen hat, endlich in die Ebene kommt und sich zuletzt mit dem Rhein vermählt. Das Detail dieser Wanderung ist außerordentlich artig, geistreich und mannigfaltig, und mit vollkommener, sich selbst immer erhöhender Stetigkeit ausgeführt.

Überhaupt hat der Verfasser den Charakter der Volkspoesie darin sehr gut getroffen, daß er durchaus, zarter oder derber, die Nutzanwendung ausspricht. Wenn der höher Gebildete von dem ganzen Kunstwerke die Einwirkung auf sein inneres Ganze erfahren und so in einem höheren Sinne erbaut sein will, so verlangen Menschen auf einer niederen Stufe der Kultur die Nutzanwendung von jedem Einzelnen, um es auch sogleich zum Hausgebrauch benutzen zu können. Der Verfasser hat nach unserm Gefühl das fabula docet meist sehr glücklich und mit viel Geschmack angebracht, so daß, indem der Charakter einer Volkspoesie ausgesprochen wird, der ästhetisch Genießende sich nicht verletzt fühlt.

Die höhere Gottheit bleibt bei ihm im Hintergrund der Sterne, und was positive Religion betrifft, so müssen wir gestehen, daß es uns sehr behaglich war, durch ein erzkatholisches Land zu wandern, ohne der Jungfrau Maria und den blutenden Wunden des Heilands auf jedem Schritte zu begegnen. Von Engeln macht der Dichter einen allerliebsten Gebrauch, indem er sie an Menschengeschick und Naturerscheinungen anschließt.

1430*

### Der Rheinländische Hausfreund oder Neuer Kalender mit lehrreichen Nachrichten und lustigen Erzählungen

Karlsruhe, 1811

Karlsruhe, Badisches Landesmuseum

1430

Unverhofftes Wiedersehen

In Falun in Schweden küßte vor guten fünfzig Jahren und mehr ein junger Bergmann seine junge hübsche Braut und sagte zu ihr: »Auf Sankt Luciä wird unsere Liebe von des Priesters Hand gesegnet. Dann sind wir Mann und Weib, und bauen uns ein eigenes Nestlein.« – »Und Friede und Liebe soll darin wohnen«, sagte die schöne Braut mit holdem Lächeln, »denn du bist mein einziges und alles, und ohne dich möchte ich lieber im Grab sein, als an einem andern Ort.« Als sie aber vor St. Luciä der Pfarrer zum zweitenmal in der Kirche ausgerufen hatte: »*So nun jemand Hindernis wüßte anzuzeigen, warum diese Personen nicht möchten ehelich zusammenkommen*« – da meldete sich der *Tod*. Denn als der Jüngling den andern Morgen in seiner schwarzen Bergmannskleidung an ihrem Haus vorbeiging, der Bergmann hat sein Totenkleid immer an, da klopfte er zwar noch einmal an ihrem Fenster, und sagte ihr guten Morgen, aber keinen guten Abend mehr. Er kam nimmer aus dem Bergwerk zurück, und sie saumte vergeblich selbigen Morgen ein schwarzes Halstuch mit rotem Rand für ihn zum Hochzeittag, sondern als er nimmer kam, legte sie es weg, und weinte um ihn und vergaß ihn nie. Unterdessen wurde die Stadt Lissabon in Portugal durch ein Erdbeben zerstört, und der Siebenjährige Krieg ging vorüber, und Kaiser Franz der Erste starb, und der Jesuitenorden wurde aufgehoben und Polen geteilt, und die Kaiserin Maria Theresia starb, und der Struensee wurde hingerichtet, Amerika wurde frei, und die vereinigte französische und spanische Macht konnte Gibraltar nicht erobern. Die Türken schlossen den General Stein in der Veteraner Höhle in Ungarn ein, und der Kaiser Joseph starb auch. Der König Gustav von Schweden eroberte russisch Finnland, und die Französische Revolution und der lange Krieg fing an, und der Kaiser Leopold der Zweite ging auch ins Grab. Napoleon eroberte Preußen, und die Engländer bombardierten Kopenhagen, und die Ackerleute säeten und schnitten. Der Müller mahlte, und die Schmiede hämmerten, und die Bergleute gruben nach den Metalladern in ihrer unterirdischen Werkstatt. Als aber die Bergleute in Falun im Jahr 1809 etwas vor oder nach Johannis zwischen zwei Schachten eine Öffnung durchgraben wollten, gute dreihundert Ehlen tief unter dem Boden gruben sie aus dem Schutt und Vitriolwasser den Leichnam des Jünglings heraus, der ganz mit Eisenvitriol durchdrungen, sonst aber unverwest und unverändert war; also daß man seine Gesichtszüge und sein Alter noch völlig erkennen konnte, als wenn er erst vor einer Stunde gestorben, oder ein wenig eingeschlafen wäre, an der Arbeit. Als man ihn aber zu Tag ausgefördert hatte, Vater und Mutter, Gefreundte und Bekannte waren schon lange tot, kein Mensch wollte den schlafenden Jüngling kennen oder etwas von seinem Unglück wissen, bis die ehemalige Verlobte des Bergmanns kam, der eines Tages auf die Schicht gegangen war und nimmer zurückkehrte. Grau und zusammengeschrumpft kam sie an einer Krücke an den Platz und erkannte ihren Bräutigam; und mehr mit freudigem Entzücken als mit Schmerz sank sie auf die geliebte Leiche nieder, und erst als sie sich von einer langen heftigen Bewegung des Gemüts erholt hatte, »es ist mein Verlobter«, sagte sie endlich, »um den ich fünfzig Jahre lang getrauert hatte, und den mich Gott noch einmal sehen läßt vor meinem Ende. Acht Tage vor der Hochzeit ist er unter die Erde gegangen und nimmer heraufgekommen.« Da wurden die Gemüter aller Umstehenden von Wehmut und Tränen ergriffen, als sie sahen die ehemalige Braut jetzt in der Gestalt des hingewelkten kraftlosen Alters und den Bräutigam noch in seiner jugendlichen Schöne, und wie in ihrer Brust nach 50 Jahren die Flamme der jugendlichen Liebe noch einmal erwachte; aber er öffnete den Mund nimmer zum Lächeln oder die Augen zum Wiedererkennen; und wie sie ihn endlich von den Bergleuten in ihr Stüblein tragen ließ, als die einzige, die ihm angehöre, und ein Recht an ihn habe, bis sein Grab gerüstet sei auf dem Kirchhof. Den andern Tag, als das Grab gerüstet war auf dem Kirchhof und ihn die Bergleute holten, schloß sie ein Kästlein auf, legte sie ihm das schwarzseidene Halstuch mit roten Streifen um, und begleitete ihn alsdann in ihrem Sonntagsgewand, als wenn es ihr Hochzeitstag und nicht der Tag seiner Beerdigung wäre. Denn als man ihn auf dem Kirchhof ins Grab legte, sagte sie: »Schlafe nun wohl, noch einen Tag oder zehen im kühlen Hochzeitbett, und laß dir die Zeit nicht lange werden. Ich habe nur noch wenig zu tun, und komme bald, und bald wird's wieder Tag. – Was die Erde einmal wiedergegeben hat, wird sie zum zweitenmal auch nicht behalten«, sagte sie, als sie fortging, und noch einmal umschaute.

1432

1431

## JOHANN PETER HEBEL: SCHATZKÄSTLEIN DES RHEINISCHEN HAUSFREUNDES.

Tübingen: Cotta. 1811. VIII, 296 S.

Stuttgart, Sammlung Borst

1432*

## JOHANN PETER HEBEL UND ELISABETH BAUSTLICHER

Carl Josef Agricola? (1779–1852)

Ölgemälde

H. 20,5 cm, B. 26 cm

Privatbesitz

1433

## JOHANN PETER HEBELS WOHNHAUS ALS AUSSCHNEIDEBOGEN

Karlsruhe, Generallandesarchiv

*Schiller liest seinen Freunden im Bopserwald die »Räuber« vor. (S. 855)*
*Aquarell von Karl von Heideloff nach einer Zeichnung seines Vaters Victor Heideloff.*
*Marbach, Schiller-Nationalmuseum, Deutsches Literaturarchiv (vgl. Kat. Nr. 1560).*

*Carl Maria von Weber (S. 856)*
*Öl auf Leinwand von Caroline Bardua, Berlin 1821.*
*Berlin, Staatliche Museen Preußischer Kulturbesitz, Nationalgalerie, z. Z. als Leihgabe im Musikinstrumentenmuseum.*

# MUSIK

Eine Blütezeit der Musik im Gebiet des heutigen Baden-Württemberg lag um 1800 gerade ein paar Jahrzehnte zurück: Um die Jahrhundertmitte hatte sie unter Johann Stamitz am kurpfälzischen Hof in Mannheim mit dessen Instrumentalwerken und unter Niccolò Jommelli am württembergischen in Stuttgart mit dessen Opern begonnen. Doch bereits die zweite Generation der »Mannheimer Schule« war 1778 dem Kurfürsten Karl Theodor fast geschlossen nach München gefolgt, als dieser die bayerische Erbfolge antrat; Jommellis Wirken auf dem Gebiet der höfischen Oper war schon 1769 in den Theaterschulden des württembergischen Hofes untergegangen. Diese »große Zeit«, die zumeist unter der Bezeichnung »Vorklassik« als eine eher periphere Phase der Gesamtmusikgeschichte rangiert, fand in Südwestdeutschland keine Fortsetzung, die in ihrer Bedeutung etwa der Wiener Klassik auch nur annähernd an die Seite zu stellen wäre. Dennoch erlebte gerade damals das Musikleben der Klöster eine (noch weithin unbeachtete) Blüte, und das Mannheimer Nationaltheater ist für Mozarts Biographie und die Aufführungsgeschichte seiner Werke von Bedeutung.

Durch die staatliche Neuordnung des deutschen Südwestens blieb der Fortbestand des Musiklebens am Stuttgarter Hof garantiert; das Karlsruher Hoftheater gewann an Bedeutung. Im Mittelpunkt stand hier wie dort die Oper, zwar bis zu einem gewissen Grad geprägt von der Initiative ihrer Führungspersönlichkeiten, aber eher im Schatten der »ausländischen« Musikzentren Wien, Paris, Berlin und München. Das vielgestaltige Musikleben, das in den Residenzen der mediatisierten Fürstentümer, in den früheren Reichsstädten und den säkularisierten Klöstern bestanden hatte, konnte sich dagegen nur schwer behaupten, zumal die Zentralisierungsbestrebungen Badens und Württembergs für jene auch erhebliche personelle Probleme mit sich brachten.

Zur Zeit Napoleons ragten aus dem Musikleben Badens und Württembergs drei Persönlichkeiten heraus, deren Laufbahn sich auf unterschiedliche Komponenten jener musikhistorischen Vielfalt im Südwestdeutschland des ausgehenden 18. Jahrhunderts gründete: Johann Rudolf Zumsteeg (1760–1802) war in den Traditionen der Stuttgarter Jommelli-Zeit erzogen worden, Franz Danzi (1763–1828) in denen der Mannheimer Schule, und Conradin Kreutzer (1780–1849), der seine Ausbildung in einem Kloster (Zwiefalten) erhalten hatte. Alle drei wirkten in Stuttgart als Kapellmeister (womit die weiterhin führende Rolle des württembergischen Hofes in der Musik zum Ausdruck kommt), Danzi anschließend in Karlsruhe, Kreutzer in Donaueschingen. Während Kammermusikwerke Danzis und Kreutzers Oper »Das Nachtlager von Granada« ihre Schöpfer vor der Vergessenheit bewahrten, ging Zumsteeg, der mit seinen Liedern und Balladen für die Generation Franz Schuberts und Carl Loewes zum Vorbild wurde, tatsächlich in die »große« Musikgeschichte ein.

Nicht nur der Mozart- und Haydn-Schüler Johann Nepomuk Hummel (1778–1837) ist neben Zumsteeg, Danzi und Kreutzer wegen seines Wirkens im damaligen Südwestdeutschland (wiederum in Stuttgart als Kapellmeister) erwähnenswert, sondern auch Carl Maria von Weber (1786–1826), den 1807–10 zwar nur außermusikalische Aufgaben an Stuttgart banden, der aber als Musiker dieser Zeit wesentliche Impulse verdankte.

Das musikalische Hauptanliegen der vergrößerten Residenzen lag zweifellos in der Oper, deren höfische Prägung einer verstärkt bürgerlichen wich. Für die Instrumentalmusik ermöglichten bürgerliche Salons, Lese- und Museumsgesellschaften neue Formen der musikalischen Praxis, die aber trotz bemerkenswerter Ansätze zunächst unbedeutend blieben. Daneben spielte für das private Musizieren das Hammerklavier, dessen wesentliche Fortentwicklung zum universell verwendbaren Instrument großenteils in jener Epoche fällt, eine zentrale Rolle.

Konrad Küster

*Abgekürzt zitierte Literatur:*

*AMZ*
    *Allgemeine Musikalische Zeitung, Leipzig 1798ff.*

*Haass*
    *Günther Haass, Geschichte des ehemaligen Großherzoglich-Badischen Hoftheaters Karlsruhe, Karlsruhe 1934*

*Krauß*
    *Rudolf Krauß, Das Stuttgarter Hoftheater von den ältesten Zeiten bis zur Gegenwart, Stuttgart 1908*

*Kunitz, Instrumentation*
    *Hans Kunitz, Die Instrumentation. Ein Hand- und Lehrbuch, Leipzig 1960.*

*KV*
    *Ludwig Ritter von Köchel, Chronologisch-Thematisches Verzeichnis sämtlicher Tonwerke Wolfgang Amade Mozarts, 6. Auflage, Wiesbaden 1964*

*Landshoff*
    *Ludwig Landshoff, Johann Rudolph Zumsteeg (1760–1802). Ein Beitrag zur Geschichte des Liedes und der Ballade, Diss. München 1900, Berlin 1902*

*Kat. Nürnberg*
    *John Henry van der Meer, Verzeichnis der Europäischen Musikinstrumente im Germanischen Nationalmuseum Nürnberg, Band I: Hörner und Trompeten, Membranophone, Idiophone, Wilhelmshaven 1979.*

*RISM*
    *Repertoire International des Sources Musicales*

*Sachs, Reallexikon*
    *Curt Sachs, Reallexikon der Musikinstrumente, Berlin 1913.*

*Schlegel*
*Franz Schlegel, Justinus Heinrich Knecht. Ein Biberacher Komponist. Biographie und Werkverzeichnis, Biberach 1980*

*Sittard*
*Josef Sittard, Zur Geschichte der Musik und des Theaters am Württembergischen Hofe, 2 Bde., Stuttgart 1890/91 (Repr. Hildesheim/New York 1970)*

*Kat. St. Blasien 1983*
*Das tausendjährige St. Blasien. 200jähriges Domjubiläum, Katalog zur Ausstellung im Kolleg St. Blasien, 2 Bde., Karlsruhe 1983*

*Tumbült*
*Georg Tumbült, Das Fürstlich Fürstenbergische Hoftheater zu Donaueschingen 1775–1850, Donaueschingen 1914*

# Das Musikleben der Klöster

Wie bedeutend das Musikleben in den südwestdeutschen geistlichen Territorien war, ist heute äußerlich an kaum mehr als den großen Barockorgeln erkennbar: Joseph Gabler baute in Weingarten eine der bedeutendsten Kirchenorgeln seiner Zeit, Johann Nepomuk Holzhay begegnet man in Neresheim und Rot an der Rot, Johann Andreas Silbermann in Ettenheimmünster – während sein großes Orgelwerk für St. Blasien, nach der Säkularisation nach Karlsruhe überführt, dort im Zweiten Weltkrieg zerstört wurde. Ein gleiches Schicksal widerfuhr der Zwiefalter Hauptorgel Joseph Martins in der Stuttgarter Stiftskirche.

Das Musikleben, das diese Instrumente zu Ende des 18. Jahrhunderts umgab, mußte mit der Säkularisation nahezu völlig eingestellt werden. Die Musikalien – Instrumente und Noten – wurden entweder zerstreut oder konfisziert, die Musiker zogen in auswärtige Konvente, wurden im Gemeindedienst tätig oder fanden sogar im professionellen Musikleben der vergrößerten Hauptstädte Stuttgart und Karlsruhe Unterschlupf. Welchen Stellenwert das Musikleben in den ehemaligen Klosterkirchen nunmehr haben sollte, ergab sich aus den finanziellen Möglichkeiten der neuen Rechtsträger; das bedeutete eine personelle Reduktion auf kaum mehr als einen Organisten. Dadurch wurden die einstigen Klosterkirchen musikalisch oft kleinsten Pfarrkirchen gleichgestellt, so daß die Aufrechterhaltung eines anspruchsvolleren Musiklebens nur in seltenen Fällen gelingen konnte. Seine Inhalte und Organisation sind jedoch bislang noch weniger erforscht als das südwestdeutsche klösterliche Musikleben der Mozart-Zeit.

K. K.

1434*

## Aushängeschild des Musikalienhändlers Johann Maximilian Kick

Biberach, 1783

*Öl auf Holz*
*H. 84 cm, B. 63 cm*

Biberach, Städtische Sammlung, Braith-Mali-Museum, Inv.-Nr. 7237

Das Ladenschild zeigt einen wichtigen Ausschnitt aus dem Instrumentarium der Zeit: Im Vordergrund sind ein Waldhorn und ein Paukenpaar zu sehen, auf dem Ladentisch eine Violine und eine Laute, rechts im Hintergrund Kontrabaß mit Bogen, Harfe, Serpent und Fagott. Hinter dem Trompete blasenden Engel ist ein Notenschrank erkennbar; von der Beschriftung seiner vier Schilder ist nur eine (»Symphonia«) einigermaßen sicher zu entziffern. In der Bildmitte ist ein Tasteninstrument dargestellt.

Der 1746 geborene Kick war zunächst Säcklermeister, ging 1783 zum Musikalienhandel über und nahm am

1434

Biberacher Musikleben, wie aus den erhaltenen städtischen Akten deutlich wird, auch aktiv teil; außerdem berichtet er selbst: »Von allen blaßenden Instrumenten habe ich Kenntnis, welches auch zum Instrumentenhandel gehört. ohne dieses keiner zurecht kömt… zum Violon und Baß Singen. auch vom Clavier habe ich ein bischen das a b c gelernt.« Zu seinen Kunden werden schon bald auch die oberschwäbischen Klöster gehört haben; ob er ihr Musikleben wesentlich beeinflußte, ist bislang ungeklärt. Jedenfalls sind aus dem Kloster Gutenzell vier Klarinettenquartette von Karl Stamitz überliefert, auf deren Titelblatt als Schreibervermerk zu lesen ist: »Descripsit Joh. Max: Kick 1779, Biberach.« Daraus geht im übrigen hervor, daß Kick den Musikalienhandel offenbar schon vor seiner Geschäftsgründung nebenberuflich betrieb. Der Handel mit handschriftlich vervielfältigten Noten war auch lukrativ genug, da Notendruck noch immer mit hohen Kosten verbunden war und erst allmählich reformiert werden konnte.

*August Bopp, Das Musikleben der Freien Reichsstadt Biberach, Kassel 1930, S. 29, 35, 38f. – Herbert Hoffmann und Kurt Diemer, Städt. Sammlungen Biberach, Katalog, Bd. IIIa, S. 58; Franz Schlegel, S.19.* K. K.

1435\*

## »AD NOTAM VOR HERRN GERBERT«. DISPOSITIONSVORSCHLÄGE FÜR DIE ORGEL DER BENEDIKTINERKLOSTERKIRCHE ST. BLASIEN

Johann Andreas Silbermann (1712–1783)
Straßburg, nach dem 20.1.1772

*Autograph, Tinte*
*1 Bogen, H. 22,5 cm, B. 17,5 cm*

Karlsruhe, Badisches Generallandesarchiv, 99/330, Bl. 38

Johann Andreas Silbermann hatte den Orgelbau teils bei seinem Vater Andreas Silbermann, der die Straßburger Werkstatt der Familie begründet hatte, teils bei seinem Onkel Gottfried Silbermann, mit dem Johann Sebastian Bach zusammengearbeitet hatte, in Freiberg/Sachsen erlernt; seine Kunst fand in 54 Orgeln im Elsaß, in Lothringen, Baden und der Schweiz ihren Ausdruck. Die Orgelbauverhandlungen für die St. Blasier Klosterkirche, die sich bereits seit 1769 hinzogen, waren in ihrer entscheidenden Phase geprägt von den Überlegungen des St. Blasier Fürstabts Martin Gerbert und Silbermanns, wie man in den schwierigen akustisch-architektonischen Verhältnissen der Klosterkirche optimale Klangwirkung erzielen könne: Von der Empore am Ende des rechteckigen Mönchschores aus sollte auch der Kuppelbau klanglich befriedigend ausgefüllt werden.

Gerbert, selbst Musiker, Komponist und vor allem bedeutender Musiktheoretiker – seine Traktatesammlung »Scriptores ecclesiastici de musica sacra« (1784) gilt bis heute als zentrales Quellenwerk der mittelalterlichen Musiktheorie –, war entschlossen, eine große Orgel mit 16'-Prospekt notfalls auch gegen seinen Konvent durchzusetzen; er beriet sich darüber auch mit dem Villinger Abt Coelestin Wahl. Diesem schickte Silbermann, der zunächst nur eine 8'-Orgel entworfen hatte, am 20.1.1772 den Entwurf *eines großen so genanden 16. Füßigen Orgelwercks mit drey volkommenen Manualen, und einem Pedal … So wie sich solches vor eine so große Kirche als man dahin bauet, schücken wird. Dadurch so wohl das Gesicht durch den ansehnlichen Prospect, als das Gehör durch den Effect der ausgesuchten Registern, wird contendirt werden.* Doch Silbermann scheute offenbar noch immer vor dem 18000-Gulden-Projekt zurück und entwarf Alternativkonzeptionen: eine Acht-Fuß-Orgel zu drei Manualen (4000 fl. billiger) sowie 16'- und 8'-Orgeln mit zwei Manualen (3500 fl. bzw. 8000 fl. billiger). *Allein große Kirchen erfortern große Orglen.* Wie zur Entschuldigung für die Preise fügt er hinzu: *Aber da man von einer dauerhaften Orgel praetendiren kan, daß sie länger als ein hundert Jahr dauren soll …, so werden die besten Materialien, lange Zeit, und gute Arbeiter, die man recht wohlbezahlen mus, dazu erfortert, ja der Meister mus sich gefallen laßen immer selbsten Hand anzulegen.* Dessenungeachtet wurde die 16'-Orgel mit 47 Registern, 2768 Pfeifen, drei Manualen und Pedal Bestandteil des Orgel-

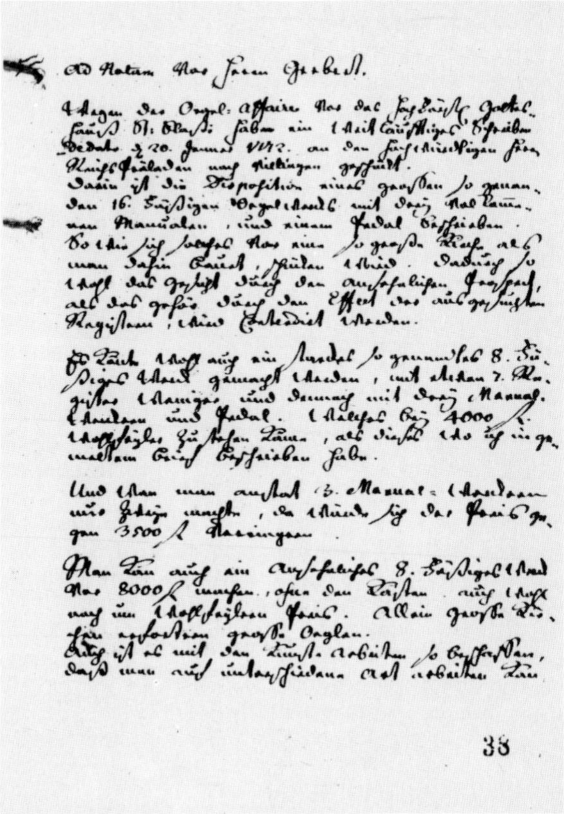

1435 a

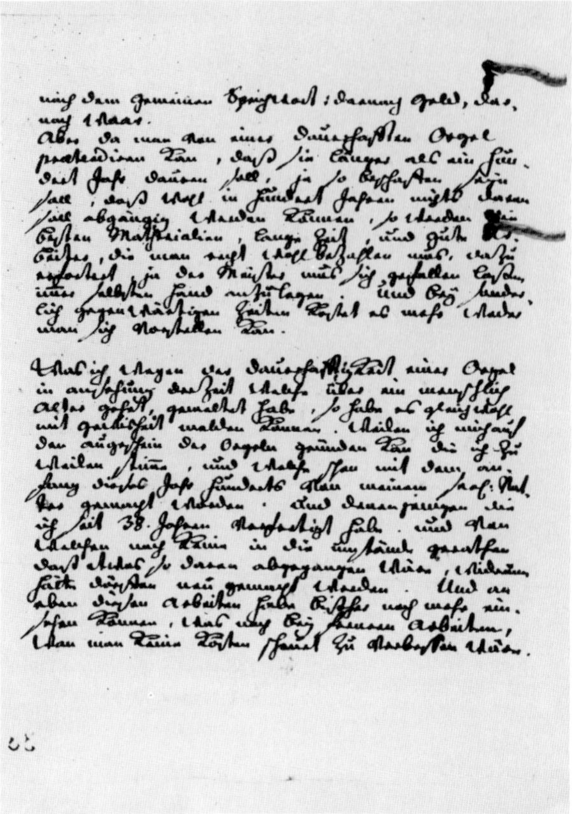

1435 b

baukontrakts vom 25. 5. 1772; im September 1775 war die Orgel vollendet. 1808–14 wurde sie nach Karlsruhe überführt, wo sie 1944 zerstört wurde.

*MGG, Art. Martin Gerbert (Heinrich Hüschen) und Silbermann (Hans Klotz). – Kat. St. Blasien, Bd. 1, S. 90–94. – P. Albert Hohn, Die Orgeln Johann Andreas Silbermanns, in: Acta organologica 4 (1970), S. 11–58.*    K. K.

## 1436*

### AUFSTELLUNG VON CHOR UND ORCHESTER IN DER KLOSTERKIRCHE ST. GEORGEN IN VILLINGEN ALS VORBILD FÜR ST. BLASIEN

Coelestin Wahl OSB, 1757–78 Abt des Klosters
St. Georgen in Villingen
Villingen, Anfang 1772

*Bleistift und Tinte, aquarelliert*
*H. 34,8 cm, B. 23 cm*

Karlsruhe, Badisches Generallandesarchiv, 99/330, Bl. 33

Johann Andreas Silbermann (1712–1783) hatte für Villingen bereits 1752 eine 16füßige Orgel (allerdings nur mit 30 Registern) gebaut; Abt Coelestin Wahl war daher mit Silbermanns Orgel bestens bekannt. Wahl zeigt anhand seiner Skizze, die er an den St. Blasier Fürstabt Gerbert schickte, wieviel Platz auf der dortigen Orgelempore zum Musizieren bliebe, wenn dort eine große 16'-Orgel stünde. Weil die Emporen in St. Blasien und Villingen etwa gleichgroß sind, projizierte sie Wahl für seinen Grundriß an ihren Stirnseiten aneinander (links Villingen, rechts St. Blasien) und trug in den Villinger Plan die ortsübliche Aufstellung von Chor und Orchester ein: Links der Orgel bilden Sopran, Alt und Tenor etwa einen Viertelkreis, der Baß steht hinter dem Alt, und in einem weiteren Viertelkreis hinter dem Chor werden die Streicher postiert (mit Blickkontakt zum Organisten unter den äußeren Prospektpfeifen hindurch); *Waldhorn und Clarinet etc.* stehen rechts neben dem Orgelprospekt. Wahl berichtet ergänzend, daß dabei *noch ein zimblicher raum übrig verbleibet, ohneracht offt über 20. Musicanten da stehen.* Wahl denkt also an ein Ensemble, in dem nur wenige Stimmen mehr als doppelt besetzt sind und daher beispielsweise knapp halb so groß ist wie die Salzburger erzbischöfliche Kapelle, für die Wolfgang Amadeus Mozart etwa zur gleichen Zeit seine Kirchenmusikwerke schrieb.

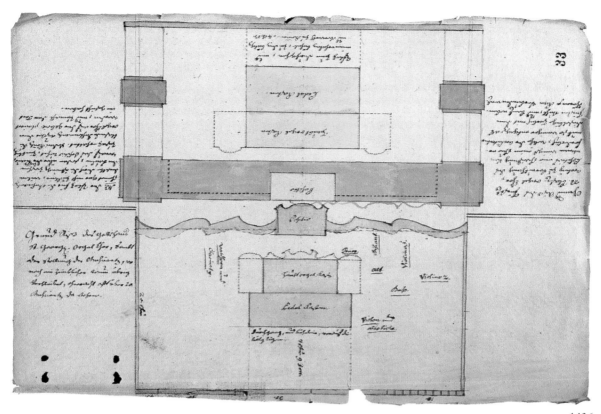

1436

Der Plan setzt voraus, daß auch die St. Blasier Kirchenmusik nach dieser Aufstellung spielen könne, was für Wahl zum Gesamturteil führt: *NB. Der Plaz für die Musicanten scheinet gar nicht zu klein.* Dennoch weist auch er auf Alternativen hin: *Sodan könnten die blasende Instrumenten außer dem OrgelChor auf der* [seitlichen] *Galerie placiret werden, und zumahl den Tact im Gesicht haben.* Die von Wahl suggerierte Übertragbarkeit der Aufstellung läßt daher vermuten, daß seine Skizze – eine der wenigen der Zeit, aus denen die räumliche Anordnung der Einzelstimmen so präzise hervorgeht – zumindest in Grundzügen eine klassische Formation des damaligen kirchlichen Musizierens wiedergibt.

*Vgl. Kat. Nr. 1436*                                              K.K.

1437

## VI MISSAE OP. VI
Stimmen Tenor und Continuo.
Erstdruck.

Johann Melchior Dreyer (1746–1824)
Augsburg, Lotter & Filii 1793

*Typendruck*
*Tenor 31 S., Continuo 50 S.; H. 32,7 cm, B. 20,4 cm*
*(Tenor: B. 21 cm)*

Tübingen, Schwäbisches Landesmusikarchiv, A 101; aus dem Besitz des oberschwäbischen Benediktinerklosters Rot an der Rot.

Johann Melchior Dreyer wurde vor 1779 Organist an der Ellwanger Stiftskirche und rückte 1790 als erster Laie in das Kapellmeisteramt auf, das er bis zu seinem Tod versah, also noch über die Säkularisation hinweg. Dreyers Werke erschienen exklusiv bei Lotter in Augsburg, einem der führenden deutschen Musikverlage in der Zeit zwischen etwa 1710 und 1830. Gedruckt wurde weitgehend noch mit dem altertümlichen, kostspieligen Typendruckverfahren, an dessen Modernisierung die Familie Lotter zwar tatkräftig mitarbeitete, aber nicht mit den gleichen internationalen Erfolgen wie Breitkopf & Härtel in Leipzig. Mit besonderer Hingabe widmete sich der Augsburger Musiverlag der katholischen Sakralmusik Süddeutschlands, obwohl die Familie Lotter protestantisch war. Als gebürtiger Augsburger gab beispielsweise auch Leopold Mozart Werke bei Lotter in Druck, vor allem seinen »Versuch einer gründlichen Violinschule«, erschienen im Geburtsjahr Wolfgang Amadeus Mozarts (1756), der selbst Werke zum Lotterschen Verlagsprogramm beisteuerte (z. B. die Orgelsolomesse KV 259).
Von Dreyer waren bereits 1782 sechs »Tantum ergo« bei Lotter erschienen. Wie aus dem Werkverzeichnis zu Beginn der vorliegenden Continuostimme hervorgeht, erhielt sowohl sein kompositorisches Schaffen als auch

seine Publikationstätigkeit mit der Beförderung zum Kapellmeister wesentlichen Auftrieb: In den ersten drei Amtsjahren erschienen fünf Drucke »von unserm beliebten Herrn Dreyer« (Vorwort), von denen jeder mehrere Werke einer Gattung enthält, die jedoch als »Solenne« (feierliche) und »rural« (ländliche) Werke näher bezeichnet werden: Besetzung, Aufführungsdauer und Schwierigkeitsgrad sollten auf die unterschiedlichen Möglichkeiten der Musikzentren (Klöster, Städte) und Dorfgemeinden abgestimmt sein, aber »Chorregenten« jeder Kategorie zum Erwerb des Druckes angeregt werden.

*RISM A/II/2, D 3556. – MGG, Art. Johann Melchior Dreyer (Georg Reichert), Lotter (Adolf Layer). – Hans Reinfurth, Der Musikverlag Lotter in Augsburg, Tutzing 1978.*                                    K. K.

### 1438
### »Verzeichnis der mit musiecirenden Persohnen bei der Schöpffung« von Joseph Haydn

Biberach, 1802

*Tinte*
*1 Bogen, H. 38 cm, B. 23,7 cm*

Biberach, Städtische Sammlungen, Wieland-Museum, Hs 1683

Haydns Oratorium »Die Schöpfung«, 1798 im Wiener Palais Schwarzenberg uraufgeführt und im darauffolgenden Jahr erstmals der Öffentlichkeit vorgestellt, gelangte bereits nach weiteren drei Jahren in die Reichsstadt Biberach (und in gleicher Besetzung in die Klöster Ochsenhausen, Weingarten und Schussenried). Das Ensemble setzte sich weitgehend aus einheimischen Kräften zusammen und war für seine Zeit außerordentlich groß: Das Verzeichnis der Mitwirkenden nennt 103 Personen, davon 40 als Choristen (15 im Sopran, je sieben in Alt und Tenor sowie elf Bassisten); in Sopran und Alt sind nebeneinander Frauen-, Knaben- und Männerstimmen (also Falsettisten) besetzt. Für die Aufführung hatten sich zunächst Biberacher Katholiken und Protestanten zusammengetan; die Leitung lag in Händen des protestantischen Musikdirektors Justin Heinrich Knecht (1752–1817) und seines katholischen Kollegen Georg Anton Bredelin (1752–1804). Doch nur knapp die Hälfte der Mitwirkenden kam aus Biberach (48 Personen); auffällig ist neben ihnen der große und in markanten Positionen geführte Anteil oberschwäbischer Geistlicher, davon 27 Personen aus Marchtal, Ochsenhausen und Schussenried (also über 25 % des Ensembles), die vor allem als Streicher und Bassisten mitwirkten. Aus dem Dokument wird daher nicht nur deutlich, welche zentrale Funktion Biberach für das oberschwäbische Musikleben um 1800 einnahm, sondern auch, welch hohe und anspruchsvolle Musikkultur in den oberschwäbischen Klöstern bis in die letzten Monate vor deren Auflösung hinein herrschte.

*Schlegel, S. 39f.*                                    K. K.

### 1439
### »Inventarium über die zur Bruchsaler Schlosskirche gehörige Musick Instrumente und Musicalien«

Bruchsal, 27. 10. 1807

*Tinte*
*1 Bogen, H. 32,5 cm, B. 20,6 cm*
*Auf der Rückseite Unterschrift: de la Roche; über dem Titel Präsentationsvermerk (30. 10. 1807) der Bruchsaler Kammerkommission*

Karlsruhe, Badisches Generallandesarchiv, 56/1102

Bruchsal war Residenz der Fürstbischöfe von Speyer, deren Territorium bereits durch den Ersten Koalitionskrieg in den Grundfesten erschüttert worden war, als Frankreich das linke Rheinufer zu seiner Ostgrenze machte (21. 10. 1792: Eroberung von Mainz; bestätigt im Frieden von Basel 1795). Die Einschränkungen, die diese Situation mit sich brachte, führten 1794 sogar zum Verbot jeglichen Musizierens, »da jetzt keine Zeit für derley narrenhändel« sei. Das Noteninventar, das die Beauftragten des Großherzogtums Baden vier Jahre nach der Säkularisation in der Bruchsaler Schloßkirche aufnahmen, verzeichnet daher (neben einer Reihe von Instrumenten) auffällig viel Musik aus vor- und frühklassischer Zeit; der musikalische Stil der 1790er Jahre, der manchen oberschwäbischen Klostermusikbestand noch maßgeblich prägte, schlug sich in Bruchsal nicht mehr nieder. Dies wird besonders daran deutlich, daß ein Sechstel des erfaßten Repertoires von Komponisten stammt, die zum Zeitpunkt der Inventarisierung bereits 25 Jahre tot waren (soweit eine Identifizierung aufgrund der Nachnamen, die zudem vielfach durch orthographische Eigenwilligkeiten entstellt erscheinen, möglich ist): Giovanni Battista Costanzi (†1778), Francesco Feo (†1761), Florian Leopold Gaßmann (†1774), Johann Adolf Hasse (†1783), Ignaz Holzbauer (†1783), Niccolò Jommelli (†1774), Franz Nikolaus Novotni (†1773), Georg Christoph Wagenseil (†1775), Jan Zach (†1773). Erwähnt sind 234 Werke, unter denen die Anteile der Messen (51), Offertorien (22) und Sinfonien (59) am größten sind. Mit 15 Werken ist der Bruchsaler Musikdirektor Johann Brand(e)l vertreten, der erst 1789 vom Hof der Fürsten von Hohenlohe-Waldenburg in Bartenstein an die fürstbischöfliche Residenz berufen worden war; nach der Säkularisation gehörte er zu den Musikern, die im Hofleben der »neuen« Hauptstadt ihr Wirken fortsetzen konnten (1808–24 Musikdirektor in Karlsruhe). Weitere Werke stammen von führenden Musikern der Nachbarresidenzen: Friedrich Schwindel und Joseph Aloys Schmittbaur (Durlach bzw. Karlsruhe), Niccolò Jommelli (Stuttgart bzw. Ludwigsburg), Ignaz Holzbauer (Mannheim) sowie Jan Ondráček, Jan Zach und Michael Schmidt (Mainz). Neben ihnen treten vor allem Musiker aus Böhmen, Österreich und Italien (Rom/Neapel) in Erscheinung. Damit zeigt sich, wie stark – abgesehen von den Nachbarschaftsbeziehungen – die Tradition

1440

und die internationalen Kontakte der Grafenfamilie von Schönborn dieses Musikleben prägten: Damian Hugo von Schönborn, seit 1719 Fürstbischof von Speyer und Bauherr des Bruchsaler Schlosses, hatte in Rom im Umkreis Corellis Musikunterricht gehabt; noch sein Neffe August Philipp Karl von Limburg-Styrum war als Bischof von Speyer Brandls Dienstherr. Weitere zwei Angehörige der Familie waren Erzbischöfe von Mainz, unter ihnen Lothar Franz von Schönborn, der die Familie einst durch einen Konsul mit Werken Vivaldis versorgt hatte.

*MGG, Art. Karlsruhe (Berthold Freudenberger). – New Grove, Art. Jan Zach (Milan Poštolka). – Michael Talbot, Antonio Vivaldi, Stuttgart 1985, S. 66. – Fritz Zobeley, Musikverhältnisse am fürstbischöfl. Speyerischen Hofe zu Bruchsal im 18. Jahrhundert, in: Ekkhart 10 (1929), S. 48–56. – Fritz Zobeley, Rudolf Franz Erwein Graf von Schönborn und seine Musikpflege, Würzburg 1949.*

K. K.

## 1440*

### »Verzeichniss dessen, was auf dem Chor zu Weingarten an Musik und musikalischen sowohl als mechanischen Instrumenten vorhanden ist.«

P. Meingosus Gaelle OSB (1752–1816), »Chori Regens« des Benediktinerklosters Weingarten
Weingarten, um 1802

*Autograph, Tinte*
*1 Binio, H. 34,7 cm, B. 22,7 cm*
*Oben auf Blatt 1: Nro. 35 (Nummer des Inventars)*

Sigmaringen, Staatsarchiv, Bestand F 764, Bü 49

Gaelles Inventar erfaßt den Musikalienbestand des Klosters Weingarten unmittelbar vor dessen Auflösung, allerdings nur in Form einer tabellarischen Übersicht. Damit gelangt man immerhin zu einer zahlenmäßigen Vorstellung vom Umfang des kirchlich-offiziellen Musiklebens eines oberschwäbischen Klosters, wie sie sich aus anderen Quellen kaum bietet. Allein an Noten zählte Gaelle in seiner Aufstellung 1066 Werke, wobei alle Zyklen von Sonn- und Festtagsmusiken (z.B. Falsobordonen – mehrstimmige Sätze des Gregorianischen Chorals – auf alle gewöhnlichen Feste) in ihrer Zahl nicht näher definiert sind; einen besonders großen Anteil bilden die Gradualien und Offertorien (327 Stücke). Im zweiten Teil der Übersicht sind 34 Instrumente und 14 Streichinstrumentenbögen erwähnt, im dritten schließlich 32 Werkzeuge in insgesamt 231facher Ausführung, die zur Wartung der Gabler-Orgel erforderlich sind (dazu einige Ersatzteile). Vor allem in diesem letzten Teil ist das Inventar allein schon wegen seines Detailreichtums von Interesse, doch gewinnt man bereits aus der Zahl der Noten, die mehr als fünfmal so hoch ist wie die in den 1807 erfaßten Beständen der Fürstbischöfe von Speyer in Bruchsal, ein Bild von der Bedeutung des Weingartner Musiklebens. Wertvoll ist zudem Gaelles Feststellung unter der Rubrik *Instrumentalmusik: Nota. Jeder Liebhaber hat so wie sein eigen Instrument eben so auch seine eigene Stücke, darum sind auf dem Chor nur folgende: Sinfonien 54/ Quartet und Quintette 13.* Gaelles Formulierung stellt klar, daß mit diesen 6% des gezählten Notenbestandes das tatsächliche Instrumentalmusikleben des Klosters bei weitem noch nicht erfaßt ist, da das private Musizieren der Konventualen unberücksichtigt bleibt. Zudem wird aus der Instrumentenübersicht deutlich, daß vor allem Streichinstrumente im Besitz der Mönche waren: Das Kloster selbst besaß nach Gaelle keine Geigen und Violoncelli, sondern nur je vier Bratschen und Kontrabässe (hier je zwei *Bassetchen* und *Violons*, also Kontrabässe halber und voller Größe). Von seiten des Klosters wurden dagegen im wesentlichen Blasinstrumente gestellt, was aber bedeutet, daß wohl auch einige Konventualen nicht nur Streich-, sondern darüber hinaus auch Blasinstrumente spielten. Im übrigen ist beispielsweise für Gaelle belegt, daß er privat auch ein Cembalo besaß. Daraus wird deutlich, daß insbesondere auf dem Gebiet der Tasten- und Streichermusik zusätzlich zu Gaelles Übersicht mit immensen Notenvorräten bei den einzelnen Klosterinsassen zu rechnen ist. In diesem Bereich war Gaelle übrigens auch kompositorisch tätig.

*MGG, Art. Meingosus Gaelle (Ulrich Siegele); – P. Pirmin Lindner, Professbuch der Benediktiner-Abtei Weingarten, Kempten/München 1909, S.127. – Ludwig Wilß, Zur Geschichte der Musik an den oberschwäbischen Klöstern im 18. Jahrhundert, Stuttgart 1925, S.15,19.* K.K.

1441

## »Oratorium auf die hl. Fastenzeit, ein Auszug aus Händels u. Mozarts Messias« (KV 572), Stimmenumschlag

Schreiber: Pfarrer Alois Soherr (1783–1861)
Gutenzell, 1837

*Tinte*
*1 Bogen, H.33 cm, B.26 cm*
*Oben links Inv.-Nr. der Pfarrkirche Gutenzell, unten rechts Datierung und Besitzvermerk*

Tübingen, Schwäbisches Landesmusikarchiv, Gg 280

Durch Säkularisation und Mediatisierung kam auch das Musikleben in Oberschwaben – zumindest in seiner Eigenständigkeit – weitgehend zum Erliegen. Nur an wenigen Orten waren die Bemühungen, es am Leben zu erhalten, offensichtlich von Erfolg gekrönt; eine besondere Rolle scheint hierin das ehemalige Zisterzienserinnenkloster Gutenzell bei Biberach gespielt zu haben, wo – begünstigt durch die Gewährung des Wohnrechts für die früheren Klosterinsassen – die Musiktradition in einem Ausmaß fortgeführt wurde, wie es für eine vergleichbare Dorfgemeinde unmöglich gewesen wäre. Besondere Förderung erhielten diese Tendenzen durch Alois Soherr, der 1817 bis 1861 Pfarrer in Gutenzell war und sowohl über ausreichende musikalische Kenntnisse als auch über die erforderlichen Beziehungen verfügte, um die Organisation selbst in die Hand nehmen zu können. Die Stimmen zu diesem Auszug aus Mozarts »Messias«-Bearbeitung vom März 1789 schrieb Soherr selbst aus; der Notentext umfaßt eine gekürzte Fassung des dritten Oratorienteils, jedoch mit einem Text, der von der deutschen Übersetzung in Mozarts Bearbeitung zum Teil deutlich abweicht. Soherrs Engagement erklärt, wie es in Gutenzell noch 1837, also 34 Jahre nach der Aufhebung des Konvents, möglich war, den »Messias«-Auszug in voller Besetzung darzubieten; daß die Wahl auf ein Werk fiel, das über die Wiener Klassik überliefert worden war, macht deutlich, daß Soherr an die Traditionen aus der Klosterzeit anknüpfte. K.K.

# Oper

Stehendes professionelles Musiktheater gab es im Südwestdeutschland des ausgehenden 18. Jahrhunderts nur in Mannheim und Stuttgart: In Mannheim hatte sich das Nationaltheater auf den Traditionen der »Mannheimer Schule« zu einer anerkannten Opernbühne entwickeln können, an der beispielsweise Mozarts Opern wichtige Frühaufführungen erlebten (»Die Entführung aus dem Serail«, 1784; »Don Giovanni«, 1789; »Die Zauberflöte«, 1794). In Stuttgart dagegen war das Opernleben aus finanziellen Gründen um 1770 schrittweise wesentlich eingeschränkt worden; am Musikinstitut der »Hohen Carlsschule« versuchte Herzog Karl Eugen, eine einheimische Musikergeneration mit fundierter Ausbildung heranzuziehen, um mit ihnen an der Stuttgarter Oper eine neue große Zeit herbeizuführen, ohne daß diese für den Hof mit großen Kosten verbunden wäre. Dennoch sah man sich hier zwischen 1796 und 1801 sogar zu einem Schritt rückwärts genötigt: Das Theater wurde verpachtet.
Vermietung oder Verpachtung einer Bühne für eine Saison oder auch nur für einzelne Aufführungen an reisende Schauspielertruppen war mancherorts noch bis ins 19. Jahrhundert hinein die Regel, so in Karlsruhe, Donaueschingen und Freiburg, wenn auch unter unterschiedlichen Bedingungen. Von Zeit zu Zeit kamen auch ortsansässige Laienspielgruppen zum Zuge; in Biberach war das durchgängig der Fall.
Stuttgart und Karlsruhe erhielten durch die Aufwertung der Residenzen nach 1803 auch als Opernzentren neuen Auftrieb; neue Opernhäuser sollten sichtbare Zeichen der erweiterten Möglichkeiten sein. Auch die Programmgestaltung paßte sich allmählich den neuen Verhältnissen – und den internationalen Strömungen der Zeit – an. Die Zentralisierung finanzieller und personeller Mittel des Musiklebens bedeutete andererseits eine Einschränkung für den Lebensraum der zu Provinzbühnen degradierten Theater im übrigen Südwestdeutschland; sogar der Fortbestand des Mannheimer Nationaltheaters war um 1800 zeitweise unsicher. Am Beispiel dreier Bühnen sollen diese Theaterschicksale näher beleuchtet werden: am Biberacher Komödienhaus, dessen Opernspielzeit mit dem Ende reichsstädtischen Lebens abgelaufen war, am fürstenbergischen Hoftheater in Donaueschingen, wo es gelang, einen eigenständigen Opernbetrieb beizubehalten, und am Theater der vormaligen vorderösterreichischen Hauptstadt Freiburg im Breisgau, das in den großherzoglich-badischen Staatsapparat integriert wurde.
Dennoch blieb es bei einer Konzentration des Opernlebens auf die Bühnen in Stuttgart und Karlsruhe, wobei sich die badische Hauptstadt erst im zweiten Jahrzehnt des 19. Jahrhunderts zu einem ernsthaften Konkurrenten Stuttgarts aufschwingen konnte; dies jedoch wird an so wichtigen Frühaufführungen wie Beethovens »Fidelio« 1816 und Webers »Freischütz« 1821 deutlich. K.K.

*coupe du nouvel Opéra de Stuttgardt esquissé pour en voir l'effet sans aucunes regles de Perspective*

*Plan où Projet de la restauration de l'opéra de Stuttgardt.*

*Salles de Spectacles*

1442

lipp Ludwig Hermann Röder: »Der obere Saal dieses schönen Gebäudes ist 201 Fuß lang, 71 breit und 51 hoch, und ist also um ein beträchtliches größer, als der gerühmte Saal des Augsburger Rathhauses... In diesem Saal ist ein Theater eingebaut worden, auf welchem die grosen Opern aufgeführt und Redouten gehalten werden... Innen ist ein kleiner Vorsaal, von welchem sich zwei Treppen, zu beiden Seiten erheben, die zu dem Opernsaale führen, der einer der größten ist. Denn nicht nur das Theater, sondern auch das Amfitheater, in welchem die Galerien sind, sind groß und weitläufig. Dieser Galerien sind vier, ohne die unterste, die noch Parterre liegt, aber besonders eingemacht ist. Die erste Galerie über dieser, gehört dem Hofe; die fürstliche Loge aber ist in der Mitte, und erhebt sich bis an die Decke des Saals, über die andere Galerien.«

Der Bühnenraum hatte mit neun Kulissen eine beachtliche Tiefe. Die Ränge (das »Amfitheater«) sind noch U-förmig angelegt und – wie im Grundriß zu erkennen – auf das Parkett und nicht auf die Bühne hin ausgerichtet; damit kam die Architektur eher den gesellschaftlichen Aspekten des Opernbesuches als dem Kunstgenuß entgegen. Die Darstellung eines unaufmerksam erscheinenden Publikums entspricht zudem auch den zeitgenössischen Berichten über das höfische Opernpublikum. Deutlich zu erkennen ist, daß der Dirigent als Vermittler zwischen Akteuren und Orchester direkt am Bühnenrand und mit dem Rükken zu den Instrumentalisten steht; da ein Teil des Orchesters jedoch mit dem Rücken zur Bühne spielt, wird hier die herausgehobene Rolle des Konzertmeisters als Orchesteranführer verständlich.

*Krauß, S. 48f. – Philipp Ludwig Hermann Röder, Statistisch-topographisches Lexicon von Schwaben, Bd. II, Ulm 1792, Sp. 726f. – Sittard, Bd. II, S. 45.*    K. K.

## 1442*

### »PLAN OÙ PROJET DE LA RESTAURATION DE L'OPÉRA DE STUTTGARDT«

Philippe de la Guêpière (um 1715–1773)
Stuttgart, 1758
in: Diderot/d'Alembert, Encyclopédie, Recueil de planches sur les sciences, les arts libéraux, et les arts méchaniques, avec leur explication, dixieme volume, Paris 1772

*Stich*
*H. 39,7 cm, B. 28,2 cm (Stichformat 35,5x22,6)*
*In der Fußleiste bezeichnet:* de la Guépiérre Del. *und:* Benard Fecit.

Stuttgart, Württembergische Landesbibliothek, Misc. fol. 32–10

Die Texterläuterung der »Encyclopédie« lautet: »Voyez la Planche qui s'explique d'elle-même« – der Auf- und Grundriß spreche für sich und bedürfe keiner weiteren Erklärung. Ausführlicher ist die Baubeschreibung bei Phi-

## 1443*

### BÜHNENMODELL

Mannheim, Ende 18. Jahrhundert

*Holz, teilweise gefaßt*
*H. 180 cm, B. 115 cm, T. 97 cm*

Mannheim Städtisches Reiß-Museum, Theatersammlung

Das (als Kindertheater?) bespielbare Modell entspricht in allen technischen Details der Bühne im Mannheimer Nationaltheater zur Zeit des Intendanten Wolfgang Heribert Reichsfreiherr von Dalberg (1750–1806), aus dessen Familie das Modell mündlicher Überlieferung zufolge stammt. Angeblich soll es von den Dalbergschen Kindern benutzt worden sein.

Dalberg hat sich u. a. einen Namen durch die Uraufführung von Schillers »Räuber« und »Fiesko« gemacht.

*Kat. Die Theatersammlung – Städtisches Reiß-Museum Mannheim, 1973.*    C. V.

1443 a

1443 b

1444*

## »Brand des Theaters in Stutgardt, in der Nacht vom 17. auf 18. Sept. 1802«

Stuttgart, 1802

*Kolorierter Aquatintastich*
*H. 23,7 cm, B. 34,7 cm*
*Unten rechts bezeichnet:* bei Ebner in Stutgardt

Stuttgart, Archiv der Stadt, B 4297

Die finanzielle Situation des Stuttgarter Hoftheaterlebens war um 1775 derart gespannt, daß man sich zunächst entschloß, Eintrittsgelder und Abonnements einzuführen; 1779/80 wurde schließlich ein zweites, wesentlich kleineres Theatergebäude errichtet, in das der Alltags-Theaterbetrieb verlegt werden konnte, so daß die große Lusthausoper nur noch für besondere Anlässe genutzt werden mußte. Das neue »kleine Theater« hatte etwa 600 Plätze und war völlig aus Holz gebaut; das Baumaterial desjenigen Theaters, das bis dahin in Bad Teinach als Sommertheater gedient hatte, wurde hier verarbeitet. Für weitere südwestdeutsche Theaterbauten der Zeit (Ulm, Donaueschingen) war das »kleine Theater« vorbildlich. Sein Standort war das Südostende der Planie, etwa auf dem heutigen Charlottenplatz.

Die intensive Nutzung dieses Theaters währte nur wenig mehr als zwanzig Jahre; sie brachte es aber auch mit sich, daß beim Theaterbrand von 1802 nicht nur das Gebäude, sondern auch die für dessen Bühnenverhältnisse geschaffenen Dekorationen, vor allem aber die Kostüme, Orchesterinstrumente und umfangreiche Notenbestände ein Raub der Flammen wurden (nur der Kontrabassist konnte sein Instrument retten). Die Brandursache blieb ungeklärt, wurde aber der Unachtsamkeit von Feuerwerkern im abends zuvor aufgeführten Kotzebue-Stück »Rollas Tod oder Die Spanier in Peru« zugeschrieben.

Allem Anschein nach waren Brandkatastrophen im Theaterleben der Zeit trotz scharfer feuerpolizeilicher Bestimmungen unvermeidlich. Schmerzlich waren die Verluste vor allem, wenn das Theater niederbrannte, ohne daß ausreichende finanzielle Mittel zur Fortsetzung des Theaterbetriebs vorhanden waren. Im ohnedies krisengeschüttelten Theaterbetrieb in Stuttgart waren die Folgen auf Jahre hinaus erheblich.

*Krauß, S. 82 f., 119. – Tumbült, S. 16–24. – Gustav Wais, Alt-Stuttgarts Bauten im Bild, Stuttgart 1951, S. 338.*

K. K.

1444

## 1445*

### ENTLASSUNGSGESUCH AN KURFÜRST FRIEDRICH VON WÜRTTEMBERG

Nikolaus Thouret (1767–1845)
Stuttgart, 18. 8. 1803

*Autograph, Tinte; Bleistiftmarginalien des Kurfürsten*
*1 Bogen, H. 34 cm, B. 21 cm*

Stuttgart, Archiv der Stadt, Nikolaus Thouret 1

*Euer Churfürstlichen Durchlaucht haben meine beede un-*
*terthänigste Gesuche sowohl um Erhöhung meiner Besol-*
*dung als auch um die alleinige Direktion des Theaterbaues*
*mir gnädigst nicht zu willfahren geruht: da aber ohne die*
*gnädigste Genehmigung meiner ersten Bitte meine oeco-*
*nomische Existenz nicht gesichert und durch die Nichter-*
*füllung der zweiten meine Ehre so sehr gekränkt ist, auch*
*ich des Höchsten Zutrauens Euer Churfürstlichen Durch-*
*laucht besonders in Rüksicht meiner practischen Kentniße*
*nicht mehr zu erfreuen habe, so bin ich gedrungen um*
*meine gnädigste Entlaßung hiemit unterthänigst zu bitten;*
*und fern von meinem Vaterlande Dienste zu suchen die ich*
*so gerne dießem ausschließend gewidmet hätte.*

Thourets Druckmittel verfehlte seine Wirkung nicht. Der
Kurfürst versah das Schreiben mit der Marginalie: *Wenn*
*das Comödien Hauß erbaut seyn wird wozu er angehalten*
*kann er seine Entlaßung erhalten . . .*
Dieses »Comödien Hauß« wurde an der Stelle des heuti-
gen Königsbaus errichtet und diente in den Jahren 1804 bis
1812 als Ersatz für das abgebrannte kleine Theater an der
Planie. Thouret konnte eine Verletzung seiner Ehre und
letztlich auch ein deutliches Verschleppen der Planung mit
Recht beklagen; immerhin hatte die Leipziger Allgemeine
Musikalische Zeitung bereits im August 1802, also ein
Jahr zuvor und noch vor dem Brand des Planie-Theaters,
zu einem geplanten Erweiterungsbau für das Stuttgarter
Theater bemerkt: »Touret ist auch wirklich der Mann, der
nicht nur tiefes Kunstgefühl für's Erhabene und Geschmackvolle in seinem Fache hat, sondern der zugleich
auch auf die Würkung des Schalls nach akustischen Principien kalkuliren kann.«

*AMZ 1801/02, Sp. 764f. – Krauß, S. 119f.*        K. K.

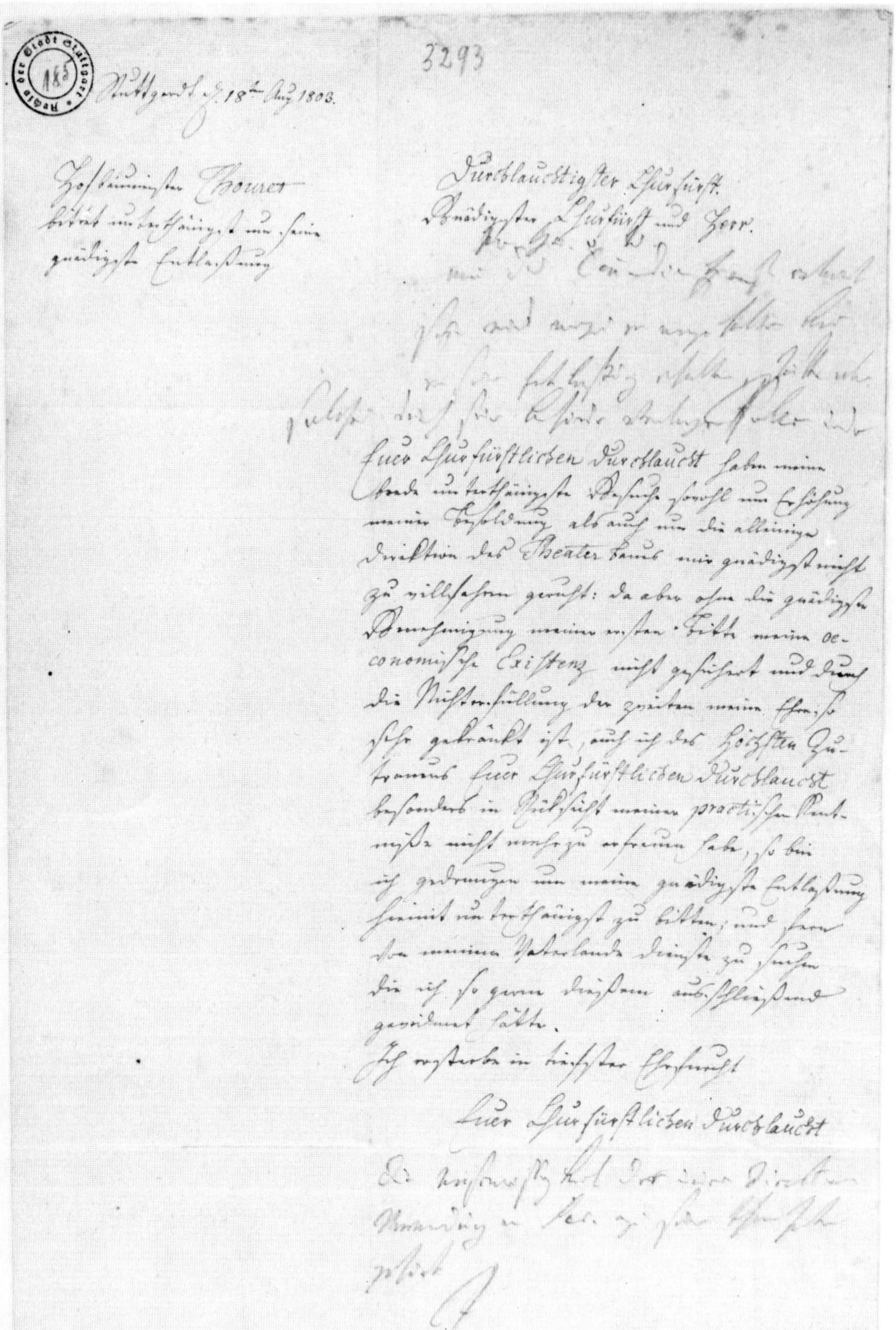

3293

Stuttgard d. 18 Aug 1803.

Hofkammerrath Thouret
bittet unterthänigst um seine
gnädigste Entlassung

Durchlauchtigster Churfürst.
Gnädigster Churfürst und Herr.

[...]

Euer Churfürstlichen Durchlaucht haben meine
Bitte unterthänigster Besuch sowohl in Absicht
meiner Besoldung als auch um die alleinige
Direktion des Theater baues mir gnädigst nicht
zu willfahren geruht: da aber ohne die gnädigste
Berücksichtigung meiner ersten Bitte meine oe-
conomische Existenz nicht gesichert und durch
die Nichterfüllung der zweiten mein Ehrge-
fühl gekränkt ist, auch ich des höchsten Zutrauens Euer Churfürstlichen Durchlaucht
besonders in Absicht meiner practischen Kenntnisse nicht mehr zu erfreuen habe, so bin
ich gedrungen um meine gnädigste Entlassung
hiemit unterthänigst zu bitten, und fern
von meinem Vaterlande dienste zu suchen
die ich so gern diesem ausschließend
gewidmet hätte.

Ich ersterbe in tiefster Ehrfurcht

Euer Churfürstlichen Durchlaucht

[...]
[...]
[...]

unterthänigst und gehorsamster
Hofkammerrath N. Thouret.

1446a

1446*

## Modell zum Logenhaus des Königlichen Hoftheaters in Stuttgart

Nach Nikolaus Friedrich von Thourets Entwurf
1833

*Holz, Aquarell auf Papier*
*H. 36 cm, B. 62,5 cm, T. 55 cm*
*Bez. am Plafond:* Prof. NFThouret 1833; *an der*
*Rückseite des Proszeniums:* Schauspiel Saal für 1600
Zuschauer./ entworfen von Prof. v. Thouret. 1833.

Stuttgart, Württembergisches Landesmuseum,
Inv.-Nr. E 3397

Der Theaterbau ist eines der schwierigsten und leidvollsten
Kapitel der Stuttgarter Architekturgeschichte des 19. Jahrhunderts. Nachdem sich das 1803 nach Thourets Entwürfen eingerichtete Neue Kleine Theater als auf die Dauer unzureichend erwiesen hatte, wurde in den Jahren 1811/12
die barocke Oper im Lusthaus ebenfalls nach Thourets
Plänen modernisiert, wobei die Bühne beibehalten, das
hufeisenförmig geschwungene Logenhaus aber durch eine

1446 b

Folge von vier gestaffelten Rängen auf dem Grundriß eines gestelzten Halbkreises ersetzt wurde.

Kaum zwanzig Jahre waren vergangen, als auch dieser nicht allzu aufwendige Theaterbau den gehobenen Ansprüchen nicht mehr genügen konnte. So ließ König Wilhelm I. 1830/31 Entwürfe zu einem radikalen Umbau des Lusthauses ausarbeiten. Auch Thouret – obwohl seit 1817 nicht mehr Hofarchitekt – legte einen Entwurf vor. Endlich setzte sich allerdings die Einsicht durch, daß ein abermaliger Versuch, den Renaissancebau zu adaptieren, wiederum keinen dauernden Erfolg haben könne, und so wurde ein Neubau gegenüber dem Neuen Schlosse an der Stelle des heutigen Königsbaues ins Auge gefaßt. Auch für diesen neuen Standort arbeitete Thouret 1832/33 einen Entwurf aus, der in seinem strengen Halbrund Louis Catels dreißig Jahre zuvor in Berlin publizierte »Vorschläge zur Verbesserung der Schauspielhäuser« aufnimmt und im Innern eine etwas erweiterte Neufassung des Lusthaustheaters von 1811 darstellte. Innen wie außen war Thourets Theaterprojekt von großer Vornehmheit, doch in so altmodischer Weise dem Empirestil verpflichtet, daß der König sich nicht entschließen konnte, den Entwurf zu realisieren. 1845 wurde das Lusthaus in billigster und zugleich vandalischster Weise von neuem umgebaut.

*Paul Faerber, Nikolaus Friedrich von Thouret, Stuttgart 1949, S. 263 ff, Tafel 87.*                    K.M.

1447*

## ENTWÜRFE FÜR DAS HOFTHEATER IN KARLSRUHE

Friedrich Weinbrenner (1766–1826)
Karlsruhe, um 1806, Erbauung 1806–1808,
1847 abgebrannt

Das Theater hatte im Zeitalter der Aufklärung die Bedeutung einer Bildungsanstalt für die breite Masse, das Publikum, erhalten. Damit ging die Loslösung des Theaters aus dem höfischen Zusammenhang einher. Diese Emanzipation äußerte sich in selbständigen Theaterbauten, die seit der Jahrhundertmitte in vielen europäischen Städten entstanden.

In Karlsruhe verfolgte man die Idee einer eigenen Bühne, seit die Stadt 1803 zur Metropole Badens geworden war. Zuvor hatten Wanderbühnen im Komödienhaus am Linkenheimer Tor oder in größeren Sälen der Stadt gastiert. Mit der Planung des Neubaus auf der Westseite des Schloßplatzes anstelle des mittleren Orangeriegebäudes wurde Weinbrenner beauftragt. Er hatte sich schon während seiner Lehrzeit bei seinem Vater mit Kulissenaufbauten beschäftigt, später in Wien besuchte er regelmäßig das Theater. In Berlin machte das Opernhaus von Georg Wenzeslaus von Knobelsdorff (1699–1753) großen Eindruck auf ihn. Während seines Italienaufenthalts studierte er die antiken Theater in Rom, Herkulaneum und Pompeji. Die Schriften Vitruvs und Plinius d. Ä. veranlaßten ihn zur Rekonstruktion des Theaters des Curio. Eine Reise nach Paris im März 1806 brachte ihm den neuesten Stand der französischen Entwicklung nahe. Noch im selben Jahr erfolgte auf die Genehmigung seiner Pläne der Baubeginn. Die feierliche Eröffnung fand am 9. November 1808 statt. Die Prinzipien, nach denen Weinbrenner dieses Theater entworfen hatte, veröffentlichte er 1809 in einer Schrift, die auch Goethes Beachtung fand. Diese Abhandlung und der Bau selbst begründeten Weinbrenners Ruhm als Theaterfachmann. Dies führte zu Aufträgen für weitere Theaterbauten, die teilweise realisiert wurden, von denen aber keiner erhalten ist.

*Friedrich Weinbrenner, Über Theater in architektonischer Hinsicht mit Beziehung auf Plan und Ausführung des neuen Hoftheaters zu Carlsruhe, Tübingen 1809. – Friedrich Weinbrenner 1766–1826, Eine Ausstellung des Instituts für Baugeschichte an der Universität Karlsruhe, Staatliche Kunsthalle Karlsruhe 29. Okt. 1977–15. Jan. 1978, Karlsruhe 1977, S. 86–90. – Friedrich Weinbrenner und seine Schule, Entwürfe zu Theaterbauten aus deutschen und schweizerischen Sammlungen, Ausstellung der Stadtgeschichte im Prinz-Max-Palais und des Instituts für Baugeschichte der Universität Karlsruhe, Karlsruhe 1987.*

A. M.-S.

## 1447.1

### Grundriß

*Feder in Schwarz über Bleistift auf Papier mit Wz.: C&I HONIG und Lilienwappen, farbig angelegt*
*H. 51,7 cm, B. 71,7 cm*

*Bez.:* Tab: I/Plan/zu dem neuen Grosherzoglichen Hoftheater für 15 bis 18 000 Zuschauer./Grundriss des ersten Stoks *(sic!). Legende u. M.:* a. Haupt-Eingang. b. Speis- und Erfrischungszimmer. c. Buden. d. Vorsaal. e. Treppen welche in die verschiedene Abtheilungen der Logen führen. f. Cabinett für die Casse. g. Eingang in das Parterre. h. Parterre. i. Orchester. k. Parquet Logen. l. Gänge./m. Zimmer für Erfrischungen. n. Abtritte. o. Schaubühne. p. Gänge. q. Garderobe und Ankleidezimmer. r. Treppen zur Machinerie. s. Communicationsgänge. t. untere Orangerie für die zukünftige Moeubles Verwaltung. u. obere Orangerie zu Vergrößerung des Schlosses. *Sign. u. r.:* F. Weinbrenner.

Karlsruhe, Staatliche Kunsthalle, Inv.-Nr. 1944-25

Der Grundriß des Theaters gliedert sich in drei Teile. An den queroblongen Eingangstrakt schließt sich der Zuschauerraum an, der in einen fast quadratischen Gebäudeteil einbezogen ist. Darauf folgt das querrechteckige Bühnenhaus. Die Eingangshalle wird durch eine doppelte Säulenstellung dreigeteilt und zu beiden Seiten von *Buden, Speis- und Erfrischungszimmern* flankiert. Über eine Treppe gelangt man in den Vorsaal, in dem sich die Kassen befinden. Von dort führten separate Treppenläufe in das Parterre und zu den Logenrängen. Der Zuschauerraum ist

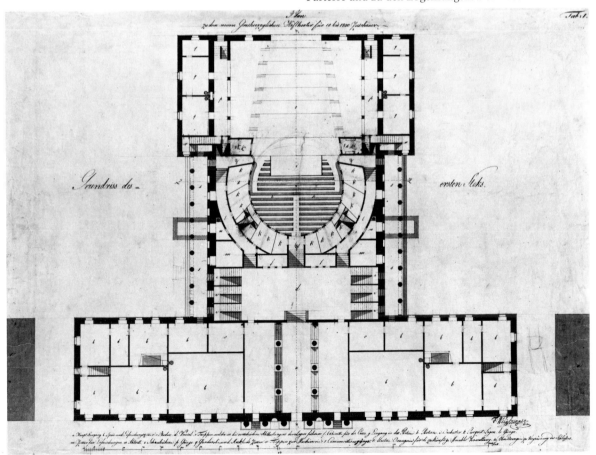

1447.1

in Form eines Dreiviertelkreises gebildet und von Logen und Gängen ringförmig umgeben. Das Orchester befindet sich im Parterre vor der Bühne. An den Außenseiten befinden sich Notausgänge, denen eine Säulenhalle vorgelagert ist. An das Proszenium mit seitlichen Logen schließt sich die Bühne an. Für die Kulissen sind sieben mal drei parallele Schlitze in den Boden eingelassen. Garderobe- und Ankleidezimmer der Schauspieler liegen an den Schmalseiten des Bühnenhauses.

Weinbrenner wählt für den Zuschauerraum die »von den Griechen und Römern angenommene reine Circelform«, die, wie er in seiner Abhandlung schreibt, »für Gehör und Gesicht gleich gut gebildet« sei. Daß Weinbrenner nicht den Halbkreis der antiken Theater, sondern den Dreiviertelkreis anwendet, geht wohl auf französischen Einfluß zurück. Victor Louis Denis erbaute 1773–1780 in Bordeaux das erste Theater in dieser Form. Weinbrenners Schüler Georg Moller läßt in seinem Theaterentwurf für Mainz von 1833 den Halbkreis auch im Außenbau in Erscheinung treten. Er beeinflußte damit entscheidend den Theaterbau seiner Zeit. Als wichtigstes Beispiel für diesen Typus ist die 1838–41 von Gottfried Semper erbaute Oper in Dresden zu nennen.

*Friedrich Weinbrenner 1766–1826, Eine Ausstellung des Instituts für Baugeschichte an der Universität Karlsruhe, Staatliche Kunsthalle Karlsruhe 29. Okt. 1977–15. Jan. 1978, Karlsruhe 1977, S. 87, Nr. 61. – Friedrich Weinbrenner und seine Schule, Entwürfe zu Theaterbauten aus deutschen und schweizerischen Sammlungen, Ausstellung der Stadtgeschichte im Prinz-Max-Palais und des Instituts für Baugeschichte der Universität Karlsruhe, Karlsruhe 1987, S. 4, Nr. 23.* A.M.-S.

**1447.2\***

Längsschnitt

*Feder in Schwarz über Bleistift auf Papier, farbig angelegt*
H. 49,8 cm, B. 72,6 cm
*Bez. o. r.:* Tab. V, *u. M.:* Länge Durchschnitt nach der Linie x.y., *sign. u. r.:* F. Wb.

Karlsruhe, Staatliche Kunsthalle, Inv.-Nr. 1944-29

Weinbrenners Schnitt durch das Großherzogliche Hoftheater in Karlsruhe zeigt ganz links eine korinthische Säule, die der Hauptfassade vorgelagert ist. Sechs Säulen auf hohen Postamenten, Statuennischen, ein skulptierter Fries und Giebel zeichnen den Mittelrisalit der siebenachsigen Fassade aus, der in dieser Form nicht ausgeführt wurde. Dahinter liegt die niedrige dorische Säulenhalle und im ersten Geschoß, nach »französischer Sitte«, das Foyer. Dieser großzügig gestaltete Raum weist neben dem üblichen klassizistischen Dekorationsschema auch ägyptische und griechische Motive auf. An das schmucklose Treppenhaus schließt sich der Zuschauerraum mit reichem Dekor an, der aus Gründen der Akustik aufgemalt war. Das Parterre steigt hinter der waagerechten Fläche für das Orchester amphitheatral an. Darüber befinden sich

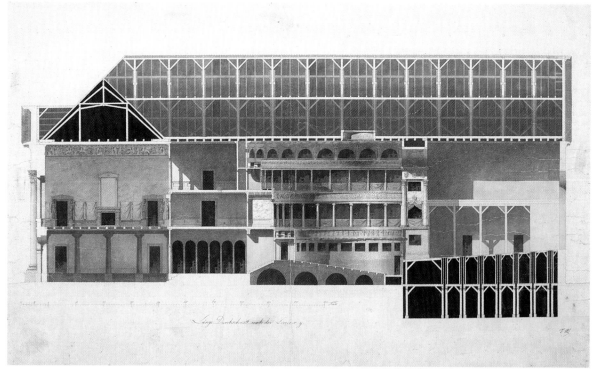

1447.2

drei Logengänge, die ebenfalls in die Tiefe gestaffelt sind. Die reich drapierten Proszeniumslogen leiten zur Bühne über. Der hoch über dem Parterre und dem Orchester ansetzende und mit Kulissenschlitzen versehene Bühnenboden steigt über zwei Unterbühnen leicht nach hinten an. Bühnenbilder konnten in voller Höhe ins Dach gezogen, Parterre und Bühne auf gleiche Höhe gebracht werden und so bei Bällen und Redouten als Tanzboden benutzt werden. Ähnliche Vorrichtungen soll das Teatro Olimpico von Palladio und das Opernhaus von Knobelsdorff in Berlin gehabt haben. Der enorme Dachstuhl faßt Zuschauerraum und Bühne zusammen. In seinem Entwurf für das Theater im Konversationshaus in Baden-Baden von 1822 ist erst ein deutlich überhöhtes Bühnenhaus sichtbar, wie es für den klassizistischen Theaterbau charakteristisch wird.

*Friedrich Weinbrenner 1766–1826, Eine Ausstellung des Instituts für Baugeschichte an der Universität Karlsruhe, Staatliche Kunsthalle Karlsruhe 29. Okt. 1977–15. Jan. 1978, Karlsruhe 1977, S. 88, Nr. 65. – Friedrich Weinbrenner und seine Schule, Entwürfe zu Theaterbauten aus deutschen und schweizerischen Sammlungen, Ausstellung der Stadtgeschichte im Prinz-Max-Palais und des Instituts für Baugeschichte der Universität Karlsruhe, Karlsruhe 1987, S. 4, Nr. 25.*    A. M.-S.

## 1448

## »RECUEIL DES OPERA COMPOSÉS PAR NICOLAS IOMELLI A LA COUR DU SERENISSIME DUC DE WIRTEMBERG«

Band 1, Teilband 1 (»L'Olimpiade«, Akt 1)

Druckerei der Hohen Karlsschule, Stuttgart 1783

*Typendruck*
*148 S., H. 23,5 cm, B. 35,3 cm*

Stuttgart, Württembergische Landesbibliothek,
Sch. K. Musik Jom 50/900–1

Niccolò Jommelli hatte der Stuttgarter (bzw. Ludwigsburger) Oper zu internationalem Ruf verholfen, besonders auch durch seine sorgsame Orchesterarbeit. Es wäre unsinnig gewesen, unter Jommelli nur zweitklassige Musiker zu beschäftigen (zumindest aus der Sicht Herzog Karl Eugens); doch ein derart hochkarätiges Ensemble an Stuttgart zu binden erwies sich auf die Dauer als finanziell untragbar. Die große Zeit der höfischen Oper in Stuttgart hatte ihr Ende erreicht, als 1768 der Musiketat drastisch gekürzt werden mußte.
Dennoch blieb der Standard Jommellis der Maßstab, an dem sich die Musiker der folgenden Jahrzehnte zu messen hatten; der Anspruch, international führend zu sein, lebte fort, verbunden mit weiterer Pflege der Musik Jommellis. Diese Umstände prägten denn auch das Programm, das die Musikschüler der Hohen Karlsschule erfüllen sollten: Jommellis Opernsinfonien waren das erste große Ziel des

Unterrichts (Herzog Karl Eugen überwachte die Einhaltung der originalen Tempi und dynamischen Anweisungen persönlich), und Jommellis Opern standen – mit Akademisten besetzt – weiterhin auf dem Spielplan des Hoftheaters. In diesem Zusammenhang, in dem die Tradition trotz eingestandener Selbstüberschätzung konserviert werden sollte, ist auch der Versuch zu sehen, ebenfalls an der Karlsschule eine Gesamtausgabe der Opern Jommellis zu veranstalten; über den ersten Band geriet sie allerdings nicht hinaus, weil das Subskriptionsangebot keinen Zuspruch fand, »theils wegen dem veränderten Geschmack der neueren Compositeurs, theils wegen der allzu schweren Execution derselben, die nur großen Meistern vorbehalten ist« – so eine offizielle Stellungnahme des Stuttgarter Hofes.

*RISM A/II/4, J 588. – AMZ 1821, Sp. 657–663, 673–679. – Sittard, Bd. II, S. 160. – Reinhard Strohm, Die italienische Oper im 18. Jahrhundert, Wilhelmshaven 1979, S. 292–304.*    K. K.

## 1449*

## NICCOLO JOMMELLI (1714–1774)

Anna Dorothea Therbusch (1721–1782)?
Stuttgart, um 1762

*Öl auf Leinwand*
*H. 47,2 cm, B. 38,2 cm*
*unbez.*

Stuttgart, Württembergisches Landesmuseum,
Inv.-Nr. 1941–4

Der Neapolitaner Niccolo Jommelli war schon drei Jahre lang Vizekapellmeister an St. Peter in Rom, als ihn Herzog Karl Eugen von Württemberg 1753 kennenlernte und als Hofkapellmeister nach Stuttgart verpflichten konnte. Gegen mancherlei Widerstände aus Hofkreisen, aber mit wohlwollendem Einverständnis des ihm freundschaftlich zugetanen Herzogs führte Jommelli das Stuttgarter Hoftheater während weniger Jahre zu europäischem Rang. Er hatte für einen Hofbeamten ungewöhnlich freie Entscheidungsbefugnisse und weitgesteckte Kompetenzen, wenn man etwa die Rolle Haydns in Eisenstadt dagegenhält. Sein aufwendiger Lebensstil wurde durch ein fürstliches Gehalt von 3000 Gulden, zu denen noch beträchtliche Nebenbezüge kamen, ermöglicht; 1767 verdiente er mehr als 6000 Gulden. »Der Herzog zeigte sich für sein Wohlergehen und Wohlbehagen sehr besorgt« (Krauß) und kam wohl auch für Schulden des Maestros auf. Als Gegenleistung lieferte Jommelli großes Theater – Hoftheater natürlich, ganz im Geist des 18. Jahrhunderts – das enorme Summen verschlang.
Als Komponist darf er unter die Großen gezählt werden, auch wenn sein Ruhm heute nurmehr literarischer Natur ist. In Stuttgart hatte er die Möglichkeiten, einen Teil seiner Reformideen zu verwirklichen, die sich am

1449

»Dramma per musica« des Metastasio orientierten. Mit seinen Werken übte er einen gewissen Einfluß auf die Entwicklung des europäischen Musiktheaters aus, der freilich nicht die Wirkung der Gluckschen Opernreform erreichte.

1769 wurde Jommelli auf eigenen Wunsch vom Herzog entlassen und kehrte nach Neapel zurück, wo er 1774 starb. Mit seinem Weggang war die glanzvolle Epoche spätbarocken Hoftheaters in Stuttgart zu Ende, die untrennbar mit der genialischen Person des Meisters verbunden war, aber auch mit dem absolutistischen Regierungsstil Karl Eugens. Um 1800 war die Zeit über beide hinweggegangen, neue Vorstellungen von Sinn, Form und Inhalt der Oper hatten platzgegriffen.

Die Malerin Anna Dorothea Therbusch, geborene Lisiewski, stammte aus einer polnischen Malerfamilie, die sich in Berlin niedergelassen hatte. Sie wurde 1761 an den Hof Karl Eugens berufen, wo sie eine größere Zahl dekorativer Gemälde für die Spiegelgalerie des Neuen Schlosses in Stuttgart fertigte, aber auch als Porträtmalerin hervortrat. 1763 folgte sie einem Ruf Karl Theodors nach Mannheim. Ihre Autorschaft am Jommelli-Porträt ist nicht gesichert, gilt aber aufgrund verschiedener Indizien als wahrscheinlich.

*Krauß, S. 44ff. – Anna Mondolfi, Jommelli, in: MGG 7, S. 142ff.*                                            C. V.

1450

## »PETER UND AENNCHEN SINGSPIEL IN EINEM AUFZUGE«, ERSTDRUCK DES KLAVIERAUSZUGS

Johann Christian Ludwig Abeille (1761–1838)
Leipzig, Breitkopf & Härtel 1810 (?)

*Typendruck*
*54 S., H. 26,7 cm, B. 34,4 cm, Verlagsnummer 1453*

Stuttgart, Württembergische Landesbibliothek,
Sch. K. Musik Abe 10/80

Franz Carl Hiemer, ehemaliger Stuttgarter Karlsschüler und Librettist auch für Carl Maria von Weber in dessen Stuttgarter Zeit, schöpfte für den Text des Einakters aus französischen Quellen: Der Dichter der Vorlage »Annette et Lubin« ist Charles-Simon Favart, neben ihm wird auch Jean-François Marmontel als Verfasser genannt; sie beide hatten eng mit André-Ernest-Modeste Grétry (1741–1813) zusammengearbeitet, dem Meister der französischen Opéra comique, dessen Werk vor allem in den Jahren vor der Französischen Revolution auch auf deutschen Bühnen außerordentlich beliebt gewesen war. Der alte Stoff wurde nun in Hiemers und Abeilles Stück neu verarbeitet und überformt, sowohl im Sinne der Stuttgarter Singspieltradition als auch der Frühromantik.

Die Stuttgarter Singspieltradition geht vor allem auf die Hoftheaterpolitik Herzog Karl Eugens zurück: Im Opernschaffen »seiner« Musikzöglinge an der Hohen Karlsschule ist das wesentliche Gegenstück zur italienischen Oper in der Nachfolge Jommellis das deutschsprachige Singspiel, in dem Arien und gesprochener Dialog miteinander abwechseln (etwa Mozarts »Entführung aus dem Serail« vergleichbar). Die Werke wurden gelegentlich nicht nur von einem, sondern von mehreren der jungen Komponisten geschaffen, die sich in der Arbeit teilten. Während der Hofviolinist Christian Ludwig Dieter (1757–1822) und der spätere Konzertmeister Johann Rudolf Zumsteeg (1760–1802) schon in den 1780er Jahren mit mehreren Singspielen hervortraten, stammen Abeilles markanteste Singspiele bereits aus dem 19. Jahrhundert (»Amor und Psyche«, 1800; »Peter und Ännchen«, 1809). Obwohl er in ihnen seine Ausbildung in der Stuttgarter höfischen Musikkultur der 1770er Jahre nicht verleugnen kann, bediente er sich in »Peter und Ännchen« bereits einiger Stilmittel der romantischen Oper, so in der »Introduzione« (Nr. 1), einem »Chor der Jäger« (Hiemers Text: »Halloh! Laßt durch die Buchenhallen den Ruf der Hörner schallen, und ringsum töne froh ein rauschendes Halloh!«), in dem die Hörner ein wichtiger Bestandteil der Wald-Szenerie sind und in ihrer solistischen Funktion im Klavierauszug ausdrücklich erwähnt werden (diese Instrumentationsangaben greifen hier auf Techniken vor, die zuweilen erst mit Webers »Freischütz«-Klavierauszug in Verbindung gebracht werden). Die Szenenangabe des Satzes lautet: *Rechts und links Wald, der Hintergrund Gebirg. Im Vordergrund der Bühne steht eine von Baum-*

*zweigen geflochtene halb vollendete Hütte, in derselben eine kleine Bank.* Die Realisierung dieses Entwurfs war auch mit schematisierten, universell verwendbaren Kulissen aus den Lagerbeständen eines Theaters möglich.

Abeille war nach seiner Karlsschulzeit im Stuttgarter Hoforchester Clavicinist, übernahm nach Zumsteegs Tod 1802 dessen Konzertmeisterstelle (nicht aber auch die Ensembleleitung, die nach zehnjähriger Vakanz wieder einem Kapellmeister, Johann Friedrich Kranz, übertragen wurde) und wurde 1811 Hoforganist.

*MGG (Supplement), Art. Johann Christian Ludwig Abeille (Wolfgang Matthäus). – Riemann-Musiklexikon, 12. Aufl., Sachteil (hrsg. Wilibald Gurlitt und Hans Heinrich Eggebrecht), Art. »Klavierauszug«. – Krauß, S. 77f., 89, 110, 122, 139.*                         K. K.

## 1451

### »DECORATIONEN ZUR ZAUBERFLÖTE«

Ausstattungsprogramm zu einer Neuinszenierung von Wolfgang Amadeus Mozarts Oper (KV 620)

Reinhard von Roeder, Interims-Ober-Ceremonien-Meister in Stuttgart (gest. 1807)
Stuttgart, um 1805/07

*Diktat, Tinte, nur Unterschrift autograph*
*1 Bogen, H. 32 cm, B. 20,4 cm*

Ludwigsburg, Staatsarchiv, Bestand E 18 I, Bü 52

Mozarts »Zauberflöte« war erstmals 1795 über eine Stuttgarter Bühne (im Planie-Theater) gegangen; die Leitung hatte Johann Rudolf Zumsteeg innegehabt, der sich nachhaltig für die Durchsetzung von Mozarts Opern in Stuttgart eingesetzt hatte. Die um 1805/07 vorbereitete Wiederaufnahme kam in mancher Hinsicht einer Neuinszenierung gleich, da mit Sicherheit die meisten Dekorationen 1802 im Planie-Theater verbrannt waren, was bei einer Oper, deren reiche Regieanweisungen damals weithin wörtlich genommen wurden, und die gerade wegen ihrer Bühneneffekte zu Begeisterungsstürmen hinriß, besonders schmerzlich gewesen sein muß. Roeders Entwurf ist dennoch erheblich von Einsparungsbemühungen gekennzeichnet; wo Spezialgeräte (wie der Wolkenwagen der drei Knaben) nicht unbedingt erforderlich sind, wird auf einfache Vorhang-Kulissen zurückgegriffen, in anderen Fällen auf bereits Vorhandenes, das nur wenig geändert werden mußte. Die Löwen (Punkt 5) werden aus Tigern gewonnen, unter Punkt 7 wird eine *Halle von Nathan* erwähnt (mit Lessings Schauspiel war das neue »kleine Theater« 1804 eingeweiht worden), unter Punkt 8 ist der *Garten von Grafeneck*, also eine Kulisse des 1804 aufgelösten Sommertheaters auf der Schwäbischen Alb, genannt. Einige Szenenbilder lassen sich auch als Schöpfungen des Hofmalers und Akademieprofessors Viktor Heideloff nachweisen, so die Waldkulisse der ersten Szene: Sie ist in einer Bedarfsaufstellung, die dieser kurz vor der Eröffnung des neuen Theaters verfaßte, erwähnt.

Das wesentliche Prinzip der Bühnenausstattung lag also in der mehrfachen, universellen Verwendbarkeit der Requisiten; die Kulissen waren feste, typisierte Einheiten, die nur selten im Hinblick auf bestimmte Werke neu geschaffen werden mußten.

*Volkmar Braunbehrens, Mozart in Wien, München 1986, S. 415–417. – Krauß, S. 136f.*                    K. K.

## 1452*

### BLICK IN EINEN FESTSAAL

Entwurf zu einem Bühnenbild

Nikolaus Friedrich von Thouret (?)
um 1810

*Federzeichnung, aquarelliert*
*H. 16,2 cm, B. 21,3 cm*

Ludwigsburg, Städtisches Museum, Inv.-Nr. 3840

Der Entwurf zeigt den Blick in einen von einer Stichbogentonne gewölbten, ganz in Weiß und Blau gehaltenen Saal, wie er in einem Schloß der Zeit um 1810 denkbar ist. Entsprechend den damals herrschenden szenographischen Gepflogenheiten ist das Bühnenbild streng zentralperspektivisch gestaltet, was den recht tiefen Saal wie eine Galerie erscheinen läßt. Die lisenenartig vorspringenden Stirnseiten der Kulissen sind ähnlich gegliedert und dekoriert wie in einem etwa gleichzeitig entstandenen Bühnenbild des Ludwigsburger Schloßtheaters. Auch einer der 1799/1800 nach Thourets Entwurf in Schloß Favorite neugestalteten Räume (Dianazimmer) weist verwandte Dekorationsformen auf. Darüber hinaus unterstützen weitere Details die Vermutung, daß Thouret der Urheber des Entwurfes ist.                    K. M.

## 1453*

### BLICK IN EINEN BÜRGERLICHEN SALON

Entwurf zu einem Bühnenbild

Nikolaus Friedrich von Thouret (?)
um 1810

*Federzeichnung, aquarelliert*
*H. 17,3 cm, B. 23,5 cm*

Ludwigsburg, Städtisches Museum, Inv.-Nr. 3841

Die Szene zeigt einen blautapezierten, karg möblierten Raum, den man um 1810 in einem bescheideneren Schloß, aber doch wohl noch eher in einem bürgerlichen Haus erwarten konnte. In dem zentralperspektivisch aufgebauten Bühnenbild sind die Stirnseiten der Kulissen trumeauartig mit hohen Spiegeln besetzt, ein einfaches Kranzgesims leitet zur flachen Decke über. In merkwürdigem Kontrast zur Einfachheit des Raumes steht die üppige, das Bühnenbild abschließende rote Draperie.                    K. M.

Inv. N. 3840

1452

1453

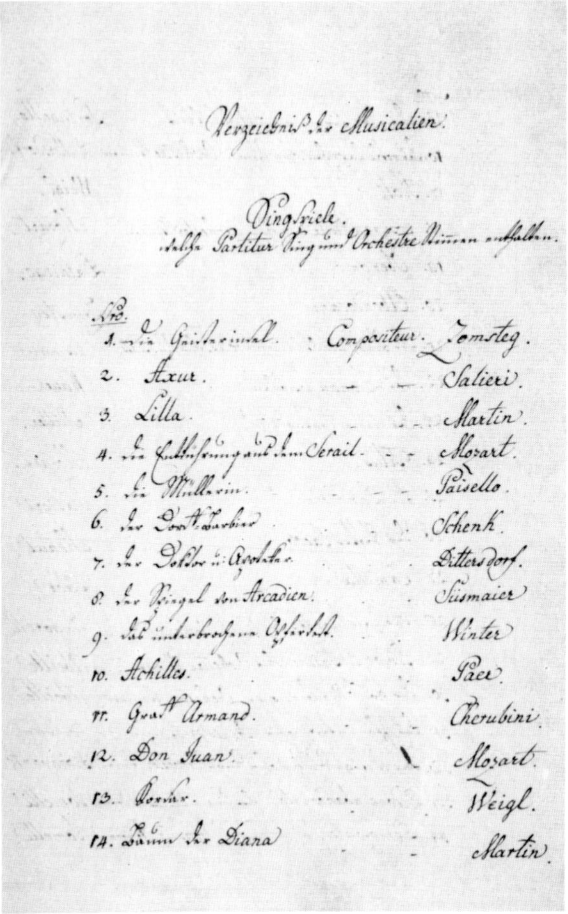

1454a

1454b

1454*

## »VERZEICHNISS DER MUSICALIEN«, »SINGSPIELE«

Johann Baptist Schaul (1759–1822), Hofmusikus in
Stuttgart
Stuttgart, um 1808

*Tinte*
*2 Bogen, H. 33,2 cm, B. 20,4 cm*

Ludwigsburg, Staatsarchiv, Bestand E 18 I, Bü 26

Johann Baptist Schaul wirkte am Hoftheater als Violinist,
aber auch als Übersetzer fremdsprachiger Schauspiele
(z. B. Tasso), verkörperte also einen wesentlichen Zug der
Einsparungspolitik, die Herzog Karl Eugen angelegt hatte:
Als Absolvent des Musikinstituts an der Karlsschule
konnte Schaul am Hoftheater gleich in mehrfacher Funktion tätig werden.

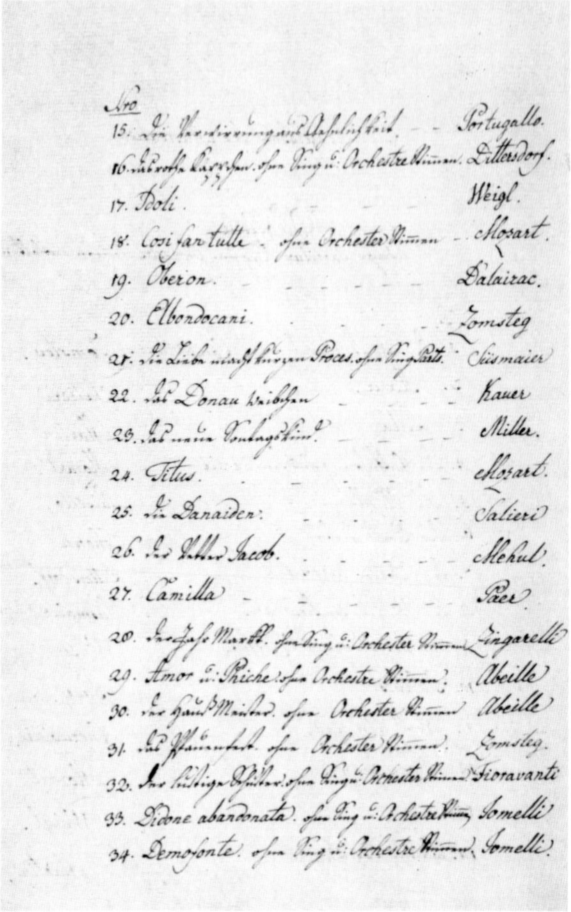

Der erste Teil seiner Übersicht, der mit *Singspiele* (also
»Opern«) überschrieben ist und lediglich 34 Werke enthält, kann allein schon aus Gründen des tatsächlichen
Stuttgarter Repertoires keinen Anspruch auf Vollständig-
keit erheben. Dennoch bietet Schaul hier einen repräsentativen Querschnitt durch den örtlichen Spielplan der Zeit:
Die Aufzählung reicht noch auf Werke Jommellis zurück
(33., *Didone abbandonata;* 34., *Demofonte*) und ist auch
sonst wesentlich geprägt von Kompositionen des späten
18. Jahrhunderts, vor allem von Zeitgenossen Mozarts,
z. B. Vincenzo Martin y Soler, *Lilla* (*Una cosa rara*, Nr. 3;
uraufgeführt 1786), Giovanni Paisiello, *La molinara* (Nr.
5; 1788), Karl Ditters von Dittersdorf, *Doktor und Apotheker* (Nr. 7; 1786), oder Werken von Mozart selbst; außerdem sind zahlreiche Werke den Tendenzen des deutschsprachigen Singspiels in den 1790er Jahren zuzuordnen,
z. B. Johann Rudolf Zumsteeg, *Die Geisterinsel* (Nr. 1;

1798), Peter von Winter, *Das unterbrochene Opferfest* (Nr. 9, 1796), Ferdinand Kauer, *Das Donauweibchen* (Nr. 22; 1795). Wie beliebt das Singspiel um 1800 in Stuttgart war, kommt auch darin zum Ausdruck, daß man sich 1802/03 für die Zumsteeg-Nachfolge um den Wiener Hofkapellmeister Joseph Weigl bemühte, der in der Geschichte des Singspiels eine zentrale Stellung innehat. Die Berufung mißlang; statt dessen kam es jedoch unter Johann Friedrich Kranz (1752–1810) zu keiner Neubelebung des Stuttgarter Repertoires: Außer Cherubinis *Graf Armand* (1800) ist aus Paris weder die zeitgenössische Grand-opéra Spontinis noch die erneuerte Opéra comique Boieldieus vertreten.

*Krauß, S. 137–141. – Landshoff, S. 155.* K. K.

## 1455
### ZENSURBERICHT AN THEATERDIREKTOR CARL FREIHERR VON WAECHTER

König Friedrich von Württemberg
Stuttgart, 4. 10. 1807

*Diktat, Tinte, nur Unterschrift autograph*
*1 Bogen, H. 31,1 cm, B. 20,4 cm*
*Unten Unterschrift:* v. Vellnagel *als Bearbeitungs-*
*vermerk, oben Präsentationsvermerk (5. 10. 1807)*

Ludwigsburg, Staatsarchiv, E 18 I, Bü 25

Entwürfe für den Stuttgarter Spielplan waren stets durch den König zu genehmigen, auch kurzfristige Umdispositionen; Änderungswünsche »auf allerhöchsten Befehl« waren nicht selten. König Friedrich beaufsichtigte den Spielplan und ebenso die Besetzung bis in alle Einzelheiten, und wenn er nicht in Stuttgart oder Ludwigsburg zugegen war, waren alle Vorgänge dennoch genehmigungspflichtig. Das vorliegende Schreiben lautet: *Seine Königliche Majestät wollen das von dem Theater-Director von Waechter un[ter]th[äni]gst vorgelegte Repertorium der vom 5ten bis 18. dieses Monats aufzuführenden TheaterVorstellungen mit der Abänderung g[nädig]st genehmigen, daß künftigen Dienstag den 6ten* Camilla (Oper von Ferdinando Paër) *und am Sonntag den 18ten* Marie von Montalban (Oper von Peter von Winter) *gegeben wird. Mittwoch den 7ten dieses bleibt dann frey und am Sonntag den 11ten kann* Graf Benjowsky (Schauspiel von August von Kotzebue) *aufgeführt werden.*
Auch der streng reglementierte Dienstweg ist aus dem Schriftstück zu rekonstruieren: Vom König gelangte das Schreiben erst über den *Geh. Kabinets-Director u. Geh. Referendair* Christian Ludwig August von Vellnagel an den Hoftheaterdirektor von Waechter; die beiden Regisseure für Schauspiel bzw. Oper, die für die Besetzungen verantwortlich waren (und auf dieser Grundlage den Spielplan weitgehend entwarfen), waren Waechter noch nachgeordnet.

*Krauß, S. 111–113. – Sauer, Schwäbischer Zar, S. 394.*
K. K.

1456

1456*

### FRANZ DANZI (1763–1826)

1778–81/83 Cellist in Mannheim; 1807–12 Hofkapellmeister in Stuttgart, 1812–25 in Karlsruhe

Heinrich E. von Wintter (1788–1825)
1817

*Lithographie*
*H. 39,5 cm, B. 28,5 cm*
*Am unteren Bildrand bezeichnet:* H. E. v. Wintter del.
1817

Stuttgart, Archiv der Stadt, B 3845

Franz Danzi, Sohn des italienischen Cellisten Innocente Danzi, der seit 1754 dem berühmten, von Johann Stamitz geleiteten kurpfälzischen Orchester der »Mannheimer Schule« als hochbezahlte Kraft angehörte, wurde in Schwetzingen geboren. Bereits als Fünfzehnjähriger trat er selbst in das Orchester ein und erlebte so noch das Hofleben des Kurfürsten Karl Theodor, bevor dieser nach München zog. Danzis Vater folgte dem Kurfürsten, während Franz Danzi in Mannheim blieb und erst 1783 nach München übersiedelte, um dort zunächst in die Stellung seines Vaters nachzurücken.

1807 übernahm Danzi den Stuttgarter Hofkapellmeister-posten, den zuvor Johann Friedrich Kranz innegehabt hatte; in seiner Wirkungszeit wurde der Stuttgarter Opern-spielplan entscheidend modernisiert (Weber, »Turandot«, 1809; Méhul, »Joseph«, 1810; Spontini, »Die Vestalin«, 1811; Boieldieu, »Johann von Paris«, 1812). Dieses persönliche Engagement für die zeitgenössische Oper kam nach 1812, als Danzi nach Karlsruhe gezogen war, dem dortigen Hoftheater zugute, dem er darüber erstmals zu größerer Bedeutung verhalf; zu erwähnen ist neben Aufführungen von Beethovens »Fidelio« 1816 und Rossinis »Tancredi« 1817 besonders das aktive Interesse an den Opern Carl Maria von Webers, mit dem Danzi seit seiner Stuttgarter Zeit befreundet war.

*New Grove, Art. Franz Danzi (Roland Würtz, Peter M. Alexander). – Max Herre, Franz Danzi, Ein Beitrag zur Geschichte der deutschen Oper, Diss. (mschr.) München 1924. – Krauß, S. 123, 137.*    K. K.

## 1457.1

### Bericht über die Oratorien-aufführung an Neujahr

Brief an Oberjustizrat Morigotti, München

Franz Danzi (1763–1826)
Stuttgart, 2. 1. 1808

*Autograph, Tinte*
*1 Bogen, H. 23,1 cm, B. 18,6 cm*

Ludwigsburg, Staatsarchiv, Bestand E 18 I, Bü 72 a

Morigotti, Oberjustizrat (seit Mitte 1809 Oberappellationsgerichtsrat) und enger Freund Danzis aus dessen Münchner Zeit, wird in diesem Schreiben über einen festen Posten des Stuttgarter Hoflebens informiert: über die Oratorienaufführung an Neujahr zur alljährlichen Feier der Annahme der Königswürde durch Friedrich (1. 1. 1806). Das Schreiben illustriert zudem die Aufführungs-vorbereitungen im Hofmusikapparat und König Friedrichs Reaktion auf dargebotene Werke. Danzi schreibt über sein Oratorium: *Es mußte das ganze Neujahrtags-konzert ausfüllen, mithin an zwei Stunde dauern und um es zu verfertigen, hatte ich ungefähr drei Wochen. Doch war ich so fleißig, daß es schon vor Weihnacht fertig war, und bequem [in Stimmen] ausgeschrieben werden konnte. Da ich es schubweise, wie es fertig war, den Kopisten hingeben muste, so erinnerte ich mir bei der ersten Probe sehr wenig davon... Es war Niemeyers Abraham auf Moria, das Gedicht sehr schön. Nun war mir aber vor dem Hofe bange – ich erinnerte mich an München, wo der Hof meine Musik allezeit zu traurig gefunden hatte, ich konnte doch auch in diesem Oratorio keinen Papageno anbringen. Aber der König, der viel Gefühl für dergleichen Sachen hat, bezeigte schon während der Außführung seine Zufriedenheit, und heute Nachmittag, als ich in die Probe der Zauberflöte kam, sagte mir unser Intendant, Baron*

*Wächter, der König habe ihm aufgetragen mir seine Zufriedenheit zu bezeigen, und überreichte mir zugleich in deßen Namen eine sehr schöne goldene Dose; die, obwohl sie mich sehr freut, doch die Zufriedenheit meines Königs, mit meiner Musik nicht aufwiegt.*

*Sauer, Schwäbischer Zar, S. 245.*    K. K.

## 1457.2*

### Zu den Auswirkungen des Krieges auf das Musikleben

Brief an Oberappellationsgerichtsrat Morigotti, München

Franz Danzi (1763–1826)
Stuttgart, 30. 8. 1809

*Autograph, Tinte*
*1 Bogen, H. 24 cm, B. 19,3 cm*

Ludwigsburg, Staatsarchiv, Bestand E 18 I, Bü 72a

Danzi beklagt sich bitter über die Einschränkungen, die die Kriegssituation in der Zeit nach den Schlachten von Aspern und Wagram (Mai/Juli 1809) und für Württemberg im besonderen nach der Einführung einer neuen Militärkonskriptionsordnung (20. 8. 1809) mit sich brachte; daneben weist er auch auf die Auswirkungen des Tiroler Aufstands für die Stadt München hin (im Zusammenhang mit der Arbeit seines Verlegers Falter): *Fleischmann, der seit einiger Zeit in Wien war, hat als ein hiesiger Unterthan sich hier zur Konskription stellen müßen, und er wird vielleicht genöthigt Soldat zu werden, welches, wie du dir denken kannst, der Stimme eben nicht zum Vortheil ist.*
*Falter will mit dem achten Heft die Erhohlungen schließen, und ich kann es ihm, unter diesen Umständen, nicht verübeln. Welche Aussicht für die Künste! Doch –* Hier rückt Danzi ein musikalisches Zitat ein: den Beginn von Papagenos Partie im Quintett Nr. 5 aus Mozarts »Zauberflöte«. Papagenos Mund ist von den drei Damen mit einem Schloß zugesperrt worden; »der Arme kann von Strafe sagen, denn seine Sprache ist dahin«, lautet Taminos gesungener Kommentar zu den durch den verschlossenen Mund hervorgestoßenen Summlauten Papagenos. Daß sich Danzi der politischen Situation hilflos ausgeliefert fühlt, ist evident; ob er seine Äußerung vor der Zensur verschleiern wollte, muß offenbleiben.

*Sauer, Schwäbischer Zar, S. 274–282.*    K. K.

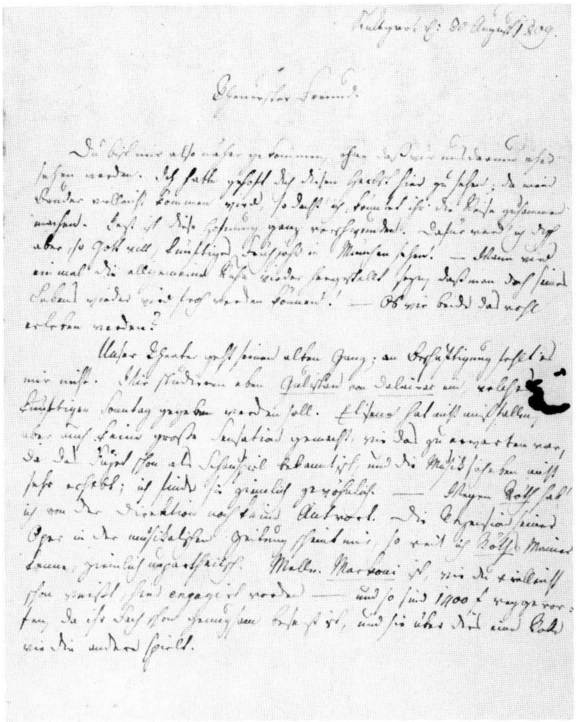

1452.2 a

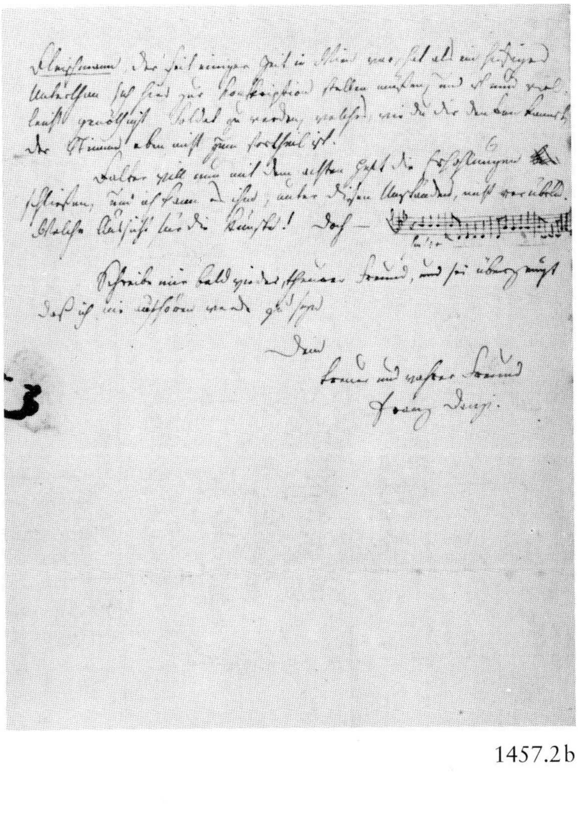

1457.2 b

## 1457.3

### BERICHT ÜBER DAS STUTTGARTER KONZERT- UND OPERNLEBEN SOWIE ÜBER DEN BESUCH NAPOLEONS

Brief an Oberappellationsgerichtsrat Morigotti, München

Franz Danzi (1763–1826)
Stuttgart, 7. 11. 1809

*Autograph, Tinte*
*1 Bogen, H. 24,2 cm, B. 19,3 cm*

Ludwigsburg, Staatsarchiv, Bestand E 18 I, Bü 72a

*Verzeih mir, mein theurer Freund, daß ich dir die Antwort auf deinen lezten Brief so lange schuldig geblieben bin. Ich könnte mich freilich mit manchem Geschäfte entschuldigen; doch ich will nur gestehen, daß ich auch ein bischen faul war.«* Zwar seien die Herbsttage im Vergleich zum Münchner Leben musikalisch unbedeutend, doch er kann berichten: *»Die Oper geht ihren gewöhnlich raschen Gang fort. Am Geburtstag des Königs [6. 11.] gaben wir eine neue Oper von unserm Konzertmeister Abeille: Peter und Aennchen, wovon die Musik recht hübsch ist. Dann wurde bei der Anwesenheit des französischen Kaisers: La grotta di Trofonio, auf italienisch gegeben, und fiel ganz gut aus. Nun studieren wir Richard Löwenherz wieder neu ein, der schon seit ungefähr acht Jahren nicht mehr gegeben worden ist. Als vor sieben Jahren das Theater abbrannte, gieng alle vorhandene Musik mit zu Grunde. Deswegen muß jezt manche alte Oper wieder neu [in Stimmen] geschrieben und einstudiert werden.*
Antonio Salieris Oper, als »Trophons Zauberhöhle« im Stuttgarter Repertoire, wurde vor Napoleon am 23. 10. 1809 unmittelbar nach dessen Ankunft ausnahmsweise in Originalsprache gegeben; bei früheren Besuchen waren für ihn Mozarts »Don Giovanni« (3. 10. 1805) und Ferdinando Paërs »Achilles« (1. 12. 1806) aufgeführt worden. Bei »Richard Löwenherz« handelt es sich um eine der erfolgreichsten Opern des französischen Komponisten André-Ernest-Modeste Grétry.

*Krauß, S. 141. – Sauer, Schwäbischer Zar, S. 227, 233, 297f.*                                         K. K.

## 1457.4

### ERSTE EINDRÜCKE VOM KARLSRUHER OPERNLEBEN

Brief an Oberappellationsgerichtsrat Morigotti, München

Franz Danzi (1763–1826)
Karlsruhe, 28. 7. 1812

*Autograph, Tinte*
*1 Bogen, H. 23,5 cm, B. 19,2 cm*

Ludwigsburg, Staatsarchiv, Bestand E 18 I, Bü 72a

In diesem ersten Brief aus Karlsruhe umreißt Danzi die Situation am dortigen Hoftheater. *Ich habe das Glück hier sehr willkommen zu seyn*, schreibt er. *Man ist bereits mit den wenigen Diensten, die ich bisher geleistet habe, sehr zufrieden. Der Aufenthalt ist sehr angenehm, und die wenigen Menschen, die ich bisher kennen lernte, behagen mir sehr.* Die beiden Sopranistinnen der Bühne bezeichnet er als *recht gute Sängerinnen*, die Tenoristen *sind, wie jezt überall, mittelmäßig*, die Bassisten *recht brauchbar, und auch die komischen Rollen sind nicht übel besetzt.*

Welch harte Arbeit auf Danzi wartete, wird aus einem fünf Jahre jüngeren Artikel der Leipziger Allgemeinen Musikalischen Zeitung deutlich. Zu Danzi liest man: »Freylich mag es beschwerlich und oft verdrüsslich seyn, nachdem er früher die Leitung des münchner und dann des stuttgarter Orchesters zu besorgen gehabt, nunmehr das Aufblühen eines, aus weniger vollkommen Bestandtheilen zusammengesetzten zu besorgen... Dieser Schwierigkeit, das Orchester auch mit wenigen Proben zusammenzuhalten, schreiben wir auch die Gewohnheit des Hrn. Danzi zu, den Takt, besonders bey bedeutenden Musik-Eintritten, mit dem Fuss auf die hohle Breter-Erhöhung seines Sitzes zu stampfen, welches eine widerwärtige Störung verursacht.« Entsprechend scharf wird die zum Teil nur geringe Qualität des Orchesters aufs Korn genommen, zum Beispiel: »Ein Posaunen-Ton kann von der herrlichsten Wirkung seyn, aber auch Ein Posaunenton Alles verderben. In Opern, wie Don Juan [= »Don Giovanni«, Mozart], Jacob und seine Söhne [= »Joseph«, Méhul], und Fidelio [Beethoven], wird die Noth recht fühlbar, und der Zuhörer ist froh, wenn am Posaunenpult die Lichter wieder gelöscht werden.«

*MGG, Art. Karlsruhe (Berthold Freudenberger). – AMZ 1817, Sp. 369–377, 393–396. – Haass, S. 94–96, 144f.*

K. K.

1459

## 1458

### »REPERTORIUM DER VOM 28TEN JULY BIS ZUM 9TEN AUGUST AUFZUFÜHRENDEN SING UND SCHAUSPIELE«

Schauspielregisseur Karl Miedke, Opernregisseur Johann Baptist Krebs
Stuttgart, Juli 1809

*Tinte, nur Unterschriften autograph*
*H. 47,6 cm, B. 57,8 cm*

Stuttgart, Hauptstaatsarchiv, Bestand A 16, Bü 31, Fasz. 1

Von den beiden Regisseuren abgezeichnete Besetzungsübersicht. Miedke übte die Gesamtregie aus und war zugleich führender Schauspieler, Krebs führender Sänger am Stuttgarter Hoftheater. Seit 1804 wurde an vier Tagen in der Woche gespielt, sonntags sollten nur Opern gegeben werden (was hier aber zweimal nicht geschieht, trotz der entsprechenden Konsistoriumsverordnung); der Wechsel zwischen Musik- und Sprechtheater hatte keinen festen Regeln zu gehorchen. Daß pro Abend nicht nur ein Stück gegeben wurde, war keine Seltenheit, am 30. 7. erscheinen sogar drei Werke auf dem Spielplan (Weißenthurm, *Die Ehescheuen* sowie Kotzebue, *Die Erbschaft* und *Das Posthauß*); Klingemanns *Columbus* wird dagegen auf zwei Aufführungstage verteilt.

Beide Unterzeichner treten in den Werken auch als Akteure auf, z.B. Krebs in Mozarts *Entführung* als Belmonte (28. 7.) und Miedke als Columbus im gleichnamigen Trauerspiel und dessen Vorspiel (1./2. 8.).

*Krauß, S. 100f., 122, 124.*

K. K.

**1459\***

### Honorar- und Rollenzettel für den Stuttgarter Sänger Johann Georg Fürst (1788–1844)

Stuttgart, 15. 9. 1811–21. 9. 1812

*Tinte*
*1 Blatt, H. 34 cm, B. 21,5 cm*

Ludwigsburg, Staatsarchiv, Bestand E 18 II, Bü 335, Bl. 9

Zweifellos gehörte Johann Georg Fürst zunächst nicht zu den Stars des Stuttgarter Ensembles. Als gebürtiger Riedlinger war er 1797 Singknabe im Kloster Schussenried gewesen, später in Zwiefalten. Seine ersten musikalischen Aufgaben nach der Auflösung des Konvents waren die Rollen, die er 1811 in Stuttgart übernahm; für das erste Jahr seines Stuttgarter Wirkens sind sie auf dem ausgestellten Blatt verzeichnet. Seine Position war die eines Chorführers, der, wie der zuständige Opernregisseur Johann Baptist Krebs am 11. 3. 1812 äußerte, *dritte serieuse Baßrollen ohne Anstand* singt, so daß er am 17. 9. 1812 zum *zweiten ernsthaften Bassisten* befördert wurde. Seine Gage richtete sich nach den übernommenen Rollen: Er erhielt 2 fl. für eine bedeutende Rolle, 1 fl. für eine minder bedeutende und 30 kr. für eine unbedeutende. Seine Rollen fand er jedoch keineswegs nur im Musiktheater: Beispielsweise am 20. 11. trat er in Schillers *Wallensteins Tod* auf (als Rittmeister Neumann), was als *minder bedeutende Rolle* bewertet wurde. Größere Aufgaben kamen auf ihn offenbar zu Jahresbeginn 1812 – seinem Honorar nach zu urteilen – zu, obwohl er weiterhin höchst selten auf Theaterzetteln in Erscheinung trat (21. 1.: als Mufti in Franz Xaver Süßmayrs *Suliman*); so bleibt beispielsweise auch seine Rolle in Mozarts *Don Giovanni* offen.
Sein Jahreshonorar lag daher 1811/12 bei 208 fl.; in 135 Aufführungen wirkte er mit. Durchschnittlich betrug seine abendliche Gage also etwas mehr als 1 fl. 30 kr. (abgesehen von Einkünften aus Benefizveranstaltungen). Zum Vergleich: Der Eintritt zu den teuersten Zuschauerplätzen (auf der ersten Galerie) kostete zur gleichen Zeit abendlich 1 fl. 12 kr.

*Krauß, S. 126. – Ludwig Wilß, Zur Geschichte der Musik an den oberschwäbischen Klöstern im 18. Jahrhundert, Stuttgart 1925, S. 14.*          K. K.

**1460\***

### »Der Taucher, romantische Oper in zwei Akten«

Theaterzettel der Uraufführung

Conradin Kreutzer (1780–1849)
Stuttgart, zum 19. 4. 1813

*Druck*
*H. 19,7 cm, B. 15,7 cm*

Stuttgart, Württembergische Landesbibliothek, Sch. K. Musik Hoftheaterzettel 1813

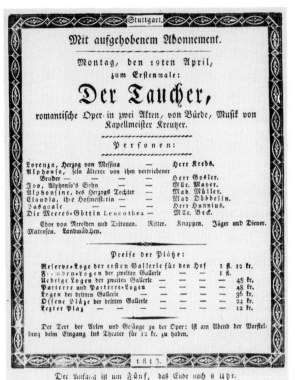

1460

Bereits 1808 war Conradin Kreutzers Oper »Zwei Worte oder Die Nacht im Walde« (sie spielt wie der Märchenzyklus von Wilhelm Hauff in einem Wirtshaus im Spessart) in Stuttgart gegeben worden; nach der Berufung zum Stuttgarter Hofkapellmeister und Nachfolger Franz Danzis 1812 war *Der Taucher* bereits die vierte Oper, die Kreutzer in Stuttgart zur Uraufführung brachte.
Die Komposition Kreutzers geht zurück auf ein bereits früher komponiertes Werk, zu dem ihm jedoch Partitur und Stimmen in den Kriegswirren abhanden gekommen sein sollen. Nun griff er – mit einer anderen Dramatisierung der Schillerschen Ballade – auf seinen früheren Plan zurück; die Oper versah er im Untertitel mit der Bezeichnung *romantisch*. Vermutlich steht er auch damit in der Entwicklungslinie der frühromantischen Schiller-Rezeption, ohne aber unbedingt mit dem Untertitel mehr zu verbinden als beispielsweise Schiller selbst in »Die Jungfrau von Orleans« (»Eine romantische Tragödie«), so daß lediglich eine Abgrenzung zum Klassisch-Antiken vorgenommen werden sollte. Die Oper war ein glänzender Erfolg.

*New Grove, Art. Conradin Kreutzer (Peter Branscombe). – AMZ 1821, Sp. 676. – Deutsches Wörterbuch von Jacob und Wilhelm Grimm, Bd. 8, Leipzig 1893, Sp. 1155–1157 (Art. »Romantisch«). – Heinrich Weber, Konradin Kreutzer, 58. Neujahrsstück der allgemeinen Musik-Gesellschaft in Zürich 1870, S. 5.*          K. K.

sikinstrument, dem Panmelodicon, sowie als Pianist führten ihn auch – im Winter 1811/12 – nach Stuttgart, wo er das Hoftheater für die Aufführung mehrerer seiner Opern gewinnen konnte und schließlich die Nachfolge Franz Danzis als Hofkapellmeister antrat. Nach vierjährigem Wirken gab er seine Stuttgarter Stellung 1816 auf und gelangte nach zwei Jahren in Schaffhausen 1818 als Kapellmeister an den fürstlich fürstenbergischen Hof Donaueschingen, womit er seine letzte südwestdeutsche Wirkungsstätte erreicht hatte: Seine Oper »Libussa« brachte ihm 1822 die Stellung des Kapellmeisters am Wiener Kärntnertortheater ein, womit für ihn eine reiche, erfolggekrönte Schaffenszeit anbrach. In Wien erlebte auch sein berühmtes Werk, die Oper »Das Nachtlager von Granada« (1834), seine Uraufführung. Mit seinem Weggang aus Wien 1840 war seine große Zeit zu Ende; er starb 1849 in Riga.

*New Grove, Art. Conradin Kreutzer (Peter Branscombe).*
K. K.

1461

## 1461*

### CONRADIN KREUTZER (1780–1849)

Hofkapellmeister in Stuttgart 1812–16, in Donaueschingen 1818–22

Joseph Kriehuber (1801–1876)
Wien, Tobias Haslinger 1837

*Lithographie*
*H. 48,5 cm, B. 37 cm*
*Bezeichnet unten links:* Kriehuber 837

Stuttgart, Württembergische Landesbibliothek, Graphische Sammlung

In Meßkirch geboren, besuchte Kreutzer von 1789 an rund zehn Jahre lang die Zwiefalter Klosterschule, wo er durch Ernestus Weinrauch, einen der profiliertesten oberschwäbischen Musiker, umfassende musikalische Ausbildung erhielt. Um 1800 ist er als Jurastudent der Universität Freiburg nachweisbar, wo er auch eine erste Oper aufführte. 1804 begegnete er in Wien Joseph Haydn und Beethovens Lehrer Johann Georg Albrechtsberger. Weitläufige Konzertreisen mit einem halbmechanischen Mu-

1462

1463a

1462*

## JOHANN NEPOMUK HUMMEL
(1778–1837)

Stuttgarter Hofkapellmeister 1816–18

Nach 1818

*Lithographie*
*H. 17 cm, B. 12 cm*
*Unten bezeichnet:* Druck u. Verlag vom Bibliographi-
schen Jnstitut zu Hildburghausen *und:* Zeitgenossen No
102 IV Jahrg

Stuttgart, Archiv der Stadt B 1829

Mit Johann Nepomuk Hummel kam ein direkt in den Verhältnissen der Wiener Klassik erzogener Musiker in die
Stellung des Stuttgarter Hofkapellmeisters: Aus Preßburg
gebürtig, erhielt das Wunderkind Hummel etwa sieben-
jährig Unterricht bei Wolfgang Amadeus Mozart, unternahm ausgedehnte Konzertreisen, kehrte aber mit 14
Jahren nochmals zum Unterricht nach Wien zurück (zu
Beethovens Lehrer Johann Georg Albrechtsberger und
Schuberts Lehrer Antonio Salieri), bevor er die Leitung
von Joseph Haydns Hoforchester am Esterházy-Hof in
Eisenstadt übernahm. Von Haydn konnte Hummel denn
auch eine Empfehlung vorlegen, als er sich 1803 erstmals
in Stuttgart – um die Nachfolge Zumsteegs – bewarb. Da
man dort jedoch mit dem gefeierten Wiener Hofkapellmeister und Singspielkomponisten Joseph Weigl liebäugelte,
kam die Berufung nicht zustande (als Weigl absagte, fiel
die Wahl auf den alternden Weimarer Kapellmeister
Johann Friedrich Kranz).
Vor seiner Bewerbung um die Nachfolge Conradin Kreutzers 1816 hatte Hummel seinen internationalen Ruf noch
ausbauen können: Am Rande des Wiener Kongresses hatte

1463 b

er internationale Erfolge – praktisch als Gegenspieler Beethovens – feiern können, so daß ihm, wie die Zeitgenossen beobachteten, nun »der ausgebreitete Ruf eines vorzüglich grossen Klavierspielers und Componisten« vorausging. Sein Stuttgarter Wirken war jedoch für den Komponisten Hummel nur wenig fruchtbar. Bereits nach zwei Jahren zog er 1818 als Kapellmeister dorthin, woher Johann Friedrich Kranz 15 Jahre zuvor gekommen war: nach Weimar. Dort führte Hummel jedoch seinen Stuttgarter Titel weiter, wie auch aus der Unterschrift der ausgestellten Lithographie hervorgeht.

*New Grove, Art. Johann Nepomuk Hummel (Joel Sachs).* *– AMZ 1821, Sp. 676f.*                                    K. K.

1463*

## »Introduction en forme d'invitation a la danse« für Klavier

Johann Nepomuk Hummel (1778–1837)
Stuttgart, 1818 (?)

*Autograph, Tinte*
*1 Bogen, H. 20,3 cm, B. 26 cm*
*Autograph signiert (Bl. 2ʳ), Lokalisierung und Datierung späterer Zusatz von fremder Hand*

Stuttgart, Archiv der Stadt, Johann Nepomuk Hummel 3

Zu Hummels Stuttgarter Wirken berichtete die Leipziger Allgemeine Musikalische Zeitung 1821: »Sein seltenes Spiel [auf dem Klavier] erregte auch hier bey allen Gelegen-

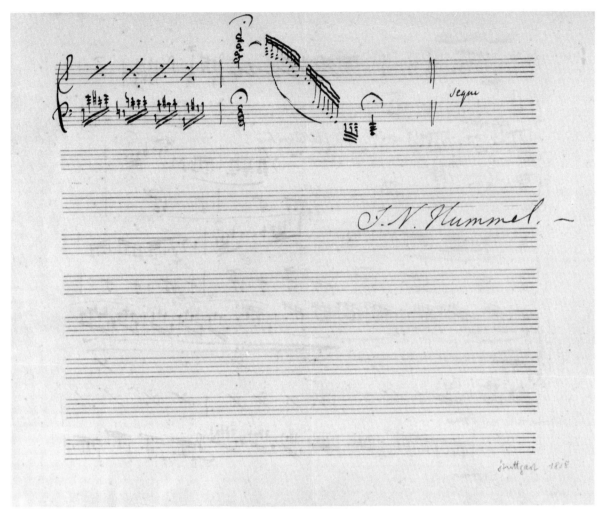

1463c

heiten, sowohl bey Hofe, als in den öffentlichen Concerten und Privatgesellschaften allgemeine Bewunderung und Erstaunen; besonders aber seine freyen Fantasieen, in welchen er sein hohes Kunstgenie und seine Meisterschaft hauptsächlich beurkundete... Als Operncompositeur ist er uns ganz fremd, da wir nicht eine einzige seiner Compositionen in dieser Gattung hörten.«

Die vorliegende Komposition, deren Titel sich wie eine französische Vorlage zu Carl Maria von Webers »Aufforderung zum Tanz« (1819) ausnimmt, schlägt jedoch einen Bogen zwischen dem Klavierspiel und der Oper: Links oben auf der ersten Innenseite zitiert Hummel das Menuett aus dem Ball-Finale des ersten Akts von Mozarts »Don Giovanni« – allerdings war ihm bereits im dritten und

vierten Takt des Zitats das Anknüpfen offenbar zu prätentiös, so daß er sie durchstrich und durch eine freie Fortführung ersetzte. Offenbleiben muß jedoch die Frage, was im Anschluß an die Komposition zu spielen ist: Sie schließt mit dem Dominantseptakkord der Grundtonart (auf G zur Grundtonart C-Dur) und verlangt daher nach einer Fortführung; zudem notierte Hummel hinter dem Schlußstrich *segue* (»es geht weiter«). Nicht auszuschließen ist immerhin, daß man sich eine von Hummels »freyen Fantasieen« als Fortsetzung zu denken hat.

*Nicht bei Dieter Zimmerschied, Thematisches Verzeichnis der Werke von Johann Nepomuk Hummel, Hofheim 1971. – AMZ 1821, Sp. 676f.*    K. K.

1465

Mozarts Werke (*Entführung*, 1.10.; *Zauberflöte*, 21.10.) sind die einzigen, die von einem Komponisten stammen, der den Anbruch des 19. Jahrhunderts nicht mehr erlebte. Mit Kreutzers Vertonung des Kotzebue-Stücks *Die Alpenhütte* (4.10.) ist der amtierende Stuttgarter Kapellmeister vertreten, von den früheren Leitern der Hofmusik in Stuttgart nur Zumsteeg (*Elbondokani*, 25.10.). Wichtigere Bestandteile des Stuttgarter Spielplans sind dagegen inzwischen die großen Pariser Opern (Gasparo Spontini, *Die Vestalin«* 1807 uraufgeführt, 29.10.; François-Adrien Boieldieu, *Johann von Paris*, 1812 uraufgeführt, 11.10.) sowie die Früchte des Musiklebens an der Münchner Residenz: Neben Ferdinand Fränzl (1767–1833, *Carlo Fioras* am 22.10.) ist hier besonders auf *Der Wettkampf zu Olympia* von Johann Nepomuk Freiherr von Poißl (1783–1865) hinzuweisen, weil diese Oper bereits im Uraufführungsjahr auch ihre Stuttgarter Premiere erlebte (5.11.).

*Krauß, S. 137–141.* K. K.

## 1465*

PETER JOSEF VON LINDPAINTNER
(1791–1856)

Stuttgarter Hofkapellmeister 1819–56

Th. Wagner nach Franz Seraph Stirnbrand
(um 1788–1882)
Stuttgart (?), um 1820

*Lithographie*
*H. 24,9 cm, B. 18,5 cm*
*Bezeichnet unten:* Stirnbrand, pinx. *und:* Th. Wagner, lith.

Stuttgart, Archiv der Stadt, B 5080

Peter Josef Lindpaintner (1844 in den persönlichen Adelsstand erhoben) war, als er 1819 aus München als Hofkapellmeister an das Stuttgarter Theater berufen wurde, bereits der neunte Nachfolger Niccolò Jommellis als Leiter des dortigen Hofmusikensembles. Mit ihm begann eine neue Epoche des Stuttgarter Opern- und Konzertlebens; Lindpaintner blieb lebenslang in diesem Amt, obwohl er sich in ihm nicht wohlfühlte. Er war eine international geachtete Musikerpersönlichkeit: Felix Mendelssohn Bartholdy bezeichnete ihn 1834 als den besten deutschen Orchesterdirigenten, Hector Berlioz 1841 als einen »Meister, um dessen Urteil ich eifrig besorgt war« (was aber nicht hindern konnte, daß Lindpaintner die »Symphonie fantastique« nicht gefiel). Das Porträt zeigt Lindpaintner in seinen ersten Stuttgarter Jahren.

*MGG, Art. Peter Josef Lindpaintner (Heinz Becker). – AMZ 1821, Sp. 677. – Hector Berlioz, Memoiren, Aus dem Französischen von Elly Ellés (hrsg. Wolf Rosenberg), Königstein 1985, S. 253. – Krauß, S. 158f.* K. K.

## 1464

STUTTGARTER SPIELPLAN 1815

abgedruckt in: »Koeniglich Württembergisches Hof-Theater Taschenbuch auf das Jahr 1816. Erster Jahrgang.«
Stuttgart, 1815/16

*Oktavband*
*H. 13 cm, B. 9,5 cm*

Stuttgart, Württembergische Landesbibliothek,
w. G. oct. 1683–1.1816

Stuttgart hatte weiterhin in der Regel vier Theaterabende pro Woche; das Gebot, sonntags Opern aufzuführen, wird eingehalten (1.10., 8.10. usw.). Als Benefizveranstaltungen sind hier Mozarts *Zauberflöte* für den Sänger Johann Georg Fürst (21.10.) und Schillers *Jungfrau von Orleans* für den Schauspieler, Ober- und Schauspielregisseur Karl Miedke (28.10.) ausgewiesen; der in Spontinis *Vestalin* am 29.10. gastierende Sänger Klostermayer ist einer von Danzis Karlsruher »mittelmäßigen Tenören« (vgl. Brief vom 28.7.1812, Kat. Nr. 1457.4).

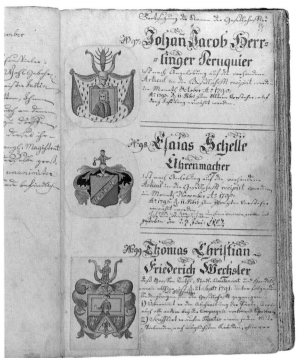

1467

## 1466*

### »DIE TRAGISCHE UND DIE KOMISCHE MUSE«

Dritte Theatertafel der Bürgerlichen Komödiantengesellschaften

Joseph Anton Neher (1776–1832)
Biberach, 20. 11. 1800

*Öl auf Holz
H. 80 cm, B. 56 cm*

Biberach, Städtische Sammlungen, Braith-Mali-Museum,
Inv.-Nr. 7552

1686 war in der traditionell gemischtkonfessionellen
Freien Reichsstadt Biberach an der Riß eine »Bürgerliche
Komödiantengesellschaft« gegründet worden; sie wurde
zwar bereits nach wenigen Jahrzehnten zur Wahrung der
speziellen konfessionellen Interessen in einen katholischen
und einen evangelischen Teil untergliedert, doch beide
standen weiterhin in engem Kontakt und fruchtbarer
Kooperation zueinander. Spielstätte war die bis heute
erhaltene Schlachtmetzig (seit 1732 für beide Gesellschaften).
Die Geschichte der Biberacher Theatertafeln, Repräsenta-
tionsobjekte der Komödiantengesellschaften, läßt sich bis
1749 zurückverfolgen, als der Maler Johann Martin Klau-
flügel die erste derartige Tafel schuf. Sie wurde 1775
überarbeitet, was im wesentlichen bedeutete, daß sie mit
den Namen der nunmehrigen Mitglieder versehen wurde.

1792 entstand für die Evangelische Komödiantengesellschaft die sogenannte zweite, 1800 für die Katholische die
ausgestellte dritte Theatertafel.
Im Zentrum der Tafel sind links und rechts eines Altars,
auf dem Trompete und Schalmei liegen, die Tragische und
die Komische Muse zu sehen; in ihren Händen halten sie
Masken. Vor dem Altar sind Bücher und Notenblätter
dargestellt: Sie stehen für den Inhalt des Theaterreper-
toires, das Sprech- und Musiktheater umfaßte. Der Altar
wird umgeben von Laubgehängen mit den Wappen und
Namen der einzelnen Mitglieder, für die – wie auch in
anderen Personalübersichten der Gesellschaften – Berufe
angegeben sind. Die Tafel war, wie an den Leerschilden zu
erkennen ist, auf Fortschreibung angelegt und wurde, wie
aus der Datierung des Schildes für den Apotheker Georg
Friedrich Stecher (am Mittelbogen) hervorgeht, noch 1818
benutzt.

*Kurt Diemer, 300 Jahre Dramatischer Verein. Zur
Geschichte des Theaters in Biberach, in: 300 Jahre Dra-
matischer Verein, Biberach 1986, S. 12–28. – Herbert
Hoffmann und Kurt Diemer, Städtische Sammlungen
Biberach, Katalog IIIa, S. 37f., 42.* K. K.

## 1467*

### »LÖBLICH BÜRGERLICHER COMÖDIANTEN-GESELLSCHAFFT ABGEFASSTE ORDNUNG UND ARTICUL«

Sog. »erstes Einschreibbuch«

Biberach, begonnen am 20. 10. 1686

*Mit Tinte geführtes Buch, Wappen aquarelliert
165 alt beschriebene Seiten, H. 30 cm, B. 21 cm*

Biberach, Städtische Sammlungen, Wieland-Museum,
Hs 1442

Das »erste« Einschreibbuch der Komödiantengesellschaft
diente als eine Art Registratur, enthält also Aktenabschrif-
ten und Protokolle; wesentlicher Bestandteil ist daher auch
das Mitgliederverzeichnis. Die Mitglieder erscheinen unter
ihrer Mitgliedsnummer mit ihrem – gelegentlich ans Phan-
tastische grenzenden – Wappen und biographischen Angaben, die durch nähere Bezeichnung ihrer Funktion in der
Gesellschaft ergänzt werden.
Aufgeschlagen sind Eintragungen über drei Mitglieder, die
im letzten Jahrzehnt des 18. Jahrhunderts in die Gesellschaft eintraten: der Perückenmacher *(Peruquier)* Johann
Jacob Herrlinger (Nr. 97), der Uhrmacher Esaias Schelle
(Nr. 98) und der Stadtleutnant und Handelsmann Thomas
Christian Friedrich Wechsler (Nr. 99). Zu Wechslers Aufgaben liest man:
1) *Übernimmt er die Abschreibung der Pärte [= Parts], so
wie auch alle andern bey der Compagnie vorkommende
Schreibereyen*
2) *Soufflirt er aufm Theater einem jedem Mitspielenden,
nach möglichsten Kräfften . . .*

Als Souffleur hatte er keinen Anteil an den Einnahmen aus Theateraufführungen, mußte aber im Fall eines Konkurses der Gesellschaft auch keine Zahlungen leisten; im übrigen hatte er aber in der Gesellschaft Sitz und Stimme wie jedes andere Mitglied auch.

*Schlegel, S. 11f.*                                                K. K.

## 1468

### »Das Zweyte EinschreibBuch der Comoedien Welche von löbl. Gesellschafft alhier von dem Hundertjährigen Jubel 1786 an, und dan nacheinander agirt worden«

Schreiber zunächst G. C. Fleischer
Biberach, begonnen am 26. 12. 1786

*Mit Tinte geführtes Buch*
*278 S. Manuskript, H. 21,8 cm, B. 17,5 cm*

Biberach, Städtische Sammlungen, Braith-Mali-Museum, Hs 1444

Das *Zweyte EinschreibBuch* informiert über die aufgeführten Werke von der Hundertjahrfeier an. Aufgeschlagen sind die Seiten 4 und 5, auf denen Aufführungen der Jahre 1788–90 verzeichnet sind. In der Akteursübersicht für das Trauerspiel *Dagobert, König der Franken* (1788), finden sich für zahlreiche Mitwirkende wiederum Berufsbezeichnungen (Zeugmacher, Strumpfwirker, Säckler, Bortenmacher, Sattler, Schlosser); für Januar und Dezember 1789 sind Singspiele des evangelischen Musikdirektors Justin Heinrich Knecht (1752–1817; *Der Schulz im Dorf, Der Kohlenbrenner*) erwähnt. Mit einem weiteren Werk, das zu Weihnachten 1789 aufgeführt wurde, dem Trauerspiel *Richard III.*, wurde möglicherweise an die Shakespeare-Tradition der Bühne angeknüpft, die Christoph Martin Wieland als Leiter der Evangelischen Komödiantengesellschaft 1761 mit dem »Sturm« begründet hatte (es war die vermutlich erste deutschsprachige originalgetreue Shakespeare-Aufführung) und die in den folgenden Jahrzehnten mit weiteren Aufführungen intensiv gepflegt wurde. Das für *Richard III.* mitgeteilte Personarium (Richard III., Eduard, York, Catesby, Elisabeth, Richmond, Tyrrel, vier Soldaten) läßt jedoch vermuten, daß es sich mit dieser Kleinstbesetzung nicht um eine gekürzte Fassung des originalen Shakespeare-Textes, sondern um eine freie Verarbeitung des Stoffes handelte.
Die Biberacher Theatertradition konnte mit kurzen Unterbrechungen bis in die Gegenwart fortleben; eine erste Pause trat in den Jahren 1828–32 ein. Das Opernleben dagegen scheint zu eng mit der Vorliebe für die Singspiele vor allem der Musikdirektoren um 1800, Justin Heinrich Knecht für die Protestanten und Georg Anton Bredelin für die Katholiken, und mit deren kompositorischem Engagement verknüpft gewesen zu sein, als daß es sich zu einem dauerhaften Bestandteil des Theaterbetriebs entwickeln

konnte. Es muß aber auch erwogen werden, in welchem Ausmaß die politische Neuordnung des deutschen Südwestens dazu beitragen konnte, daß der Biberacher Opernbetrieb durch personelle Probleme zum Erliegen kam: Sänger, Instrumentalisten und schließlich auch Persönlichkeiten, die diese ausbilden konnten, werden im neuwürttembergischen Oberschwaben nicht mehr im gleichen Maße verfügbar gewesen sein wie im reichsstädtisch und klösterlich geprägten der Zeit vor 1800.

*MGG, Art. Justin Heinrich Knecht (Georg Reichert). – Dieter Buttschardt, Laientheater und Publikum – eine Rückschau über 300 Jahre, und Kurt Diemer, 300 Jahre Dramatischer Verein, Zur Geschichte des Theaters in Biberach, in: 300 Jahre Dramatischer Verein, Biberach 1986, S. 38–47 und 12–28. – Ludwig Felix Ofterdinger, Geschichte des Theaters in Biberach, in: Württ. Vierteljahreshefte für Landesgeschichte 6 (1883), S. 36–45, 113–126, 229–242. – Schlegel, S. 13f., 27–39, 49f.* K. K.

## 1469

### »Bau Riss zu einem Comedien Haus«

Längsschnitt und Grundriß

Franz Joseph Salzmann (gest. 1786), fürstenbergischer Baudirektor
Donaueschingen, 15. 5. 1775

*Bleistift, Beschriftung Tinte*
*H. 60,0 cm, B. 44,5 cm*
*Unten links bezeichnet:* Salzmann Donaueschingen d. 15ten May. 1775., *rückseitig Titelangabe*

Donaueschingen, Fürstlich Fürstenbergisches Archiv, Kasten I, Fach IV, O. Z. 3

Am Hof der Fürsten von Fürstenberg in Donaueschingen hatte sich 1773 eine Schauspiel-Liebhabergesellschaft gebildet; 1775 erhielt Salzmann den Auftrag, zwei Drittel der bisherigen Winterreitschule aus dem Jahr 1753 zum Theater umzubauen. In ihm traten fortan neben der aus Standespersonen und Hofpersonal zusammengesetzten Gesellschaft auch reisende Schauspielertruppen auf.
Salzmanns Entwurf zeigt, wie bescheiden die Ansprüche waren, die man an die erste professionelle Spielstätte stellte: Die nur geringfügig zum Publikumsraum hin geneigte Bühne war nur sechs Kulissen tief; nur die Hofloge erhob sich über das Parkett. Vergleichsweise groß erscheint dagegen der Orchesterraum mit einer Grundfläche von 24 x 7 Schuh (rund 8 x 2,3 m); weil die Fürsten von Fürstenberg sich ein auch über die Oper hinaus bedeutendes Orchester hielten, wird dies verständlich. Als Bühnennebenräume war lediglich je ein *Zümmer zum an Klaiden* für Damen und Herren vorgesehen, das seitlich über die Bühne zu erreichen war. Im Winter sorgten zwei mächtige Kachelöfen auf den Querseiten des Baus, von auswärts beheizt, für entsprechende Temperierung.

*Tumbült, S. 6–8.*                                          K. K.

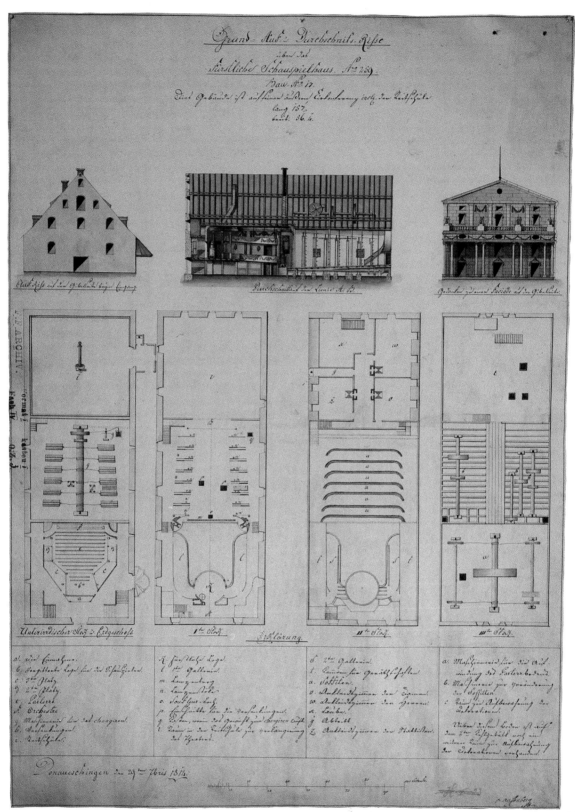

1470*

## »Grund- Auf- u. Durchschnits-Risse über das Fürstliche Schauspielhaus. Nro 259. Bau Nro 17.«

Pläne nach dem Bau von Christian Keim, 1784

Joseph von Auffenberg (gest. 1820), fürstenbergischer Oberbaudirektor
Donaueschingen, 29. 9. 1814

*Tinte aquarelliert; Papier, auf Rupfen aufgezogen*
*H. 62,7 cm, B. 45,5 cm*
*In der Fußzeile bezeichnet:* Donaueschingen den 29ten 7bris 1814: v. Auffenberg mpia

Donaueschingen, Fürstlich Fürstenbergisches Archiv, Kasten I, Fach IV, O. Z. 3

Salzmanns Bau genügte dem aufstrebenden Theaterbetrieb keine zehn Jahre. Der Fürst entschloß sich 1784, die Winterreitschule zugunsten des Theaters weiter zu verkleinern; mit dem Umbau wurde der Stuttgarter Hoftheatermaschinist Keim beauftragt – der allerdings mit dem Donaueschinger Projekt nicht viel Mühe hatte, denn das Reitschulgebäude entsprach in seinen Dimensionen weitgehend dem eben zuvor von Keim erbauten Ulmer Theater, das wiederum ein getreues Abbild des Stuttgarter kleinen Theaters an der Planie war. 1814 wurden die Risse von Auffenberg aufgenommen, allerdings unter Zusatz einer Schmuckfassade, die nie zur Ausführung kam.
Die Tiefe der Bühne wurde von sechs auf sieben Kulissen vergrößert; zur Platzeinsparung wurden die *Ankleidezimmer* in den zweiten Stock über die Winterreitschule verlegt. Diese konnte, wenn Tiefenwirkung im Bühnenbild erwünscht war, durch eine Schiebetür in den Kulissenraum rückwärtig einbezogen werden. Der Zuschauerraum umfaßt außer Parkett und der kreisrunden fürstlichen Loge, die sich vom ersten Stock bis zur Decke erhebt, zwei Ränge; Logeneinteilungen gibt es nur im Parterre.
Deutlich zu erkennen sind Einzelheiten der Bühnentechnik. Im Untergeschoß (links außen) ist der Mechanismus für das *Changiren* der Kulissen dargestellt, im Schnürboden (rechts außen) der *zur Veränderung der Soffitten;* in der Mitte links erkennt man auf der Bühnenfläche die Positionen der Kulissen und die Beleuchtungseinrichtungen (an der vorderen Bühnenkante den Lampentrog, hinter den Kulissen jeweils Lampenstöcke), in der Mitte rechts die hängenden Soffitten. Eine Spezialmaschinerie ermöglichte zudem die *Aufwindung des Parterrbodens* (rechts außen), womit dieser für große Redouten mit der Bühne auf gleiches Niveau gebracht werden konnte. Der Platz für das Orchester (links außen) ist so eingerichtet, daß die Instrumentalisten an einem parallel zur Bühne stehenden, durchgehenden Notenpult einander gegenübersitzen; der Leiter des Ensembles muß daher das Orchester von der Seite aus dirigieren. Dies war eine gängige Aufstellung für ein Opernorchester der Zeit und ist beispielsweise auch für Joseph Haydns Orchester im Theater von Schloß Eszterháza (heute Fertöd/Ungarn) nachweisbar.

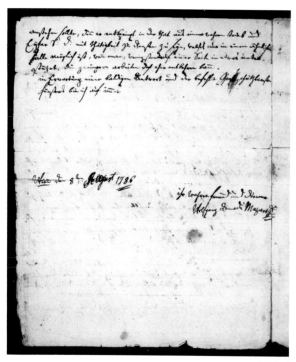

1471.1

*Karl Michael Komma, Musikgeschichte in Bildern, Stuttgart 1961, Nr. 441, 451. – Krauß, S. 92. – Tumbült, S. 16–24.*                                K. K.

1471.1*

## Brief an Sebastian Winter (1743–1815)

Donaueschingen

Wolfgang Amadeus Mozart (1756–1791)
Wien, 8. 8. 1786

*Autograph, Tinte*
*1 Bogen, H. 23,3 cm, B. 18,5 cm*

Donaueschingen, Fürstlich Fürstenbergische Hofbibliothek, Autographensammlung Mappe IV

Mozart war erstmals Ende Oktober 1766 nach Donaueschingen gekommen, wo er mit seinem Vater und seiner Schwester die Rückreise von Paris nach Salzburg für mehrere Tage unterbrochen hatte und beim damaligen Fürsten von Fürstenberg begeistert aufgenommen worden war. Seinen Brief vom August 1786 richtete er an Sebastian Winter als *Gesellschafter meiner Jugend,* der die Familie Mozart im ersten Teil jener Parisreise 1763/64 als Bedienter und Friseur begleitet hatte und seitdem in Donaueschingen angestellt war (inzwischen als Kammerdiener). Winter hatte bereits dank seiner Beziehungen zu Leopold Mozart und Michael Haydn in Salzburg sowie

Ignaz Holzbauer in Mannheim die Möglichkeit gehabt, das Programm der fürstlichen Hofmusik reichhaltig und qualitätvoll zu gestalten.

Mozarts Brief, rund ein Vierteljahr nach der überaus erfolgreichen und einträglichen Wiener »Figaro«-Uraufführung, geht über das übliche Maß eines derartigen Notenhandels hinaus, auch über den bisherigen zwischen Winter und der Familie Mozart; indem Mozart seine *Neuesten geburten* anbietet, macht er *einen kleinen Musikalischen Antrag: Da S: D: ein Orchestre besitzen, so könnten Hochdieselben eigens nur für ihren Hof allein von mir gesetzte Stücke besizen, welches nach meiner geringen Einsicht sehr angenehm seyn würde. – wenn S: D: mir die gnade anthun wollten, mir eine gewisse Anzahl Sinfonien, Quartetten, Concerten auf verschiedene instrumenten, oder andere Stücke nach belieben das Jahr hindurch anzuschaffen, und eine bestimmte Jährliche Belohnung dafür auszuSprechen, so würden S: D: geschwinder und richtiger bedient werden, und ich, da es eine sichere arbeit wäre, ruhiger arbeiten.*

Das kam in der Praxis einer Bewerbung um den Titel eines »Hofkomponisten von Haus aus« gleich. Offensichtlich sah man in Donaueschingen jedoch keinen Anlaß, von der bisherigen Notenbezugspraxis abzurücken und einen entsprechenden Titel zu vergeben. Im übrigen sollte man aber Mozarts Anfrage in Anbetracht seiner Wiener Erfolge in jenem Jahr auch nicht überschätzen.

*MGG, Art. Donaueschingen (Ernst Fritz Schmid). – Mozart, Briefe und Aufzeichnungen, 7 Bde., Kassel etc. 1962–75, Nr. 112, 974. – Ernst Fritz Schmid, Ein schwäbisches Mozartbuch, Lorch/Stuttgart 1948, S. 138–146. – Friedrich Schnapp, Neue Mozart-Funde in Donaueschingen, in: Neues Mozart-Jahrbuch 2 (1942), S. 211–223.*

K. K.

## 1471.2*

### »LISTE VON MEINEN NEUESTEN GEBURTEN«

Themenzettel als Anlage zum Brief an Sebastian Winter

Wolfgang Amadeus Mozart (1756–1791)
Wien, 8. 8. 1786

*Autograph, Tinte*
*1 Blatt, H. 12,5 cm, B. 18,3 cm*
*Bearbeitungsvermerke des Fürsten Joseph Maria Benedikt von Fürstenberg (Streichungen) und Sebastian Winters (Text)*

Donaueschingen, Fürstlich Fürstenbergische Hofbibliothek, Autographensammlung Mappe IV

Die angebotenen Werke bezeichnet Mozart durch deren Anfangstakte. Im einzelnen handelt es sich zunächst (in den beiden oberen Systemen) um vier Sinfonien: C-Dur (KV 425, »Linzer«, links oben), D-Dur (KV 385, »Haffner«, rechts oben) sowie B-Dur (KV 319) und C-Dur (KV 338) im zweiten System. Es folgen fünf Klavierkonzerte,

die Mozart als *Concerti per Cembalo* bezeichnet: G-Dur (KV 453) und B-Dur (KV 456) im vierten System, D-Dur (KV 451) und F-Dur (KV 459) im fünften sowie A-Dur (KV 488) im sechsten System. Schließlich sind die Violinsonate Es-Dur KV 481 *(Sonata per Cembalo con Violino)*, das G-Dur-Klaviertrio KV 496 *(Terzetto. Cembalo, Violino, e Violoncello)* und das g-Moll-Klavierquintett KV 478 verzeichnet.

Tatsächlich *Neueste geburten* sind allerdings nur das A-Dur-Klavierkonzert und die drei Kammermusikwerke (alle von 1785/86), während die übrigen vier Klavierkonzerte, für die Mozart auf Rückfrage Winters extra noch bestätigt, daß sie »ohnmöglich auswärtig bekannt seyn« können, von 1784, die Sinfonien sogar von 1779–83 stammen. Am 11. 9. 1786 traf der Fürst unter den Angebotenen seine Wahl; Sebastian Winter bestellte daraufhin alles, was auf dem Themenzettel nicht durchgestrichen worden war, nämlich alle Sinfonien ohne die zweite und alle Klavierkonzerte ohne die beiden ersten.

Man hat Mozart immer wieder unterstellt, sein Angebot *Neuester geburten* an Winter sei nicht redlich gewesen. Bei genauer Untersuchung ergibt sich jedoch, daß Mozarts Auswahl für das Angebot sorgfältig und redlich getroffen worden war. Er stellte Werke aus drei Kategorien zusammen: Sinfonien, Klavierkonzerte, Kammermusik. Die vier angegebenen Sinfonien sind tatsächlich die neuesten, über die Mozart damals verfügen konnte, und bei der Zusammenstellung der Klavierkonzerte berücksichtigte Mozart, daß er in Donaueschingen nicht mit einer vollzähligen Bläserbesetzung rechnen konnte: Nur das Konzert KV 451 enthält neben fünf Holzbläsern (Flöte, zwei Oboen bzw. Klarinetten, zwei Fagotte) sowohl Hörner als auch Trompeten, die übrigen vier nur Hörner. Wohl hatte Mozart in jüngerer Vergangenheit vier weitere Klavierkonzerte geschrieben, doch KV 466, 467 und 482 haben ebenfalls vier Blechbläserstimmen, und in KV 491 sind zudem sieben statt nur fünf Holzbläser besetzt. Daß es sich bei dem Angebot um einen repräsentativen Querschnitt im Sinne einer »Warenmusterkarte« handelte, wird an den Kammermusikwerken besonders deutlich: Mozart bietet Kammermusikwerke für ein bis drei Streicher und Klavier, jeweils ein Werk, an. Hier handelt es sich zwar tatsächlich um Werke aus den unmittelbar zurückliegenden Monaten, aber nur bei der Violinsonate und dem Klaviertrio um das neueste der Gattung: Auch das Klavierquartett KV 493 (3. 6. 1786) hätte rein zeitlich im Angebot Erwähnung finden können.

*KV. – Hermann Abert/Otto Jahn, Mozart, Leipzig 7/ 1955–56, Bd. II, S. 155. – Mozart, Briefe und Aufzeichnungen, Kassel etc. 1962–75, Nr. 974, 988 (mit Kommentar). – Ernst Fritz Schmid, Ein schwäbisches Mozartbuch, Lorch/Stuttgart 1948, S. 144f.*

K. K.

1471.2

1472

## »LE NOZZE DI FIGARO, COMEDIA PER MUSICA IN QUATTRO ATTI, LA MUSICA DEL SIG<sup>RE</sup> VOLFG: AMAD: MOZART«

KV 492, Partitur des 2. Akts

Wien (?), etwa Frühjahr 1787

*Abschrift, Tinte*
*165 Bl., H. 23,5 cm, B. 30,5 cm*

Donaueschingen, Fürstlich Fürstenbergische
Hofbibliothek, Mus. Ms. 1393

Nach »Die Entführung aus dem Serail« war »Die Hochzeit des Figaro« Mozarts zweite Oper, die in Donaueschingen gespielt wurde – weit früher als an vielen anderen Bühnen und mit bemerkenswerter, in mancher Hinsicht sogar rätselhafter Begeisterung. Das politisch Anstößige, Revolutionsnahe von Beaumarchais' »Figaro«-Trilogie hatte bewirkt, daß in Wien Aufführungen auf dem Sprechtheater untersagt wurden, und Mozarts Opernbearbeitung wurde von Kaiser Joseph II. vor allem auch deshalb gefördert, weil sie ihm ein reformpolitisches Mittel gegen den österreichischen Adel war; nach einem erfolgreichen Uraufführungsjahr 1786 (Premiere am 1. Mai) verschwand die

Oper jedoch bis zum 29. 8. 1789 vom Spielplan. Anders in Donaueschingen: 1784/85 sah man bereits drei Aufführungen des Schauspiels »Der Barbier von Sevilien«, 1785 dann zwei von »Figaros Hochzeit«, und zwar mit musikalischen Einlagen, die aber nicht von Mozart stammten, sondern der im gleichen Jahr vorgelegten Amsterdamer Druckausgabe des Stücks entnommen waren. Auf dieser Erfolgswelle schwamm Mozarts Oper nach der Erstaufführung am 23. 9. 1787 jahrelang weiter, so daß die Donaueschinger Situation nur etwa mit den Prager Erfolgen der Oper (Premiere: 12. 12. 1786) zu vergleichen ist. In Donaueschingen wurde die Oper erstmals mit deutschem Text gegeben. Die vorliegende Partiturfassung (erhalten ist je ein Teilband für die ersten beiden Akte mit dem italienischen Originaltext) weicht in Details stark von der Wiener ab, z. B. fehlt im ersten Akt Cherubinos Arie »Non so più cosa son, cosa faccio«: »Ich weiß nicht, wo ich bin, was ich tue«, was dazu führte, daß man diese Fassung für älter als die Wiener hielt. Es ließ sich jedoch nachweisen, daß der Notentext eher der Prager Version nahesteht; daß die Donaueschinger Partitur tatsächlich auf diese zurückgeht, wird auch aus den Donaueschinger Theaterinventaren der Zeit deutlich, in denen als Uraufführungsort der Oper Prag (Jahr: 1786) genannt ist.

Aufgeschlagen ist das Duett Nr. 14 (Cherubino–Susanna, *Aprite, presto aprite/Geschwind, die Tür geöffnet*), in dem Cherubino beschließt, aus dem Fenster des Schlafzimmers der Gräfin in den Gartenteich zu springen, nachdem er sich vor dem Grafen Almaviva in der Kleiderkammer versteckt und verraten hatte. Lediglich ein »fermate« der Susanna wird mit einem deutschen »ohnmöglich« unterlegt, vermutlich als Richtlinie für die Übersetzung an einem musikalisch besonders charakteristischen Punkt. Unmittelbar danach gibt bereits der Notenkopist für Susanna wahlweise zwei unterschiedliche Stimmführungsmöglichkeiten an.

*KV. – Wolfgang Amadeus Mozart, Neue Ausgabe sämtlicher Werke, Serie II, Werkgruppe 5, Band 16, »Le Nozze di Figaro« (hrsg. Ludwig Finscher), vor allem Teilband 1, S. XIIIf. – Hermann Abert/Otto Jahn, Mozart, Leipzig 7/1955–56, Bd. II, S. 94. – Siegfried Anheißer, Die unbekannte Urfassung von Mozarts Figaro, in: Zeitschrift für Musikwissenschaft 15 (1932/33), S. 301–317. – Volkmar Braunbehrens, Mozart in Wien, München 1986, S. 230, 236. – Tumbült, S. 112.*    K. K.

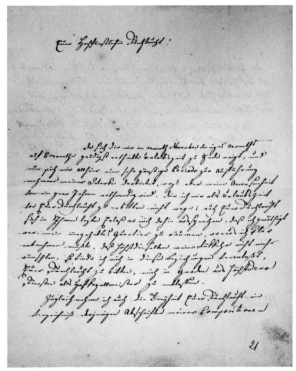

1474.1

## 1473

### »Die Hochzeit des Figaro«

Theaterzettel zur ersten Donaueschinger Aufführung der Oper Mozarts, Druck

Donaueschingen, zum 23. 9. 1787

*H. 42 cm, B. 37 cm*

Donaueschingen, Fürstlich Fürstenbergisches Archiv, Hoftheaterzettel

Es ist durchaus verständlich, daß auch dem Donaueschinger Opernpublikum inzwischen über den Theaterzettel gesagt werden konnte: *Die Musik ist von dem berühmten Herrn Mozart, Kapellmeistern in Wien.* Der einzige Profi im Ensemble, der Darsteller des Grafen Almaviva, war der Kammersänger Walter, und Katharina von Langen aus Rottweil, die Darstellerin der Marcellina, war in ihrem Fach Dauergast im Donaueschinger Ensemble, das sich aber ansonsten aus Hofbediensteten zusammensetzte. Die Rolle der Kammerjungfer Susanna zu übernehmen wird für die *Durchlauchtigste Fürstinn* Maria Antonia, die stets auch Regie führte, ein besonderes Vergnügen gewesen sein.

*Die Hochzeit des Figaro* zählte auch weiterhin zu den besonders beliebten Werken auf der Donaueschinger Bühne; die Oper wurde 1787, 1788, 1789 und 1791 gegeben.

Die Donaueschinger Theateraufführungen waren zumeist brechend voll. Daher hatte man sich bald entschlossen, mit ihnen wohltätige Absichten zu verbinden: Aus den Einnahmen jeder Aufführung (auch der Fürst bezahlte ein Eintrittsgeld) sollte reihum in den vierzehn fürstenbergischen Ämtern je ein Stipendium für Armenkinder vergeben

werden. So heißt es unten auf dem vorliegenden Theaterzettel: *Das Einganggeld wird abermal für einen armen Knaben zu Erlernung eines Handwerks verwendet werden, und dießmal trifft es das Oberamt Heiligenberg.*

*MGG, Art. Donaueschingen (Ernst Fritz Schmid). – Tumbült, S. 27–30, 112.*    K. K.

## 1474.1*

### Entlassungsgesuch an Fürst Karl Egon von Fürstenberg, Donaueschingen

Conradin Kreutzer (1780–1849)
Wien, 19. 3. 1822

*Autograph; Tinte*
*1 Bogen, H. 21,3 cm, B. 17,2 cm*

Donaueschingen, Fürstlich Fürstenbergisches Archiv, Personalia Kr. 20, Bl. 21

Conradin Kreutzer hatte 1816 den Stuttgarter Hofkapellmeisterposten verlassen und war nach Schaffhausen gezogen. Seine Berufung nach Donaueschingen 1818 stellte eine klare Expansion des dortigen Hoftheaterlebens dar, indem nun – abgesehen von den Neukompositionen, die zu erwarten waren – ein renommierter Kapellmeister und

Komponist an den Hof gebunden wurde; ob zudem eine Rolle gespielt hat, daß man – ebenso wie unmittelbar zuvor der Karlsruher Hof in der Person Franz Danzis – einen Stuttgarter Kapellmeister verpflichten und darin mit dem großherzoglich-badischen Hoftheater gleichziehen wollte, sei dahingestellt.

Kreutzer hingegen wollte sich für seine Person damit nicht abfinden. Bereits am 26. 9. 1818 schrieb er an den Klavierbauer Schiedmayer, einen Freund aus der Stuttgarter Zeit: »Ich säume nicht Ihnen meinen Wunsch zu bedeuten recht bald einen Flügel fortepiano von Ihnen zu erhalten, weil ich wirklich ganz ohne Clavier bin, und ich hier im einsamen Donaueschingen einen solchen Zustand nicht ertragen könnte.« Bei diesem Grundtenor ist es zwar für Kreutzer nicht geblieben, da die Donaueschinger Zeit für ihn äußerst fruchtbar war; dennoch machte er nur zu gern von der Möglichkeit Gebrauch, ausgedehnte Tourneen zu unternehmen wie die nach Wien, von der er im vorliegenden Brief zu berichten hatte: *Da sich die mir im Monath November voriges Monaths [recte: Jahres] auf 6 Monathe gnädigst ertheilte Urlaubszeit zu Ende neigt, und nun sich mir allhier eine sehr günstige Periode zur Aufführung mehrerer meiner Werke darbietet, wozu aber meine Anwesenheit von ein paar Jahren nothwendig wird, die ich mir als Urlaubszeit von Euer Durchlaucht zu erbitten nicht wage: auch Euer Durchlaucht sich in Ihrem letzten Erlaß an mich dahin aussprachen, daß ich genöthigt war, mein innegehabtes Quartier zu räumen, woraus ich klar entnehmen mußte, daß Höchstdieselben meine Rükkehr nicht mehr wünschten, so finde ich mich in diesen Beziehungen veranlaßt, Euer Durchlaucht zu bitten, mich in Gnaden aus Höchstdero Diensten als Hofkapellmeister zu entlassen.*

MGG, Art. Donaueschingen (Ernst Fritz Schmid). – New Grove, Art. Conradin Kreutzer (Peter Branscombe). – Alexander Eisenmann, Einige Briefe Conradin Kreutzers an Stuttgarter Freunde, in: Neue Musik-Zeitung 39 (1918), S. 323–326. – Max Rieple, Musik in Donaueschingen, Konstanz 1959, S. 12. – Herman Schmid, Die Säkularisation und Mediatisation in Baden, in: Kat. Baden-Baden 1981, S. 75–87, hier S. 85. – Tumbült, S. 75–82.                                    K.K.

## 1474.2

### BESCHEID ÜBER DIE ENTLASSUNG CONRADIN KREUTZERS

Schreiben an die Donaueschinger Kanzlei

Fürst Karl Egon von Fürstenberg
Donaueschingen, 29. 3. 1822

*Diktat, nur Unterschrift autograph; vorgedruckter Briefkopf*
*1 Bogen, H. 32,7 cm, B. 20,5 cm*

Donaueschingen, Fürstlich Fürstenbergisches Archiv, Personalia Kr. 20, Bl. 22

Fürst Karl Egon von Fürstenberg mußte sowohl die permanente Abwesenheit seines Kapellmeisters als auch dessen Entlassungsgesuch als Provokation auffassen, zumal dieser auch nicht bereit war, die ihm offensichtlich zugemessene Rolle im Leben des mediatisierten Fürstentums auszufüllen. Entsprechend lautet Karl Egons Reaktion auf Kreutzers Entlassungsgesuch: *Hofkapellmeister Kreuzer hat in einem Schreiben dd. Wien 19. dieses seine Entlaßung nachgesucht und Wir sind nicht gemeint, ihm dieselbe vorzuenthalten. Da Wir aber in der leztern Zeit keines Weges Ursache gehabt haben, mit desselben Benehmen zufrieden zu seyn: so geht Euch andurch die Weisung zu, in ganz einfachen Worten das Entlassungsdecret für denselben ausfertigen und ihm zugehen zu laßen …*

K. K.

## 1475*

### »DER WASSERTRÄGER«

Theaterzettel zur Aufführung von Luigi Cherubinis Oper unter Johann Wenzel Kalliwoda

Donaueschingen, zum 26. 1. 1824

*Druck*
*H. 43,5 cm, B. 33,5 cm*

Donaueschingen, Fürstlich Fürstenbergisches Archiv, Hoftheaterzettel

Mit der Berufung des jungen Johann Wenzel Kalliwoda (1801–1866) im Dezember 1822 zu Kreutzers Nachfolger gewann Karl Egon von Fürstenberg einen Künstler, der die bereits von Kreutzer erwarteten Leistungen völlig zu erbringen bereit war und dies obendrein mit einem ausgreifenden Tourneeplan zu verbinden wußte, sogar mit nachdrücklicher Unterstützung durch den Fürsten, der ihm dafür eine Stradivari-Geige schenkte. Kalliwoda knüpfte an die Traditionen der Donaueschinger Mozart-Bühne an: Bereits in seinen ersten Jahren kamen »Don Giovanni«, »Titus« und »Die Zauberflöte« zur Aufführung. Sein stabilisierendes Wirken am Donaueschinger Theater ist etwa dem seines Stuttgarter Kapellmeisterkollegen Peter Josef Lindpaintner vergleichbar.

Kalliwodas erste größere Leistung mit dem Ensemble der *Liebhabergesellschaft* war Cherubinis Oper *Der Wasserträger* 1824 zum Geburtstag der Gemahlin des Fürsten Karl Egon, der seinerseits in einer Nebenrolle in der Aufführung mitwirkte.

1850 brannte das Theatergebäude von 1784 ab; ein Neubau wurde nicht errichtet. Erst mit dem Engagement für die neue Musik des 20. Jahrhunderts kam es in Donaueschingen zu einer Neubelebung der Musikpflege.

MGG, Art. Donaueschingen (Ernst Fritz Schmid), Johann Wenzel Kalliwoda (Walter Kramolisch). – Max Rieple, Musik in Donaueschingen, Konstanz 1959. – Tumbült, S. 83–85.                                    K. K.

1475

1476*

## ZWEI GRUNDRISSE UND EIN AUFRISS ZUM UMBAU DER FREIBURGER METZIG IN EIN THEATER

J. B. Hering
Freiburg, vor dem 3. 5. 1785

*Tinte aquarelliert*
*H. 39,2 cm, B. 56,0 cm*
*Unter dem Erdgeschoß-Grundriß signiert, oben rechts vorderösterreichischer Gebührenstempel 3 Kr.*

Freiburg im Breisgau, Stadtarchiv, C 1, Theater 1, Einrichtung eines ständigen Theaters in der bisherigen Metzig und die allda später vorgenommenen Verbesserungen

1779 war dem Magistrat der vorderösterreichischen Hauptstadt Freiburg ein »Entwurf zu Erbauung eines regelmäßigen Schauspielhaußes« vorgelegt worden, um im städtischen Kornhaus (bis dahin als »Metzig« genutzt) an der Nordseite des Münsterplatzes den städtischen Festsaal neu zu gestalten. Bereits in den vorangegangenen Jahren waren dort reisende Schauspielertruppen aufgetreten, und während des zweitägigen Aufenthalts der Erzherzogin Marie Antoinette in Freiburg 1770 war ebenfalls dort Theater gespielt worden. Als 1785 die Bauabsichten akut wurden, war daher auch von der »Wiederherstell- und Aufbauung des sogenannten Dauphinischen Theatre«

die Rede. Der Umbau und die Theaterfinanzierung wurden zunächst dem Zimmermeister Konrad Ziegler übertragen; der ausgestellte Theaterplan bildete eine Anlage zum Übergabevertrag.

Bühne und Zuschauerraum des Theaters waren etwas kleiner als im ungefähr gleichzeitig erbauten zweiten Donaueschinger Hoftheater. Die Bauform des Zuschauerraums orientiert sich an der Architektur fürstlicher Theaterbauten, freilich unter Verzicht auf eine herrschaftliche Loge; die Galerie ist in U-Form gehalten, bietet aber insofern zu dieser eine bemerkenswerte Variante, als die Wände zwischen den einzelnen Logen auf die Bühne hin ausgerichtet sind.

Dieses Theater wurde bis 1823 bespielt, als der Freiburger Theaterbetrieb in den Kirchenraum des ehemaligen Augustinerklosters verlegt wurde.

*MGG, Art. Freiburg im Breisgau (Harald Heckmann). – George von Graevenitz, Musik in Freiburg, Freiburg 1938, S. 37–39, 43. – Wilhelm Schlang und Otto Ritter von Maurer, Das Freiburger Theater, Freiburg 1910, S. 19f. – Johann Baptist Trenkle, Freiburgs gesellschaftliche, theatralische und musikalische Institute und Unternehmungen, Freiburg 1856, S. 96f.*    K. K.

1477

## ÜBERSCHÜSSE AUS EINER AUFFÜHRUNG VON MOZARTS »DON GIOVANNI«

Eingabe an den Magistrat der Stadt Freiburg

Dr. Johann Baptist Schafheitlin (geb. um 1760)
Freiburg, 22. 5. 1796

*Autograph, Tinte*
*1 Bogen, H. 33,8 cm, B. 21,0 cm*
*Bearbeitungs- und Präsentationsvermerke (22. 5. 1796)*

Freiburg im Breisgau, Stadtarchiv, C 1, Theater 1, Darstellungen auf Privatbühnen und durch Privatgesellschaften

»Hier in Freyburg hat man kein stehendes Theater, sondern allezeit nur ambulante Truppen von Schauspielern«, berichtet der Reichsfreiherr Böcklin von Böcklinsau 1790. Ergänzt wurde das Programm dieser Schauspiel- und Operngesellschaften durch ortsansässige Laienaufführungen, die allerdings auf beachtlichem Niveau gestanden haben müssen. Die Aufführung von Mozarts »Don Giovanni« 1796 zählt zu den frühesten in Südwestdeutschland. Nach Abzug der Unkosten blieben den Veranstaltern stolze 143 fl. übrig, die sie *für die Armen der hiesigen Stadt* bestimmten.

Die vier Personen, die auf der Eingabe als verantwortliche Vertreter des Ensembles genannt sind, sind Freiburger Akademiker im Alter zwischen 28 und 36 Jahren, allen voran Schafheitlin aus Krumbach bei Meßkirch, der 1779/80 Student der Freiburger Universität geworden war und sein Philosophiestudium 1791 mit der Promotion abge-

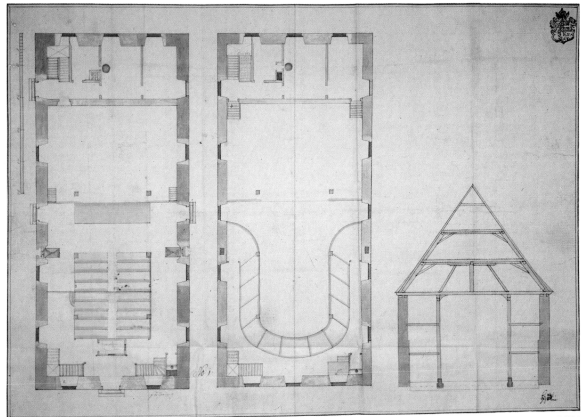

1476

schlossen hatte. Franz und Xaver Kanstinger aus Simonswald sowie Salesius Bosch aus Freiburg hatten sich ebenfalls um 1780 an der Freiburger Universität immatrikuliert.

*MGG, Art. Freiburg im Breisgau (Harald Heckmann). – Frhr. Franz Friedrich Sigmund August Böcklin von Böcklinsau, Beiträge zur Geschichte der Musik, Freiburg 1790, S. 107. – Friedrich Schaub, Die Matrikel der Universität Freiburg i. Br. von 1656–1806, 2 Bde., Freiburg 1944/57.*
                                                                    K. K.

## 1478*

## ANTRAG ZUR BENUTZUNG DES THEATERS

An den Magistrat der Stadt Freiburg

Conradin Kreutzer (1780–1849)
Freiburg, Frühsommer 1801

*Autograph, Tinte*
*1 Blatt, H. 33,2 cm, B. 20,9 cm*

Freiburg im Breisgau, Stadtarchiv, C 1, Theater 1,
Darstellungen auf Privatbühnen und durch
Privatgesellschaften

Kreutzer, nach seiner Schulausbildung im Kloster Zwiefalten inzwischen Jurastudent an der Universität Freiburg, bat mit diesem undatierten Schreiben um Erlaubnis, *am Ende des gegenwärtigen Schuljahres eine von mir in Musick gesezte Oper aufzuführen, und hoft um so eher die gnädigste Erlaubniß zu erhalten weil – 1<sup>tens</sup> wegen geendigtem Schuljahre keiner seine Studien zu vernachläßigen genöthiget ist; 2<sup>tens</sup> haben wir die 2<sup>te</sup> Einnahme mit Bewilligung eines Wohllöbl. Magistrat zum Besten des hiesigen ArmenInstituts bestimmt.*

Bei der Oper handelte es sich um den Singspiel-Einakter »Die lächerliche Werbung«, bei den erwähnten Personen um Jura- und Theologiestudenten aus vorderösterreichischem Einzugsgebiet (Riedlingen/Donau, Öhningen/Bodensee, Meßkirch) an der Landesuniversität Freiburg. Kreutzer war seit 1799/1800 in Freiburg immatrikuliert, blieb dort aber nur kurze Zeit. Nach ihm war aus dem mitgeteilten Ensemble nur noch Sebastian Rau aus Riedlingen (1800/01) an die Universität gekommen, aus dessen Mitwirkung zu schließen ist, daß die Oper im Sommer 1801 zur Aufführung kommen sollte.

*MGG, Art. Freiburg im Breisgau (Harald Heckmann). – New Grove, Art. Conradin Kreutzer (Peter Branscombe). – Friedrich Schaub, Die Matrikel der Universität Freiburg i. Br. von 1656–1806, 2 Bde., Freiburg 1944/57.*    K. K.

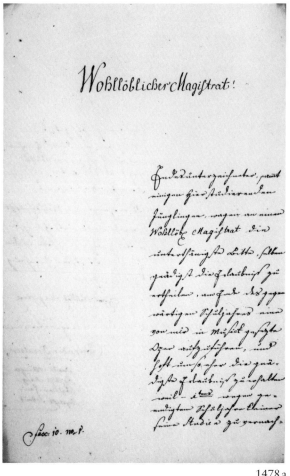

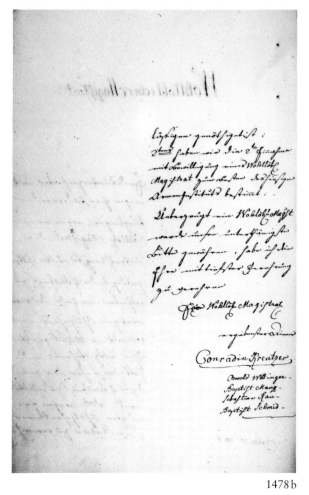

1478a

1478b

1479

## Bescheid des Grossherzoglich Badischen Ministeriums des Innern über den Freiburger Theaterbetrieb

Karlsruhe, 20. 6. 1825

*Diktat, Tinte*
*1 Blatt, H. 32,8 cm, B. 21,1 cm*
*Unterschriften v. Berkheim und v. Becker; Bearbeitungs-*
*und Präsentationsvermerke (8. 7. 1825)*

Freiburg im Breisgau, Stadtarchiv, C 1, Theater 2, Nach-
gesuchte Unterstützung für das Theater

Bereits 1808 hatte die Stadt Freiburg sich an ihren neuen
Landesherrn, den badischen Großherzog, gewandt, um
von ihm eine Beteiligung an den Theaterkosten zu erreichen. Wiederum auf Ersuchen der Freiburger Theater-
kommission wurde nun eine weitere Regelung getroffen,
mit der der Freiburger Theaterbetrieb fest in das Theaterleben des Großherzogtums eingebunden wurde. Der Freiburger Kommission wurde gestattet, *künftig derjenigen*
*Schauspieler=Gesellschaft, welche im Winter daselbst*
*spielt in dem deßfallsigen Contract auch die Erlaubnis,*
*während der drey Sommermonate in Baaden [Baden-*
*Baden] spielen zu dürfen, zuzusichern, daß jedoch die*
*verbemeldte Theater=Comißion gehalten seyn sull, ehe sie*
*einen solchen Contract definitiv abschließt, denselben zur*
*Einsicht und respective Genehmigung hinsichtlich des*
*Baadener Theaters anher einzuschicken.*

Diese Regelung hängt möglicherweise damit zusammen,
daß die baulichen Verhältnisse in Baden-Baden erst mit
dem Weinbrennerschen Kurhaus von 1823−25 dauerhaf-
ter gelöst waren: Der Vorgängerbau Weinbrenners von
1811 war bereits nach zehn Jahren baufällig geworden,
und von einem noch älteren Bau hatte Carl Maria von
Weber 1810 im »Morgenblatt für gebildete Stände«
berichtet, daß Mozarts »Don Giovanni«, Cherubinis
»Lodoiska« und Peter von Winters »Unterbrochenes
Opferfest« mit »ungefähr 3½ Mann im Orchester« −
übrigens bereits von einer aus Freiburg eingereisten
Truppe − gegeben würden, und das Theater ein »aus ein
paar Brettern dünn zusammengehheftetes Häuschen«
genannt, »dessen Ritzen dem freundlichen Sonnenlichte
den Eingang verstatten.«

MGG, Art. Freiburg im Breisgau (Harald Heckmann). –
Georg Kaiser (Hrsg.), Sämtliche Schriften von Carl Maria
von Weber, Berlin/Leipzig 1908, S. 417–421. – Arthur
Valdenaire, Friedrich Weinbrenner, Sein Leben und seine
Bauten, Karlsruhe ²1926, S. 190f und Abb. 174f.     K. K.

## Carl Maria von Weber

1480*

### EMPFEHLUNGSSCHREIBEN FÜR CARL MARIA VON WEBER NACH STUTTGART

Herzog Eugen Friedrich von Württemberg (1758–1822)
Schloß Carlsruhe/Schlesien, 22. 2. 1807

*Diktat, Tinte, nur Unterschrift autograph*
*1 Bogen, H. 23 cm, B. 19 cm*
*Präsentationsvermerk (25. 7. 1807)*

Stuttgart, Archiv der Stadt, Carl Maria von Weber 2

Seit 1806 hatte Carl Maria von Weber als eben Zwanzig-
jähriger die Kapelle des Herzogs Eugen Friedrich Heinrich
von Württemberg, eines jüngeren Bruders des ersten württembergischen Königs, in dessen Residenz Carlsruhe in
Schlesien geleitet. Unter dem Druck der heranrückenden
Truppen Napoleons wurde die Kapelle im Februar 1807
aufgelöst, und der Herzog empfahl Weber mit dem vorliegenden Schreiben in die württembergische Hauptstadt:
*Der Herr Baron von Weber wird die Ehre haben Ew.*
*Hochwohlgeb. gegenwärtiges Schreiben zu überreichen.*
*Ich bin so frei Ihnen diesen jungen Künstler in der Musick*
*und eigener Composition, da er auf seiner Reise auch nach*
*Stuttgardt zu kommen den Plan hat, bestens zu empfehlen.*
*Er ist überall mit Beyfall aufgenommen worden, und*
*wünscht das Glüke zu haben Sich auch da dem Hofe zu*
*produciren …*
Zwischen Datierung und Präsentation des Schreibens liegen fast auf den Tag fünf Monate, die Weber tatsächlich
für eine Konzertreise nutzte; am 17.7.1807 traf er in
Stuttgart ein. Weil das Schreiben zudem nicht an einen
Verwandten Eugen Friedrichs gerichtet ist, sondern ausdrücklich an einen *Kammerherrn*, hat es vollends den
Anschein, daß Weber sich eigentlich gar nicht in Stuttgart
niederlassen wollte. Doch schon am 1. 8. 1807 übernahm
er bei Herzog Ludwig Friedrich Alexander von Württemberg, einem weiteren Bruder des Königs, in Stuttgart die
Stellung des Privatsekretärs, die durch die Einberufung des
bisherigen Inhabers zur Armee vakant geworden war.

*Michael Leinert, Carl Maria von Weber, Reinbek 1978,*
*S. 29–31. – Hans Schnoor, Weber, Gestalt und Schöp-*
*fung, Dresden 1953, S. 92. – Max Maria von Weber, Carl*
*Maria von Weber, Ein Lebensbild, 3 Bde., Leipzig*
*1864–66, Bd. 1, S. 107, 110f, 115.*     K. K.

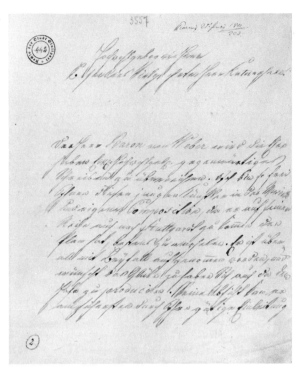

1480a

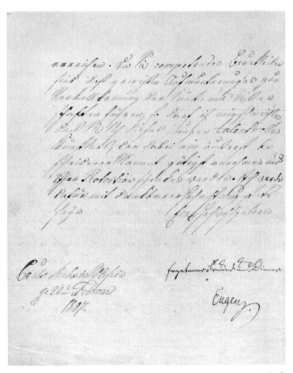

1480b

1481a

1481*

## SILVANA
Heroisch-komische Oper in drei Akten

Text von Franz Carl Hiemer (1768–1822)
Musik von Carl Maria von Weber (1786–1826)
Ludwigsburg und Stuttgart, 1808/1810

*Autograph, Tinte auf Papier*
*H. 22,5 cm, B. 29,5 cm (Overtüre und 1. Akt)*
*H. 30 cm, B. 23,5 cm (ausgestellte Seiten a. d. 3. Akt)*
*Bez.: Von den autographen Signierungen und Datierun-*
*gen sei diejenige am Schluß des Werkes mitgeteilt:*
Componirt d. 8ᵗ Februar 1810 in der Nacht nach der
Versiegelung. instrumentirt/d: 23ᵗ Februar.

Privatbesitz

Im Jahre 1800 komponierte der 14jährige Carl Maria von
Weber zu Freiberg in Sachsen seine zweite Oper »Das
Waldmädchen« auf einen Text von Karl Ritter von Steins-
berg. Dieses als romantisch-komische Oper bezeichnete
Singspiel wurde in Freiberg und Chemnitz aufgeführt,
entsprach aber nicht den Erwartungen von Publikum und
Kritik. Zwischen den Rezensenten und dem jungen Komponisten entspann sich eine heftige Kontroverse, die vermutlich durch Webers Vater angeheizt wurde. Der Autor
hat selbstkritisch die Schwächen des Stückes gesehen und
seine relativ weite Verbreitung (»mehr als mir lieb sein
konnte«) bedauert. Er hat es als »ein höchst unreifes
Produkt« abqualifiziert, das nur hin und wieder »nicht
ganz von Erfindung leer« sei. Das Sujet, das auch Aubers
»La Muette de Portici« zugrundeliegt, ließ Weber aber
nicht los. Als er 1807 nach Stuttgart kam, gewann er den
Dichter Franz Karl Hiemer, der sich als Librettist mehrerer
beliebter Opern hervorgetan hatte, für eine Neubearbei-
tung des Stoffes. Für die Komposition, mit der bereits 1808
in Ludwigsburg begonnen wurde, benutzte Weber Teile
der Musik des »Waldmädchens«, wobei die Ouvertüre
fast unverändert übernommen und nur geringfügig »reno-

1481 b

viert« wurde. 1822 nimmt sich Weber der etwas einfältigen und thematisch nicht gebundenen Ouvertüre erneut an, fügt zwei Klarinetten und eine Baßposaune hinzu und läßt sie zur Eröffnung eines Festspiels für den sächsischen Kronprinzen Johann erklingen.

Die Komposition der »Silvana« nimmt mehr als eineinhalb Jahre in Anspruch, sie wird an jenem denkwürdigen 8. Februar 1810 beendet, an dem Weber seine Wohnung versiegelt vorfand, weil man ihn des Diebstahls von Silbergegenständen aus der Hofhaltung des Herzogs Ludwig, einem Bruder des Königs, bezichtigte. Weber war 1806 in Carlsruhe in Schlesien als Privatsekretär in den Dienst des Herzogs getreten und ein Jahr später mit diesem nach Stuttgart übergesiedelt. Am 9. Februar ließ der König den ihm verhaßten Weber verhaften, weil er ihm Unregelmäßigkeiten in verschiedenen finanziellen Angelegenheiten vorwarf – die Diebstahlsbezichtigung war nur ein Vorwand – und einkerkern. Weber saß nicht zum ersten Mal

in Stuttgart in Arrest. Im Oktober 1808 hatte ihn Friedrich I. wegen satirischer Äußerungen einsperren lassen. Damals komponierte er im Gefängnis das Lied »Klage« auf einen Text von C. Müchler. Als der vom König inszenierte Prozeß zugunsten Webers auszugehen »drohte«, schlug Friedrich die Untersuchung plötzlich nieder und verwies den Komponisten und seinen Vater des Landes, das beide am 26. 2. 1810 in Richtung Mannheim verließen. Drei Tage zuvor hatte Weber die Instrumentierung der »Silvana« beendet.

Wegen der überstürzten Abreise kam die von Franz Danzi vorbereitete Uraufführung in Stuttgart nicht mehr zustande. Das Werk erklang zum ersten Male am 16. September 1810 in Frankfurt am Main und erlebte erst zwei Jahre später seine vom Komponisten geleitete Berliner Erstaufführung. Die Aufnahme durch die Kritik war zwiespältig, neben polemischer Ablehnung gab es Lob und günstige Rezensionen.

1481c

Es kann an dieser Stelle nicht diskutiert werden, ob und inwieweit »Silvana« einen Meilenstein auf dem Weg zu d e r deutschen romantischen Oper, dem »Freischütz«, bildet. Weber sah sich durch die überwiegend positive Aufnahme der »Silvana« in seinem Tun bestätigt, erkannte aber auch deutlich seine Unzulänglichkeiten: »Doch ich will meinem Wahlspruch keine Schande machen, Beharrlichkeit führt zum Ziel – ich werde streng über mir wachen, und die Zeit wird mich und die Welt belehren, ob ich mit Nuzzen diese äct aufrichtige Meynung benuzzt habe«. Etwas später vertraut er seinem Tagebuch an: »Selbst meine Feinde gestehen mir Genie zu, und so will ich denn bei Anerkennung meiner Fehler doch mein Selbstvertrauen nicht verliehren und, muthig und vorsichtig über mir wachend, fortschreiten auf der Bahn der Kunst.« Abschließend sei das Urteil der AMZ über »Silvana« wiedergegeben: »Silvana ist ein Werk, in dem der Künstler den höheren Forderungen an die dramatische Musik mit sichtbar glücklichem Erfolge zu genügen gestrebt hat.

Feste Haltung und Einheit der Charactere, Wahrheit des musikalischen Ausdrucks, lebendiges inniges Gefühl, originelle und doch nie überladene Instrumental-Begleitung, verbunden mit vorzüglicher Reinheit des Satzes: dies sind die wesentlichen Vorzüge, die der Oper einen bleibenden Werth geben«. Heute ist das Werk von den Opernbühnen längst verschwunden.

*Friedrich Wilhelm Jähns, Carl Maria von Weber in seinen Werken, Berlin 1871, Nr. 87, S. 95 ff, hieraus stammen auch die Zitate. – Hans Schnoor, Weber – Gestalt und Schöpfung, Dresden 1953.* C. V.

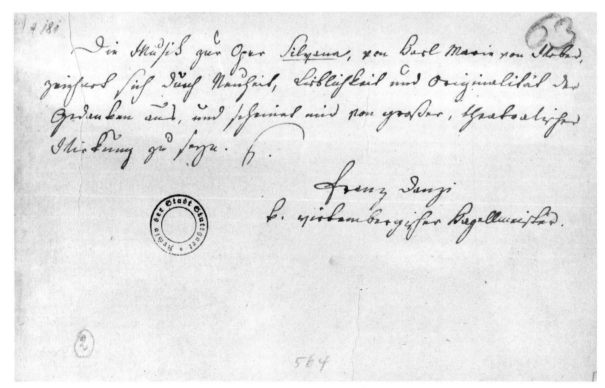

1482

## 1482*

### GUTACHTEN ÜBER WEBERS OPER »SILVANA«

Franz Danzi (1763–1826)
Stuttgart, um 1810

*Autograph, Tinte*
*1 Blatt, H. 11,6 cm, B. 19,2 cm*

Stuttgart, Archiv der Stadt, Franz Danzi 2

*Die Musik zu Oper Silvana, von Karl Marie von Weber,*
*zeichnet sich durch Neuheit, Lieblichkeit und Originalität*
*der Gedanken aus, und scheinet von großer, theatralischer*
*Wirkung zu seyn.*
Vermutlich handelt es sich bei diesem Urteil Danzis um ein
Zensurgutachten, das dann vielleicht der Anlaß dafür war,
daß der Hoftheaterintendant Winzingerode die Auffüh-
rungsvorbereitungen des Werks förderte. Die Entstehung
des Werks verdankte Weber nach eigenen Worten bereits
weitgehend dem Engagement seiner Stuttgarter Freunde,
die sich in einem Geheimbund mit dem Namen »Faust's
Höllenfahrt« zusammengetan hatten; hier traf sich Weber
mit Danzi, dem Dichter und Maler Franz Carl Hiemer
(Karlsschul-Absolvent) sowie der Sängerin Margarethe
Lang. Weber berichtet in seiner Autobiographie: »Von der
freundlichen Teilnahme des trefflichen Danzi ermuntert
und angeregt, schrieb ich eine Oper ›Silvana‹ nach dem
Sujet des früheren ›Waldmädchens‹ von Hiemer neu bearbeitet...« Die geplante Stuttgarter Uraufführung des
Werks kam jedoch nicht zustande.

*New Grove, Art. Franz Danzi (Roland Würtz, Peter M.*
*Alexander). – Max Maria von Weber, Carl Maria von*
*Weber, Ein Lebensbild, Bd. 1, S. 174.*    K. K.

## 1483*

### POLIZEIBERICHT ZU CARL MARIA VON WEBERS AUSWEISUNG AUS WÜRTTEMBERG

Stuttgart, 25. 2. 1810

*Tinte*
*1 Bogen, H. 31,8 cm, B. 20,2 cm*
*Bearbeitungs- und Präsentationsvermerke*
*(28. 2./21. 3. 1810)*

Stuttgart, Hauptstaatsarchiv, Bestand E 146, Bü 1944
(Personalakte Carl Maria von Weber, Bl. 1)

Webers Stuttgarter Zeit endete am 25.–27. 2. 1810 mit seiner polizeilichen Ausweisung. Vorausgegangen war am
9. Februar seine Verhaftung aus dem Theater heraus,
möglicherweise aus einer Probe der – den Kompositions-
daten nach zu schließen – noch unvollendeten Oper
»Silvana«. Den Kern der Anklage bildete der Vorwurf der
Unterschlagung und Korruption: Webers Vater, der 1809
dem Sohn nach Stuttgart gefolgt war, hatte Staatsgelder

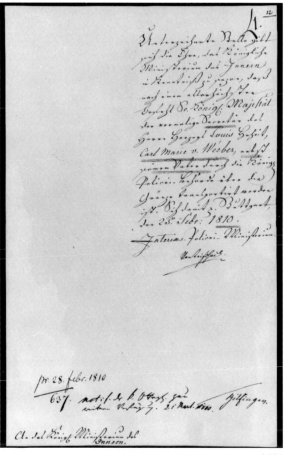

1483

zur Tilgung persönlicher Schulden verwendet, und Weber
selbst hatte einen Vertrauten beauftragt, das Geld auf
anderem Wege wieder beizuschaffen – wie es von Weber
aus hieß, auf Darlehensbasis. Die fehlenden 800 Gulden
zuzüglich 25% Provision kamen über eine Konskrip-
tionsunterschleife bei: Webers Beauftragter sicherte dem
Schwieberdinger Gastwirt Hönes zu, seinen Sohn vom
Militär- in den Hofdienst zu überstellen; als Jakob Friedrich Hönes jedoch Soldat blieb (er gehörte später zu den
Vermißten des napoleonischen Rußlandfeldzugs), flog die
Transaktion auf.
König Friedrich hatte offenbar kein Interesse an allen anderen Vorwürfen, gegen die sich Vater und Sohn Weber zu
verteidigen hatten, zum Beispiel, sie hätten königliches
Tafelsilber entwendet. Dem König war dagegen wohl
daran gelegen, daß das Verfahren gegen Weber zügig
abgewickelt und mit allen seinen Konsequenzen geheim-
gehalten wurde; nur Danzi soll etwas erfahren haben. So
berichtet Weber wenig später in seinem Tagebuch, er sei
»d: 26. Februar von Stuttgart mit Ober P[olizei-]K[ommis-
sar] Götz abgereist, im Vermögen gehabt 40 f., in Heilbronn übernachtet«; und zum 27. Februar heißt es nur:
»Bis Fürfeld mit Götz gereist, von ihm Abschied genom-

men, und noch 25 f. erhalten, da kein anderes Fuhrwerk zu bekommen war mußte ich Extrapost nehmen.« Doch schon am 25. Februar hatte das *Interims-Policei-Ministerium* in Stuttgart dem Innenministerium gemeldet, daß *der vormalige Secretär des Herrn Herzogs Louis Hoheit, Carl Marie von Weeber, nebst seinem Vater... über die Gränze transportiert worden ist.*

*Trotz dieser Ereignisse war Weber so unvorsichtig, bereits 1811 wieder württembergischen Boden zu betreten. Nachdem er noch im Frühjahr auf seiner Reise von Darmstadt nach München Württemberg umgangen hatte und Danzis Empfehlungsschreiben an Morigotti, das sich – datiert vom 6. 2. 1811 – im Staatsarchiv Ludwigsburg befindet, eben vor seiner Abreise (14. 2) per Post erhalten hatte, schlug er am 9. November von München in die Schweiz den Weg über Ravensburg ein, wo er festgehalten wurde und schriftlich versichern mußte, nie wieder württembergisches Gebiet zu betreten.*

*Franz Danzi, Briefe, Staatsarchiv Ludwigsburg E 18 I, Bü 72a.* – Willi Müller, Schwieberdingen, das Dorf an der Straße, Schwieberdingen 1961, S. 88. – Hans Schnoor, Weber, Gestalt und Schöpfung, Dresden 1953, S. 98–100 sowie Tagebuch-Wiedergabe nach S. 164. – Norbert Stein, Musik und Theater im Ludwigsburg des 18. und 19. Jahrhunderts, in: Ludwigsburger Geschichtsblätter 38 (1985), S. 61–87, hier S. 75. – Max Maria von Weber, Carl Maria von Weber, Ein Lebensbild, Bd. 1, S. 172–177, 246, 252f.    K. K.

1484*

## »Fünf Gesaenge mit Begleitung der Guittare und Ein Canon zu drey Stimmen«, op. 13, Erstdruck

Carl Maria von Weber (1786–1826)
Augsburg, Gombart'sche Musikhandlung, um 1811

*Stich*
*10 Seiten, H. 25 cm, B. 32 cm, Stichformat 20,7 x 28 cm*
*Plattennummer 534*

München, Bayerische Staatsbibliothek,
4° Mus. Pr. 16 679

Aufgeschlagen ist *Schlaf, Herzenssöhnchen, mein Liebling bist du!* für Singstimme und Gitarre, bis weit ins 20. Jahrhundert hinein eine der berühmtesten Kompositionen Webers. Das Lied entstand gut ein halbes Jahr nach Webers Ausweisung aus Württemberg am 13. September 1810 in Frankfurt am Main. Den Text, den der Librettist von Webers »Silvana«, Franz Carl Hiemer, verfaßt hatte, erhielt Weber seinem Tagebuch zufolge erst am Tag der Komposition; auch zum Stuttgarter Freund Hiemer waren also die Kontakte nicht abgerissen. Die vorliegende Druckausgabe vereint Webers früheste nachweisbare Kompositionen für Singstimme und Gitarre erstmals in einem Band.

*Friedrich Wilhelm Jähns, Carl Maria von Weber in seinen Werken, Chronologisch-thematisches Verzeichnis seiner sämtlichen Kompositionen, Berlin 1871, S. 116 f (J. 96).*
                                                          K. K.

1485

1485*

# Lyragitarre

Frankreich, um 1800

*Fichte, Palisander, Ebenholz, Elfenbein*
*H. 80 cm, B. 34,5 cm, T. 10 cm; Saitenlänge 61,5 cm*

Stuttgart, Württ. Landesmuseum, Inv.-Nr. G 12, 328

Dieser Instrumententyp entstand im Zuge der Antikenbegeisterung (»Graecomanie«) im Frankreich des späten 18. Jahrhunderts und fand bis gegen 1820 in ganz Europa Verbreitung. Nicht nur durch die Formgebung, die eher von einer Kithara als von einer Lyra entlehnt scheint, sondern durch das gezupfte Saitenspiel glaubte man sich der antiken Musikausübung nahe. Das Gitarrenspiel weitete sich, angeblich angeregt durch ein von der Herzogin Anna Amalia von Sachsen-Weimar aus Italien mitgebrachtes Instrument zu einer beispiellosen Mode aus, die nur mit dem Gitarrenkult unserer Tage vergleichbar ist.
Das Corpus besitzt nach oben sich verjüngende Zargen, eine flache Decke und den im unteren Teil gebauchten Boden der Chitarra morisca. Am unteren Ende wird es durch eine rechteckige Standplatte abgeschlossen. Von der Gitarre stammen der sechssaitige Bezug, den der Weimarer Geigenbauer Naumann endgültig etabliert haben soll, das

Griffbrett mit Bünden und Querriegel. Der flache Wirbelkasten, eigentlich ein Wirbelbrett, ist durch eine Messingstange mit den Hörnerspitzen verbunden; die Wirbel weisen nach hinten.
Der Klag des als »Damengitarre« gedachten Instrumentes ist etwas stärker als der einer normalen Gitarre, aber wesentlich obertonärmer. Es kann als Soloinstrument wie zur Begleitung der vielen um 1800 entstandenen Lieder, z. B. von Schubert und Weber, dienen. Seine Handhabung ist umständlicher als die der üblicherweise und jahrhundertlang bewährten Bauform. Die Lyragitarre gehört zu den vielen letzten Endes mißglückten Versuchen, durch extravagante Konstruktionen unter Mißachtung traditioneller Bauprinzipien verbesserte Klangqualität zu erzielen oder das Erscheinungsbild modischer Tendenzen zu unterwerfen. »Im Grunde gehört [die Lyragitarre] mehr dem Kunstgewerbe als dem Instrumentenbau an« (Curz Sachs).

*Sachs Reallexikon.*                                       C.V.

1486

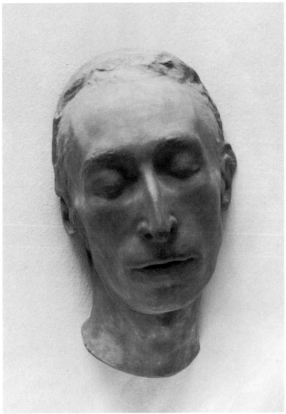

1487

## 1486*

### KOSTÜMENTWURF FÜR SAMIEL IN WEBERS »FREISCHÜTZ«

Wenzel Crabathi, 1816–26 Hoftheatermaschinist in
Karlsruhe
Karlsruhe, 1821

*Bleistift, mit Tinte nachgezogen, aquarelliert,
Beschriftung Tinte
1 Blatt, H. 43 cm, B. 34,5 cm*

Karlsruhe, Badisches Generallandesarchiv, 47/905

Franz Danzi gehörte auch als Hofkapellmeister in Karlsruhe (seit 1812) weiterhin zu den entschiedensten Förde-
rern von Carl Maria von Webers Musik. »Der Freischütz«,
am 18. 6. 1821 zum sechsten Jahrestag der Schlacht von
Waterloo in Berlin uraufgeführt, kam in Karlsruhe bereits
am 26. 12. 1821 auf die Bühne und war mit sieben
Aufführungen in den verbleibenden zehn Monaten der
Karlsruher Spielzeit 1821/22 die erfolgreichste Oper des
Hauses.
Der vormals Prager Theatermaschinist Crabathi, der 1816
nach Karlsruhe gekommen war (1816 endete auch Webers
Tätigkeit als Operndirektor am Prager Ständetheater –
empfahl er Crabathi an seinen Freund Danzi?), stellte mit
der Samiel-Figurine für diese Karlsruher »Freischütz«-
Inszenierung der Theaterdirektion ein genehmigungs-
pflichtiges Projekt vor: Würde Samiel tatsächlich am Ende
der Wolfsschlucht-Szene in einer nicht feuergefährlichen
Feuerwerksimitation erscheinen können? Crabathi kommentiert seinen Entwurf: *Zum Finale des 2 Akts beym
Erscheinen des Samiel hinter dem hohlen Baum. Ist ohne
Feuersgefahr und verbreitet kein Licht das ganze besteht
aus 5 St brillant Funcken Feuer bitte um Bestimmung ob es
gemacht wird. für guten Erfolg stehe ich gut.*

*New Grove, Art. Franz Danzi (Roland Würtz, Peter M.
Alexander). – Günther Haass, S. 230, 232.*          K. K.

## 1487*

### TOTENMASKE CARL MARIA VON WEBERS

*Gips
H. 31,5 cm, B. 18,5 cm, T. 16 cm*

Stuttgart, Württembergisches Landesmuseum,
Inv.-Nr. 1985–363

Früher Abguß des »Originals«, das heute in der Weber-
Gedenkstätte in Dresden-Hosterwitz aufbewahrt wird.
Weber war am 5. Juni 1826 in London gestorben und
unter großer Anteilnahme der Öffentlichkeit dort in der
Moorfield Chapel zunächst bestattet worden. Auf Betrei-
ben von Richard Wagner wurden die Gebeine 1844 nach
Dresden überführt und am 15. Dezember zur letzten Ruhe
gebettet.

*Abbildung des Originals in: Julius Kapp, Carl Maria von
Weber, Berlin [15]1944, S. 37.*          C. V.

# Lied

1488*

## CHRISTIAN FRIEDRICH DANIEL SCHUBART
(1739–1791)

Ernst Morace (1766– um 1820) nach dem Ölgemälde
von Friedrich Oelenhainz (1745–1804)
Stuttgart, um 1790(?)

*Kupferstich*
*H. 37,7 cm, B. 28 cm, Stichformat 36,5 x 27 cm*
*In der Fußleiste bezeichnet:* Gemalt von J. [sic] Oelen-
hainz. Gestochen von E. Morace, Herzogl. Wirtemb.
Hofkupferstecher. gedrukt in der Academie zu Stutgardt
von H. Schweizer.

Marbach am Neckar, Schiller-Nationalmuseum/
Deutsches Literaturarchiv

1769–73 war Schubart bereits Organist und Musiklehrer
in Ludwigsburg gewesen; nach zehnjähriger Haft ohne
Verurteilung auf der Festung Hohenasperg berief ihn
Herzog Karl Eugen 1787 in ein Amt, in dem Schubart
wiederum wesentlich mit musikalischen Fragen zu tun
hatte: Er wurde württembergischer Hof- und Theaterdich-
ter, Lehrer für Tonkunst und Mimik an der Hohen
Karlsschule sowie Schauspiel- und Operndirektor. Auf
sein Wirken führte man um 1800 zurück, daß Schulmeister und Organisten in Württemberg respektable Kenntnisse im Instrumentenspiel und in zeitgenössischer Musik
besaßen; unter seiner Theaterdirektion ging auch mit »Die
Hochzeit des Figaro« 1788 erstmals eine Mozart-Oper
über die Stuttgarter Bühne, obwohl der damalige Kapellmeister Agostino Poli als entschiedener Mozart-Geg-
ner galt. In der Nachfolge Johann Gottfried Herders
formulierte er – nicht zuletzt durch eigene Kompositionen
– die Grundlage, auf der sich in der Generation Johann
Rudolf Zumsteegs und dessen Karlsschul-Kameraden die
sogenannte »erste schwäbische Liederschule« entfalten
konnte.
Sowohl der Porträtstich als auch dessen Ölvorlage stehen
im Umkreis der Hohen Karlsschule: Oelenhainz war Zögling der »Académie des Arts« gewesen, Morace Absolvent
der Kupferstecherschule und wurde 1790 zum Hofkupferstecher ernannt.

*MGG, Art. Stuttgart (Eberhard Stiefel). – Kat. Stuttgart
1959, S.166, 205, 217. – Johann Friedrich Christmann,
Tableau über das Musikwesen im Wirtembergischen, in:
AMZ 2 (1799/1800), Sp. 71–80, 118–128, 139–144, hier
77f. – Kurt Honolka, Schubart, Dichter und Musiker,
Journalist und Rebell, Sein Leben, sein Werk, Stuttgart
1985. – Sittard, Bd. 2, S.164f. – AMZ 1821, Sp. 675.*
K. K.

1488

1489*

## »SANG UND SPIEL! VON PROFESSOR SCHUBART«

Handschriftliche Liedersammlung

Christian Friedrich Daniel Schubart (1739–1791)
Hohenasperg, begonnen 1782

*Abschrift, Tinte*
*135 S., H. 25,5 cm, B. 33,5 cm*

Stuttgart, Württembergische Landesbibliothek,
Cod. mus. II qt/oct-2

Das Titelblatt der Sammlung nennt als Jahr für deren Anlage 1782, das Etikett auf dem Umschlag 1783; mindestens bis 1784 ist sie fortgeführt worden und enthält im
wesentlichen 57 Liedkompositionen Schubarts, manche
über eigene Texte. Offenbar entstand die Sammlung für
den Hohenasperger Festungsmajor von Buttlar. Weitere
Details der Entstehungs- und Überlieferungsgeschichte
liegen im dunkeln. Wohl hat Schubart selbst stellenweise
Hand an der Sammlung angelegt, aber erst, nachdem
Musik und Text – offenbar von je einem Schreiber –
eingetragen worden waren. Vollends undurchsichtig werden die Entstehungsumstände auf den letzten Seiten des
Bandes, wo mehrere Schreiberhände nachweisbar sind.
Diese etwas diffuse Quellengestalt scheint jedoch von
Schubart noch begünstigt worden zu sein, denn er äußerte

1489a

im Vorbericht zum ersten Band seiner Gedichte, daß er ursprünglich nie Gedichte, Prosatexte oder musikalische Werke für den Druck bestimmt habe; »ich machte sie meist für meine Freunde, meine Schüler und Schülerinnen, und ließ sie damit als ihrem Eigentum hausen«. Dennoch hatte Schubart bereits am 5. 10. 1783 seinem Bruder Conrad schreiben können: »Gedichte in Menge, einen kleinen Roman und Sonaten, Kantaten, Lieder fürs Klavier hab ich auch verfertigt, wovon schon in Speyer und in der Schweiz manches gedruckt und gestochen ist.« Für die Notenpublikation hatte sich vor allem seit 1782 in Heinrich Philipp Boßlers musikalischer Wochenschrift »Blumenlese für Klavierliebhaber« ein Forum ergeben; in ihr erschienen auch einige der im ausgestellten Band enthaltenen Lieder. Unter der Jahreszahl 1782 findet sich in dem Band Schubarts Vertonung seines Gedichts »Die Forelle«, das durch Franz Schubert berühmt wurde; dieser jedoch vertonte nur die naturalistischen ersten drei Strophen, nicht aber deren moralisierende Fortführung.

*Ernst Holzer, Schubart als Musiker, Stuttgart 1905, S. 90–113. – Kurt Honolka, Schubart, Dichter und Musiker, Journalist und Rebell, Stuttgart 1985, S. 224–227. – Hans Schneider, Der Musikverleger Heinrich Philipp Boßler 1744–1812, Tutzing 1985, S. 281ff. – Christian Friedrich Daniel Schubart, Briefe, hrsg. von Ursula Wertheim und Hans Böhm, Leipzig 1984, S. 193.* K. K.

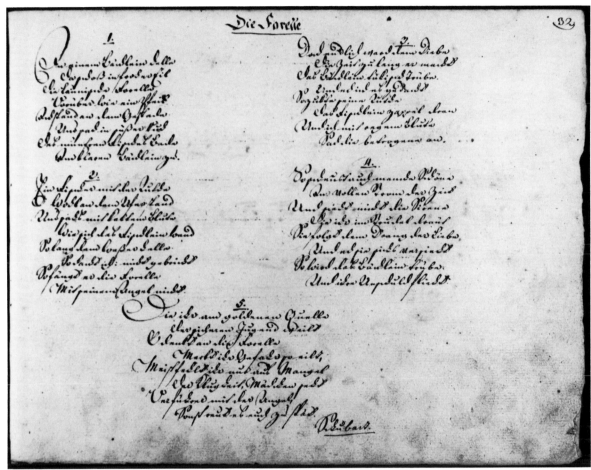

1489 b

1490

## »IDEEN ZU EINER ÄSTHETIK DER TONKUNST«

Erstdruck

Christian Friedrich Daniel Schubart (1739–1791)
Wien, J. V. Degen 1806

*Oktavband*
382 S., H. 20,8 cm, B. 13,9 cm

Stuttgart, Württembergische Landesbibliothek,
R 18 Schub 17

Die *Ideen zu einer Ästhetik der Tonkunst,* Schubarts musikalisches und musiktheoretisches Hauptwerk, diktierte er auf dem Hohenasperg einem Mitgefangenen; 1793 wurden erste Auszüge vorab publiziert (in der »Deutschen Monatsschrift«), 1806 gab Schubarts Sohn Ludwig das ganze Werk – 15 Jahre nach dem Tod des Verfassers – heraus.

Den ersten großen Teil des Werks bildet ein musiktheoretischer Überblick, in dem Schubart nach der Musik der Juden, Griechen und Römer (hier werden auch die großen italienischen Sänger des 18. Jahrhunderts erwähnt!) auf die *Schulen der Deutschen* und die Entwicklungen des deutschen Volkslieds zu sprechen kommt (S. 70f.). Am Liedtext *Gott grüß dich, lieber Wandersmann! wohin steht dir dein Sinn?* führt er aus, daß diese Lieder zunächst häufig in Molltonarten gestanden hätten; man habe sich aber von den melodischen Grundzügen im Laufe der Zeit nicht gelöst, sondern das Lied lediglich in eine andere Tonart versetzt und stärker verziert. Seine Notenbeispiele verdeutlichen diesen Übergang von h-Moll nach G-Dur (die Notation erfolgt im Sopranschlüssel: Die unterste Notenzeile entspricht c′) und von einer ebenmäßigen, nur drei verschiedene Töne umfassenden zu einer stark bewegten, intervallreichen Melodie.

Schubart hatte sich schon früh selbst an der »Volksliedproduktion« beteiligt und berichtete, daß diese Werke

1491

*August Bopp, Friedrich Silcher, Stuttgart 1916, S. 13. –
Jürgen Mainka, Der Musiker Schubart, Vorwort zur Neu-
ausgabe von Schubarts »Ideen zu einer Ästhetik der
Tonkunst«, Leipzig 1977. S. 5–28, hier S. 18–23. – Chri-
stian Friedrich Daniel Schubart, Leben und Gesinnungen,
Bd. 1, Stuttgart 1791, S. 26f.*                    K. K.

1491*

## PERSONALAKTENBLATT (»NATIONALE«) FÜR JOHANN RUDOLF ZUMSTEEG (1760–1802) ALS SCHÜLER DER HOHEN KARLSSCHULE

Solitude und Stuttgart, begonnen 16. 12. 1770

*Tinte und Bleistift, Unterstreichungen Rötel*
*1 Blatt, H. 34,1 cm, B. 20,4 cm*

Stuttgart, Hauptstaatsarchiv, Bestand A 272, Bü 250,
Nr. 95

Für Zumsteeg, Zögling No. 95 der Hohen Karlsschule,
wurde das Personalaktenblatt vom 16. 12. 1770 an, dem
proklamierten Gründungstag der Akademie, geführt. Es
berichtet im wesentlichen über seine Herkunft und die
nachfolgende Schulzeit. 1760 in Sachsenflur im Schüpfer
(nicht: Schlüpfer) Grund bei Bad Mergentheim geboren,
war er als Sohn eines württembergischen »Corporals unter
der Garde zu Pferd« für die Akademieausbildung geradezu
prädestiniert, die zunächst Soldatenkindern offenstehen
sollte. Genau protokolliert wurde – wohl für die Jahre
1770–77 – die körperliche Entwicklung Zumsteegs: von 5
Fuß 6 Zoll bis hin zu gut 5 Fuß 10 Zoll (rund 1,57 bzw.
1,67 m). In der Spalte *Reversirt* ist mit dem 21. 9. 1774 das
lebensentscheidende Datum angegeben, an dem Zumsteegs Vater versprochen hatte, daß sein Sohn *sich gänzlich
den Diensten des Herzoglichen Würtembergischen Hauses
widme*, was zur Folge hatte, daß Zumsteeg zeitlebens an
Stuttgart gebunden war und keine Möglichkeit zu einer
breiteren Ausbildung hatte, als sie ihm in Stuttgart geboten
wurde. Schlecht war diese allerdings nicht: Zumsteeg
erhielt Cellounterricht unter anderem vom späteren Hofkapellmeister Agostino Poli. Für sein Spiel erhielt Zumsteeg von 1773 bis 1778 alljährlich Preise, wie die Eintragungen in der untersten, nicht näher bezeichneten Zeile
berichten. 1778 wechselte er mit zahlreichen Mitschülern
in das Hoforchester über, wurde dort aber erst 1781
tatsächlich – mit einem außerordentlich geringen Honorar
– angestellt.

*New Grove, Art. Johann Rudolf Zumsteeg (Gunter
Maier). – Kat. Stuttgart 1959, S. 175f. – Landshoff, S. 16.*
                                                   K. K.

»unter meinem und fremdem Namen in alle Welt ausflo-
gen, ihr Schmetterlingsleben lebten und starben«; anders
als die Meister der Berliner Liederschule (Johann Abraham
Peter Schulz, Johann Friedrich Reichardt) verfolgte er mit
ihnen weniger rationalistische Ideen, sondern wollte einfach »Lieder im Volkston« schreiben. Daß er damit Erfolg
hatte, ergibt sich aus seinen 1791 publizierten Erinnerungen, in denen er von Liedern aus seiner Nördlinger Zeit
(1753–56) berichtet, daß einige »noch heutiges Tages das
Glük haben, auf mancher Schneiderherberge gesungen zu
werden«. Sein Ziel und seine Methode formulierte er in
einem Aufruf: »Hin Tonkünstler und Dichter nach Böhmen, Oesterreich, Bayern, Sachsen, Schwaben! Hin an alle
deutschen Ströme, und belausche die Urlaute unseres
Volks, wie sie in Lied und Sang aus dem Herzen quellen,
ahme sie nach, veredle sie, und du wirst alle deutschen
Nerven dröhnen, alle Augen glühen und alle Glieder beben
machen!«

## 1492*

### PORTRÄTBÜSTE JOHANN RUDOLF ZUMSTEEG

Johann Heinrich Dannecker (1758–1841)
Stuttgart, 1803

*Gips*
*H. 45 cm, B. 27,1 cm, T. 20,5 cm*
*Bezeichnet hinten auf dem Sockel:* Danneker fecit 1803

Marbach am Neckar, Schiller-Nationalmuseum/
Deutsches Literaturarchiv

Zumsteeg starb am 27. 1. 1802, eben 42 Jahre alt, nachdem er noch am Abend zuvor ein Konzert der Glasharmonika-Spielerin Mariane Kirchgeßner besucht hatte. Danneckers Büste entstand im wesentlichen nach Zumsteegs Totenmaske, sicher aber unter Einbeziehung persönlicher Erinnerung, da Zumsteeg auch mit Dannecker aus der gemeinsamen Karlsschul-Zeit bestens bekannt war. Dannekker führte die Büste nicht in Marmor aus; es ist jedoch damit zu rechnen, daß sich originale Gipsabgüsse im Besitz der Witwe Zumsteegs und des Dichters Friedrich Haug befanden. Die Büste gilt als das beste Zumsteeg-Bildnis; während Luise Zumsteeg ihr »sprechende Ähnlichkeit« bescheinigte und äußerte, man finde an ihr »alles, was diesen guten und vorzüglichen Mann so schön charakterisierte«, dankte Haug Dannecker für seinen Abguß mit einem Gedicht, in dem es (bezeichnend auch für Zumsteegs Stuttgarter Wirken) heißt: »Er ist's! – So blickte mich der Biedermann / Der Mozart Wirtembergs, mein trauter Zumsteeg an.« 1803 wurde es in der Leipziger Allgemeinen Musikalischen Zeitung erstmals publiziert. Dannecker ließ auf die Büste zugunsten der Witwe, die in großer finanzieller Bedrängnis lebte, subskribieren und bot den Abguß für 5 fl. 30 kr. zum Verkauf an. In welchem Umfang er damit Erfolg hatte, ist ungeklärt. Sein Einsatz für die Hinterbliebenen des verstorbenen Schulkameraden hat Gegenstücke in Friedrich Haugs Hilfe bei der Ordnung von Zumsteegs Nachlaß und Schillers Bemühungen um eine Weimarer Inszenierung des Zumsteegschen Nachlaß-Singspiels »Elbondokani« zu Luise Zumsteegs Gunsten.

*AMZ 5 (1802/03), Sp. 374, 526, 704. – Luise Gilde, Persönlichkeiten um Schiller, Der Stuttgarter Kreis, London 1963, S. 223f. – Krauß, S. 88, 140. – Landshoff, S. 99, 156f. – Ludwig Schubart, Nachruf auf Zumsteeg, in: AMZ 4 (1801/02), Sp. 324–328. – Adolf Spemann, Dannecker, Berlin/Stuttgart 1909, S. 66.* K. K.

1492

## 1493

### »KLEINE BALLADEN UND LIEDER MIT KLAVIERBEGLEITUNG«

Erstes Heft, Erstdruck

Johan Rudolf Zumsteeg (1760–1802)
Leipzig, Breitkopf & Härtel 1800

*Typendruck*
*48 S., H. 24,1 cm, B. 33,4 cm*

Marbach am Neckar, Schiller-Nationalmuseum/
Deutsches Literaturarchiv, Inv.-Nr. 10591

Mit seinem Liedschaffen ging Zumsteeg als einer der wenigen seiner südwestdeutschen Altersgenossen in die Musikgeschichte ein. Besondere Bekanntheit erlangten die sieben Hefte seiner *Balladen und Lieder*, von denen er allerdings nur vier selbst vorbereiten konnte und nur das Erscheinen von dreien erlebte. Am Beginn des ersten Hefts steht mit »Ritter Toggenburg« die Vertonung eines Gedichts des Schulfreundes Schiller, das Zumsteeg nach eigener Aussage besonders naheging. Schiller und Zumsteeg standen zeitlebens in Briefwechsel; Zumsteeg vertonte als erster

Gedichte Schillers, und seine »Räuberlieder« bildeten bereits 1782 ein Supplement zur zweiten Ausgabe von Schillers »Räubern«. Auch Franz Schubert hatte Zugang zu den Zumsteegschen Balladen und Liedern; sein Freund Josef von Spaun erinnerte sich 1858 an Schuberts Zumsteeg-Leidenschaft vom Frühjahr 1811: »Er hatte mehrere Päcke Zumsteegscher Lieder vor sich und sagte mir, daß ihn diese Lieder auf das tiefste ergreifen. ›Hören Sie‹, sagte er, ›einmal das Lied, das ich hier habe‹, und da sang er mit schon halb brechender Stimme ›Kolma‹, dann zeigte er mir ›Die Erwartung‹, (die ›Maria Stuart‹), den ›Ritter Togggenburg‹ etc. Er sagte, er könne tagelang in diesen Liedern schwelgen. Dieser Vorliebe seiner Jugend verdanken wir wohl auch die Richtung, die Schubert genommen, und doch wie wenig war er Nachahmer, und wie selbständig der Weg, den er verfolgte. Er hatte damals schon ein paar Lieder versucht, so z.B. ›Hagars Klage‹. Er wollte Zumsteegs Lied, das ihm sehr gefiel, in anderer Weise setzen.« Schuberts »Ritter Toggenburg« (D. 397) allerdings war bereits ein Nachkömmling in diesem Nachkomponieren Zumsteegscher Balladen, denn das Lied entstand erst am 13. 3. 1816. Daraus wird deutlich, wie sehr Schubert den Liedern des 37 Jahre Älteren die Rolle eines tauglichen Vorbildes zumaß.

Das ausgestellte Exemplar, das wie die übrigen erhaltenen der Erstausgabe noch nicht in der unteren Seitenmitte mit einer Verlagsnummer versehen ist, hat den Charakter einer Vorausedition, was an typographischen Eigenwilligkeiten bereits auf der ersten Seite zu erkennen ist. Der Titel lautet *Ritter Doggenburg* statt »Ritter Toggenburg«, der Begriff *Ballade* beginnt über der ersten Note des vierten Takts statt über dem Taktstrich vorher, einige Bindebögen im Klavierbaß stehen weiter rechts als in den übrigen Exemplaren (vor allem bei der Tonfolge A–G und bei dis–e), ebenso die Lagenbezeichnung *A* am Fuß der Seite, und das vorletzte Textwort lautet *reisst* statt »reißt«. Diese Eigenwilligkeiten sind in anderen Exemplaren der Erstausgabe (z.B. Bayerische Staatsbibliothek München, Universitätsbibliothek Tübingen) korrigiert.

*Abweichend von RISM A/II/9, Z 420. – New Grove, Art. Johann Rudolf Zumsteeg (Gunter Maier). – Kat. Stuttgart 1959, S.175f. – Otto Erich Deutsch, Franz Schubert, Thematisches Verzeichnis seiner Werke in chronologischer Folge, Neuausgabe in deutscher Sprache, Kassel etc. 1978. – Otto Erich Deutsch, Schubert, Die Erinnerungen seiner Freunde, Leipzig 1957, S.108. – Gunter Maier, Die Lieder Johann Rudolf Zumsteegs und ihr Verhältnis zu Schubert, Diss. Tübingen 1970, Göppingen 1971. – Landshoff, S. 82f.*                                    K.K.

## 1494

### HAGARS KLAGE, D 5

Franz Schubert (1797–1828)
Wien, den 30. März 1811

*H. 24 cm, B. 31,5 cm*
*Abschrift aus dem Besitz von Schuberts Freund Josef Wilhelm Witteczek in Band 29 der Sammlung Witteczek-Spaun (Archiv der Gesellschaft der Musikfreunde in Wien), S. 1–28. Hier S. 1 mit dem Beginn des Liedes.*

Wien, Gesellschaft der Musikfreunde, Sign. I. N. 68.170

Das Lied ist, wie der Kopist neben dem Titel vermerkt, »Schuberts früheste Gesang Composition, welche er im Convicte 14 Jahre alt schrieb«; aus früherer Zeit haben sich nur Bruchstücke von Liedern erhalten. Die vorliegende Abschrift ist die einzige vollständige zeitgenössische Quelle dazu; sie geht vermutlich auf eine autographe Reinschrift zurück (ein unvollständiges Autograph in New Yorker Privatbesitz überliefert eine frühere Version). Schuberts umfangreicher Gesang orientiert sich an Johann Rudolf Zumsteegs Vertonung des Gedichtes, das er – wie sein Freund Josef von Spaun bemerkte – »in anderer Weise setzen« wollte. Von Zumsteeg übernimmt er den Text, ihm folgt er auch in der Konzeption des Werkes und in zahlreichen musikalischen Details (s. hierzu den Beitrag in Bd. 2, S. 265ff.) So ist das Lied ein Dokument für den Einfluß Zumsteegs und der schwäbischen Liederschule und auf Schubert und – wieder mit Spauns Worten – »die Richtung, die Schubert genommen«.                    Walther Dürr

## 1495*

### PORTRÄT FRIEDRICH VON MATTHISSON (1761–1831)

Frontispiz im »Taschenbuch für Schauspieler und Schauspielfreunde auf das Jahr 1817«

Stuttgart, in der Metzler'schen Buchhandlung 1816/17
Kupferstich

*H. 10,8 cm, B. 10,5 cm*
*Am unteren Bildrand bezeichnet: Krüger sc.*

Stuttgart, Württembergische Landesbibliothek, Sch. K. oct. 3825–1817

Matthisson, hier mit den Titeln *Königl. Würtb. geh. Legationsrath, Oberbibliothekar* und *Mitglied der Hoftheater-Oberintendanz* (seit 1812), wirkte im übrigen als Hofdichter König Friedrichs von Württemberg. Für die Musikgeschichte errang er sich vor allem dadurch Bedeutung, daß namhafte Liedkomponisten des württembergischen Inlandes (z.B. Zumsteeg) und des deutschsprachigen Auslandes (z.B. Beethoven und Schubert) seine Texte vertonten.

*Krauß, S.118. – Sauer, S. 392f.*                                    K.K.

Die Komposition war 1795/96 entstanden und regte bis gegen die Mitte des 19. Jahrhunderts immer wieder zu Bearbeitungen an, unter deren Urhebern sich beispielsweise auch Carl Czerny findet (mit einer Version für Klavier zu vier Händen). Bislang nicht nachgewiesen war die vorliegende Bearbeitung für Sopran und Flötenquartett, die aus dem reichen nachklösterlichen Musikleben in Gutenzell bei Biberach auf uns gekommen ist. Über den Bearbeiter, A. Wallenreiter, liegen bislang keine näheren Angaben vor; der Schreiber wurde durch Schriftvergleich mit anderen Gutenzeller Noten identifiziert.

*Georg Kinsky/Hans Halm, Das Werk Beethovens, Thematisch-bibliographisches Verzeichnis seiner sämtlichen vollendeten Kompositionen, München/Duisburg 1955, S. 108–110.* K.K.

F. von MATTHISSON
Königl. Würt. Geh. Legationsrath Oberbibliothekar.
Mitglied der Hoftheater. Oberintendance.

1495

## 1496

»ADELAIDE VON MATHISSON, MUSIK VON BEETHOVEN, FÜR GESANG FLAUTO, VIOLIN VIOLA UND VIOLONCELL«

Einzelstimmen aus dem kompletten Stimmensatz

Bearbeitung von A. Wallenreiter, Schreiber Pfarrer Alois Soherr
1. Hälfte 19. Jahrhundert

*Tinte*
*Sopran und Violoncello (Umschlag) je ein Bogen, Flauto 1 Blatt, jeweils H. 24,5 cm, B. 32 cm*

Tübingen, Schwäbisches Landesmusikarchiv, Gg 122

*Adelaide* wurde durch seine Vertonungen das berühmteste Gedicht Matthissons; neben Kompositionen Schuberts und auch Zumsteegs ist vor allem Beethovens Lied für Singstimme und Klavier op. 46 zu erwähnen. Der Dichter selbst kommentierte dieses Werk 1811 folgendermaßen: »Mehrere Tonkünstler beseelten diese kleine lyrische Phantasie durch Musik; keiner aber stellte nach meiner innigsten Überzeugung gegen die Melodie den Text in tiefere Schatten als der genialische Ludwig van Beethoven zu Wien.«

## 1497*

»FÜNF FRÜHLINGS LIEDER VON UHLAND MIT BEGLEITUNG DES PIANO FORTE«, OP. 33, ERSTDRUCK

Conradin Kreutzer (1780–1849)
Augsburg, Gombart & Comp. 1818
Stich

*24 S., H. 27,5 cm, B. 34,5 cm, Stichformat 17 x 23,5 cm, Plattennummer 620*

Marbach am Neckar, Schiller-Nationalmuseum/ Deutsches Literaturarchiv, Inv.-Nr. 8047

Bereits im Februar 1818 war Kreutzer in Berlin mit vieren seiner Uhland-Lieder vor die Öffentlichkeit getreten und »machte auf die Erscheinung der von ihm angekündigten Gesänge begierig«; gegen Jahresmitte waren diese erschienen. Offensichtlich waren sie ein großer Erfolg, denn noch während Kreutzers fernerer Donaueschinger Zeit erschien bei Gombart unter der Verlagsnummer 1518 eine zweite Auflage.
Wohl im März 1812 waren Kreutzer und Uhland sich erstmals persönlich begegnet; Kreutzer hatte damals bereits Uhlands »Des Knaben Tod« komponiert – zu einer »Romanze«, wie der Dichter in seinem Tagebuch vermerkte. Später geriet Varnhagen von Ense in Briefen an Uhland über Kreutzers Werke ins Schwärmen, vor allem auf deren Interpretation durch die Sängerin Anna Milder-Hauptmann hin.
»Frühlingsglaube«, das zweite Lied der Sammlung, erhielt durch Franz Schubert 1820 eine neuerliche, berühmte Vertonung, wie überhaupt die Berührungspunkte zwischen Schuberts und Kreutzers Liedschaffen zahlreich und interessant sind; zum Beispiel vertonte auch Kreutzer (in seinen Sammlungen op. 76 und 80) Gedichte von Wilhelm Müller, die uns aus Schuberts Liederzyklen »Die schöne Müllerin« und »Winterreise« (1823 bzw. 1827, gedruckt 1824 bzw. 1828) vertraut sind.

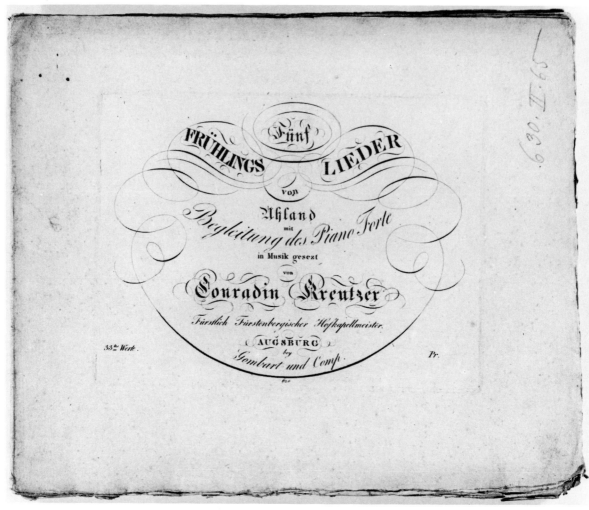

1497

New Grove, Art. Conradin Kreutzer (Peter Branscombe). – AMZ 20 (1818), Sp. 210–212. – Otto Erich Deutsch, Franz Schubert, Thematisches Verzeichnis seiner Werke in chronologischer Folge, Neuausgabe in deutscher Sprache, Kassel etc. 1978. – Anneliese Landau, Das einstimmige Kunstlied Conradin Kreutzers und seine Stellung zum zeitgenössischen Lied in Schwaben, Leipzig 1930. – Ludwig Uhland, Tagbuch 1810–1820, hrsg. J. Hartmann, Stuttgart 3/1898, S. 79f.                K. K.

1498

## »DER GESANG. FÜR ZWEI TENOR- UND ZWEI BASS-STIMMEN.«

In »Cäcilia, ein wöchentliches Familienblatt für Christensinn und Christenfreuden herausgegeben von D. J. F. Bahnmaier, Septemberheft.«

Friedrich Silcher (1789–1860)
Tübingen, Heinrich Laupp 1817

*Typendruck*
*1 Blatt, nach S. 640 eingebunden, H. 21 cm, B. 24,8 cm*

Stuttgart, Württembergische Landesbibliothek, Theol. oct. 821–2

Silcher gilt als der führende Vertreter der »jüngeren schwäbischen Liederschule«, vor allem durch seine rund 250 Klavierlieder. Berühmt wurde er dagegen durch seine zwölf Hefte »Volkslieder, gesammelt und für vier Männerstimmen gesetzt«, die 1826–60 erschienen. Zu diesen Werken für Männerchor bildet »Der Gesang« von 1815 einen wichtigen Vorreiter – möglicherweise handelt es sich um Silchers ersten gedruckten Männerchor überhaupt –, so daß man auch dem Titel und Text eine für Silcher programmatische Rolle beimessen könnte: »Ohne Sang, was ist das Leben? / todt und stumm und öd und leer. / Aber selig, süß und hehr, / in der Ewigkeiten Meer / strömt des frommen Sängers Leben. / Himmelswonne trinket er.« Jonathan Friedrich Bahnmaier, Herausgeber der »Cäcilia«, war als zweiter Stadtpfarrer in Ludwigsburg Silchers Vorgesetzter, als dieser an der dortigen Mädchenschule Lehrer war (1809–15); daneben wirkte Silcher als »Hauskomponist« für Bahnmaier. 1815 nahm Silcher in Stuttgart bei Conradin Kreutzer – und später bei Johann Nepomuk Hummel – nochmals Kompositionsunterricht, bevor er 1817 als akademischer Musikdirektor an die Universität Tübingen berufen wurde, wo seine große Wirkungszeit (auch am Evangelischen Stift und als Gründer einer Akademischen Liedertafel) ihren Anfang nahm.

*MGG, Art. Philipp Friederich Silcher (Hermann Josef Dahmen). – August Bopp, Friedrich Silcher, Stuttgart 1916.* K. K.

## Instrumentalmusik

Die Musik der Zeit zwischen 1780 und 1830 wird landläufig mit den Etiketten »(Wiener) Klassik« und »Frühromantik« versehen, und es verbinden sich mit dieser Epoche Namen wie Mozart und Beethoven, Schubert und Weber, ferner Begriffe wie Klaviersonate, Streichquartett, Symphonie oder Singspiel und »Deutsche Oper«. In jener Zeit haben sich tiefgreifende Wandlungen »in der Musik« vollzogen und ganz neue Entwicklungen haben sich angebahnt.

Durch die technische Vervollkommnung des Hammerklaviers und die Annahme dieses Instrumentes durch die großen Komponisten entstand mit der »Musik für Pianoforte« eine ganze neue und autonome Gattung, die in kürzester Zeit ein ungeheures Ausmaß erreichte. In der Orchestermusik traten Sinfonie und Instrumentalkonzert in den Vordergrund und folgten neuen formalen und ästhetischen Gesetzen.

Die Besetzung des Orchesters erfuhr fast so etwas wie eine Normung, zumindest was den Grundbestand an Instrumenten betrifft. Gegenüber dem so farbig und nuancenreich besetzten Barockorchester ist das »klassische« Orchester ärmer an klanglichen Möglichkeiten geworden. Dies wird durch die qualitative Verbesserung der Instrumente, besonders durch die Erweiterung des Tonumfangs bei Blasinstrumenten und der Möglichkeit des Umstimmens teilweise ausgeglichen. Nach der Aufgabe des Generalbaßprinzips wurde das Cembalo im Orchester entbehrlich.

Es wird häufig übersehen, daß die Neuerungen in der Musik nach 1780 nicht nur formaler, sondern vor allem ästhetischer Natur sind. Lassen wir einen kompetenten Zeitgenossen, den Fürstlich Schwarzburg-Rudolstädtischen Kammer-Musikus Heinrich Christoph Koch (1749–1816) zu Worte kommen. In seinem 1802 erschienenen Musikalischen Lexikon heißt es:

»Instrumentalmusik. Diejenigen Tonstücke, von welchen alle Stimmen durch Instrumente ausgeführt werden, und wobey kein Gesang statt findet, wodurch sich die Dichtkunst mit der Musik vereinigt, pflegt man Instrumentalmusik zu nennen, und sie der Vocalmusik entgegen zu setzen, bei welcher Ton- und Dichtkunst unzertrennlich verbunden sind.

Die Musik gründet sich zwar auf unartikulierte Töne oder Empfindungslaute, die keiner Worte bedürfen, um gewisse Empfindungen auszudrücken; sie hat daher, unter den vorhin angezeigten ihr nöthigen und günstigen Umständen, weder pantomimischer Zeichen, noch Begriffe und Bilder durch Worte ausgedrückt, nöthig, um unmittelbar auf unser Herz zu wirken, und in uns angenehme oder unangenehme Empfindungen zu erwecken. Wenn sie es aber unternehmen soll, in uns Gefühle anzufachen, wozu in der Lage, in welcher wir uns befinden, keine Ursache vorhanden, wofür unser Herz nicht aufgeschlossen ist, so fehlt es ihr, wenn es bloß durch die unartikulierten Töne der Instrumentalmusik geschehen soll, an Mitteln, unsern Herzen diese Gefühle interessant zu machen. Sie kann uns unter diesen Umständen nicht begreiflich machen, warum sie uns in sanfte oder traurige, in erhabene oder fröhliche Empfindungen versetzen will; sie kann in uns weder der Bilder desjenigen Gutes, dessen Genuß uns ergötzen, noch die Bilder desjenigen Uebels darstellen, welches Furcht oder Betrübnis veranlassen soll. Kurz, sie kann unsern Herzen kein merkliches Interesse an den Empfindungen, die sie ausdrückt, einflößen. Bey der Vocalmusik hingegen bereitet der Text den Zuhörer vor, hilft ihm zu der beabsichtigten Stimmung, und giebt den auszudrückenden Empfindungen Interesse. Weil nun noch überdies die bloße Instrumentalmusik nicht immer im Stande ist, nahe an einander grenzende Empfindungen mit ihren Modificationen bestimmt genug auszudrücken, so gewährt die Vereinigung der Poesie mit der Musik auch in dieser Rücksicht unverkennbare Vortheile; so wie überhaupt die durch die menschliche Stimme hervorgebrachten Töne, es sey nun entweder wegen der Feinheit ihrer Modificationen, oder es sey, daß die Art ihrer Schwingungen den Organen, auf die sie wirken, analoger sind, auf uns ungleich starkere Wirkung machen, als die Töne der Instrumente. Es bleibt daher eine ausgemachte Sache, daß der Gesang vor der bloßen Instrumentalmusik sehr merkliche und unleugbare Vorzüge behält.

Zu den Kunstprodukten für die Instrumentalmusik gehören,
1) die Eröffnungsstücke, die entweder großen Kunstwerken, wie z.B. der Oper und Cantate, oder den gewöhnlichen Concertmusiken, zur Einleitung dienen, und wobei die Hauptstimmen vielfach besetzt werden. Dahin gehören hauptsächlich die Ouvertüre, die Sinfonie und die Intrade;
2) das Concert, womit sich einer oder mehrere Tonkünstler auf ihren Instrumenten in Begleitung eines ganzen Orchesters hören lassen, wie z.B. in einem Concerto grosso, oder in einem gewöhnlichen Kammerconcert;
3) die Sonatenarten, bey welchen eigentlich jede Stimme den Charakter einer Hauptstimme behaupten muß, welche die auszudrückende Empfindung nach einer individuellen Empfindungsart darstellet, und die daher auch jederzeit nur einfach besetzt wird. Hierher gehört das Solo, Duett, Trio, Quartett u.s.w. nebst den Parthien für mehrere obligate Instrumente;
4) die zu feyerlichen Aufzügen bestimmten Tonstücke, wie z.B. der militärische Marsch, oder die bey bürgerlichen Aufzügen gebräuchlichen und dem Marsche ähnlichen Stücke;
5) die zur Privatübung des Tonkünstlers gesetzten Stücke, wie z.E. das Capriccio, die Fuge, die Fantasie u.d.gl. Hierzu rechnet man gemeiniglich noch
6) die Tanzmusik.
Unter diesen Tonstücken, von welchen in ihren besondern Artikeln gehandelt wird, haben die Aufzüge und die zum Tanze bestimmten Stücke einen festbestimmten Charakter; allen übrigen kann der Tonsetzer einen willkührlichen, und seinem besondern Zwecke entsprechenden Charakter geben, den sie aber auch nothwendig erhalten müssen, wenn sie in kein zweckloses Tongeräusche ausarten sollen.«

Im »klassischen Orchester« bildet die mehrfach besetzte Streichergruppe mit 1. und 2. Violine, Bratsche, Violoncello und Kontrabaß die Grundlage. Dazu steuern die Bläserstimmen charakteristische Klangfarben bei: die Holzblasinstrumente Flöte, Oboe, Klarinette und Fagott, die Hörner und Trompeten als Vertreter des »Blechs« und die Pauken als die am häufigsten verwendeten Schlaginstrumente. In Ausnahmefällen liefern Piccoloflöte, Posaune und Kontrafagott weitere Farben. In den zwanziger und frühen dreißiger Jahren des 19. Jahrhunderts wird gelegentlich als Baßinstrument der Blechbläsergruppe die Ophikleide verwendet, ein nicht sehr edel klingendes Klappenhorn, das seit 1835 durch die Tuba verdrängt wurde. Besondere Effekte ermöglicht die Janitscharenmusik, auch Türkische Musik genannt, die mit ihren Schlaginstrumenten Große und Kleine Trommel, Becken und Triangel ein modehaft exotisches Kolorit erzeugt, aber auch als Ausdrucksmittel für alles Martialische, Pathetische und ekstatisch Überhöhte benutzt wurde, man denke an den Schlußsatz in Beethovens 9. Sinfonie. C.V.

1499

## BEWERBUNG UM EINE STÄDTISCHE MUSIKLEHRERSTELLE IN FREIBURG

Louis Gerstner
Freiburg, 20.9.1807

*Autograph, Tinte*
*1 Binio, H. 35,7 cm, B. 22,6 cm*
*Oben badischer Gebührenstempel (3 K.),*
*Bearbeitungsvermerke*

Freiburg im Breisgau, Stadtarchiv, C 1, Schulsachen 2, Fasc. 1

In Freiburg im Breisgau gab es um 1800 kein Opernhaus mit stehendem Ensemble; auch gab es keine Traditionen, die sich auf das Repräsentationsbedürfnis eines Hoflebens hätten berufen können. Daher ist in jener Zeit das Engagement des städtischen Bürgertums für ein eigenständiges Konzertleben in Freiburg besonders klar zu verfolgen. Ziel dieser Bemühungen war es, Konzerte möglichst hoher Qualität mit einheimischen Kräften (auch Laien) zu veranstalten. In diesem Sinne ergaben sich 1801 auf der Grundlage der Laien-Opernaufführungen im letzten Jahrzehnt des 18. Jahrhunderts große Liebhaberkonzerte, und aus einer Lesegesellschaft entwickelte sich 1807 eine der frühen südwestdeutschen »Museumsgesellschaften«; bereits seit 1806 gab es zur Ausbildung der Laienmusiker eine unter städtischer Aufsicht stehende »Schule für Gesang und Instrumentalmusik«. So waren die Worte des bisherigen Privatmusiklehrers Louis Gerstner, der sich an diesem Institut um eine städtische Musiklehrerstelle bewarb, nicht unbegründet: *Wohllöblicher Magistrat! Das allgemeine Intereße, welches man für alle schöne Künste und besonders für die Musik überhaupt, und in der Stadt Freyburg im vorzüglichen Grade äußert, indem man dieselbe als Bildungsanstalt für die Jugend schätzt, flößt dem Unter-*

*zeichneten den Muth ein, Einem Wohllöbl. Magistrat, die unterthänigste Bitte vorzulegen, den Unterzeichneten in der Eigenschaft als öffentlicher Musiklehrer dahier zu bestättigen . . .*
MGG, Art. Freiburg im Breisgau (Harald Heckmann).

K. K.

## 1500

### »Statuten der Museumsgesellschaft zu Freyburg«

Druck

Freiburg, Herdersche Universitäts-Buchdruckerey 1813

*24 S., H. 17,1 cm, B. 10,4 cm*

Freiburg im Breisgau, Stadtarchiv, Dwe 4245

Die »Museumsgesellschaften« organisierten die bürgerlichen Bildungsabsichten und förderten in diesem Zusammenhang auch ein eigenes Konzertleben sowie aktives Musizieren – entsprechend § 27 der Freiburger Statuten: »Die Unterhaltungen bezwecken geselliges Vergnügen der Mitglieder, vorzüglich aber Aufmunterung zur Musik.« Man sah sich dabei in der direkten Nachfolge der Gesellschaften, die sich in früheren Jahrzehnten in den adeligen Salons getroffen hatten.
Die Freiburger Gesellschaft gehörte unter den badischen und württembergischen Formationen ihrer Art zu den ersten. Unter § 1 heißt es über den *Zweck der Gesellschaft: Das Bedürfniß, vermittelst einer, vorzüglich durch Neuheit interessanten Lektüre mit allen merkwürdigen Begebenheiten und Erscheinungen in der politischen sowohl als in der literärischen Welt bekannt, und fortwährend in dieser Bekanntschaft mit dem Wissenswürdigsten der Zeit erhalten zu werden, dann aber auch durch den Genuß dessen, womit die schöne Kunst überhaupt, und die Musik insbesondere das Menschenleben milder und freundlicher macht, so wie durch gesellige Unterhaltungen verschiedener Art im Kreise anständig froher Menschen das Allzuernste des Geschäftlebens mit den Annehmlichkeiten einer humanen Erholung wohlthätig abwechseln zu lassen – dieß doppelte Bedürfniß, welches jeder, der auf höhere Bildung einigen Anspruch machen kann, so lebhaft und dringend fühlt, mit geringen Kosten zu befriedigen, ist der Zweck derjenigen Gesellschaft, welche seit dem Jahre 1807 dahier besteht . . .«*
In einer Neufassung von 1818 fehlt dann die besondere Hervorhebung der Musik, nicht aber in der »Museumsrede« des Freiburger Bürgermeisters Karl von Rotteck aus demselben Jahr, der der Tonkunst als »Lenkerin der Herzen«, »Freudengeberin« und »Rufender aus Himmelhöhen« nach wie vor einen besonderen Platz im Programm der Institution einräumte.

*George von Graevenitz, Musik in Freiburg, Freiburg 1938, S. 65f. – Johann Baptist Trenkle, Freiburgs gesellschaftliche, theatralische und musikalische Institute und Unternehmungen, Freiburg 1856, S. 146.*

K. K.

## 1501

### »Verzeichnis der Musicalien«, »Sinfonien«

Vgl. Kat. Nr. 1454

Abgesehen von drei Abteilungen Zwischenaktmusiken und 114 *Harmonie Stük* werden 37 Instrumentalwerke genannt; der Anteil, den die Werke südwestdeutscher Komponisten einnehmen, wird von den sechs Sinfonien Jommellis wesentlich geprägt. Im übrigen jedoch zeichnet sich ab, daß der Geschmack am Stuttgarter Hof hinsichtlich der Instrumentalmusik noch stärker vom auswärtigen (vor allem Wiener) Musikleben geprägt war als in anderen musikalischen Gattungen: Joseph Haydn ist mit neun Werken, Karl Ditters von Dittersdorf mit sieben Werken vertreten (Mozart allerdings nur mit einem). Das Forum, das sich im Wien des ausgehenden 18. Jahrhunderts für Instrumentalmusik geboten hatte, waren besonders die für das damalige Wien typischen Paläste des Adels und Besitzbürgertums gewesen; Stuttgarter Bürgersalons beispielsweise konnten mit ihnen freilich nicht konkurrieren. Welche nachgeordnete Rolle Stuttgart in dieser Hinsicht selbst unter den Rheinbundresidenzen einnahm, geht auch aus einer Briefäußerung Franz Danzis vom 7. 11. 1809 (vgl. Kat. Nr. 1457.3) hervor, wo dieser klagt: »Die schöne Zeit ist nun vorbei; mit den Spaziergängen hat es ein Ende; man sizt nun wieder im Zimmer und – gähnt. Das ist in München gerade die Zeit, die für Musik am angenehmsten ist: hier aber hat das keinen Einfluß, denn außer dem Theater und den, nicht sehr intereßanten, Hofkonzerten bekömmt man beinah gar keine Musik zu hören.«

K. K.

## 1502

### »Tabellarisches Verzeichniss aller zum Kirchenchor zu Gutenzell gehörigen Musikalien, Musik-Instrumente und Geräthschaften«

Pfarrer Alois Soherr (1783–1861)
Gutenzell, begonnen Juli 1826

*Mit Tinte geführtes Buch*
*104 gezählte Seiten, H. 30,8 cm, B. 25,2 cm*

Tübingen, Schwäbisches Landesmusikarchiv, G 160

Aufgeschlagen ist die Doppelseite 80/81, auf der zunächst eine Abteilung *Concerte* genannt ist, dann eine Abteilung mit Opernouvertüren. In der ersteren erscheinen fünf Kompositionen, deren Aufführungsmaterialien bereits in Klosterbesitz waren; die Ouvertüren-Abteilung stellt sich dagegen als Spiegel des gängigen Opernrepertoires der Zeit dar. Im Besitz der Gemeinde befanden sich die Ouvertüren zu Boieldieus »Jean de Paris«, zu Mozarts »Hochzeit des Figaro« sowie zu »Tancredi«, »L'inganno felice« und »Barbier von Sevilla« von Rossini. Allerdings lassen die Anschaffungsjahre erkennen, daß die Einflüsse der Stutt-

1503

garter Hofoper nur zögernd die neuwürttembergische Provinz erreichten: Boieldieus »Jean de Paris«, 1824 angeschafft, war dort 1812 erstmals über die Bühne gegangen, Rossinis »Tancredi«, 1826 angeschafft, im Jahr 1817, und beim »Barbier von Sevilla« reicht die Spanne gar von 1821 bis 1834.                                K. K.

## 1503*

### Duo für zwei Violoncelli

Stimme Violoncello primo

Johann Rudolf Zumsteeg (1760–1802)
Stuttgart, um 1785

*Autograph (?), Tinte*
*1 Bogen, H. 24,2 cm, B. 32 cm*

Stuttgart, Württembergische Landesbibliothek,
Cod. mus. II fol. 52 q

Vermutlich entstand die Komposition zu Unterrichtszwecken, nachdem Zumsteeg 1785 Musiklehrer an der Karlsschule geworden war, die er erst vier Jahre zuvor als Schüler verlassen hatte. In seinem erhaltenen Instrumentalwerk nimmt sein Instrument, das Violoncello, das er, wie Ludwig Schubart im Nachruf auf Zumsteeg schrieb, »mit tiefem Gefühl, seltner Präcision und durchgreifender Kraft« spielte, breiten Raum ein: Zu erwähnen sind zehn Cellokonzerte, zwei Cellosonaten sowie drei Duos und ein Trio für Violoncelli. Ihnen stehen eine Sinfonie, zwei Ouvertüren sowie sechzehn Kammermusik- und Orchesterwerke (mit größeren Bläseraufgaben, vor allem für Querflöte) gegenüber.
Zumsteeg übernahm 1787 von seinem Lehrer Agostino Poli einen Großteil der Stuttgarter Kapellmeisterfunktionen, nachdem sich dieser ganz auf die italienische Oper zurückgezogen hatte. 1793–1802 hatte Zumsteeg die Leitung der Hofkapelle – allerdings nur in der Stellung eines Konzertmeisters – allein inne.

*MGG, Art. Stuttgart (Eberhard Stiefel). – New Grove, Art. Johann Rudolf Zumsteeg (Gunter Maier). – Landshoff, S. 65*                                K. K.

1504*

## »Quintetto pour le Pianoforte, Hautbois, Clarinette, Cor et Basson«, d-Moll op. 41, Erstdruck

Einzelstimmen Klavier (mit Titel), Oboe

Franz Danzi (1763–1826)
Leipzig, Breitkopf & Härtel 1810

*Stich*
*Klavier 19 S., Oboe 1 Bogen; H. 31,5 cm, B. 24,5 cm,*
*Stichformat 28,5 x 22,5 cm, Plattennummer 1519*
*(Klavier: 1519. 1520.)*
München, Bayerische Staatsbibliothek, 2° Mus. Pr. 876

Wie Zumsteeg war auch Danzi von Haus aus Cellist, was ihn ebenfalls in seinem Schaffen wesentlich bestimmte, allerdings nicht so auffällig wie im Falle Zumsteegs. Schon früh schrieb er Klavierkonzerte und -sonaten, Sinfonien und zahlreiche Kammermusikwerke, vor allem Streichquartette, von denen zahlreiche auch im Druck erschienen. Vor allem in seinen Kammermusikwerken der Stuttgarter und Karlsruher Zeit ist zunehmend eine Vorliebe für Blasinstrumente in solistischen Aufgaben erkennbar: Es entstanden Sonaten für Horn, Klarinette bzw. Bassetthorn und Klavier, Flöten-, Oboen- und Fagottquartette, Bläserquintette sowie Quintette und Quartette für Blasinstrumente und Klavier; unter ihnen nimmt das d-Moll-Quintett op. 41 eine relativ frühe Stellung ein.

*RISM A/II/2, D 999. – New Grove, Art. Franz Danzi (Roland Würtz, Peter M. Alexander).* K. K.

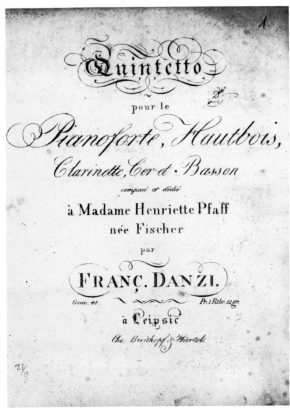

1504

1505

## »Concerto per il Fagotto« F-Dur

Peter Joseph von Lindpaintner (1791–1856)
München, 1816

*Autograph, Tinte*
*56 gezählte Blätter*
*Auf Bl. 56ʳ signiert und datiert*

München, Bayerische Staatsbibliothek, Mus. Mss. 2325

Bevor Lindpaintner 1819 nach Stuttgart berufen wurde, hatte er in München als Musikdirektor am Isartortheater gewirkt. In dieser Zeit war auch das Fagottkonzert F-Dur entstanden; als Datum der Vollendung seiner Partitur, die sich mit zahlreichen Korrekturen und Nachträgen als Kompositionspartitur zu erkennen gibt, verzeichnete Lindpaintner auf der Schlußseite den 5. Dezember 1816. Das Werk des 25jährigen Komponisten steht somit in einer längeren Reihe von Fagottkonzerten, die zu Anfang des 19. Jahrhunderts im Umkreis der Münchner Hofmusik entstanden – zu nennen sind Werke des Hofkapellmeisters Peter von Winter und seines Stellvertreters Franz Danzi,

der bereits 1812 Lindpaintners dritter Amtsvorgänger als Stuttgarter Hofkapellmeister geworden war, sowie Carl Maria von Weber mit seinem 1811 entstandenen, ebenfalls in F-Dur komponierten Konzert, das (wie vermutlich auch die übrigen) für den Münchner Hoffagottisten Brandt geschrieben wurde.

Lindpaintners Werk ist in den für ein Solokonzert der Zeit üblichen drei Sätzen komponiert: Einem Allegro assai, dessen Form sich allerdings nur frei an das typische »Sonatenkonzert« der Wiener Klassik und der Frühromantik anlehnt, folgt ein »Romanza« betitelter langsamer Satz, womit also anstelle einer Tempobezeichnung der musikalische Charakter dieses Satzes beschrieben wird (die Überschrift paßte ebenso auf zahllose andere Konzert-Mittelsätze der Zeit); am Schluß steht ein Allegro non troppo in Rondoform. In den ausgedehnten solistischen Abschnitten wird das Fagott fast ausschließlich von Streichern begleitet; die Holz- und Blechbläser des Orchesters treten nur im Tutti hinzu. Mit einem Umfang von drei Oktaven schöpfte Lindpaintner in der Fagottpartie fast den gesamten Spielraum des Instruments aus.

Abgesehen von seinem Bezug zur Münchner Hofmusikgeschichte ist Lindpaintners Fagottkonzert aber auch ein Beispiel für den musikalischen Stil, an dem der Stuttgarter Hof zu partizipieren wünschte; eine Orientierung an Münchner Verhältnissen wird daraus deutlich, daß man innerhalb weniger Jahre zweimal einen Münchner Musiker zum Stuttgarter Hofkapellmeister ernannte (1812 Danzi, 1819 Lindpaintner).

*MGG, Art. Peter Joseph Lindpaintner (Heinz Becker). – Hans Engel, Das Instrumentalkonzert, Wiesbaden 1971/74, Bd. II, S. 389–391. – Hans Schnoor, Weber, Gestalt und Schöpfung, Dresden 1953, S. 138f, 176.*    K. K.

## 1506

### SINFONIE ES-DUR, OP. 55, »EROICA«

Ludwig van Beethoven (1770–1827)
Wien, 1803/04

*Überprüfte Partiturabschrift*
*H. 24,5 cm, B. 32,5 cm*
*Bez. a. Titelblatt:* Beethoven, *daneben mehrere autographe Anmerkungen und vom Komponisten ausradierte, aber noch lesbare Widmung* intitolata Bonaparte.

Wien Gesellschaft der Musikfreunde,
Sign. A 20 (I. N. 61.407)

In seinen »Biographischen Notizen über Ludwig van Beethoven«, die er zusammen mit seinem Freund Wegeler verfaßt hat, berichtet Ferdinand Ries (1784–1838), der von 1801 bis 1805 Klavierschüler Beethovens war, von folgendem Vorfall: »Bei [seiner 3.] Symphonie hatte Beethoven sich Buonaparte gedacht, aber diesen, als er noch erster Consul war. Beethoven schätzte ihn damals außerordentlich hoch, und verglich ihn den größten römischen Consuln. Sowohl ich, als Mehrere seiner näheren Freunde haben diese Symphonie schon in Partitur abgeschrieben, auf seinem Tische liegen gesehen, wo ganz oben auf dem Titelblatte das Wort ›Buonaparte‹, und ganz unten ›Luigi van Beethoven‹ stand, aber kein Wort mehr. Ob und womit die Lücke hat ausgefüllt werden sollen, weiß ich nicht. Ich war der erste, der ihm die Nachricht brachte, Buonaparte habe sich zum Kaiser erklärt, worauf er in Wuth gerieth und ausrief: ›Ist der auch nichts anders, wie ein gewöhnlicher Mensch! Nun wird er auch alle Menschenrechte mit Füßen treten, nur seinem Ehrgeize fröhnen; er wird sich nun höher, wie alle Andern stellen, ein Tyrann werden!‹ Beethoven ging an den Tisch, faßte das Titelblatt oben an, riß es ganz durch und warf es auf die Erde. Die erste Seite wurde neu geschrieben und nun erst erhielt die Symphonie den Titel: Sinfonia eroica. Späterhin kaufte der Fürst Lobkowitz diese Composition von Beethoven zum Gebrauche auf einige Jahre, wo sie dann in dessen Palais mehrmals gegeben wurde. Hier geschah es, daß Beethoven, der selbst dirigierte, einmal im zweiten Theile des ersten Allegro's, wo es so lange durch halbirte Noten gegen den Tact geht, das ganze Orchester so herauswarf, daß wieder von vorn angefangen werden mußte.«

Die Originalhandschrift mit samt dem Titelblatt, von der hier die Rede ist, ist wie die der beiden ersten Sinfonien nicht erhalten. Allerdings ist eine von Beethoven redigierte Partiturabschrift der »Eroica« überliefert, auf deren Titelblatt die Widmung an Napoleon *(intitolata Bonaparte)* durch heftiges Radieren getilgt wurde, freilich ohne gänzlich unleserlich geworden zu sein. Durch diese Handschrift wird die von Ries geschilderte Szene indirekt bestätigt, und man kann sich lebhaft vorstellen, wie der Meister in tiefer Erregung das Papier bearbeitet hat. Dieses berühmte Titelblatt gehört zu den eindrücklichsten Dokumenten Beethovens, das einen bestimmten Teil seines Charakters ganz unmittelbar erleben läßt.

*Franz Gerhard Wegeler und Ferdinand Ries, Biographische Notizen über Ludwig van Beethoven, Koblenz 1838. – Georg Kinsky und Hans Halm, Das Werk Beethovens. Thematisch-bibliographisches Verzeichnis seiner sämtlichen vollendeten Kompositionen, München-Duisburg (1955). – Die Flamme lodert – Kat. der Beethoven-Ausstellung der Stadt Wien 1970.*    C. V.

## 1507

### »EINE BLINDE VIRTUOSIN IN UNSERER GEGEND«

Konzertankündigung für die Glasharmonika-Spielerin Mariane Kirchgeßner (1770–1808) in »Schwäbische Chronik. Nro. 3«

Stuttgart, 7. 1. 1791

*Druck*
*H. 22 cm, B. 19,5 cm*

Tübingen, Universitätsbibliothek, L I 31, 1791

Aus der fürstbischöflich-speyerischen Residenzstadt Bruchsal gebürtig und nach einer Blatternerkrankung mit vier Jahren erblindet, war es Mariane Kirchgeßner ermöglicht worden, beim Karlsruher Hofkapellmeister Joseph Aloys Schmittbaur (1718–1809) Unterricht auf der Glasharmonika zu nehmen. Schmittbaur nahm für sich in Anspruch, die Glasharmonika erfunden zu haben, doch schon seine Zeitgenossen waren eher geneigt, die Tat Benjamin Franklin zuzuschreiben.
Die Konzertreise, die die Kirchgeßner im Januar 1791, erstmals in Begleitung ihres lebenslänglichen Impresarios, des Speyerer Musikverlegers Heinrich Philipp Boßler, antrat, führte sie im Juni nach Wien, wo sie mit Mozart zusammentraf, der für sie neben einem Adagio für Glasharmonika solo (KV 617a) auch ein Quintett mit Flöte, Oboe, Viola und Violoncello (KV 617) schrieb. Die Glasharmonika mit anderen Instrumenten zu kombinieren hatte die Kirchgeßner allerdings zunächst nicht für möglich gehalten; einen ersten Vorreiter bekam das Mozart-Quintett in Stuttgart, wie Johann Friedrich Christmann berichtet: »Sie wurde aber ... so geschwinde von ihrem

Vorurtheile geheilt, daß sie mich beim Apoll beschwor, ein Konzert mit obligaten Oboen für sie zu setzen. Einige Tage später spielte sie in einer andern Privatgesellschaft, die Schubart durch Subscription veranstaltet hatte.«

Neben ihren unbestreitbar hohen Fähigkeiten erregte die Kirchgeßner als »blinde Virtuosin« und besonders mit ihrem Instrument Aufsehen, der »seltenen«, »zarten«, »göttlichen Harmonika« mit dem »Seelenerhebenden der tiefen Töne«, die anerkanntermaßen beim Spieler »anhaltendes Beben der Nerven, Zucken der Muskeln« hervorrufen konnte, aber für die Gesellschaft der Wertherzeit dadurch nur noch interessanter wurde.

*New Grove, Art. Joseph Aloys Schmittbaur (Klaus Wolfgang Niemöller). – Wilhelm Lütge, Die Glasharmonika, das Instrument der Wertherzeit, in: Der Bär 1925, S. 98–104. – Hans Schneider, Der Musikverleger Heinrich Philipp Boßler 1744–1812, Tutzing 1985, S. 315–368.*
                                                                    K. K.

1508

## 1508*

## GLASHARMONIKA

*Glas, Holz teilweise gestrichen*
*H. 87 cm, B. 120 cm, T. 31,5 cm*
*Tonumfang: 3 Oktaven und Terz*

Stuttgart, Württembergisches Landesmuseum,
Inv.-Nr. G 8,592

Die Glasharmonika, in der Zeit um 1800 auch kurz Harmonika genannt, ist ein sog. Friktionsinstrument, bei dem abgestimmte halbkugelförmige Glasschalen mittels Tretschemel in Rotation versetzt und mit den angefeuchteten Fingerkuppen an den geschliffenen Rändern berührt werden. Die dabei auftretende Reibung (Friktion) bringt die Gläser zum Schwingen, was die Entstehung eines eigentümlichen und unverwechselbaren Klanges, ähnlich dem einer Äolsharfe, zur Folge hat. Die Glasschalen sind mit abnehmender Größe nach der chromatischen Skala von links nach rechts auf einer drehbaren Welle aufgereiht, so daß man fast wie auf einem Manual spielen kann. Technisch vervollkommnet wurde das Instrument von keinem Geringeren als Benjamin Franklin, dem großen amerikanischen Staatsmann und angeblichen Erfinder des Blitzableiters. Der als überirdisch und geheimnisvoll empfundene Klang, der der Vorstellung von Sphärenmusik zu entsprechen schien, machte die Harmonika zum überaus beliebten Modeinstrument des »empfindsamen« und »romantischen« Zeitalters. Haydn, Mozart und Beethoven komponierten eigens Stücke für die Glasharmonika, wie unzählige größere und kleinere Meister jener Zeit auch. Die Glasharmonika wurde Ende der zwanziger Jahre des 19. Jahrhunderts durch »luftbetriebene« Instrumente mit durchschlagenden Zungen (Äolsklavier, Harmonium, Hand- und Mundharmonika) abgelöst.    C. V.

## 1509*

## PROGRAMM FÜR EIN KONZERT DES ZWÖLFJÄHRIGEN FRANZ LISZT

Stuttgart, zum 22. 11. 1823

*Druck*
*H. 30,4 cm, B. 17,9 cm*

Stuttgart, Württembergische Landesbibliothek,
Sch. K. Musik, Hoftheaterzettel 1823, f. 148

Franz Liszt, das weitere 19. Jahrhundert hindurch neben Paganini der Inbegriff des reisenden Virtuosen, machte in Stuttgart erstmals 1823 auf der Reise von Wien nach Paris Station und gab zwei Konzerte. Daß er, der Zwölfjährige, dem Vorbild Wolfgang Amadeus Mozarts folge, galt allgemein als selbstverständlich. Während für sein erstes Stuttgarter Konzert, am 13. 11., eine Zahlungsanweisung des Stuttgarter Hofes für das Honorar in Höhe von 10 Louisdor erhalten ist, sind wir zum zweiten, am 22. 11. im Hoftheater, über das Programm informiert: Liszts Auftritt ging der Lustspiel-Einakter »Der wahrhafte Lügner« nach Eugène Scribe voraus; er spielte dann das Zweite Klavierkonzert h-Moll von Johann Nepomuk Hummel und beschloß das Programm des Abends, nachdem »Der gerade Weg ist der beste« von Kotzebue gegeben worden war, mit Fantasie und Variationen von Carl Czerny. Damit entsprach Liszts Programm weitgehend dem seines Wiener

1509

Abschiedskonzerts am 13. 4. 1823, in dem er ebenfalls Hummels Konzert und »eine Fantasie« gespielt hatte, dazwischen allerdings noch Variationen von Ignaz Moscheles. Liszts Tourneeprogramm wird also relativ klar erkennbar.

*Krauß, S. 156. – Desző Legány, Franz Liszt, Unbekannte Presse und Briefe aus Wien 1822–1886, Wien 1984, S. 19. – Sacheverell Sitwell, Franz Liszt, Zürich 1958, S. 23. – Hauptstaatsarchiv Stuttgart, Bestand E 14, Bü 265, Bl. 6.*
K. K.

## 1510*

### »DER BLINDE FRITZ KOMMT DEM PAGANINI HINTER SEINE SCHLICHE«

Stuttgart, 1829

*Kolorierte Lithographie*
*H. 26,1 cm, B. 34,5 cm*
*Unten rechts bezeichnet:* bei Fri: Baumann unter der Mauer in Stuttgart

Stuttgart, Württembergische Landesbibliothek, Graphische Sammlung

Paganinis Tournee durch ganz Europa, 1828 begonnen, war die große musikalische Sensation der Zeit. Gelegentlich gab er alle zwei Tage Konzerte – ungeachtet der Reisewege, die er von Ort zu Ort zurückzulegen hatte. Selbst mehrere Konzerte am gleichen Ort erfreuten sich vielfach dauerhaften Publikumsinteresses und brachten ihm für die Verhältnisse der Zeit astronomisch hohe Honorare. Nachahmer und Kritiker wurden mobilisiert.

In Wien, wo Paganini besonders große Erfolge gefeiert hatte, hieß bei den Fiakern das Fünf-Gulden-Stück, mit dem man den Eintritt bezahlen mußte, noch auf Jahre hinaus »Paganinerl«. Das Honorar aus drei Stuttgarter Konzerten am 3., 5. und 7. 12. 1829 betrug Paganinis Tagebuchnotizen zufolge 3666 fl. 5 kr.; knapp die Hälfte davon spielte er am 9. 12. zusätzlich in Karlsruhe ein (942 Taler). An die Stuttgarter Auftritte knüpfen zwei Lithographien an: Die eine zeigt den Orchesterraum des Hoftheaters unmittelbar vor Paganinis Auftritt; Schillers Worte »Schauerlich stand das Ungethüm da, gespannt war der Bogen . . .« erfüllten in Verfremdung satirischen Zweck. Die Auswirkungen auf das Geigenspiel der Zeit nimmt die ausgestellte Darstellung aufs Korn; der blinde Biergeiger Fritz aus dem »Bohnenviertel«, einem südöstlichen Vorstadtviertel Stuttgarts, spioniert mit Hilfe seines Sohnes Ludwig (»Louile«) das Geheimnis Paganinis aus – dieser stehe mit dem Teufel im Bund, der ihm »jeda Griff und Ton« zeige. Doch Fritz setzt eher auf seine angestammte Methode als »zweiter Paganini«, aber »ohne Teufelstrug und List«. Etwas seriöser, aber gegenüber der Paganini-Begeisterung gleichermaßen skeptisch zeigte sich der Stuttgart-Korrespondent der Allgemeinen Musikalischen Zeitung, der 1830 kritisierte, ein durchreisender Geiger habe bei seinem Gastspiel lediglich Paganini imitieren wollen.

*AMZ (1830), Sp. 269. – Otto Erich Deutsch, Schubert, Die Erinnerungen seiner Freunde, Leipzig 1957. – Krauß, S. 156f. – Charles Osborne, Schubert, Leben in Wien, Königstein 1986, S. 197f. – Zdenek Vyborny, Das sechste Notizbuch Paganinis, in: Die Musikforschung 18 (1965), S. 187–195.*
K. K.

Der blinde Fritz komt dem Paganini hinter seine Schliche.

Louile.) Jetzt, Vater! hom' i uf da Grund.
Des Gspeinst hot gut so geiga.
Der Teufel stoht mit ihm im Bund;
J hans und wills bezeuga.
Er geit ihm just a Lection,
Und zeigt ihm jeda Griff und Ton.

Fritz.) Glaubs wohl. Doch lass es seyn, wies ist!
Fürs Bohnaviertel ben i,
Au ohne Teufels trug und List
A zweiter Paganini,
J geig'und sing'getrost druf los,
Und bleib der Bierhaus Virtuos.

bei Frd. Bausman unter der Mauer in Stuttgart

## Musikinstrumente
## aus der 1. Hälfte des 19. Jahrhunderts

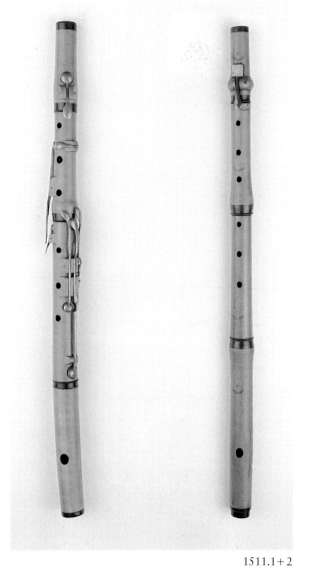

1511.1+2

### 1511.1*

**QUERFLÖTE IN ES**[1]

(Terzflöte)

Carl Friedrich Hetsch (1769–1843)
Urach, um 1800

*Buchsbaum, Horn, Messing
L. 53 (Kopfstück 20 cm, Mittelstück 13,3 cm, Herzstück
11,8 cm), Fuß 7,9 cm), 1 quadratische Klappe, Bohrung
15 bis 11,5 mm
Bez.: Brandstempel* HETSCH.

Bad Urach, Städtisches Museum

### 1511.2*

**QUERFLÖTE IN ES**[1]

(Terzflöte)

unsigniert
Württemberg, um 1820

*Buchsbaum, Horn, Messing
L. 52,8 cm (Kopfstück 14,8 cm, Mittelstück 17 cm,
Herzstück 11,5 cm, Fuß 9,4 cm), 7 runde Klappen,
Bohrung 18 bis 13 mm*

Stuttgart, Württembergisches Landesmuseum,
Inv.-Nr. 1975–94

Bis ins frühe 19. Jahrhundert wurden auch Flöten in verschiedenen Stimmungen gebaut, um besondere Klangfarben zu erzielen bzw. um bestimmte Tonarten leichter spielen zu können. Die Große Terzflöte in es[1], früher wegen der »in d' stehenden« Grundskala auch Sekund-Flöte genannt, wurde gern in mit Blechbläsern besetzten Ensembles wegen der hier bevorzugten B-Tonarten benutzt. Während sie aus dem Sinfonieorchester bald verschwand, konnte sich die Terzflöte in Blas- und Militärkapellen lang halten. Im »spätromantischen« Orchester des 19. Jahrhunderts wurde sie immer wieder zuer Erzeugung bestimmter Klangeffekte herangezogen.
Über Hetsch vgl. Kat.Nr.1513

*Kunitz, Instrumentation 2.*                    C. V.

### 1512

**OBOE**

Johann Rudhardt (1788–1863)
Stuttgart, um 1825

*Buchsbaum, Messing
L. 55,5 (Teillängen Kopfstück 20,7 cm, Mittelstück
10,2 cm, Fußstück 10,8 cm); Bohrung von 5,5 bis 14
mm, Birne innen max. 45 mm
8 runde Messingklappen (h, c', cis', dis', f, gis', b,
Oktavklappe), doppeltes g'-Loch
Bez.: Brandstempel* Rudhard/Stuttgart

Stuttgart, Württembergisches Landesmuseum,
Inv.-Nr. 1975–91

Es ist wenig bekannt, daß im Stuttgart des späten 18. und frühen 19. Jahrhunderts eine größere Anzahl von Musikinstrumentenmachern tätig waren, die freilich nicht so berühmt wurden, wie etwa manche ihrer Kollegen aus Dresden, Leipzig oder Nürnberg. Sie lieferten indes solide gebaute und brauchbare Instrumente, die zumindest in Württemberg große Verbreitung fanden, besonders in Oberschwaben, wo sie in den Orchestern der großen Klöster viel gespielt wurden.

Von Johann Rudhardt, hinter dessen Namen im Gewerbeeinschätzungsbuch von 1829 »Blasinstrumente in Holz« vermerkt ist, sind verhältnismäßig viele Instrumente überliefert, vor allem Klarinetten und Flöten. Rudhardt hatte seine Werkstatt, in der er im Einmannbetrieb gearbeitet zu haben scheint, »außer dem Wilhelmstor«, also etwa im heutigen Heusteigviertel. Er kam spätestens 1823 nach Stuttgart und hat hier fast vierzig Jahre lang seine Instrumente hergestellt.

Für Auskünfte zu Rudhardts Biographie ist Frau Dr. Christa Mack vom Archiv der Stadt Stuttgart herzlich zu danken.                                    C.V.

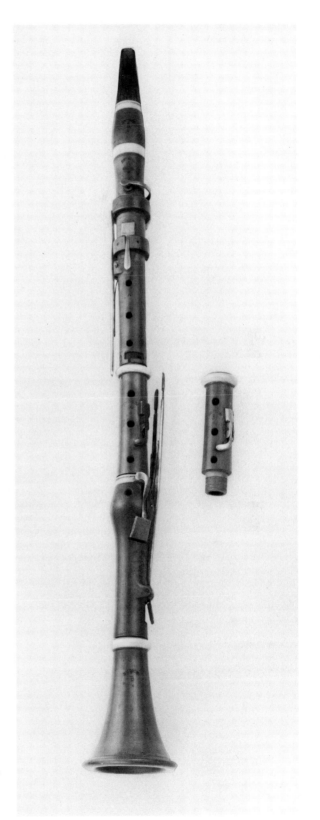

## 1513*

### KLARINETTE IN A UND B
### MIT AUSWECHSELBAREN MITTELSTÜCKEN

Carl Friedrich Hetsch (1769–1843)
Urach, um 1815

*Buchsbaum, Elfenbein, Messing*
*L. 70,7 cm (mit Auswechselstück für B-Stimmung*
*69,3 cm), Bohrung 14 mm*
*7 quadratische Messingklappen (eine verloren)*
*Bez. Brandstempel:* HETSCH/A/URACH

Bad Urach, Städtisches Museum

Carl Friedrich Hetsch entstammt einer Familie, die seit der Mitte des 18. Jahrhunderts über drei Generationen den Uracher Stadtzinkenisten stellte, eine jener merkwürdigen Einrichtungen, die ihre Existenz den komplizierten Bestimmungen für das Blasen der Trompete verdankt. Auch in Urach durften Trompeten nur in Anwesenheit des Herzogs erklingen, so daß das tägliche Turmblasen mit Zinken, evtl. verstärkt durch Posaunen, erfolgen mußte. Hetsch war gelernter Drechsler, der sich bald auf die Herstellung von Holzblasinstrumenten spezialisierte und darin auch schnell Erfolg gehabt haben dürfte. Seit 1790 nennt er sich »musikalischer Instrumentendreher«. Zahlreiche Flöten, Klarinetten und Oboen haben sich erhalten und werden teilweise noch heute gespielt.

*Walter Röhm, Die Instrumentenmacherfamilie Hetsch aus Bad Urach in Württemberg, Urach o.J. (masch.). – Georg von Dadelsen, Zur Geschichte der Tübinger Universitätsmusik, in: Attempto 53/54, Tübingen (1975).*
                                    C.V.

1513

1514

## FAGOTT

Württemberg, um 1820
Ahorn, Messing

*H. 127 cm; Stiefel 42,8 cm, Flügel 45,7 cm, Baßröhre
50,1 cm, Schallstück 33,7 cm; Bohrung 8,5–35 mm,
Schallaustritt 33 mm
13 runde Messingklappen (für B', H', C, Cis, D, Es, F,
Fis, Gis, B, cis und 2 Oktavklappen), Schallstück
erneuert, S-Rohr fehlt (in der Ausstellung durch
modernes Rohr ersetzt).
Bez.: Brandstempel Württembergische Hirschstangen
und Kleeblattkreuz*

Stuttgart, Württembergisches Landesmuseum,
Inv.-Nr. 1975–92

Ob das Fagott entwicklungsgeschichtlich eine eigene Gattung innerhalb der Gruppe von Doppelrohrblatt-Instru-
menten bildet oder ob es sich aus den Pommern herausge-
bildet hat, ist seit Jahrzehnten Streitpunkt der Wissenschaft. Jedenfalls war es von seiner Grundkonstruktion
her so entwicklungsfähig, daß es nach und nach die
meisten anderen Baß-Holzblasinstrumente verdrängt hat.
Ins Orchester scheint es Mitte des 17. Jahrhunderts gelangt
zu sein, wo es seinen Platz bis heute behauptet. Wie bei den
anderen Holzblasinstrumenten gelten dem Fagott seit der
Mitte des 18. Jahrhunderts vielfältige Bemühungen zur
klanglichen und spieltechnischen Verbesserung, die sich in
der Verwendung von immer mehr Klappen, der Verfeinerung der Klappenmechanik, der Präzision der Bohrung,
der Erweiterung des Tonumfanges usw. manifestieren.
Im »klassischen« Orchester der Beethovenzeit gehört das
Fagott zum Grundinstrumentarium als Baß des Holzbläser-
chores, gelegentlich noch vom Kontrafagott unterstützt,
das eine Oktave tiefer gestimmt ist, so z. B. in Beerhovens
Fünfter Sinfonie. Auch als Soloinstrument und in reinen
Bläserbesetzungen (Harmoniemusik) wird das Fagott häufig eingesetzt. Neben seiner Baß-Funktion kann es zur
Erzeugung bestimmter charakteristischer Klangeffekte,
besonders in tonmalerischen Partien, eingesetzt werden.

*Kunitz, Instrumentation V, Fagott. – Sachs, Reallexikon.
– Koch, Musikalisches Lexikon.*                    C. V.

1515*

## LANGTROMPETE IN D

Andreas Naeplaesnigg
Jettingen (bei Böblingen?), 1794

*Messing
Rohrlänge 212,2 cm, Standhöhe 68,5 cm, Anfangsrohr-
Dm. (innen) 10,4 mm, Stürzen-Dm. 11,6 cm
Bez.: MACHT. ANDREAS. NAEPLAESNIGG. IN
JETINGEN 1794*

Stuttgart, Württembergisches Landesmuseum,
Inv.-Nr. 1975–83

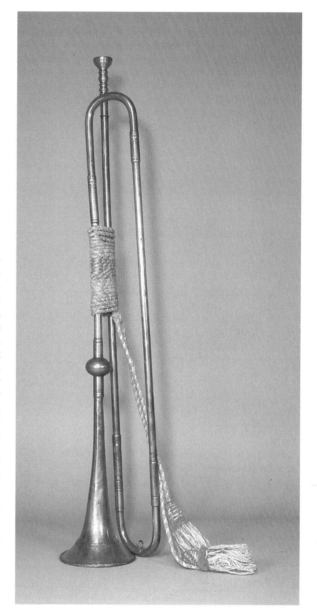

1515

Naturtrompete mit obligatem Holzkeil, der von einer ehemals weiß-roten (?) Kordel mit zwei Quasten umwickelt ist.

Noch bis in die Beethovenzeit wurden im Orchester Naturtrompeten verwendet, die zumeist nicht von Orchestermitgliedern, sondern von »ausgeliehenen« Militärtrompetern gespielt wurden. Hier wirkten noch die strengen Reglementierungen für die »Hof- und Feldtrompeter« nach, die nur von Fürsten und von Reichsstädten mit kaiserlichem Privileg beschäftigt werden durften.

Jahrhundertelang war die Trompete Attribut der weltlichen Macht, in der Regel also der Landesherren, und durfte nur von deren Repräsentanten (Militär) oder in ihrer Anwesenheit gespielt werden. Erst gegen Ende des 18. Jahrhunderts trat eine allmähliche Liberalisierung ein.

*Van der Meer, Kat. Nürnberg 1979, S. 68ff. – Kunitz, Instrumentation 7.* U. M./C. V.

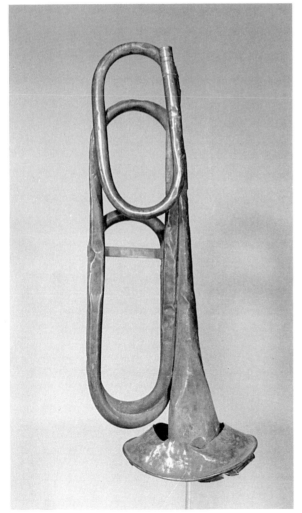

1516

## 1516*

### INVENTIONSTROMPETE IN G

C. G. Eschenbach
Markneukirchen, 1826

*Messing*
*Instrumenten-Rohrlänge 155 cm, Rohrlänge mit*
*es-Bogen 200 cm, Standhöhe Oberbügel 35,3 cm,*
*Stürzen-Dm. 12,3 cm*
Bez.: C. G. ESCHENBACH/IN NEUKIRCHEN 1826

Stuttgart, Württembergisches Landesmuseum,
Inv.-Nr. 1986–364

Das Instrument ist kurz- und zweiwindig, wobei die erste Windung nur bis zur halben Höhe ansteigt und dann in einen Stimmbogen mit der Aufschrift »G« mündet. Ein weiterer Aufsteckbogen für die Stimmgröße ist vorhanden. Für die Inventionstrompete gilt naturgemäß das für das Inventionshorn Gesagte, vgl. Kat. Nr. 1517.

*Van der Meer, Kat. Nürnberg 1979, S. 78ff. – Kunitz, Instrumentation 7.* U. M./C. V.

## 1517*

### ORCHESTERHORN IN C
mit Aufsteckbögen und Kasten

C. Binder
Stuttgart, um 1850

*Messing*
*Instrumenten-Rohrlänge 235 cm, Standhöhe 40,3 cm,*
*Stürzen-Dm. 29,7 cm, Anfangsrohr-Dm. 11,8 mm; 7*
*Aufsteckbögen für B-A-As-G-F-Es-C, 1 Kuppler*
Bez.: C. Binder in Stuttgart

Stuttgart, Württembergisches Landesmuseum,
Inv.-Nr. 1975–100; Kasten und Bögen 1975–97

Zweites Horn von einem Hörner-Paar, einwindig mit weiter Mundrohröffnung für Aufsteckbögen, U-förmiger Stimmzug.

Der zunehmend freizügige und differenzierte Umgang mit den Tonarten machte umstimmbare Naturtoninstrumente erforderlich, wollte man nicht immer mehrere Instrumente mit entsprechend unterschiedlichen Grundstimmungen mit sich führen. Bei den Inventionshörnern und -trompeten wird die Rohrlänge und damit die Stimmung durch die Verwendung von Aufsteckbögen verändert. In Mozarts »Don Giovanni« werden nacheinander 36 Hornstimmungen verlangt, so daß ca. alle fünf Minuten ein Stimmungswechsel erforderlich ist. Dies war nur mit dem Inventionshorn auszuführen. Die sog. Wiener Orchesterhörner sind eine modifizierte Art von Inventionshörnern, die auch noch nach der Erfindung der Ventilinstrumente gebaut wurden.

*Van der Meer, Kat. Nürnberg 1979, S. 60ff. – Kunitz, Instrumentation 6.* U. M./C. V.

1517

Das hier ausgestellte Instrument entspricht der seit 1770/75 üblichen Bauform mit zwei Rohrstützen am Außenzug sowie einer Rohrstütze und »Glocken« am Innenzug, Innenzüge mit »Schuhen«, Oberstück (Schallstück) mit einer Rohrstütze.

*Van der Meer, Kat. Nürnberg 1979, S. 89ff. – Sachs, Reallexikon.*    U. M./C. V.

1519

## OPHIKLEÏDE IN C

Deutschland, um 1830

*Messing*
*Rohrlänge mit S-Rohr 240,5 cm, Standhöhe 109 cm, Stürzen-Dm. 29 cm*

Stuttgart, Württembergisches Landesmuseum,
Inv.-Nr. 1986–335

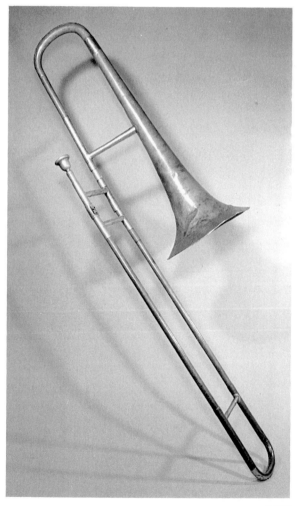

1518*

## TENOR-POSAUNE IN B

A. Barth
München, nach 1835

*Messing, Neusilber*
*Rohrlänge in Ausgangsposition 266,5 cm, Standhöhe zusammengesetzt 113,5 cm, Stürzen-Dm. 22,8 cm; Stimmung B angeblasen 435 Hz.*
*Bez.: A. Barth in München*

Stuttgart, Württembergisches Landesmuseum,
Inv.-Nr. 1986–363

Im Gegensatz zu den Naturtrompeten kann mit der Posaune die vollständige chromatische Skala gespielt werden, da die Rohrlänge kontinuierlich verändert werden kann (Zug). Das deshalb auch als Zugposaune bezeichnete Instrument hielt nur zögernd Einzug ins »klassische« Orchester, meist in dreifacher Besetzung (Alt-, Tenor- und Baß-Posaune). Es dient neben der »Farbgebung« der Stützung der Harmonie. Ein berühmtes Beispiel für einen quasi-solistischen Einsatz der Tenorposaune ist das »Tuba mirum« in Mozarts »Requiem«, was natürlich an die »Posaunen« des Jüngsten Gerichts gemahnen soll.

1518

Das aus dem Baßhorn hervorgegangene tiefe Klappenhorn ist zum ersten Mal um 1815 von Halary in Paris gebaut worden und fand schnell eine gewisse Verbreitung, besonders in Militärkapellen, aber auch in den Opernorchestern. Gasparo Spontini schreibt die Ophikleïde in der Partitur seiner Oper »Olimpia« (1819) vor.

Bei den Klappenhörnern wird die unterschiedliche Tonhöhe wie bei den Holzblasinstrumenten durch Verändern der Länge der schwingenden Luftsäule mittels offener oder bedeckter Grifflöcher bewerkstelligt. Allein wegen der Größe kann das Bedecken nicht mit den Fingern geschehen, sondern es werden Klappen mit entsprechendem Hebelwerk verwendet.

Die Ophikleïde hat zwar einen kräftigen und tragenden, aber wenig edlen Ton. Sie wurde nach 1835 durch die Tuba im Orchester ersetzt.

*Sachs Reallexikon.*                                    C. V.

1521

## 1520

### EIN PAAR PAUKEN

(Süd-)Deutschland, Ende 18. Jahrhundert

*Kupfer, Eisen, Holz, Kalbfell*
*Dm. Kesselrand 645/610 cm, Kesseltiefe 385/310 cm,*
*Dm. Schalloch (ohne Trichter) 16,5/15 mm*

Stuttgart, Württembergisches Landesmuseum,
Inv.-Nr. 1975–98

Die halbkugelförmigen Kessel sind mit Kalbfellen überzogen, die über den Kesselrand gestreift mittels Spannring und 10 bzw. 9 Spannschrauben befestigt sind. Durch Drehen der Spannschrauben kann die Spannung verändert, die Pauke also gestimmt werden, der Tonumfang beträgt etwa eine Quinte. Im Orchester der Beethoven-Zeit werden Pauken paarweise verwendet, die im Quintenverhältnis (Tonika-Dominante) zueinander gestimmt sind. Im modernen Orchester sind drei Pauken die Regel. Ihre Stimmung wurde früher in den Noten angegeben, die Notierung erfolgte immer in C.

*Van der Meer, Kat. Nürnberg 1979, S. 103ff. – Sachs,*
*Reallexikon.*                              U. M./C. V.

## 1521*

### VIOLINE

Didier l'Aîné Nicolas, gen. Le Sourd (1757–1833)
Mirecourt, um 1800

*Fichte, Ahorn*
*H. (Zarge) 3,5 cm, B. 17,8/12,5/22 cm, L. 61 cm,*
*L. (Corpus) 37 cm*
*Bez. Brandstempel: A LA VILLE DE CREMONNE/*
*D:NICOLAS AINE, darüber mit Bleistift N°. 1465*

Stuttgart, Württembergisches Landesmuseum,
Inv.-Nr. G 18,8

Diese Geige zeigt eine Besonderheit, die bei diesem Instrumententyp nicht eben häufig vorkommt, der Boden ist bemalt. In goldgehöhter Lackmalerei ist eine Szene aus der antiken Mythologie dargestellt: Diana und Endymion.
Die Instrumente des Nicolas sind von guter Brauchbarkeit. Nur selten finden sich darunter Spitzenleistungen, deren er durchaus fähig war, aber nur, wenn er besondere Sorgfalt auf ein Stück verwendete. Er versuchte immer wieder, durch konstruktive Maßnahmen klangliche Verbesserungen zu erzielen, was aber bestenfalls zu einem etwas

größeren, aber auch unedleren Ton führte. Seine Werkstatt wurde bald zur Manufaktur, und in seinen letzten Jahren soll er Violinen regelrecht fabrikmäßig hergestellt und dafür 600(!) Arbeiter beschäftigt haben.

*Landesgewerbemuseum, Bericht über die Jahre 1916 bis 1921, Stuttgart (1922), S. 7f. – Willibald Leo Frh. v. Lütgendorf, Die Geigen- und Lautenmacher vom Mittelalter bis zur Gegenwart, 1.2. Band, Lübeck 1922.*    C. V.

1522

## 1522*

## VIOLA

Mathias Albani (1621–1712)
Bozen, 1703

*Fichte, Ahorn*
*H. (Zarge) 3,6–3,9 cm, B. 20,9/13,3/25,0 cm,*
*L. 70,2 cm, L. (Corpus) 42,6 cm*
*Bez. Gedruckter Zettel:* MAttio Alban fecit/Bolzan 1703

Stuttgart, Württembergisches Landesmuseum,
Inv.-Nr. G 9,30

Die originale (barocke) Mensur wurde, ähnlich wie bei den Violinen, in der Zeit um 1800 durch Verlängern des Halses verändert (»Halsanschäfter«). Dabei blieben der alte Wirbelkasten und der geschnitzte Löwenkopf erhalten. Wirbel und Griffbrett sowie weiteres Zubehör sind erneuert.
Alban gilt neben Jakob Stainer als der berühmteste Tiroler Geigen- und Lautenmacher. Es wird vermutet, daß er Mitschüler Stainers bei einem bislang unbekannten Meister war.

*[Ulrich Prinz], Kat. 300 Jahre Johann Sebastian Bach. Sein Werk in Handschriften und Dokumenten – Musikinstrumente seiner Zeit – Seine Zeitgenossen. Ausstellung der Internationalen Bach-Akademie Stuttgart 1985, Tutzing 1985, S. 339f. – Lütgendorf (s. Kat.Nr. 1521).*    C. V.

## 1523*

## VIOLONCELLO

Antonius u. Hieronymus Amati (?)
Cremona, 1630 (?)

*Fichte, Ahorn*
*L. 122 cm, B. 43 cm, Höhe der Zarge 12 cm*
*Bez. auf (offenbar echtem!) Zettel innen:* Antonius,
& Hieronymus Fr. Amati/Cremonensis. Andreae fil.
F. 1630.

Privatbesitz

Das mehrfach umgebaute Instrument scheint in seinem Grundbestand in der Werkstatt der Brüder Antonius und Hieronymus Amati entstanden zu sein. Neben der üblichen Verlängerung des Halses sind manche Veränderungen vorgenommen worden, deren Ausmaß zu erkennen einer noch ausstehenden sorgfältigen Analyse vorbehalten bleibt.

*Lütgendorff 2 vgl. Kat.Nr. 1521, S. 15.*

## 1524

## KONTRABASS

C. Baur (?)
Süddeutschland oder Böhmen, um 1810

*Fichte, Ahorn, Birnbaum*
*H. 22,5 cm, B. 74 cm, L. 200 cm, L. (Corpus) 114 cm*
*Hals angeschäftet; Maschine, Schnecke und Saitenhalter original*

Privatbesitz

Der Kontrabaß ist das größte und tiefste Steichinstrument des modernen Orchesters, wie es sich seit der Zeit der »Wiener Klassik«, also seit der zweiten Hälfte des 18. Jahrhunderts etabliert hat. Entwicklungsgeschichtlich leitet er sich von der Viola da gamba her und nicht von den

Armviolen bzw. den Violinen, obwohl es heute in deren Familie als »Halbblut« (Curt Sachs) aufgenommen ist. Es hat nicht an Versuchen gefehlt, die Bauart an die des Violoncellos anzugleichen. Aus spieltechnischen, aber wohl auch aus klanglichen Gründen hat sich die Gambenform mit spitz zulaufendem Oberbügel und flachem, im oberen Teil abgeschrägten Boden behauptet. Die Saitenzahl schwankt zwischen drei und sechs, allgemein üblich ist der Viersaiter in Quartenstimmung $E_1 - A_1 - D - G$. Als 16'-Instrument klingt es eine Oktave tiefer, gehört also zu den transponierenden Instrumenten.

Gelegentlich wurde der Kontrabaß auch als Soloinstrument verwendet, am bekanntesten wurden die Konzerte mit Orchester des Venezianers Domenico Dragonetti (1763–1846).

*Sachs, Reallexikon. – Alfred Planyavsky, Geschichte des Kontrabasses, Tutzing 1970. – Staatl. Institut f. Musikforschung, Preuß. Kulturbesitz, Musikinstrumentenmuseum, Katalog der Streichinstrumente, bearb. von Irmgard Otto u. a., Berlin 1975, S. 268 ff.* C. V.

1523

# WISSENSCHAFT UND BILDUNG

## Die Hohe Karlsschule

**5. Februar 1770**
Herzog Karl Eugen bringt 14 Soldatenkinder auf der Solitude unter, die zu Gärtnern und Stukkateuren ausgebildet werden sollen.

**14. Dezember 1770**
Offizielle Gründung des »Militärischen Waisenhauses«. In der Absicht, auch »rechtschaffene Bürger und Soldaten zu formieren«, wird der Unterricht etwa auf den Umfang einer Lateinschule erweitert und in 4 Klassen, abgestuft nach Alter und Fähigkeit, erteilt.

**11. Februar 1771**
Als »Militärische Pflanzschule« verlagert die Anstalt ihre Aufgabe von der reinen sozialen Fürsorge für Soldatenwaisen weg auf die Auslese von Begabten, die meist vom Herzog selbst vorgenommen wird. Der soziale Aspekt bleibt dennoch bestimmend.

**25. Juni 1771**
In einem Generalreskript regelt Herzog Karl Eugen auch die Aufnahme von Cavaliers- und Offizierssöhnen, die zu »künftigen Ministerial-, Hof-, und Kriegsdiensten gebildet werden sollen.« Der soziale Unterschied wird zunächst durch eine eigene Klasse betont, verwischt aber zunehmend durch die hohen Anforderungen des Unterrichts in Sprachen und Naturwissenschaften. Auch Geschichte wird vom Herzog selbst als Haupt-Studium vorgeschrieben. Das erklärte Ziel der Schule ist die Erziehung von Staatsdienern im weitesten Sinn, Handwerkszöglinge scheiden nach und nach aus.

**16. Februar 1772**
Preismedaillen und Akademischer Orden werden eingeführt.

**21. November 1772**
Mit der Berufung der Magister Abel, Kielmann und Schott aus dem Tübinger Stift wächst die Lehre endgültig über das Gymnasialniveau hinaus. Die Philosophie erobert sich die zentrale Stellung unter den Wissenschaften.

**11. März 1773**
Um ihre führende Rolle unter den Schulen des Landes zu unterstreichen, verleiht Herzog Karl Eugen der Pflanzschule die Bezeichnung »Militärakademie«. Im Verlauf des Jahres 1773 geht die 1761 gegründete Académie des arts praktisch ganz in der Militärakademie auf. Der Kunstunterricht erhält dadurch einen Eigenwert und ist nicht mehr bloße Dienstleistung für die Gärtner und Stukkateure.

**1774**
Im Laufe des Studienjahres werden die Zöglinge in Abteilungen nach Bestimmungswissenschaften, d. h. ihren künftigen Berufszielen zusammengefaßt, ein wichtiger Schritt zur weiteren Akademisierung der Schule.

**18. November 1775**
Umzug von der Solitude nach Stuttgart in die Kaserne hinter dem Neuen Schloß. Rechtswissenschaften und Medizin werden als eigene Bestimmungswissenschaften ausgebaut und dienen nicht mehr allein der militärischen Ausbildung.

**22. Dezember 1781**
Kaiser Joseph II. verleiht der Akademie den Universitätsrang für die juristische, medizinische und philosophische Fakultät.

**11. Februar 1782**
Feierliche Eröffnung der Universität. Die militärische, ökonomische und die Fakultät der freien Künste verbleiben im kollegialen Verband mit den drei Universitätsfakultäten, jedoch ohne das Recht, akademische Grade zu verleihen. Aber die gesamte Anstalt heißt künftig »Carls-Hohe-Schule«, »Academia Carlonia« oder »Hohe Carlsschule«. Damit ist zum ersten Mal eine Hochschule entstanden, die Universität (mit Ausnahme der Theologie), Militärakademie, Kunstakademie und Handelshochschule in sich vereinigte. Außerdem kann sie mit Recht auch als Technische Hochschule gelten, da bevorzugt technische Offiziere ausgebildet werden und auch im Rahmen der Kameralistik technische Fächer gelehrt werden, von der Architektur ganz abgesehen. Die philosphische Fakultät übernahm auch weiterhin die Vorbereitung, also gleichsam die Erlangung der Hochschulreife. Rector magnificentissimus ist nach wie vor der Herzog persönlich, er behält die Leitung bis ins kleinste in der Hand.

**15. Dezember 1783**
Karl Eugen verkündet die künftige Aufnahme von »Stadtstudierenden« oder »Oppidanern« und durchbricht damit das seitherige konsequente Internatssystem. 715 Studierende werden künftighin die Hohe Karlsschule ihres wissenschaftlichen Rufes wegen wählen, ohne Stipendiaten oder Internatsschüler zu sein, deren Gesamtanzahl 1496 betrug.

**21. Oktober 1793**
Herzog Karl Eugen stirbt.

**16. April 1794**
Ohne Sinn für die bedeutende Schöpfung seines Bruders und aus Furcht vor dem aufklärerischen Denken löst Herzog Ludwig Eugen die Hohe Karlsschule auf.

»Keine unter den vielen öffentlichen Erziehungs-Anstalten unseres Jahrhunderts hat wohl in kürzerer Zeit die Höhe und den ausgebreiteten Ruf der jezigen Hohen KARLS-Schule zu Stuttgart erreicht.« So beginnt August Friedrich Batz seine offizielle »Beschreibung der Hohen Karls-Schule zu Stuttgart«, die 1783 anonym in eigenem Druck und Verlag der Schule erschienen war. Und es ist gewiß eine Neigung aller Universitäten, sich aus der Menge der übrigen herauszuheben und besonders bei Jubiläen mit ihren Großen, Lehrern oder Schülern, zu renommieren. Es bedarf also keiner weiteren Rechtfertigung, die Hohe Karlsschule ebenfalls an ihren bedeutenden Persönlichkeiten zu messen. Freilich mutet es fast wie ein Gemeinplatz an, immer von neuem die großen Geister oder gar Genies wie Schiller zu beschwören. Nicht zu leugnen ist indes, daß es eben vor allem die »Akademisten« sind – die Bezeichnung Karlsschüler kommt erst mit Heinrich Laubes Theaterstück 1848 auf –, die das geistige und kulturellen Leben Württembergs noch lange nach der Aufhebung der Hohen Karlsschule, 1794, prägen. Wohl mag es übertrieben sein, doch nicht ganz verkehrt, aber mit der Hohen Karlsschule und ganz besonders mit ihren Zöglingen findet Württemberg erst Anschluß an das europäische Kulturniveau. Geradezu augenfällig wird dies durch die Kunst belegt. Der Einwand, hier könnte es sich immer noch um eine rein reproduzierende Binnenkultur handeln, wird wohl deutlich durch die von außen kommende Anerkennung und den Erfolg vieler Akademisten in andern Ländern widerlegt. Da es vergleichende Untersuchungen über die Geniehäufigkeit der Universitäten nicht gibt, wird man der o. a. Einschätzung von Batz eher dem Gefühl nach zustimmen – wenn überhaupt.

Ist nicht vielleicht die Genieproduktion eine Eigenart württembergischer Erziehungseinrichtungen überhaupt, die gar nicht an die Existenz der Hohen Karlsschule gebunden ist? Mit Blick auf das Tübinger Stift ließe sich daran denken. Eher scheint aber das Gegenteil zwingend zu sein, aus folgenden Gründen: Herzog Karl Eugen nimmt sich, offensichtlich beeindruckt von Rousseaus großem Erziehungsroman »Emile«, 1762, eine bedeutende philanthropische Versorgungs- und Erziehungsaufgabe im Geiste der Aufklärung vor. Ohne die abgenutzte Formel von der antikirchlichen Aufklärung erneut zu strapazieren, kann doch ein bedeutender Unterschied festgestellt werden. Das traditionell kirchlich gelenkte Schulwesen mußte bei aller geistigen Anstrengung wegen seiner reinen Hermeneutik ins Formale verflachen. Die Kenntnis der alten Sprachen diente weder einer historisch-kritischen Methode noch einer Erkenntnistheorie. Da im ganzen Erziehungswerk Karl Eugens »nützliche Subjecta« von vornherein durch funktionales Denken herangebildet werden sollten, ist ihm seine bloße Erziehungsaufgabe nahezu zwangsläufig in die Höhe der Wissenschaft entschwebt. Daß er dieser Entwicklung nicht Einhalt gebietet und stur am Erziehungszweck festhält, spricht trotz seiner sonst despotischen Natur für seine Toleranz und seinen Weitblick. Begünstigt wurde diese Entwicklung durch die zunehmende Fächervielfalt, obwohl diese zunächst eher aus praktischen Erwägungen als aus weitsichtiger Planung resultiert. Das organisatorische Streben nach Einheit der Institution – wohl das entscheidende Verdienst des Intendanten Christoph Dionys Seeger, des organisatorischen Leiters – brachte einen befruchtenden Austausch der Disziplinen untereinander mit sich.

Uniform, militärische Ordnung und Kasernierung sind ohne Frage das heikelste Kapitel, besonders wenn man Schiller vor Augen hat. Offensichtlich beeinträchtigte der äußere Zwang jedoch nicht die geistige Freiheit. Andererseits ist dies auch die Kehrseite der Aufklärung, die ja mit ihrer Überbetonung der Vernunft und ihrer Verachtung der Metaphysik einen deutlichen Zug der Normierung in sich birgt. Nicht vergessen werden darf hierbei jedoch die soziale Funktion, wenn sie auch nicht mehr nach unserem heutigen Geschmack ist. Uniform und Reglement sind für alle gleich ohne Rücksicht auf die Herkunft; die wenigen Vorzüge, die adelige Zöglinge anfangs noch genießen, werden in den Schatten gestellt durch die Vorzüge auf Grund von Leistung. Begleitet wird die herbe Kasernierung außerdem von einer nie vorher gekannten Sorge um das körperliche und geistige Wohlergehen aller Eleven und einer beispiellosen Gesundheitsvorsorge. Der Herzog scheint es, weiß Gott, ehrlich gemeint zu haben, wenn er die Eleven seine Söhne nannte. Unerklärlich bleibt nur, ob er den revolutionären Geist seiner Zöglinge bewußt gefördert, schlicht übersehen oder in seiner Vaterempfindung verzeihend gebilligt hat.

*Robert Uhland, Die Geschichte der Hohen Karlsschule in Stuttgart, Stuttgart 1953. – Herzog Karl Eugen von Württemberg und seine Zeit, Hrsg. vom Württ. Geschichts- und Altertumsverein, 2. Band, Esslingen 1909. – Kat. Stuttgart 1959.* Hans Peter Münzenmayer

1525

1525*

## ALLEGORIE AUF DIE GEOGRAPHIE

Werkstatt der Hohen Karlsschule nach Entwurf von Nicolas Guibal
um 1780

*Öl auf Leinwand*
*H. 95 cm, B. 118 cm*

Stuttgart, Württembergisches Landesmuseum, Inv. Nr. E. 906

Zweifellos entspricht es dem Hang Nicolas Guibals (1725–1784) zur Philosophie, die Wissenschaften in allegorischen Darstellungen zu verherrlichen. Seine Zeichnung »La Géographie« (Staatsgalerie Stuttgart – Graphische Sammlung), deren elegante Linienführung im Gemälde noch deutlich zu spüren ist, faßt die Geographie noch ganz als geometrisch begründete Feldmeßkunst auf. Die Frauengestalt im Vordergrund, welche die Geographie verkörpert, benützt eben nicht die bald mit Alexander von Humboldt »modern« werdenden Instrumente Kompaß, Barometer und Thermometer. Sie hält vielmehr in der Linken den Winkelmesser und überträgt auf oder übernimmt von der Erdkugel Entfernungen mit dem Zirkel. Die allegorische Aussage trifft also weder die Geographie inhaltlich, die ja durchaus als Handels- und Bevölkerungsgeographie an der Hohen Karlsschule betrieben wurde, noch in ihrem Umfang als Unterrichtsfach von nur 2 bis 3 Wochenstunden deutlich.

Die entscheidene Aussage bezieht sich eindeutig auf die Person Herzog Karls in Verbindung mit einer mathematisch orientierten Wissenschaft. Das von den zwei Putti geradezu mahnend gehaltene Portraitmedaillon des Herzogs versinnlicht den Geist der Schule: Unter den Augen des allgegenwärtigen Herzogs werden die Wissenschaften betrieben, und er ist gleichsam ständig anwesend, um anregend, fördernd oder auch tadelnd einzugreifen. Daß es sich um eine mathematische Wissenschaft handelt, dürfte kein Zufall sein, erinnerte sich Karl Eugen doch stets an seinen eigenen Lehrer Leonhard Euler, einen der größten Mathematiker des 18. Jh.                H. P. M.

1527

## 1526

### DREI AKADEMISTEN BEIM ABZEICHNEN EINES PORTRAITS HERZOG KARL EUGENS

Werkstatt der Hohen Karlsschule
Stuttgart um 1780

*Öl auf Leinwand*
*H. 145 cm, B. 112 cm*

Stuttgart, Württembegisches Landesmuseum,
Inv.Nr. E 1354

Das etwas unausgewogen komponierte Gemälde – die rechte Bildhälfte dominiert zu sehr – kann sicher nicht als Glanzstück des Kunstunterrichts, dagegen als Bilddokument der Hohen Karlsschule dienen. Der sitzende Akademist ist Hans Otto v. d. Lühe (1762–1836), der spätere Justizminister und Präsident des Geheimen Rats. Offenbar ist im allgemeinbildenden Zeichenunterricht der Herzog nicht weniger im Zentrum als in der eigentlichen künstlerischen Arbeit. Wir haben geradezu eine Genre-Situation der Hohen Karlsschule vor uns, die Akademisten in typischer Uniform und Haartracht vor ihrem überragenden »Rektor«, Karl Eugen.                H. P. M.

## 1527*

### MEDAILLE AUF DIE GRÜNDUNG DES MILITÄRISCHEN WAISENHAUSES AM 14. DEZEMBER 1770

Adam Rudolph Werner (tätig 1742–1786)
Stuttgart 1770

*Silber, Dm. 57 mm*

Stuttgart, Württembergisches Landesmuseum,
Münzkabinett

## 1528*

### MEDAILLE AUF DIE ERHEBUNG DER MILITÄRAKADEMIE ZUR UNIVERSITÄT

Johann Martin Bückle (1742–1811)
Stuttgart 1782

*Silber, Dm. 50 mm*

Stuttgart, Württembergisches Landesmuseum,
Münzkabinett

1528

**1530\***

## NATIONALBUCH DER HOHEN KARLSSCHULE

Solitude und Stuttgart 1770–1793

*Handschrift, gebunden, 2°*

Stuttgart, Hauptstaatsarchiv, A 272, Bü 231

Alle Zöglinge von den ersten 14 Gärtner- und Stukkateurs-
knaben 1770 bis zu den 1793 zuletzt eingetretenen Studie-
renden, insgesamt 1496, sind zumindest mit Namen und
Herkunft eingetragen. Anfangs wurde akribisch auch die
Größe auf Fuß, Zoll und Strich (= Linie) genau eingetragen, da Karl Eugen die Klassen zunächst nach der Körper-
größe zusammenstellte.
Als Nr. 447 ist *Joh. Christ. Friedrich Schiller, Zuwachs,
den 16. Jan -73,* eingetragen.
In der Spalte Abgang ist vermerkt: *15. Xbr. 1780 Regi-
ments Doctor bey Augé.*
Das Nationalbuch schien auf Ewigkeit angelegt zu sein, da
es dick wie eine Bibel ist, jedoch nur 78 Blätter gebraucht
wurden.                                                    H. P. M.

1529

## DIE MAGISTER ABEL, KIELMANN UND SCHOTT WERDEN ALS PROFESSOREN AN DIE MILITÄRISCHE PFLANZSCHULE BERUFEN

Solitude, 21. November 1772

*Handschrift*
*H. 31 cm, B. 20,5 cm*
*Eigenhändig unterzeichnet:* Carl HzW

Stuttgart, Hauptstaatsarchiv, A 272, Bü 2

Nirgends zeigt sich der sichere Blick Karl Eugens für
Begabungen eindrücklicher, als bei der Berufung der drei
Magister. Er wählt selbst einige Kandidaten aus dem
Tübinger Stift aus, läßt sie auf der Solitude prüfen, wobei
er die Themen selbst stellt, und behält die drei genannten
gleich als Professoren. Sie bringen den Geist der Aufklärung an die Akademie, ungeachtet ihrer individuellen
wissenschaftlichen Bedeutung, die wohl nur bei Jakob
Friedrich Abel (1751–1829) überragend ist. Die Wirkung
seiner Lehre in Philosophie und Psychologie auf Schiller,
Cuvier, Kielmeyer, Eschenmayer und Autenrieth ist noch
bis ins letzte abzuschätzen.                              H. P. M.

1531

## GRUND-RISS DES DRITTEN STOCKS DER IN DER UNTEREN CASERNE EINZURICHTENDEN HERZOGLICHEN MILITAIR ACADEMIE ZU STUTTGART

Reinhard Ferdinand Heinrich Fischer (1746–1813)
1775

*Kolorierte Architekturzeichnung*
*H. 59 cm, B. 80 cm*

Stuttgart, Universitätsbibliothek, Plansammlung,
Akademie 3

Die Planung Fischers läßt nicht nur die langgestreckten
Schlafräume mit den einzelnen Betten erkennen, sondern
auch die soziale Fürsorge in der Einrichtung von Kranken-
und Rekonvaleszentenzimmern. Nicht selten besuchte der
Herzog kranke Eleven selbst, ohne Ansehen ihres Standes.
Im untersten Stockwerk (nicht ausgestellt) befand sich im
linken Flügel das sog. Winterbad, ein beheizbares Hallen-
schwimmbad.                                               H. P. M.

1530

1532

## PREISURKUNDE FÜR CHRISTIAN WILHELM KETTERLINUS (1766–1803) IM ZEICHNEN NACH GIPS

Stuttgart, 22. Dezember 1782

*Handschrift auf Pergament*
H. 32 cm, B. 45 cm
*Bez. links unten:* Müller Prof. der Kupferstecherei
    Harper Professor
    Atzel CabinetsDessinateur
    Secretarius der Herzoglichen
    Carls Hohen Schule
    Joh. Wilh. Chr. Vischer
*Mitte unten:* Siegel der Hohen Karlsschule
*Rechts unten:* von Seeger

Stuttgart, Archiv der Stadt

Mit dem ab 1771 vorgesehenen, am 16. Februar 1772 erstmals rückwirkend eingeführten System der Preisverleihung wurde ein wichtiger Lernanreiz für die Eleven geschaffen, da die Preisverleihung öffentlich im Rahmen eines Hoffestes erfolgte und den Preisempfänger vor allen auszeichnete. Die Preisträger wurden durch die geheime Stimmabgabe der Professoren, des Intendanten und des Herzogs ermittelt.                                         H. P. M.

## 1533*

### PREISMEDAILLE FÜR PHILOSOPHIE

Johann Martin Bückle (1742–1811)
Stuttgart, zwischen 1773 und 1793

*Zinn*
*Dm. 71 mm*

Stuttgart, Württembergisches Landesmuseum,
Münzkabinett

## 1534*

### AKADEMISCHER ORDEN DER HOHEN KARLSSCHULE

Stuttgart, zwischen 1772 und 1793

*Gold mit Email*
*H. 4,1 cm, B. 3,8 cm*

Stuttgart, Württembergisches Landesmuseum,
Münzkabinett

Für Eleven, die gleichzeitig vier Preise in wissenschaftlichen Fächern (also nicht etwa in Reiten oder Fechten) gewannen, stiftete Karl Eugen 1772 den Akademischen Orden. Die Auszeichnung bestand nicht nur in der Dekoration, sie verschaffte dem Träger entscheidende Vorzüge. Erstens wurde er adligen Zöglingen gegenüber nicht nur gleichgestellt, sondern vorgezogen. Zweitens wurde er bevorzugt in die Dienste des Herzogs übernommen, beim Militär sofort um einen Rang höher. Die Träger des Ordens hießen »Chevaliers« ohne Ansehen ihrer Geburt und wurden im Adreßbuch des Hohen Karlsschule vor den Cavaliers (Adeligen) angeführt. Sie bezogen einen eigenen kleineren Schlafsaal und wurden besser verpflegt.
Der akademische Orden wurde 41mal vergeben.
Den Großen Akademischen Orden mit dem Titel eines »Grand Chevalier«, 1773 für acht gleichzeitig errungene Preise gestiftet, erhielten nur zwei Zöglinge, die späteren württembergischen Staatsmänner Graf Normann-Ehrenfels, 1773, und Graf Mandelsloh, 1779. H. P. M.

## 1535

### DER HERZOGLICH WIRTEMBERGISCHEN HOHEN KARLSSCHULE STAND IM JAHR 1788

Stuttgart 1788

*Oktav*

Stuttgart, Württembergische Landesbibliothek,
W. G. qt. K. 1104–1788

Zuweilen auch Adreßbuch der Hohen Karlsschule genannt, verzeichnet den gesamten Personenbestand. S. 17 aufgeschlagen, unter den Chevaliers *Cuvier, von Mömpelgart* und *C. H. Pfaff, von Stuttgart*, die auch lange später befreundet blieben und in regem Briefwechsel standen.
H. P. M.

1533 a

1534

1533 b

1536

1636*

## KARIKATUR AUF DAS REGIME AN DER HOHEN KARLSSCHULE IN STUTTGART

Joseph Anton Koch (1768–1839)

*Feder in Schwarzgrau, aquarelliert, über Bleistift, auf rohweißem Bütten*
H. 35 cm, B. 50,1 cm

Stuttgart, Staatsgalerie, Graphische Sammlung, Inv.-Nr. 4168

Seit 1785 war der Tiroler Joseph Anton Koch Schüler an der Hohen Karlsschule. »Ich verlegte mich aber auf das Kunstfach der Malerei überhaupt und betrieb nebenbei die dazu notwendigsten Hilfswissenschaften. Danecker, der damals Professor der Bildhauer in diesem Institute war, fragte mich, in was für einem Fache der Kunst ich mich zum Professor qualifizieren wolle? Die Frage kam mir ganz kurios vor, und ich erwiderte, vor allem wolle ich einmal ein Künstler werden, das Andere gebe sich dann wohl von selbst.« (H. Mark, S. 25). Seine Lehrer waren der Landschaftsmaler Adolph Friedrich Harper (1725–1806) und der Hofmaler Philipp Friedrich Hetsch (1758–1838), der an Harpers Stelle ab 1787 »in der Mahlerey und dem Zeichnen nach der Natur« unterrichtete.
Kochs Urteil über die Ausbildung an der Karlsschule läßt sich an der ausgestellten Karikatur ablesen. Die »Scene aus dem Kunstleben der jungen Maler« spielt in einem Atelier. Wütend will sich der Intendant der Akademie, Oberst Christoph Dionysius von Seeger, mit erhobenem Stock auf einen Eleven, vermutlich Koch selbst, stürzen. Mit geballten Fäusten, jedoch ängstlich auf den Stock schielend, erwartet der Zögling die Bestrafung. Doch der wahre Schuldige ist wohl in dem von links aufrecht herantretenden Akademisten gefunden, der durch die Fackel mit der Aufschrift »Prometheus« als junges Dichtergenie ausgezeichnet ist. In den Wolken herrscht mit Donnerkeil und dem Drohwort »Zuchthaus« über allem die barock ver-

brämte Mode (»geschmack heis ich«), die die antike Apollstatue mit Füßen tritt. Neben ihr ist ein Malerzögling in den Strafblock eingespannt, und ein »Zuchtmeister« zwingt eine antikisierend gewandete Figur, die Allegorie der Malerei, an den barocken Ornamenten weiterzuarbeiten.
Koch prangert hier die von militärischer Zucht und Ordnung geprägten Erziehungsmethoden der Hohen Karlsschule an. Auch in ihrer künstlerischen Arbeit werden die Zöglinge seiner Meinung nach eingeengt, gleichsam gefoltert. In der Tat wurden sie immer wieder als billige Arbeitskräfte zu Dekorations- und Theatermalerei herangezogen, zu »Quarkarbeit« (H. Mark, S. 26), wie Koch es nannte. Ferner kritisiert Koch den an der Hohen Karlsschule vertretenen »Geschmack«, den er in seinem Tagebuch sagen läßt: »Ich hasse das Einfache, Große und gar das Zweckmäßige; baß behagt mir Menge und Mannigfaltigkeit. Ich brauche nicht die Vernunft, noch gebildete Seelenkräfte, die den Magen leer lassen, ich brauche nur die Faust, um Künstler zu machen. Das schöne Wissen nebst Allem, was man Theorie heißt, braucht der Künstler nicht zu seinem Fach« (E. Förster, S. 38).
Das für Koch hohe Ideal antiker Kunst wird gestürzt, und Gotthold Ephraim Lessings 1766 erschienene, für die klassizistische Kunsttheorie bedeutsame Schrift »Laokoon oder Über die Grenzen der Malerei und Poesie« liegt unbeachtet auf dem Boden.
Erfaßt von den neuen Ideen der Zeit – Freiheit, Gleichheit, Brüderlichkeit –, für die in der Karikatur der junge Dichter steht, konnte und wollte sich Koch diesem diktatorischen Regiment nicht fügen. Da ihm wegen seiner Karikaturen und zahlreichen Streiche eine Haft auf der Festung Asperg drohte, floh Koch aus diesem »Zuchthaus« Anfang Dezember 1791 nach Straßburg. In einem symbolischen Akt zog er einen Schlußstrich unter seine bisherige Studienzeit: »... in der ersten Freiheit und Freude schnitt ich mir – noch auf der Brücke – den statutenmäßigen Haarzopf ab und schickte ihn durch die Post an die Akademie« (H. Mark, S. 28).

*Ernst Förster, Ein Tagebuch von Josef Anton Koch, in: Deutsches Kunstblatt, 6, 1855, S. 3 ff, 45 ff. – Hans Mark, Der Maler Josef Anton Koch (1768–1839) und seine Tiroler Heimat, Innsbruck 1939. – Gauss 1976, Nr. 740, Taf. XCV. – Otto R. von Lutterotti, Joseph Anton Koch 1768–1839. Leben und Werk mit einem vollständigen Werkverzeichnis, Wien 1985, S. 26 f, WV Nr. Z 617, Abb. 72. – Lammel 1986, S. 138, Abb. 78.*    I. F.

1537

## Vorstellung des landschaftlichen grösseren Ausschusses gegen die militärische Pflanzschule

Stuttgart, 17. Februar 1773

*Handschrift auf Papier*
*H. 33,5 cm, B. 20,5 cm*

Stuttgart, Hauptstaatsarchiv, A 272, Bü 3

Die Landstände Württembergs zweifeln die Notwendigkeit der Pflanzschule an, da im Land die »vortrefflichen Anstalten bereits vorhanden« seien. Daher seien die hohen Kosten angesichts der zerrütteten Landesfinanzen nicht zu verantworten. Dieses sicherlich zutreffende aber engstirnige (leider in der Kulturpolitik des Landes stets wiederkehrende) Argument ist eigentlich als sachlich zwingend nur dem innerlich schwerwiegenderen vorgeschoben, dem religiösen.
Katholischer Religionsunterricht und Gottesdienst und das vom Herzog vorgeschriebene gemeinsame Gebet katholischer und evangelischer Zöglinge bilden den Hauptpunkt der Beschwerde. Die Landstände sehen die verfassungsmäßig garantierte evangelische Landesreligion gefährdet und befürchten eine zunehmende Katholisierung des evangelischen Landes durch den katholischen Herzog. Den Landständen ist also religiöse Toleranz nach wie vor fremd, während Karl Eugen Eulogius Schneider auf Grund seiner aufsehenerregenden »Predigt über die christliche Toleranz« 1786 zum katholischen Religionslehrer an die Hohe Karlsschule berufen wird.    H. P. M.

1538

## Anna Maria Zaiger, Bauerswitwe aus Knittlingen, vermacht der Hohen Karlsschule 100 Gulden

Brief des Maulbronner Oberamtmanns Rümelin
an Intendant Seeger
Maulbronn, 1. 6. 1784

*Handschrift*
*H. 34 cm, B. 21 cm*

Stuttgart, Hauptstaatsarchiv, A 272, Bü 37

Das Vermächtnis der keineswegs unbedeutenden Summe – sie liegt zwischen 1/6 und 1/4 eines Professorenjahresgehalts – scheint Rousseaus Lehre vom gesunden Volksempfinden augenfällig zu bestätigen. Eine engere Beziehung der Witwe Zaiger zur Hohen Karlsschule läßt sich nicht erkennen, da im Nationalbuch kein Eleve dieses Namens eingetragen ist.    H. P. M.

1539

## Revolutionärer Karneval an der Hohen Karlsschule

Bericht der Straßburgischen Zeitung
Nr. 63 vom 17. März 1791, S. 252

Strasbourg, Bibliothèque Nationale et Universitaire

Karl Eugen war insoweit Aufklärer, als er darunter die Überwindung von Unwissenheit durch Bildung und Erziehung verstand, nicht allein aus praktischen Erwägungen, sondern um der Erkenntnis der Wahrheit willen. Zu Weltbürgertum und Dienst an der Gesellschaft sollte der für ihn nie abbrechende Bildungsprozeß durchaus führen.
Der Unterschied zwischen seinen »revolutionären« Gedanken und den Ideen der Französischen Revolution bestand wohl entscheidend in der Auffassung über das Wesen des Gesetzes. Nicht der blanke Absolutismus, wie man vordergründig annehmen könnte, leitet ihn hier. Er nimmt das Gesetz als etwas durch Religion und Philosophie Vorgegebenes an, das zum Wohle aller angewandt wird. Die Revolution hingegen sieht mit Rousseau das Gesetz erst durch den Willen des Vokes legitimiert.
Die im Grunde sehr wohl mit der Revolution vergleichbaren Ideale Karl Eugens verkörpern aber dennoch ein patriarchalisches Prinzip und kein demokratisches. Daher rührt eine gewisse Entfremdung der Akademisten ihrem Wohltäter gegenüber, die sich in der Verteilung von Revolutionsparolen wie »Völker, streift die Fesseln des Despotismus ab und gehorcht ferner nur dem Gesetz« beim Akademie-Karneval 1791 äußert.    H. P. M.

1540

## Aufhebung der Hohen Karlsschule. Dekret Herzog Ludwig Eugens

Stuttgart, 4. 1. 1794

*Handschrift auf Papier*
*H. 33,5 cm, B. 21 cm*
*Eigenhändig unterzeichnet:* Louis Eugen

Stuttgart, Hauptstaatsarchiv, A 272, Bü 28

Das Aufhebungsdekret stützt sich auf das Protokoll des Geheimen Rats vom 31. 12. 1793, in dem dieser dienstbeflissen über die hohen Kosten »vor die hiesige Hohe Schule« – der Name Hohe Karlsschule wird vermieden – lamentiert. Außerdem befürchtet er, »daß die Menge der Studierenden im Land gar zu sehr über Hand nehmen« könnte und die »alte Landes-Verfaßungsmäsige Universitaet zu Tübingen… in Abnahm gerathe.«
Das Dekret selbst, mit dem die vielleicht bedeutendste

Universität Deutschlands an Ostern 1794 aufgelöst wird, ist nicht einmal ein eigenes Blatt wert. Es wird an den linken Rand des Geheimrats-Protokolls geschrieben, so daß Herzog Ludwig Eugen kaum Platz hat, seiner pedantischen Unterschrift ein paar extravagante Schnörkel anzuhängen. Die darin angekündigte Resolution über die Wiederanstellung und Versorgung der Lehrer deutet bereits die Farce an. Ludwig Eugen, der in seinem an sich löblichen Sparwillen beklagte, daß die Länder in einem Sumpf von Schulden versinken, aus dem sie kein Professor der Kameralwissenschaft herausziehen wird, ließ später alle Besoldungen im wesentlichen weiterlaufen, ohne Rücksicht auf die Weiterverwendung. So richtig eingespart hat er also nur das soziale Werk, die kostenlose Ausbildung der Eleven.

Als schließlich auch noch das Akademiegebäude zu Pferdeställen umgebaut werden sollte, faßte der ehemalige Akademist Johann Christoph Friedrich Haug die ganze Kleinkariertheit in einem treffenden Epigramm zusammen, das er mit Kreide über die Tür schrieb: Olim musis, nunc mulis (Einst den Musen, nun den Maultieren).

H. P. M.

## 1541

## »... NUNMEHR NACH IHREM STURZE, WIE AUF EINEN TODEN LÖWEN ÜBER SIE HERZUFALLEN...«

Brief von Benjamin Ferdinand Mohle
an Friedrich Carl v. Moser
Tübingen, 24. 10. 1794

*Autograph,*
*H. 23,5 cm, B. 19 cm*

Stuttgart, Württembergische Landesbibliothek,
Handschriftenabteilung, Cod. hist. qt. 506. I. 7

Jacob Friedrich Abel hat sich geweigert, die Hohe Karlsschule zu verurteilen, wie die Universität Tübingen von ihm verlangt hatte. Abels Charakterstärke wird betont. Das Wort von toten Löwen offenbart die Wertschätzung für seine frühere Wirkungsstätte, die er entscheidend mitprägte.

H. P. M.

## 1542

## ENTWURF ZU EINER GENERALWISSEN-SCHAFT ODER PHILISOPHIE DES GESUNDEN VERSTANDES ZUR BILDUNG DES GESCHMACKS, DES HERZENS UND DER VERNUNFT

Jakob Friedrich Abel (1751–1829)
Solitude, 1773

*Autograph*
*H. 35 cm, B. 21 cm*

Stuttgart, Hauptstaatsarchiv, A 272, Bü 81, Bll. 48 u. 49

Wenn Abel auch die Philosophie an sich nicht dauerhaft geprägt hat, so hat er doch das geistige Klima an der Hohen Karlsschule entscheidend beeinflußt, bis er 1790 als Nachfolger von Gottfried Ploucquet nach Tübingen berufen wurde.

In seinem Entwurf ist Philosophie für Abel kein Traktieren von philosophischen Lehrmeinungen oder Schulen, sondern eine generelle Schule des Denkens, das nicht formal in Metaphysik, Logik usw. eingeteilt wird, sondern eine Einheit bildet. Seine skizzierte Methode ist, von den körperlichen, wahrnehmbaren Dingen, an denen man das richtige Denken lernt, aufzusteigen zum Abstrakten. Die Erfahrung ist offenbar für Abel zwiefältig, einmal führt sie zur Erkenntnis des Besonderen, bei Leibniz die zufälligen Wahrheiten. Zum anderen ist der Erfahrungsprozeß modellmäßig der Weg zur Erkenntnis des Allgemeinen oder des geistig Seienden, das bei Leibniz das notwendigerweise Wahre ist.

Abel geht also über die logisch bestimmte Ontologie Christian Wolffs, die beherrschende deutsche Aufklärungsphilosophie, und deren verflachende Systematisierung deutlich hinaus. Ähnlich wie Kant und umgekehrt wie Leibniz setzt er die Erfahrung als sicheren Grund des Denkens voraus, ohne etwa in einem naiven Empirismus zu verharren. Der ihm öfter vorgeworfene Materialismus ließe daran denken, daß ihm bereits wie später Marx die Ideenwelt als aus der materiellen entwickelt vorschwebte.

H. P. M.

## 1543

## WERDEN GROSSE GEISTER GEBOHREN ODER ERZOGEN, UND WELCHES SIND DIE MERKMALE DERSELBIGEN?

Jakob Friedrich Abel (1751–1829)
In: Beschreibung des Sechsten Jahrs-Tags der
Herzoglichen Militair-Akademie zu Stuttgart,
den 14ten December 1776
Stuttgart, 1776

*Oktavband*

Stuttgart, Württembergisches Landesmuseum,
Inv.-Nr. 7251 b

Bei der Lösung dieser vom Herzog Karl Eugen selbst gestellten Aufgabe, wendet Abel seine Methode des Fortschreitens vom materiell Erfahrbaren zum geistig Erkennbaren im Grenzbereich der Philosophie und Psychologie an. Gewisse materielle Anfangsbedingungen müssen vorhanden sein, insoweit werden Genies wenigstens der Voraussetzung nach geboren. Das Merkmal der Genies ist die ungeheure Schnelligkeit und Vehemenz in allen geistigen Tätigkeiten und Empfindungen und eine daraus folgende Universalität. Erhält die Anlage keine Möglichkeit der Übung, d. h. Bildung und Erziehung, so verkümmert sie. In diesem Sinne müssen Genies also auch erzogen werden.

H. P. M.

**1544**

## VORLESUNGSVERZEICHNIS DER HOHEN KARLSSCHULE 1785/86

Stuttgart, 1785

*Oktavband*

Stuttgart, Hauptstaatsarchiv, A 272, Bü 83

(Aufgeschlagen: Philosophische Fakultät, Johann Friedrich Groß, Die Lehre von der Electricitaet)
Einen eigenen Professor der Elektrizität und die Elektrizitätslehre als eigenes akademisches Fach gab es wohl nur an der Hohen Karlsschule. Johann Friedrich Groß, der Inhaber der Professur, hatte sich u.a. mit dem 1750 von Benjamin Franklin erfundenen Blitzableiter intensiv beschäftigt. Im übrigen war die Elektrizitätslehre die vorgalvanische, das Experimentieren mit der Reibungselektrizität.
Die Elektrizität war aber nicht etwa eine Privatleidenschaft von Groß, sie stieß in der Hohen Karlsschule auf breitestes Interesse. Sie galt als ein Zeichen von Fortschrittlichkeit in der Naturforschung, die Berufung von Groß war also als Ehre einerseits und Akt des Fortschritts andererseits zu bewerten, Bahnbrechende Entdeckungen wurden nicht gemacht, es hat jedoch einen gewissen Symbolcharakter, daß gerade jene Wissenschaft bereits in der Hohen Karlsschule verankert war, die später (1801) in der Person Alessandro Voltas von Napoleon mit geradezu königlichen Auszeichnungen überhäuft wird. Freilich hatte jener inzwischen den Elektrophor (1775) und die nach ihm benannte Säule (1800) erfunden. H. P. M.

**1545**

## CATALOGUS ÜBER DEN SAMTLICHEN BÜCHERVORRATH VON DER HERZOGLICHEN HOHEN CARLSSCHULE

Stuttgart, März und April 1794

*Handschrift, gebunden, Quart*

Stuttgart, Hauptstaatsarchiv, A 272, Bü 31

Die Bibliothek der Hohen Karlsschule blieb in ihrem Umfang stets bescheiden und hing eher von zufälligen Stiftungen z. B. ausscheidender Eleven ab. Überraschend, aber auch kennzeichnend ist der Umfang der Werke von Jean Jacques Rousseau, der von allen Philosophen am zahlreichsten vertreten ist. H. P. M.

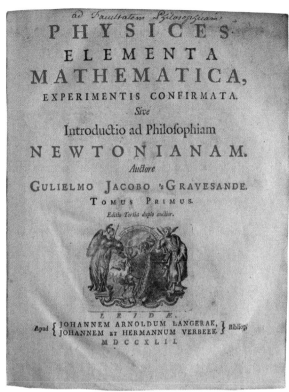

1547

**1546**

## UNTERRICHTSPLÄNE FÜR DIE JAHRE 1775, 1781 UND 1782

*Handschrift, gebunden, Quart*

Stuttgart, Hauptstaatsarchiv, A 272, Bü 81 u. 82

Zweierlei offenbaren die handgeschriebenen Unterrichtspläne. Erstens zeugen sie von der oft sehr kurzfristigen, je nach Bedarf und Gelegenheit modifizierten Planung. Zweitens lassen sie das Bemühen um Universalität erkennen. Man sieht z.B., daß auch die Künstler noch sechs Wochenstunden Mathematik und drei Wochenstunden Naturgeschichte haben. H. P. M.

**1547***

## PHYSICES ELEMENTA MATHEMATICA, EXPERIMENTIS CONFIRMATA. SIVE INTRODUCTIO AD PHILOSOPHIAM NEWTONIAM.

Willem Jacob 's Gravesande (1688–1742)
Leiden 1742

*Quartband*

Freiburg, Universitätsbibliothek, T 683 bb

's Gravesandes in mehreren Auflagen erschienenes Lehrbuch faßt gleichsam die Experimentalphysik auf dem neuesten Stand zusammen. Gleichzeitig wird von ihm die Vorstellung von der »Newtonschen Physik« wesentlich mitgeprägt, die eigentlich auf einem Mißverständnis beruht. Newtons Physik ist nicht experimentell, sondern theoretisch begründet. s' Gravesande nähert sich also dem Newtonschen Lehrgebäude auf experimentellem Wege, müßte man eigentlich sagen, allerdings als ein Virtuose.

's Gravesandes Versuchsanordnungen und Instrumente wurden richtungweisend, eröffneten gewissermaßen erst den Weg zur Präzisionsphysik. Sein Lehrbuch war eine Grundlage der Lehre der Physik an der Hohen Karlsschule. Deren umfangreiches Physikalisches Kabinett war fast ausschließlich nach seinen Instrumentenvorlagen auf den zahlreichen Tafeln entstanden. Nach einer Aufstellung aus dem Jahre 1780 von Professor Wilhelm Gottlieb Rappolt, dem Lehrer der Physik, umfaßte der Instrumentenbestand 108 Positionen, einfache Befestigungselemente eingerechnet.

Der Verbleib des 's Gravesandeschen Werks ist nicht mehr nachzuvollziehen, obwohl es bei der Auflösung der Hohen Karlsschule noch zum Bibliotheksbestand gehörte. Die Instrumente selbst kamen zum Teil an die Universität Tübingen, zum Teil ans Stuttgarter Gymnasium. Anfang des 20. Jh. schied man die veralteten Instrumente aus dem Phyikalischen Kabinett aus.                    H. P. M.

1548

1549

## ELEKTRISIERMASCHINE

Etwa nach 's Gravesandes Tafel LXXIV, Fig. 1, ursprünglich nach Francis Hauksbee (1640–1713) Kassel, um 1720

*Holzgestell, Glaskugel in Metall gelagert* H. 135 cm, B. 80 cm, L. 97 cm

Kassel, Hessisches Landesmuseum – Astronomisch-Physikalisches Kabinett, o. Nr.

Die Experimente schließen an die Entdeckungen Otto v. Guerickes bis 1661 an, wobei anstelle von dessen Schwefelkugel eine schnell rotierende Glaskugel durch Reiben elektrisch geladen wird. Hauksbees Versuche, auf die 's Gravesande im Vorwort pauschal verweist, zeigen das Leuchten der geriebenen Kugel, eine Glimmentladung. Die evakuierte Kugel leutet innen.

Aus der Entwicklung der Elektrisiermaschinen kann mit einem gewissen Recht geschlossen werden, daß die in der Hohen Carlsschule vorhanden gewesene Maschine diesem Baumuster entsprochen hat. Ein ausdrücklicher Hinweis auf 's Gravesande fehlt hier.                    H. P. M.

1548*

## ÄOLIPILENWAGEN

Nach 's Gravesandes Tafel LXXVIII, Fig. 1

18. Jahrhundert

*Bronze und Eichenholz* L. 35 cm, H. 16 cm, B. 30 cm

Kassel, Hessisches Landesmuseum, Astronomisch-Physikalisches Kabinett, Inv.-Nr. F 485

Die Eigenbewegung der Dampfkugel bei ausströmendem Dampf war schon seit Heron von Alexandria (1. Jh.) bekannt. Die physikalische Erklärung ist das bei Raketen angewandte Rückstoßprinzip, ein dynamisches Prinzip. 's Gravesande erklärte dieses Phänomen aerostatisch: An der Austrittsöffnung ist der statische Druck = 0. Dadurch herrscht an der gegenüberliegenden Seite ein Drucküberschuß, der die Äolipile beschleunigt. Dieselbe Deutung gab Daniel Bernoulli (1700–1782) für den Rückstoß eines Gefäßes mit ausfließendem Wasser in seiner »Hyrodynamica« 1738.                    H. P. M.

1550

## MAGDEBURGER HALBKUGELN

Nach 's Gravesandes Tafel LXIX, Fig. 2

18. Jahrhundert

*Messing* Dm. 22 cm

Kassel, Hessisches Landesmuseum, Astronomisch-Physikalisches Kabinett, Inv.-Nr. 433

Der Name Magdeburger Halbkugeln läßt sich mit vollem Recht eigentlich nur auf die ursprüngliche Konstruktion

Otto v. Guerickes (1602–1686) von 1656 anwenden. Nachdem er 1650 die Luftpumpe erfunden hatte, führte er 1663 am Hof des Großen Kurfürsten jenen spektakulären Versuch durch, in dem 16 Pferde seine evakuierten Halbkugeln nicht auseinander zu ziehen vermochten. Seit der Veröffentlichung seiner Versuche in dem berühmten Werk »Experimenta nova, ut vocantur, Magdeburgico de vacuo spatio«, 1672, gehörten Versuche über den atmosphärischen Luftdruck zum Standard der Experimentalphysik. Sie waren außerdem ein (nicht strenger) Beweis für die Existenz des Vakuums, das u. a. noch von Descartes geleugnet wurde. H. P. M.

## 1551

### ZWEIZYLINDRIGE LUFTPUMPE MIT ZAHNSTANGENANTRIEB

Nach 's Gravesandes Tafel LXIV
John Cuff (1708–1772)
Mitte 18. Jahrhundert

*Messing, Holzrahmen,*
*H. 50 cm, B. 30 cm, L. 60 cm.*

Kassel, Hessisches Landesmuseum – Astronomisch-Physikalisches Kabinett, Inv.-Nr. B. 1, 29

Die Luftpumpe ist im Vergleich zur ursprünglichen Guerickeschen Pumpe von 1650 sehr viel zweckmäßiger, weil sie erstens eine höher Saugleistung durch die beiden Zylinder hat, zweitens gestattet sie weithalsige Rezipienten zu evakuieren, in die z. B. Schallgeber eingebaut werden können. Trotz ihrer zwangsweisen Ventilsteuerung – nur der gerade saugende Zylinder steht in Verbindung mit dem Rezipienten – besitzt sie weiterhin den Nachteil des »schädlichen Raumes«, des Volumens über dem oberen Totpunkt des Kolbens, das ein Hochvakuum verhindert. H. P. M.

## 1552

### EINRICHTUNG ZUR DEMONSTRATION DES KRÄFTEPARALLELOGRAMMS

Nach 's Gravesandes Tafel XIV, Fig. 1
18. Jahrhundert

*Holz, Messing*
*Dm. ca. 40 cm, H. 28 cm*

Kassel, Hessisches Landesmuseum – Astronomisch-Physikalisches Kabinett, Inv.-Nr. I 54

Das Gerät gestattet, die Resultierende zweier Kräfte bzw. die Zerlegung einer Kraft in Komponenten nach Richtung und Größenverhältnis direkt im Versuch abzulesen. Das seit Simon Stevin (1548–1620) in der Mechanik eingeführte Prinzip wird hier von 's Gravesande eigentlich nur veranschaulicht und nicht streng hergeleitet. H. P. M.

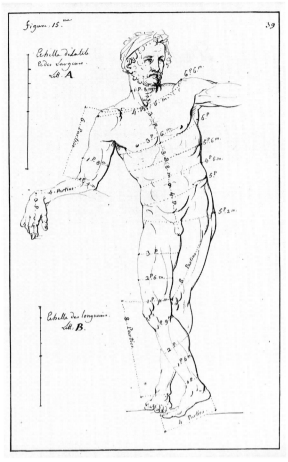

1553

## 1553*

### LES PROPORTIONS DU CORPS HUMAIN

Prises Sur Le Naturel, Et Combinées avec Les plus Belles figures De L'antiquité a l'usage, des Elèves de l'academie Militaire fondée ala Solitude, Par Son Altesse Sèrènissime Monseigneur Le Duc Regnant De Würtemberg et Teck etc. etc. etc.

Nicolas Guibal (1725–1784)
Stuttgart, um 1775

*Folio*
*aufgeschlagen Seite 38 f. Abb. 15:*
De la figure de 26 têtes / de haut / figure 15me / Touttes les Longueurs et Largeurs / sont dans cette figure les memes* – / que dans La précedente, mais il faut / observer qu'ici touttes les largeurs, et / La longueur des pieds et des mains / sont mesurés Sur L'echelle dela – / Tete Litt. A Car L'echelle B, ne – / Sert que pour Les Longueurs.
*Excepté la longueur / du lot qui n'est ici que / d'une partie 1/2 pour – Soutenir le Caracter – / lourd et Rustique.

Stuttgart, Württembergische Landesbibliothek,
Cod. med. fol. 19

Die Bestrebungen von Hofkünstlern und »Liebhabern der
Zeichnung« in Stuttgart, »ihre Kunst nach allem Wunsch
und Contentment zu excoliren«, unterstützte Herzog Karl
Eugen 1761 durch Stiftung einer ›Académie des Arts‹.
Schon 1753 hatte sich um den Theatermaler Antonio
Bittio ein Kreis von Interessierten gebildet, der sich zum
gemeinsamen Zeichnen nach der Natur versammelte.
Die Stiftung der Académie des Arts entsprang nicht zuletzt
den merkantilistischen Bestrebungen des Herzogs. Er
wollte begabte Landeskinder zu weniger kostspieligen
Nachfolgern der teuren Hofkünstler aus Frankreich und
Italien heranziehen lassen. 1770 wurde die Académie in
die militärische ›Pflanzschule‹ auf der Solitude einbezogen.
Als Fakultät der Schönen Künste bestand sie im Rahmen
der Militärakademie bis zum Ende der Hohen Karlsschule
1794.
Die Gestaltung des Kunstunterrichtes unterlag hauptsächlich dem ›prémier peintre‹ Nicolas Guibal, einem ehemaligen Schüler der Pariser Académie des Beaux-Arts.
Während eines längeren Romaufenthalts hatte er enge
Freundschaft mit dem Maler Anton Raphael Mengs
(1728–1779), dem Hauptvertreter der neuen klassizistischen Kunstströmung seit 1750, geschlossen. Dessen
Anschauungen von der »Schönheit und über den Ge-
schmak in der Malerey« (1762) haben Guibal sehr beeindruckt und sein Wirken als Kunstpädagoge entscheidend
mitbeeinflußt.
Die schriftlichen Äußerungen des Stuttgarter Hofmalers
zu Form und Inhalt des Kunstunterrichtes an der Karlsschule bezeugen seinen engagierten Einsatz für eine erst-
klassige Ausbildung der Schüler. Mit seinem Proportions-
traktat gab Guibal den Elèven praktische Anweisungen
zur Entwicklung wahrer Meisterschaft. Vorausgesetzt
wurde »génie«, dem es allein vorbehalten bleiben sollte,
durch konsequente Anwendung der Regeln des Traktats
beste Resultate im Sinne des »bon goût« zu erzielen.
Guibals Schrift stellte seinen Schülern ein System idealer
Proportionen nach dem Vorbild ähnlicher Schriften der
Pariser Akademie aus dem späten 17. Jahrhundert vor.
Diesem Idealsystem sollten die Studien der als unvollkom-
men angesehenen Natur harmonisch angepaßt werden.
Als Beispiele vollendeter Proportioniertheit galten allein
die »belles figures« der Antike. Die aufgeschlagenen Seiten
erläutern die Maßverhältnisse einer Figur, die vom Stan-
dardtypus abweicht. Guibal wollte nach dem Beispiel
seines Freundes Mengs Variationsmöglichkeiten andeu-
ten, die den Charakter einer Gestalt aus ihren Proportionen schon sichtbar werden lassen. Die Abbildung zeigt
einen *caractère Rustique, un paisan.*

*G. Bartsch, Akademismus und Idealismus am Beispiel des
Bildhauers Johann Heinrich Dannecker, Diss. Hamburg
1976, 50ff, 348ff. – W. Uhlig, Nicolas Guibal. Hofmaler
des Herzogs Carl Eugen von Württemberg, Diss. Stuttgart
1981, 26f, 179, W 136 (im zitierten Brief Harpers von
1773 ist der Traktat Audrans von 1683 gemeint, was der*

*Datierung von Guibals Schrift nicht möglich macht). –
Bittios ›Akademie‹: H. Wagner, Gechichte der Hohen
Carlsschule, Würzburg 1857, II, 39. – Zur Geschichte der
Kunstadademie der Karlsschule: R. Uhland, Geschichte
der Hohen Karlsschule in Stuttgart, Stuttgart 1953, 54ff,
82f, 165ff.* U. H.

## 1554

### GESCHICHTE DER KUNST DES ALTERTHUMS

Johann Joachim Winckelmann (1717–1768)
Dresden 1764

*Quart*
*aufgeschlagen Titelblatt des 1. Teils*
*Erläuterung zur Abbildung (S. XLIX):* Auf dem Titelblatte stehen die fünf Helden von den berühmten Sieben
in dem Feldzuge wider Theben, nach einem Carniole des
Stoßischen Musei p. 344. gezeichnet. Dieser Stein, welcher vielleicht der seltenste und schäzbarste in der Welt
ist, wird im Dritten Capitel erkläret.

Tübingen, Universitätsbibliothek, DA 5 4°

Neben dem Unterricht Guibals zählten die Vorlesungen
über Mythologie und Kunstaltertümer von Balthasar
Haug (1731–1792), 1776 zusammen mit Guibal zum
Professor an der Militärakademie ernannt, zu den wichtigsten Veranstaltungen für die auszubildenden Künstler.
Balthasar Haug, ehemals Lehrer am Stuttgarter Gymnasium, war auch das Oberhaupt einer gelehrten und welt-
interessierten Lesegesellschaft mit ›aufklärerischen‹
Anschauungen (»Die Literaturfreunde«). Sein Traum von
einer akademisch anerkannten »Gesellschaft der Wissenschaften« ging jedoch nicht in Erfüllung: Herzog Karl
Eugen fürchtete wohl etwas, nicht ganz der Mittelpunkt
im geistig-kulturellen Leben seines Landes zu bleiben, und
verordnete dem gelehrten Haug 1769, »das Vorhaben von
nun an billig auf sich beruhen« zu lassen.
Für seinen Unterricht in den Altertümern der Kunst
benutzte er die modernste Literatur seiner Zeit – die
»Geschichte der Kunst des Alterthums« von Johann
Joachim Winckelmann.
Dieser gehörte – wie schon vor ihm Guibal – zum engsten
Freundeskreis um den Maler Anton Raphael Mengs in
Rom. Seinem Freund Mengs »der Kunst und der Zeit«
widmete Winckelmann sein Hauptwerk, die »Geschichte
der Kunst des Alterthums«. Das Buch machte Epoche.
Heute wird Winckelmann von verschiedenen Wissenschaften als Begründer ihrer modernen Methodik angesehen.
Was hatte er im Sinn? Er sehnte sich nach einer idealen,
aufgeklärten Gesellschaft, deren Künstler in der Lage sein
würden, ähnliche Höchstleistungen zu vollbringen wie
ihre Kollegen im ›klassischen‹ Griechenland. Er forderte
seine Leser zu sinnlich-wacher Wahrnehmung der antiken
Kunstwerke auf. Sie sollten das Wesentliche, das sittlich
Schöne und Erhabene dieser Meisterstücke unmittelbar
erleben.

Winckelmann legte in seiner Schrift die Anschauung dar, Geschichte sei ein kontinuierlicher Entwicklungsvorgang von aufsteigenden und fallenden Kulturnationen. Die höfische Kunst des Spätbarock und Rokoko erschien ihm als monströses Ergebnis des verdorbenen Geschmacks dekadenter Regenten. Da Deutschland mit seiner Kunst so am Ende sei, hoffte er, es könne nur noch bergauf gehen. Der schnellste Weg zu neuer kultureller Blüte, die der Forderung nach natürlicher Schönheit gerecht werden konnte, war für ihn die Nachahmung der klassischen Meisterwerke der Antike. »Wer war Raphael, ehe er die Antiquen Statuen gesehen...wer hätte den Geist des Michelangelo so erheben können, wenn ihn diese Schätze nicht gleichsam angezündet und angeblasen hätten?«
Winckelmann lebte von 1755 bis 1768 in Rom zwischen den Antiken, über die er so emphatisch schrieb. Seine Ideen prägten noch Generationen von Künstlern und Gelehrten: die Aneignung antiker Kunst und die Darstellung der Gegenwart um 1800 ›à l'antique‹ lag gleichermaßen im Interesse der Künstler wie der aufgeklärten Bevölkerung.

*Balthasar Haug: R. Uhland, Geschichte der Hohen Karlsschule in Stuttgart, Stuttgart 1953, 57ff, 165ff. – Kat. Stuttgart 1959, 137f Nr. 326–333 – Zu Winckelmann: S. Röttgen, Winckelmann, Mengs und die deutsche Kunst, in: Johannes Joachim Winckelmann 1717–1768, hg. Th. W. Gaethgens, Hamburg 1986, 161ff. – E. Maek-Gérard, Die Antike in der Kunsttheorie des 18. Jahrhunderts, in: Forschungen zur Villa Albani. Antike Kunst und die Epoche der Aufklärung, hg. H. Beck/P.C. Bol, Berlin 1982, 24ff, 42ff.* U.H

## 1555

## LAOKOON: ODER DIE GRENZEN DER MAHLEREY UND POESIE.

Mit beyläufigen Erläuterungen verschiedener Puncte der alten Kunstgeschichte.

Gotthold Ephraim Lessing (1729–1781)
Berlin, 1766
aufgeschlagen: Titelblatt

*Kupferdruck*

Heidelberg, Universitätsbibliothek, Inv.-Nr. G 5769

## 1556

## BÜSTE DES LAOKOON

Teilabguß nach der antiken Skulpturengruppe aus den Sammlungen des Vatikan

Gebrüder Ferrari
Leipzig, 1771

*Gips*
*H. 46 cm*

Göttingen, Archäologisches Institut der Universität, Inv.-Nr. A 458a

Die kolossale Marmorskulptur im Belvedere des Vatikan, die das tragische Ende des trojanischen Priesters Laokoon und seiner Söhne darstellt, zählte seit ihrer Ausgrabung in Rom 1506 zu den meistverehrten und -diskutierten Antiken in der Neuzeit. Der leidenschaftliche Ausdruck und die virtuos gruppierten Figuren faszinierten das künstlerische Empfinden sowohl der Spätrenaissance als auch des Barock. In den kunsttheoretischen Debatten des 18. Jahrhunderts spielte die Gruppe eine hervorragende Rolle.
Die Physiognomie des vermeintlich in »stiller Größe« leidenden Laokoon erschien Winckelmann als vollkommener Ausdruck einer »großen Seele«. Noch von barocken Anschauungen zeugen die Äußerungen Guibals im Hervorheben der dramatischen Stimmung der Gruppe: »Ich habe niemals begreifen können, wie man die unvergleichliche Figur Laocoons betrachten kann, ohne in der That den Schlag der Pulsadern und das Herzklopfen dieses jammerbeladenen Vaters zu empfinden, der unter der Größe seiner Leiden erliegt.«
Seit dem ausgehenden 17. Jahrhundert war es an den Kunstakademien üblich, Sammlungen von Gipsabgüssen antiker Statuen anzulegen. Die über alles geschätzten Vorbilder – zum großen Teil aus römischen Sammlungen – sollten auch nördlich der Alpen den Kunstschülern plastisch vor Augen geführt werden können. Fleißig wurde gezeichnet und nachmodelliert, um dem Ideal der schönen Natur durch die Antiken näherzukommen.
Auch in der Kunstakademie der Karlsschule hat es eine Sammlung von Abgüssen gegeben, die heute bis auf wenige Notizen jedoch unbekannt und verloren ist. Sicher hatte sie nicht die Bedeutung des weithin bekannten und gerühmten ›Antikensaals‹ der Mannheimer Zeichnungsakademie (Kat.Nr. 1065).
1777 schrieb Guibal anläßlich seiner Beurteilung der eingereichten Prüfungsarbeiten der Bildhauerélèven über Dannecker, er habe »die Abgüsse von den Antiken gesehen, mit Einsicht studirt und mit Vortheil benutzt.« Der junge Künstler hatte seine Figur mit einer eigenhändig modellierten Nachbildung des Laokoonkopfes ausgestattet und ihr damit den angemessenen Ausdruck verliehen (Kat. Nr. 1586). Nicht zuletzt deshalb erhielt er den ersten Preis der Akademie.

*Kat. Die Skulpturen der Sammlung Wallmoden. Ausstellung zum Gedenken an Christian Gottlieb Heyne 1729 bis*

*1812, Göttingen 1979, 112, Nr. 60. – Chr. Boehringer, Lehrsammlungen von Gipsabgüssen im 18. Jh. am Beispiel der Göttinger Universitätssammlung, in: Antikensammlungen im 18. Jahrhundert, hg. v. H. Beck u.a., Berlin 1982, 277. – Zur Rezeptionsgeschichte der Laokoongruppe: H. Ladendorf, Antikenstudium und Antikenkopie, Berlin ²1958, 37ff, 51ff. – F. Haskell/N. Penny, Taste and the antique. The lure of classical sculpture 1500–1900, New Haven/London 1981, 243ff, Nr. 52, Abb. 125. – Abgußsammlungen: vgl. Kat. Nr. 1557.*

U.H.

1557*

## Büste des französischen Schriftstellers und Philosophen Jean-Jacques Rousseau (1712–1778)

Jean-Antoine Houdon (1741–1828)
Paris, nach 1778

*Gips, bronziert, Marmorsockel*
*H. 59,5 cm*
*Auf der Rückseite Siegel:* ACADEM./ROYALE/DE PEINTURE/ET SCULPT./HOUDON SC.

Stuttgart, Württembergisches Landesmuseum, Inv.-Nr. 1965–18

1557

»Wie nothwendig ist es also nicht, so viele leere Stunden der Jugend, worinnen sie, unbeschäftigt, mehr als zu gewiß in Unarten wachsen und erstarken, im Umgang mit Sitten, Tugenden, Wissenschaften und Künsten vielmehr aufzuräumen; als sie, wie junge Thiere nach den Säzen eines Rousseau, zum Schaden des gemeinen Wesens, der Natur und sich selber zu überlassen.

Die Natur hat nur den ersten Umriß gemacht, und es den Vernünftigen überlassen, die ganze Zeichnung und Farbengebung völlig aufzutragen, ihrer Spur nachzugehen, und ihre unvollkommene Züge gänzlich auszubilden.« Jeweils zum Jahrestag der Akademiegründung und auch bei anderen festlichen Gelegenheiten hielten gelehrte Professoren wie Balthasar Haug (1731–1780) aus Tübingen panegyrische Reden auf die pädagogische Großtat des Herzogs. »Wir können noch immer die hundert Aufsäze und ganze Bücher von der Erziehung, womit Teutschland heimgesucht wird, nicht begreifen: durch die blose Theorie wird die Jugend ewig nicht gebessert.« Hoffmann sah im 18. Jahrhundert das »Erziehungs-Seculum«, zu dessen herausragenden Vertretern er Herzog Karl Eugen zählte. Dessen Fähigkeit, natürliche Anlagen in jungen Menschen – gleich, welchen Standes – zu erkennen und zu fördern, erwies ihn als wahrhaft aufgeklärten Fürsten. Das Gedeihen der Akademie und die Fortschritte ihrer Zöglinge legten ein sichtbares Zeugnis davon ab, daß dem Regenten die Erziehung seiner Untertanen zu verantwortungsbewußten Bürgern ein Hauptanliegen war.

Großen Einfluß auf die Diskussion über Erziehungspraxis hatten die Ideen Rousseaus, dessen Roman ›Emile, oder über die Erziehung‹ seit Erscheinen 1762 in ganz Europa Furore machte. Sämtliche Werke des umstrittenen Theoretikers waren in der Bibliothek der herzoglichen Akademie vorhanden und standen Lehrern und Zöglingen zur freien Verfügung. Die alleinige Entscheidungskraft über »die große Streitigkeiten, welche über die Erziehung zu aller Zeit geführt werden« überließen die Gelehrten in Württemberg nach wie vor untertänig ihrem Herzog. Hoffmann wandte sich gegen »eyfrige Vertheidiger derer sogenannten Frey=Staaten und Republiken, jene beredte Widersacher derer Monarchien«, zu denen auch Rousseau und seine Nachfolger zählten. Die Zöglinge waren den Gedanken von bürgerlicher Freiheit gegenüber sehr viel aufgeschlossener. 1782 verfaßte der junge Schiller eine glühende Hymne auf Rousseau, der in der Stuttgarter ›Wochenschrift zum Besten der Erziehung der Jugend‹ sogar einmal als »der berüchtigte Bürger von Genf« bezeichnet worden war:

Und wer sind sie, die den Weisen richten?
Geisterschlacken, die zur Tiefe flüchten
Vor dem Silberblicke des Genies;
Abgesplittert von dem Schöpfungswerke,
Gegen Riesen Rousseau kind'sche Zwerge,
Denen nie Prometheus Feuer blies.

Nach der Totenmaske des 1778 verstorbenen Dichterphilosophen fertigte der französische Bildhauer Jean-Antoine Houdon noch im gleichen Jahr eine Terrakottabüste, die im Pariser Salon von 1779 begeisterte Aufnahme fand. Von diesem heute verlorenen Original ausgehend, schuf Houdon verschiedene Varianten, die im Laufe der Jahre durch zahllose Abgüsse verbreitet wurden. Das Bildnis des greisen Rousseau zählt heute zu den Meisterwerken französischer Bildnisplastik und gilt als besonders eindrucksvolles Werk Houdons. Der ausgestellte bronzierte Gipsguß nach Houdons Original mit dem Echtheitssiegel der Académie Royale zeigt den Philosophen ›à l'antique‹. Hermenbüste, Togadrapierung und Ehrenband im frei nach vorn gekämmten Haupthaar idealisieren Rousseau als klassischen Helden des Geistes (vgl. die Voltairebüste von Pierre François Lejeune, Kat. Nr. 1067).

*Zitate aus Reden von Haug (›Von der Nothwendigkeit der Erziehung und ihrem Einfluß in die Glückseligkeit des gemeinen Wesens‹, 1772) und Hoffmann (›Von der Glückseligkeit des Landes, dessen Fürst selber regiert‹, 1774), etc.: zusammengebunden aus dem Bestand der ehemaligen Stuttgarter Hofbibliothek (Württembergische Landesbibliothek, HB 7272). – Vgl. dazu auch R. Uhland, Geschichte der Hohen Karlsschule in Stuttgart, Stuttgart 1953, 88ff. – Schillers Gedicht ›Rousseau‹ (1782): Nachlese zu F. v. Schiller's sämmtlichen Werken, hg. H. Doering, Zeitz 1835, 545ff (zitiert ist hier die dritte Strophe). – Rousseaubüste von Houdon: H. H. Arnason, The sculptures of Houdon, London 1975, 48f, Abb. 108 (Bronzeguß Louvre). – L. Réau, Houdon. Sa vie et son œuvre, 1–4, Paris 1964.1/2, 81f, 360ff; 3/4, 41, Taf. 89 Nr. 184 B, G, 90 Nr. 184 C.                                        U.H.*

## 1558

### Schiller als Regimentsmedikus

Philipp Friedrich Hetsch (1758–1839)
Stuttgart, 1781/82

*Öl auf Leinwand*
*H. 25 cm, B. 19,5 cm*

Marbach, Schiller-Nationalmuseum, Inv.-Nr. 6914

»Er soll ein Arzt bei einem Württembergischen Grenadier-Bataillon sein, … und ich möchte ihm lieber zehn Pferde als meine Frau zur Cur übergeben«, urteilt Schiller selbstironisch 1782 in der Eigenrezension seiner »Räuber« über seine Tätigkeit als Arzt.

Schillers Situation ist auch weiß Gott eigenartig genug. Offensichtlich übt er seinen Beruf als Arzt lustlos aus und mit wenig Erfolg, weil er ihm ein Hindernis auf seinem Weg zum Dichter ist. Auch seine Dienststellung ist seltsam. Sie liegt irgendwo zwischen dem Zivilen und Militärischen. Denn es ist ein unüblicher Luxus, einem Grenadierregiment einen Medikus, d. h. einen wissenschaftlich ausgebildeten Arzt statt eines gelernten Wundarztes, zuzuordnen. Andererseits ist Schiller aber nicht Offizier, muß aber dennoch Uniform tragen, und zwar die eines Feldschers mit dem Degen ohne Portepee, der ihn »unablässig an die Subordination erinnert«. Schließlich sind seine Patienten im Regiment Augé »240 ausgediente Bettler«. Herzog Karl Eugens Versorgung hat demnach Schiller nicht gerade glücklich getroffen; er fühlt sich eher gedemütigt. Sein Freiheitswille hält ihn dann auch nicht länger als von seiner Entlassung aus der Akademie am 15. Dezember 1780 bis zu seiner Flucht nach Mannheim am 22. September 1782.

Hetschs Portrait zeigt Schiller noch nicht in jenen verfeinerten Zügen, die ihm später die eigene Geistigkeit wirklich oder die künstlerische Begeisterung idealisierend verleiht. Geschickt hat Hetsch den in die Ferne gerichteten Blick Schillers eingefangen, der die äußeren Umstände ebenso versinnlicht, wie das zwar latente aber noch nicht gefestigte Selbstbewußtsein Schillers.

*Württembergisches Repertorium der Literatur, 1782, St. 1, Nr. 9, S. 134 ff. Hier zitiert nach: Nachlese zu Friedrich Schiller's Sämmtlichen Werken, Bes. v. Dr. Heinrich Doering, Zeitz 1835, S. 109.*                    H. P. M.

## 1559

### Versuch über den Zusammenhang der thierischen Natur des Menschen mit seiner geistigen

Friedrich Schiller (1759–1805)
Stuttgart, 1780

*Oktavband*

Stuttgart, Württembergische Landesbibliothek,
R 18 Schil 1

Schillers medizinische Dissertation ist sicher kein taugliches Mittel, um sein Genie auch für den positiven Fortschritt der Medizin zu reklamieren. Wenngleich sie von hoher sprachlicher und geistiger Originalität ist, vertritt sie eher den beherrschenden philosophischen Geist der Hohen Karlsschule.

Es ist also sicher nicht bloße Lobrede, wenn Schiller in der vorangestellten Widmung an Herzog Karl hervorhebt, dieser habe *die Hippokratische Kunst aus der engen Sphäre einer mechanischen Brodwissenschaft in den höheren Rang einer philosophischen Lehre erhoben*. Der Gedanke aus Schillers berühmter Antrittsvorlesung in Jena, 1789, kündigt sich hier an, wo er zwischen dem

»philosophischen Kopf« und dem »Brodgelehrten« unterscheidet. Nicht von ungefähr hatte Schiller schon ein Jahr zuvor eine – weitgehend verschollene – Arbeit mit dem Titel »Philosophie der Physiologie« eingereicht, die nicht aus Grundsatz, sondern u. a. wegen des Verfassers »etwas zu stolzen Geistes« abgelehnt worden war.

Wenn er hier nun eine enge Wechselbeziehung zwischen dem Organischen und dem Seelisch-Geistigen mehr fordert als entdeckt, so klingt er sehr modern: ... *der Mensch ist nicht Seele und Körper, der Mensch ist die innigste Vermischung dieser beiden Substanzen.* (§ 18) Letztlich ist es aber doch wieder ein Ausdruck der Abelschen Philosophie.                                          H. P. M.

## 1560*                                          Abb. S. 855

### Schiller liest seinen Freunden im Bopserwald die »Räuber« vor

Karl von Heideloff (1789–1865)
Aquarell nach der Zeichnung seines Vaters Victor
Heideloff (Schillerverein Marbach a. N.)

*H. 21,7 cm, B. 16,5 cm*
*Auf dem Passepartout handschriftliches Gedicht von*
*Justinus Kerner*

Marbach a. N., Schiller-Nationalmuseum

Im Schatten der Bäume des oberhalb der Stadt Stuttgart gelegenen Bopserwaldes liest der Karlsschüler Friedrich Schiller fünf Freunden und Mitschülern sein erstes Drama, die »Räuber« vor, das er bereits während seiner Schulzeit an der Akademie verfaßt hatte. Nach der Entlassung aus der Karlsschule im Jahre 1780 erlaubte ihm die Anstellung als Regimentsmedikus in Stuttgart die erste Drucklegung seines Dramas auf eigene Kosten. Am 13. Januar 1782 fand im Mannheimer Nationaltheater die Uraufführung der »Räuber« statt, die großes Aufsehen erregte und schließlich zu Schillers Flucht aus der Heimat führte, in die er nur noch einmal in seinem Leben zurückkehrte. Zuvor hatte der Intendant Wolfgang Heribert von Dalberg die Handlung der Räuber trotz Schillers Weigerung ins 15. Jahrhundert zurückverlegt und Schiller zur Abänderung einiger Passagen bewegt, um die Kritik an der damaligen Gesellschaftsordnung zu entschärfen. Man ist geneigt, zu vermuten, daß gerade die politische Tendenz und der revolutionäre Geist des Stückes die jugendlichen Freunde in der Bopserwaldszene um Schiller in ihrer Mitte vereint. Es handelt sich dabei von links nach rechts um: von Hoven, Victor Heideloff, Dannecker, Schlotterbeck und Kapf. Justinus Kerner, der dieses Blatt 1859 dem Schillerverein in Schillers Geburtsort Marbach schenkte, erläuterte das Bild auf der Rückseite und schrieb auf das Passepartout folgendes Gedicht:

*Entflohn der Schule bangen Räumen*
*las Schiller unter Tannenbäumen.*
*Sein erstes Schauspiel, das von Moor*
*fünf ihm gefolgten Freunden vor.*
*Bald bald noch unter deutschen Eichen*
*sah man ein ganzes Volk ihm reichen,*
*Ihm, schon umstrahlt vom Dichterglanz*
*der deutschen Eiche Siegeskranz.*

*200 Jahre Schillers »Räuber«, Katalog zur Ausstellung im Städtischen Reiß-Museum Mannheim 1982.*          R. B.-G.

## 1561*

### Georges Cuvier (1769–1832)

Bildnis

Mathieu Ignace van Bree (1773–1839)
Paris, 1798

*Öl auf Leinwand*
*H. 116 cm, B. 90 cm*

Paris, Muséum National d'Histoire Naturelle

Unbestritten ist Cuvier der berühmteste Eleve der Hohen Karlsschule neben Schiller. Es kommt nun freilich bei Cuvier ein geradezu kometenhafter sozialer Aufstieg bis zum Pair von Frankreich hinzu, der auch den Naturforscher zu verklären scheint, aber auch in späterer Zeit zu unangenehmen Eitelkeiten bei ihm führte.

Cuvier wurzelt zunächst wie kaum ein anderer in der Hohen Karlsschule. Ohne Koketterie empfindet der gebürtige Mömpelgarder Württemberg als seine zweite Heimat. Seine Anhänglichkeit läßt sich aber nicht so leicht aus dem gängigen Lehrer-Schüler-Schema herleiten. Es ist offenbar das allgemeine akademische Klima, der Gedankenaustausch mit kongenialen Miteleven wie Kielmeyer, C. H. Pfaff, Autenrieth und Marschall v. Biberstein, das den fleißigen und begabten Eleven zum bedeutenden Naturforscher heranreifen läßt. Abel scheint auch auf ihn entscheidenden Einfluß ausgeübt zu haben, indem er ihn zum funktionalen Denken anleitete.

Ab 1795 faßt Cuvier in einer zweiten Institution Fuß, die für sich allein genommen Frankreichs Ruhm in der Naturforschung unsterblich gemacht hätte, am Muséum d'Histoire Naturelle in Paris. Er entwickelt dort seine vergleichende Anatomie, wobei er die Klassifikationen nicht mehr deskriptiv vornimmt oder nach Ähnlichkeiten wie Linné, sondern die Funktion der Organe und Körperteile als Kriterium nimmt. Dieser Ansatz, wonach er eine gewisse optimale Funktionalität im Zusammenwirken aller Körperteile erfüllt sieht, führt ihn dazu, ein fossiles Tier nur aus einem einzigen Knochen zu bestimmen. In diesem Sinne gilt Cuvier auch als Begründer der wissenschaftlichen Paläontologie.

Aus seiner Überbetonung der Korrelation der Teile und den fehlenden Übergangsformen bei paläontologischen Funden schließt Cuvier, daß von Anfang an der gesamte

1561

Bauplan für ein Lebewesen vorhanden sein muß, das unter bestimmten Lebensbedingungen existiert. Prinzipiell ist also das Lebendige nicht in der Lage, sich etwa von Leben in Wasser an ein Leben an Land entwicklungsgeschichtlich anzupassen. Cuvier hat damit seine berühmte Katastrophentheorie geschaffen, wonach ausgestorbene Arten durch Naturkatastrophen vernichtet wurden. Danach entstehen nach neuem Bauplan geeignet konstruierte Lebewesen, die in ihrer Art konstant sind.

Cuvier geriet mit seiner Theorie in den bekannten Akademiestreit (1830) mit seinen Pariser Kollegen Geoffroy Saint-Hilaire, der eine Evolutionstheorie vertrat. Cuvier blieb in diesem Streit zunächst siegreich, erst nach seinem Tod wurde der Evolutionsgedanke neu belebt. Seit Charles Darwin (1809–1882) ist er Allgemeingut der Wissenschaft.

*Ausst.Kat. Cuvier und Württemberg. Zum 200. Geburtstag des Naturforschers Georges Cuvier 1769–1832, Stuttgart 1969.* H.P.M.

1562

## RECHERCHES SUR LES OSSEMENTS FOSSILES DES QUADRUPÈDES

Georges Cuvier (1769–1823)

*3 Quartbände*

Tübingen, Universitätsbibliothek, Bh 117a 4°

Cuviers monumentales Werk zur Paläozoologie der Vierfüßler, mit dem er die Paläontologie in den Rang einer Wissenschaft erhob. Sie stützte seine Katastrophentheorie entscheidend. H.P.M.

1563*

## CARL FRIEDRICH KIELMEYER (1765–1844)

Bildnis

Christoph Friedrich Dörr (1782–1841)
Tübingen, 1812

*Deckfarben auf Papier*
*Dm. 14 cm*

Stuttgart, Archiv der Stadt, Inv.-Nr. 178

»Die Deutschen dürfen es sich stolz sagen, daß Kielmeyer es war, der die vergleichende Anatomie von dieser ihrer innerlichen Seite zuerst erkannte; er, der sie ins Leben gerufen, hat ihr auch diese geistige Bestimmung mitgegeben« [nämlich die Naturprozesse intellektuell gleichsam zu wiederholen]. So urteilt der Physiologe Johannes Müller 1826. Er unterstreicht damit Kielmeyers überregionalen wissenschaftlichen Rang und räumt indirekt ein noch weitverbreitetes Mißverständnis aus, wonach Kielmeyer als Anhänger der romantischen Naturphilosophie erscheint. Müller ist ja bekanntlich einer der entschiedenen Überwinder der Naturphilosophie innerhalb der Naturwissenschaften.

Kielmeyer hat in auffälliger Bescheidenheit stets Cuvier als den Größeren gelten lassen, obwohl dieser nach seinem Abgang von der Hohen Karlsschule sich laufend Nachschriften von Kielmeyers Vorlesungen schicken ließ und dessen Verdienste seinerseits neidlos anerkannte. Allgemein wird die Begründung der vergleichenden Anatomie jedoch Cuvier und nicht Kielmeyer zugeschrieben.

Kielmeyers damaliges geradezu weltweites Ansehen ist heute im einzelnen schwer nachzuvollziehen, da er sehr wenig veröffentlicht hat. Überhaupt läßt sich das Verhältnis Kielmeyer/Cuvier nicht unter dem Gesichtspunkt der Priorität von Einzelentdeckungen oder der Begründung von Einzeldisziplinen erfassen. Kielmeyer wirkte offensichtlich stilbildend für die wissenschaftliche Methode der Naturwissenschaften, indem er genaue Beobachtung und intellektuelle Erfassung korrespondierend und ergänzend einander zuordnete. Die Parallele zur Physik 's Gravesandes und zur Philosophie Abels ist nicht zufällig.

1563

Sein Bildungsgang und seine Lehrtätigkeit machen es schwer, Kielmeyer auf ein einziges Fach festzulegen, er ist eher ein universaler Naturforscher. Die Stationen seines Weges sind: Studium an der Hohen Karlsschule 1773–86; Studienreise 1786–90 (u. a. bei Blumenbach und Lichtenberg in Göttingen); Prof. der Zoologie an der Hohen Karlsschule 1790, später auch Botanik und Chemie; Prof. an der Universität Tübingen (Chemie, Pharmazie, Botanik, Zoologie, vergleichende Anatomie) 1796; Direktor der wissenschaftlichen Sammlungen in Stuttgart 1817. Einige seiner Vorlesungen sind in druckreifen Nachschriften erhalten.

Kielmeyer war auch ein württembergischer Patriot. Er zählt die Verdienste der Botaniker Fuchs, Bauhin, Camerer, Gmelin und Kölreuter auf und schließt: Kein Land kann so etwas aufweisen.

In der Trauerrede auf ihn steht die vielleicht treffendste Charakterisierung: Kielmeyer war kein Naturphilosoph, aber er war ein Philosoph der Natur.

*Johannes Müller, Zur vergleichenden Physiologie des Gesichtssinnes der Menschen und der Tiere, Leipzig 1826, S. 29. – Württembergische Jahrbücher 1843, 2. Heft (1846), S. 163–186. – Carl Friedrich Kielmeyer, Gesammelte Schriften, hrsg. v. Fritz-Heinz Holler, Berlin 1938.*    H. P. M.

## 1564

### UEBER DIE VERHÄLTNISSE DER ORGANISCHEN KRÄFTE UNTER EINANDER IN DER REIHE DER VERSCHIEDENEN ORGANISATIONEN, DIE GESEZE UND FOLGEN DIESER VERHÄLTNISSE

Carl Friedrich Kielmeyer
Stuttgart, 1793

*Oktavband*

Stuttgart, Württembergische Landesbibliothek, R 18 Kie 1

Kielmeyers Rede am 11. Februar 1793, dem 65. Geburtstag Herzog Karl Eugens, markiert eines der denkwürdigsten Ereignisse in der Geschichte der Naturwissenschaften. Sie ist nahezu die einzige Veröffentlichung Kielmeyers, von Spezialuntersuchungen über Mineralwässer einmal abgesehen. Und obwohl hier nicht ein vielbändiges »Systema naturae« vorgestellt wird, machte die 46seitige Rede ihren Verfasser schlagartig berühmt. Kein Wunder, denn die geistige Originalität Kielmeyers brilliert hier derart, daß sie fast einen Vergleich mit Descartes' »Discours de la méthode« aushielte.

Kielmeyer bedient sich des behelfsmäßigen – wie er ausdrücklich betont – Begriffes der Kräfte in der organischen Welt, deren er fünf unterscheidet: Sensibilität, Irritabilität, Reproduktionskraft, Sekretionskraft, Propulsionskraft. Während die beiden letzten nicht näher behandelt werden, leitet er für die ersten drei ein Korrespondenzprinzip und daraus ein gewisses Erhaltungsprinzip für deren Gesamtheit ab. Die Entwicklungsgeschichte der Arten wie die des Individuums innerhalb einer Art besteht für Kielmeyer in der Verteilung der genannten drei Kräfte, wobei die höchsten Lebewesen Sensibilität auf Kosten der Irritabilität und noch mehr der Reproduktionskraft gewinnen. Im wesentlichen formuliert Kielmeyer hier das biogenetische Grundgesetz.

In kühnem Schwung zieht Kielmeyer am Schluß noch die Parallele zum Geistigen. Er sieht die Empfindung des Kindes über die Phantasie des Jünglings zur Dominanz des Verstandes beim Mann gesteigert.

Die etwas blumige Dankadresse an den Herzog am Schluß des Vortrags kann nicht darüber hinwegtäuschen, daß für Kielmeyer die einzig würdige Form des Dankes geistreiche und seriöse Wissenschaft ist.    H. P. M.

1565

## ÜBER KANT UND DIE DEUTSCHE NATURPHILOSOPHIE

Brief an Georges Cuvier

Carl Friedrich Kielmeyer
Tübingen, 1807

*Autograph*
*H. 23,5 cm, B. 19 cm*

Stuttgart, Württembergische Landesbibliothek,
Handschriftenabteilung, Cod. med. et phys. fol. 38x

Der Titel stammt nicht von Kielmeyer ist aber so in die
Literatur eingegangen.
Kielmeyer verneint mit Kant darin die von Cuvier an ihn
gerichtete Frage, ob »aus der Natur unsers Geistes die
äußere Natur und somit Tatsachen abzuleiten« seien ohne
Erfahrung. Gleichzeitig kritisiert er Kant, da die Subjekti-
vität des Geistes die Möglichkeit der Erfahrung einschränkt, und daher die Kantsche Scheidung von Objekti-
vem und Subjektivem unsicher und unbewiesen sei. Kielmeyer kritisiert auch den reinen Idealismus, hält ihm aber
zugute, daß einerseits wohl seine eigenen Erfahrungstatsa-
chen mit eingeflossen seien, andererseits die Natur als
Gesamtheit betrachtet würde. Kielmeyer erweist sich hier
als ein hervorragender Kenner der philosophischen Lehrmeinungen und als philosophische Autorität.          H.P.M.

1566

## ENTWURF ZU EINER VERGLEICHENDEN ZOOLOGIE

Carl Friedrich Kielmeyer
Tübingen, 1814

*Autograph*
*H. 34,5 cm, B. 21,5 cm*

Stuttgart, Württembergische Landesbibliothek, Handschriftenabteilung, Cod. med. et phys. fol. 381

*Dieser Entwurf wurde in den Jahren 1790 bis 1793 in
Vorlesungen an der damaligen Hohen-Carls-Schule ausgeführt. Er erscheint jetzt gedruckt... Zum Druck kam es
indes nicht, obwohl Kielmeyer ein Angebot von Cotta
hatte.*
Fritz-Heinz Holler nennt es in seiner Kielmeyer-Ausgabe
das älteste Programm der deutschen vergleichenden Zoologie bzw. Anatomie.          H.P.M.

## Die medizinische Fakultät in Tübingen als »Erbin« der Hohen Karlsschule

Der bedeutende Aufschwung, den die medizinische Fakultät in Tübingen nach der Schließung der Hohen Karlsschule erlebte, ist wohl ohne Zweifel der Berufung der drei
ehemaligen Akademisten Autenrieth, Eschenmayer und
Kielmeyer zu verdanken.
Die eigentlich prägende Persönlichkeit der Fakultät, der
Lehrer der Ärzte im engeren Sinne, war jedoch Autenrieth
(Kat.Nr. 1567). Als Oppidaner (1785–92), also eigentlich
nur Student und nicht Zögling der Hohen Karlsschule,
hatte er ein nüchterneres Verhältnis zu seiner Ausbildungs-
stätte ohne die zuweilen etwas schwärmerische Anhänglichkeit. Einen entscheidenden Eindruck nahm Autenrieth
dennoch aus der Akademie mit, der seine spätere wissenschaftliche Arbeit entscheidend bestimmte: die praktische
ärztliche Tätigkeit am Krankenbett.
Der klinische Unterricht war dagegen in Tübingen unter-
entwickelt. Konsequent betrieb er daher nach seiner Berufung 1797 die Einrichtung eines eigenen Klinikums für die
Universität. 1805 konnte es in der umgebauten Bursa
bescheiden mit 15 Betten eröffnet werden (Ansicht,
Kat.Nr. 1571). Daß er dort auch psychisch Kranke behandelte, war von seinem wissenschaftlichen Standpunkt aus
nur folgerichtig. Denn der Wahnsinn schien ihm im
wesentlichen eine Organerkrankung des Gehirns zu sein,
die mit geeigneten medizinischen Maßnahmen behandelt
werden müßte. Diese Einstellung korrespondiert übrigens
mit seinem Bemühen, die Medizin auf eine naturwissenschaftliche Basis zu gründen. Da Autenrieth gleichzeitig
»die durch Unthätigkeit geschwächten Seelenkräfte wieder zu erheben« trachtet, wendet er sich energisch gegen
eine Isolierung der Wahnsinnigen in Irrenhäusern: »Laut
fordert also die Menschlichkeit, die Irren vertheilt zu
lassen...« (Kat.Nr. 1572). Auch seinen prominentesten
Patienten von 1806–07, Friedrich Hölderlin, bringt er
darum zur Pflege bei dem Tübinger Schreinermeister
Zimmer unter.
Autenrieths »Handbuch der empirischen menschlichen
Physiologie« (Kat.Nr. 1568) artikuliert schon im Titel
seine Abneigung gegen spekulative Methoden in der
Naturforschung. Doch ist Autenrieth trotz seines streng an
der Erfahrung orientierten Ansatzes ein Anhänger der
noch bis in die Mitte des 19. Jahrhunderts verbreiteten
Vorstellung von der Lebenskraft, jener hypothetischen
nicht definierbaren Kraft, die für alle Lebensprozesse
verantwortlich sein sollte. Es besteht hier eine auffallende
Parallele zu Justus Liebig, der als empirisch arbeitender
Chemiker auch lange Anhänger der dubiosen Lebenskraft
war. Autenrieths »Handbuch« zeigt eine enge Verbindung
von Physiologie und Anatomie. Es war als Lehrbuch in
Tübingen und außerhalb weit verbreitet. Ohne sensationelle Neuentdeckungen steht es in der Tradition v. Hallers,
Blumenbachs und seines Fakultätskollegen Ploucquet, die
zuvor zusammenfassende Werke der Physiologie verfaßt
hatten.

Autenrieths praktisch-empirischer Sinn äußert sich auch in seinen Versuchen, Brot mit einem überwiegenden Anteil an Birkenholzmehl zu backen, die er unter dem Eindruck der Hungerjahre 1816/17 anstellte (Kat.Nr. 1568). Er berichtet wohl über die Fütterung eines Hundes und eigenes Kosten, ohne Nachteile zu erkennen. Dennoch kann nicht angenommen werden, daß ihm eine Umwandlung der Stärke in Glukose gelungen ist. Allenfalls können beim mehrfachen Mahlen geringe Mengen an Stärkekörnchen freigesetzt worden sein. Der Nährwert ergab sich also nur aus den üblichen, aber geringen Mengen an Backzutaten wie Getreidemehl, Sauerteig und Milch. Das Holzmehl erhöhte nur den Sättigungsgrad.*

Geradezu ein Gegenpol zu Autenrieth war Eschenmayer (Kat.Nr. 1572), wogegen Kielmeyer niemals als Arzt tätig war, zwar der medizinischen Fakultät angehörte, aber als Naturforscher eine eigenständige Position hatte. Eschenmayer war von allen ehemaligen Akademisten wohl am »anfälligsten« für die Schellingsche Naturphilosophie, in der der Unterschied von Geist und Materie aufgehoben ist. Es ist daher für ihn naheliegend, das Phänomen des Magnetismus aus einer vorausgesetzten allgemeinen Polarität des Weltseins bereits 1798 abzuleiten (Kat.Nr. 1573). Die empirisch orientierte Naturwissenschaft mußte sich um so mehr herausgefordert fühlen, als sie gerade mit neuen Erfindungen und Entdeckungen – z.B. Voltas Elektrophor 1775 und Lichtenbergs elektrische Figuren 1777 – eine Blüte erlebt hatte.

Eschenmayer wurde 1811 als Professor der Medizin und Philosophie an die Universität Tübingen berufen. Die Philosophie schloß auch die Psychologie ein, wodurch Eschenmayer zwanglos zur psychischen Heilkunde geleitet wurde, als deren Lehrer er sich 1817 offiziell bezeichnet. Mit der Unterstützung des Ministers für das Kirchen- und Schulwesen v. Wangenheim betrieb er 1817 die Einrichtung einer »Lehr- und Heilanstalt für Gemüthskranke« an der Universität Tübingen (Kat.Nr. 1574). Die Planung war soweit gediehen, daß bereits ein Grundstück angekauft und die Baupläne vorhanden waren (Kat.Nr. 1575).

Die Fakultät jedoch brachte das Projekt zu Fall und verhinderte damit auf Jahrzehnte eine universitäre Psychiatrie in Württemberg. Die Beweggründe für die ablehnende Haltung der Fakultät könnten vordergründig in Autenrieths Abneigung gegen die Konzentrierung der Kranken gesehen werden. Tatsächlich liegen die Gründe wohl tiefer. Eschenmayer war der typische Psychiker, der die Ursache der Gemütskrankheiten in schuldhaftem seelischem Fehlverhalten sah und im Laufe der Zeit immer mehr von romantisch-religiösen Vorstellungen ausging und zum Okkultismus neigte. Gleichwohl war Eschenmayers Engagement für eine Universitätspsychiatrie an sich verdienstvoll. Ein derartiger »Geisterglaube« war jedoch ohne Zweifel unvereinbar mit Autenrieths Wissenschaftsauffassung. Der ablehnende Beschluß wurde übrigens noch unter Kielmeyers Dekanat gefaßt, der kurz darauf ausschied.

Daß Autenrieth die medizinische Fakultät an erster Stelle repräsentierte, kommt unter anderem darin zum Ausdruck, daß er 1822 zum ersten Kanzler der Universität ernannt wurde, der nicht Theologe war. Als Kanzler Autenrieth ist er deshalb allgemein bekannt.

* Frau Dr. E. Jaus-Büchting, Einbeck, verdanke ich eine umfassende lebensmitteltechnologische Erklärung des Sachverhalts.

*Ernst Stübler, Johann Heinrich Ferdinand von Autenrieth, Professor der Medizin und Kanzler der Universität Tübingen, Stuttgart 1948. – Psychiatrie zur Zeit Hölderlins. Ausstellung anläßlich der 63. Jahrestagung der Deutschen Gesellschaft für Geschichte der Medizin, der Naturwissenschaften und Technik in Tübingen, 27. September bis 30. Oktober 1980, bearb. v. Gerhard Fichtner, Tübingen 1980.*                                                    H.P.M.

1567*

## JOHANN HEINRICH FERDINAND AUTENRIETH (1772–1835)

Bildnis

Christoph Friedrich Dörr (1782–1841)
Tübingen(?), 1802

*Öl auf Leinwand*
*H. 63 cm, B. 52 cm*
*Bez. Rückseite:* gemalt im Herbst 1802 von
Chr. Fr. Doerr

Privatbesitz

1568

## HANDBUCH DER EMPIRISCHEN MENSCHLICHEN PHYSIOLOGIE, 3 BDE.

Johann Heinrich Ferdinand Autenrieth
Tübingen, 1801–1802

*Oktavband*

Tübingen, Unversitätsbibliothek, Jb I 86.8°

1569

## GRÜNDLICHE ANLEITUNG ZUR BRODZUBEREITUNG AUS HOLZ

Johann Heinrich Ferdinand Autenrieth
Stuttgart, 1834

*Oktavband*

Stuttgart, Württembergische Landesbibliothek,
27 C/80 042

1567

## 1570

### REST DES AUTENRIETHSCHEN HOLZBROTES

Tübingen, um 1817

*Privatbesitz*

## 1571

### DIE BURSA IN TÜBINGEN

Das erste Klinikum der Universität

um 1820

*Gouache. H. 18 cm, B. 23,5 cm*

Tübingen, Städtische Sammlungen, Inv.-Nr. 1502

## 1572

### UEBER DIE IM CLINICUM IN TÜBINGEN GETROFFENEN EINRICHTUNGEN FÜR WAHNSINNIGE

In: Versuche für die praktische Heilkunde aus den clinischen Anstalten von Tübingen, Bd. 1,1, 1807, S. 199–228

Johann Heinrich Ferdinand Autenrieth

*Oktavband*

Tübingen, Universitätsbibliothek, Jf IX 188. 8°

## 1573

### CARL AUGUST ESCHENMAYER (1768–1852)

Bildnis

L. Helvig (1796–1855)

*Lithographie*
*H. 15,5 cm, B. 13,5 cm*
*Bez. links unten: lith. v. L. Helvig 1834*
*Bildunterschrift: Dr. C. A. v. Eschenmayer*

Stuttgart, Württembergische Landesbibliothek, Graphische Sammlung

## 1574

### VERSUCH DIE GESEZE MAGNETISCHER ERSCHEINUNGEN AUS SÄZEN DER NATURMETAPHYSIK MITHIN A PRIORI ZU ENTWICKELN

Carl August Eschenmayer
Tübingen 1798

*Oktavband*

Tübingen, Universitätsbibliothek, Aa 662. 8°

## 1575

### GUTACHTEN ESCHENMAYERS ZU EINEM IRRENHAUS FÜR DIE UNIVERSITÄT TÜBINGEN

Professor Eschenmayer erstattet als Lehrer der psychischen Heilkunde über die allergnädigst genehmigte Einrichtung einer Lehr- und Heilanstalt für Gemütskranke das vom Kultministerium geforderte Gutachten

Tübingen, 8. März 1817

*Autograph*
*H. 34,5 cm, B. 22 cm*

Ludwigsburg, Staatsarchiv, E 163, Bü 829

## 1576

### PLAN ZU EINEM IRRENHAUSS FÜR DIE UNIVERSITÄT TÜBINGEN

Baurat Bruckmann
Juni 1817

*Federzeichnung, koloriert*
*H. 69,5 cm, B. 48,5 cm*

Ludwigsburg, Staatsarchiv, IL 580, Nr. 6

## 1577

### DE ELECTRICITATE SIC DICTA ANIMALI

Christoph Heinrich Pfaff (1773–1852)
Stuttgart 1793

*Oktavband*

Stuttgart, Württembergische Landesbibliothek,
W. G. qt. K. 972

Pfaffs medizinische Doktordissertation schließt unmittelbar an die jüngsten Entdeckungen von Luigi Galvani (1737–1798) und Alessandro Volta (1745–1827) an.
1791 hatte Galvani bekanntgemacht, wie sich präparierte Muskelfasern zusammenziehen, wenn ihre Enden mit zwei verschiedenen Metallen leitend verbunden werden, die selbst in Kontakt sind. Galvani deutete diese Erscheinung als Entladung tierischer Elektrizität, wie sie z.B. vom Zitteraal her bekannt ist. Volta erklärte das Zucken des so populär gewordenen Froschschenkels quasi als Ausschlag eines Elektrometers, wobei der präparierte Muskel gleichzeitig als Elektrolyt zwischen zwei verschiedenen Metallen wirkt.
Pfaff referierte in seiner Dissertation über die zahlreichen von ihm wiederholten Versuche, er entscheidet sich jedoch nicht grundsätzlich für Galvani oder Volta. Eigens betont er das außerordentliche Engagement Kielmeyers (S. 8).
Die Bedeutung der Dissertation liegt einmal darin, daß sie sich mit allerjüngsten wissenschaftlichen Erkenntnissen beschäftigt. Zum andern erhält der gesamte Themenkomplex eine ungeheure Aktualität unter den Physiologen, da man sich mit den elektrischen Erscheinungen der legendären Lebenskraft auf der Spur wähnt.
Immerhin haben diese und die folgenden Versuche Pfaff ein solches Ansehen in der Physik verschafft, daß Ferdinand Rosenberger in seiner Geschichte der Physik, 1887–90, noch von dem »berühmten Elektriker Pfaff« spricht.
Nach ärztlicher Weiterbildung und Praxis wird Pfaff 1798 als Professor nach Kiel berufen, zuerst für Medizin, dann für Physik und Chemie. In dieser Stellung verbleibt er zeit seines Lebens als hochangesehener Wissenschaftler.

*Fritz Fraunberger, Vom Frosch zum Dynamo, Köln 1967.*
H. P. M

## 1578

### UEBER NEWTON'S FARBENTHEORIE, HERRN VON GOETHE'S FARBENLEHRE UND DEN CHEMISCHEN GEGENSATZ DER FARBEN.

Ein Versuch in der experimentalen Optik

Christoph Heinrich Pfaff
Leipzig 1813

*Oktavband*

Tübingen Universitätsbibliothek, Be 49. 8°

Pfaff stellt sich hier die Aufgabe, die Goethesche Farbenlehre nicht – wie die Rezensenten – in Bausch und Bogen zu verdammen, sondern sie im einzelnen auf der Basis der Newtonschen Lehre zu widerlegen. Bei allen Bemühungen, im Gegensatz zu Goethe eine klare physikalische Terminologie zu verwenden, gelingt ihm die eindeutige Unterscheidung zwischen Spektralfarben und Pigmenten noch nicht. Dieser Punkt ist aber die entscheidende Schwachstelle der »Newtonianer«. Wenn sie auch Goethes Erklärung der Farben als Mischung aus Licht und Finsternis ablehnen, so sind sie zunächst außerstande, die Mischfarbe Grün mit der reinen Spektralfarbe Grün in Einklang zu bringen. Pfaff postuliert zwar die Spektralreinheit von Grün, greift aber zu einer physiologischen Hilfserklärung, indem er vermutet, daß die Spektralfarben Gelb und Blau auf der Netzhaut den Eindruck Grün hervorrufen könnten, etwa im Sinne einer zusammengesetzten Bewegung. Erst in den 50er Jahren des 19. Jh.s wird der Sachverhalt durch die klare Unterscheidung von additiver und subtraktiver Farbmischung in den Arbeiten von Hermann Helmholtz (1821–1894) und Hermann Graßmann (1809–1877) endgültig geklärt.
H. P. M.

## 1579*

### JOHANN FRIEDRICH PFAFF (1765–1825)

um 1830

*Öl auf Leinwand*
H. 64,5 cm, B. 55,5 cm

Halle, Martin-Luther-Universität Halle-Wittenberg,
Inv.-Nr. Rep. 40, Nr. XI, 23 (UAH)

1579

Nach einer Anekdote soll der berühmte französische Astronom und Mathematiker Pierre-Simon Laplace (1749 bis 1827) auf Alexander v. Humboldts (1769–1859) Frage nach dem größten Mathematiker Deutschlands geantwortet haben: Johann Friedrich Pfaff. Carl Friedrich Gauß (1777–1855) hingegen soll er auf Humboldts Einwand hin den größten Mathematiker der Welt genannt haben. Pfaff war zwar der Doktorvater von Gauß, aber wohl nicht im vollen Sinne des Wortes sein Lehrer, eher sein Freund. Hochbegabt wie sein jüngerer Brunder Christoph Heinrich, erwarb sich Johann Friedrich Pfaff im Laufe seines Jurastudiums an der Hohen Karlsschule so bedeutende mathematische Kenntnisse, daß er von Karl Eugen zu den Professoren Kästner und Lichtenberg nach Göttingen zu weiteren Studien geschickt wurde. 1788 wurde er Mathematikprofessor an der Universität Helmstedt, nach deren Auflösung, 1810, in Halle.          H. P. M.

## 1580

### Methodus generalis,

aequationes differentiarum partialium, nec non aequationes differentiales vulgares, utrasque primi ordinis, inter quotcumque variabiles, complete integrandi. In: Abhandlungen der Königlichen Akademie der Wissenschaften in Berlin. Aus den Jahren 1814–1815.

Johann Friedrich Pfaff (1765–1825)
Berlin 1818, S. 76–136

*Quartband*

Stuttgart, Württembergische Landesbibliothek,
Acad. qt. 32

Pfaffs bedeutendste mathematische Leistung ist die hier vorgestellte, aber erst 1827 durch Carl Gustav Jacob Jacobi (1804–1851) weithin bekanntgemachte Theorie der sog. Pfaffschen Formen

$$\sum_{i=1}^{n} \varphi_i (x_1, x_2, \ldots x_n) \, dx_i$$

bzw. der Pfaffschen Differentialgleichungen, wenn man den Ausdruck = 0 setzt. Seine Methode besteht darin, partielle Differentialgleichungen in die Pfaffschen Differentialgleichungen zu transformieren, die u. U. leicht integrabel sind. Die Reduzierung der Zahl der Variablen von $n$ auf $n-1$ ist ihm nur für ungerades $n$ gelungen.          H. P. M

## 1581*

### Karl Friedrich (Freiherr v.) Kerner (1775–1840)

Bildnismedaillon

Theodor Wagner (1800–1880)
um 1830

*Wasseralfinger Eisenguß*
*Dm. 13,5 cm*

Weinsberg, Justinus-Kerner-Verein, Inv.-Nr. D3

1581

Militärische und technische Fähigkeiten gleichzeitig zeichnen Karl Kerner aus, den älteren Bruder des Dichters und Mittelpunkts der schwäbischen Romantiker. Allein seiner soldatischen Verdienste wegen war er bereits 1806 in den Personaladel erhoben worden. Seine Organisation der Artillerie und besonders der 1809 nach seiner Konstruktion eingeführte Munitionswagen fanden weithin Anerkennung.

Bleibende Verdienste erwarb er sich vor allem um das Berg- und Hüttenwesen. Auf Grund seiner ausgezeichneten Fachkenntnisse wurde er 1811 Chef des Berg-, Eisen- und Hüttenwesens. Die Gründung der Königlichen Gewehrfabrik in Oberndorf und die technische Erneuerung des Wasseralfinger Werkes sind seine Leistung. Beide wurden zu Qualitätsbegriffen. Dabei wurde seine Tätigkeit immer wieder durch militärische Aufgaben verzögert, wenn er etwa 1812 am Rußlandfeldzug als Generalquartiermeister der württembergischen Truppen teilnahm. Obwohl Kerner in Wilhelm Faber du Faur (1786–1855) einen erstklassigen Hüttenfachmann für Wasseralfingen gefunden hatte, der mit der »Winderhitzung« ab etwa 1830 Wasseralfingen zum Vorbild machte, behielt er auch nach seiner Ernennung zum Geheimen Rat, 1817, die Oberleitung der gesamten Eisenwerke in der Hand. Kerner repräsentiert gewissermaßen die »technische Hochschule« innerhalb der Karlsschule.

*Eduard Herzog, Die Arbeiten und Erfindungen Faber du Faurs auf dem Gebiet der Winderhitzung und der Gasfeuerung, Halle 1914.*          H. P. M.

## 1582

### »... DIESES ERSTE STÜCK VON EISENGUSS IN GANZ DEUTSCHLAND ...«

Brief Karl Kerners an einen unbekannten Adressaten
Wasseralfingen, 4. September 1819

*Autograph,*
*H. 22,5 cm, B. 19 cm*

Stuttgart, Hauptstaatsarchiv, E 221, Bü 79

Kerner berichtet mit offenkundigem Stolz von dem am 27. August 1819 erfolgten Guß des Hirsches zum kolossalen württembergischen Wappen. Es war im Juli 1816 noch von König Friedrich in Auftrag gegeben worden. Der Entwurf stammt von Antonio Isopi (1758–1833). Den schon im Mai 1817 gegossenen Schildhalter, den Löwen, nennt Memminger »das vielleicht größte und vollendetste [Gußstück], das je eine Eisengießerey in Deutschland lieferte«. Um so verständlicher ist, daß Kerner das »nach strengster Critic herrlich gelungene Stück«, den gußtechnisch schwierigeren Hirsch, als erstes Stück (der Qualität nach) bezeichnet.
Seit 1823 sind beide Schildhalter vor dem Neuen Schloß in Stuttgart aufgestellt.

*J. G. D. Memminger, Beschreibung oder Geographie und Statistik, nebst einer Uebersicht der Geschichte von Würtemberg, Stuttgart und Tübingen 1820.*    H. P. M.

## 1583

### ADELSBRIEF FÜR KARL V. KERNER

Erhebung in den erblichen Freiherrnstand durch König Friedrich

Stuttgart, 23. Oktober 1812

*Handschrift auf Pergament, in gelbem Samt gebunden, mit schwarzen und gelben Seidenbändern*
*H. 38 cm, B. 26 cm*
*Eigenhändig unterzeichnet:*
Friderich
Gr. von Zeppelin
Freih. v. Vellnagel
*Großes Königssiegel in Vergoldeter Kapsel anhängend*

Weinsberg, Justinus-Kerner-Verein, o. Nr.

*... Obwohl der Thron, auf welchen der Allerhöchste Uns [König Friedrich] nach seiner väterlichen Vorsehung gesezt hat, vorhin mit vielen Edlen, Ritterlichen und Freiherrlichen Geschlechtern und Unterthanen geziert und umgeben ist, so finden Wir Uns doch nach Unserer steten Neigung, die Uns und Unserem Reiche geleisteten vorzüglichen Dienste durch ausgezeichnete Gnaden-Bezeugungen zu belohnen, bewogen, derjenigen Nahmen und Stand in höhere Ehre und Würde zu erheben, und mit Königlichen Gnaden zu bedenken, welche sich Unseren Diensten*

*durch treue Ergebenheit, Anhänglichkeit und Eifer vor anderen hervorgethan haben, damit noch mehrere durch solche besondere Auszeichnung zur Nachahmung und Ausübung adelicher und rechtschaffener Thaten gleichfalls bewogen und aufgemuntert werden ... (B. 1ᵛ)*
Aufgeschlagen: Verliehenes Freiherrnwappen (Bl. 4ʳ)
H. P. M.

## 1584

### DAS GLÜCK WÜRTTEMBERGS

Nicolas Guibal (1725–1784)
Stuttgart, 1757

*Feder in Braun, gelb und grün laviert, weiß gehöht, Konstruktionslinien in Bleigriffel*
*H. 50,3 cm, B. 52,4 cm*
*Bez. unten links: Plafond von der Haupt Steegen.*
*praesent: in Fürstl. Residenz Bau Deputation d. 25t. febr. 1757. nach Smi gndgster Approbation vom 20.t.m., mit dem herzoglichen Siegel*

Stuttgart, Staatsgalerie, Graphische Sammlung, Inv.-Nr. 5586

In Herzog Carl Eugens Zeit war Nicolas Guibal der führende Hofkünstler, der die umfangreich anstehenden repräsentativen Aufgaben ausführte, wie die Dekoration der herzöglichen Schlösser (Neues Schloß Stuttgart, Solitude, Monrepos, Hohenheim) mit Deckengemälden und Tafelbildern. Ganz in barocker Tradition schuf er für das Neue Schloß in Stuttgart eine »allegorische Verherrlichung der unter der segensreichen Regierung des Herzogs blühenden Künste und des unter der Fruchtbarkeit der Jahreszeiten gedeihenden württembergischen Landes« (zitiert nach W. Uhlig, S. 31).
Die Personifikation der Virtembergia, ausgezeichnet durch Herzogskrone, Szepter und dem württembergischen Wappen, das von Putten gehalten wird, thront über den Künsten Bildhauerei, Malerei und Architektur. Minerva zu ihrer Linken weist auf den von einem geflügelten Genius präsentierten Grundrißplan des Neuen Stuttgarter Schlosses. Rechts unten entfliehen die Mächte der Finsternis, während im Zentrum Apollo mit dem Sonnenwagen und Aurora den neuen Tag ankündigen. Darunter schwebt die Frühlingsgöttin Flora, die mit Zephir Blüten streut. In den drei übrigen Seiten des Entwurfs schließen sich die Darstellungen der verbleibenden Jahreszeiten an, der Sommer (rechts), der Herbst (oben) und der Winter (links).
Dieser Entwurf Guibals ist die Approbationsskizze für das 1758 ausgeführte Deckengemälde (1944 zerstört) über der Marmortreppe im Neuen Schloß in Stuttgart.
Für diese Allegorie konnte Guibal auf Vorarbeiten zurückgreifen, die 1753 in Rom gemeinsam mit Anton Raphael Mengs (1728–1779) entstanden waren. Mengs, den Guibal 1752 kennenlernte und mit dem er sich anfreundete, beeinflußte ihn mit seiner frühklassizistischen Kunsttheorie von der Nachahmung antiker Kunst.

Guibal bestimmte das Stuttgarter Kunstleben in der zweiten Hälfte des 18. Jahrhunderts nicht allein durch seine künstlerische Tätigkeit als Historien- und Porträtmaler, sondern auch als Entwerfer und Organisator von Festen und Feierlichkeiten, als Galeriedirektor (ab 1760) und nicht zuletzt als Pädagoge an der Academie des Arts (ab 1761), bzw. der Hohen Karlsschule.

Der Kunstschriftsteller und Sammler Karl Friedrich von Uexküll schreibt 1815: »Das Hauptverdienst Guibals bleibt immer für uns, wie er als Lehrer gewirkt hat. Ich kenne wenige Menschen, selbst unter den so viel sprechenden Franzosen, von dem eindringlichen, reinen, klaren Vortrag, mit einer so bedeutenden Mimik begleitet. Dabei war er eigentlich ein gelehrter Maler, besonders mit literarischen Kenntnissen seiner Nation ausgerüstet, so sehr als irgend ein französischer Künstler, und es schien, fast sei er noch mehr zum Dichter von der Natur bestimmt; da half er denn nun auch treffliche Schüler bilden, auch in anderen Kunstzweigen« (zit. nach A. Haakh, S. 6). Zu seinen Schülern zählten u. a. Johann Gotthard Müller (1747 bis 1830), Friedrich Heinrich Füger (1751–1818), Philipp Jacob Scheffauer (1756–1808), Victor Heideloff (1757 bis 1817), Philipp Friedrich Hetsch (1758–1838), Johann Heinrich Dannecker (1758–1841), Nicolaus Friedrich Thouret (1767–1845) und Johann Valentin Sonnenschein (1749–1828).

*Adolf Haakh, Beiträge aus Württemberg zur neueren Kunstgeschichte, Stuttgart 1863. – Wolfgang Uhlig, Nicolas Guibal – Hofmaler des Herzogs Carl Eugen von Württemberg. Ein Beitrag zur deutschen Kunstgeschichte des ausgehenden 18. Jahrhunderts, Diss. Stuttgart 1981, S. 35ff, WV Nr. 225. – Kat. Meisterwerke der Graphischen Sammlung. Zeichnungen des 15. bis 18. Jahrhunderts, Stuttgart 1984, Nr. 81.* I. F.

## 1585
### Preisurkunde für
### Philipp Jacob Scheffauer (1756–1808)

Stuttgart, 1775

*Pergament, Siegel der Karlsschule*
*H. 32 cm, B. 45 cm*
*Text:* Demnach Seine Herzogliche Durchlaucht gnädigst geruhet bey / Höchst Erlaucht Derselben Herzoglichen Militair-Academie zu Stuttgard, zu Erziehung eines guten / Fortgangs, und Unterhaltung eines beständigen Eyfers der Jugend in ihren Academischen Exercitien und / Studien sowohl als auch besonders in einer Edlen und wohlgesitteten Aufführung jährliche Preiße auszu- / setzen, und bey Ausarbeitung der – auf den gnädigst angeordneten Stiftungs=Gedächtnüß=Tag, in dem / Jahr eintausend siebenhundert siebenzig und fünf, von Sr: Herzoglichen Durchlaucht gnädigst / ausgewählten, und in Höchst Erlaucht Deroselben Höchster Anwesenheit öffentlich judicirten Preiß=stü- / cken / Philipp Jacob Scheffauer / von Stuttgart gebürtig / 19½ Jahr alt / den Preiß in der

Bildhauer, und Stuccador=Kunst / wegen seiner darinnen erprobten vorzüglichen Geschicklichkeit erhalten. Als wird ein solcher zu seiner Legitimation / unter Vordruckkung des Herzoglichen Militair=Academie=Insiegels, anmit beurkundet. / Stuttgard den vierzehnten Decembris, Eintausend siebenhundert siebenzig und fünf. / Sr: Herzoglichen Durchlaucht zu Würtemberg / würckl: r Intendant der Herzoglichen Militair=Academie Obristwachtmeister und Flügeladjutant auch Chevalier de l'Ordre Militaire de St: Charles
*Gez. rechts:* D. D. Seeger, *links gez.:* T. N. Guibal, P. Lejeune Professeurs, *unten links gez.:* Vt. Rentkamer und Militär-Akademie Secretarius J. B. Seeger

Stuttgart, Archiv der Stadt, Inv.-Nr. M 250

Nur wenigen ist heute der Kollege des berühmten Dannecker, der Stuttgarter Hofbildhauer Philipp Jacob Scheffauer bekannt. Persönliches Schicksal und widrige Umstände der Zeit haben den schon im Alter von 52 Jahren verstorbenen Künstler hinter dem strahlenden Naturell Danneckers verblassen lassen. Seine Werke sind zum großen Teil unveröffentlicht, wenn sie nicht gar verschollen oder zerstört sind. Einer ›Beurteilung‹ Scheffauers fehlt noch die dazu erforderliche Kenntnis seines Kunstschaffens und seiner Beziehungen zu Freunden und Auftraggebern.

Der begabte Sohn eines herzoglichen Lakaien aus Stuttgart trat als Sechzehnjähriger der Adademie auf der Solitude bei und zeigte bald ein reges Talent. Während seiner acht Jahre dauernden Ausbildung zum Hofbildhauer und -stukkateur erlangte der junge Scheffauer allein acht Preisauszeichnungen, die jährlich am Gründungstag der Akademie vom Herzog persönlich verliehen wurden.

Jeweils im November hatten die Eléven eine Preisaufgabe zu lösen. Aus einem Themenkatalog Guibals, der Vorschläge wie »Kain erschlägt Abel«, »Apoll unter den Hirten« oder »Tugend und Unsterblichkeit« umfaßte, wählte Herzog Karl Eugen 1777 die Aufgabe, den griechischen Athleten Milon von Kroton darzustellen. Den Preis dafür erhielt Dannecker. Seine Figur ist die einzige, die von den einstmals wohl zahlreich vorhandenen Erfindungen und Modellen zum Anlaß der Jahresprüfungen erhalten blieb. Auch die Prüfungsthemen sind aus den anderen Jahren nicht bekannt.

Für die erfolgreiche »Bearbeitung eines Vorwurfs« gab Guibal seinen Schülern drei Faustregeln: Das gestellte Thema mußte auf den ersten Blick zu erkennen sein, der Ausdruck der Figur sollte dem Thema angemessen und die Komposition harmonisch sein.

Die technischen Voraussetzungen zur Bewältigung der gestellten Aufgaben vermittelten den Bildhauerélèven der »prémier sculpteur« Karl Eugens Pierre François Lejeune (1729–1793), der Hoffigurist Adam Bauer (1743–?) und der Hofstukkateur Johann Valentin Sonnenschein (1799 bis 1828). Alle drei verließen Stuttgart schon vor 1780: Sonnenschein floh 1775 nach Zürich, Bauer ging 1777 nach Frankenthal, Lejeune kehrte 1778 in seine Heimatstadt Brüssel zurück. Anlaß war die Eingeschränktheit

ihrer persönlichen und künstlerischen Möglichkeiten am
Hofe Karl Eugens.

*Unveröffentlicht. – Zu Scheffauer: A. Wintterlin, Würt-
tembergische Künstler in Lebensbildern, Stuttgart 1895,
52 ff. – Prüfungen an der Adademie: W. Uhlig, Nicolas
Guibal. Hofmaler des Herzogs Karl Eugen von Württemberg, Diss. Stuttgart 1981, 27f. – R. Uhland, Geschichte
der Hohen Karlsschule in Stuttgart, Stuttgart 1953, 127. –
Guibals Themenkataloge: Uhlig, 284, Anm. 17. – Milon
von Kroton: Kat.Nr. 1586. – ›Faustregeln‹ Guibals: G.
Bartsch, Akademismus und Idealismus am Beispiel des
Bildhauers Johann Heinrich Dannecker, Diss. Hamburg
1976, 59ff. – Zu Lejeune: Kat.Nrn. 1066–1068. – Zu
Sonnenschein: Kat.Nr. 1069. – Zu Bauer: Kat. Stuttgart
1959, 25, 96ff.* U.H.

## 1586*

### STATUETTE DES MILON VON KROTON

Johann Heinrich Dannecker (1759–1841)
Stuttgart, 1777

*Gips, Reste der terrakottafarbenen Originalfassung
H. 84 cm*

Stuttgart, Staatsgalerie, Inv.-Nr. P 701

Milon von Kroton war nicht nur der berühmteste griechische Athlet des Altertums, sondern er galt auch als Musterbeispiel innerer Stärke und Selbstdisziplin. Als alternder
Held wollte er seine erschlaffenden Kräfte noch einmal
herausfordern. Er versuchte einen Baumstumpf zu spalten.
Seine Hand blieb im Holz stecken, er konnte sich nicht
mehr befreien und wurde ein Raub wilder Bestien.
Die Darstellung dieses »großen Augenblicks« – des Helden in seiner ausweglosen Not – hatte Herzog Karl Eugen
aus einem Themenkatalog Guibals als Preisaufgabe für die
Schüler der Bildhauerklasse der Stuttgarter Akademie
ausgewählt. Dannecker erhielt für seine Figur den ersten
Preis vor seinen Konkurrenten Scheffauer und Johann
Gottlieb Friedrich (1755–1833, später Hofstukkateur).
Guibal kritisierte, daß keiner der drei Elèven für die
Gestalt des Athleten ein richtiges Vorbild gefunden hätte,
obwohl sie »eben erst den Farnesischen Herkules, den sie
in Gips nach dem Urbild gearbeitet, vor sich hatten und in
Stein ausführten.« Scheffauers Figur mangele daneben
»das Große«, sie erschien übertrieben. Friedrichs Arbeit
fehle der überzeugende Ausdruck, sie roch »zu sehr nach
einer akademischen Figur.«
Dannecker bekam den Preis, weil seine Erfindung »kräftig
und voll Geist« war. In seiner Figur sah Guibal den
»wahren Ausdruck der Natur« – und zwar einer »tugendhaften« Natur, welche die Phantasie des Betrachters
befeuere und unwiderstehlich hinreißend sei.
Dieses Ziel hat Dannecker erreicht, weil er die thematische
Verwandtschaft der Preisaufgabe mit der berühmten Laokoongruppe erkannt und für seine Figur genutzt hat: der

1586

Kopf seines Milon ist eine Nachbildung des Laokoonkop-
fes (vgl. Kat.Nr. 1556). Durch den Unterricht an der
Akademie kannte Dannecker die Anschauung Winckel-
manns, der über den Laokoon geschrieben hatte: »Sein
Elend geht uns bis an die Seele; aber wir wünschten, wie
dieser große Mann, das Elend ertragen zu können.«
Bis auf wenige Einzelheiten kopierte Dannecker mit sei-
nem ›Milon‹ eine Figur gleichen Themas nach einem
Entwurf Guibals von 1765, die möglicherweise von
Lejeune in Gips modelliert und auf einer Balustrade von
Schloß Monrepos aufgestellt wurde. Vergleichbar ist auch
noch eine andere Figur von Lejeune: der Herkules vor dem
Eingang des Stuttgarter Neuen Schlosses.

*Chr. v. Holst, Johann Heinrich Dannecker. Der Bild-
hauer, Stuttgart 1987, 25f, 108ff, Nr. 1 (dort die ältere
Literatur). – Zu Winckelmanns Anschauung über den
Laokoon: R. Brandt, »...ist endlich eine edle Einfalt und
stille Größe«, in: Johann Joachim Winckelmann
1717–1768, hg. Th. W. Gaethgens, Hamburg 1986, 41ff.,
51 (Zitat). – »Milon«-Entwurfszeichnung von Guibal: v.
Holst 1987, 108, Abb. 76. – Vgl. dazu W. Uhlig, Nicolas
Guibal, Diss. Stuttgart 1981, 95ff, 98. – Herkules von*

*Lejeune: J. Baum, Deutsche Bildwerke des 10. bis 18.
Jahrhunderts, Stuttgart 1917 (= Kataloge der Kgl. Altertümersammlung Stuttgart 3), 352 Nr. 475. – Zu Lejeune
vgl. Kat.Nrn. 1066–1068.*                          U. H.

## 1587*

## LUDWIG XVI., KÖNIG VON FRANKREICH

Johann Gotthard Müller (1747–1830)
nach J. S. Duplessis

*Kupferstich*
*H. 79,4 cm, B. 62,0 cm*
*Bez.:* LOUIS SEIZE / Il voulut le bonheur de sa nation, et
en devint la victime.
*links:* Peint d'aprés nature par Duplessis / inprimé à
Nuremberg par Ramboz
*rechts:* Gravé par J. G. Müller, Prof. a l'Acad. Caroline/ à
Stoutgart, Membre de l'Acad. des Arts à Paris
*Mitte:* Se vend chés J. Fr. Frauenholz à Nuremberg

Stuttgart, Staatsgalerie, Graphische Sammlung,
Inv.-Nr. A 80/5868

Der ehrenvolle Auftrag des französischen Hofes, das
Staatsporträt König Ludwigs XVI. zu stechen, belegt die
hohe Wertschätzung, die Johann Gotthard Müllers Kupfer-
stecherkunst im Jahr 1784 entgegengebracht wurde.
Nach einer sechsjährigen Ausbildung als Maler bei Nicolas Guibal (1725–1784) an der Stuttgarter Academie des
Arts, war Müller 1770 mit einem Jahresstipendium von
400 Gulden nach Paris geschickt worden, um bei dem
berühmten Kupferstecher Johann Georg Wille (1715 bis
1808) zu lernen. Als vorzüglicher Zeichner beherrschte er
bald die virtuose Technik seines Lehrers, erwarb Anerkennung durch akademische Preise und wurde 1776 sogar
Mitglied der Pariser Akademie der Künste. In demselben
Jahre berief ihn Herzog Carl Eugen nach Stuttgart zurück,
um ihn mit dem Titel eines »Premier Graveur de Son
Altesse« und eines Professors auszuzeichnen und ihm die
Leitung der an der Militärakademie neu gegründeten
Kupferstecherschule zu übertragen.
Im April 1785 reiste Müller nun in Begleitung von Johann
Friedrich Cotta, dem späteren Buchhändler und Verleger,
und mit dem Maler Eberhard Wächter nach Paris, um eine
genaue Zeichnung nach dem ganzfigurigen Porträt Ludwigs XVI. im Krönungsornat von Joseph-Siffred Duplessis
(1725–1802) anzufertigen. Das 1777 im Salon ausgestellte Gemälde, das den Typus des traditionellen Herr-
scherbildnisses aufgriff, erntete dort herbe Kritik.
Die nach fünfjähriger Arbeit 1790 vollendete Platte
konnte jedoch wegen der Revolutionswirren nicht zum
Druck nach Paris gebracht werden. Der Stich erschien erst
im Jahre 1793 in Nürnberg bei dem Verleger und Kunst-
händler Johann Friedrich Frauenholz, nachdem dem
Künstler gegen die Hälfte des vereinbarten Honorars von
9000 Livres die Platte zu eigener Disposition überlassen

1587

worden war. In der Zeitschrift »Archiv für Künstler und
Kunstfreunde« heißt es hierzu: »Bekanntlich ist es eines
der besten Blätter, das in den neuern Zeiten in Deutschland
erschienen ist.« (2. Bd., 3. Heft, 1808, S. 123)

*Museum für Künstler und Kunstliebhaber, 2. St., 1788,
S. 71 f.; 18. St., 1792, S. 427. – Meusel Künstlerlexikon,
Bd. 2, 1809, S. 72. – Kunst-Blatt, 1821, Nr. 91, S. 362;
1821, Nr. 92, S. 367; 1830, Nr. 37, S. 146 f. – Adolf
Haakh, Beiträge aus Württemberg zur neueren Kunstgeschichte, Stuttgart 1863, S. 37, 42. – A. Andresen, Leben
und Werke der beiden Kupferstecher Johann Gotthard
Müller und Johann Friedrich Wilhelm Müller, in: Nau-
manns Archiv für die zeichnenden Künste, 11. Jg., 1865,
S. 3, Nr. 8/V. – Winterlin, Künstler in Lebensbildern,
Stuttgart/Leipzig/Berlin/Wien 1895, S. 40 ff. – Jules Bel-
leudy, J.-S. Duplessis. Peintre du Roi 1725–1802, Chartres 1913, WV Nr. 99. – Kat. Stuttgart 1959, Nr. 662. –
Erwin Petermann, Joh. Gotth. Müller und die Kupferstecherschule der Hohen Carlsschule, in: Kat. Stuttgart 1959,
S. 77.*                                              I. F.

# Der Höhepunkt des deutschen Idealismus

»Der Schiller und der Hegel, der Schelling und der Hauff…« Der volkstümliche, etwas großmäulige Vers unterstellt, wenn man von Schiller hierbei absieht, die geniebildende Funktion des Tübinger Stifts. Unbestritten ist die Bedeutung der »Stiftsköpfe«, wie sie Ernst Müller nennt, für das geistige Leben in Württemberg und darüber hinaus im einzelnen stets gewesen. Den drei gleichzeitig studierenden und zeitweilig eine Stube bewohnenden »Feuerköpfen« Georg Wilhelm Friedrich Hegel (1770 bis 1831), Friedrich Wilhelm Joseph Schelling (1775–1854) und Friedrich Hölderlin (1770–1843) blieb jedoch vorbehalten, die deutsche Philosophie auf eine nie zuvor gekannte Höhe zu führen. Am Ende steht Hegel als der bedeutendste und einflußreichste Philosoph des 19. Jhs. da, freilich geht er diesen Weg bedächtig, wie es seine Art ist. Schon in Tübingen hat ihm diese Eigenart den Spitznamen »alter Mann« eingetragen (Kat. Nr. 1588). Der kecke Schelling (Kat. Nr. 1596) macht in kürzerster Zeit mit seiner romantischen Naturphilosophie Furore, erntet aber schon bald herbe Kritik durch die empirisch orientierte Naturforschung. Und Hölderlin? Er wird heute zunehmend als der initiative Kopf des Dreigestirns angesehen, verdunkelt allerdings durch die ab 1802 auftretenden geistigen Störungen. Nachdem er 1806/07 bei Autenrieth in psychiatrischer Behandlung gewesen war, führte er als Pflegling des Schreinermeisters Zimmer ein weltabgewandtes Leben im Tübinger »Hölderlinturm«. Die Zeichnung aus seinen letzten Lebensjahren läßt den Verfall des einst so stolzen Geistes ahnen (Kat. Nr. 1601). Hegels Portrait dagegen verkörpert ein Monument des Geistes (Kat. Nr. 1591).

Die Begeisterung für die Französische Revolution (Kat. Nr. 1589) hatte die Tübinger Studenten erfaßt, es ist also kein Wunder, daß sie Jean Jacques Rousseau (1712–1778) feierten (Kat. Nr. 785) als Verkünder der Freiheit und des Selbstbewußtseins des Individuums. Auch das älteste Systemprogramm, dessen individuelle Urheberschaft nicht geklärt ist, trägt noch Rousseausche Züge: »Mit dem freyen, selbstbewußten Wesen tritt zugleich eine ganze Welt – aus dem Nichts hervor – die einzig wahre und gedenkbare Schöpfung aus Nichts.« (Kat. Nr. 1590). Das Programm zeigt aber auch, und hier ist der Einfluß Kants spürbar, wie dringend eine Philosophie ist, die die objektive Außenwelt mit dem Geistigen d. h. mit der Erkenntnisfähigkeit in Einklang bringt. Das sind Kants Erfahrungen a posteriori, Erfahrungen im üblichen Sinn, und Erfahrungen a priori, echte Metaphysik. Kant hatte ja als erster die formale Verflachung der reinen Vernunftlehre erkannt.

Schelling löst als erster das Problem, indem er bereits 1797 in seinen »Ideen zu einer Philosophie der Natur« das Wesen der Natur aus dem Wesen des Geistes zu erkennen fordert: »Was für die theoretische Philosophie übrig bleibt, sind allein die allgemeinen Prinzipien einer möglichen Erfahrung, und anstatt eine Wissenschaft zu sein, die auf Physik folgt (Metaphysik), wird sie künftig eine Wissenschaft sein, die der Physik vorangeht.« (Kat. Nr. 1597).

Damit ist Schellings Philosophie der Identität von Subjekt und Objekt skizziert. Für ihn konsequent, für die Experimentalphysiker empörend, gründet er eine eigene »Zeitschrift für spekulative Physik« (Kat. Nr. 1598).

Hegel schließt sich in seiner Jenaer Privatdozentenzeit, 1801, weitgehend dem System seines Freundes Schelling an, der dort seit 1798 Philosophieprofessor ist. Doch existiert bereits das sog. »Frankfurter Systemfragment« (Kat. Nr. 1592), in dem seine dialektische Methode angedeutet ist: »… daß nicht vergessen wird, dasjenige zum Beispiel, was Verbindung der Synthesis und Antithesis genannt wurde, sey nicht ein gesetztes, verständiges, reflektirtes, sondern sein für d. Reflexive einziger Charakter sey, daß es ein Seyn ausser der Reflexive ist.« Hegels »Phänomenologie des Geistes« (Kat. Nr. 1593) genießt eine gewisse Popularität gegenüber seinen anderen Werken. Sie ist aber nicht sein Hauptwerk sondern die Einleitung in sein System. Brillant zeigt Hegel, daß das zu Erkennende überhaupt nicht losgelöst von Erkenntnisvorgang angenommen werden kann, das »Werkzeug« oder auch »passives Medium« des Erkennens das zu Erkennende wiederum verändert. Der Prozeß des Erkennens muß durch fortlaufende Negation gewissermaßen »kritisch« gehalten werden, bis er auf eine Stufe gelangt, in der der Gegensatz zwischen Bewußtsein und Gegenstand aufgehoben ist und das absolute Wissen hervortritt. Sichtlich ist die Hegelsche Methode ungleich umständlicher als die Schellingsche Identifikation von Subjekt und Objekt, aber sie ist wohl immer noch die fruchtbarste. Die »Wissenschaft der Logik« (Kat. Nr. 1594) ist für Hegel eben darum nicht die formale, weil diese nach Gesetzen operiert, die völlig unabhängig von den Begriffen sind. Wissenschaft nennt sie Hegel also, insofern sie Metaphysik ist, d. h. daß Gegenstand und Denkvorgang einander bedingen.

Es wird heute ein sehr viel größerer Einfluß Hölderlins auf Hegel angenommen, als die bloße Freundschaft ahnen läßt. Hölderlins Fragment »Urteil und Sein« (Kat. Nr. 1603) bildet also wohl vor allem deshalb eine Ausgangsbasis für Hegel, weil dort die ursprüngliche Identität von Objekt und Subjekt zwar vorausgesetzt, der intellektuelle Prozeß aber erst durch die »Ur-teilung« beider möglich wird. In Hölderlins Fragment »Das Werden im Vergehen« (Kat. Nr. 1602) taucht dasselbe Beziehungspaar Unendlichkeit und Endlichkeit auf wie in Hegels Frankfurter Systemfragment. Hölderlin skizziert hier den »dialektischen« Prozeß derart, daß die Negation, anders als dann bei Hegel, der Austritt aus der Wirklichkeit ist, ohne daß das Mögliche zur Wirklichkeit werden kann. Daß Hölderlin hier gerade vom untergehenden Vaterland spricht, deutet darauf hin, daß er in der Französischen Revolution und ihren Folgen eine Möglichkeit sieht, die zur Wirklichkeit werden kann, der aber eine andere Wirklichkeit, das alte Reich, weichen muß.

H. P. M.

## 1588

### HEGELS STAMMBUCH

Tübingen, um 1792

*Handschrift*
*H. 10 cm, B. 16 cm*

Tübingen, Universitätsbibliothek, Mh 858

## 1589

### DEMOKRATISCHE STIMMUNG IM TÜBINGER STIFT

Dekret Herzog Carl Eugens
Stuttgart, 13. August 1793

*Handschrift*

Tübingen, Evangelisches Stift – Archiv, K VII, F 29,3

*...Da Wir von sicherer Hand in Erfahrung gebracht haben, daß in Unserem Herzoglichen Theologischen Stifte die Stimmung äußerst democratisch seyn solle, besonders aber ohne Scheu die Französische Anarchie und der KönigsMord öffentlich vertheidiget werden: So wollet Ihr diese Sache ernstlich und schleunig untersuchen, und den Erfund an Unser Herzogliches Consistorium unterthänigst berichten. Melden Wir in Gnaden, womit Wir Euch stets wohlbeigethan verbleiben.*
*Stuttgardt, d. 13ten Aug. 1793*
*Ex Speciale Decreto Serenissimi Domini Ducis*
*An die Vorsteher des Herzoglichen Theologischen Stifts in Tübingen*

## 1590

### ÄLTESTES SYSTEMPROGRAMM DES DEUTSCHEN IDEALISMUS

um 1796

*Photographie des Hegelschen Autographs*

Stuttgart, Württembergische Landesbibliothek, Hölderlin-Archiv

Das Programm ist in Hegels Handschrift überliefert. Welchen Anteil Hegel, Schelling oder Hölderlin daran haben, ist bisher ungeklärt. Das verschollen geglaubte Original befindet sich in der Jagiellonischen Bibliothek in Krakau.*
H. P. M.

* Freundlicher Hinweis von Frau Schütz, Württembergische Landesbibliothek, Hölderlin-Archiv.

1591

## 1591*

### GEORG WILHELM FRIEDRICH HEGEL (1770–1831)

Bildnismedaillon
Johann Friedrich Drake (1805–1882)

*Gipsrelief*
*Dm. 45 cm*
*Bez. unter dem Hals: F. DRAKE. FEC. 1830*

Berlin, Privatbesitz F. Schröder

Die Wiedergabe in Büstenform ohne Andeutung einer modischen Bekleidung hatte Hegel selbst für die beste gehalten, »da hier der Kopf und die Physiognomie die Hauptsache bleiben, und das Uebrige nur ein gleichsam unbedeutendes Beiwesen ist«, wie er in seiner »Ästhetik« schreibt. (Essers, S. 73)

*Volkmar Essers, Johann Friedrich Drake 1805–1882, München 1976*
H. P. M.

## 1592

### FRANKFURTER SYSTEMFRAGMENT

Georg Wilhelm Friedrich Hegel
Frankfurt 1800

*Autograph*
*H. 21,5 cm, B. 17,5 cm*

Berlin, Staatsbibliothek Preußischer Kulturbesitz, Handschriftenabteilung, Nachl. Hegel 11, 162–169

1593

## SYSTEM DER WISSENSCHAFT.

Erster Theil, die Phänomenologie des Geistes

Georg Wilhelm Friedrich Hegel
Würzburg 1807

*Oktav*

Stuttgart, Württembergische Landesbibliothek,
R 19 Heg 1

1594

## WISSENSCHAFT DER LOGIK

Georg Wilhelm Friedrich Hegel
Nürnberg 1812 u. 1816

Oktav

Tübingen, Universitätsbibliothek, Ac 84. 8°

1596

1595

## HEGELS BERUFUNG NACH HEIDELBERG

Brief von Karl Daub an Georg Wilhelm Friedrich Hegel
Heidelberg, 30. Juli 1816

*Photographie des Autographs*
*H. 24,5 cm, B. 19,5 cm (Original)*

Krakau, Autographensammlung aus der ehemaligen
preußischen Staatsbibliothek, zur Zeit aufbewahrt in der
Jagiellonischen Bibliothek

*… Nun würde aber Heidelberg an Ihnen, wenn Sie den Ruf*
*annähmen, zum erstenmal (Spinoza wurde einst, aber*
*vergebens, hierher gerufen, wie Sie vermutlich wissen) seit*
*Stiftung der Universität einen Philosophen haben …*
H.P.M.

1596*

## FRIEDRICH WILHELM JOSEPH SCHELLING
(1775–1854)

Bildnis

Joseph Klotz
1804

*Bleistiftzeichnung*
*H. 16 cm, B. 13 cm*

München, Stadtmuseum, Ms II-876

1597

## IDEEN ZU EINER PHILOSOPHIE DER NATUR

Friedrich Wilhelm Joseph Schelling
Leipzig 1797

*Oktav*

Stuttgart, Württembergische Landesbibliothek,
R 18 Schel 10

1598

## ZEITSCHRIFT FÜR SPEKULATIVE PHYSIK,
1800 U. 1801

Friedrich Wilhelm Joseph Schelling (Hrsg.)
1800 u. 1801

*Oktav*

Stuttgart, Württembergische Landesbibliothek, Z 90 013

1599

## Friedrich Hölderlin (1770–1834) als Maulbronner Klosterschüler

Wohl Maulbronn 1786

*Bleistift und Kreide auf Papier*
*H. 20,5 cm, B. 14 cm (Blattgr.)*

Stuttgart, Württembergische Landesbibliothek –
Hölderlin-Archiv, Cod. poet. fol. 63 V$^b$ 3


1600

## Friedrich Hölderlin als Magister

Um 1790

*Reproduktion der Tuschsilhouette*
*H. 11,5 cm B. 9,5 cm (Original)*
*Bildunterschrift:* F. Hölderlin als Magister

Marbach, Schiller-Nationalmuseum, Inv.-Nr. 3814


1601

## Friedrich hölderlin als Kranker

Luise Keller
Tübingen 1842

*Reproduktion der Bleistiftzeichnung*
*H. 22 cm, B. 16 cm (Original)*

Marbach, Schiller-Nationalmuseum, Inv.-Nr. B 54.10


1602

## Das Werden im Vergehen

Friedrich Hölderlin
Jena (?) 1794 (?)

*Photographie des Autographs*
*H. 36 cm, B. 22 cm (Original)*

Stuttgart, Württembergische Landesbibliothek –
Hölderlin-Archiv, Cod. poet. fol. 63, Fasc. I 6, 74a–84a


1603

## Urteil und Sein

Friedrich Hölderlin
Jena (?) 1795 (?)

*Photographie des Autographs*
*H. 22,5 cm, B. 13,5 cm (Original)*

Stutgart, Württembergische Landesbibliothek –
Hölderlin-Archiv, Cod. poet, fol. 63, Fasc. VI, 4


# Eine technische Hochschule für Baden

»Eine Schule, die man mit vollem Recht ein Prinzip nennt,
um die uns das Ausland beneidet«, urteilt im 19. Jh. der
ständige Sekretär der Pariser Akademie der Wissenschaften François Arago (1786–1853). Gemeint ist die mitten
in der Revolution, 1794, gegründete École Polytéchnique
in Paris. Nachdem das 18. Jh. noch geprägt war von –
berechtigten wie unberechtigten – Spötteleien über die
Rolle der Mathematik in der Technik, gleichzeitig aber
der Mangel höherer technischer Bildung empfunden
wurde, entschied sich Frankreich für eine Ingenieurausbildung, die auf solider und strenger mathematischer
Grundlage aufbaute, wenn auch der immer deutlicher
zutage tretende industrielle Erfolg der englischen »Werk-
stattmethode« Recht zu geben schien.
Die 1825 gegründete Polytechnische Schule in Karlsruhe
ist die älteste, die sich nicht allein dem Namen (da wären
Prag, 1806, und Wien, 1815, vorn), sondern auch der
Methode nach an das Pariser Vorbild anlehnte und schon
bald einen wissenschaftlichen Rang als technische Hochschule beanspruchte. Unter diesem Aspekt muß Johann
Gottfried Tulla (1770–1828) als ihr eigentlicher Gründer
angesehen werden.
Mit vollem Recht müssen aber auch Friedrich Weinbrenner (1766–1826) und Gustav Friedrich Wucherer
(1780–1843) als geistige Väter der Karlsruher Polytechnischen Schule genannt werden.               H.P.M.


1604*

## Johann Gottfried Tulla (1770–1828)

J. Velten
Karlsruhe um 1830

*Lithographie*
*H. 15 cm, B. 21,5 cm (Bildgr.)*
*Bez. unten:* J. G. Tulla, *rechts unten:* Lith. v. J. Velten

Karlsruhe, Staatliche Kunsthalle, Inv. Nr. P. K. I 706/6


Eine gezielte Ausbildung zum Ingenieur hätte Tulla in
seiner badischen Heimat allenfalls beim Militär erhalten
können. Nach dem Besuch des Karlsruher Lyceums erhielt
er auch Privatunterricht von einem Offizier. Von Markgraf Karl Friedrich wurde er dann zu Langsdorf (Kat. Nr.
1619) nach Gerabronn geschickt, wo er seine Kenntnisse
in Mathematik und Mechanik bedeutend erweiterte. Weitere Erfahrung sammelte er auf einer Reise an den Nieder-
rhein und nach Holland, wovon sein Reisetagebuch
(Kat. Nr. 1605) zeugt. Den bleibendsten Eindruck hinterließ ohne Zweifel sein Parisaufenthalt 1801/02, wo er die
französische Ingenieurausbildung eingehend studierte.
Als er 1803 beim neu eingerichteten badischen Ingenieur-
Departement angestellt wird und bald darauf das Ingenieurbüro leitet, reift in ihm der Plan, in Baden auch
Ingenieure wenigstens angelehnt an das französische
System auszubilden.                          H.P.M

1604

*…Die richtige Ausübung mathematischer Kenntnisse befördert den inneren Wohlstand eines Staats… Von der Richtigkeit dieses Satzes überzeugt, hat man hier eine Lehranstalt die Ecole Polytéchnique eingerichtet… in die nur solche junge Leute aufgenommen werden, welche schon gute Vorkenntnisse und besonders die erste Anfangsgründe der Mathematik haben, welche letztere öfters größer seyn mögen, als die mancher deutschen jungen Ingenieurs…* (Bl. 70ʳ)

## 1607

### DARSTELLENDE GEOMETRIE, DIE SPRACHE DES INGENIEURS

Brief Tullas an den Minister und Kammerpräsident v. Gayling

Paris, 18. Februar 1802

*Autograph*
*H. 23 cm, B. 18,5 cm*

Karlsruhe, Generallandesarchiv, 76/7972, Bll. 91 u. 92

Tulla studierte die 1795 vom Gründer der Ecole Polytéchnique, Gaspard Monge (1746–1818), aus der perspektivischen Darstellung als strenge Wissenschaft entwickelte Géométrie descriptive, *…weil diese Wissenschaft für einen guten Ingenieur ganz unentbehrlich ist, indem solche die mathematische Regeln an die Hand gibt, nach welchen alle Körper gezeichnet und ihre Verbindungen unter festgesetzten Bedingungen bestimmt werden können.* (Bl. 92ʳ) Überrascht stellt er fest, daß er beim Gang seiner bisherigen Konstruktionen *dem des Herrn Monge gleichgekommen* ist. (Bl. 92ᵛ)                                    H. P. M.

## 1605

### TULLAS REISETAGEBUCH

1794

*Autograph, gebunden*
*Oktav*

Karlsruhe, Generallandesarchiv, 65/ 11 861

Aufgeschlagen: S. 166 u. S. 167, Konstruktion der Steigung von Windmühlenflügeln.

## 1606

### TULLA ÜBER DIE ECOLE POLYTÉCHNIQUE

Brief an den Minister und Kammerpräsidenten v. Gayling

Paris, 16. Oktober 1801

*Autograph*
*H. 22 cm, B. 18,5 cm*

Karlsruhe, Generallandesarchiv, 76/7972, Bll. 69 u. 70

## 1608

### GÉOMÉTRIE DESCRIPTIVE

Gaspard Monge (1746–1818)
Paris An VII (=1799)

*Quartband*

Speyer, Pfälzische Landesbibliothek, 4° G 37.2895

Erste Buchausgabe der 1795 geschaffenen darstellenden (deskriptiven, konstruktiven) Geometrie.          H. P. M.

## 1609

### ERSTE PLÄNE ZUR RHEINKORREKTUR

Brief Tullas an den Minister und Kammerpräsidenten v. Gayling

Paris, 23. März 1802

*Autograph*
*H. 22,5 cm, B. 18,5 cm*

Karlsruhe, Generallandesarchiv, 76/7972, Bll. 159 u. 160

Tulla berichtet von der Absicht, eine gemeinsame Kommission von französischen und deutschen Ingenieuren zu bilden, um den *Rhein in Schranken* zu halten. Erst 1821 begannen die Arbeiten unter der Leitung Tullas.

H. P. M.

## 1610

### DIE EINRICHTUNG DER INGENIEURSCHULE

Vorschläge Tullas an die Badische General-Studien-Commission

Karlsruhe, 31. Januar 1809

*Handschrift*
*H. 32,5 cm, B. 21 cm*

Karlsruhe, Generallandesarchiv, 206/3153,
Bll. 51, 52

Das Ingenieur-Departement, dem Tulla angehört, ist eine zumindest überwiegend militärische Institution, die aber auch zivile Aufgaben wie Landvermessung und Wegebau wahrnimmt. Tullas Vorschläge zielen aber nicht direkt darauf, *gleich taugliche Praktiker zu bilden, sondern daß der mathematische Sinn und Geist in den Eleven entwikkelt und gebildet werde.* (Bl. 51ᵛ) Er hat also das französische System im Sinn, wo an der Ecole Polytéchnique die Grundlagenwissenschaften und z. B. an der Ecole des Ponts et Chaussées das eigentliche Ingenieurfach gelehrt werden. Tulla meint mit Ingenieurschule also eher eine Vorbereitungsschule, denn nach dem damaligen Sprachgebrauch wären nur die französischen Spezialschulen wie die Ecole des Ponts et Chaussées Ingenieurschulen.
Die für notwendig erachteten Lehrfächer entsprechen daher eher dem Charakter der Ecole Polytéchnique. Im einzelnen sind es: Arithmetik, Geometrie, Trigonometrie, Algebra, Differential- und Integralrechnung, Gebrauch der Logarithmen- und Sinustafeln, Géométrie descriptive, Grundprinzipien der Statik, Übung im geometrischen und Freihandzeichnen.
Tulla möchte die Ingenieurschule als zivile Schule verstanden wissen, jedoch mit einer militärischen Ordnung und Disziplin. Auch hier schlägt wieder das Vorbild der Ecole Polytéchnique durch. Andererseits kann so der Weg offengehalten werden zu einer Vereinigung mit der Weinbrennerschen Bauschule.
Ebenfalls schlägt Tulla Uniform für die Ingenieurschüler vor, wie an der Ecole Polytéchnique üblich. Da aber ohnehin eine Dienstuniform für *Ingenieurs und Baumeisters* eingeführt werden soll, ist dies kein Ausdruck besonderen militärischen Denkens.

H. P. M.

## 1611

### DEN UNTERRICHT DER INGENIEUR-ELEVEN BETREFFEND

Denkschrift Tullas an das badische Innenministerium

Karlsruhe, 7. November 1810

*Handschrift*
*H. 32 cm, B. 21 cm*

Karlsruhe, Generallandesarchiv, 235/4106, Bll. 30–36

Geschickt stellt Tulla zunächst die Nachteile der Ingenieurschule heraus, die ja fast nebenher vom Ingenieurbüro betrieben wurde, dem er vorsteht. Der entscheidende Mangel ist der daraus resultierende unregelmäßige, auch zuweilen unsystematische Unterricht. Tullas Klagen erstrecken sich jedoch auch auf vergleichsweise Kleinigkeiten wie Heizkosten, Raummangel usw. Über die zahlreichen Klagen kommt Tulla auf die eigentliche Ingenieurausbildung zu sprechen: *Soll das Institut zur Bildung des Ingenieurs, Geometers und Feldmessers, auch anderer jungen Leute, welche einige mathematische Kenntnisse für ihr Fach nöthig haben künftig fortbestehen, so ist erforderlich daß*
*1. Auf eine ähnliche Art im Kleinen wie in Frankreich im Größern, die Ingenieur-Eleven in 2 Klassen getheilt werden; nämlich in*
*a) Eleven 2. Klasse (polytechnische Schüler) …welchen zur Erlernung… ein Zeitraum von 3 Jahren zu bestimmen sein dürfte.*
*b) Eleven 1. Klasse (Elèves des ponts et chaussées)…* (Bll. 32ᵛ u. 33ʳ) Letztere sollten dann in der bürgerlichen Baukunst, der Perspectiv, der Wasserbaukunst, der Strombaukunst, der Bewässerungskunst und dem Straßenbau nicht nur Unterricht, sondern auch praktische Übung erhalten.
Damit hat sich Tulla endgültig für das französische System ausgesprochen, offenbar ganz im Einklang mit Weinbrenner, wogegen seine Ingenieurschule eher eine Synthese zwischen den beiden Ausbildungsstufen versuchte.

H. P. M.

## 1612

### GUSTAV FRIEDRICH WUCHERER
### (1780–1843)

Bildnisminiatur
um 1810

Privatbesitz

Nach dem Studium der Theologie, Mathematik und Physik in Tübingen wurde Wucherer 1807 als erster evangelischer Stadt- und Universitäts-Pfarrer im nunmehr badischen Freiburg angestellt. 1813 wurde er gleichzeitig Ordinarius für Physik und Technologie an der Universität. 1818 gründete er ein »Polytechnisches Institut« als Privatlehranstalt in Freiburg. Obwohl es nach 4 Jahren wieder einging, hatte das Institut Wucherer doch so viel Ansehen eingetragen, daß vor allem dank seiner Initiative der Gedanke einer polytechnischen Schule in Karlsruhe wiederbelebt wurde. Er selbst hatte 1822 eine Professur am Karlsruher Gymnasium angenommen. Schließlich lag in der Gründungsphase der staatlichen Polytechnischen Schule in Karlsruhe die Initiative ganz bei Wucherer. Tulla hatte, häufig kränkelnd, inzwischen wohl resigniert, so daß Wucherer der erste Direktor der Polytechnischen Schule wurde.                                H.P.M.

## 1613

### ÜBERSICHT DER LEHRGEGENSTÄNDE MIT ANGABE DER DARAUF ZU VERWENDENDEN ZEIT

Anhang zu einem Gutachten zur Errichtung einer Polytechnischen Schule von Gustav Friedrich Wucherer

Karlsruhe, 16. März 1824

*Handschrift*
*H. 32,5 cm, B. 20,5 cm*

Karlsruhe, Generallandesarchiv,
235/4106, Bll. 147 u.148

Wucherers Vorschlag sieht die von ihm erwartete billige Lösung vor. Eine allgemeine Klasse zu zwei Abteilungen sollte die nötigen mathematischen Grundlagen vermitteln. Dazu sollte nur die Karlsruher Realschule modifiziert und eingegliedert werden. Die darauf aufbauende Ingenieurklasse, ebenfalls in untere und obere Abteilung untergliedert, war die Ingenieurschule Tullas. Neu einzurichten wäre also nur die Handels- und Gewerbsklasse gewesen. Diesem Plan widersetzte sich jedoch Tulla entschieden.
                                H.P.M.

## 1614

### GRÜNDUNGSDEKRET GROSSHERZOG LUDWIGS

Karlsruhe, 7. Oktober 1825

*Handschrift*
*H. 33,5 cm, B. 22 cm*
*Eigenhändig unterzeichnet:* Ludwig

Karlsruhe, Generallandesarchiv, 235/4106,
Bll. 160 u. 161

Außer einem allgemeinen Bekenntnis zur Förderung des gewerbetreibenden Bürgertums wird die Zerrüttung der badischen Staatsfinanzen hinter der schönen Formulierung verborgen: *...haben Wir getrachtet, das bereits vorhandene jedoch vereinzelte Gute zu erhalten und zu benutzen, das fehlende zu ergänzen, und alles in ein* *zusammenhangendes Ganzes zu verbinden, alles aber berechnet nach den Bedürfnissen Unseres Landes, und nach den dazu verwendbaren Mitteln.* (Bl. 160$^v$)

Entscheidender ist die Angabe, daß die Ingenieurschule nur die mathematische Vorbildung an die Polytechnische Schule abgibt, *und künftig als besondere Fachschule fortbesteht.* Damit hatte Wucherer seine Polytechnische Schule und Tulla seine Ecole des Ponts et Chaussées. Tulla hatte sich also in diesem Punkt durchgesetzt.

Erst 1832 wurde die Ingenieurschule ebenso wie die Weinbrennersche Bauschule eingegliedert, damit war der Typ der deutschen Technischen Hochschule entstanden.
                                H.P.M.

1615

1615*

### AUFRISS DER EVANGELISCHEN STADT-KIRCHE IN KARLSRUHE MIT FLÜGELBAUTEN

Friedrich Weinbrenner (1766–1826) zugeschrieben
Karlsruhe 1802

*Kolorierte Federzeichnung*
*H. 24 cm, B. 34,5 cm*
*Bez. rechts unten: gez. v. Weinbrenner*

Karlsruhe, Stadtarchiv, XIV c/40

Der linke Flügelbau war das erste Lehrgebäude der Polytechnischen Schule.                   H.P.M.

FRIEDRICH WEINBRENNER

*Grosherzogl. Badischer Oberbaudirector*

1616

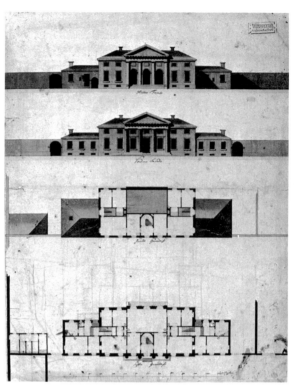

1617

1616*

## FRIEDRICH WEINBRENNER (1766–1826)

Bildnis

Carl Sandhaas (1801–1859)
Karlsruhe 1822

*H. 48,6 cm, B. 32 cm (Blattgröße)*
Bez. unten: Friedrich Weinbrenner Grosherzogl.
Badischer Oberbaudirector;
*links unten:* gez. u. geäzt von Carl Sandhaas
*rechts unten:* Den Freunden und Verehrern deselben
gewidmet von G. Müller 1922

Karlsruhe, Staatliche Kunsthalle, Inv. Nr. 1936–1077
(VII 4756)

Es mag an den fehlenden Möglichkeiten der damaligen
Markgrafschaft Baden gelegen haben, aber der Bildungsgang Weinbrenners erscheint in auffallender Parallele zu

Tulla etwas unstet, ja verwickelt. Prägend waren für ihn
offensichtlich die Anschauung im väterlichen Zimmergeschäft und die »Wanderjahre«, 1790 an der Akademie in
Wien, danach 6 Jahre in Rom. Als er ab 1800 endgültig
wieder in seiner Heimatstadt Karlsruhe ansässig wird als
Baudirektor, später Oberbaudirektor, ist er ein geschätzter
Architekt. Vielleicht weil er selbst mit Mühe und Umständen seinen Weg suchen mußte, kümmert er sich sofort um
die Architektenausbildung und gründet seine berühmte
Bauschule. Aus ihr gingen rund 100 Architekten hervor,
freilich von unterschiedlichen Graden.          H.P.M.

1617*

## AUFRISS UND GRUNDRISS DES WEINBRENNERSCHEN WOHNHAUSES AM ETTLINGER TOR

Friedrich Weinbrenner (1766–1826) zugeschrieben
Karlsruhe 1801

*Kolorierte Federzeichnung*
*H. 52 cm, B. 41 cm (Blattgr.)*

Karlsruhe, Stadtarchiv, Inv. Nr. XV/1419

In seinem Wohnhaus unterhielt Weinbrenner seine private
Bauschule                                   H.P.M.

## 1618

### ARCHITEKTONISCHES LEHRBUCH

Text- und Tafelband

Friedrich Weinbrenner (1766–1826)
Tübingen 1810–1819

*Folioband*

Stuttgart, Württembergische Landesbibliothek,
Sch. K. fol. 281

Das Lehrbuch ist in drei Hauptteile gegliedert:
1. Teil
1. Heft: Geometrische Zeichnungslehre
Rißzeichnungen, orthogonale Projektion
und Parallelperspektive
2. Heft: Licht- und Schattenlehre
Geometrische und physikalische Optik
2. Teil: Perspektivische Zeichnungslehre
Zentralprojektion und -perspektive
3. Teil: Über die höhere Baukunst
1. Heft: Über Form und Schönheit
2. Heft: Über architektonisch Verzierungen
3. Heft: Über die Säulenordnung
4. Heft: Über den Gebrauch der Säulen
5. Heft: Über Einteilung, Anordnung und
Ausführung der Gebäude                        H. P. M.

## 1619

### CARL CHRISTIAN (V.) LANGSDORF
(1757–1834)

Bildnis

Parcher nach J. W. C. Roux
Heidelberg, nach 1806

*Kupferstich*
*H. 16,5 cm, B. 10,5 cm (Blatt)*
*Bez. links unten:* Roux Pinx.,
*rechts unten:* Meno Haas fc.

Karlsruhe, Generallandesarchiv, Aci Li 62.
Zugang 1922, Nr. 3

Langsdorf steht abseits der engeren »polytechnischen
Bewegung«. Selbst durchaus auf der Höhe der Mathema-
tik, wurde er zu seiner Zeit wegen seines praktischen
Sinnes von den reinen Mathematikern weniger geschätzt.
Den »Polytechnikern« dagegen schien er wohl eher ein
Vertreter jener Universitätstechnik, die sie entschieden
ablehnten. Bekanntlich hatte ja Tulla einen Mathematik-
lehrstuhl in Heidelberg abgelehnt, um *die Direktion einer
Bildungsschule für Ingenieure übertragen* zu bekommen.
Langsdorfs »Lehrbuch der Hydraulik« (Kat. Nr. 1620)
war 1794 entstanden, als er Salineninspektor im damals
ansbachischen Gerabronn war und den jungen Tulla in
diesem Fach unterrichten sollte. Da kein Lehrbuch seinem
Anspruch der Verbindung von Theorie und Praxis ge-

nügte, war er genötigt, es selbst zu verfassen. Sein »Aus-
führliches System der Maschinenkunde« (Kat. Nr. 1621)
steht durch seine betonte Anwendung der Infinitesimal-
rechnung in der geistigen Tradition der Arbeiten des
französischen Mathematikers, Organisators der Revolu-
tionsheere und Kriegsministers Lazare Garnot (1753 bis
1823).
Langsdorf war 1796–1804 Prof. der Maschinenkunde in
Erlangen, danach in Wilna und ab 1806 Mathematikprofessor in Heidelberg.                        H. P. M.

## 1620

### LEHRBUCH DER HYDRAULIK

Carl Christian Langsdorf
Altenburg 1794

*Quartband*

Stuttgart, Württembergische Landesbibliothek,
Gew. qt. 722

## 1621

### AUSFÜHRLICHES SYSTEM DER MASCHINEN-
KUNDE, 2 BDE. UND ATLAS

Carl Christian Langsdorf
Heidelberg und Leipzig 1826–27

*Quartband*

Stuttgart, Württembergische Landesbibliothek,
Gew. qt. 724 u. 725

# GESELLSCHAFT IM UMBRUCH

Dieser Teil der Ausstellung und des Kataloges wurde bearbeitet von Barbara Brugger, Gudrun König, Claudine Pachnicke, Sigrid Philipps, Heidi Staib und Leo von Stieglitz.
Wissenschaftliche Beratung und Koordination: Wolfgang Kaschuba.

## Gesellschaftsbilder

Bevor noch Napoleon in den deutschen Südwesten kam und dort »Geschichte« machte, waren bereits neue gesellschaftliche Ideen aus Frankreich über den Rhein gekommen. Die revolutionären Vorstellungen des Jahres 1789 von Freiheit, von Gleichheit, von Brüderlichkeit, von einer insgesamt menschlicheren und gerechteren Gesellschaft standen leitmotivisch auch über den Auseinandersetzungen und Kämpfen badischer und württembergischer »Untertanen« mit den »alten Mächten«. Allerdings blieben diese Kämpfe hier in ihrer politischen Reichweite und sozialen Schärfe begrenzt. Nicht »das Volk« erhob sich, sondern das Bürgertum vor allem verlangte mehr Rechte und Freiheiten. Dabei dachte es kaum an revolutionäre Umwälzungen, sondern mehr an bürgerlich gestalteten und staatlich organisierten »Fortschritt«: die bürgerlichen Tugenden des Fleißes, der Disziplin, der Vernunft, der Persönlichkeitsbildung als Staats- und Gesellschaftsprogramm. Handels- und Gewerbefreiheit wurden verlangt, Öffentlichkeit der Politik und Verfassungsmäßigkeit des staatlichen Lebens, Pressefreiheit und freier Zugang zu Staatsverwaltung und Beamtenstellen, Abschaffung der persönlichen Leibeigenschaft und Ende der feudalen Justiz.
So demokratisch diese Parolen klangen, sie meinten in der historischen Wirklichkeit mehr eine bürgerliche Freiheit als die der gesamten Gesellschaft. Wählen, mitentscheiden, politische Mandate übernehmen sollten zunächst diejenigen, welche dafür durch Besitz, Bildung und Bürgersinn kompetent und durch ihre Steuerleistung im Sinne des Zensuswahlrechtes auch legitimiert schienen. Die unteren Schichten waren für diese staatsbürgerliche Verantwortung offenbar noch nicht reif. Und die »Brüderlichkeit« wurde zudem wörtlich verstanden: Die Frauen blieben in den Ideen wie in der Praxis »bürgerlicher Emanzipation« von politischen Rechten, von Bildungsmöglichkeiten, von Berufen wie von öffentlichen Rollen ausgeschlossen.
Statt auf riskante demokratische Experimente setzte man auf ein breitgefächertes Wohltätigkeits- und Erziehungsprogramm, in dem sich bürgerliche und staatliche Initiativen vereinigten, um den Rest der Gesellschaft zu bilden und zu disziplinieren. »Industriosität«, die im Sinne des bürgerlichen Rationalitäts- und Fortschrittsdenkens zentrale Eigenschaft, wurde auch von der ländlichen Bevölkerung und von den Unterschichten erwartet. In allen denkbaren Formen und auf allen Ebenen staatlichen und privaten Handelns wurde eine so verstandene »Aufklä-rung« betrieben über neue wirtschaftliche und soziale Handlungsweisen, über technische Entwicklungen und sittliche Werte.
Die bürgerlichen Gruppen selbst – statistisch gesehen damals noch eine relativ kleine gesellschaftliche Minderheit von Wirtschafts- und Bildungsbürgern – schufen sich in dieser Zeit bereits tatsächlich erweiterte soziale und politische Handlungsmöglichkeiten. Neue Organisationsformen wurden entwickelt:
Die bürgerliche Öffentlichkeit traf sich im Salon und erprobte dort wie in Lesegesellschaften und »Museen« die Verbindung von ästhetischer Bildung, politischer Diskussion und kultureller Selbstdarstellung. Bücher und Zeitungen, noch in den engen Fesseln absolutistischer Zensur, wurden zu einem wichtigen Ausdrucksmittel der bürgerlichen Emanzipationsvorstellungen. Das Wort geriet zur politischen Waffe, auf die der Staat mit Publikationsverboten und Gefängnisstrafen reagierte
Der Bürger verstand sich nunmehr selbst als die tragende und prägende Kraft der neuen Gesellschaft. Er verdrängte den Adel, der ohnehin durch die Mediatisierung seine hoheitlichen Funktionen bereits eingebüßt hatte, aus der Rolle des gesellschaftlichen Leitbildes. Die bürgerliche Lebensweise wurde zum neuen Ideal und zum Orientierungsmuster für andere Gruppen der Gesellschaft, wie etwa für das Kleinbürgertum, das innerhalb des nunmehr wesentlich erweiterten Beamtenapparates auch vermehrt Positionen und Funktionen übernahm.
Die bürgerliche Alltagsszene wird ebenso wie das bürgerliche Porträt zum eigenständigen Thema in der Malerei, in der Grafik, im Kunsthandwerk und in der Volkskunst und damit zum symbolischen Ausdruck bürgerlicher Teilhabe an gesellschaftlicher Macht. Im Abbild des Bürgers und der Bürgerin und in der Darstellung von Szenen aus dem bürgerlichen Leben drückt sich der doppelte Prozeß der emanzipatorischen Suche nach dem eigenen Selbstverständnis und der Entwicklung adäquater Formen der Selbstdarstellung aus: Das Bürgertum porträtiert sich sowohl in der demonstrativen Pose des Wohlstands und der Ehrbarkeit als auch in eher karikierenden, selbstkritischen Formen.
Die liebevollen, idealisierenden Nachbildungen von Lebens- und Repräsentationsformen des Bürgertums in den Tonfiguren von Septimus Rommel und die eher typisierenden und karikierenden Tonfigürchen von Anton Sohn zeigen in der Gegenüberstellung beide Haltungen. Das wachsende Selbstbewußtsein erlaubt und verlangt das Ideal wie die Kritik. Während Rommel es bei der schlichten Abbildung des Bürgers beläßt, etwa eines modisch gekleideten Paares bei der neuen Freizeitbeschäftigung, dem Spaziergang, greifen die fast satirischen Darstellungen von Anton Sohn Tagtägliches auf und erzeugen damit Betroffenheit. Dem allzu patriotischen Soldaten wird das Bild des einbeinigen, hoffnungslosen Invaliden entgegengesetzt. Der vorgeblichen Allwissenheit der neuen, akademisch ausgebildeten Ärzte wird im Spiegel dieser Figuren Eitelkeit und Lächerlichkeit vorgehalten. Sohn schafft durch Übertreibung die nötige Distanz und ermöglicht dadurch die amüsante Selbstkritik bürgerlicher Charak-

terzüge durch die Bürger selbst, die sich diese Figürchen als Nippes in die Stube stellten.

Der Bürger, Träger und Leitbild einer Gesellschaft, die das »feudale Zeitalter« beenden soll, steht auch in den »Gesellschaftsbildern« dieser Ausstellung im Mittelpunkt. Viele der Momentaufnahmen historischer Lebenswelt und sozialer Veränderung sind aus der bürgerlichen Perspektive aufgenommen und nachgezeichnet, sei es die bürgerliche Selbstdarstellung, der Fortschritt in der Medizin, die neue Wohltätigkeit oder die Etablierung des Beamtenwesens. Komplexe gesellschaftliche Vorgänge und Prozesse mußten aufgelöst und in selbständige Kapitel untergliedert werden. Und daß dies zwischen den Umschlägen von Büchern geschieht, ist natürlich auch eine Referenz an »das« Medium bürgerlichen Selbstverständnisses und bürgerlicher Gesellschaftspraxis jener Zeit: das geschriebene Wort als Schlüssel zu Wissen, Aufklärung und Fortschritt.

Nur selten sind Relativierungen dieses Blickwinkels möglich. Museale Sammelpraxis und historisches Quellenmaterial haben vorwiegend den Blick »von oben« überliefert. Die Alltagserfahrungen, die Betroffenheiten, die Empfindungen »der Vielen« hingegen sind nur in schmalen Spuren aufzufinden und mühsam zu rekonstruieren. Auch in diesem Sinne scheint das Zeitalter Napoleons die »Zeit des Bürgers«.

**1622**

### METZGER MIT STIER UND HUND

Septimus Rommel (1778–1846)
Ulm, 1. Drittel 19. Jahrhundert

*Gebrannter Ton, bemalt*
*H. 13,8 cm, B. 17 cm*

Stuttgart, Württembergisches Landesmuseum, Inv.-Nr. 9160 c

**1623**

### ÄHRENLESENDER JUNGE

Anton Sohn (1769–1841)
Zizenhausen, 1820–1830

*Gebrannter Ton, bemalt*
*H. 11,7 cm, L. (Sockel) 3,7 cm*

Karlsruhe, Badisches Landesmuseum, Inv.-Nr. C 6026

*A. Häberle, Die Rommelfiguren im Museum der Stadt Ulm, in: Schwäbisches Museum, 1927, S. 169–183. – Wilfried Seipel, Das Weltbild der Zizenhausener Figuren, Konstanz 1984.* G.K.

**1624\***

### AUFBRECHENDES HÄNDLERPAAR NACH DER RAST

Septimus Rommel (1778–1846)
Ulm, 1. Viertel 19. Jahrhundert

*Gebrannter Ton, bemalt*
*H. 16,1 cm, B. 15 cm*

Stuttgart, Württembergisches Landesmuseum, Inv.-Nr. 1960/351

**1625\***

### SPINNERIN UND SCHNEIDER AUF DER STÖR

Septimus Rommel (1778–1846)
Ulm, 1. Drittel 19. Jahrhundert

*Gebrannter Ton, bemalt*
*H. 14,5 cm, B. 11,6 cm*

Stuttgart, Württembergisches Landesmuseum, Inv.-Nr. VK 1976/495

1624

1625

1626

1626*

DER BÄNKELSÄNGER

Anton Sohn (1769–1841)
Zizenhausen, um 1830

*Gebrannter Ton, bemalt*
*H. 31,8 cm, B. 29,1 cm*

Stuttgart, Württembergisches Landesmuseum,
Inv.-Nr. 11341

1627

»DER AERZTE KRIEG«

Anton Sohn (1769–1841)
Zizenhausen, 1. Drittel 19. Jahrhundert

*Gebrannter Ton, bemalt*
*H. 17 cm, B. 16,4 cm*

Stuttgart, Württembergisches Landesmuseum,
Inv.-Nr. 12381

1628*

»NAPOLEON«

Anton Sohn (1769–1841)
Zizenhausen, 1820–1830

*Gebrannter Ton, bemalt*
*H. 16,7 cm, L. (Sockel) 4,7 cm*

Karlsruhe, Badisches Landesmuseum,
Inv.-Nr. C 10835

1629

KRIEGSINVALIDE

Anton Sohn (1769–1841)
Zizenhausen, 1. Drittel 19. Jahrhundert

*H. 16,4 cm, B. 16,1 cm*
*Aufschrift: Gebt mir den Arm, Kamerad*

Konstanz, Rosgartenmuseum, Inv.-Nr. V–Z/10–201
(233)

1628

1630

1633

1630*

## SCHWANGERE FRAU UND FREUND?

Anton Sohn (1769–1841)
Zizenhausen, um 1830

*Gebrannter Ton, bemalt*
*H. 14,5 cm, B. 8,5 cm*
*Aufschrift:* Jungfer, ich bin unschuldig an Ihrer
Geschichte

Karlsruhe, Badisches Landesmuseum, Inv.-Nr. V 6632

1631

## MÄDCHEN MIT KIND IM LAUFSTUHL

Anton Sohn (1769–1841)
Zizenhausen, 1820–1830

*Gebrannter Ton, bemalt*
*H. 9,5 cm, L. (Sockel) 12,4 cm*

Karlsruhe, Badisches Landesmuseum, Inv.-Nr. C 10839

1632

## »ENGLISCHER MUSTERREITER«

Anton Sohn (1769–1841)
Zizenhausen, um 1830

*Gebrannter Ton, bemalt*
*H. 19,8 cm, B. 16 cm*

Karlsruhe, Badisches Landesmuseum, Inv.-Nr. 55/9

1633*

## SPAZIERENGEHENDE FRAU MIT SCHIRM UND BEUTEL

Septimus Rommel (1778–1846)
Ulm, 1. Viertel 19. Jahrhundert

*Gebrannter Ton, bemalt*
*H. 12,9 cm*

Stuttgart, Württembergisches Landesmuseum,
Inv.-Nr. 13245 b

## Das Dianenfest bei Bebenhausen

Seit dem 19. Oktober 1812 befinden sich die napoleonischen Armeen auf dem Rückzug von Moskau. Anfang November ziehen die württembergischen Soldaten durch Kaluga. Zur gleichen Zeit laufen in Bebenhausen bei Tübingen die letzten Vorbereitungen für ein großes Jagdfest. Anlaß ist der Geburtstag König Friedrichs. Es wird eine der letzten deutschen »Festinjagden« sein, die letzte dieser Art in Württemberg.

Ist dieses Dianenfest damit nur ein barockes Überbleibsel oder offenbart sich in ihm vielleicht auch etwas vom Charakter und das Selbstverständnis der Regierung König Friedrichs?

Prunkvolle Jagdfeste sind spätestens seit dem 17. Jahrhundert die großen Höhepunkte des höfischen Lebens. Ihre besondere Stellung gegenüber den anderen Festlichkeiten beruht im wesentlichen auf ihrem Status: auf der engen Verbindung von Jagdrecht und Herrschaft. Das Jagdrecht gehört seit dem frühen Mittelalter zu den »Regalien«, den Rechtshoheiten, die wie das Münzrecht nur von souveränen Landesherren beansprucht werden können. Der »Wildbann«, das Gebiet der Jagdhoheit, ist so eine der wichtigsten Grundlagen der Ausbildung der Landeshoheit. Aus den Auseinandersetzungen mit den kleineren Herrschaften · entwickelt sich im 16. Jahrhundert die Unterscheidung in die »Hohe Jagd« und die »Niedere Jagd«. Die hohe Jagd – auf Rot-, Dam- und Schwarzwild vor allem – steht weiterhin nur den Landesherren zu. Die niedere Jagd – auf Hasen, Rebhühner, Enten usw. – verbleibt seither dem landsässigen Adel und bürgerlichen Führungsschichten, wie etwa den Tübinger und Heidelberger Studenten. Der reichsunmittelbare Adel, die »Reichsritterschaft«, besitzt wie einige Reichsstädte (z. B. Ulm) das »uneingeschränkte Jagdprivileg«. Bürgerliche und bäuerliche Untertanen sind bis auf wenige Ausnahmen (»Freie Pürsch«) von der Jagd ausgeschlossen. Statt dessen sind sie zu den »Jagdfronen« verpflichtet, zu sämtlichen Hilfsdiensten wie dem Zusammentreiben der Tiere, der Versorgung der Hunde oder der Bereitstellungen von Wagen und Zugtieren. Sie sind in der Regel »ungemessen«, d. h. sie können beliebig oft und beliebig lang gefordert werden. Herangezogen wird dazu meist die bäuerliche Bevölkerung wie Hofbesitzer, Häusler, Knechte, Mägde und Taglöhner. Im Lauf des 18. Jahrhunderts nehmen die Klagen gegen diese Abhängigkeiten zu. Auch deshalb, weil die Jagdmethoden immer aufwendiger werden.

Seit dem 17. Jahrhundert hatten »eingerichtete« oder »eingestellte« Jagden die alten Hetz- und Fangjagden abgelöst. Die Tiere werden nun nicht mehr verfolgt, sondern auf durch Netze und Tücher (»Jagdzeug«) begrenzte Jagdflächen getrieben. Diese Jagdmethode wird in der ersten Hälfte des 18. Jahrhunderts zunehmend aufwendiger, auch qualvoller für die Tiere. Nach dem Vorbild des Versailler Hofes werden nun variantenreiche »Festinjagden« veranstaltet. Da gibt es »Wasserjagden« – die ins Wasser getriebenen Tiere werden von Schiffen oder künstlichen Inseln beschossen; »Sprengjagden« – die Tiere stürzen von künstlichen Höhen in die Tiefe; »Kampfjagden« – Bären gegen Hunde, Hirsche gegen Wölfe. Beliebt ist auch das »Fuchsprellen«, das Emporschleudern von Tieren bis sie verenden. Zum Geburtstag von Herzog Karl Eugen von Württemberg wird im Jahr 1763 für eine Wasserjagd bei Degerloch ein künstlicher See angelegt. 33 Gebäude werden errichtet, 5000 Wildtiere werden im ganzen Land zusammengetrieben, zwölf benachbarte Orte müssen ein halbes Jahr lang täglich 300 Mann und 20 bis 30 Wagen mit Zugtieren stellen.[1]

Und doch stellen diese Feste nur die Spitze der angewachsenen alltäglichen Belastungen der Bevölkerung durch die Jagd dar. Neben dem Zwang zu ständiger Einsatzbereitschaft müssen nun neue Wildgehege angelegt und gepflegt sowie Waldwege hergerichtet werden. Die neu errichteten Jagdhäuser und Jagdschlösser sind ein äußeres Zeichen dieser angestiegenen »Jagdleidenschaft«. Hierzu kommt der immer schon hohe Schaden des Wilds auf den Feldern. Klagen und Kritik der Zeit stehen dabei vor einem – so empfundenen – Dilemma: Gibt es weniger Jagden gehen zwar die Jagdfronen zurück, aber dafür steigt der Wildschaden. Bei mehr Jagden sinkt der Wildschaden, aber dafür steigen wiederum die Jagdfronen.

1789 beschließt die französische Nationalversammlung die Abschaffung der Jagdfronen, jeder Grundeigentümer hat das Jagdrecht und Wildschaden muß ersetzt werden. Diese Nachricht verbreitet sich auch in Württemberg, wo im Herbst dieses Jahres eine Ernährungskrise hinzukommt. In zahlreichen Orten entstehen »Unruhen«: In den Ämtern Maulbronn, Schorndorf, Freudenstadt und Urach greifen die Bürger zur Selbsthilfe gegen das Wild. In Urach wird eine »eigenmächtige Versammlung« aus den umliegenden Ämtern veranstaltet, die fordert, »zur Beruhigung der Inwohner... einige Schützen anstellen zu dürfen«.[2] Da Drohungen mit Militäreinsatz zunächst wirken, beschließt Württemberg 1791 die Einrichtung des »Wildschützen-Instituts«. Jede Gemeinde kann zwei Schützen anstellen, welche die Felder bewachen. Im Jahr 1795 wird den Gemeinden und einzelnen Bauern die Verpflichtung zur Haltung von Jagdhunden (»Hundelege«) abgenommen. Diese schrittweisen Milderungen der Jagdlasten werden aber jäh abgebrochen, als 1797 Herzog Friedrich die Regierung übernimmt.

Mit der Erringung der vollen Souveränität und der Königswürde wird das Rad sogar zurückgedreht: 1806 wird das Wildschützen-Institut »ein für allemal« abgeschafft, 1809 die »Hundelege« wieder eingeführt. Bereits im Winter 1806/07 finden erneut große fürstliche Jagden statt. Seit 1807 wird das ehemalige Kloster Bebenhausen bei Tübingen zu einem Jagdschloß umgebaut. Im Jahr 1811 ist der Umbau fertig und bereit für das größte Jagdfest unter der Regierung König Friedrichs.

Seit Mitte September 1812 sind über 10 000 Frondienstleistende aus dem ganzen Land verpflichtet, Wildtiere zusammenzutreiben und das Jagdgelände zwischen Bebenhausen und Tübingen herzurichten. Der Hofbaumeister Thouret entwirft die Festarchitektur. Angelegt werden zwei Jagdplätze. Für die Morgenjagd eine halbkreisför-

mige Fläche, deren gerade Seite sich direkt unterhalb eines Berghangs befindet. An der Bergseite stehen die Schießstände für den König und sein Gefolge. Gegenüber dem Stand des Königs wird ein 23-Meter-Obelisk aufgerichtet. Er trägt die Inschrift: »Heil Ihm dem ersten König! Jauchzt laut das Vaterland. Heil Ihm dem ersten Weidmann! Frohlockt der Jägerstand.« An den Seiten befinden sich zwei Eingangstore, über denen die Musik Platz nimmt. Für die Jagd am Nachmittag ist ein etwa 150 Meter langer ovaler Platz eingezäunt. An einer Seite dieses »Circus« stehen Zuschauertribünen. In der Mitte befindet sich ein etwa 10 Meter hoher Rundtempel. Zwischen den Plätzen ist für das Mittagsbankett ein »Tempel der Diana« errichtet.

Am 9. November 10 Uhr morgens beginnt die Jagd. Über 200 Hofjäger begleiten den König zum Schießplatz. Die Musik ertönt und die Tücher am Berghang werden gesenkt. Der Hofdichter Friedrich von Matthisson beschreibt: »Den größten und imposantesten Anblick des Jagdfestes boten unstreitig die enormen Wildmassen dar, welche, wie Katarakten, wovon Keuler, Bachen, Hirsche, Rehe und anderes Gethier gleichsam nur die Tropfen bildeten, hernieder an der schroffen Abdachung des Gebirgrückens ihrem unwiederruflich geworfenen Todeslose zustürzten.« Innerhalb von zwei Stunden werden 823 Wildtiere erlegt. Nach der Mittagstafel beginnt der zweite Akt im »Circus«. 40 Wildschweine werden »durch die tapfern Kampfrüden (Hunde) dem unvermeidlichen Todesverhängnis entgegengetrieben, und vom Könige, unter dreimaligem Hallohjubel... abgefangen«. Der Hofmaler hält die Szenen fest.

»Willkommen in Dianens Tempel! Dir verdankt er (sic!) die wiederhergestellten Altäre«, lautet eine Inschrift in dem Gebäude des Mittagbanketts. Natürlich verdankt Diana dem König diese Wiedergeburt. Die Renaissance der großen barocken Jagdfeste in Bebenhausen ist dabei kein privates Ereignis, sondern ist auch ein Ausdruck des absolutistischen Herrschaftsverständnisses des Königs – nicht nur was die Jagd angeht. Spätere Geschichtsschreiber haben immer wieder versucht zu belegen, daß König Friedrich von dem gleichzeitigen qualvollen Rückzug der Soldaten aus Rußland zu dieser Zeit noch nichts wußte. Doch schon der Hinmarsch war ja tödlich, und davon hat die Regierung gewußt.

Als mit dem Jahr 1815 die Hungerkrise einsetzt, ändert sich wieder die Situation. Noch unter König Friedrich wird 1815 beschlossen, das Wild drastisch zu dezimieren. Ab 1817 darf Schwarzwild nur in Tiergärten gehalten werden, die Gemeindeschützen werden wieder eingesetzt. Die Jagdfronen und die Jagdprivilegien bleiben allerdings erhalten und werden im Vormärz und 1848 noch eine bedeutende Rolle spielen.

1
Ausführliche Beschreibung bei Friedrich von Wagner, Das Jagdwesen in Württemberg unter den Herzögen, Tübingen 1876, S. 343ff.

2
Hauptstaatsarchiv Stuttgart, A 202 Bü 606; sowie A 8 Bü 73 Nr. 41ff.

1634

Hans Wilhelm Eckhardt, Herrschaftliche Jagd, bäuerliche Not und bürgerliche Kritik, Göttingen 1976 (Veröffentlichungen des Max-Planck-Instituts für Geschichte 48). – Friedrich von Matthisson, Das Dianenfest bei Bebenhausen, Zürich 1813. – Dietrich Rentsch, Zum Jagdwesen an südwestdeutschen Höfen im Barockzeitalter, in: Badisches Landesmuseum Karlsruhe (Hg.), Barock in Baden-Württemberg, Karlsruhe 1981, Band 2, S. 293–310. – Rainer Y, Das Schloß Bebenhausen, München o. J.

Leo von Stieglitz

1634*

## DAS FESTINJAGEN (DIANENFEST) BEI BEBENHAUSEN

(Reproduktion)

Johann Baptist Seele (1774–1814)
1813/14

*Öl auf Leinwand*
*H. 231 cm, B. 331 cm*

Schloßverwaltung Ludwigsburg, Außenstelle des Staatl. Liegenschaftsamtes Stuttgart, Schloß Ludwigsburg, Inv.-Nr. KRGT 1499

Dem Hofmaler Johann Baptist Seele wurden besondere Standorte zugewiesen, von denen er aus die Szenen beobachten sollte. Fertiggestellt wurde wohl nur dieses Gemälde, das die morgendliche Jagd darstellt. Unterhalb des Bergrückens, wo die Tiere heruntergetrieben werden, befinden sich die Jagdstände, in der Mitte der des Königs. Im Hintergrund steht ein Eingangstor, darauf die Jagdmusik. Im Vordergrund spielt sich eine Szene ab, die auch Matthisson beschreibt: »Einer der Fremdlinge ... nahm es mit dem wüthendsten ... Keuler auf. Unfehlbar hätte der ergrimmte Gegner, statt des Arms, ihm den Unterleib aufgeschlitzt, wäre der athletische und beherzte Jüngling von Moltke nicht ... auf dem Kampfplatz erschienen. Das Thier erlag. Der Mensch konnte sich wieder aufrichten.«

Friedrich von Matthisson, Das Dianenfest bei Bebenhausen, Zürich 1813, hier S. 28. – Hermann Mildenberger, Der Maler Johann Baptist Seele, Tübingen 1985, Nr. 241, Taf. VIII.

L. v. St.

1635

## Das grosse Festinjagen bei Bebenhausen

Johann Friedrich Wilhelm Müller (1782–1816)
nach dem Gemälde von Johann Baptist Seele

Stuttgart, um 1814

*Kolorierte Aquatintaradierung*
*H. 39,5 cm, B. 55,3 cm (Bild)*
*Bez.:* Nach dem Gemälde des H$^r$ Gallerie Director von
Seele. von Fr. Müller. / DAS GROSSE FESTIN IAGEN
BEI BEBENHAUSEN / Seiner Majestaet dem Koenig
Friderich von Württemberg pp. in allertiefster Ehrfurcht
gewiedmet von Friderich Müller / zu finden bei F Müller
in Stuttgart.

Stuttgart, Württembergisches Landesmuseum,
Inv.-Nr. VK 1979-320

*H. Mildenberger, Der Maler Johann Baptist Seele, Tübingen 1984, S. 271. – Schefold, Württemberg, Nr. 381.*

1636

## Das Dianenfest bei Bebenhausen

Friedrich von Matthisson
Zürich, 1813

*Papier, Letterndruck*
*H. 28 cm, B. 21 cm*

Stuttgart, Württembergische Landesbibliothek,
Ra 18 Mat 1

Die Huldigungsschrift des Hofdichters enthält neben der
sehr weihevollen Beschreibung vier Kupferstiche von den
Thouretschen Festgebäuden: Der Tempel der Diana, der
Rundtempel sowie den Entwurf eines Obelisken, der zur
Erinnerung an dieses Jagdfest errichtet werden sollte.
Dazu ist es nicht mehr gekommen.                    L. v. St.

1637

## Jagdflinte aus der Königlichen Hofjagdkammer

Christian Körber
Ingelfingen, Ende 18. Jahrhundert

*Nußbaum, Stahl, Silber eingelegt*
*L. 135,5 cm, Kaliber 14 mm*
*Bez. (Lauf):* Chretien Körber, Ingelfingen *(Kolben)* W
*mit Krone*

Stuttgart, Württembergisches Landesmuseum,
Inv.-Nr. E 2178 (Schloß Urach)

Steinschloßjagdflinte mit Ladestock.
Das Steinschloß wurde im 17. Jahrhundert entwickelt und
erst im 1. Drittel des 19. Jahrhunderts durch das Perkussionsschloß abgelöst. Die Bezeichnung beruht auf dem
Zündstein, der in den Schnapphahn eingespannt wird und
beim Abzug auf die Batterie schlägt. Die Funken entzünden darauf das Pulver, das mit den Schrotkugeln durch den
Ladestock in den Lauf gepreßt wurde. Christian Körber
war Ende des 18. Jahrhunderts Hofbüchsenmacher der
Fürsten von Hohenlohe und der Herzöge von Württemberg. Benutzt wurde dieses Gewehr wahrscheinlich vom
Kronprinz Friedrich Wilhelm, dem späteren König Wilhelm. Ein ›Leibgewehr‹ König Friedrichs befindet sich im
Deutschen Jagdmuseum in München.

*Karl Sälzle u. a., Deutsches Jagdmuseum München, Katalog 1977.*                              L. v. St.

1638

## Doppelläufige Steinschlossbüchse mit Ladestock

C. Hampel
Ludwigsburg, 2. Hälfte 18. Jahrhundert

*Holz beschnitzt, Stahl, Messing, Horn*
*L. 95 cm, Kaliber 15 mm*
*Bez. (ob. Lauf, Schloß):* C. HAMPEL A LUDWIGSBURG
*(unt. Schloß)* 11

Stuttgart, Württembergisches Landesmuseum,
Inv.-Nr. Hi 85/Gk 124 (Schloß Urach)

Mit derartigen Büchsen, die im Gegensatz zu Schrotflinten einzelne Kugeln abfeuern, wurde bei dem Dianenfest bei Bebenhausen geschossen. Der 2. untere Lauf dieser
Büchse ist wahrscheinlich nachträglich zugefügt worden.
                                                    L. v. St.

1639

## SAUFEDERN

17.–19. Jahrhundert

*Eisen, Holz*
*L. je ca. 160 cm*

Stuttgart, Württembergisches Landesmuseum

Die »klassische« Jagdwaffe wurde bei der Bären- und
Wildschweinjagd bis zum 19. Jahrhundert verwendet.
Wegen der Stabilität muß der Schaft des Spießes aus einem
kleinen Baumstamm bestehen und darf nicht aus einem
größeren Stück Holz geschnitten sein. Um ein zu tiefes
Eindringen zu verhindern, sind entweder rechtwinklig
stehende Eisen angeschmiedet oder – wie hier vorgesehen
– ein an einem Riemen bewegliches Holz- oder Beinstück
angebracht.                                    L. v. St.

1640

## NETZ FÜR »EINGESTELLTE JAGDEN«

17.–19. Jahrhundert

*Hanf oder Leinen, geknotet*
*L. ca. 600 cm, B. ca. 50 cm*

Stuttgart, Württembergisches Landesmuseum
(Schloß Urach)

# Adel: alter Stand – neue Rollen?

Eine sechsspännige Kutsche fährt dem Schloß entgegen, in
dem offenen Wagen sitzt ein Herr, vor ihm sein Diener,
Passanten grüßen ehrerbietig… Ende des Jahres 1790 hat
Josef Anselm Graf Adelmann diese Szene in einem Kupferstich darstellen lassen – ein Abbild feudalen Lebens und
feudaler Herrschaft. Dreißig Jahre später läßt dessen Sohn
Klemens Graf Adelmann ein Gemälde anfertigen: In einem
beinahe schmucklosen Salon umringen 10 Kinder das
Elternpaar, im Hintergrund erscheinen in Fenstern das
Schloß und die Kirche. Abgesehen von diesem Hintergrund ein Bild, das sich von einer bürgerlichen Familie
kaum mehr unterscheidet. Bilder vom alten und vom
neuen Adel?
Genau in der Mitte, zwischen den Entstehungsjahren dieser Bilder, unterstellt die Rheinbundakte vom 12. 7. 1806
den seit dem 16. Jahrhundert selbständigen »ritterschaftlichen« Adel endgültig den neuen Staaten Baden und Württemberg. Veränderungen, die sich scheinbar am Rand der
großen Geschichte ereignen. Immerhin sind etwa 200
Herrschaftsgebiete und rund ein Sechstel der späteren
Gesamtbevölkerung beider Länder betroffen. Und doch
weckt dies besondere Emotionen, denn wie kaum eine
andere Institution symbolisiert der Adel das überkommene »alte Reich«. Nicht zuletzt auch deshalb, weil hier
die Verbindung von politischem und gesellschaftlichem
Status besonders offenkundig wird. Der Adel ist hingegen
– vorher und nachher – keine festgefügte soziale Gruppe,
vielmehr stützt sich der gesellschaftliche Status auf die
eigene Familie und die eigene Tradition. Verhaltensweisen
sind daher nicht beliebig generalisierbar. So soll und kann
hier kein Beispiel für alle gezeigt werden, doch ein Einzelfall, der den politischen und gesellschaftlichen Wandel
nachvollziehen läßt.[1]
Josef Anselm Graf Adelmann von Adelmannsfelden
(1728–1805)[2] ist, als der Kupferstich entsteht, erst kurz
zuvor vom Freiherrn zum Grafen erhöht worden. Er ist
Herr von Hohenstadt, Schechingen, Leinweiler und anderen Besitzungen westlich der Fürstpropstei Ellwangen. Die
Herrschaften gehören zum Kanton Kocher der Schwäbischen Reichsritterschaft, eine Organisation, die u. a. das
Militärwesen, kaiserliche Steuern, Zunftordnungen sowie
das Kreditwesen der einzelnen Ritterschaften verwaltet.
Seit 1764 ist Graf Adelmann dort einer der vier Ritterräte,
seit 1794 Direktor (»Ritterhauptmann«) des Kantons
Kocher.[3] Hinzu kommen Funktionen außerhalb der Ritterschaft: Erb- und Hofmarschall der Fürstpropstei Ellwangen, Wirklicher Geheimrat am kaiserlichen Hof, des
Kurfürstentums Trier und des Fürstbistums Augsburg…
Titel und Funktionen, die in der Familie bis dahin nur
selten erreicht wurden. Doch das gestiegene Ansehen
erfordert auch steigende Ausgaben: In Schechingen wird
anstelle der alten Burg ein Schloß gebaut, das Schloß in
Hohenstadt wird erweitert, das Stadtpalais in Ellwangen,
wo Graf Adelmann als Hofmarschall residenzpflichtig ist,
wird umgebaut. Für die drei Söhne bezahlt er teure
Ausbildungen und besorgt ihnen »Pfründe« in Augsburg,

Ellwangen und Minden. Die zwei Töchter werden in Stifte in Köln und Regensburg aufgenommen. Anlagen, die durchaus sichere Einnahmequellen sind, in die aber zunächst investiert werden muß. So werden für eine Reise des ältesten Sohnes nach Minden allein 2000 Gulden aufgebracht.[4]

Dieser Ausgabensteigerung können die Einnahmen kaum Schritt halten, zumal gegen Ende des 18. Jahrhunderts Krisenerscheinungen in der Landwirtschaft hinzukommen. Die Frage nach der Notwendigkeit der Ausgaben stellt sich Josef Anselm Graf Adelmann wohl kaum. Auch allgemein nimmt die Verschuldung der Ritterschaft zu, einige Familien gehen in den Konkurs. Für Adelmann bedeuten die Ausgaben Investitionen für die Zukunft, zudem gleichen die Einkünfte aus den verschiedenen Stellungen manches aus. Solch ein »Drahtseilakt« ist natürlich auf eine funktionierende Grundlage angewiesen, auf »ruhige« Untertanen. Dem steigenden Aufwand entsprechen steigende Lasten für die Bevölkerung, und dies schafft eine brisante Stimmung unter der Bevölkerung, die sich schließlich im Jahr 1795 entlädt.

Im Sommer 1795 richten preußische Truppen auf Grund des Basler Friedens eine neutrale Demarkationslinie ein und besetzen dabei auch Hohenstadt. Nur etwa 30 km entfernt nutzen die Preußen die Gelegenheit, die Ritterschaften dem Fürstentum Ansbach einzuverleiben.[5] In Unkenntnis dieser Vorgänge begrüßt Josef Anselm Graf Adelmann die preußischen Soldaten aufs herzlichste und weist ihnen freies Quartier und Verpflegung zu. Nachdem die Bevölkerung berechtigterweise Zweifel an den Absichten der Preußen hat, wird eine Versammlung einberufen, in der der Graf »die Wiederstrebenden mit Geld- und Gefängnisstrafen und mit der Abführung auf eine preußische Festung« bedroht. Nach dem Bericht von Johann Gottfried Pahl »entgegnet der Ruf des ganzen Haufens: Keine Preußen! Wir sind gut kaiserlich! Da zürnte der entrüstete Graf: Aufruhr! Rebellion! Hülfe! …und jagde im Galopp ins Schloß zurück.«[6] Die preußischen Soldaten verlassen daraufhin Hohenstadt.

Ergebnis der Vorfälle ist schließlich die Einsetzung einer Untersuchungskommission vom Reichshofrat in Wien. In deren jahrelangen Untersuchungen tritt der Anlaß immer mehr in den Hintergrund gegenüber den Klagen über das Verhalten des Grafen, das ein »Bild kleinherrischer Willkühr, Unordnung, Gewalttätigkeit und Verschrobenheit« abgibt.[7] Josef Anselm Graf Adelmann sieht sich aber weiterhin im Recht, zumal er Rückendeckung vom kaiserlichen Hof in Wien erwartet. Doch inzwischen bricht das stützende System zusammen. Am 27. 4. 1803 werden die geistlichen Staaten mit allen Ämtern aufgehoben. Ab November 1803 kommt es zum sogenannten Rittersturm. Alle Reichsritterschaften werden von den neuen Staaten besetzt. Anfang des Jahres 1804 scheint sich das Blatt nochmals zu wenden, als die Besetzungen auf Druck Österreichs rückgängig gemacht werden. Damit ist die Zukunft der Ritterschaft jedoch fest mit Österreich verbunden. Im Herbst 1804 wird schließlich Josef Anselm Graf Adelmann die Justiz- und Polizeiverwaltung vom Reichshofrat entzogen und seinem jüngsten Sohn Klemens

übertragen. Er zieht nach Augsburg, versucht noch eine Revision, stirbt aber bald darauf im Februar 1805.

Klemens Wenzeslaus Graf Adelmann v. Adelmannsfelden (1771–1826) übernimmt die Besitzungen zu einem Zeitpunkt, als die Herrschaft auf dem Spiel steht. Württemberg hat sich für die Kriegsfolge Napoleons die Übernahme der Reichsritterschaft ausbedungen. Als der Sieg feststeht, wird dies am 19. 11. 1805 in die Tat umgesetzt und die Ritterschaften erneut besetzt. Während der Preßburger Friede vom 26. 12. 1805 dies indirekt und die Rheinbundakte vom 12. 7. 1806 dies offiziell anerkennt, hat Württemberg inzwischen das Organisationsmanifest vom 14. 3. 1806 verkündet, das die zukünftige Rolle des Adels einleitet.

Das Manifest hebt die Gerichts- und Steuerhoheit auf, stellt die ritterschaftlichen Untertanen den anderen Einwohnern gleich, verbietet dem Adel die Korporationen u. a. m. Der Adel behält vor allem eine »Patrimonialgerichtsbarkeit«, eine 1. Kriminal- und Zivilinstanz, das »Patronatsrecht«, Rechte und Pflichten gegenüber der Kirche, die Befreiung von der Personalsteuer. Bei der verlangten Huldigung kommt es in Hohenstadt wie anderswo auch zu »Widersetzlichkeiten«, die aber durch das Militär schnell unterdrückt werden.

In der Folgezeit kommt es zu weiteren Beschränkungen: 1807 werden alle adligen Herrschaftszeichen außerhalb des Wohnsitzes verboten. Im gleichen Jahr gilt in der höfischen Rangordnung der Adelstitel allein nichts mehr. 1809 wird die untere Gerichtsbarkeit wieder abgeschafft. 1810 wird von den adligen Gutsbesitzern eine schriftliche Erklärung verlangt, wenn sie ihren Wohnsitz verlegen. Demgegenüber steht der Aufbau eines württembergischen Hofadels, wobei Symbole und Zeremoniell höfischen Glanz vermitteln sollen. Im August 1808 wird den »wirklichen adelichen Gutsbesitzern und Familien-Aeltesten eine Dekoration zu Auszeichnung« erteilt.[8] Neben einem Orden besteht diese in einer »Adeluniform«, die den theatralischen Charakter dieser Auszeichnung in beinah grotesker Form offenbart.

Für den 15. 3. 1815 beruft König Friedrich eine Ständeversammlung ein, die einen Verfassungsentwurf der Regierung billigen soll. Vertreten sind u. a. Repräsentanten der Oberämter, die Standesherrn und die ehemalige Reichsritterschaft mit 19 ernannten Abgeordneten. Als der Entwurf noch am gleichen Tag fast einstimmig abgelehnt wird, beginnt eine Reihe von immer wieder abgelehnten Verfassungen. Dabei bilden die altwürttembergischen Vertreter und die Standesherren die jeweils gegensätzlichen Pole: Jene wollen die altwürttembergische Verfassung wieder, diese größtmögliche Unabhängigkeiten. Die Ritterschaft sucht nach eigenen Positionen und gerät dabei – nicht immer willentlich – in eine Vermittlerrolle, die dann auch von Regierungsseite unterstützt wird. Im Mai 1815 nimmt sie Stellung, in der sie im wesentlichen auf die Regelungen im Organisationsmanifest von 1806 zurückkommt, die seitherigen Einschränkungen aber ablehnt. Als 1817 ein weiterer Entwurf der Regierung mit einem Ultimatum an die Ständeversammlung verbunden wird, lehnt die Mehrheit der Altwürttemberger und Standesherrn erneut ab, die

Minderheit der Neuwürttemberger und der Ritterschaft stimmt zu.

Klemens Graf Adelmann gehört von Anfang an zu den ritterschaftlichen Abgeordneten. Zudem ist er Mitglied der »Instruktions-Kommission«, die die Entwürfe vorberät. In dieser Funktion setzt er eine Stellungnahme auf, die seine Haltung verdeutlicht: »Eine Verfassung wenn sie jedoch, wie hier der Fall ist, die wesentlichen Volksrechte enthält, kann noch verbessert werden, ja sie muß es werden... Aber ein durch Kriegs und andere Drangsale unglückliches Volk auch jetzt noch ohne Verfassung zu lassen – dafür kann ich meiner Überzeugung nach nicht zustimmen.« Die Forderungen nach Verbesserungen sind u. a. die Gesetzgebungsbefugnis für die Kammer, klare gesetzliche Regelung für die notwendige Ablösung der Grundentlastung, keine Religionsvorschriften für die Katholiken, allerdings auch eine Entschädigung für die entgangenen Hoheitsrechte des Adels. Den Altwürttembergern, die die Minderheit stark angegriffen hatten, entgegnet er, die alte Verfassung enthalte zu viele »Mißbräuche, z.B. die Selbstergänzung des Magistrats, das Schreiberei=Wesen, die Leibeigenschaft, das Frohnwesen...«. Als 1819 die Verfassung eingeführt wird, sind längst nicht alle diese Forderungen erfüllt.

Diese Haltung scheint für einen Adligen ungewöhnlich. Die Mehrzahl der Abgeordneten, besonders Carl Freiherr von Varnbühler und Karl von Wangenheim, denken offenbar ähnlich. Gültig bleibt allerdings auch, daß der Adel für sich weiterhin eine, wenn auch weniger bevorrechtigte Stellung fordert und sie auch erhält. 1821 wird in Württemberg wieder die »Patrimonialgerichtsbarkeit« eingeführt.

Der Pfarrer und Schriftsteller Johann Gottfried Pahl[9] hat spöttisch unterschieden in den »stockschwingenden Grafen« Josef Anselm und dem »guten Grafen« Klemens. Zuweisungen, die später in der Lokalgeschichte Tradition werden. Bei näherem Hinsehen wird deutlich, wie persönliche Ereignisse und Haltungen durch – freilich auch selbstgesteckte – Rollenzuweisungen bestimmt werden. Aus dem fast unumschränkten Herrn war ein privilegierter Gutsbesitzer geworden – jedenfalls in diesem Beispiel.

L. v. St.

1
Allgemein dazu im Bd. 2 d. vorl. Kataloges: Thomas Schulz, Die Mediatisierung des Adels, S. 157 ff.

2
Die persönlichen Daten aus: Georg Sigmund Graf Adelmann v. Adelmannsfelden, Das Geschlecht der Adelmann von Adelmannsfelden, Ellwangen 1948.

3
Vgl. Thomas Schulz, Der Kanton Kocher der Schwäbischen Reichsritterschaft 1542–1805, Esslingen 1986, hier S. 198 ff.

4
Gert Kollmer, Die schwäbische Reichsritterschaft zwischen Westfälischem Frieden und Reichsdeputationshauptschluß, Untersuchung zur wirtschaftlichen und sozialen Lage, Stuttgart 1979, S. 196.

5
Z.B. die Herrschaft Wildenstein, heute Krs. Schwäbisch Hall.

6
Johann Gottfried Pahl, Denkwürdigkeiten aus meinem Leben, Tübingen 1840, S. 180.

7
J. G. Pahl, (wie Anmerkung 6) S. 260.

8
August Ludwig Reyscher, Sammlung württembergischer Gesetze, Bd. 15/1, S. 292.

9
Die Rolle Pahls bei den Auseinandersetzungen, die er als »Schlichter« lösen soll, ist keinesfalls objektiv. Der Anlaß wird als Mißverständnis vertuscht, die Widerstände bei der Huldigung verheimlicht u. a. m. Die Lebensbeschreibung von Hermann Strenger in: Lebensbilder aus Schwaben und Franken, Band VIII, S. 161–177.

1641

## 1641*

### JOSEF ANSELM GRAF ADELMANN VON ADELMANNSFELDEN (1728–1805)

um 1760

*Öl auf Leinwand*
*H. 81 cm, B. 72 cm*

Privatbesitz

Josef Anselm Graf Adelmann schlägt zunächst eine politische Laufbahn ein, die ihn zur Gesandtschaft in Paris und zum Kurfürstlichen Hof in Trier führt. Mitte der fünfziger Jahre kehrt er zurück zu den Familiengütern. Seit 1762 ist er im Ritterrat des Kantons Kocher und seit 1772 als Hofmarschall und Kastellan bei der Fürstpropstei Ellwangen tätig. 1753 heiratet er in Den Haag Maria Johanna Freiin von Reischach, verwitwete Marquise del Puerto (1731–1787). L. v. St.

## 1642

### ANSICHT DES SCHLOSSPLATZES VON HOHENSTADT

Pfaender und Offenhaeuser 1790

*Kupferstich*
*H. 25 cm, B. 32 cm (Platte)*
*Bez.:* PROSPECT DE LA PLACE DU CHATEAU DE HOHENSTADT, Dedié à son Exc. Monsgr. le Comte D'ADELMANN d'Adelmannsfelden. Seigneur de Hohenstatt, Schechingen etc. Grand Croix de l'Ordre de St. Michel.

Privatbesitz

## 1643

### KLEMENS WENZESLAUS GRAF ADELMANN VON ADELMANNSFELDEN (1771–1826)

Gottlieb Wilhelm Morff (1771–1857)
um 1810

*Öl auf Leinwand*
*H. 27 cm, B. 18,5 cm*

Privatbesitz

Klemens Graf Adelmann absolviert ein Rechtsstudium in Dillingen, Würzburg und Göttingen. Danach erhält er 1794 eine Stellung in Dillingen als Hof- und Regierungsrat beim Fürstbistum Augsburg. Seit 1802 ist er in Hohenstadt. 1807 vermählt er sich mit Anna Maria Freiin von Bornstein-Grüningen (1787–1838). Der Ehe entspringen 12 Kinder. Von 1815 bis 1817 und 1819 ist Klemens Graf Adelmann Mitglied der Ständeversammlung, 1820/21 und 1823/24 Mitglied des Landtags. L. v. St.

## 1644

### WÜRTTEMBERGISCHE ADELSUNIFORM

1808

*Aquarell auf Papier*
*H. 12 cm, B. 8,5 cm*
*Bez.:* Gr. Adelmañ

Privatbesitz

Die Adelsdekoration, die am 20. August 1808 verliehen wurde, bestand aus »einem goldenen weiß emaillierten Kreuz, welches an einem gelben Band auf der Brust am Knopfloch zu tragen ist«. Die Uniform ist eine Variante der höherwertigen Ordenskleidung vom »Goldenen Adler« von 1807. Die Abbildung wurde sehr wahrscheinlich als Vorlage den Ordensträgern zugeschickt. L. v. St.

1645

## EINGABE DES ADELS
## AN DIE STÄNDEVERSAMMLUNG

Stuttgart, 3. Mai 1815

*Feder auf Papier, geheftet*
*H. 32,5 cm, B. 20,7 cm*

Privatbesitz

Unterschrieben ist die Eingabe von 12 ritterschaftlichen Abgeordneten, darunter Klemens Graf Adelmann. Sie gilt als Grundlage der späteren Verfassung.

*Günther Zollmann, Adelsrechte und Staatsorganisation im Königreich Württemberg 1806–1817, Diss. Tübingen 1971, S. 151ff, hier S. 154.*      L. v. St.

1646

## GEDICHT AN DIE ZUSTIMMENDEN
## VOLKSVERTRETER

Esslingen, 1817

*Papier, Letterndruck*
*H. 19,5 cm, B. 11,2 cm*
*Bez.:* An die Minorität vom 2ten Junius 1817… Nach Ludwig Uhland.

Privatbesitz

Im ersten Vers heißt es u. a.: *Klar ward es an dem großen Tage, Was Korn sey und was leichter Spreu. Viel fanden sich der redlich Treuen, Nur eine winzig kleine Zahl, Von Achselträgern und von Scheuen Trat über zu dem Götzen Baal.*      L. v. St.

1647

## STELLUNGNAHME VON
## KLEMENS GRAF ADELMANN

13. Juni 1817

*Feder auf Papier, geheftet*
*H. 32 cm, B. 20 cm*
*Bez.:* Bemerkungen über die Verfassungsangelegenheit in Württemberg

Privatbesitz

Die Stellungnahme ist gerichtet an den Vorsitzenden der *Instructions-Kommission* Minister von Wangenheim. Die Ablösung der Gefälle fordert Klemens Graf Adelmann *nicht nur weil ich diese Ablösung vortheilhaft für den Landbau und die Industrie alsdann finde… sondern weil ich es für billig halte, daß der Schuldner einmal sein Kapital abbezahlen darf.* Trotzdem legt er darauf einen

*hohen Werth, daß der Gutsbesitzer mit seiner Familie, und seine Rentbeamtung… auf dem Lande unter höherer Polizei stehen… der Gebildete, er möge nun ein Adelicher oder ein anderer Honoratior seyn, nur wieder unter Beamten von gebildeten Klassen* Rechtsprechung erfahren solle.
      L. v. St.

1648*

## FAMILIE DES KLEMENS WENZESLAUS GRAF
## ADELMANN

Josef Wintergerst (1783–1867)
1822

*Öl auf Leinwand*
*H. 145,5 cm, B. 171,5 cm*
*Bez.:* Jos. Wintergerst Pin. An 1822

Privatbesitz

Dargestellt sind neben dem Elternpaar Klemens und Anna Maria, geb. Freiin von Hornstein, zehn Kinder: Philippine (1808), Sigmund (1809), Honor (1811), Klemens (1812), Anna Maria (1814), Sidonia (1816), Friedrich (1817), Klementine (1819), Luise (1821), Nékolaus (1822). Im Hintergrund Schloß und Kirche in Hohenstadt, heute Ostalbkreis.
Josef Wintergerst ließ sich in München und Wien ausbilden, wo er sich der Malergruppe um Overbeck anschloß. Von 1815 bis 1822 war er Zeichenlehrer in Ellwangen, danach Inspektor der Akademie in Düsseldorf.

*Otto Fischer, Schwäbische Malerei des neunzehnten Jahrhunderts, Stuttgart 1925, S. 166, Abb 45.*      L. v. St.

1648

## Neue Obrigkeit:
## Verwaltung, Erfassung, Vermessung

## Verwaltung

Als in Ellwangen 1803 die neuwürttembergischen Verwaltungsbeamten eintreffen schreibt der Publizist Pahl: »Das zahlreiche Personal von Räthen und Kanzleibeamten, das sich hier versammelte, und die Garnison, die sich durch Rekruten aus den Landen bildete und ständig verstärkte, gaben der Bevölkerung der Stadt einen großen Zuwachs, so daß es den Neuankömmlingen bald an Unterkommen fehlte. Es bildete sich die Gesellschaft in zwei Partieen, die in schroffen Gegensätzen einander gegenüber standen, in Alt- und Neu-Württemberger. Diese betrachteten sich als die Vernachläßigten und Unterdrückten, jene als die Eroberer und Beherrscher des Landes, durch die Priorität des Besitzes und ihren Ansprüchen befestigt und ihr eingebildetes Vorrecht oft mit lächerlicher Anmaßung übend... überdieß gewann der Geist des gesellschaftlichen lebens durch den steifen und feierlichen Stuttgarter Kanzleiton und das breite Alt=Württembergische Teutsch... nicht an Veredlung.«[1] Die neuen württembergischen Herren werden auch andernorts nicht willkommen geheißen. Und es ist deutlich, daß dies nicht nur an unterschiedlichen Mentalitäten, nicht nur an den großen staatlichen Umbrüchen, sondern auch an der alltäglichen Verwaltungserfahrung und den veränderten Rechten der Einwohner liegt.

Württemberg hatte, wie Baden, Regionen mit den unterschiedlichsten Verwaltungssystemen in sein neues Staatsgebiet übernommen: vordemokratisch verfaßte Reichsstädte, absolutistisch regierte Ritterschaften, oligarchische Stiftungen etc. Das Ziel heißt einheitliche Verwaltung. Und das trifft nicht zuletzt auch die Einwohner der eigenen alten Länder.

Auf der unteren staatlichen Ebene werden die Gemeindeselbstverwaltungen (in Neuwürttemberg 1803, in ganz Württemberg 1806 und in Baden 1809) aufgehoben. Die nun so genannten Magistrate (Württemberg) und Gerichte bzw. Stadträte (Baden) werden ab jetzt von der Regierung ernannt, die Dorfgerichte abgeschafft. In Württemberg unterstehen zudem die ebenfalls ernannten Ortsvorsteher, die »Schultheiße« (in Baden die »Bürgermeister« und »Vögte«), ganz der Aufsicht des Oberamtmanns. Dieser »Vertreter des unumschränkten Landesherrn« ist sowohl erster Verwaltungsbeamter als auch erster Richter im Amtsbezirk. Sämtliche Bezirksbeamten, Amtsschreiber, Amtsaktuare, Justiz- und Forstbeamte unterstehen direkt dem König. Alle städtischen und dörflichen Ämter, vom Stadtschreiber bis zum Nachtwächter, werden vom Oberamt vergeben.

Dieses Wahlrecht von städtischen Beamten und zumindest Teilen der städtischen Regierung stand in den Reichsstädten und nach der altwürttembergischen und altbadischen Verfassung vorher den Bürgern zu, die damit einen grundlegenden Teil ihres »Bürgerrechts« verloren haben. Das »Rest-Bürgerrecht« bleibt zunächst unverändert. Es umfaßt im wesentlichen die Rechtsfähigkeit innerhalb der Gemeinde als Nutznießer von gemeindlichen Erträgen und Besitzungen (Allmenden) und vor allem als Gewerbetreibender. Kein Handwerker kann Meister, d. h. auch selbständig werden, ohne das Bürgerrecht zu besitzen oder, so in Württemberg, zumindest »Beisitzer« zu sein. Bürger werden können allerdings in der Regel nur die Söhne von Bürgern. Neu Zugezogene müssen dafür einen hohen Aufnahmebetrag bezahlen. Einwohner mit weniger Rechten sind in Württemberg die »Beisitzer«, in Baden die »Schutzbürger«, die vor allem die nicht selbständige Bevölkerung wie Taglöhner etc. umfaßt. Ihnen steht vor allem das »Heimatrecht« zu, das Recht auf soziale Unterstützung. Darunter sind die restlichen »Ortsanwesenden« angesiedelt: Angehörige anderer Gemeinden, Fremde, Durchreisende. Über die Aufnahme von Bürgern oder Beisitzern entscheidet weiterhin der Magistrat, bzw. in Baden der Stadtrat.

Am 1. 1. 1810 wird das Badische Landrecht, das auf der Grundlage des napoleonischen »Code Civil« steht, ausgerufen. Alle männlichen Einwohner, d. h. Bürger und Schutzbürger, sind nun vor Recht und Gesetz gleich. Das Wahlrecht bleibt jedoch eingeschränkt. Nach der badischen Verfassung von 1818 steht es allen »Staatsbürgern« zu. Ein Staatsbürger ist allerdings nur derjenige, der nach den alten Kriterien das volle Bürgerrecht innehat. Als 1821 wieder Wahlen zum Gemeinderat stattfinden können, nehmen daher 40 % der Ortsangehörigen, die »Schutzbürger«, nicht teil. 1831 wird das Wahlrecht erweitert.

In Württemberg besteht das starre System bis 1817. Dann wird die Stellung des Oberamtmanns etwas eingeschränkt und ein Oberamtsrichter daneben gesetzt. Die Gemeinden erhalten wieder eigene (zivilrechtliche) Gerichtsbarkeiten. Wie in Baden werden nun den Gemeinderäten sogenannte Bürgerausschüsse beigeordnet, die jedoch nur zu bestimmten Fragen gehört werden müssen. Wahlberechtigt bleiben aber nur die sogenannten Aktiv-Bürger, diejenigen, die über ein genügend großes Einkommen verfügen. Erst 1849 wird dies auf die anderen Ortsangehörigen erweitert.

In den Jahren von 1806 bis 1817 in Württemberg, und von 1809 bis 1821 in Baden herrscht also – trotz des badischen »Code Civil« – ein streng zentralistisches Verwaltungssystem. Die propagierte Vereinheitlichung stellt sich dabei eher als ein willkommener politischer Deckmantel heraus.

1
Johann Gottfried Pahl, Denkwürdigkeiten aus meinem Leben, Tübingen 1840, S. 210f.

*Alfred Dehlinger, Württembergs Staatswesen in seiner geschichtlichen Entwicklung bis heute, 2 Bde., Stuttgart 1951. – Max Miller, Neuwürttemberg unter Herzog und Kurfürst Friedrich, Stuttgart und Berlin 1934. – Karl Stiefel, Baden 1648–1952, 2 Bde., Karlsruhe 1978.*

L. v. St.

1650

1651

1649

## BÜRGERORDNUNG

*Vgl. Schaubild in der Ausstellung (nicht abgebildet)*

Zwischen 1806 und 1817 beziehungsweise zwischen 1809
und 1821 werden in Württemberg und Baden die politischen Rechte der Bürger in der kommunalen Verwaltung
ausgeschaltet. Danach wird in beiden Ländern eine Bür-
gerbeteiligung eingeführt, die im Prinzip wieder dem alten
eingeschränkten System entspricht.                L. v. St.

1650*

## CHRISTOPH GOTTLIEB PISTORIUS
(1733–1806)

Oberamtmann in Göppingen
Ende 18. Jahrhundert

*Öl auf Leinwand*
*H. 80,3 cm, B. 66,3 cm*

Göppingen, Städtisches Museum

1651*

## GOTTFRIED ENGEL (1751–?)

Ratsherr und Zunftmeister in Reutlingen
1790

*Öl auf Holz*
*H. 88 cm, B. 73 cm*
*Bez.: Gottfried Junior Engel. Rt. Richter / Nat. 20. Juli*
*1751 / Viel betrachten wenig sagen / Seine Noth nicht*
*jedem klagen / Viel anhörn, ohn antworten / Behutsam*
*seyn an allen orthen / In Glück und Unglück sich wohl-*
*schicken / Ist eines von den Meysterstüken / 1790*

Reutlingen, Heimatmuseum, Inv.-Nr. 730

Das Porträt stammt wohl aus einer der Reutlinger Zunft-
stuben, die nach dem Jahr 1803 mit dem Ende der
Reichsstadtzeit ihre politische Bedeutung verloren hatten.
Engel war Weißgerber und Mitglied der Kramerzunft.
Links oben befindet sich das Zunftzeichen. In der Hand
hält Engel die Zunftfahne, die zu feierlichen Umzügen etc.
benutzt wurde.                                      L. v. St.

1652

## Eingangshalle des Rathauses in Karlsruhe

C. Kuentzle
1822

*Aquarell auf Papier*
*H. 40 cm, B. 50 cm*

Karlsruhe, Stadtarchiv, Inv.-Nr. 8/PB5 XV. 1275

# Erfassung

Spätestens seit der Mitte des 18. Jahrhunderts hat sich in den meisten Staaten die Ansicht durchgesetzt, daß das Regieren – und damit das Funktionieren – eines Staates vor allem auf dem Wissen über seine Einwohner beruht: der Struktur der Bevölkerung, der Besitzverteilung, der Krankheiten, der Verbrechen u. a. »Seine Herzogliche Durchlaucht finden kein größeres Vergnügen, bey Höchst-Dero Regenten-Geschäften, als sich von allem demjenigen in genaue Wissenschaft zu setzen, was nur immer Dero liebe und getreue Unterthanen angehen kann«, so Herzog Karl-Eugen von Württemberg 1769 in einem entsprechenden Reskript.[1]

In Württemberg gibt es die ersten Volkszählungen im Jahr 1598, in Baden-Durlach im Jahr 1654. In diesen frühen Zählungen wird sowohl der Ursprung aus den älteren Leibeigenenregistern als auch die Komplexität der feudalen Untertanengesellschaft offenbar: Bürger, Bürgersöhne, Bauern, Halbbauern, Knechte, Kinder oder gar Frauen, welche Untertanen sind es wert, gezählt zu werden? Ohne eine verbindliche Lösung fallen die Ergebnisse entsprechend uneffektiv aus.

In Württemberg übernimmt die Zählung die (staatliche) Kirche, die seit dem Jahr 1601 »Seelentabellen«, d. h. Listen der Pfarrangehörigen, anfertigt. Die eigentliche Volkszählung beginnt hier mit dem Jahr 1757, als eine jährliche Bevölkerungsaufnahme angeordnet wird. Aufgenommen werden: Männer von 17 bis 50 Jahren, über 50 Jahren, Knaben, »Simple und Krüppelhafte«, weibliche und männliche Geburten und Gestorbene, Frauen insgesamt. Grundlage bleiben weiterhin die diversen kirchlichen Tabellen, die inzwischen einheitlich in Tauf- und Totenbücher sowie Ehebücher gegliedert sind. Auch wird der Begriff der »Seelen« weitergeführt. Dadurch, daß vom »Numerus der Seelen überhaupt« die im Ausland befindlichen Personen, wie Soldaten und wandernde Gesellen, abgezogen werden, kommen zum ersten Mal klar umrissene Einwohnerzahlen zustande. Mit dieser Erfassung ist auch eine Gemeindestatistik über Gebäude, Liegenschaften und Vieh verbunden. Wie sehr diese erste Bevölkerungsstatistik dabei schon militärische Erfordernisse berücksichtigt, wird deutlich in der – im Gegensatz zu den Frauen – differenzierten Erfassung der Männer. Dieses System wird in Württemberg mit schrittweisen Verbesserungen bis zum Beginn des 19. Jahrhunderts beibehalten.

Für den badischen Raum läßt sich die Entwicklung auf Grund der ungenügenden Quellenlage nicht so kontinuierlich darstellen. In Baden-Durlach werden ab 1763 jährliche »Volkserfunde« angeordnet. Wegen der vielen Fragen sind die örtlichen Pfarrer und Beamten weithin überfordert, so daß kaum vollständige Ergebnisse vorhanden sind. Detailliert wird u. a. nach Handwerksgesellen, Kost- und Schulgängern und Todesarten gefragt – eine potentielle Fundgrube für die Statistiker, die aber nicht zustande kommt. In der Markgrafschaft Baden-Baden tut man sich leichter. Seit 1767 wird die Bevölkerung grundsätzlich nach dem Geschlecht und nach dem Familienstand aufgegliedert und in Altersgruppen mit Schwellenwerten bei 12, 18, 24, 36, 50 und 65 Jahren eingeteilt. Nach der Vereinigung der Länder 1771 setzt sich schließlich 1786 das Baden-Badensche System durch.

Nach der Gründung des Großherzogtums wird das einfache altbadische Erfassungsschema im wesentlichen übernommen. Obwohl dessen Aussagekraft umstritten bleibt, erweist es sich für badische Bedürfnisse als ausreichend.

Dagegen wird im vergrößerten Württemberg die Volkszählung von Grund auf reformiert. Zunächst wird 1803 die neuwürttembergische Bevölkerung zum ersten Mal in ihrer Geschichte erfaßt. Danach wird 1807 ein für alle evangelischen und katholischen Pfarreien einheitliches System von Geburts- und Tauf-, Ehe- und Totenregistern sowie ein zusammenfassendes Familienregister angeordnet. Diese neu angelegten Kirchenregister sind die Basis für die noch im selben Jahr eingeführte landesweite Bevölkerungszählung, die zunächst jährlich stattfindet. Die örtlichen Tabellen werden von den Pfarrämtern ausgefüllt, vom Oberamt in Listen zusammengestellt und von da über die Kreisverwaltung nach Stuttgart geschickt.

Dieses System ergibt zum ersten Mal verläßliche Angaben über den Stand der Bevölkerung: den Altersaufbau, den Stand der Haushalts- und Familienbildung, die Erwerbstätigen, die Pensionisten, die Almosenempfänger ... Es sind verläßliche Angaben für Wirtschafts-, Sozial- und Militärpolitik. Wie hoch die Erkenntnisse im Lauf der Zeit eingeschätzt werden, ist daran zu sehen, daß hierfür im Jahr 1817 eine eigene Regierungsstelle, die »Staatskontrolle« eingerichtet wird. Daraus entsteht 1820 das »statistisch-topographische Bureau«, der Vorläufer des Statistischen Landesamts.

Obgleich später häufig von Statistikern Kritik an dieser Bevölkerungszählung geübt wurde, leitet sie dennoch eine Entwicklung ein, die Württemberg bald zu einem der statistisch besterfaßten Länder macht. Beispiele dafür sind die, für die württembergische Geschichtsschreibung unerläßlichen, seit 1812 erscheinenden Oberamtsbeschreibungen und die seit 1818 herausgegebenen Württembergischen Jahrbücher.

1
HStASt A 39 vom 26. Januar 1769. Zitiert nach Meinrad Schaab, Die Anfänge einer Landesstatistik im Herzogtum Württemberg in den Badischen Markgrafschaften und in der Kurpfalz, in: Zeitschrift für Württembergische Landesgeschichte, Festgabe Walter Grube, Stuttgart 1967, S. 89–112. Der Katalogtext folgt im wesentlichen diesem Aufsatz.

*Alfred Dehlinger, Württembergs Staatswesen in seiner geschichtlichen Entwicklung bis heute, 2 Bde., Stuttgart 1951. – Max Miller, Neuwürttemberg unter Herzog und Kurfürst Friedrich, Stuttgart und Berlin 1934. – Karl Stiefel, Baden 1648–1952, 2 Bde., Karlsruhe 1978.*
L. v. St.

1653

1653*

## »REGISTRATUR IM RATHAUS ZU SCHWÄBISCH HALL«

Schützenscheibe
Schwäbisch Hall, 1790

*Öl auf Holz*
*Dm. 67 cm*
*Bez.:* Johannes Carolus Hufnagel. Registrator 1790

Schwäbisch Hall, Hällisch-Fränkisches Museum in der Keckenburg, Inv.-Nr. 67

Der Einblick in die Registratur der Reichsstadt Schwäbisch Hall gibt den schon Ende des 18. Jahrhunderts angestiegenen Verwaltungsaufwand wieder. Die Aktenschränke enthalten in der Regel Urkunden und Entscheide in Rechtsfällen.

*Badisches Landesmuseum Karlsruhe (Hg.), Barock in Baden-Württemberg, Ausstellung Schloß Bruchsal 1981, Bd. 1: Katalog, Nr. L 206.*
L. v. St.

1654

## Statistische Generaltabellen

der Ober Ämter des ehemaligen Hochstifts Speyer, des Dom Capituls und des Ritterstifts Odenheim vom Jahre 1802

*Rote und schwarze Feder auf Papier*
*H. 53 cm, B. 74 cm*

Karlsruhe, Generallandesarchiv, 313/2809 Nr. 5

Eine Gesamtaufnahme des Gebiets, anläßlich der Übernahme durch Baden. Es ist auch ein Beispiel für die ältere, sehr komplexe Methode. Erfaßt sind unter I. die personellen Verhältnisse, II. die Besitzungen, III. die Berufe.
L. v. St.

1655

## Badische Erfassungsbögen von 1801

ausgefüllt das Jahr 1804 von der Gemeinde Bretten

*Vordruck, Feder auf Papier*
*H. 33,5 cm, B. 20,2 cm*

Karlsruhe, Generallandesarchiv, 313/2809 Nr. 13

Beispiel für die einfachere badische Methode der Erfassung. Es fehlt hier sogar noch die Altersgliederung.
L. v. St.

1656

## Württembergische Erfassungsbögen ab 1808

ausgefüllt für das Jahr 1815 von der Stadt Tübingen
A. Tabelle über den Zustand der Bevölkerung im Allgemeinen
B. Bevölkerungs=Liste nach den verschiedenen Inwohner=Klassen

*Vordruck, Feder auf Papier*
*H. 32 cm, B. 75 cm*

Tübingen, Stadtarchiv, A 70. 5/1/4/2

Diese ab 1813 benutzten Formulare enthalten nur geringfügige Änderungen zu den ab 1808 vorgeschriebenen Methoden. Auffällig ist die klare Gliederung der Erfassung gegenüber den anderen Bevölkerungsaufnahmen.
L. v. St.

1657

## Der Arbeitsplatz: Stehpult

19. Jahrhundert

*Holz*
*H. 125 cm, B. 67,5 cm, T. 49,5 cm*

Bruchsal, Städtisches Museum

# Vermessung

Die Geschichte der Landvermessung ist eng mit der Geschichte der Astronomie, der Physik und Mathematik verbunden. Ihre Basis bilden die Fortschritte im Wissen über die Krümmung der Erde, über die astronomischen Ortsbestimmung und mathematisch-geometrischer Übertragungen. Die »Motoren des Fortschritts« sind aber in der Regel die politischen Bedürfnisse, die dann auch die Neuerungen der Landvermessung um 1800 begründen. Bereits im 1. Drittel des 17. Jahrhunderts wird in Württemberg von Wilhelm Schickhart (1592–1635) eine Karte vorgeschlagen, die die Erkenntnisse der Trigonometrie anwendet. Sie basiert auf der Methode, bei einem Dreieck, wenn die Länge einer Seite und die Größe der zwei anschließenden Winkel bekannt sind, die Längen der zwei anderen Seiten berechnen zu können. Bei der Landvermessung kann nun ein relativ kleines Maß ausgelegt werden, von dessen Enden aus wird ein Punkt angepeilt und aus den Größen der Winkel lassen sich die Entfernungen berechnen. Durch Aneinander- und Ineinanderlegen solcher Dreiecke entsteht ein Netz, in dem die örtlichen Gegebenheiten dann eingearbeitet werden können. Bis heute ist diese »Triangulation« das Prinzip der Landvermessung. Alle späteren Neuerungen sind Präzisierungen, etwa der Bezugslinien, der Winkelmessungen, der Berücksichtigung der Höhenunterschiede.
Als in Württemberg im Jahr 1710 die erste neuere Landeskarte erscheint, mußte deren Kartograph Johann Majr jedoch auf die Triangulation verzichten. Dem Staat erschien diese Methode zu aufwendig. Und bis zum 19. Jahrhundert genügt offenbar die Majersche Karte den Ansprüchen. In Baden verläuft die Entwicklung ähnlich, bis Jakob Friedrich Schmauß im Jahr 1761 von der markgräflichen Regierung mit der topographischen Aufnahme des badischen Oberlandes beauftragt wird. Ganze 24 Jahre dauert die Arbeit, und es entsteht durch die Triangulation die erste wissenschaftlich präzise Karte in Südwestdeutschland. Dieses aufwendige Projekt dokumentiert den praktischen Aufschwung in der 2. Hälfte des 18. Jahrhunderts. Der Franzose Cassini vermißt von 1773 bis 1778 ein Dreiecksnetz von Paris über Straßburg, Mannheim, Tübingen, Ulm bis nach Wien. Im Jahr 1793 erscheint in Paris sogar eine Karte von Schwaben. Als im gleichen Jahr dort von Cassini eine Karte von ganz Frankreich vorgestellt wird, wirkt dies wie eine Herausforderung an die Nachbarländer.
Noch im gleichen Jahr 1793 schlägt der Mathematiker Johann G. F. Bohnenberger (1765–1831) der württembergischen Regierung einen Plan zur trigonometrischen Vermessung des Landes und eine Karte nach dem Muster der »Charte de France« vor. Er erhält Unterstützung und kann ab 1799 die ersten Blätter der »Charte von Wirtemberg« (später »Charte von Schwaben«) vorlegen. Bohnenberger wählt den gleichen Maßstab (1:86400) und als Einteilung das französische Geometermaß (»Toise«). Bei der relativ geringen staatlichen Unterstützung ist es zunächst ein Privatunternehmen, an dem sich auch der

Verlag Cotta beteiligt. Dennoch steht diese erste württembergische Landesvermessung in einem unverkennbar politischen Umfeld.

In Baden ist bereits seit Schmauß die Landesvermessung in die Verwaltung integriert. Erster fürstlicher Landesvermesser ist seit 1790 Johann G. Tulla (1770–1828). Nachdem Tulla die badische Regierung auf die Arbeiten von Bohnenberger aufmerksam gemacht hat, erhält er 1805 den Auftrag der Landesvermessung. Im Jahr 1812 gibt er eine großmaßstäbliche »Karte über das Großherzogtum Baden« heraus. Kleinere Karten werden nicht veröffentlicht, denn die Landesvermessung entwickelt sich in Baden zu einem Aufgabengebiet des Militärs. Tulla selbst bringt es bis zum Oberstleutnant, und nach seinem Tod wird die Stelle in das »militärisch-topographische Büro« umgewandelt.

Württemberg hat andere Ziele. Am 25. Mai 1818 wird eine neue Landesvermessung »zum Behuf der zur Schaffung eines neuen Grundsteuerkatasters zu treffenden Einleitungen und Vorkehrungen« angeordnet. Mit der Vergrößerung des Landes war eine neue Erfassung der Grundbesitze notwendig geworden. Nun sollen die Stücke neu und präziser vermessen werden. Diese werden jetzt in das Netz der Landesvermessung eingegliedert.

Die Stückvermessung zur Steuererhebung gab es in Württemberg bereits seit dem Jahr 1703. Sie war von den Feldmessern oft mit den einfachsten Mitteln durchgeführt worden und gab seither einen dauernden Anlaß zu Grenzstreitigkeiten.

Mit der Einbeziehung in die Landesvermessung und deren Methoden profitierten der Besitzer und der Staat: Sicherung des Eigentums und Sicherung der Steuern. Auch organisatorisch wird das Ziel deutlich: 1822 wird die Katasterkommission mit dem Steuerkollegium verschmolzen. Bei all dieser organisatorischen Tätigkeit fehlt es nicht an Mißtrauen in der Bevölkerung. Obersteuerrat Mittnacht berichtet 1821, er erlaube sich, »ein verehrliches Kollegium daran zu erinnern, mit welchen Hindernissen ... nur die Bezeichnung der Grenzen in Tübingen verbunden war ... Feldmeßer, die dort mit Holzaxten aus den Gärten und Weinbergen vertrieben, und um den Namen des Besitzers von einem Grundstück zu erfahren oft 8–10 mal auf den Platz zu gehen genöthigt wurden ...«[1]

1
Zitiert nach: 150 Jahre Württembergische Landesvermessung 1818–1968, Landesvermessungsamt Baden-Württemberg (Hg.), Stuttgart 1968, S. 14.

*Alfred Dehlinger, Württembergs Staatswesen in seiner geschichtlichen Entwicklung bis heute, Stuttgart 1951, Band 1, S. 259ff., Band 2, S. 570ff. – Erwin Granget, Die Grundlagen der badischen Landesvermessung, Karlsruhe 1933, Nachdruck 1973. – 1981 Kat. Baden-Baden 1981. – Museum für Kunst und Kulturgeschichte Dortmund, Museumshandbuch Teil 2: Vermessungsgeschichte, Dortmund 1985.* L. v. St.

1658

## CHARTE VON WIRTEMBERG

Trigonometrisch aufgenomen und gezeichnet von J. G. F. Bohnenberger. Der Charte von Schwaben No. 22.

Tübingen, im Verlag der J. G. Cotta'schen Buchhandlung 1799–1806

*Kupferstich, handkoloriert
H. 53 cm, B. 49 cm*

Stuttgart, Landesvermessungsamt Baden-Württemberg, Kartensammlung, Nr. 107/22-d

Begonnen hat J. G. F. Bohnenberger diese »Charte« im Jahr 1799 bei Tübingen. Seit 1795 war er an der Universität Tübingen als Observator an der 1752 errichteten Sternwarte und zur Abhaltung von mathematischen Vorlesungen angestellt worden. Mit dem Erscheinen des ersten Blattes wird er Extraordinarius, 1816 Ordinarius für Astronomie und Physik.

*Viktor Kommerell, Johann Gottlieb Friedrich Bohnenberger, in: Schwäbische Lebensbilder I (1940), S. 38–53.* L. v. St.

1659

## FELDMESSER DER WÜRTTEMBERGISCHEN LANDESVERMESSUNG 1818–1840

Joseph A. von Gasser

*Reproduktion nach einer Lithographie (Ausschnitt), Original verschollen
H. 47,3 cm, B. 62,2 cm (Repr.)*

Stuttgart, Landesvermessungsamt Baden-Württemberg

Die Szene stellt eine Geländeaufnahme dar. Der Vermesser steht an einem Meßtisch, der über einen Meßpunkt gestellt ist, und peilt Meßlatten an. Hier wird mit einer »Kipregel« gemessen, einem Fernrohr, das horizontal »gekippt« werden kann, um Geländehöhen zu berücksichtigen. L. v. St.

1660.1*

## REICHENBACH-THEODOLIT

Georg Friedrich von Reichenbach (1771–1825)
München, um 1815

*Messing, Glas
H. 48 cm, B. 48 cm, T. 48 cm*

Stuttgart, Landesvermessungsamt Baden-Württemberg

1660.1

Mit diesem Theodoliten hat Bohnenberger die Hauptnetze der Landesvermessung ab 1818 vermessen. Das Instrument gibt Horizontal- und Vertikalwinkel an und ist um die Achsen so drehbar, daß jeder Punkt im Raum anzielbar ist. Reichenbach hatte 1804 erstmals diesen »Repetitions-Theodoliten« konstruiert. Aus seiner Werkstatt kamen die genauesten Meßgeräte der damaligen Zeit.

*Museum für Kunst und Kulturgeschichte Dortmund, Museumshandbuch Teil 2: Vermessungskunde, Dortmund 1985, S. 52ff, S. 157ff.* L. v. St.

## 1660.2
## KREUZSCHEIBE

19. Jahrhundert
*Messing, Holz*
*H. 135 cm, Dm. 14 cm*

Stuttgart, Landesvermessungsamt Baden-Württemberg

Die Kreuzscheibe (oder Winkelkreuz) gehört zu den Instrumenten, mit denen die Details vermessen wurden. Die zwei Sehschlitze sind genau im rechten Winkel zueinander, so daß rechtwinklige Strecken ausgepeilt werden können. L. v. St.

## 1661*
## STADTPLAN VON TÜBINGEN 1819
Aufgenomen von Geometer C. Kohler im März 1819

*Lithographie*
*H. 53,7 cm, B. 62 cm*
*Bez.: F. E. grav.*

Tübingen, Stadtarchiv, K 234

Conrad Kohler gehört zu den Mitarbeitern Bohnenbergers, die von März 1818 bis April 1819 bei Tübingen die Landesvermessung begannen. Da vorgeschrieben war, die Stückvermessungen möglichst zeitnah mit der Landesvermessung durchzuführen, entstand mit diesem Stadtplan der erste Katasterplan Württembergs. L. v. St.

## 1662
## SUMMARISCHES STEUER-VERMÖGENS-REGISTER

Tübingen, 1816–1835
*Fünf Ledereinbände, Feder auf Papier*
*H. 35 cm, B. 23 cm, T. 6,5 cm*

Tübingen, Stadtarchiv

Die Register enthalten die Gewerbe-, Grund-, und Gebäude-Steuer. Letztere wird 1821 eingeführt und aus dem »Gebäudesteuerkataster« hierher übertragen. »Jeden Samstag wird Steuer-Einzug gehalten, dem er (der Steuerbeamte, St.) in seinem Wohnort von der Frühe bis 10 Uhr anwohnt. Jeder Steuerpflichtige ist zu erscheinen, und wenn er nicht zahlen könnte, sich zu entschuldigen... Die kleinste Abschlagszahlung wird angenommen, weil der Beamte wohl weiß, daß die geringen Einnahmen für Victualien oder an Arbeitslohn gar gerne zu Haushaltungs-Bedürfnissen verwendet... wird. Zur Steuer-Abrechnung wählt er die einträglichere Zeitpunkte der Kirschen- und Obst Erndte... Uneigennützigkeit ist ein hervorstechender Zug seines Charakters...« Der Redakteur des »Volksfreunds aus Schwaben« in der Nr. 72, 1818, läßt schon durchblicken, daß dies eher das Wunschbild eines württembergischen Steuerbeamten ist. L. v. St.

## 1663*
## TINTENZEUG

Göppingen, um 1785
*Fayence*
*H. 8,2 cm, B. 15 cm, T. 11 cm*

Göppingen, Städtisches Museum

1663

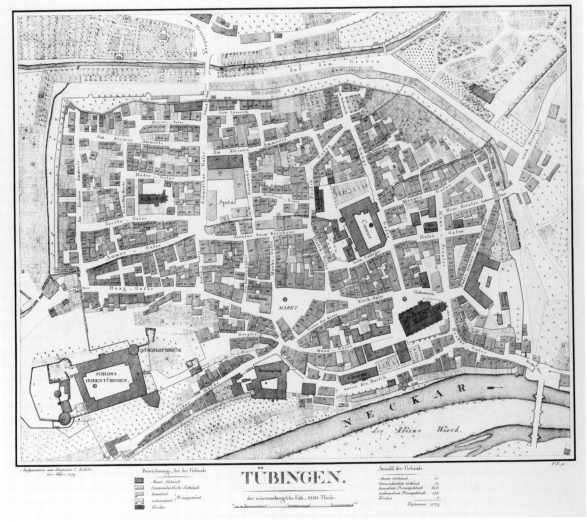

1661

1664

LINEAL

Badisch, dat. 1826

*Holz*
*L. 33,5 cm*

Freiburg, Augustinermuseum, Inv.-Nr. 8424

1665

STREUSANDBÜCHSE DES BÜRGERMEISTERS
VON DURLACH

um 1790

*Marmor*
*H. 9,5 cm, Dm. 8,2 cm*

Karlsruhe-Durlach, Pfinzgaumuseum, Inv.-Nr. 6/25

1666

STREUSANDBÜCHSE AUS DEM RATHAUS IN
GÜNTERSTAL (BADEN)

Anfang 19. Jahrhundert

*Holz*
*H. 13 cm, Dm. 11,2 cm*

Freiburg, Augustinermuseum, Inv.-Nr. 10915

## »Wider das Vaganten- und Gaunerwesen«

Unterwegs, also ohne ständigen Wohnsitz, waren an der Wende zum 19. Jahrhundert viele. Zeitgenössische Schätzungen sprechen von »beynahe einem Drittheil der Menschen«. Tatsächlich – soweit sich dies im nachhinein rekonstruieren läßt – dürfte der Anteil dieser schwer zahlenmäßig zu fassenden Bevölkerungsgruppe etwa 10–15 % betragen haben.[1]

Es gab vielfältige Gründe, freiwillig oder gezwungenermaßen wohnsitzlos umherzuziehen, und damit häufig ohne Anspruch auf die an das Heimatrecht gebundene Unterstützung leben zu müssen. Die Gruppe der sogenannten »Vaganten« war sehr heterogen. Sie setzte sich zusammen aus Handwerksburschen, wandernden Gewerbetreibenden, Bettlern, Gaunern und – infolge der Napoleonischen Kriege – entlassenen Soldaten und Deserteuren. Die Grenzen zwischen diesen Gruppen waren fließend: Wer als entlassener Soldat kein Auskommen fand, bettelte; wem das Kesselflicken nicht genug einbrachte, der beging auch einmal einen kleinen Diebstahl; wer als Handwerksbursche auf der Suche nach einer neuen Arbeitsstelle war, wanderte ziellos umher.

Der Obrigkeit waren die verschiedenen Motive einerlei: Ihr war die gesamte Gruppe der Umherziehenden suspekt, ohne Rücksicht auf die Beweggründe und das Betragen einzelner – schien doch die »öffentliche Sicherheit« durch diese Personen gefährdet zu sein. In zahlreichen Verordnungen machten die Regierungen ihre Untertanen daher mit dem Vorhaben bekannt, jene bislang wohnsitzlosen Bevölkerungsgruppen zu »confinieren«: Durch gesetzliche Anordnung sollte der Aufenthalt dieser Personen künftig auf einen festen Ort beschränkt werden. Wo dies nicht möglich war, diente das neu eingerichtete Paßwesen dazu, der Obrigkeit eine schärfere Kontrolle der Reisenden und Wandernden möglich zu machen. Diese weitgreifende Erfassungskampagne betraf alle, mit Ausnahme der Inländer mit festem Wohnsitz und herrschaftlich abgeordneten Reisenden.

An den Grenzen wurde die Paßkontrolle verstärkt. »Um der Gleichförmigkeit willen«[2] führte man neue Paßformulare ein. Name, Reiseziel und Reisezweck waren deutlich lesbar einzutragen. Wurde ein Handwerksbursche ohne Ausweis und Arbeit angetroffen, war er wie ein Vagant zu behandeln: Man verwies ihn des Landes. Umherziehende Soldaten mußten jedem Untertanen jederzeit auf Verlangen ihren Ausweis und ihre Entlassungsurkunde, den sogenannten »Abschied« vorzeigen. Fremde Bettler wurden an den Grenzen sogleich zurückgewiesen. Wandernde Gewerbetreibende, deren »Handwerk« kein genügendes Auskommen versprach, ließ man selbst mit gültigem Paß erst gar nicht in das Land herein, zumal, wenn sie ein »unehrliches« Gewerbe ausübten. Als solche Gewerbe galten unter anderem Ofenrohr- und Kochlöffelhändler, Raritätenkastenträger, Taschenspieler, Riemenstecher, Gaukler, Sägenfeiler, Afterärzte, fremde Krämer und hausierende Medikamenten-, Öl- und Farbenhändler. Für die im Lande wandernden Gewerbetreibenden wurde ein jährlich zu erneuernder Erlaubnisschein Pflicht, auch sollten Frauen und Kinder dieser Gewerbetreibenden nicht mit auf Wanderschaft gehen, da sich sonst »der Hang zum unsteten Leben auf die Nachkommen (fortpflanze)«.[3]

In den Städten wurde darüber hinaus die Führung von allgemeinen Passantenlisten obligatorisch. Eigens dafür neu eingerichtete Militärpatrouillen sollten Ruhe und Ordnung auf den Straßen im Land gewährleisten, und Tag- und Nachtwächter kontrollierten die Ruhe in den Städten und Dörfern. Übernachtungslisten mußten angelegt werden, und das Nächtigen in einsamen Höfen und Mühlen wurde verboten. Selbst das Übernachten bei Privatpersonen setzte nun eine Genehmigung voraus.

Jene Vaganten, die im Land aufgegriffen wurden ohne eine »Heimat« zu besitzen, an die man sie zur Unterstützung hätte verweisen können, wurden in ein Arbeitshaus eingeliefert oder aber zwangsweise in den Soldatenstand befördert. Eine »confinirte« Person, die außerhalb des ihr zugewiesenen Wohnorts ohne Erlaubnis angetroffen wurde, mußte mit Arrest und – im Wiederholungsfall – mit einer Zuchthausstrafe rechnen. Hier lagen also Armenversorgung und Strafverfolgung nicht mehr weit auseinander.

In extenso vorgeführt und praktiziert wurde das neue Erfassungsprogramm besonders bei der Verfolgung sogenannter »Gauner«. Diensteifrige Beamte erstellten teilweise »auf eigene Kosten« und »zum wahren Wohl der so höchstnöthigen allgemeinen Sicherheit als dem edelsten Kleinod eines Staates«[4] sogenannte »Gaunerlisten«, die den benachbarten Ämtern bekannt gemacht wurden. Mit Hilfe dieser gedruckten Steckbrieflisten wurde nach Diebesbanden gefahndet. Aufgelistet waren freilich nicht nur Diebe und sonstige, meist »kleine« Straffällige, sondern auch ganz »gewöhnliche« Vaganten. – Damit war Seßhaftigkeit zur Norm, zum Wert an sich avanciert, während die »Nichtseßhaftigkeit« endgültig den Stempel eines verdächtigen, auf jeden Fall zu überwachenden Tatbestands erhalten hatte: Der »Policey«-Staat schuf Ordnung.

1
Dieter Preuss / Peter Dietrich, Hölzerlips. Vom poetischen Leben des Odenwälder Räuberhauptmanns, Ravensburg 1983, S. 214.
2
August Ludwig Reyscher, Vollständige historisch und kritisch bearbeitete Sammlung der württembergischen Gesetze, Tübingen und Stuttgart 1828–1850, Bd. 15/1, S. 495 (Generalverordnung vom 2. Mai 1811).
3
Ebd., S. 369 (Decret vom 20. Juli 1809).
4
Georg Jakob Schäffer, Beschreibung derjenigen Jauner, Zigeuner, Straßen- Räuber (…) welche zum Schaden und Gefahr des gemeinen Wesens (…) würcklich noch herum schwärmen, Tübingen o. J. (1802), Titelblatt.

*Eduard Eggert, Oberamtmann Schäffer von Sulz. Ein Zeit- und Lebensbild, Stuttgart 1897. – Carsten Küther, Menschen auf der Straße, Göttingen 1983. – Christoph*

*Sachße und Florian Tennstedt (Hg.), Bettler, Gauner und Proleten, Reinbek 1983. – Max Zengerle (Hg.), Johann Baptist Pflug. Aus der Räuber- und Franzosenzeit Schwabens, Weißenhorn 1966.*    B.B.

Bilder von »gewöhnlichen« Vaganten aus Baden und Württemberg sind uns heute nicht erhalten. In der Kunst der damaligen Zeit bestand wenig Interesse an der Darstellung dieser Personen und ihres Lebenskreises. Die Darstellung von Räubern und Räuberbanden war beliebter. Der oberschwäbische Maler Johann Baptist Pflug erwähnt in seiner Autobiographie immer wieder Geschichten von Räubern, die er bis ins kleinste erzählt. Der Kriminalfall, das Ungewöhnliche, das Ausbrechen aus der Konvention, scheinen ihn, den bürgerlichen Maler, fasziniert zu haben. Johann Baptist Pflug hat immer wieder Räuber und Gefangene in Gefängnissen porträtiert. Aus exakten Einzelstudien komponierte er zahlreiche genrehafte Bilder des Räuberlebens.

*Städtische Sammlungen Biberach, Johann Baptist Pflug (1785–1866). Gemälde und Zeichnungen, Biberach 1985, S. 8. – Max Zengerle (Hg.), Johann Baptist Pflug, Weißenhorn 1966, S.157f.*    Barbara Brugger

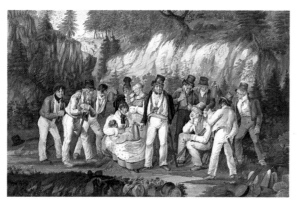

1667

1668

1667*

## DIE RÄUBERBANDE DES SCHWARZEN VERI

Johann Baptist Pflug (1785–1866)
Biberach, 1824

*Gouache*
*H. 50 cm, B. 65 cm*
*Bez.: Pflug p…*

Privatbesitz

1668*

## DIE GEFANGENNAHME DER RÄUBER

Johann Baptist Pflug (1785–1866)
Biberach, 1822

*Gouache*
*H. 50 cm, B. 65 cm*
*Bez.: Pflug 1822*

Privatbesitz

*Max Zengerle (Hg.), Johann Baptist Pflug, Weißenhorn 1966, S.159*

1669

## DREI RÄUBER AUS DER BANDE DES ROTEN METZGER IM SCHUSSENTAL

Johann Baptist Pflug (1785–1866)
Biberach, um 1819

*Öl auf Holz,*
*H. 20,5 cm, B. 20,5 cm*

Biberach, Städtische Sammlungen, Inv.-Nr. 6146

Auf der Rückseite des Bildes befindet sich folgende Beschriftung: *Die Darstellung des Bildes ist eine Räuberszene aus dem Jahr 1819, in welchem die berüchtigte Räuberbande des Schwarzen Veri in Oberschwaben ihre gewaltsamen Exzesse und Räubereien ausführte. (…)*

*Städtische Sammlungen Biberach, Johann Baptist Pflug, 1985, S.74 (Abb. 50)*    B.B.

## 1670*

### GEFESSELTER MANN

Johann Baptist Pflug (1785–1866)
Biberach, 1. Hälfte 19. Jahrhundert

*Aquarell*
*H. 14,5 cm, B. 13 cm*

Biberach, Städtische Sammlungen, Inv.-Nr. 6203

## 1671

### DER ROTE METZGER

Johann Baptist Pflug (1785–1866)
Biberach, 1. Hälfte 19. Jahrhundert

*Aquarell*
*H. 10 cm, B. 12,5 cm*

Biberach, Städtische Sammlungen, Inv.-Nr. 6203 a

1670

## 1672*

### »MAGNUS«, EIN REISENDER HANDWERKER

um 1820?

*Lithographie*
*H. 26 cm, B. 16 cm*
*Bez.:* Magnus / Reisend Wanderer von Einem zum
Andern, / Ein Würtemberger geborner v. d. Oestereicher. /
Erfinder neuer mechanischer Werke, geb. zu Ehingen a. d.
Donau / anno 1791.

Ehingen, Heimatmuseum

## 1673*

### JACOB REINHARD VULGO HANNIKEL

Kölreuter
1787?

*Öl auf Papier*
*H. 82 cm, B. 58 cm*

Rastatt, Wehrgeschichtliches Museum

Der »Räuberhauptmann« Jacob Reinhard, genannt Hannikel, wurde von dem Oberamtmann Schäffer aus Sulz
1787 gefaßt. Hannikel wurde am 17.7.1787 in Sulz am
Neckar hingerichtet. Die Szene wird von Johann Baptist
Pflug in seiner Autobiographie beschrieben.

*Max Zengerle (Hg.), Johann Baptist Pflug, Weißenhorn
1966, S.10–14. – Kat. Baden-Baden 1981, S.125.* B.B.

Magnus
Reisend Wanderer von Einem zum Andern,
Ein Würtemberger geborner v. d. Oestereicher.
Erfinder neuer mechanischer Werke, geb. zu Ehingen a. d. Donau
anno 1791.

1672

1673

1675–1676

1674

## FENSTERGITTER AUS EINER TURMZELLE

Biberach, 1. Hälfte 19. Jahrhundert

*Eisen*
*H. 40,5 cm, B. 56,5 cm*

Biberach, Städtische Sammlungen, Inv.-Nr. 86/ 33 G

Das Gitter stammt angeblich aus dem Ehinger-Tor-Turm, in dem der »Räuberhauptmann« Xaver Hohenleiter alias »Schwarzer Veri« einsaß. Der »Schwarze Veri« starb dort in seiner Zelle am 20. Juli 1819.          B.B.

1675*

## KETTE MIT HANDSCHELLE

Biberach, 1. Hälfte 19. Jahrhundert

*Eisen*
*L. 110 cm, Dm. der Schelle 7,2 cm*

Biberach, Städtische Sammlungen, Inv.-Nr. 86/ 34 G

1676*

## KETTE MIT FUSSSCHELLE

Biberach, 1. Hälfte 19. Jahrhundert

*Eisen*
*L. 182 cm, Dm. der Schelle 9,2 cm*

Biberach, Städtische Sammlungen, Inv.-Nr. 86/ 35 G

Die Ketten stammen ebenfalls aus dem Biberacher Gefängnisturm.

*Gustav Schwab, Der Schwarze Veri und die letzten Räuberbanden Oberschwabens, o. O. o. J.*          B.B.

1677*

## DARSTELLUNG EINER RÄUBERBANDE

Heidelberg, 1812

*Kupferstich*
*H. 24 cm, B. 29 cm*
*Bez.: Abbildung / Der in Heidelberg verhafteten Mitglieder der Raeuber-Bande am Mayn*

Karlsruhe, Generallandesarchiv, J/N: R 2

Der Kupferstich ist der *Aktenmäßigen Geschichte der Räuberbanden an den beiden Ufern des Mains, im Spessart und im Odenwald* entnommen, die Stadtdirektor L. Pfister 1812 in Heidelberg veröffentlichte. Dargestellt ist eine sogenannte »Räuberbande« um den ehemaligen wandernden Holzwarenhändler Georg Philipp Lang, der unter dem Namen »Hölzerlips« bekannt wurde.          B.B.

1677

1678

## GENERAL-JAUNER-LISTE...

Friedrich August Roth, Hochfürstl. Markgräfl. Badischer
Hofrath und zweiter Oberbeamter der Markgrafschaft
Hochberg zu Emmendingen im Breisgau.
Karlsruhe, 1800

*Papier, Letterndruck*
*H. 34,8 cm, B. 22,5 cm*

Tübingen, Universitätsbibliothek, Ed 7

Zahlreiche Justizbeamte in Baden und Württemberg
machten sich durch die Zusammenstellung und Veröffentlichung von Gaunerlisten verdient um die »Bekämpfung
herrenlosen Gesindels«, wie es in zeitgenössischen Quellen
heißt.                                                    B. B.

1679

## BESCHREIBUNG DERJENIGEN JAUNER /
## ZIGEUNER / STRASSEN-RÄUBER...

Georg Jacob Schäffer, Oberamtmann zu Sulz
Sulz am Neckar, 1801 (gedruckt in Tübingen o. J. [1802])

*Papier, Letterndruck*
*H. 32,2 cm, B. 19,8 cm*

Tübingen, Universitätsbibliothek, L VI 4a

1680

BESCHREIBUNG DERJENIGEN JAUNER,
ZIGEUNER, STRASSEN-RÄUBER...

Georg Jacob Schäffer, Oberamtmann in Sulz

Sulz am Neckar, 1811 (gedruckt in Tübingen, 1813)

*Druckschrift*
*H. 32 cm, B. 20 cm*

Stuttgart, Württ. Landesbibliothek, wirt. R. fol. 103

Der Oberamtmann aus Sulz bemühte sich stets um Aktualität der von ihm »auf eigene Kosten« erstellten Gaunerlisten. Er veröffentlichte mehrfach verbesserte Neuauflagen seiner ersten Liste aus dem Jahr 1801.     B.B.

1681

AKTENMÄSSIGE GESCHICHTE DER
RÄUBERBANDEN AN DEN BEIDEN UFERN
DES MAINS...

L. Pfister, Stadtdirector in Heidelberg
Heidelberg, 1812

*Druckschrift*
*H. 21 cm, B. 13 cm*

Tübingen, Universitätsbibliothek, Hn 62

Das Buch des Stadtdirectors, der sich vor allem durch die Ergreifung der sogenannten *Hölzerlips*-Bande verdient gemacht hatte, enthält einen Kupferstich, der das *Blutgericht / über die Raub-Mörder Hölzerlips und Gesellen in Heidelberg / den 31. Juli 1812* zeigt.     B.B.

1682

BESCHREIBUNG MEHRERER THEILS IM
BREISGAU, THEILS IN OBERSCHWABEN UND
DER SCHWEIZ NOCH HERUMSCHWÄRMEN
DER JAUNER UND VAGANTEN...

Konstanz, 26. August 1793

*Papier, Letterndruck*
*H. 30 cm, B. 18,5 cm*

Schömberg, Stadtarchiv, A 14

1683

BEKANNTMACHUNG ZUR ERHALTUNG DER
ÖFFENTLICHEN SICHERHEIT, WIE AUCH
ZUR ABHALTUNG HERRENLOSEN
GESINDELS...

Ulm, 18. Dez. 1801

*Papier, Letterndruck*
*H. 39,5 cm, B. 35,2 cm*

Karlsruhe, Generallandesarchiv, 234 / 10033

Die Allgemeine Kreis-Versammlung erbittet die Mitarbeit der Kreis-Stände bei der Bekämpfung und Erfassung von Gaunern und *Herrenlosen Gesindels jeder Art.*     B.B.

1684

EDIKT, DAS »FRECHE HERUMSCHWEIFEN
SO VIELEN LIEDERLICHEN GESINDELS«
BETREFFEND

Karl Friedrich, Kurfürst
Karlsruhe, 30. Jan. 1804

*Papier, Letterndruck*
*H. 33 cm, B. 40 cm*

Karlsruhe, Generallandesarchiv, 233 / 1498

Dieses Edikt wurde als öffentliche Bekanntmachung u.a. in Wirtshäusern ausgehängt. Die badische Regierung rief mit dieser Bekanntmachung die Bevölkerung zur Mithilfe bei der Erfassung und Gefangennahme von Vaganten auf. Für die erfolgreiche Überführung eines Vaganten wurde den Bürgern eine Belohnung in Aussicht gestellt.     B.B.

## Sicherheit und Ordnung

## Staatsgewalt

Die Wahrung der öffentlichen Sicherheit ist in Baden und Württemberg bis zum Beginn des 19. Jahrhunderts zunächst eine Aufgabe der einzelnen Städte und Dörfer. Von der örtlichen Obrigkeit angestellt, teilen sich die Überwachungsaufgaben Tor- und Nachtwächter, Feldhüter, Bettelvögte, Marktaufseher u.a.m. Bei diesen Wachdiensten wird das städtische Personal in der Regel von sogenannten Bürgerwachen unterstützt, zum Teil auch ganz durch diese ersetzt. Organisiert werden solche Bürgerwachen in den Städten entweder von den Zünften oder von den aus den Zünften entstandenen Schützengilden. Grundlage hierfür ist das System der Landesverteidigung, in der jeder männliche Bürger das Recht und die Pflicht hat, für den Notfall eine Waffe zu besitzen. Deshalb werden regelmäßig auch Waffenübungen veranstaltet, oft sonntags, die von den Schützengilden organisiert werden. Die Schützengilden stellen somit in der Verzahnung von Bürgerrecht, innerer und äußerer Sicherheit die wichtigsten Institutionen der Bürgerschaft dar. Dies gilt besonders für Württemberg und in noch stärkerem Maße für die Reichsstädte.

Überörtliche und staatlich organisierte Sicherheitskräfte entstehen erst im Lauf des 18. Jahrhunderts, als das Problem der »Vaganten« größer wird[1]: Die »Hatschiere« in Baden und in Teilen Württembergs, die »Landreuter« in Vorderösterreich, in allen größeren Ländern dazu noch eine Truppe von »Husaren«. Insgesamt besitzen sie aber wegen ihrer geringen Anzahl keine große Effektivität. Um 1780 bestehen z.B. in Baden die Sicherheitstruppen aus nur etwa 30 Mann.

Mit der Einrichtung der neuen Staaten nach 1803 und der folgenden Neuordnung des Militärwesens gerät dieses alte System ins Wanken. Dabei wird Frankreich Vorbild für die Neuorganisation. Allerdings mit unterschiedlichen Konzepten: für Baden die Bürgermiliz und für Württemberg die Gendarmerie. In beiden Ländern ist jedoch die Zielsetzung eindeutig: ein staatliches Gewalt- und Waffenmonopol und eine zentral gesteuerte Organisation von Sicherheitskräften.

Baden versucht eine Reform der bestehenden Einrichtungen. Zunächst wird das seit 1787 bestehende Karlsruher Modell auf die anderen Städte übertragen. Unter der Leitung des Oberamts vereinigt eine staatliche Ortspolizei die zahlreichen Wachdienste. Sie übernimmt auch zum großen Teil die Aufgaben der Hatschiere und Landreuter, die 1812 durch eine mobile »Polizeigarde« ersetzt und nun in der Hauptsache für Zoll- und Steuerfahndungen eingesetzt wird. Zugleich beginnt ein Ausbau der diversen Schützengilden. Ab 1803 wird, auf der Grundlage des 7. Konstitutionsedikts, die Einrichtung von »Bürgercorps« in jeder Gemeinde zur Pflicht gemacht. Sie unterstehen direkt den Oberämtern, die – wie im Jahr 1805 in

Karlsruhe – sogar verfügen können, daß niemand das Bürgerrecht erhält, wenn er sich nicht in einer der Bürgerkompagnien eingeschrieben hat. An die Öffentlichkeit treten die Bürgercorps in der Regel bei religiösen und politischen Feierlichkeiten als Parade-, Spalier- und Prozessionssoldaten. Im Grunde jedoch stellen sie aber eine – kontrollierte – Ersatzarmee dar gegen mögliche Feinde im Innern, so jedenfalls sieht es das Innenministerium.

Württemberg geht da einen anderen Weg. Mit der Auflösung der Gemeindeselbstverwaltung im Jahr 1806 erhält jedes Oberamt einen Königlichen Polizeikommissar zugeordnet, der die Aufsicht über die zunächst unverändert bleibenden örtlichen Wachdienste führt. Gleichzeitig wird im Jahr 1807 als erste Landespolizei ein 200 Mann starkes »Landreuter-Corps« aufgestellt. Zunächst zuständig für die »Vaganten und Gauner«, wird es 1811 zur »Königlichen Gendarmerie«, einer Art Landes-Sicherheitspolizei, ausgebaut. Verteilt über das ganze Land sollen die Gendarmen »alle Straßen und Nebenwege ... durchstreifen, auf alles, was der öffentlichen Sicherheit nachtheilig sein könnte, ihr Augenmerk richten, ... alle Bettler, Vaganten und andere verdächtige Leute, welche sie antreffen, anhalten und an die verordnete Amtsbehörde überliefern, ... und bei Transportirung der Verbrecher und anderer gefährlicher Gefangenen, so wie in allen Fällen, wo die Obrigkeit zu Erhaltung der öffentlichen Ruhe und Ordnung eines bewaffneten Beistandes bedarf, die erforderlichen Dienste leisten, (...) vorzüglich auch auf die hin und wieder vorkommenden Jahrmärkte, Wallfahrten, Kirchweihen etc. Rücksicht zu nehmen«, Pässe zu kontrollieren usw.[2] Die Stärke dieser mobilen Einsatztruppe wächst in der Folgezeit ständig. Im Jahr 1823, als die Truppe in »Landjäger« umbenannt wird, besteht sie aus 441 Mann, nicht gerechnet die Offiziere. Militärisch organisiert unterstehen sie direkt dem Innenministerium.

Diesem Ausbau staatlicher Gewalt entspricht umgekehrt die Entwaffnung der Bürger im Lauf des Jahres 1809. Im Januar verkündet die Regierung: »Bei der gegenwärtigen Einrichtung Unsers regulirten Militairs, und der damit verbundenen Landbataillons (= Landjäger, St.) ist die in früheren Zeiten angeordnete und für die gegenwärtigen Staats=Bedürfnisse ohnehin nicht mehr brauchbare Bewaffnung des Landvolks ganz überflüssig geworden«. Die Verpflichtung, daß jeder Bürger »Gewehr und Harnisch« besitzen muß, wird aufgehoben. »Die Schützen= Gesellschaften, welche an mehreren Orten bisher Statt gefunden haben, sollen nicht mehr als öffentliche Anstalten angesehen werden«, das Freischießen wird »als unnöthig abgestellt«. Ab Juni müssen alle Waffen auf den Rathäusern abgeliefert werden. Im August wird betont, daß auch die Bürgerwachen keine Waffen mehr tragen dürfen. Ab Dezember können bei Verdacht des ungesetzlichen Waffenbesitzes Hausdurchsuchungen erfolgen. Ausgenommen von der Entwaffnung sind u.a. nur Inhaber des Jagdrechts und Königliche Beamte, »so die Wappenknöpfe tragen dürfen«.[3] 1813 werden alle Waffen aus den Rathäusern in das Militär-Arsenal nach Ludwigsburg transportiert. Mit Ausnahme der im Jahr 1813 gegründeten »Bürgergarde« in Stuttgart bleiben diese Regelungen bis zum Jahr 1817 bestehen. Eine neue Verordnung bringt dann insofern nur graduelle Veränderungen: Die Schützengesellschaften werden von nun an wieder zugelassen, aber nur unter strengster behördlicher Aufsicht. Als etwa im Juni 1823 die Bürgerwehr von Ellwangen wieder erlaubt wird, darf sie »nach altem Brauch am Fronleichnamsfest mit dem Gewehr aufziehen und nach jedem Evangelium bei der außerhalb der Stadt gelegenen Prozession eine Salve abgeben«. Die ehemaligen Reichsstädte Reutlingen und Heilbronn erhalten dagegen keine Bürgerwehren.

In Württemberg ist damit – trotz der 1815 eingeführten »Landmiliz« – ein Bruch von Rechtstraditionen erfolgt, der später im Vormärz und um 1848 noch eine wesentliche politische Rolle spielen wird. Das »gute alte Recht« der Stände und Korporationen wird durch ein Überwachungssystem ersetzt, das tiefgreifende Wirkungen zeigt: Jeder kann auf Verdacht verhaftet werden, Verleumdungen und Spitzeleien nehmen zu. Nicht daß dies nicht auch schon früher möglich gewesen wäre, doch jetzt ist das Überwachungssystem weitaus effizienter. Und auch Baden, das zunächst auf die traditionellen Polizeimethoden setzte, wird nach den Erfolgen im Nachbarland schließlich im Jahr 1829 seine »Gendarmerie« einsetzen.

1
Vgl. das vorhergehende Kapitel.

2
August Ludwig Reyscher (Hg.), Vollständige historisch und kritisch bearbeitete Sammlung der Württembergischen Gesetze, Stuttgart und Tübingen 1828–1850, Bd. 15/1, S. 526ff.

3
August Ludwig Reyscher (Hg.), (wie Anmerkung 2) Bd. 15/1, S. 320f.

*Alfred Dehlinger, Württembergs Staatswesen in seiner geschichtlichen Entwicklung bis heute, Band 1 und 2, Stuttgart 1951. – Paul Sauer, Revolution und Volksbewaffnung, Die württembergischen Bürgerwehren im 19. Jahrhundert, Ulm 1976. – Karl Stiefel, Baden 1648–1952, 2 Bde., Karlsruhe 1978.* L. v. St.

1685

1685*

## PHILIPP WALTER, MAJOR DER BÜRGERKOMPAGNIE DER REICHSSTADT SCHWÄBISCH GMÜND

Schwäbisch Gmünd, um 1800

*Öl auf Leinwand*
*H. 68 cm, B. 47 cm*

Schwäbisch Gmünd, Städtisches Museum

Aus der Debler'schen Chronik: »Bürger Compagnie de anno 1796 ... Sie kleideten sich alle gleich von hechtfarbener Kleidung ... Die Koporale hatten Säbel, und hatten türkische Music ... Herr Philipp Walter machte den Major ... Sie hatten schönes Exercitium und schöne Ordnung.« Als im Jahr 1770 die spätere Königin Marie-Antoinette von Frankreich durch Südwestdeutschland ihren Brautzug veranstaltete, wurden wegen des schmucken Äußeren eine Reihe von Bürgergarden neu eingekleidet oder auch neu gegründet. In den ersten Jahren der Koalitionskriege gehören aber auch die Bürgerwehren und -garden, vor allem die badischen Bürgermilitärs, zu den Kriegsteilnehmern.

*Gertrud Beck, Die Brautfahrt der Marie Antoinette durch die vorderösterreichischen Lande, in: Barock in Baden-Württemberg, Badisches Landesmuseum Karlsruhe (Hg.), Band 2, S. 311ff. – Eduard Dittenberger (Hg.) in Zusammenarbeit mit dem Städtischen Museum Schwäbisch Gmünd, Gmünder Leute, Ein Bilder- und Geschichtenbuch..., Schwäbisch Gmünd 1983, S. 26ff.* L. v. St.

## 1686*

### BADISCHER POLIZIST VOR DEM RATHAUS

Johannes Stanislaus Schaffroth
dat. 27. 8. 1817

*Tusche laviert auf Papier*
*H. 35 cm, B. 26 cm*
*Bez.: Eingang in das alte Rathaus von Baden*

Baden-Baden, Stadtgeschichtliche Sammlungen, Inv.-Nr. 8520 (Baldreit)

1686

## 1687*

### PLAN VOM TORWACHTHAUS IN GÖPPINGEN
a. Ansicht, b. Grundriß

J. J. Aigner
dat. 1775

*Lavierte Tuschezeichnung auf Papier*
*a. H. 24 cm, B. 20 cm*
*b. H. 26,5 cm, B. 20,2 cm*

Göppingen, Stadtarchiv

Das Torwachthaus gehört zu den wenigen Gebäuden von Göppingen, die den Stadtbrand von 1782 überstanden. 1837 wurde es abgerissen. L. v. St.

## 1688*

### DIE HAUPTWACHE IN ULM

Joh. Evangel. Ling (1813–1887)
um 1830

*Lithographie*
*H. 19,3 cm, B. 37,4 cm (Bild)*

Ulm, Stadtarchiv, F 3 Ans. 376

Hauptwachen bestanden in allen größeren Reichs- und Residenzstädten wie auch in Karlsruhe, Stuttgart u. a. Sie waren die Sicherheitszentralen der Regierungssitze und mit Militäreinheiten besetzt. In Ulm war hier auf dem Marktplatz auch das Bürgermilitär stationiert, bis es 1810 bei der Machtübernahme Ulms von Württemberg aufgelöst wurde. L. v. St.

## 1689*

### BÜRGERGARDE ZU FUSS UND ZU PFERD IN STUTTGART 1813

*Lithographie, koloriert*
*H. 32 cm, B. 31 cm (Bild)*

Ludwigsburg, Städtisches Museum, Inv.-Nr. 4465

Während der Verbotszeit wurde als einzige im Land im Jahr 1813 die Stuttgarter Bürgergarde gegründet. Wegen der Kriege war nicht genügend Militär vorhanden, und die Bürgergarde übernahm die Schloß-, Haupt- und Torwachen. Unter einem militärischen Vorgesetzten gab es zwei Formationen, die Bürgermiliz zu Fuß mit über 600 Mann und ein Stadtreiterkorps mit 140 Reitern.

*Paul Sauer, Revolution und Volksbewaffnung, Die württembergischen Bürgerwehren im 19. Jahrhundert, Ulm 1976, S. 31ff.* L. v. St.

1687a

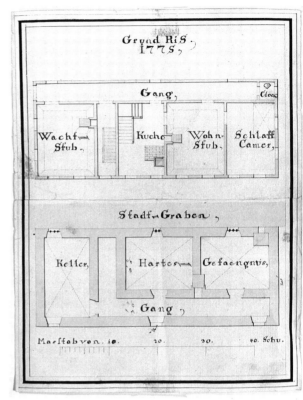

1687b

1689

1690*

### Bürgergarde der Stadt Baden

Carl Ph. Zeller
um 1830

*Lithographie, koloriert*
*H. 40,5 cm, B. 37 cm (Bild)*
*Bez.:* Bürgergarde Cavallerie der Großherzoglichen Stadt Baden

Baden-Baden, Städtische Sammlungen,
Inv.-Nr. 345 IIa (Baldreit)

1691

### Instruktion für die Königliche Gensd'armerie 1811

Königlich Württembergisches Staats- und Regierungs-blatt.
Nr. 36, vom 1. August 1811

*Reproduktion in Ausschnitten*

Aufnahme und Vorlage: Universitätsbibliothek Tübingen

1692

## WÜRTTEMBERGISCHER LANDJÄGER

Dietrich Monten (1799–1843)
um 1840

*Lithographie, koloriert*
*H. 35 cm, B. 24 cm*

Stuttgart, Württembergisches Landesmuseum,
Inv.-Nr. 1930–545

Der Landjäger führt einen gefesselten »Vagabunden« ab.
Die Uniform wurde zwischen 1821 und 1849 getragen.
L. v. St.

1693

## BADISCHES GENDARMERIECORPS

um 1830

*Lithographie, koloriert*
*H. 42 cm, B. 32,3 cm*

Freiburg, Augustinermuseum, Inv.-Nr. D 694 K 154

Bürgergarde Cavallerie
*der Großherzoglichen Stadt Baden*

1690

## Ruhig, reinlich und beleuchtet – Sicherheit und Ordnung auf den Straßen

»Alle Thunglegen auf den Straßen bleiben … gänzlich verboten« und für »alles ausschütten aus den Fenstern, die auf die Straße gehen, besonders Urin und anderer Unrat« wurde durch die Polizeiverordnungen für die Residenzstadt Stuttgart aus dem Jahr 1790 mit einer Strafe von dreißig Kreuzern gedroht. Misthaufen, Fäkalien, Bauschutt und überhaupt alles was »Unlust und Unreinlichkeit verursachet« sollte bis zur Abholung durch »Gassen-Kärcher« wohl verwahrt werden. Nur für wenige Straßen gab es die Sondererlaubnis, vierzehn Tage lang Mist zu lagern, aber nur in aufgemauerten und mit Bohlen abgedeckten Kästen. In der herzoglichen Residenz kämpfte man mit strengen Ge- und Verboten gegen Gestank und Schmutz. Mittwochs und sonnabends sollte im Sommer bis drei, im Winter bis zwei Uhr entlang von Häusern, Scheuern, Höfen und Gärten die Straße bis zur Rinne gesäubert und bei trockenem Wetter »zuvor hinlänglich angefeuchtet« werden. Wer seine Kehrwoche nicht pünktlich erledigte, mußte beim ersten Mal mit 15 Kreuzern, beim vierten Mal bereits mit einem Gulden Strafe rechnen. Doch nicht nur mit einer strengen Aufsicht über die hygienischen Zustände suchte man dem Bild einer zeitgemäßen Landeshauptstadt zu entsprechen. Ebenso war man um die Sicherheit der Bewohner und Gäste bei Tag und Nacht besorgt und hielt auf Ruhe und Anstand: »alles tumultieren, johlen und schreien auf der Straße ist sowohl bei Tag als Nacht auf das schärffste und bei unausbleiblicher Strafe verbotten, und sind die Patrouillen, auch Policeidiener angewiesen, dergleichen Personen zu arretiren«. In Zeiten der politischen Unruhe hatte man damit einen Polizei-Artikel, der gegen alle Formen des lautstark geäußerten Protests schon beim geringsten Anlaß angewandt werden konnte.

Regelmäßige Patrouillen sorgten dafür, daß die obrigkeitliche Aufsicht stets spürbar blieb. Tagsüber suchten die Tor- und Scharwachen unerwünschte Gäste aus der Stadt fernzuhalten und für Ruhe auf den Straßen und Plätzen zu sorgen. Des Nachts wurden die Tore geschlossen und die Nachtwächter sorgten für leere Straßen. Schnell konnte man sich als unerbetener Obdachloser, Räuber oder politischer Umstürzler verdächtig machen. Wer nach zehn Uhr ohne Laterne auf der Straße angetroffen wurde, mußte damit rechnen, »von den Patrouillen auf die Wache geführt, allda um seinen Namen und Charakter befragt« und beim Stadt-Commandanten angezeigt zu werden. Während in anderen Hauptstädten diese, mittelalterliche Forderungen wiederholende Verordnung bereits im Zuge der besseren Beleuchtung der Straßen abgeschafft worden war, glaubte man in Stuttgart, obwohl auch hier die Straßen selbst besser beleuchtet wurden, auf diese Kennzeichnung der anständigen Untertanen nicht verzichten zu können.

Seit 1786 war die öffentliche Beleuchtung, den neuesten technischen Möglichkeiten entsprechend, auf »Réverbèren«, 1763 in Paris konstruierten Öllampen mit Reflektoren, umgestellt und in mehreren Schritten erweitert worden. Zwar wurden die Stuttgarter Laternen nicht – wie während der Revolution in Paris – zum verhaßten Ordnungssymbol, zum Ort, an dem man den politischen Gegner aufknüpfte, allen willkommen waren sie jedoch keineswegs. Diese, gegenüber den alten als ungewöhnlich hell empfundenen Laternen unterstützten zwar einerseits das Bedürfnis nach größerer Sicherheit, bedurften aber ihrerseits selbst des Schutzes, für den sogar die Zuchthausstrafe und das Mittel der Denunziation bemüht wurde: »Wer sich unterstehen sollte, an den zur öffentlichenn Beleuchtung angebrachten Laternen und übrigen Einrichtung, aus Mutwillen oder sonst mit Vorsaz, Schaden zu thun, wird befindenden Umständen nach mit einer Zuchthaus Strafe angesehen werden und derjenige so einen Thäter angibt, hat sich... neben Verschweigung seines Namens, ein Douceur von 1 Carolin... zu gegenwärtigen.«

*Policei=Verordnungen für die Herzogliche Residenz=Stadt Stuttgart, gegeben den 9. Octobr. 1790. – Wolfgang Schivelbusch, Lichtblicke. Zur Geschichte der künstlichen Helligkeit im 19. Jahrhundert, Frankfurt am Main 1986. – Julius Hartmann, Chronik der Stadt Stuttgart sechshundert Jahre nach der ersten denkwürdigen Nennung der Stadt, Stuttgart 1886.*                    Sigrid Philipps

1694

1694*

### Ehemalige Biberacher Stadttorwache

Johann Baptist Pflug (1785–1866)
Biberach, 1806

*Lithographie auf Papier*
*H. 17,5 cm, B. 23,5 cm*

Biberach, Städtische Sammlungen (Braith-Mali-Museum), Inv.-Nr. 6110

1695

### Wächterhorn des Ettlinger Nachtwächters

Ende 18. Jahrhundert

*Bronzeblech, Lederriemen*
*L. 76 cm, Dm. 32 cm*

Ettlingen, Albgaumuseum, Inv.-Nr. 675

Bereits die Feuerpolizeiordnung von 1782 hatte bestimmt, daß »die Schaar= und Nachtwächter in den Schild= und Gassen=Wirths=Häusern, ingleichen in den Scheuren und Stallungen von Zeit zu Zeit sorgfältig visitiren, wie daselbst mit Feuer und Licht umgegangen werde, um auf geschehen Anzeige, die feuergefährliche Unordnungen gebührend abstrafen zu können«. Dieser aufgrund der großen Brandgefahr erlassene Befehl erlaubte darüber hinaus, das Auge der Obrigkeit an allen Orten wachen zu lassen und mag in einer Zeit, als die Furcht vor Denunziatoren allgegenwärtig und für die meisten Vergehen eine festgelegte Belohnung für den »Delator« ausgesetzt war, für manche, über die reinen feuerpolizeilichen Aufgaben hinausgehende Spitzeleien genutzt worden sein. Während durch die schlechte Ernährungslage großer Bevölkerungsteile die Zahl von Heimatlosen ständig zunahm, wurden auch die Anweisungen für den Ordnungsdienst verschärft, und es wurde befohlen, an »jedem Ort eigene Tag- und Nachtwächter anzustellen, welche alle Bettler, Landstreicher und andere verdächtige Personen anhalten und dem Orts=Beamten, Schultheißen oder Anwald übergeben«. War die Gemeinde zu klein, um sich diesen Dienst leisten zu können, dann sollten diese Angaben »durch sichere Bürger abwechslungsweise ordnungsgemäß versehen werden«.

*Generalrescript in Feuerpolizei=Sachen vom 29. April 1782, Reyscher, Bd. 14, S. 971ff, hier S. 1028. – General-Verordnung, die Polizei-Anstalten gegen die Vaganten und andere der öffentlichen Sicherheit gefährlichen Personen betreffend vom 11. September 1807, Reyscher, Bd. 15, S. 136ff, hier S. 150.* S. Ph.

1696

1696*

## Taschenlaterne

Augsburg, 2. Hälfte 18. Jahrhundert

*Messing, Papier*
*H. 2 cm, Dm. 9,6 cm*

Stuttgart, Württembergisches Landesmuseum, Inv.-Nr. G 2065

Diese praktische, weil zusammenklappbar in der Tasche zu tragende Laterne mag ihren Besitzer vor manch peinlichem Kontakt mit der Polizei des Landes bewahrt haben, denn die Verordnung, nachts nach 10 Uhr nicht ohne Laterne auf die Straße zu gehen, wurde dermaßen streng gehandhabt, daß sie sogar zu diplomatischen Verwicklungen führte. Im April 1814 wurde der eben angekommene preußische Gesandte wegen Zuwiderhandlung auf der Hauptwache arretiert. Wenig später ging es dem Sekretär des englischen Gesandten und einem Gesandtschaftscaplan nicht besser, obwohl für den diplomatischen Dienst Ausnahmeregelungen vorgesehen waren und die allzu diensteifrigen Patrouillen bestraft worden waren. Man empfand andernorts die Regelung befremdlich und sah in der persönlichen Betroffenheit die völkerrechtliche Würde gefährdet. Der kaiserliche Gesandte wurde in diesem Konflikt ebenso bemüht wie der russische, und man forderte den Württembergischen Hof auf, »wenn es ihm darum thun sey, von den ersten Europäischen Höfen Gesandtschaften zu erhalten, solche auch mit Anstand, und nicht auf eine sie insultierende Art« zu behandeln.

*Gesandtschaftsbericht No. 188 an das Großherzoglich-Badische Ministerium der auswärtigen Angelegenheiten vom 31. Oktober 1814, Generallandesarchiv Karlsruhe, Best. 233/1526.* S. Ph.

1697

1697*

## Handlaterne

Süddeutsch, um 1840

*Messing, Glas*
*H. 20 cm*

Stuttgart, Württembergisches Landesmuseum, Inv.-Nr. G 137

# Hinrichtung für die Öffentlichkeit

Am 4. November 1804 findet bei Lörrach eine öffentliche Hinrichtung durch das Schwert statt. Danach hält der örtliche Lehrer eine Rede: »Schauer und Entsetzen durchbeben noch alle meine Glieder, und doch macht mir mein Auftrag zur Pflicht, die soeben vollzogene feierliche Handlung der Gerechtigkeit mit einigen Erinnerungen zu beschließen welche Euch ... diesen schrecklichen Auftritt warnend und belehrend machen könnten. Wahrlich, Freunde! ich würde mir nicht Kraft ... genug zutrauen ..., wenn mich nicht das reinste Interesse für das Wohl der Menschheit – für Euer aller Heil begleiten würde.« – Eine Hinrichtung als Lehrstück?

Zur Zeit dieser Hinrichtung wird die Todesstrafe noch nicht in Frage gestellt, zumal die Gesetze oft noch ganz andere Strafen vorschreiben. Damals gilt in Württemberg und in Teilen Badens immer noch die »Carolina« von 1532[1], die für die Todesstrafe ein grauenhaftes Spektrum vorsieht: Vierteilen, Rädern, Begraben, Verbrennen, Ertränken; das Schwert und der Galgen gelten da schon als mildere Strafe.

Seit dem Beginn des 18. Jahrhunderts war der Widerstand gegen dieses von Abschreckung und Sühne geprägte Strafrecht angewachsen. Die Philosophie der menschlichen Grundrechte (»Naturrecht«) und eine rationale Staatswissenschaft forderten die Aufnahme des Begriffs der Besserung in das Strafrecht und befürchteten durch die grausamen Strafen eine Verrohung der Sitten. Doch nur Preußen und Österreich entschlossen sich seit der Mitte des 18. Jahrhunderts zu grundlegenden Reformen. Die anderen Länder begnügten sich mit der Änderung von Einzelgesetzen. So wurde im Jahr 1774 in Baden die Todesstrafe auf Verbrechen gegen Menschenleben beschränkt.

Erst die Neuordnung der Staaten bringt eine Änderung, in der Baden vorangeht. Am 13. Mai 1807 wird für das ganze Großherzogtum angeordnet, daß die marternden Todesarten von nun an verboten sind. Die Todesstrafe ist durch Enthauptung zu vollziehen. Als Verschärfung der Strafe kann noch die Aufsteckung des Kopfes auf einen Pfahl hinzukommen. In Württemberg begnügt man sich zunächst noch mit Äußerlichkeiten. 1811 sollen alle festinstallierten Galgen verschwinden. 1816 wird der Ablauf der Hinrichtung geregelt. Nach dem Urteil in der Gerichtsstube zerbricht der Oberamtmann einen schwarzen Stab und übergibt den Verurteilten an den Nachrichter (Henker). Danach findet der Zug aufs Schafott statt. Voran gehen die Soldaten und Richter, dann der Verurteilte mit zwei Geistlichen, danach der Nachrichter und sein Diener, den Schluß bilden wieder Soldaten. Nach der Hinrichtung folgt eine Rede des Geistlichen und eine Druckschrift über Verbrechen und Urteil wird verteilt. Lustbarkeiten sind an diesem Tag verboten. Erst 1824, im ersten umfangreichen Strafedikt, werden schließlich auch in Württemberg die marternden Todesstrafen offiziell abgeschafft.

Die württembergische Gesetzgebung – wie schon früher die badische – holt indessen nur das nach, was schon länger Rechtspraxis ist. Seit der 2. Hälfte des 18. Jahrhunderts kommen in beiden Ländern in der Regel keine Marterungen mehr vor. Dieser Unterschied von Rechtsatz und Rechtspraxis erscheint um so widersprüchlicher, da andere Rechtsreformen schon länger gesetzlich verankert sind: Als erstes Land nach Preußen schafft 1767 die Markgrafschaft Baden-Baden, 1774 ganz Baden die Folter ab. 1771 werden in Baden die unterirdischen Gefängnisse verboten. Württemberg folgt 1809 mit dem Verbot der Folter. In beiden Ländern entstehen Zucht- und Arbeitshäuser und ersetzen zunehmend die öffentlichen Demütigungsstrafen wie den Pranger. In all diesen Neuerungen ist das Motiv eine Besserung des Strafgefangenen durch »sittliche Erziehung«[3].

Die lange Beibehaltung der »Carolina« ist also zunächst wohl Indiz dafür, daß die Abschreckungswirkung staatlicher Justiz stets so bedrohlich wie möglich sein sollte. Zudem hatte lange Zeit offenbar kein Handlungsbedarf vorgelegen, denn seit den letzten Jahrzehnten des 18. Jahrhunderts war eine Rechtspraxis entstanden, die Abschreckung und Besserung zugleich verhieß. Aus dem grausigen Schauspiel sollte ein Lehrstück werden. Als Lernmaterial dienten Dokumentationen und realistische Konterfeis der Hingerichteten. Ob dies allerdings in der Bevölkerung so verstanden wird, zieht auch ein Meersburger Pfarrer im Jahr 1802 sehr in Zweifel: »O! möchte die Absicht des Staates bey der heutigen Hinrichtung – Abschreckung und Besserung – nicht vereitelt werden ... Es wäre unmenschlich und grausam, wenn man aus bloßer Neugierde, Schmähsucht, oder aus andern unedlen Absichten hier gegenwärtig wäre. Möchten also die unübersehbar vielen Menschen, die da vor mir stehen, gerührt und belehrt hinweggehen!«

Das letzte öffentliche Schauspiel der Hinrichtung fand in Württemberg 1845 statt, in Baden im Jahr 1854.

1
Die »Constitutio Criminalis Carolina«, die Peinliche Gerichtsordnung Karls V., wurde 1551 in Württemberg, in Baden 1588 bzw. 1622 eingeführt.

2
Vgl. das Kapitel »Armenfürsorge – Arbeit statt Almosen«.

*Paul Sauer, Im Namen des Königs, Strafgesetzgebung und Strafvollzug im Königreich Württemberg 1806–1871, Stuttgart 1984. – Karl Stiefel, Baden 1648–1952, Band II, Strafgerichtsbarkeit, S. 924–958.*　　　L. v. St.

## 1698

### RICHTSCHWERT VON RÖTTELN

17./18. Jahrhundert

*Eisen, Messing*
*L. 108 cm, B. (Klinge) 4,5 cm*
*Bez. Vs.: Wan Einer find Ehe das der ander verliert /*
*GMV*
*Rs.: der stirbt durchs Schwert ehe das er kranck wird*

Lörrach, Heimatmuseum, Inv.-Nr. W 121

Dieses Richtschwert wurde wohl letztmalig im Jahr 1818 benutzt. Die seit 1503 badische Herrschaft Rötteln bei Lörrach besaß eine eigene Richtstätte.      L. v. St.

## 1699

### ÖFFENTLICHE HINRICHTUNG BEI KARLSRUHE

*Lithographie*
*H. 35 cm, B. 29 cm (Blatt)*
*Bez.: Hinrichtung der beiden Raubmörder Qualibert und Damian Maisch von Winkel im Murgthale bei Carlsruhe am 27. März 1829*

Ettlingen, Städtische Sammlungen, Inv.-Nr. 618

## 1700*

### REDE ZUR HINRICHTUNG BEI LÖRRACH 1804

Johann Heinrich Hierthes
Lörrach, 2. 11. 1804

*Papier, geheftet, Letterndruck*
*H. 16,5 cm, B. 10,5 cm (geschlossen)*
*Bez.: Standrede bey der Hinrichtung des Mörders Matthias Bählers von Lörrach gehalten auf dem Blutgerüste bey Lörrach.*

Lörrach, Heimatmuseum, o. Inv.-Nr.

Vor der Rede ist der Lebenslauf des Verurteilten abgedruckt. Das Titelsignet ist sprechend: Aus dem von der Sündenschlange umringten Totenschädel entsprießen fruchtbare Getreidehalme.      L. v. St.

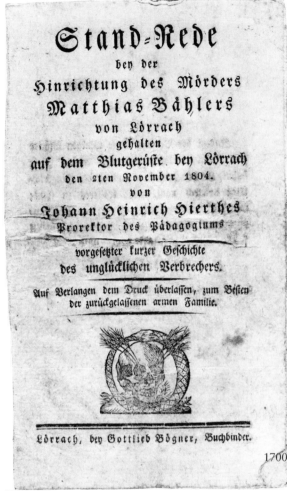

1700

1701

### REDE ZUR HINRICHTUNG IN MEERSBURG 1802

F. X. Bertsche
Meersburg, 29. 5. 1802

*Papier, geheftet, Letterndruck*
*H. 16,5 cm, B. 10,5 cm (geschlossen)*
*Bez.: Auszug aus der Leichenrede auf Joh. Georg Bublin welche zu Meersburg am 29ten May auf dem Richtplatz gehalten wurde.*

Lörrach, Heimatmuseum, Inv.-Nr. R 113

Der Rede ist als Motto ein Satz des Apostels Paulus vorangestellt: *Hier liegt er, wer aber stehet, der sehe zu, daß er nicht auch falle!* An die Jugend gerichtet predigt Bertsche: *Das Blut des Hingerichteten ruft dir zu: Mehr Gehorsam, mehr Arbeitsliebe und Gottesfurcht! Verbessre dich Jugend, und nimm ein abschreckendes Beyspiel an mir, damit du nicht dahin kommst, wo ich endigte.*
      L. v. St.

1702

1703

**1702\***

## PORTRÄT EINES HINGERICHTETEN

Leonberg, 1790

*Radierung*
*H. 29,5 cm, B. 18,7 cm*
*Bez.:* Conrad Keller Bürgerlicher Inwohner von Ditzingen, alt 30 Jahr wurde wegen begangenē abscheulichen Vatter=Mords, und v(o)rgehabter Vergifftung im Monath May 1790 in Leonberg vom Leben zum Tod gebracht.

Ludwigsburg, Städtisches Museum, o. Inv.-Nr.

Der – heute kaum nachvollziehbare – programmatische Anspruch der Todesstrafe wird besonders in den vervielfältigten Porträts von Hingerichteten deutlich: Vor einer alten Mauer steht unter einem klar gestalteten Bogen in ernster Haltung der Gerichtete – eindrucksvolle Rationalität vor dem Verfall, und doch hübsch arrangiert mit Ketten.                                        L. v. St.

**1703\***

## PORTRÄT EINER HINGERICHTETEN

Leonberg, 1790

*Radierung*
*H. 28 cm, B. 20,3 cm*
*Bez.:* Christina Kellerin, alt 33 Jahr hat wegen begangnē Vatter Mords und vorgehabter Vergifftung mit ihrem Mann Conrad Keller von Ditzingen, im Monath May 1790 zu Leonberg, zur wohlverdienten Strafe ihr Urtel bey hinrichtung ihres Mans erhalten.

Ludwigsburg, Städtisches Museum, o. Inv.-Nr.

*Pendant zu Kat.Nr. 1702.*

1704

## Ein Verurteilter im Gefängnis

Johann Baptist Pflug (1785–1866)

*Bleistift auf Papier*
*H. 21 cm, B. 15,5 cm*
*Bez.: Sebastian Reißer, Erzgauner und Mörder aus dem*
Landgericht Toggenburg

Biberach a.d.R., Städtische Sammlungen (Braith-Mali-
Museum), Inv.-Nr. 6202

Pflug hat eine Reihe von Gefangenen porträtiert und gibt
in seinen Erinnerungen einige Situationen zum damaligen
Strafrecht wieder. Unter anderem zum »Malefizschenk«,
Franz Ludwig Graf Schenk von Castell (1736–1821), der
von 1788 bis 1808 im Auftrag vieler oberschwäbischer
Herrschaften in Oberdischingen ein Zuchthaus und eine
Hinrichtungsstätte führte. Die relativ fortschrittliche
Unterbringung und die wenigen vollzogenen Urteile und
nicht zuletzt die fehlende Öffentlichkeit waren im neuen
Staat Württemberg kein Vorbild.

*Max Zengerle (Hg.), Johann Baptist Pflug, Aus der Räu-*
*ber- und Franzosenzeit, Weißenhorn 1975.*      L.v.St.


1705

## Gefängnistür

1. Hälfte 19. Jahrhundert

*Eiche, Schmiedeeisen*
*H. 180 cm, B. 86 cm, T. 19 cm*

Blaubeuren, Badhaus- und Heimatmuseum

Die Tür stammt aus dem Gefängnis in Blaubeuren. Nach
einer im Jahr 1811 erlassenen Verordnung waren in jeder
württembergischen Oberamtsstadt »Bezirksgefängnisse«
einzurichten. Inhaftiert wurden Gefangene mit kürzeren
Freiheitsstrafen sowie Untersuchungshäftlinge mit schwe-
reren Delikten. Bemerkenswert sind die häufigen Einrit-
zungen von Handwerkern, die sehr wahrscheinlich auf der
Wanderschaft hier einsitzen mußten.      L.v.St.


# Hohenasperg – »Thränenberg« und »Demokratenbuckel«

Mit seinen 356 Metern Höhe ist der Asperg kein bedeutender Berg. Die Schatten, die er wirft, sind begrenzt. Die
Geschichte seiner Festung jedoch, des württembergischen
Staatsgefängnisses Nummer eins, machte des Asperg zum
schwäbischen Schicksalsberg. Er steht als Synonym für die
jahrhundertelange Praxis der Willkürjustiz, für deren Tra-
dition auch Herzog Karl Eugen, König Friedrich und
König Wilhelm standen.
»Thränenberg«, »Höllenberg«, »Jammerbuckel« – die
Metaphern, mit denen Arrestanten den Ort ihrer Qual
bezeichneten, charakterisieren den Berg auf eindeutige
Weise. Und dennoch sind die Schatten, die der Asperg im
Lebensbild seiner Häftlinge hinterließ, mit diesen Sprachbildern nur unscharf konturiert. Die Biographie Christian
Friedrich Daniel Schubarts etwa ist so stark mit dem
Asperg verbunden, daß sich die Lebensgeschichte durch
den Berg und der Charakter des Berges durch die Lebensgeschichte Schubarts definieren ließen. Der Publizist,
Dichter und Musiker Schubart wurde im Alter von 37
Jahren auf die Festung verbannt, auf der er die Jahre 1777
bis 1787 verbrachte. Zehn Jahre ohne Urteil, ohne Nennung der Hafturasache. Schubart gab zur Zeit seiner Verhaftung die »Deutsche Chronik« heraus, eine Zeitschrift,
die von den gebildeten Ständen aufmerksam gelesen
wurde. Für die damalige Zeit enthielt dieses Blatt vergleichsweise häufig kritische und gewagte politische
Anmerkungen – auch über die württembergischen und
europäischen Herrscher. Damit zog sich Schubart den
herzoglichen Unmut zu, und vermutlich wurden ihm diese
Äußerungen zum Verhängnis. Schubarts Verwandten
wurde erklärt, der Herzog habe die Festungshaft »um
Schubarts Seelenheil willen«[1] angeordnet. Diese Formel
war Programm: Was Schubart auf der Festung erwartete,
war der Versuch einer radikalen Besserungskur, einer
durch Unerbittlichkeit gekennzeichneten Menschenformung.
Für das Werk der Bekehrung des Häftlings Schubart war
bis 1782 der Festungskommandant Philipp Friedrich von
Rieger des Herzogs bestes Werkzeug. Oberst Rieger, einst
am Hof ähnlich in Ungnade gefallen, hatte selbst vier Jahre
lang das Leben eines Häftlings auf dem Hohenasperg und
dem Hohentwiel führen müssen.
Das erste Jahr seiner Haft verbrachte Schubart in dem
später nach ihm benannten »Schubartturm«, einem düsteren und feuchten Verließ, lediglich mit einem Strohlager
und einem Ofen ausgestattet. In der Wand war ein Ring
eingemauert, an dem – auf des Herzogs Befehl – Schubart
bei ungebührlichem Betragen anzuketten war.
Die Schreibfeder, das Instrument, durch das Schubart lebte
und mit dem er so folgenreich Anstoß erregt hatte, wurde
ihm zeitweise verboten. Eine subtile Form der Folter, der
Schubart mit Tricks zu entkommen suchte. Doch schrieb
er, etwa mit der Lichtputzschere, seine Gedanken und
Gedichte in die rußgeschwärzte Wand, so wurden ihm die

Schere durch Abfeilen stumpf gemacht und die Gedichte ausgelöscht.

In einem Brief an seinen Bruder konnte Schubart seine Situation schildern: »Gefangenschaft ist Hölle, wie wahr dies ist, habe ich empfunden. Einsamkeit, gähnende Langeweile, Frost, Hunger, Höllenangst, stechende Sehnsucht nach Weib und Kind, Erniedrigung aller Art, Schlaflosigkeit in langen Schauernächten, rastloses Wälzen auf einem faulen Strohlager sind die Furien, die mich dicht an den Rand der Verzweiflung geißeln.«[2]

Mit einem Zellenwechsel 1778 ergaben sich Hafterleichterungen – allein schon dadurch, daß in der Nebenzelle der Mithäftling von Scheidlin Schubart bei der Umgehung des Schreibverbots half. Durch ein Loch unter dem Ofen diktierte Schubart, was in seinem Buch »Leben und Gesinnungen« als Lebens- und zugleich Asperggeschichte überliefert ist. Die folgenden Jahre brachten ihm noch andere Hafterleichterungen: Bewegungsfreiheit auf der Festung, Schreib- und Besuchserlaubnis. Dennoch, als Schubart 1787 entlassen wurde, war er gesundheitlich und psychisch ein gebrochener Mann. Er starb vier Jahre später.

Der Asperg lag nicht nur wie ein schwerer Schatten auf dem Leben derjenigen, die dort eingekerkert waren. Das Menetekel Asperg überschattete das gesamte politische Leben in Württemberg, das vor allem durch die 1789 im Nachbarland Frankreich ausgebrochene Revolution in Bewegung geraten war. Der in Bürgerkreisen aufgekommenen »Franzosenschwärmerei« dieser Zeit stand auf seiten der Obrigkeit eine ausgeprägte »Jakobinerfurcht« gegenüber. Der Herzog und seine Vollzugsorgane reagierten übersensibel und hellhörig auf alle Reaktionen und Richtungen der »öffentlichen« Meinung. Überraschende Hausdurchsuchungen und Verhaftungswellen waren keine Seltenheit und schürten die Furcht vor Denunzianten. Es entstand ein Klima der persönlichen Unsicherheit, der Verdächtigungen, der Angst. Die Bedrohung des täglichen Lebens war sehr real und trug einen kurzen Namen: Asperg. Wenige Jahre nach Schubarts Entlassung war allgemein bekannt, was Festungshaft auf dem Asperg bedeutete.

Denn im Schatten des Aspergs mußte sich um 1800 schon derjenige fühlen, der das politische Tagesgeschehen diskutierte, Zeitungen und Journale las, zu verdächtigen Personen in persönlicher Beziehung stand oder publizistisch tätig war. Die Belegung des Aspergs mit politischen Gefangenen war zu dieser Zeit so umfangreich und erforderte eine so starke Wachmannschaft, »daß innerhalb 6 Wochen eine eigene Kaserne auf dem Hohenasperg errichtet werden mußte«.[3]

Zu Beginn des Jahres 1800 wurde der württembergische Herzog über österreichische Gesandte vor einer Verschwörung gewarnt. Es hieß, in Schwaben wird der Umsturz geplant und die Ausrufung einer Republik stehe bevor. Auf diese Warnung hin wurde in Stuttgart am 10. Januar ein Dutzend angesehene Bürger verhaftet und auf den Asperg abgeführt, darunter Stadträte und Landtagsdeputierte. Auf dem Asperg wurde eine Untersuchungskommission eingerichtet, die ausdauernd verhörte und recherchierte. Einige der Inhaftierten wurden schon in den nächsten Tagen wieder freigelassen, andere erst im folgenden Jahr. Hier, wie in anderen Fällen, hatten Denunzianten ihre Hände im Spiel, die überall als Kundschafter in private und gesellige Kreise eingedrungen waren. Tatsächlich existierten zu dieser Zeit in Württemberg kleine Gruppen, die revolutionäre Programme entwickelten. 1799 kursierte in diesen Kreisen sogar ein über hundert Seiten starker republikanischer Verfassungsentwurf. Denunziationen lieferten der Regierung die Handhabe, solche Erscheinungen radikal zu unterdrücken sowie abschreckende Exempel zu statuieren. Nicht ohne Wirkung. Der geschilderte Vorfall verbreitete Angst und Schrecken im ganzen Land. Justinus Kerner, dessen Bruder Carl mit zu den Verhafteten gehörte, schrieb in seinen Erinnerungen: »Es hatte sich in Ludwigsburg unter den Familien eine allgemeine Angst verbreitet, und wer nur in etwas kein gutes Gewissen hatte, brachte die etwa verdächtig sein könnenden Papiere und Bücher auf die Seite, und Hunderte, die sich gegen die politischen Verhältnisse geäußert, erwarteten ihre Abführung auf die Feste.«[4]

Im Rahmen der Neuorganisation des Gefängniswesens unter König Friedrich wurde eine genaue Einteilung der Häftlinge auf dem Hohenasperg getroffen. Danach befanden sich dort:

»1. Staatsgefangene, Leute von Stand, welche wegen verschiedenen Arten von Vergehen hieher gesetzt werden;

2. Arrestanten von Stand, Offiziere, Beamte und Honoratioren, die zum Festungsarrest verurteilt sind;

3. Familienarrestanten, welche auf Ansuchen ihrer Familienmitglieder zur Correction auf die Festung aufgenommen werden;

4. Arbeitssträflinge (operarii), welche zu Festungsarbeit verurteilt sind;

5. Vaganten und solche, welche wegen Verfehlungen gegen die Polizeigesetze sich zur sogenannten Arbeitscompagnie eignen;

6. Separatisten, welche von ihren Irrthümern sich so weit hinreißen lassen, daß sie sich nach den bürgerlichen Einrichtungen und Gesetzen des Staates nicht mehr richten wollen.«[5]

Für die Angehörigen der Gruppen 1 bis 3 war Festungshaft mit variierenden Bedingungen etwa mit und ohne Bewegungsfreiheit auf der Feste, Schreibverbot oder -erlaubnis vorgesehen. Die Gefangenen der Gruppen 4 bis 6 wurden zu Arbeitskommandos zusammengestellt, die in Stuttgart und Ludwigsburg eingesetzt wurden.

Neben den Häftlingen, die republikanischer Ideen wegen verdächtigt wurden, saßen zwischen 1808 bis 1816 die verschiedensten Personen auf dem Asperg ein. Etwa Angehörige eines studentischen Geheimbundes, der Otahaiter. Die Mitglieder dieses Bundes setzten sich – fasziniert von Georg Forsters Reisebeschreibung von Tahiti – das Ziel, in die Südsee auszuwandern und dort eine Kolonie zu gründen. Die Begeisterung für das Südseeparadies entsprang natürlich auch der Unzufriedenheit mit den erdrückenden politischen Zuständen in Württemberg. Als dies durch den Denunzianten Immanuel Hoch bekannt wurde, flog der Bund auf und die Mitglieder erhielten zum Teil mehrere Wochen Haft auf dem Asperg. Immanuel Hoch erlitt jedoch wenig später das gleiche Schicksal. Wegen verdächtiger Äußerungen und Verbindungen saß er auf bloßen Kabinettsbefehl fünf Jahre. Später wurde er zum ersten Geschichtsschreiber des Aspergs. 1838 erschien in Stuttgart sein Buch »Geschichte der württembergischen Veste Hohenasperg und ihrer merkwürdigsten politischen und anderer Gefangenen«.

1808 traf eine Gruppe religiöser Separatisten auf dem Asperg ein, die in Napoleon den wiedererstandenen Messias sahen. Sie widersetzten sich allen weltlichen und kirchlichen Ordnungen und fühlten sich nur ihren eigenen Grundsätzen verpflichtet. Auch während der Haft akzeptierten sie kaum eine obrigkeitliche Anordnung und zeigten keine Anzeichen der Bekehrung. Da aber die Festungshaft, wie schon zu Schubarts Zeiten, auch dem Versuch der Menschenformung dienen sollte, wurden die verschiedensten Formen der Folter zum Zweck der Besserung der Häftlinge angewandt. Auch im Zusammenhang mit der Huldigungsverweigerung und Bauernrevolte in Mergentheim 1809 wurde eine größere Anzahl Häftlinge eingeliefert. Ihre Strafen lauteten auf fünfjährige bis lebenslängliche Festungsarbeit in Eisen.

Als König Wilhelm 1816 den Thron bestieg, wurden in einer umfangreichen Amnestie zahlreiche Häftlinge entlassen. Darunter befanden sich auch die Separatisten, die Mergentheimer und Immanuel Hoch. Die Garantien der Verfassung von 1819, die Württemberg zur konstitutionellen Monarchie machten, hielten aber auch König Wilhelm nicht ganz von politischer Willkürjustiz ab. Auch er ging mehrfach ohne Rechtsgrundlage gegen den Landtag vor, verfolgte die studentischen Burschenschaften an den Universitäten und verbot ihm unangenehme Presseorgane, die er wegen ihrer demokratischen Forderungen für staatszersetzend hielt.

Der »Volksfreund«, den Friedrich List herausgab, war eine dieser Zeitungen und Friedrich List einer der politischen Kritiker, für die der Asperg immer »offen« stand. List hatte als Reutlinger Abgeordneter 1821 eine Petition für die Kammer formuliert, in der er verschiedene Mißstände des württembergischen Staates aufführte. Daraufhin wurde er, unter anderem wegen »Beleidigung der Regierung«, aus der Kammer ausgeschlossen und zu zehn Monaten Asperg mit »literarischer Zwangsarbeit« verurteilt. Durch Flucht versuchte er sich der Haft zu entziehen, trat dann aber 1824 die Strafe doch an. Wie Schubart versuchte man auch List über die Feder zu strafen, indem man ihn zu geisttötenden Schreibarbeiten zwang.

Obwohl die Rechtsunsicherheit der verfassungslosen Zeit 1819 formal beseitigt und Meinungs- und Pressefreiheit garantiert waren, blieb der Asperg auch in den folgenden Jahrzehnten von politischen Häftlingen frequentiert. Besonders groß war der Anteil der Studenten, die unter den Häftlingen zahlenmäßig noch vor den Journalisten rangierten. Diese Arrestanten gehörten in gewissem Sinne bereits einer neuen Häftlingsgeneration an. Sie mußten in vielen Fällen eine politische Haft verbüßen, obwohl sie formal keine Gesetzesbrecher waren, sondern verbrieftes Recht für sich in Anspruch genommen hatten. Für diese neue Rolle des Aspergs im politischen Leben Württembergs wurde die Metapher des »Demokratenbuckels« geläufig. Sie symbolisiert den leidvollen Anpassungsprozeß der politischen Wirklichkeit an die geschriebenen Gesetze.

1
Theodor Bolay, Der Hohenasperg. Württembergs Schicksalsberg im Wandel der Zeiten, Ludwigsburg 1957, S. 73.
2
Ebd., S. 74.
3
Ebd., S. 60.
4
Karl Pörnbacher (Hg.), Das Leben des Justinus Kerner. Erzählt von ihm und seiner Tochter Marie, München 1967, S. 183.
5
M. Biffart, Geschichte der württembergischen Veste Hohenasperg und ihrer merkwürdigsten Gefangenen, Stuttgart 1858, S. 100f.

*Theodor Bolay, Der Hohenasperg. Vergangenheit und Gegenwart, Bietigheim 1972. – Horst Brandstätter, Asperg. Ein deutsches Gefängnis, Berlin 1978. – Kurt Honolka, Schubart, Dichter und Musiker, Journalist und Rebell. Sein Leben, sein Werk, Stuttgart 1985. – Theodor Schön, Die Staatsgefangenen von Hohenasperg, Stuttgart 1899. – Adolf Wohlwill, Weltbürgerthum und Vaterlandsliebe der Schwaben, insbesondere von 1789 bis 1815, Hamburg 1875.*

Claudine Pachnicke

1706

## 1706*

### FESTUNG HOHEN ASPERG AUF DEM WEG VON DEM DORFE MÖGLINGEN

Stuttgart bei Ebner/Augsburg bei Herzberg, um 1820

*Radierung, koloriert*
*H. 44,2 cm, B. 62 cm*

Ludwigsburg, Heimatmuseum, Inv.-Nr. 12

## 1707*

### GEBÄUDE AUF DEM HOHEN ASPERG

Nr. 1: Innenansicht von Hohenasperg

vermutlich 1830

*Aquarell*
*H. 26,4 cm, B. 42,2 cm*
*Bez. mit Erklärungen Nr. 1–47*

Ludwigsburg, Heimatmuseum, Inv.-Nr. 21

## 1708*

### GEBÄUDE AUF DEM HOHEN ASPERG

Nr. 2: Innenansicht von Hohenasperg

vermutlich 1830

*Aquarell*
*H. 24,2 cm, B. 39,3 cm*
*Bez. mit Erklärungen Nr. 48–99*

Ludwigsburg, Heimatmuseum, Inv.-Nr. 22

## 1709

### GESCHICHTE DER WÜRTTEMBERGISCHEN FESTE HOHENASPERG UND IHRER MERKWÜRDIGSTEN POLITISCHEN UND ANDERER GEFANGENEN

M. Immanuel Hoch
Stuttgart bei G. L. Friz, 1838

*H. 20,5 cm, B. 25,5 cm*

Stuttgart, Württ. Landesbibliothek, W. G. oct. 1292

## 1710*

### CHRISTIAN FRIEDRICH DANIEL SCHUBART

Ernst Morace (1766–1820)

*Kupferstich*
*H. 37 cm, B. 27 cm*
*Bez.:* gestochen von E. Morace, herzogl. wirtemb. Hofkupferstecher/gedruckt in der Academie zu Stuttgardt von H. Schweizer

Stuttgart, Archiv der Stadt, Inv.-Nr. B 7316

1710

1707

1708

1711

1714

1711*

## DER BESUCH SCHILLER'S BEI SCHUBART AUF DEM HOHENASPERG 1781

B. Wels nach Wilhelm v. Breitschwert

*Lithographie*
*H. 43,2 cm, B. 31,4 cm*

Marbach, Schiller-Nationalmuseum,
Deutsches Literaturarchiv

1712

## GEDICHTE AUS DEM KERKER
mit einem Titelkupfer

Christian Daniel Friedrich Schubart
Wien/Preßburg, 1785

*H. 17,5 cm, B. 22 cm*

Privatbesitz

1713

## SCHUBART, LEBEN UND GESINNUNGEN VON IHM SELBST, IM KERKER AUFGESETZT
Teil II

Ludwig Schubart (Hg.)
Stuttgart bei Mantler, 1793

*H. 16 cm, B. 19,5 cm*

Stuttgart, Württ. Landesbibliothek, R 18 Schub 9 a−2

1714*

## FRIEDRICH LIST

Caroline Hövemeyer
1839

*Öl auf Leinwand*
*H. 31,8 cm, B. 27,3 cm*

Reutlingen, Heimatmuseum, Listzimmer

1715

## FRIEDRICH LISTS SCHREIBTISCH

um 1820

*Nußbaum*
*H. 98 cm, B. 138 cm, T. 78 cm*

Reutlingen, Heimatmuseum, Inv.-Nr. Listzimmer/1344

1716

## FRIEDRICH LISTS ARBEITSSTUHL

um 1820

*Nußbaum*
*H. 91,5 cm, B. 59 cm, T. 80 cm*

Reutlingen, Heimatmuseum, Inv.-Nr. Listzimmer/1345

1717

## PETITION VON FRIEDRICH LIST IM NAMEN VON REUTLINGER BÜRGERN

(Kopie)

Stuttgart, 1821

*Lithographie*

Reutlingen, Stadtarchiv

## *Revolution?*

Agentenbericht vom 9. Mai 1794 aus dem
Herzogtum Württemberg:

»Die Regierung ist außerdem gezwungen, die Rechte der
Einwohner zu respektieren und selbst häufig ihren Wünschen und ihren Forderungen nachzugeben, die sie mit
mehr Freimut und Energie aussprechen seit dem Beginn
der Französischen Revolution und mehr seit dem Triumph
Frankreichs über die verbündeten Despoten... Die Einwohner, der Bauer und der Bürger der Städte, haben...
nach der Gelegenheit getrachtet, ihrer Liebe zu Frankreich
Ausdruck zu geben. Die Jugend des Landes ist zum Teil
von der Freiheit begeistert... Patriotische Lieder und
besonders die Hymne der Marseiller sind übersetzt und im
ganzen Lande verbreitet worden. Zahlreiche junge Leute
sind mutig genug gewesen, zu wiederholten Malen die
Trikolore zu hissen und für die Sache der Freiheit glückliche Ereignisse zu feiern.«[1]

Diese Lagebeschreibung aus dem Herzogtum Württemberg wurde aus sicherlich etwas überschwenglicher französischer Sicht formuliert, aber auch einheimische
Beobachter des politischen Klimas wichen von dieser
Einschätzung wenig ab. Die Ereignisse der Französischen
Revolution 1789 und die revolutionären Parolen von
Freiheit, Gleichheit, Brüderlichkeit fanden im deutschen
Südwesten unüberhörbares Echo. Französische Gesinnung, »Jakobinismus« und revolutionäres Gedankengut
waren jedoch nicht einfach gleichzusetzen. Die Begeisterung für die Ideen der Franzosen bedeutete nicht einfach,
daß man auch zum politischen Handeln nach deren
Muster entschlossen war.

Allen Schichten gemeinsam war auch in Württemberg der
Wunsch, die »Fürstentyrannei« einzugrenzen, das feudale
System abzuschaffen. Die Landstände wollten mehr Selb-
ständigkeit, den Bauern waren die grundherrlichen Abgaben und Fronen verhaßt. Die Französische Revolution
bestärkte Bauern, Unterschicht und Bürgertum wohl gleichermaßen darin, gegenüber der Obrigkeit selbstbewußter
aufzutreten. Doch gab es entscheidende Unterschiede zwischen diesen sozialen Gruppen: »Bauer« und »Stadtbür-
ger« standen nicht – wie in dem oben zitierten Agentenbericht – in gemeinsamer politischer Orientierung nebeneinander. An der unterschiedlichen Rezeption des Revolu-
tionsgeschehens bei Bürgertum und unteren Schichten
sollte sich vielmehr entscheiden, ob das Vorbild Frankreich nur ein Ideal bleiben oder zum Modell politischer
Praxis für die Masse der Bevölkerung werden würde.

In bürgerlichen Kreisen waren Kosmopoliten, Studenten
und engagierte Publizisten vom Gedanken der politischen
Emanzipation und der Idee der Republik begeistert. In
Zeitschriften und Journalen, in den Leseclubs und bürgerlichen »Gesellschaften« setzten sie sich mit den revolutionären Ideen und den Tagesereignissen in Paris auseinander. Die politische Brisanz dieser Haltung allerdings, die
sich zwischen den Polen der »Franzosenschwärmerei« und
der handfesten Kritik an den Zuständen des eigenen

Landes bewegte, wurde selbst von staatlicher Seite bis auf einzelne Ausnahmefälle als kalkulierbar angesehen. Eine bezeichnende Formulierung für das bürgerliche Demokratieverständnis prägte der herzogliche Geheimsekretär Johann Christoph Schwab 1796: »...es ist gewiß, und ich weiß es aus eigener Erfahrung, daß, sowenig die Handlungsart des französischen und besonders des Pariser Volkes gebilligt wurde, doch die Grundsätze, auf welchen die Französische Revolution beruhte, einen beinahe allgemeinen Beifall fanden und daß selbst unter den aufgeklärten Klassen zwar kein grober, aber doch ein feiner Demokratismus herrschte. Die Grundsätze dieses feinen Demokratismus lassen sich nach dem Begriff, den ich davon habe, auf den Satz reduzieren, daß der Regent dem Volke subordiniert, oder, wie man sich auf eine gelindere Art auszudrücken pflegt, daß der Regent bloß um des Volkes und nicht das Volk um des Regenten willen da sei.«[2]

Spontane Revolten, Streiks und Huldigungsverweigerungen, lokal begrenzte Aktionen von Bauern und Handwerkern waren, schon vor der Französischen Revolution, die andere Form, Unzufriedenheit mit der Obrigkeit auszudrücken. Der Streik der Stuttgarter Schustergesellen im Juni 1794 zeigte, daß nicht nur die Bürger die französischen Parolen aufgegriffen hatten. Der Aufruhr begann zunächst wie andere Handwerkerunruhen zuvor als Kampf der Gesellen gegen ausbeutende Meister. Die »Aufrührer«, deren Zahl bald durch die Unterstützung anderer Zünfte auf 4000 angewachsen war, warfen mit Steinen Fenster und Jalousien ein und verkündeten die Losung »Vive la Nation, es lebe Freiheit und Gleichheit«. Diese Parole »gab der Bewegung ein größeres Kraftgefühl, indem sie das Bewußtsein erzeugte, in den siegreichen Franzosen moralische Verbündete zu besitzen...Das wohlhabende Bürgertum allerdings blieb trotz Sympathie für die französischen Ideen unberührt. Es hatte nicht die Kraft und den Mut, sich an die Spitze zu stellen, sondern fürchtete in seiner Schwäche die Kraft der Volksbewegung und machte sich zum Verteidiger der bestehenden Ordnung. Der Herzog, der am 24. Juni für einige Stunden nach Stuttgart kam, dankte den Bürgern für ihr gutes Betragen.«[3]

Die »Franzosenbegeisterung« im Südwesten war nicht von stabiler Kontinuität, sondern ihre Resonanzkurven verliefen auch in Abhängigkeit von den Entwicklungsphasen im revolutionären Frankreich. 1789, beim Ausbruch der Revolution, dominierte die Sympathie und faszinierten die Ideen: »Denn als die Nationalversammlung die Deklaration der Menschenrechte aussprach, die Privilegien des Adels und der Geistlichkeit aufhob, das Feudalsystem mit allen seinen Wirkungen vernichtete, das absolute Königthum in ein constitutionelles verwandelte, das Mönchtum zerstörte und die Zauberformel »Freiheit und Gleichheit« in tausend Variationen und mit allem Glanze französischer Beredsamkeit durch Europa ertönte, vernahmen die Gebildeten unter allen Nationen die Stimme der eigenen Überzeugung...«,[4] schrieb der württembergische Publizist Johann Gottfried Pahl in seinen Lebenserinnerungen. Die Einführung der Todesstrafe durch den Revolutionskonvent im Januar 1793 sowie die mit der Hinrichtung des

Königs Ludwig XVI. beginnende »Schreckensherrschaft« dämpfte jedoch diese Begeisterung. Ähnliche Wirkung wie die Einführung der Guillotine hatte das Verhalten der französischen Truppen in den Revolutionskriegen seit 1792 – seit 1796 auch in Württemberg –, das sicher manche Überzeugung ins Wanken brachte.

Trotz dieser Ereignisse blieben die Sympathien auf seiten der Franzosen. Der Ludwigsburger Arzt Wilhelm von Hoven: »Wir sprachen daher unsere Bewunderung bei allen Gelegenheiten unverholen aus, und auch mitten im Krieg selbst, wo wir alles Ungemach desselben erfuhren, verteidigten wir die Sache der Franzosen, so gut wir konnten, ... So war es nicht nur in Ludwigsburg, so war es auch in Stuttgart, so war es überhaupt mehr oder weniger im ganzen Lande.«[5]

Während 1792 in Mainz unter der französischen Besatzungsmacht deutsche Jakobiner erstmals den Versuch einer Republik wagen konnten, entwickelten sich in Baden und Württemberg solche Möglichkeiten erst am Ende des 18. Jahrhunderts. 1799 bot der über 100 Seiten starke »Entwurf einer republikanischen Verfassungs-Urkunde, wie sie in Deutschland taugen möchte« den süddeutschen Jakobinern in Württemberg und Baden eine erste gemeinsame Basis. Dieser Entwurf, Anfang März »im siebten Jahr der Mutterrepublik« in Basel gedruckt, enthielt ein ausgearbeitetes Programm für die Umsetzung des revolutionären Konzepts in die Praxis. Formuliert waren darin exakte Vorstellungen von der Organisation eines Freistaats bis zu den Formen der Gesetzgebung, des Wahlverfahrens und der Kreisverwaltung. Dieser Entwurf stellte die wohl wichtigste Schrift der damals umfangreich verbreiteten Untergrundliteratur dar und wurde in Württemberg, wo »ganze Ballen« davon eingeschleust wurden, rasch verboten. Ohne Wirkung, denn Johann Gottfried Pahl bestätigte in seinen Lebenserinnerungen, daß die Schrift »von Hand zu Hand gegeben wurde« – wohl primär in den kleinen revolutionären Zirkeln.[6]

Die Revolutionäre in Süddeutschland rechneten auf die Unterstützung Frankreichs und der republikanischen Schweiz. Nach ihrem Plan sollte die Republik schrittweise, beginnend in Baden, verwirklicht werden. Anfang 1799 wurde ebenfalls in Basel, neben Straßburg einer der wichtigsten Stützpunkte für süddeutsche Jakobiner, ein Stempel für die badische Republik in Auftrag gegeben. Er trug die Aufschrift »Das souveraine badische Volk« und zeigte revolutionäre Symbole wie Jakobinermütze und Liktorenbündel. Der Ausbruch des zweiten Koalitionskrieges, in dem das gegenrevolutionäre Österreich Anfangserfolge zu verzeichnen hatte, und der Staatsstreich Napoleons am 9. November 1799 begruben jedoch vorerst die Hoffnungen solcher Projekte.

1
Zitiert nach: Heinrich Scheel, Süddeutsche Jakobiner. Klassenkämpfe und republikanische Bestrebungen im deutschen Süden Ende des 18. Jahrhunderts, Berlin (Ost) 1968, S. 45f.

2
Ebd., S. 45.

3
Ebd., S. 47.

4
Johann Gottfried Pahl, Denkwürdigkeiten aus meinem Leben und aus meiner Zeit, Tübingen 1840, S. 98.

5
Heinrich Scheel, Süddeutsche Jakobiner, S. 485.

6
Johann Gottfried Pahl, Denkwürdigkeiten aus meinem Leben und aus meiner Zeit, S. 125.

*Bundesarchiv/Stadt Mainz (Hg.), Deutsche Jakobiner – Mainzer Republik und Cisrhenanen 1792–1798, Mainz 1981 (Ausstellungskatalog). – Walter Grab, Ein Volk muß seine Freiheit selbst erobern. Zur Geschichte der deutschen Jakobiner, Frankfurt 1984. – Hellmut G. Haasis, Spuren der Besiegten, Bd. 2, Reinbek b. Hamburg 1984.*
C.P.

1718

---

### 1718*

### SCHÜTZENSCHEIBE MIT SYMBOLEN DER FRANZÖSISCHEN REVOLUTION

Hall, 1792

*Holz, bemalt*
*Bez.:* Joh. Frid. Hezel in Senatum edecto 1792/
Constitutio Gallica

Schwäbisch Hall, Hällisch-Fränkisches Museum,
Inv.-Nr. 86/143–78

### 1719*

### QUODLIBET

1792

*Feder, aquarelliert*
*H. 14,0 cm, B. 40,5 cm*
*Bez. auf dem Briefumschlag:* Au Citoyen Musculus,
Apothecaire, Sulz

Karlsruhe-Durlach, Pfinzgaumuseum

1719

1720

1723

## 1720*

### DOPPELSEITIG GESCHNITTENES GEBÄCKMODEL

Anfang 19. Jahrhundert

*Holz*
*H. 22 cm, B. 19 cm*
*Bez. auf einer Seite eingeschnitzt:* K. L. Bernhard

Offenburg, Museum, Inv.-Nr. 4161

## 1721

### MODELL DER GUILLOTINE

*Holz, Metall*
*H. 84,5 cm, B. 24,5 cm, L. 44,5 cm*

Colmar, Musée d'Unterlinden

## 1722

### ENTWURF EINER REPUBLIKANISCHEN VERFASSUNGSURKUNDE, WIE SIE IN DEUTSCHLAND TAUGEN MÖCHTE

1799 / im 7. Jahr der Mutterrepublik

*Papier, Letterndruck*
*H. 20,5 cm, B. 12,2 cm*

Basel, Universitätsbibliothek, Hist. Conv. 74 Nr. 155

## 1723*

### ENTWURF EINES SIEGELS

(Reproduktion)

1799

*Tinte-Bleistift-Zeichnung*
*H. 35 cm, B. 44,5 cm*
*Bez.:* O! Dies ist nur provisorische Münz
Das souveraine Badische Volk

Karlsruhe, Generallandesarchiv, Polizeyakten:
Baden-Frankreich 74/6291 Bl. 106

## 1724

### CIRCULARIS REGIMINIS SPIRENSIS AN SÄMTLICHE OBER- U. AEMTER D. D. BRUCHSAL DEN 17. MAI 1790

*Papier, Letterndruck*
*H. 20 cm, B. 16 cm*

Karlsruhe, Generallandesarchiv, 74/6288 Blatt 16

## 1725

### LETZTER RUF DER FREIGEWORDENEN FRANKEN AN DIE UNTERDRÜCKTEN DEUTSCHEN

August 1791

*Papier, Letterndruck*
*H. 20,4 cm, B. 15 cm*

Karlsruhe, Generallandesarchiv, Druckschriften 1656,
Nr. 1139

1726

## Warnung an das deutsche Volk auf dem linken Rheinufer

Georg Wedekind
Straßburg bei Karl Friedrich Pfeiffer, 1797

*Papier, Letterndruck*
*H. 36,3 cm, B. 19,2 cm*

Karlsruhe, Generallandesarchiv, Druckschriften M 1656

1727

## »Über Deutschlands verlorene Freyheit,

seine politische Verfassung, den Despotismus der Fürsten, über Aufklärung, Toleranz, Patriotismus, Gesetzgebung, Publizität und Preßfreiheit«

Anonym
1798

*Papier, Letterndruck*
*H. 19,5 cm, B. 13 cm*

Karlsruhe, Generallandesarchiv, M 1802

1728

## Über das mittägige Deutschland, Zuschrift der süddeutschen Bürger an die französische Regierung

1801

*Papier, Letterndruck*
*H. 18,2 cm, B. 11,2 cm*

Karlsruhe, Generallandesarchiv, Durchschriften 1889

1729

## »Ueber Würtemberg an die Würtemberger im Monat October 1800.«

Mainz/Altona bei Peter Hammer, 1801

*Papier, Letterndruck*
*H. 18 cm, B. 11 cm*

Karlsruhe, Generallandesarchiv, 74/6289

# Straßburg – Exilheimat deutscher Jakobiner

Für die deutschen Bürger, die dem zunehmenden Druck der Reaktion entkommen oder die vom »feinen Demokratismus« zur politischen Aktion übergehen wollten, war die Emigration nach Paris oder Straßburg ein naheliegender Schritt. Straßburg, wie ein Fanal der Revolution vor die Tore Deutschlands gesetzt, wurde zu einem Zentrum für deutsche Jakobiner. Karl Varnhagen von Ense, der im Sommer 1791 in die elsässische Hauptstadt mit ihren rund 50.000 Einwohnern kam, beschrieb die revolutionäre Stimmung so: »Wirklich war in Straßburg kaum ein Schritt möglich, ohne den neuen Ideen in Tatsachen oder Zeichen zu begegnen. Gleich die ersten Bewegungen in Paris hatten im Elsass begeisterte und kräftige Zustimmung gefunden, … überall hörte man die neuen Wahlsprüche, den Leberuf der Freiheit, des Gesetzes, der Nation, überall brachen die Zeichen des neuen Lebens hervor, man sah Freiheitsbäume aufgerichtet, die Farben und Schlagwörter der Revolution in Tafeln, Schildern und Inschriften vervielfältigt, die dreifarbige Kokarde an jedem Hute, dreifarbige Fahnen auf jedem öffentlichen Gebäude, die Frauen schmückten sich mit dreifarbigen Bändern, Tag und Nacht ertönten die patriotischen Gesänge.«[1]

Geistige Zentren in Württemberg, in denen ein »aufklärerischer Geist herrschte« und die revolutionären Ideen von 1789 im geheimen blühten, waren das Tübinger Stift und die Stuttgarter Karlsschule. Aus dem Umfeld der Karlsschule emigrierten und flohen namhafte Schüler und Lehrer nach Straßburg, unter anderen Johann Georg Kerner und Friedrich Christoph Cotta, der Bruder des berühmten Verlegers. Ebenso Eulogius Schneider, aus dem Fürstentum Würzburg gebürtig. Er war 1786 von Herzog Karl Eugen als Theologe an die Karlsschule berufen worden. Nachdem er schon 1789 wegen zu freier Meinungsäußerungen nach Bonn gehen mußte, floh er schließlich 1791 nach Straßburg.

Georg Kerner kam im Frühjahr 1791 dort an, 21 Jahre alt und gerade erst als Doktor der Medizin aus der Karlsschule entlassen. Bereits im Juni wurde er Mitglied des Jakobinerclubs, der »Gesellschaft der Freunde der Constitution«, und übernahm das Amt des deutschen Sekretärs der Gesellschaft. In dieser Funktion unterzeichnete er im Juli die Aufnahmeurkunde des Jakobinerclubs für Friedrich Cotta, Redakteur der »Stuttgarter privilegierten Zeitung« und Doktor der Rechte an der Karlsschule. Der politische Auftrag deutscher Mitglieder des Jakobinerclubs lautete, »Menschenrechte zu predigen und Volksgesellschaften an allen Orten einzurichten, wo sie noch nicht bestehen«.[2]

Kerner und Cotta wurden »Citoyens«, Bürger von Frankreich, und kämpften als Publizisten und Korrespondenten sowie als politische Emissäre in Deutschland für die Verwirklichung ihrer Ideale. Kerner, der noch 1791 nach Paris ging, exponierte sich dort mit politischen Reden so, daß er im Frühjahr 1794 in die Schweiz fliehen mußte, um sein Leben zu retten. 1795 kam er als Privatsekretär des Grafen Karl Friedrich Reinhard, der als Gesandter der französischen Republik nach Hamburg ging, zurück nach Deutschland. 1803 ließ sich Kerner als Armenarzt in Hamburg nieder, wo er zehn Jahre später während einer Typhusepidemie starb.

Die publizistische Tätigkeit Cottas in Straßburg war die konsequente Fortsetzung seiner früheren Absichten, nun aber unter freieren Bedingungen, ohne die Fesseln württembergischer Zensur. Cottas »Straßburgisches Politisches Journal«, das 1791–1792 monatlich in wechselnder Auflagenhöhe von zunächst 1500 und später 500 Exemplaren erschien, entwickelte sich zu einem wichtigen Agitationsorgan für den deutschen Raum. Im Winter 1792 ging Cotta als Kanzlist des französischen Generals Custine nach Mainz, um dort am Aufbau der Republik mitzuwirken, ein Jahr später wurde er Präsident des dortigen Jakobinerclubs. Danach kehrte er nach Straßburg zurück, wo er 1794 verhaftet und nach Paris verbracht wurde. Die Verhandlungen gegen ihn waren noch im Gange, als Robespierre im Juli gestürzt wurde. Durch die veränderte politische Situation wurde Cotta freigesprochen, möglicherweise vor der Guillotine gerettet. 1799 unterstützte Cotta die Bewegung zur Bildung einer süddeutschen Republik. Sein Versuch, 1810 das württembergische Bürgerrecht zurückzuerhalten, schlug fehl, so daß Cotta 1838 unbeachtet in der Pfalz starb.

Zur gleichen Zeit wie Cotta, im Juli 1791, kam auch Eulogius Schneider in Straßburg an. Er trat sogleich dem Jakobinerclub bei und legte den Eid auf die Zivilverfassung des Klerus ab. Bei seiner Antrittsrede im Straßburger Münster, dem »Tempel der Vernunft«, umriß er mit bildhafter Sprache die Anmaßung der Feudalherrscher: »Ihre Launen, ihre Machtansprüche mußten für Gesetze gelten. Kein Recht war so heilig, das sie nicht mutwillig unter die Füße traten; kein Eigentum war vor ihrer Habsucht, keine Unschuld vor ihrer Verführung, kein Wahrheitsfreund vor ihren Blitzen und Bannstrahlen sicher. Umringt von feilen Höflingen und eigennützigen Sklaven, schwelgten sie vom Schweiße des Bürgers und achteten nicht auf die blutigen Tränen des ausgesogenen Vaterlandes.«[3]

Schneider entwickelte sich bald zum Wortführer der deutschen Jakobiner in Straßburg. Seine Zeitschrift »Argos oder der Mann mit hundert Augen«, die ab 1792 mehrmals wöchentlich erschien, wurde zu einem »wahren politischen Thermometer Frankreichs«[4] und zu einem der wichtigsten jakobinischen Propagandaorgane für das Rheinland. Neben seiner publizistischen Tätigkeit – er verbreitete etwa auch seine Übersetzung der Marseillaise, der französischen Freiheitshymne – bekleidete Schneider mehrere öffentliche Ämter der Stadt. Im Februar 1793 wurde er zum öffentlichen Ankläger beim Kriminalgericht des niederrheinischen Departements ernannt.

Seit Juli 1793 befand sich die französische Republik militärisch und wirtschaftlich in der Krise. Zur Abschreckung gegen Wucherer und Spekulanten, die ohne Prozeß zum Tod verurteilt werden sollten, fuhr Schneider, unterstützt von zwei Stadträten, die Guillotine durch die Stadt –

die »Maschine der strafenden Gerechtigkeit«.[5] Diese Maßnahme des »hergelaufenen deutschen Priesters« quittierten aufgebrachte Straßburger damit, daß sie die Guillotine vor Schneiders Haus schleppten und dort zertrümmerten.

Schneider versuchte in seiner Funktion als öffentlicher Ankläger das Gericht zugunsten der wirtschaftlich Schwachen und zur Bekämpfung der Revolutionsfeinde einzusetzen. Auch er Einsatz der Guillotine schien ihm zu diesem Zweck vertretbar. Im Oktober 1793 schrieb er in seiner Zeitschrift »Argos«: »Furcht und Schrecken muß vielleicht jetzt die Tagesordnung sein, weil Vernunft und Republikanismus vergebens gesucht werden. …Sorgt dafür, daß die strengste Ordnung in der Einnahme und Ausgabe herrsche, und müßt ihr Korn requirieren, so tut es mit dem Gesetze in der Hand; wer sich daran weigert, wer hindert, wer zögert – Kopf ab! und wäre er euer Busenfreund, euer Gott, Kopf ab! Kopf ab! Aber dies alles geschehe mit dem Gesetze in der Hand, nach seiner Vorschrift, das sage ich euch, sonst bin ich wieder der erste, der unerbittlich über euch selbst donnern wird: Kopf ab!«[6]

Dieser Rigorismus wurde sicherlich durch die politische Situation verschärft. Die Getreidevorräte der Stadt waren erschöpft, die Invasion der feindlichen Österreicher in Straßburg stand kurz bevor. Schneider wollte jede Form von Wucher und unpatriotischem Verhalten ausschließen. Während seiner Amtszeit hatte er selbst 29 Todesurteile zu verantworten.

Am 14. Dezember 1793 wurde Schneider verhaftet, am 15. Dezember auf dem Straßburger Paradeplatz, an die Guillotine gebunden, öffentlich zur Schau gestellt, am 23. Dezember in Paris inhaftiert. Er schien als »Anarchist«, »Kosmopolit« und »Ausländer« unter den veränderten Vorzeichen der französischen Revolutionspolitik dieser Zeit den führenden politischen Kräften untragbar. Auch Cotta, der gegen Schneiders Verhaftung protestierte, wurde wie andere seiner Anhänger im Januar 1794 verhaftet. Am 1. April 1794 fand Schneider den Tod auf der Guillotine in Paris.

1
Karl August Varnhagen von Ense, Denkwürdigkeiten des eigenen Lebens, Bd. 1, Berlin 1922, S. 27f.

2
Hedwig Voegt, Georg Kerner. Jakobiner und Armenarzt, Berlin (Ost) 1978, S. 16.

3
Walter Grab, Eulogius Schneider. Ein Weltbürger zwischen Mönchszelle und Guillotine, in: Gert Mattenklott/Klaus R. Scherpe (Hg.) Demokratisch-revolutionäre Literatur in Deutschland: Jakobinismus, Kronberg 1975, S. 82.

4
Ebd., S. 90.

5
Ebd., S. 103.

6
Zitiert nach: Walter Grab, Eulogius Schneider, S. 106.

Bundesarchiv/Stadt Mainz (Hg.), Deutsche Jakobiner. –
Mainzer Republik und Cisrhenanen 1792–1798, 3 Bände,
Mainz 1981 (Ausstellungskatalog). – Paul Hocks/Peter
Schmidt, Literarische und politische Zeitschriften
1789–1805, Stuttgart 1975. – Christoph Meiners, Be-
schreibung einer Reise nach Stuttgart und Straßburg im
Herbst 1801, Göttingen 1803.                         C.P.

1730

## JOHANN GEORG KERNER

J. J. Faber nach der Vorlage von J. R. Luderiz
um 1812

*Kupferstich*
*H. 14,7 cm, B. 20,7 cm*
*Bez.: J. R. Luderiz del./J. J. Faber fec.*

Hamburg, Staatsarchiv, 215 Ke 155

1731

## STRASSBURGISCHES POLITISCHES JOURNAL

Hg. Friedrich Cotta
Straßburg, 1792

*Papier, Letterndruck*
*H. 17,1 cm, B. 24,2 cm*

Stuttgart, Württ. Landesbibliothek, Allg. G. oct. 1176

1732

## EULOGIUS SCHNEIDER (1756–1794)

Ketterlinus nach der Vorlage von Lohbauer

*Stich*
*H. 14,6 cm, B. 9 cm*
*Bez. u. M.: geb. 20. oct. 1756*

Stuttgart, Württ. Landesbibliothek,
Graphische Sammlung

1733

## ARGOS, ODER DER MANN MIT HUNDERT AUGEN. NR. 36

Hg. Eulogius Schneider
Straßburg, 2. November 1792

*Papier, Letterndruck*

Stuttgart, Württembergische Landesbibliothek

1734

## KRIEGSGESANG FÜR DIE SOLDATEN DER FREIHEIT

in: Der Patriot D 1792, S. 2 u. 3
29. 10. 1792

*Karton, Papier, Letterndruck*
*H. 17,2 cm, B. 19 cm*

Mainz, Stadtbibliothek

1735*

## WAHRE ABBILDUNG DES MEYNEIDIGEN PRIESTERS EULOGIUS SCHNEIDER...

zu Straßburg zur öffentlichen Schau auf das Schafott der Guillotine aufgestellt

(Reproduktion)

Anonym

*Radierung*
*H. 18,2 cm, B. 24,1 cm*

Paris, Bibliothèque Nationale

# Ulm 1794: Nur eine Affaire?

»Einige Bürger Ulms laborieren am Revolutionsfieber – in aller Stille«, schreibt später ein zeitgenössischer Chronist über die ersten Jahre nach der Französischen Revolution.[1] Doch ganz ruhig wird es nicht bleiben, denn in der Reichsstadt hat sich einiger Zündstoff angesammelt, der zu einem gewaltsamen Aufruhr führt: der sogenannten Kanonenaffaire.

Bereits seit der Mitte der siebziger Jahre wachsen die Auseinandersetzungen um die reichsstädtische Verfassung. Auslöser sind immer wieder die steigenden Schulden der Stadt und die Verfahren zu deren Tilgung. 1778 beschließt die städtische Regierung die Einführung einer Grundsteuer. Bei der Ulmer Bürgerschaft stößt diese Maßnahme jedoch in zweifacher Hinsicht auf Widerspruch. Einmal wird das »Patriziat« bevorteilt, da deren Grundstücke auf dem Land steuerlich nicht erfaßt werden. Zweitens sieht sich ein großer Teil der Bürgerschaft grundsätzlich übergangen, da ihnen bei wichtigen Angelegenheiten nach der Verfassung ein Mitspracherecht zusteht. Dieses am »Schwörmontag«, der alljährlichen Bürgerversammlung, immer wieder verkündete Recht ist ein Rest bürgerschaftlicher Mitbestimmung in der vom Patriziat regierten Stadt.[2] Seit 1548 hat diese adelige Führungsschicht – etwa 20 Familien – mit 23 von 41 Sitzen die Mehrheit im Magistrat und wählt zudem die restlichen Mitglieder aus den 19 Zünften aus. Wobei die zünftischen Sitze noch zum großen Teil den Handels- und Kaufleuten zustehen.

1787 wird ein erster »Vergleich« geschlossen, der eine Absprache über die Höhe der Steuern – nicht über Steuern generell – und eine Bestätigung der patrizialischen Verfassung beinhaltet. Die Zünfte haben sich zudem dafür beim Kaiser zu bedanken. Zwei Jahre später kommt es erneut zu Auseinandersetzungen, als die Allmende, das stadteigene Weideland, verkauft werden soll und die Bürgerschaft wieder nicht gehört wird. Erst 1792 gelingt eine Übereinkunft. Diese jahrelangen zermürbenden juristischen Kämpfe sind für die Zünfte nicht nur eine finanzielle Belastung. Sie lassen auch ein Konfliktpotential entstehen, das schließlich im August 1794 zum Ausbruch kommt.

Der Schwäbische Kreis hatte bereits im Februar von der Reichsstadt Kanonen für seine Truppen angefordert, die am 8. August abgeholt werden sollten. Die Bürgerschaft wird darüber nicht informiert, und es entstehen Gerüchte, daß die besten Kanonen der Reichsstadt verkauft werden. Nach einem späteren Bericht »versammelten sich an genanntem Tage früh um fünf Uhr mehr als zweihundert Bürger bei dem Zeughaus und Frauenthor, die sich der Abfuhr der Kanonen, die schon unter dem Frauenthor waren, widersetzten, die Pferde ausspannten und die Kanonen selbst wieder in das Zeughaus führten.«[3] Auch als ihnen der Sachverhalt erklärt wird, verweigern sie die Herausgabe. Noch am gleichen Nachmittag stimmen die Vorgesetzten der Zünfte dem Abtransport zu, vorausgesetzt, die Bürgerschaft werde in Zukunft rechtzeitiger informiert. Doch einhellig ist diese Zustimmung nicht.

Unter der Anführung von Kaspar Feßlen, einem Säcklermeister, bildet sich eine Gruppe von etwa 100 Handwerkern, die weitere Kompromisse ablehnt und die Absetzung des Magistrats fordert – notfalls mit Gewalt. Bald darauf verteilt Feßlen eine Schrift: »Freimüthige Gedanken über die höchstnothwendige Staatsverbesserung der freien Republik Ulm«. Als eine städtische Kommission den Vorfall klären will, verweigern jedoch alle – auch die kompromißbereiten Handwerker – die Aussage. Und als Feßlen verhaftet werden soll, ist eine zu große Menschenmenge zugegen, die das zunächst verhindert.

Daraufhin entschließt sich der Magistrat zu Verhandlungen, und wie schon früher einmal wird dazu ein aus den Zünften gewählter »Bürgerausschuß« gebildet. Zugleich werden die Vorgänge entweder dementiert oder als Bagatelle hingestellt. Während der Bürgerausschuß die Beschwerden dem Stadtregiment im Oktober 1794 in Denkschriften vorstellt, greift der Magistrat an anderer Stelle hart durch. Als Rädelsführer des Aufstandes werden Kaspar Feßlen und sein Gehilfe Seizer verhaftet. Feßlen erhält eine Gefängnisstrafe von 6 Wochen.

Welche Rolle Kaspar Feßlen während und nach der »Kanonenaffaire« wirklich eingenommen hat, ist unklar. Wesentlicher ist, daß er in den Augen des Magistrats für einen gefährlichen, vielleicht »revolutionären« Teil der Bevölkerung steht: Verarmte Handwerker, die wie er »nichts zu verlieren haben«[4]. Daß er sich selbst auch als Symbol betrachtet, wird deutlich in einem Kupferstich, den er kurz nach seiner Entlassung anfertigen läßt und der ihn im Gefängnis umgeben von revolutionären Symbolen darstellt. Dies bringt ihm im Mai 1795 eine erneute Verhaftung ein. Doch da »der Gefangene ein sehr hohes Alter und festen Wohnsitz hat«, wird er gegen eine schriftliche Erklärung entlassen. Die Gefahr, die von ihm ausging, schien vorüber.

In den Auseinandersetzungen mit dem Patriziat hatte die zünftische Bürgerschaft von Ulm inzwischen in dem ständigen Bürgerausschuß eine Interessensvertretung gefunden. Als 1802 Bayern die Stadt in Besitz nimmt, wird allerdings auch sie aufgelöst.

1
Ulmisches Intelligenzblatt 1794, 14. St. Zitiert nach: Horst Rieber, Liberaler Gedanke und Französische Revolution im Spiegel der Publizistik, in: Ulm und Oberschwaben, Bd. 39, 1970, S. 136.

2
Dazu allgemein Ernst Naujoks, Obrigkeitsgedanke, Zunftverfassung und Reformation, Stuttgart 1958.

3
Zitiert nach Horst Rieber (wie Anmerkung 1), S. 137.

4
Zitiert nach Horst Rieber (wie Anmerkung 1), S. 139.

5
Zitiert nach Gerhard Gänßlen, Die Ratsadvokaten und Ratskonsulenten der Reichsstadt Ulm, Ulm 1966, S. 195.

*Hans-Eugen Specker, Ulm, Stadtgeschichte, Ulm 1977.*
L. v. St.

1736

## KASPAR FESSLEN IM GEFÄNGNIS

Ziper
Augsburg, 1794/95

*Kupferstich*
*H. 29,7 cm, B. 41 cm*

Stuttgart, Württembergische Landesbibliothek, Graphische Sammlung

Unter die Darstellung seiner Gefangenschaft läßt Feßlen ein Motto setzen: *O Wahrheit! erstgebohrne Tochter des Himels! Dich –! Ach –! dich darf ich zwar wohl keñen –! aber –! Einstweilen nicht neñen –!!!*
Kaspar Feßlen (1740–1800) gehörte als Handschuhmacher der Säcklerzunft an, einer Berufsgruppe, die innerhalb des wirtschaftlichen Rückgangs des Handwerks am Ende des 18. Jahrhunderts besonders betroffen war. Als 1796 die französische Armee Ulm besetzt, wird Feßlen wieder tätig, hält nächtliche Versammlungen ab und verteilt Revolutionskokarden. Als die Armee sich wieder zurückzieht, kommt Feßlen deshalb erneut ins Gefängnis. L. v. St.

1737

## »FREIMÜTHIGE GEDANKEN ÜBER DIE HÖCHSTNOTHWENDIGE STAATSVERBESSERUNG DER FREIEN REPUBLIK ULM«

Kaspar Feßlen
Ulm, 1794

*Letterndruck auf Papier, geheftet, 11 S.*
*H. 16,8 cm, B. 10,6 cm (geschlossen)*

Stuttgart, Württembergische Landesbibliothek, Inv.-Nr. Württ. R. oct. 586

Feßlen widmet diese Schrift den *Wahrheit liebenden Ulmischen Bürgern im Jahre des Ulmischen Canonen Arrest.* Er war vor allem ein Anhänger Rousseaus. In der Schrift mündet dies in die Feststellung: *Alle Menschen werden frei geboren und bleiben frei und einander an Rechten gleich; folglich können alle gesellschaftlichen Unterscheidungen sich nur auf gemeinsame Nutzbarkeit gründen.* Er fordert eine Neuinterpretation der Verfassung sowie die Einrichtung einer *Bürgerdeputation*. Obwohl dieser Bürgerausschuß bald nach Veröffentlichung der Schrift verwirklicht wurde, blieb Feßlen für den Magistrat ein gefährlicher Aufrührer.
L. v. St.

## Stuttgart 1794:
## Ein Gesellenaufstand weitet sich aus

Es beginnt scheinbar harmlos[1]: Mitte Mai 1794 wendet sich der Stuttgarter Schustergeselle Gruber an seine, in einer Brüderschaft organisierten Mitgesellen wegen einer Lohnkürzung. Der Meister behaupte, er sei ein Müßiggänger, er sei schon länger krank und deshalb arbeitsunfähig. Die »Altgesellen«, die Vorstände der Brüderschaft, bitten zunächst ihre Obermeister um Mithilfe. Als die Meister keinen Erfolg haben, beschließen die Altgesellen ein »Schlüsselgebot« zu halten: Alle Schustergesellen Stuttgarts – etwa 150 an der Zahl – sollen sich in ihrer Herberge »zum Großfürst« versammeln. Am Morgen des 23. Mai beginnt die Versammlung, und bald überschlagen sich die Ereignisse.

Noch während die Gesellen tagen, ruft das Stadtoberamt die Altgesellen sowie Gruber und seinen Meister zu sich und verurteilt letztere zu je 1 Gulden, die Altgesellen aber zu je über 3 Gulden Strafe. Begründung: Die Vorsteher der Zunft hätten vor der Versammlung informiert werden müssen. Als die Versammlung dies hört, sendet sie empört eine Delegation an das Oberamt und erhält dort zur Antwort: 14 Gulden Strafe und militärisches Eingreifen, wenn die Versammlung nicht sofort aufgelöst wird. Daraufhin beschließt die Versammlung, geschlossen nach der Reichsstadt Esslingen zu gehen und ihre »Lade« mitzunehmen. Dort treffen etwa 120 Gesellen in der Herberge der Schuster ein. Sie lassen gleich einen Brief an den Herzog Ludwig Eugen aufsetzen, der ihre Lage erklärt, mit der Bitte um Rücknahme der Strafen. Die Obrigkeiten reagieren schnell: Esslingen bietet Stuttgart an, das württembergische Militär könne die Gesellen notfalls mit Gewalt zurückholen. Am 26. Mai kommt ein Kommando von 170 Soldaten und führt die Gesellen widerstandslos ab. In Stuttgart werden die Gesellen gegen den Eid, die Stadt nicht zu verlassen, vorerst auf freien Fuß gesetzt.

Einen Monat später, am 21. Juni, ist »Verhandlung«, in der die herzoglichen Urteile verlesen werden: 9 Rädelsführer erhalten 2 bis 4 Wochen Festungshaft auf dem Hohenasperg, 60 Gesellen Gefängnis zwischen 1 und 11 Tagen mit Prügelstrafe, 6 »nur« die Prügelstrafe »bei welchem wir mehr Milde, als Strenge« walten lassen. Die Stuttgarter Gesellen sind da anderer Meinung, und es beginnen andere, für die Obrigkeit gefährlichere Vorgänge.

Aus dem Bericht des Oberamtmanns vom 23. 6.: Gestern nachmittag hätten sich mehrere Gesellen zusammengerottet und wegen einer Befreiung der Gefangenen beratschlagt. Das Militär und die Bürgergarde wären deshalb gleich in Bereitschaft gesetzt worden. »Abends nach 8 Uhr versammelten sich Handwerkspursche und anderes Volk in größerer Anzahl auf dem Graben und bey den Gefängnissen.« Der Stadtkommandant Georgii läßt ein Bataillon ausrücken und »bald hernach verminderte sich das Volk vor der Hauptwache, hingegen wurde mir die Anzeige gemacht, daß sich ein toller Haufe bey der Oberamtey eingefunden und die Fenster und Läden einzuschlagen

angefangen« haben. Sogleich wird eine starke Truppe abkommandiert und »denen Verwüstungen ein Ziel gesetzt«. Die ganze Nacht werden starke Patrouillen abgehalten.

Am nächsten Tag, den 23. 6., streiken viele Gesellen. Das Militär schließt deren Herbergen, Zusammenrottungen werden auseinandergetrieben. Die Stadttore werden geschlossen. Noch am gleichen Tag beschließt die Regierung eine »Proklamation« zu veröffentlichen: Ein Dank an die ruhig gebliebene Bürgerschaft und zugleich eine Warnung. Noch eine Woche später werden Überwachungsmaßnahmen aufrecht erhalten.

Wie lange die Überwachung anhält, ist aus den Akten nicht ersichtlich. Offenkundig ist aber, wie stark die öffentliche Meinung gelenkt wird. Für die Zeitungen, die bisher nicht darüber berichten durften, und um ausländische »Gerüchte« zu beruhigen, wird ein offizieller knapper Bericht angefertigt. Es hätten, so in einem Begleitbrief, auch »bößartige Bürger und Bürgersöhne und liederliche Weibsleute Thätlichkeiten ausgeübt, ich achtete ihr aber nicht schicklich hierin in der Erzehlung Meldung zu machen, um Persohnen auf dem Land, die mit jenen gleiche Gesinnung haben, kein Exempel vorzulegen ... wo nicht so schneller Wiederstand geleistet werden könne.«

Was anfangs also wie einer der zahlreichen kleinen Aufstände der Handwerksgesellen im 18. Jahrhundert aussieht[2], bekommt gegen Ende eine für die Obrigkeit äußerst gefährliche Wendung. Nur ihre prompte machtvolle Reaktion verhinderte ein Ausweiten der »Unbotmässigkeiten«, nur die geschickte Verschleierung der Tatsachen verhinderte eine größere Resonanz. Die Gesellen, die sich nicht fügen, werden aus der Stadt gewiesen. Die Gesellenverbände werden nun stärker beaufsichtigt und ab 1805 ganz verboten. Der Staat hat offensichtlich funktioniert.

L. v. St.

1
Alle folgenden Quellen: Hauptstaatsarchiv Stuttgart, A 228 Bü 1460.

2
Vgl. Andreas Griesinger, Das symbolische Kapital der Ehre, Streikbewegungen und kollektives Bewußtsein im 18. Jahrhundert, Berlin 1981.

1738

## BRIEF DER GESELLEN AN DEN HERZOG

Esslingen, 23. 5. 1794

*Feder auf Papier*
*H. 35 cm, B. 21 cm*

Stuttgart, Hauptstaatsarchiv, A 228 Bü 1460 F 5

1739

## PROCLAMA AN DIE SÄMTLICHE INNWOHNERSCHAFT IN STUTTGART

Stuttgart, 23. 6. 1794

*Papier, Letterndruck*
*H. 22, 5 cm, B. 37 cm*

Stuttgart, Hauptstaatsarchiv, A 228 Bü 135 F 11

1740

## VERFÜGUNG ZUR ÜBERWACHUNG

Ludwigsburg, 29. 6. 1794

*Feder auf Papier*
*H. 31,7 cm, B. 20,3 cm*

Stuttgart, Hauptstaatsarchiv, A 228 Bü 1460 F 27

# Mergentheim 1809: Aufstand gegen die neuen Herren

Von Mitte April bis Mitte Oktober des Jahres 1809 befindet sich Württemberg in einem Krieg gegen Österreich.

Die anschließende Schilderung beruht im wesentlichen auf dem Bericht des ehemaligen Hofrats des Deutschen Ordens v. Kleudgen.[1]

Auf dem Vormarsch gegen die Österreicher ziehen die Württemberger am 20. April 1809 in Mergentheim ein. Der Vertreter des Königs, Freiherr v. Maucler, eröffnet den Beamten, »daß sich Seine Königliche Majestät bewogen gefunden habe, das Fürstentum Mergentheim in militärischen Besitz zu nehmen«. Dieses erst bei Kriegsende vertraglich abgesicherte Vorgehen verläuft in den ersten zwei Monaten noch ohne lauten Widerspruch. Auch deshalb, weil es als vorübergehend angesehen wird. Am 13. Juni findet die förmliche Besitzergreifung der Herrschaft des Deutschen Ordens durch eine öffentliche Huldigungsfeier statt: Niemand bricht in den üblichen Jubelruf aus, es herrscht eine bedrückende Stille.

Um den 18. Juni beginnt das württembergische Militär mit der Aushebung von Soldaten – nicht durch die gewohnte Losziehung, sondern durch gezielte Auswahl. Während dies in der Stadt verhältnismäßig ruhig abläuft, mehren sich die Widerstände auf dem Land. Nach einigen Tagen werden von dort »Zusammenrottungen« gemeldet. Am Sonntag, dem 25. Mai, wird die »Nachricht allgemein verbreitet, daß sich die Bauern aller Orthen versammelten, zum Theil bewaffnet erschienen wären, Vorposten aufgestellt hätten...«. Zudem seien »selbst einige Staatsdiener ... durch ein öffentliches ungeschicktes rohes Betragen eines neuen Würtembergischen Beamten empfindlich gereizt worden«. Der Einzug der Soldaten geht indessen unbeirrt weiter, bis am 26. Juni dann der Aufstand ausbricht.

Während auf dem Mergentheimer Marktplatz am Morgen weiter rekrutiert wird, »bemerkte man starke Menschenmassen auf den nahe gelegenen Bergen«. Flüchtende Bürger berichten, »daß ganze Haufen von Bauern heranzögen, und daß sie ihnen zugerufen hätten, sie müßten gemeinschaftliche Sache mit dem Lande machen«. Um die Bauern nicht noch mehr zu reizen, werden die vorher geschlossenen Stadttore wieder geöffnet: »Kaum war dies geschehen; so stürzten, wie ein reissender Strom, Hunderte von Bauern, mit Schießgewehren, Säbeln, Sensen, Gabeln und Prügeln bewaffnet... in die Stadt... die den Herrn von Maucler umgaben, (und schrieen) daß sie sich das Rekrutenausheben nicht gefallen ließen...«. Maucler und andere Beamte werden gefangen genommen. »Ein schrecklicher Auftritt folgte jetzt dem andern.« Durch das Eingreifen der alten Beamten wird Lynchjustiz verhindert, und die Nacht über wird es ruhiger. Am nächsten Tag, den 27. Juni, wird ein »Comité« gegründet, welches Ausschweifungen verhindern soll. Zugleich gelingt es, mit Billigung des Comités, eine Nachricht an den württem-

bergischen König herauszubringen. Am 28. Juni rücken
bereits württembergische Truppen näher. Die Stadt
bewaffnet sich. Aus Schönthal/Jagst ergeht vom württembergischen Militär eine Aufforderung an die Stadt: Übergabe oder gewaltsame Einnahme – nicht ohne den Hinweis
auf die sonst so treuen Bürger.

Der 29. Juni bringt die Entscheidung. Der Anmarsch der
Truppen beginnt. »In wenigen Augenblicken war die Stadt
wieder mit tobenden Bauern angefüllt... Alle drängten
sich zum Rathaus, und verlangten die Gefangenen, deren
Köpfe sie auf Gabeln den anziehenden Truppen entgegen
tragen wollten.« Es gelingt jedoch, die Bewaffneten vor der
Stadt zur Verteidigung zu versammeln. 2600 Mann mit
Kavallerie und Kanonen greifen an, schlagen die Mergent-
heimer in die Flucht und stürmen die Stadt: »wie wilde,
feindseelige Horden«, heißt es, »schossen (sie) friedliche
Menschen, die ihnen entgegenkamen, nieder... brachen
Türen und Läden ein und plünderten in vielen Häusern«.
Es gibt über 30 Tote, zahlreiche Verwundete und Gefan-
gene.

Am 1. und 2. Juli wird öffentlich Gericht gehalten, das sich
vielsagend »Martial-Gericht« nennt und ein Exempel sta-
tuiert. Zwei der Verhafteten sterben am Galgen, fünf
werden erschossen, andere zum Teil zu lebenslänglicher
Festungshaft auf den Hohenasperg verurteilt. Der Galgen
bleibt als »Schandpfahl« aufgerichtet. Soldaten bleiben
ständig stationiert. Es herrscht wieder Ruhe im Land.

Seitens der württembergischen Regierung wird später
versucht werden, den Aufstand in den Zusammenhang mit
dem laufenden Krieg zu stellen. Dies ist ein wichtiger
Hintergrund, trifft aber weder die damaligen Ursachen
noch die Folgen. Die Bevölkerung eines kleinen Landes
wehrt sich gegen die militärisch-bürokratische und
unrechtmäßige Unterdrückung. Daraus entstanden nicht
nur »Unruhen«, wie später immer wieder behauptet wird,
sondern ein veritabler Aufstand. Dessen Niederschlagung
zudem ein Bild der Machtverhältnisse in dem kriegführen-
den Staat vermittelt.[2]                                    L. v. St.

---

1
Die Würtemberger in Mergentheim, Geschrieben von einem
Augenzeugen, o. O. 1818.

2
Im zeitweise württembergischen Stockach gab es einen ähnlichen
Aufstand mit ähnlichen Folgen. Vgl. Hans Wagner, Aus
Stockachs Vergangenheit, Radolfzell 1967, und Paul Sauer,
Revolution und Volksbewaffnung, Ulm 1976.

---

1741

## Aufforderung an die Bevölkerung von Mergentheim

Schönthal, 28. 6. 1809

*Papier, Letterndruck*
*H. 33,7 cm, B. 41,5 cm*

Stuttgart, Hauptstaatsarchiv, E 9 Bü 72

1742

## Urteile des »Martialgerichts« in Mergentheim

Mergentheim, 4. 7. 1809

*Papier, Letterndruck*
*H. 40 cm, B. 50 cm*

Stuttgart, Hauptstaatsarchiv, E 9 Bü 69

## Das Wort als politische Waffe

Eine Tischrunde von acht Männern hat sich als »Gesellschaft« versammelt, um eine Sitzung abzuhalten. Auf der Tagesordnung steht die wichtige Frage »Wie lange möchte uns das denken wohl noch erlaubt bleiben?« Die Gesten der Sitzungsteilnehmer verraten Engagement für das Thema, ein Meinungsaustausch jedoch wird darüber nicht stattfinden – die Mitglieder der Gesellschaft tragen einen Maulkorb.

Diese Szene ist in einer Karikatur aus der Restaurationszeit dargestellt und trägt den Titel »Der Denker-Club. Auch eine neue deutsche Gesellschaft«. Der Maulkorb verkörpert hier das Symbol der Unterdrückung der freien Meinungsäußerung. Und das war die Situation, auf die das Blatt gemünzt war: Das Deutschland nach den Karlsbader Beschlüssen von 1819. Diese Gesetzesbeschlüsse führten mit der strengen Überwachung der Meinungsäußerung, mit Zensur und Presseverboten wie mit der Überwachung der Landtage und Universitäten zur Ausschaltung allen öffentlichen Lebens. Nicht nur den Mitgliedern bürgerlicher Gesellschaften wie etwa der »Denker-Clubs«, sondern den Mitgliedern *der* Gesellschaft insgesamt wurde der Maulkorb verordnet.

Aus bürgerlicher Initiative heraus hatten sich im Gefolge der Aufklärung verschiedene Kommunikations-, Gesellungs- und Vermittlungsformen für den politischen Austausch gebildet und auch gegen die Behinderungen von Regierungen und Regenten in ersten Schritten bis 1819 durchgesetzt. Der politische Diskurs als öffentliches System der politischen Meinungsfindung, der Ausformung von Kritik an gesellschaftlichen Mißständen sowie des gemeinsamen Nachdenkens über Reformen war entstanden. Lesegesellschaften und andere Orte der Gesellung hatten sich als bürgerliche Treffpunkte entwickelt und bildeten Ausgangspunkte auch für die Formulierung politischer Konzepte – im absolutistischen Umfeld wie in der Verfassungszeit. Die Presse, die sich zunehmend in bürgerlicher Hand organisierte, diente als Informationsmedium, als Sprachrohr verlieh sie gesellschaftlichen Konzepten und politischen Forderungen die nötige Publizität. Diese Entwicklungen mit den entsprechenden gesetzlichen Freiheiten der Rede, der Versammlung und der Presse abzusichern, bildete von Anfang an ein zentrales Ziel bürgerlicher Politik.

Durch die Verfassungen in Württemberg und in Baden war mit der zweiten Kammer ein erster Handlungsspielraum und ein Instrument bürgerlich-liberaler Politik gegeben. Politische Öffentlichkeit, die Öffentlichkeit von Politik wie die Entfaltung der öffentlichen Meinung waren die wichtigsten Voraussetzungen für eine effektive Gestaltung dieses politischen Aktionsfeldes. Die Unterdrückung und Kontrolle des politischen Austausches, wie sie mit den Karlsbader Beschlüssen einsetzten, knebelten somit nicht nur die öffentliche Meinung, sondern bedeuteten eine Lähmung des gesamten Prozesses bürgerlicher Politik.

Ludwig Börne, politischer Publizist der Zeit, formulierte dies so: »... Nicht die Absicht, epochale Ideen in ihrer Verbreitung zu drosseln, gibt dem Unternehmen die Besonderheit des Erstmaligen in der Geschichte der deutschen Pressefreiheit, sondern das Bestreben, ein erwachtes politisches Freiheitsbedürfnis (Liberalismus) durch kommunikative Unfreiheit der Freiheit wieder zu entwöhnen.«[1]

So wurde es ein Merkmal des sich formierenden Frühliberalismus, daß er die Ausgangsbasis für seine Entstehung noch einmal erkämpfen mußte. Für eine große Zahl badischer Liberaler bildete die Legalisierung der politischen Öffentlichkeit und das Ende ihrer Kriminalisierung das erste Ziel. Der badische Abgeordnete Duttlinger über die Pressefreiheit: »Die Freiheit der Presse, oder mit anderen Worten die unbeschränkte Befugniß zur Bekanntmachung seiner Gedanken durch Schrift, Druck und Bild, verbunden mit der einzigen Verpflichtung, den Gebrauch, den man von dieser Befugnis gemacht, zu verantworten – diese kostbare Freiheit, die notwendige Wächterin, die mächtige Schützerin, die unentbehrliche Gewährleisterin aller übrigen Freiheiten – ist uns bis heute noch immer vorenthalten. Die Presse, – dies allmächtige Bildungsmittel der Menschheit, dieses unendliche Schirmdach des Rechts und der Wahrheit, dieses wunderbare dem Menschen vom Himmel verliehene Sprachorgan in die Ferne, in die Ferne des Raums, wie in die Ferne der Zeiten – liegt bis heute gekettet an die schmähliche Fessel der Zensur.«[2] Mit seiner Formulierung beschrieb Duttlinger bereits die sogenannte »Wächterfunktion« der Presse, entsprechend dem späteren Verständnis der Presse als »Vierter Gewalt im Staat«.

Der Maulkorb, neben dem Krebs mit den langen »Zensur-Scheren« ein zentrales Motiv der politischen Karikatur seit 1819, kann rückblickend als Motiv für den gesamten Prozeß der Herausbildung politischer Öffentlichkeit seit der Aufklärung stehen. Der Prozeß von bürgerlicher »Bewegung« – und mit manch einem öffentlich ausgesprochenen Wort war schon viel bewegt worden – war immer begleitet von staatlicher Gegenbewegung, von der »Reaktion«. Als mit der Aufklärung das bürgerliche Räsonnement, die ersten Gesellschaften sowie politische Zeitungen als Anstalten des Diskurses entstanden waren, hatte der Staat schnell die Grenzen aufgesteckt. Die Entstehungsgeschichte politischer Öffentlichkeit war die Geschichte ihrer Unterdrückung. Vor allem in Württemberg, nicht so stark in Baden, wo meist die Tendenz zu einem milderen politischen Klima herrschte. Dort gab es etwa – wenngleich natürlich ebenso Staatsgefangene – bezeichnenderweise kein Despotensymbol wie das Staatsgefängnis Hohenasperg, das in Württemberg das politische Klima solange frostig machte.

Der württembergische Herzog Karl Eugen, dessen Position bereits im »Fall Schubart« deutlich gewordemn war, hatte sich wegen des starken Echos auf die Französische Revolution nachdrücklich darum bemüht die »Freiheits-Sache« einzudämmen, da sie zu »gänzlicher Unbotmäßigkeit« führen müsse. Um den »schädlichen Mißbrauch der Preßfreiheit« zu beenden, erließ er im Juli 1791 ein Zensurgesetz, das mit rigoroser Strenge angewandt wurde. Im Mai 1808 erließ Friedrich eine verschärfte Zensurordnung, die keinem Buchdrucker erlaubte, irgendeine Schrift zu drucken, ehe sie von der Zensurbehörde geprüft worden war, dies bezog sich selbst auf Drucksachen, die nicht für den Buchhandel bestimmt waren. Bücherfiskale visitierten Druckereien, Buchhandlungen und Leihbibliotheken, den Lesegesellschaften wurden Veranstaltungen verboten. Hinzu kamen die Einschränkungen der »Gespräche über politische Gegenstände« vom Februar 1809. Bei ihrer Bekanntmachung hieß es: »Es wird keinen vernünftig denkenden entgehen, wie wenig solche, die öffentliche Ruhe und Ordnung störende beinahe immer auf unrichtige, schiefe Angaben und Beurtheilungen gegründete Geschwätze, mit den Pflichten ruhiger Bürger und guter Unterthanen vereinbarlich sind.«[3]

Diese Verschärfungen entsprangen nicht napoleonischem Oktroy, sondern Friedrichs eigenen autokratischen Vorstellungen. Der Einfluß Napoleons auf das rheinbündische Württemberg und Baden in Fragen der Meinungsäußerung und Pressefreiheit kam vielmehr hinzu. Die Form seines Eingriffs bezog sich auf einzelne Publikationen wie auf generelle Vorgaben. 1810 wurde auch Baden, das die eigene Zuständigkeit für Presseangelegenheiten gegenüber Napoleon verteidigt hatte, dazu gezwungen, die Presse zu zentralisieren und sie stärker zu zensieren.

Ein deutliches Exempel statuierte Napoleon 1806 an dem aus Schorndorf stammenden Buchhändler Johann Philipp Palm. Dieser hatte in seiner Nürnberger Buchhandlung die anonyme Flugschrift »Deutschland in seiner tiefen Erniedrigung« vertrieben. Darin wurde die napoleonische Fremdherrschaft in Deutschland angeprangert und die Rheinbundpolitik angegriffen. Zur allgemeinen Abschreckung wurde dieser Fall zum Hochverrat hochstilisiert und Palm in Braunau auf persönlichen Befehl Napoleons erschossen. Das Urteil, das auch andere Beteiligte an der Verbreitung der Schrift für schuldig befand, wurde in ganz Deutschland bekannt gemacht.

Erst mit dem Beginn der Regierungszeit von König Wilhelm 1816 entstand ein liberaleres Klima, in dem sich eine politische Öffentlichkeit formieren konnte. »Der leitende Grundsatz seiner Regierung werde – erklärte dieser Monarch – Redlichkeit, der Charakter derselben Öffentlichkeit sein.«[4] Im Januar 1817 erließ Wilhelm das Gesetz über die Preßfreiheit, mit dem alle zuvor erlassenen Gesetze und Verordnungen aufgehoben wurden. »Es ist daher erlaubt, alles ohne Zensur drucken zu lassen und alles Gedruckte zu verbreiten«, lautete § 2[5], der natürlich noch immer seine Einschränkungen erfuhr.

»Mehrere neue Blätter hatten diesem Gesetz und dem in dessen Folge in Württemberg wieder erwachenden konstitutionellen Leben ihre Entstehung zu verdanken, so wie sie dagegen diesem Leben selbst in nicht geringem Grade förderlich waren«[6]. Eines dieser Blätter war der »Württembergische Volksfreund«, den Friedrich List mitherausgab. Die Vorankündigung dieser Zeitschrift im Januar 1818 enthielt noch den emphatischen Ausspruch »Unser König hat es ausgesprochen: die öffentliche Meinung«, doch wenig später ließ Wilhelm dieses Presseorgan beschlagnahmen, weil er die darin aufgestellten Forderungen für staatszersetzend hielt.

## Liberale Ziele

Die kurze Phase der Liberalisierung zwischen dem Erlaß der Verfassungen und den Karlsbader Beschlüssen bot in Württemberg und Baden verschiedenen gesellschaftlichen Gruppierungen die Möglichkeit, Politikkonzepte zu entwickeln. Mit der politischen Öffentlichkeit war ein – zwar noch sehr grobes – Netz von Treffpunkten, von informellen lokalen Gruppen und von persönlichen Beziehungen entstanden. Dies war der gesellschaftliche Rückhalt, aus dem heraus sich die bürgerlichen Eliten rekrutierten, die in der Kammer die »Volksvertretung« übernahmen. Zugleich war dieses Netz die Plattform, auf der in einem Gruppenprozeß um einen bürgerlichen Politikentwurf, um die ersten Konturen des liberalen Programms gerungen wurde. Der Liberalismus stand dabei in klarer Opposition zum Ancien régime, zum »alten Staat«, bezog sich aber eindeutig auf das Gerüst des Staates, eines Staates, der jedoch durch Reformen neu zu gestalten war. Der Abbau des herrschenden Privilegiensystems bildete dabei ein vorrangiges Ziel, wie etwa die 1819 in der badischen Kammer geführte »Adelsdebatte« verdeutlichte. Andererseits spiegelte sich die frühliberale Staatsauffassung in der Formel Karl von Rottecks vom »Vernunftstaat«, der doch keine reine Demokratie sein könne, da »in allen Demokratien eine Vereinigung der Gewalten in den Händen des Volkes und somit eine Despotie gegen den Einzelnen Platz greift.«[7]

1
Wolfgang Labuhn, Ludwig Börne als politischer Publizist 1818–1837, in: Walter Grab/Julius Schoeps, Juden im Vormärz und in der Revolution von 1848, Stuttgart/Bonn 1983, S. 41.

2
Karl von Rotteck, Deutsche Volksbibliothek, Bd. 1, Geschichte des Badischen Landtags von 1831, Hildburghausen/New York 1833, S. 241.

3
Bekanntmachung Gespräche über politische Gegenstände betreffend vom 2. Februar 1809, in: August Ludwig Reyscher, Vollständige, historisch und kritisch bearbeitete Sammlung der württembergischen Gesetze, Stuttgart/Tübingen 1828–1850, Bd. 15/1, S. 328.

4
Die Geschichte der Censur in Württemberg, in: Rudolf Lohbauer, Der Hochwächter ohne Zensur, Pforzheim 1832, S. 145 (anonym erschienen).

5
Gesetz über die Preß-Freiheit vom 30. Januar 1817, in: August Ludwig Reyscher, Vollständige, historisch und kritisch bearbeitete Sammlung der württembergischen Gesetze, S. 876.

6
Die Geschichte der Zensur in Württemberg, in: Rudolf Lohbauer, Der Hochwächter ohne Zensur, S. 146.

7
Gesellschaft wahrheitsliebender Württemberger (Hg.), Ankündigung eines Wochenblattes für Recht und bürgerliche Freiheit, betitelt: Der Württembergische Volksfreund, Stuttgart 1818, S. 2.

8
Karl von Rotteck, Lehrbuch des Vernunftsrechts und der Staats-
wissenschaften, 4 Bände, Stuttgart 1829–1835, Bd. 2, S. 47.

*Richard van Dülmen, Die Gesellschaft der Aufklärer. Zur
bürgerlichen Emanzipation und aufklärerischen Kultur in
Deutschland. Frankfurt 1986. – Karlheinz Fuchs, Bürgerliches Räsonnement und Staatsräson. Zensur als Instrument des Despotismus dargestellt am Beispiel des rheinbündischen Württemberg (1806–1813), Göppingen
1975.*                                                    C.P.

1743*

## DER DENKER-CLUB.
## AUCH EINE NEUE DEUTSCHE
## GESELLSCHAFT

Anonym
um 1820

*Radierung, koloriert*
*H. 24,5 cm, B. 40 cm*
*Bez.:* Wichtige Frage welche in heutiger Sitzung bedacht
wird. Wie lange möchte uns das Denken wohl noch
erlaubt bleiben?

Ludwigsburg, Heimatmuseum, Inv.-Nr. 4788

DER DENKER=CLUB
Auch eine neue deutsche Gesellschaft.

1743

## 1744

### DEUTSCHLAND IN SEINER TIEFEN ERNIEDRIGUNG

Nürnberg, 1806

*Papier, Letterndruck*
*H. 20 cm, B. 24,5 cm*
*Bez.:* Exlibris von Erzherzog Johann auf dem Titelblatt

Schorndorf, Stadtarchiv

## 1745

### URTEIL GEGEN JOHANN PHILIPP PALM U. A.
(Reproduktion)

1806

*Papier, Letterndruck; in deutsch und französisch*
*H. 61,6 cm, B. 36,4 cm*

Karlsruhe, Generallandesarchiv, Druckschriften: M 1656

## 1746

### EHRENGEDICHT AUF DEN HERRN BUCHHÄNDLER PALM IN NÜRNBERG,

welcher wegen eines Buches, das er verkaufte, unter dem Titel: Deutschlands Erniedrigung, von den Franzosen aus Nürnberg abgeholt und in Braunau 1806 erschossen worden ist.

um 1806/07

*Papier, Letterndruck*
*H. 19,6 cm, B. 10,9 cm*

Nürnberg, Germanisches Nationalmuseum, Graphische Sammlung, Inv.-Nr. H. B. 17461 Kapsel 1329

## 1747*

### GEDENKBLATT AUF JOHANN PHILIPP PALM (1766–1806)

Chr. Riedt nach der Vorlage von G. Perlberg
1830–1840

*Stahlstich*
*H. 49 cm, B. 32,5 cm*

Schorndorf, Stadtarchiv, X 51 Nr. 6

1747

## 1748

### DER UNIVERSALMONARCH

Anonym
London, März 1814

*Radierung mit Aquatinta, koloriert*
*H. 21,7 cm, B. 26 cm*
*Bez.:* pub. Octob. 21. 1813 by Boydel in London Pall Mal

Privatbesitz

# »Für Freiheit und Vaterland«

Die deutschen Studenten – deren Zahl ab 1816 stetig bis auf rund 15 000 im Jahr 1830 anstieg – wurden politisch immer aktiver. Schon bevor sie sich einheitlich in Burschenschaften organisierten, versuchten sie, die strengen, staatlich geprägten Alltagsdisziplinierungen mit demonstrativen Akten aufzubrechen. Dies äußerte sich in eigenen Kleidermoden, Gruppen- und Geselligkeitsritualen und in bewußten Vergehen gegen die öffentliche Ordnung wie etwa im verbotenen Rauchen in der Öffentlichkeit. Dabei ließen sie es auch auf die direkte Konfrontation mit der Obrigkeit ankommen, wie bei einem Vorfall um das öffentliche Pfeifenrauchen in Heidelberg 1804. Die gemaßregelten Studenten zogen vor die Stadt, wo sie ein Lager aufschlugen und erst zurückkamen, als der Kurfürst ihnen Genugtuung versprochen hatte.

Die studentische Organisation in Burschenschaften setzte 1815 mit der Gründung der »Deutschen Burschenschaften« in Jena ein. Die burschenschaftliche Bewegung griff unter dem Motto »Ehre, Freiheit, Vaterland« – auf alle Hochschulen über. Auch in Tübingen gründete sich im Dezember 1816 aus 57 Studenten die Burschenschaft »Concordia«, danach umbenannt in »Arminia«.

Von patriotischem Idealismus getragen, begriffen sie die Burschenschaften als demokratische Bewegung mit dem Ziel, ein einiges »freies deutsches Vaterland« zu schaffen. Doch zu dieser Zeit war die Studentenschaft noch in anderen Organisationen wie Corps und Landsmannschaften organisiert. Den Durchbruch der Burschenschaft bewirkte erst das Wartburgfest im Oktober 1817. Diese erste gemeinsame Kundgebung der Burschenschaften wurde als »Fest der Wiedergeburt der freien Gedanken und der Befreiung des Vaterlandes« inszeniert: Die Studenten mahnten bei den deutschen Fürsten die versprochenen Landesverfassungen an, sie verbrannten »undeutsche« Schriften, darunter die Bundesakte von 1815, und sprachen ihr Bekenntnis zu einer geeinten deutschen Nation aus.

An diesem Fest nahm auch der Student Carl Ludwig Sand teil, der später, am 23. März 1819, in Mannheim den Staatsrat und Dichter August von Kotzebue ermordete. Demonstrative Akte und spektakuläre Gesten waren schon vorher eine Eigenart studentischer Politik gewesen. Auch Sand verstand sein Attentat auf den »Staatsfeind« und »Agenten des Zaren« als Zeichen, das er gegen die Reaktion setzen wollte; doch er erreichte das Gegenteil: Er wurde hingerichtet, und auf die freiheitlich-nationalen Ziele der Studenten antworteten die deutschen Regierungen mit Unterdrückung und Terror.

Das Attentat lieferte dem Deutschen Bund einen wesentlichen Vorwand für die Karlsbader Beschlüsse, mit denen in allen Bundesstaaten die Burschenschaften verboten, die Universitäten von Regierungsbevollmächtigten überwacht und die Gedanken von Lehrern wie Studenten kontrolliert wurden.

*Hansmartin Decker-Hauff/Wilfried Setzler, 500 Jahre Eberhard-Karls-Universität Tübingen. Die Universität Tübingen von 1477–1977 in Bildern und Dokumenten, Tübingen 1977. – Renate Lotz (Hg.), Bildnis und Erinnerung Carl Ludwig Sand, Wunsiedel 1985 (Ausstellungskatalog). – Ludwig-Uhland-Institut der Universität Tübingen (Hg.), O Alte Burschenherrlichkeit, Tübingen 1978 (Ausstellungskatalog).* C. P.

## 1749

### Henkeltopf

Durlach, um 1825

*Fayence mit Scharffeuerbemalung*
*H. 20,2 cm, Dm. 19,4 cm*
*Bez.:* Erinnerungen aus dem Universitätsleben vom Jahr 1816–1820
*auf der Gegenseite:* Erinnerung an Durlach im Jahr 1824–1825

Karlsruhe, Badisches Landesmuseum, Inv.-Nr. 62/43

## 1750

### Begebenheit auf dem Heidelberger Universitätsplatz am 14. Juli 1804

Friedrich Rottmann
1806

*Umrißradierung*
*H. 21 cm, B. 28 cm*

Karlsruhe, Generallandesarchiv, Bildersammlung D:H:9

## 1751

### Lager der Heidelberger Studenten bei Neuenheim am 13. July 1804

Friedrich Rottmann
1806

*Umrißradierung*
*H. 21 cm, B. 28 cm*

Karlsruhe, Generallandesarchiv, Bildersammlung D:H:10

1752

## 1752*

### TÜBINGER STUDENTEN IM JAHR 1820

*Feder, aquarelliert*
*H. 17 cm, B. 30 cm*

Tübingen, Haeringhaus, Inv.-Nr. 1095

## 1753

### DAS »NEUE DEUTSCHE ALLGEMEINE KOMMERS- UND LIEDERBUCH«

Gustav Schwab, Joseph Stendel
Tübingen bei Osiander, 1815

*Karton, Papier, Letterndruck*

Würzburg, Institut für Hochschulkunde

## 1754

### KNEIPE DER TÜBINGER »SUEVIA«

um 1815

*Aquarell*
*H. 23 cm, B. 24 cm*

Würzburg, Verband Alter Korpsstudenten im Institut für
Hochschulkunde

## 1755

### MENSUR DER TÜBINGER BURSCHENSCHAFT CONTRA FRANCONIA

um 1822

*Aquarell*
*H. 13,7 cm, B. 20,3 cm*

Würzburg, Sammlung Schmidgall im Institut für
Hochschulkunde

## 1756

### VERPFLICHTUNGSERKLÄRUNG FÜR TÜBINGER STUDENTEN

Stud. jur. Karl Adolf Faber aus Urach
Tübingen, 25. 11. 1819

*Papier, Letterndruck, Feder*
*H. 30 cm, B. 25 cm*

Würzburg, Institut für Hochschulkunde,
Slg. Stadt Würzburg Nr. 55

## 1757

### KARIKATUR AUF DIE POLIZEILICHE ÜBERWACHUNG DER TÜBINGER KNEIPEN DURCH DEN UNIVERSITÄTSPEDELLEN

1825/30

*Federzeichnung, teilkoloriert*
*H. 25 cm, B. 35 cm*

Tübingen, Universitätsarchiv, S 161, Nr. 22

## 1758*

### SAND DER FREIE

Vermutl. J. M. Voltz
Nürnberg bei A. P. Eisen, um 1820

*Kolorierter Kupferstich*
*H. 19,5 cm, B. 25 cm*

Mannheim, Reiß-Museum, Inv.-Nr. K 58

1758

1759

1760

1761

1759*

### August von Kotzebues Ermordung

Vermutl. J. M. Voltz
Nürnberg bei A. P. Eisen, um 1820

*Kolorierter Kupferstich*
*H. 17,8 cm, B. 24 cm*

Mannheim, Reiß-Museum, Inv.-Nr. K 58

1760*

### Kotzebues Tod

Vermutl. J. M. Voltz
Nürnberg bei A. P. Eisen, um 1820

*Kolorierter Kupferstich*
*H. 20,3 cm, B. 25,5 cm*

Mannheim, Reiß-Museum, Inv.-Nr. K 58

1761*

### Sand der Gefangene

Vermutl. J. M. Voltz
Nürnberg bei A. P. Eisen, um 1820

*Kolorierter Kupferstich*
*H. 20 cm, B. 25,4 cm*

Mannheim, Reiß-Museum, Inv.-Nr. K 58

1762*

### Karl Ludwig Sands Todesurteil
### vom 17. 5. 1820

Vermutl. J. M. Voltz
Nürnberg bei A. P. Eisen, um 1820

*Kolorierter Kupferstich*
*H. 21 cm, B. 26 cm*

Mannheim, Reiß-Museum, Inv.-Nr. K 58

1763*

### Sands Abführung zum Richtplatz
### am 20. 5. 1920

Vermutl. J. M. Voltz
Nürnberg bei A. P. Eisen, um 1820

*Kolorierter Kupferstich*
*H. 22,6 cm, B. 29,9 cm*

Mannheim, Reiß-Museum, Inv.-Nr. K 58

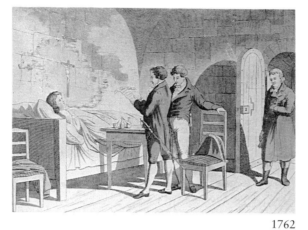

1762

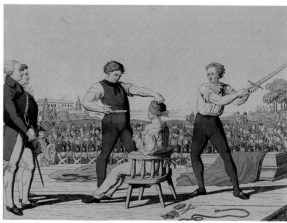

1765

1763

1764*

## Sand auf dem Blutgerüst zu Mannheim am 20. 5. 1820

Vermutl. J. M. Voltz
Nürnberg bei A. P. Eisen, um 1820

*Kolorierter Kupferstich*
*H. 19,7 cm, B. 25,2 cm*

Mannheim, Reiß-Museum, Inv.-Nr. K 58

1765*

## Sands Ende auf dem Schafott am 20. 5. 1820

Vermutl. J. M. Voltz
Nürnberg bei A. P. Eisen, um 1820

*Kolorierter Kupferstich*
*H. 23,4 cm, B. 30 cm*

Mannheim, Reiß-Museum, Inv.-Nr. K 58

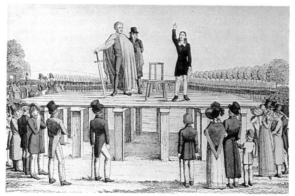

1764

## »Geschlossene Gesellschaft«
## Lesegesellschaft und Museum

»Unsere Lesegesellschaften mehren sich von Tage zu Tage: Da ist keine Stadt, kein Städtchen … ohne Lesegesellschaft«

Was ein Hannoversches Magazin 1782 über die Verbreitung von Lesegesellschaften in Niedersachsen schrieb, galt zu diesem Zeitpunkt für fast alle Staaten der deutschen Landkarte. Im letzten Viertel des 18. Jahrhunderts gründeten sich in Deutschland über 500 Lesezirkel, -clubs, -kabinette, -sozietäten und -gesellschaften. In Württemberg und Baden entstanden sie in den Residenzen Ludwigsburg, 1769, und Karlsruhe, 1784, in den Städten wie zum Beispiel in Stuttgart 1775 und 1784, in Heidelberg und Pforzheim 1785 sowie in kleineren Gemeinden wie etwa in Öhringen 1785.

Diese Lesegesellschaften verstanden sich, wie beispielsweise die Karlsruher, als Treffpunkt, »wo Personen aus den höheren Ständen ohne Zwang zusammen kommen, sich über Gegenstände der Litteratur unterhalten, sich einander ihre gesammelten Kenntnisse mitteilen und auch Journale und gelehrte Zeitungen lesen«[1] konnten. Geprägt von den Leitideen der Aufklärung suchten die Bürger neue Kultur- und Lebensformen, um sich aus Unwissenheit und Unmündigkeit zu befreien. Politisches Gespräch und Lektüre spielten in diesem Prozeß bürgerlicher Selbstfindung und Emanzipation eine große Rolle, angeregt besonders durch politische Zeitungen und Kulturzeitschriften, die aktuell und umfassend informierten. Allein in den Jahren 1780 bis 1790 erschienen über tausend neue Zeitungs- und Zeitschriftentitel im deutschen Sprachbereich.[2]

Das zunehmende Lese- und Informationsbedürfnis, die Welle neuer Verlagsgründungen und die rapide ansteigend Auflagenziffern von Büchern, Zeitungen und Journalen stimulierten sich in ihrer Wirkung wechselseitig. Was der Zeitgeist damals bereits ironisch »Lesewut« nannte, wirkte als doppelte Antriebskraft, die sowohl einen frühen »Medienmarkt« entstehen ließ wie die ersten politischen Emanzipationsversuche des neuen Bürgertums vorantrieb. Trotz der großen »Bücher- und Zeitungsflut« zeichnete sich der Presse- und Buchmarkt jedoch noch durch hohe Preise und noch ungenügend ausgebaute Vertriebssysteme aus. Deshalb bildeten die Lesegesellschaften ursprünglich auch eine ganz praktische Form der Selbsthilfe. Am Beginn der Bewegung standen kleine Zirkel, deren Mitglieder gemeinsam eine oder mehrere Zeitungen und Zeitschriften abonnierten. Buchhändler richteten aufgrund der großen Nachfrage in ihren Läden Lesekabinette ein oder wurden selbst zu Initiatoren von Lesegesellschaften wie etwa der Buchhändler Metzler 1775 in Stuttgart und 1795 in Ludwigsburg. Auch Kaffee- und Gasthäuser kamen als Treffpunkte für Zirkel und Clubs in Mode.

Aus den anfänglichen Provisorien entstanden allmählich Gesellschaften, die sich – zum größten Teil – nach demokratischen Prinzipien organisierten, sich Verfassungen gaben und die Rechte und Pflichten ihrer Mitglieder

definierten. Im Jahr 1789, als die Französische Revolution die Gemüter bewegte, erreichte die Gründungswelle ihren Höhepunkt. Das Echo auf die revolutionären Ereignisse im Nachbarland war auch in Deutschland unüberhörbar. Unter den Landesfürsten griff die »Jakobinerfurcht« um sich. In dieser Zeit, in der bereits die Lektüre der Tageszeitung zum Politikum werden konnte, gerieten auch die Lesegesellschaften immer wieder in den Verdacht umstürzlerischen Gedankengutes. Landesregierungen ließen Veranstaltungen kontrollieren, zensierten Abonnementlisten und Lektürenangebote von Buchhändlern und verboten zahlreiche Gesellschaften. Diese unterschieden sich jedoch in ihrem tatsächlichen Politisierungsgrad und in ihrer politischen Orientierung erheblich voneinander. Erscheinungen wie in Mainz, wo sich ein Teil der Mitglieder zu einem Jakobinerclub zusammenschloß, bildeten eher die Ausnahme. In fast jeder Gesellschaft allerdings stand damals die Diskussion der bewegenden Ereignisse in Paris auf der Tagesordnung. Aber eben nur die Diskussion. Für die meisten Mitglieder der Lesegesellschaften dürfte der eigene Kopf einziger Schauplatz politischer und gesellschaftlicher Revolutionen geblieben sein.

In dem geistigen Klima ständiger Überwachung und Verfolgung der nächsten Jahre stagnierte die Zahl der Gesellschaftsgründungen. Erst um die Jahrhundertwende sind wieder Neugründungen zu verzeichnen, jetzt allerdings unter anderen Namen. Die Zeit der »Lesegesellschaft« wurde abgelöst durch die Ära des »Museums«. Auch alteingesessene Lesegesellschaften benannten sich nun um in »Harmonie«, »Casino« oder eben »Museum« wie etwa die Karlsruher Gesellschaft. Mit dieser Namensgebung wechselten die Vereine nicht nur das Etikett, sondern sie paßten sich mit der neuen Bezeichnung auch der veränderten Struktur bürgerlicher Öffentlichkeit an. Über die bisherigen Funktionen hinaus sollten die Bürgergesellschaften nicht mehr nur Hort des Wissens, sondern zugleich auch »Ort der Musen« sein. Diese Ausdehnung des geselligen Lebens auf eine Vielfalt kultureller Ausdrucksformen entsprach dem bereits selbstbewußteren Bürgertum und seinem differenzierteren Lebensstil.

Auch die Stellung der Frau in den Gesellschaften änderte sich. War ihre Anwesenheit in den männlichen Disputierzirkeln noch unvorstellbar erschienen, so wurde sie in den Wandelhallen des »Museums« zunehmend selbstverständlicher. Schließlich manifestierte sich der Strukturwandel bürgerlichen Vereinswesens sogar im Stadtbild: Die Museumsgesellschaften waren zum Großteil in einem festen Domizil, in eigenen angemieteten Räumlichkeiten, wenn nicht im eigenen, selbstfinanzierten und repräsentativen Gesellschaftshaus beheimatet. Damit war – in einem öffentlichen Raum ohne öffentliche Räumlichkeiten oder gesellschaftliche Treffpunkte – ein unübersehbarer Markstein bürgerlicher Emanzipation gesetzt.

In Karlsruhe etwa stellte das »Museum« einen zentralen Treff- und Angelpunkt im Gesellschaftsleben der Bürger dar. Es hatte sich 1808 aus der ehemaligen Lesegesellschaft entwickelt: »Unter dem neuen Namen eines Museums suchte sie von nun an in ihrem vergrößerten Vereine nicht nur schöne Bildung des Geistes und Geschmackes, sondern auch den guten Ton geselliger Freude zu befördern, und beydes im Kreise der Gebildeten zu geniessen.«³ 1813 legte die Gesellschaft im Zentrum der Stadt, in der Langen Straße, den Grundstein für ein eigenes Gesellschaftshaus. In dem dreistöckigen Gebäude, erbaut vom Architekten und Oberbaudirektor Friedrich Weinbrenner, befanden sich ein großer Tanz- und Konzertsaal, geräumige Speise- und Buffeträume, Spielzimmer für Billard und Schach sowie sechs große Leseräume.

Neben dem Abonnement »aller vorzüglich gelehrten und politischen Zeitungen und Journale«, bemühte man sich besonders um den Ausbau der Bibliotheksbestände. Im Tanzsaal fanden, insbesondere im Winter, mehrmals wöchentlich Konzerte und Bälle statt. Auch Ausstellungen wurden veranstaltet, für die der Großherzog selbst, als Protektor der Gesellschaft, Kunstwerke aus seinen Sammlungen zur Verfügung stellte. Die Kunstbegeisterung der Mitglieder führte 1818 sogar zur Gründung des ersten badischen Kunstvereins, der seinen Sitz im Museumsgebäude bis 1823 beibehielt. Mit diesen vielfältigen neuen Aktivitäten wurden jedoch die Funktionen der alten Lesegesellschaft nicht aufgegeben. Auf das »Politisieren« wurde nie völlig verzichtet: 1812 und 1814 glaubte die Polizei, zensierend in die Vereinslektüre- und -diskussion eingreifen zu müssen.

Das Musum bildete jenen Ort in Karlsruhe, wo sich führende Persönlichkeiten aus Kunst, Wissenschaft, Politik und Wirtschaft trafen, wo sicherlich manche bürgerliche Karriere geschmiedet und manche politische Strategie geplant wurden. Hier verkehrten unter anderem der Bürgermeister und Fabrikant Christian Griesbach, der Dichter und Publizist Johann Peter Hebel, Regierungsrat von Fahnenberg, Oberbaudirektor Friedrich Weinbrenner, Hofbibliothekar Wilhelm Hemeling, Hofkammerrat August Vierordt und Stadtvikar Friedrich Deimling. Künstler und Persönlichkeiten, die in Karlsruhe Station machten, waren selbstverständlich im Museum zu Besuch – auch Gäste, die sich bei Hofe aufhielten wie Goethe und selbst Napoleon.

1767

1767*

## DAS MUSEUM IN CARLSRUHE

Karlsruhe, bei C. F. Müller

*Lithographie, teilkoloriert*
*H. 13 cm, B. 21,5 cm*

Karlsruhe, Prinz Max Palais

1768

## KANTATE ZUR EINWEIHUNG DES NEUEN MUSEUMS IN KARLSRUHE

am 9. Dezember 1814

Müllersche Hofbuchdruckerei
Karlsruhe, 1814

*Papier, Letterndruck*
*H. 19,2 cm, B. 12,2 cm*

Karlsruhe, Prinz Max Palais

1769

## MITGLIEDERVERZEICHNIS DES MUSEUMS IN KARLSRUHE

Hofbuchdruckerei Macklot
Karlsruhe, 1814

*Papier, Letterndruck*
*H. 48 cm, B. 39,1 cm*

Karlsruhe, Prinz Max Palais

1766*

## DER SAAL DES »MUSEUMS« IN KARLSRUHE

L. Heiss nach Friedrich Weinbrenner

*Aquarell mit Feder, Bleistift, Goldbronze und Deckweiß*
*H. 46,5 cm, B. 55,6 cm*
*Bez. u.r.: Heis..., oben auf dem Gebälk: Atria Musis Sacra*

Karlsruhe, Staatl. Kunsthalle, Inv.-Nr. P.K.I. 499–18

1770

## VERZEICHNIS DER MITGLIEDER DES MUSEUMS IN KARLSRUHE

Druckerei Gottlieb Braun
Karlsruhe, 1815

*Papier, Letterndruck*
*H. 17,4 cm, B. 12 cm*

Karlsruhe, Stadtarchiv, Inv.-Nr. 8/St S 20/40

1766

1771*

**A**UFNAHMEKARTE DES **M**USEUMS
IN **K**ARLSRUHE FÜR **H**ERRN **B**ARON
V. **L**AROCHE

Karlsruhe, 5. Nov. 1828

*Papier, Letterndruck, Feder*
*H. 10,3 cm, B. 14 cm*

Karlsruhe, Prinz Max Palais

1771

Neben solch herausragenden Gesellschaften wie dem Museum existierten auch kleinere Vereine, die speziellere Interessen organisierten. Als eigenwilliger Zwitter aus Salon- und Lesegesellschaft hatte sich bereits 1792 in Karlsruhe die »Gesellschaft zum Haarenen Ring« gegründet.

Der Namen dieser »Sozietät«, wie sie sich selbst nannte, rührte her vom Erkennungszeichen der Vereinigung: Als Symbol der Unzertrennlichkeit flochten die Mitglieder Ringe aus ihren Haaren. Dieser besondere Kreis von Männern und Frauen traf sich einmal wöchentlich jeweils im Hause eines der Mitglieder und besprach dort eher literarische Neuerscheinungen als politische Ereignisse, unterhielt sich mit Gesellschaftsspielen und Vorträgen. Als erklärtes Ziel der Gesellschaft galten die Pflege der Freundschaft und die Förderung geselligen Vergnügens. Die innere Organisationsform entsprach dabei völlig dem Muster der Lesegesellschaften, wie die schriftlich niedergelegten Aufnahmebedingungen, die Mitgliederordnung und Zielsetzung erkennen lassen.

Sozial gesehen entstammten die Mitglieder von »Museum« und »Haarenem Ring« dem gehobenen Bürgertum, und einige von ihnen wie etwa Wilhelm Hemeling, August Vierordt und Christian Griesbach gehörten beiden Gesellschaften an. Solche Doppelmitgliedschaften in den Bürger-Vereinen dieser Zeit waren kein Zufall, sondern ein Zeichen dafür, daß man unter sich bleiben wollte, daß nur ein exklusiver Kreis von Besitz- und Bildungsbürgern sich in den neuen Zentren immer wiederbegegnete. Sozial aufgeschlossen zeigte man sich eher »nach oben«: Angehörige der Aristokratie gehörten in nicht wenigen Vereinen zum alltäglichen Gesellschaftsbild. »Nach unten« setzten allein schon Aufnahmegebühr und Mitgliedsbeitrag soziale Barrieren. Trotz demokratischer Statuten und dem Prinzip der »Öffentlichkeit« verkörperte die Vielzahl der Gesellschaften eben noch keineswegs »gesellschaftliche Vielfalt«.

1772

## »ZU DEM FESTE DER LESEGESELLSCHAFT IN KARLSRUHE BEY DER ERHEBUNG IHRES THEUERSTEN FÜRSTEN ZUM CHURFÜRSTEN«

Macklots Hofbuchdruckerey
Karlsruhe, 1803

*Papier, Letterndruck*
*H. 16,6 cm, B. 10,4 cm*

Karlsruhe, Stadtarchiv, Inv.-Nr. 8/StS 5/Nr. 9

1773

## ANKÜNDIGUNG EINER MIMISCH-PLASTISCHEN DARSTELLUNG IM MUSEUM ZU KARLSRUHE

Karlsruhe, 1817

*Papier, Letterndruck*
*H. 27 cm, B. 21 cm*

Karlsruhe, Stadtarchiv, Inv.-Nr. 8/StS/Nr. 2

1774

## ANKÜNDIGUNG EINES KONZERTS IM MUSEUM ZU KARLSRUHE

Karlsruhe, 1817

*Papier, Letterndruck*
*H. 27 cm, B. 21 cm*

Karlsruhe, Prinz Max Palais

1
Friedrich von Weech, Karlsruhe. Geschichte der Stadt und ihrer Verwaltung, Bd. 1, Karlsruhe 1895, S. 81.
2
Vgl. Otto Dann (Hrsg.), Lesegesellschaften und bürgerliche Emanzipation. Ein europäischer Vergleich, München 1981, S. 14.
3
Theodor Hartleben, Statistisches Gemälde der Residenzstadt Karlsruhe und ihrer Umgebungen, Karlsruhe 1815, S. 282.

*Richard van Dülmen, Die Gesellschaft der Aufklärer. Zur bürgerlichen Emanzipation und aufklärerischen Kultur in Deutschland, Frankfurt 1986. – Theodor Hartleben, Statistisches Gemälde der Residenzstadt Karlsruhe und ihrer Umgebungen, Karlsruhe 1815. – Helmut Janson, 45 Lesegesellschaften um 1800 bis heute, Bonn/Mannheim 1963.*

C.P.

1775

**1775\***

## Gesellschaft zum Haarenen Ring

Karlsruhe, 1792

*Zeichnung, aquarelliert*
*H. 30 cm, B. 40 cm*

Karlsruhe, Stadtarchiv

**1776**

## Zwei geflochtene Ringe

Karlsruhe, 1792–1813

*Haar*
*Dm. 2 cm*

Karlsruhe, Stadtarchiv, Inv.-Nr. Nachlaß Griesbach
Nr. 122–123

**1777\***

## Aufnahmepatent der Gesellschaft zum Haarenen Ring

für Christian Griesbach
Karlsruhe, 1793

*Papier, Feder*
*H. 32 cm, B. 19,8 cm*

Karlsruhe, Stadtarchiv, Inv.-Nr. Nachlaß Griesbach
Nr. 122–123

1777

1779

1780

1778

### Einladungskärtchen für Christian Griesbach

Wilhelm Hemeling
Karlsruhe, 1806

*Papier, Feder; in gefaltetem Umschlag*
*H. 4,3 cm, B. 8,2 cm*

Karlsruhe, Stadtarchiv, Inv.-Nr. Nachlaß Griesbach
Nr. 122–123

1779*

### Freundschaftsbild

*Aquarell; Pastell; Seide, bedruckt*
*H. 17 cm, B. 10,3 cm*
*Bez.: an Herrn Griesbach*

Karlsruhe, Stadtarchiv, Inv.-Nr. Nachlaß Griesbach
Nr. 122–123

1780*

### Freundschaftsbild

*Aquarell; Prägedruck; Seide, bedruckt*
*H. 18,2 cm, B. 11,5 cm*

Karlsruhe, Stadtarchiv, Inv.-Nr. Nachlaß Griesbach
Nr. 122–123

1781

### Freundschaftsbild

*Stich, aquarelliert; Seide, bedruckt*
*H. 20 cm, B. 12,5 cm*

Karlsruhe, Stadtarchiv, Inv.-Nr. Nachlaß Griesbach
Nr. 122–123

## »Bücherflut« und »Lesewuth«

»Nie ist mehr geschrieben und gelesen worden«, notierte Christoph Martin Wieland 1779 in der Zeitschrift »Teutscher Merkur«.
Mit dieser Feststellung deutete Wieland auf zwei Phänomene hin, die im Zuge der Aufklärung entstanden waren: ein früher Presse- und Buchmarkt mit einem breitgefächerten Angebot sowie ein allgemein wachsendes Lesebedürfnis in verschiedenen gesellschaftlichen Schichten. Diese sozialen Prozesse wurden von zeitgenössischen Kritikern mit den Schlagworten »Bücherflut« und »Lesewuth« belegt. Sie fürchteten, zuviele Bücher und zuvieles Lesen würden gleichermaßen die Arbeitsmoral wie die sittliche und politische Ordnung gefährden. Balthasar Haug charakterisierte diese Zeiterscheinung in seinem »Gelehrten Wirtemberg« unter anderem Vorzeichen, wenn er schrieb: »Die sogenannte Aufklärung wird nach aller Aussicht auch eine literarische Revolution ausbrüten«.[1] Diese Interpretation der Veränderungen als revolutionärer Prozeß wird einerseits der Geschwindigkeit und Vehemenz gerecht, mit der das Buchangebot, die Ausprägung eines literarischen Marktes und das Lesebedürfnis zunahmen. Andererseits nimmt dieses Entwicklungsverständnis auch den emanzipatorischen Effekt der Lektüre auf: die Befreiung aus Unwissenheit.
Sicherlich waren es zu einem nicht unbedeutenden Teil gerade Lesestoffe und ihre Lektüre, die dem entstehenden Bürgertum die geistige Startposition für den Aufbruch in die Moderne schufen. Neue Weltsicht und neues Selbstverständnis vermittelten sich durch Bücher, Zeitungen und Zeitschriften. Diese Medien nahmen dabei für das Bürgertum, das sich ihrer als Produzent und Konsument bemächtigte, mehrere Funktionen ein: Sie dienten ihm als Informationsorgan, das Wissen und aktuelle Nachrichten verbreitete, als Kommunikationsforum, mit dessen Hilfe es sich über neue Ideen verständigen und einen Gedankenaustausch pflegen konnte, als Sprachrohr, durch das neue Vorstellungen gesellschaftlich propagiert, neue Forderungen gestellt und neues Selbstbewußtsein demonstriert werden konnten. Neben ihrer Funktion beim Aufbau einer literarischen Öffentlichkeit errangen Bücher und Zeitschriften auch zunehmend Bedeutung als Unterhaltungsmedium.

### »Bücherflut«

Zwischen 1750 und 1800 entwickelte sich in Deutschland ein marktorientierter Buchhandel, dessen Grundlage sich vom Tausch- zum Bargeldhandel entwickelt hatte und in dem die mäzenatische Rolle des Adels durch kaufmännische Interessen neustrukturierter Verlagsunternehmen abgelöst wurde. Diese Veränderungen ließen ein neues Berufsfeld mit neuen Berufsrollen entstehen. Verleger, Autor, Korrespondent und Redakteur übernahmen arbeitsteilig Aufgabenbereiche, wie sie zuvor noch nicht existierten. Die Beziehung zwischen Verleger und Autor

wurde durch den Markt geregelt, der nun auch als Barometer für die Autorenhonorare fungierte. Damit entstand das Abhängigkeits-Dreieck Markt-Verleger-Autor, in dem die literarische Produktion zur Ware wurde. In einem Brief an den Berliner Verleger Friedrich Nicolai ließ sich Immanuel Kant 1798 über die zeitgenössischen Produktionsbedingungen auf dem Buchmarkt aus. Nachdem er die »Buchmacherey« als einen nicht »unbedeutenden Erwerbszweig« charakterisiert hatte, als einen »Theil der Industrie«, die »fabrikmäßig getrieben wird«, setzte er mit seiner Kritik, in durchaus bissigem Unterton beim Verleger an: »Dieser bedarf aber zur Belebung seiner Verlagshandlung eben nicht den inneren Gehalt und Wert der von ihm verlegten Waare in Betracht zu ziehen: wohl aber den Markt, worauf, und die Liebhaberey des Tages wozu, die allenfalls ephemerischen Producte der Buchdruckerpresse in lebhaften Umlauf gebracht und, wenn gleich nicht dauerhaften, doch geschwinden Abgang finden können. Ein erfahrener Kenner der Buchmacherey wird, als Verleger, nicht erst darauf warten, daß ihm von schreibseligen, allezeit fertigen, Schriftstellern ihre eigene Waare zum Verkauf angeboten wird; er sinnt sich als Direktor einer Fabrik, die Materie sowohl als die Façon aus, welche, muthmaslich, – es sey durch ihre Neuigkeit oder auch Scurrilität des Witzes, damit das lesende Publicum etwas zum Angaffen und zum Belachen bekomme, welche, sage ich, die größte Nachfrage, oder allenfalls auch nur die schnellste Abnahme haben wird; …«[2]
Aber nicht nur die Organisation des Buchmarkts, auch das Angebot änderte sich. Die Zahl der deutschen Titel auf der Leipziger Messe nahm stetig zu: 1764 betrug ihre Zahl mehr als 1000, im Jahr 1780 rund 2000, 1788 rund 3000 und 1801 schon mehr als 3600 Titel.[3] Die Buch- und Presseproduktion nahm einerseits an Umfang zu und änderte sich andererseits in ihrer Zusammensetzung. Das Verhältnis deutscher zu lateinischen Titeln verhielt sich auf der Messe um 1700 noch wie 60% zu 40%, um 1800 hatte sich das Verhältnis im Gesamtangebot auf 96% deutsche und 4% lateinische Titel zugespitzt. Der Anteil der gelehrten Literatur, der um 1740 noch 2/3 des Gesamtangebots ausgemacht hatte, betrug um 1800 nur noch die Hälfte.[4] Entfielen 1740 noch 19% der neuen Buchproduktion auf die Erbauungsliteratur und nur 6% auf die schöngeistige, waren es 1800 bereits 21% der Neuerscheinungen, die der Belletristik entstammten und nur 6%, die der Erbauungsliteratur zuzurechnen waren.[5] Hinzu kam die Entwicklung im Pressebereich: Allein zwischen 1780 und 1790 waren rund 1000 neue Zeitungs- und Zeitschriftentitel im deutschen Sprachbereich entstanden.[6] Diese Zahlen deuten die Orientierung des Marktes an einem neuen oder veränderten Publikum an, das Publikationen in deutscher Sprache, ohne gelehrte Umschweifigkeit, ohne religiösen Inhalt, aber mit aktueller Information und explizitem Unterhaltungswert bevorzugte.

»Lesewuth«

Belegen diese Zahlen auch einen deutlichen Wandel, so trifft der Begriff einer literarischen Revolution im Sinne einer Leserevolution, einer Demokratisierung des Buches und einer verbesserten Lesefähigkeit quer durch alle Schichten bei der Masse der Bevölkerung wohl nicht ganz zu. Untersuchungen zur Lesergeschichte gehen angesichts der Bildungs- und Sozialstruktur im Deutschland des 18. Jahrhunderts davon aus, daß es wohl kaum mehr als 10% »aktive« Leser in der erwachsenen Bevölkerung gab.[7] Für Länder wie Deutschland vermutet man um 1770 15%, um 1800 jedoch 25% potentielle Leser in der Bevölkerung über 6 Jahre. Der »gemeine Leser« war in jedem Fall der Bürger und die Bürgerin, denn der entscheidende Lesefortschritt anderer Gesellschaftsschichten vollzog sich erst im Laufe des 19. Jahrhunderts, zunächst vom gehobenen zum niederen Bürgertum.[8] Zudem kann Lektüre damals als vorrangig städtische Beschäftigung bezeichnet werden und als Buchkäufer schließlich kann, auch aus ökonomischen Gründen, nur ein geringer Teil der Bevölkerung angenommen werden. In der württembergischen Bevölkerung werden dies gegen Ende des 18. Jahrhunderts kaum mehr als ein Prozent Buchkäufer gewesen sein.[9] Der Multiplikatoreffekt eines gekauften Buches muß dafür allerdings sehr hoch angesetzt werden. Bücher zirkulierten in der Familie und unter Freunden. Außerdem griff das Lesepublikum angesichts hoher Preise und unzureichender Vertriebswege zur Selbsthilfe und organisierte sich seit dem letzten Viertel des 18. Jahrhunderts in Leseclubs, -zirkeln und -gesellschaften mit dem Ziel, Anschaffungskosten und Nutzung der Lesestoffe zu teilen. In Leihbibliotheken, wie sie häufig von Buchhändlern eingerichtet wurden, konnte man – wie etwa in der Leihbibliothek Seker in Stuttgart – für 2 Kreuzer Gebühr ein Buch für einen Tag entleihen.

In gehobenen bürgerlichen Schichten galt ein umfangreicher Buchbesitz als Statussymbol. Der neue Stellenwert des Buches im bürgerlichen Alltag wurde mit der Einrichtung einer Bibliothek bis in die Wohnungsgestaltung hinein dokumentiert. In führenden Gesellschaftsblättern wie etwa dem Berliner »Journal des Luxus und der Moden« wurden die verschiedensten Lesemöbel und Hausbibliotheken nach der neuesten Mode aus England und Frankreich empfohlen. Natürlich bildete das die Ausnahme, zumal der Umfang solcher Bibliotheken noch begrenzt gewesen sein dürfte. In Tübingen etwa belief sich um 1800 der durchschnittliche Buchbesitz eines Kaufmanns auf 30, eines Pfarrers auf 32 und eines Bürgermeisters auf 63 Bände.[10]

Aus damaliger Sicht wurde die Zunahme des Lesebedürfnisses und die Existenz neuer Leserschichten durchaus als aufsehenerregend empfunden. Johann Georg Krünitz schrieb in seiner »Ökonomischen Enzyklopädie«: »Alles will jetzt lesen, selbst Garderobenmädchen, Kutscher und Vorreuter nicht ausgenommen. ...Gelehrte und Ungelehrte, Handelsleute, Handwerker, Oekonomen, Militairpersonen, Alte und Junge, männliches und weibliches Geschlecht sucht einen Theil der Zeit mit Lesen auszufüllen...«[11]

Entsprechend diesem Leserspektrum entwickelte sich ein zielgruppenorientiertes Angebot. Der Markt entdeckte beispielsweise Frauen und Kinder als neue Konsumenten. Frauen, die früher häufig heimlich lesen mußten, da sich Lesen für sie »nicht schickte«, wurden nun in gehobenen Kreisen fast zum Lesen motiviert. Die Frau, deren soziale Rolle sich änderte, sollte – zwar noch nicht als Partnerin des Mannes, aber als Ansprechpartnerin – einen »literarischen Geschmack ausbilden« und in der Lage sein, eine »kluge Unterhaltung zu verstehen«. Entsprechend wurde ihr, die nur »gebildet«, aber keinesfalls »gelehrt« sein sollte, anempfohlen, sich bei der Auswahl der Lektüre an ihren Gatten zu halten.

Der Nutzen der Lektüre für die bürgerliche Erziehung der Kinder – ernsthaft befaßte man sich dabei vorwiegend mit der Erziehung der Jungen – wurde unterschiedlich eingeschätzt. Adolph Freiherr von Knigge sah darin die Beschleunigung gesellschaftlichen Fortschritts schlechthin, wenn er schrieb: »Unsere Jünglinge werden früher reif, früher klug, früher gelehrt. Durch fleißige Lectüre, besonders der reichhaltigen Journale ersetzen sie, was ihnen an Erfahrung und Fleiß mangeln könnte. Die macht sie so weise, über Dinge entscheiden zu können, wovon man ehemals glaubte, es würde vieljähriges, ämsiges Studium dazu erfordert.«[12] Die entstehende bürgerliche Gesellschaft forderte auch von Kindern und Jugendlichen neue Verhaltensweisen und Qualifikationen. Erhielten sie in der vorbürgerlichen Gesellschaft das Rüstzeug zur Lebensbewältigung durch Zusehen und Teilnehmen am Erwachsenenleben im Familienverband, so entwickelten sich nun zunehmend die neuen Sachbücher und moralischen Schriften zur Anschauungsgrundlage ihrer Bildung.

C. P.

1
Balthasar Haug, Das gelehrte Wirtemberg, Stuttgart 1790, S. 23.

2
Zitiert nach: Hartmut Schmidt, Der deutsche Buchhandel 1755 bis 1835, in: Jörn Göres (Hg.), Lesewuth, Raubdruck und Bücherluxus. Das Buch in der Goethezeit (Ausstellungskatalog), Düsseldorf 1977, S. 52.

3
Vgl. Rolf Engelsing, Analphabetentum und Lektüre, Stuttgart 1973, S. 56.

4
Ebd., S. 53.

5
Vgl. Heidemarie Vahl, Der Leser, in: Jörn Göres (Hg.), Lesewuth, Raubdruck und Bücherluxus, S. 299.

6
Otto Dann (Hg.), Lesegesellschaft und bürgerliche Emanzipation, München 1981, S. 14.

7
Rudolf Schenda, Volk ohne Buch, München 1977, S. 443.

8
Ebd., S. 457.

9
Reinhard Wittmann, Ein Verlag und seine Geschichte. J. B. Metzler'sche Verlagsbuchhandlung, Stuttgart 1982, S. 257.

10
Rolf Engelsing, Der Bürger als Leser. Lesergeschichte in Deutschland 1500–1800, Stuttgart 1974, S. 206.

11
Johann Georg Krünitz, Ökonomisch-technologische Enzyclopädie, Bd. 77, Berlin 1799, S. 280.

12
Zitiert nach: Rolf Engelsing, Der Bürger als Leser, S. 258.

# Der Lesestoff:
# Vom Almanach bis zur Zeitung

Zur zentralen Verlegerfigur im Südwesten Deutschlands entwickelte sich Johann Friedrich Cotta, der die familieneigene Verlags- und Buchhandlung von seinem Vater 1787 übernommen hatte. Er baute das Geschäft zu einem der führendsten Verlagsunternehmen Deutschlands aus und konnte schon ab 1790 Jahr für Jahr mit rund 30 neuen Titeln auf den Markt kommen. Neben den Klassikern Schiller und Goethe, mit denen er ein anspruchsvolles Literaturprogramm aufbaute, wies Cottas Angebot auch populäre Publikationsreihen auf: die verschiedensten Almanache und Kalender, Literatur für Frauen, Sachbücher für verschiedene Zielgruppen, verschiedene Journale wie etwa das »Polytechnische Journal«, Sprachbücher und Reisebeschreibungen. Zudem prägte er mit zwei Periodika – der »Allgemeinen Zeitung« und dem »Morgenblatt für gebildete Stände« – ganz wesentlich das Gesicht der modernen Zeitung in Deutschland.

Dabei hatte Cotta grundsätzlich Qualität als Wert höher gestellt als die Absatzzahlen: »Cottas Bücher standen... allemal niveaumäßig weit über den durchschnittlichen Erscheinungen... Cottas publizistisches Wollen war nicht auf primäre Massenwirkung, sondern auf Qualität der Leser gerichtet. Ihm war also die abstrakte, ideelle Wirksamkeit wichtiger als jene in der Abonnentenzahl ablesbare. Er war mehr moralischer als rein spekulativer Publizist.«[1]

Dies war zu einer Zeit, in der sich das kaufende Publikum stark an den gesellschaftlichen Lektüremoden orientierte, keine Selbstverständlichkeit. »Der lesende Theil des Volks – von eigentlichen Gelehrten ist hier nicht die Rede – schwimmt...fast nur auf der letzten und vorletzten Woge, welche sich von halbem Jahr zu halbem Jahr von Leipzig heranwälzen... So kommt es denn, daß der Deutsche mehr als irgendein anderes Volk in seiner bildenden Literatur der Mode, dem Zeitgeist frönt...«[2]

Im Trend der Zeit lagen im letzten Viertel des 18. Jahrhunderts vor allem Almanache und Kalender. Sie wurden in Auflagen bis zu 2000 Stück und mehr herausgegeben.[3] Das Geburtsjahr des deutschen Almanachs ist auf 1770 zu datieren, als in Göttingen bei Johann Christian Dieterich der »Musenalmanach« erschien. Die Idee des Almanachs, der einen Querschnitt von Themen von den neuesten Gedichten über Buchbesprechungen bis zu Ratschlägen für den Alltag in einem Band vereinigte, war von einschlagendem Erfolg. In den folgenden Jahren entwickelte sich eine regelrechte »Almanachkultur«, überall in Deutschland wurden sie Jahr für Jahr unter den unterschiedlichsten Titeln in Verlagen oder im Selbstverlag herausgegeben. Almanache dienten aber trotz ihrer zumeist ansprechenden Ausstattung mit Kupfern und Vignetten nicht nur dem »schöngeistigen Vergnügen«. Wenn sie sich auf eine thematische Ausrichtung beschränkten, wie etwa Cottas Almanache für Gartenfreunde oder Pferdeliebhaber, konnten sie zugleich auch nutzbringendes Nachschlagewerk und Ratgeber für interessierte Laien wie Berufstätige sein. In »Freiheits«- und »Revolutionsalmanachen«, die teilweise zum Forum erbitterter politischer Auseinandersetzung wurden, fanden auch politisch Interessierte ihren Lesestoff.

Mit seinem kleinen Format war der Almanach zugleich Vorläufer des Taschenbuchs, das für das neue Publikum gegenüber schwergewichtigen Folianten die populärere Handlichkeit und den niedrigeren Preis aufwies.

**1782**

### Musenalmanach für das Jahr 1799

Hg. Friedrich Schiller
Tübingen, bei Cotta

*Karton, Papier, Letterndruck*

Stuttgart, Württ. Landesbibliothek, HBF 5135 a

**1783**

### Stuttgarter Almanach zur angenehmen Unterhaltung auf das Jahr 1799

Franz Christian Löflund
Stuttgart, 1799

*Karton, Papier, Letterndruck, Kupferstich*

Stuttgart, Württ. Landesbibliothek, Misc. oct. 49–1799

**1784***

### Württembergischer Hof-Calender für das Jahr 1789

Stuttgart, Akademie-Druckerei

*Karton, Papier, Letterndruck, Kupferstich*

Stuttgart, Württ. Landesbibliothek, R 18 Hof 1b

**1785**

### Freiheitsgedichte – erstes Bändchen – Paris, auf Kosten der Republik

Mannheim, bei Ferdinand Kaufmann

*Karton, Letterndruck, Kupferstich*

Berlin, Staatsbibliothek Stiftung Preußischer Kulturbesitz, 1 a Yf 2554

*Ein Stuttgarter Bürger.*

1784

**1786**

### Taschenbuch auf das Jahr 1804

Hg. Wieland und Goethe
Tübingen, bei Cotta

*Karton, Papier, Letterndruck, Kupferstich*

Stuttgart, Württ. Landesbibliothek, 29/90061

1787

## Taschenbuch auf das Jahr 1798 für Pferdeliebhaber,

Reiter, Pferdezüchter, Pferdeärzte und Vorgesetzte großer Marställe

Hg. F. M. F. Freiherr Bouwinghausen von Wallmerode
Tübingen, bei Cotta

*Karton, Papier, Letterndruck, Kupferstich*

Stuttgart, Württ. Landesbibliothek, R 18 Bou 2, 1798

1788

## Taschenbuch auf das Jahr 1798 für Natur- und Gartenfreunde

Tübingen, bei Cotta

*Karton, Papier, Letterndruck, Kupferstich*

Marbach, Schiller-Nationalmuseum, Cotta-Archiv
(Stiftung der Stuttgarter Zeitung), Hb 2:830

1789

## Taschenbuch auf das Jahr 1806 für Natur- und Gartenfreunde

Tübingen, bei Cotta

*Karton, Papier, Letterndruck, Kupferstich*

Stuttgart, Württ. Landesbibliothek, R 18 Tas 2-1806

1790

## Kartenalmanach für 1807

Karten und Beiheft im Schuber

Tübingen, bei Cotta

*Karton, Papier, Letterndruck, Kupferstich*

Marbach, Schiller-Nationalmuseum, Cotta-Archiv
(Stiftung der Stuttgarter Zeitung), Hb 2:350

1791

## Kartenalmanach für 1808

Karten und Beiheft im Schuber

Tübingen, bei Cotta

*Karton, Papier, Letterndruck, Kupferstich*

Marbach, Schiller-Nationalmuseum, Cotta-Archiv
(Stiftung der Stuttgarter Zeitung), Hb 2:350

1792*

## Kartenalmanach für 1810

Tübingen, bei Cotta

*Karton, Papier, Letterndruck, Kupferstich*

Marbach, Schiller-Nationalmuseum, Cotta-Archiv
(Stiftung der Stuttgarter Zeitung), Hb 2:350

Der Almanach war eine der ersten Publikationsformen, die sich inhaltlich mit »Frauenthemen« – im damaligen Sinn – beschäftigten und sich im Titel direkt an Frauen als Leserinnen wandten. Cottas »Taschenbuch für Damen« erschien zum erstenmal 1798 und wurde gleich ein Erfolg. Nach zwei Neuauflagen betrug die Gesamtauflage 3000 Stück, in späteren Jahren – der Almanach erschien mit Unterbrechungen bis 1831 – erreichte er sogar Auflagenhöhen bis zu 6000 Exemplaren. Der Damenkalender wurde über Jahre hin nicht nur in Tübingen bei Cotta verlegt, sondern gleichzeitig in Paris von Fuchs und Levrault auf französisch angeboten.

1792

**1793**

### TASCHENBUCH AUF DAS JAHR 1802 FÜR DAMEN

Tübingen, bei Cotta

*Karton, Papier, Letterndruck, Kupferstich; Schuber beklebt mit Kalendermotiven*
*H. 15 cm, B. 11,2 cm*

Marbach, Schiller-Nationalmuseum, Deutsches Literaturarchiv

**1794\***

### ALMANACH DES DAMES POUR L'AN 1801 ET 1802

A Tubingue chez J. G. Cotta
Paris, bei Fuchs und Levrault

*Karton, Papier, Letterndruck, Kupferstich*

Stuttgart, Württ. Landesbibliothek, Z 90009-1801/1802

**1795**

### TASCHENBUCH FÜR FRAUENZIMMER VON BILDUNG AUF DAS JAHR 1799

Hg. Chr. Ludwig Neuffer
Stuttgart, Joh. Frid. Steinkopf, 1798

*Karton, Letterndruck, Kupferstich*

Stuttgart, Württ. Landesbibliothek, R. 18 Tas 4-1799

**1796**

### CORNELIA. — TASCHENBUCH FÜR DEUTSCHE FRAUEN AUF DAS JAHR 1817

Hg. Aloys Schreiber
Heidelberg bei Engelmann

*Karton, Papier, Letterndruck, Kupferstich*

Stuttgart, Württ. Landesbibliothek, D. D. oct. 1548–1817,2

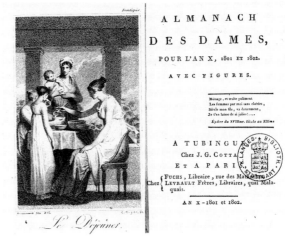

1794

Aufklärerischer Anspruch und Alltagshilfe war das Programm der Haus- und Landkalender. Jährliche Editionen wie der »Lahrer Hinkende Bote« oder der »Rheinische Hausfreund«, den ab 1807 Johann Peter Hebel verfaßte und herausgab, erreichten in ihren besten Zeiten eine Auflage von 50 000 Exemplaren.[4]

**1797**

### DER RHEINLÄNDISCHE HAUSFREUND ODER NEUER CALENDER AUF DAS SCHALTJAHR 1808

Hg. Johann Peter Hebel (1760–1824)
Karlsruhe, im Verlag des Großherzoglichen Lyceums

*Papier, Letterndruck*

Karlsruhe, Bad. Landesbibliothek, 02 A 73, 1808

Kinderbücher wurden in Auflagen bis zu 3000 Stück verlegt. Weit darüber lagen die Zahlen, die etwa Campes Bearbeitung des »Robinson Crusoe« erreichte. Ebenso darüber lag das Lesebuch »Der Kinderfreund« von Eberhard von Rochow, der in wenigen Jahren in über 100 000 Exemplaren verbreitet wurde.[5] Eine Zeitschrift mit dem gleichen Titel, die Christian Felix Weiße herausgab, fand wie auch andere Jugendzeitschriften große Verbreitung. Der pädagogische Grundgedanke der Aufklärung, unterhaltsam zu bilden und zu belehren, dominierte unverkennbar in den Erziehungsratgebern wie in der Gestaltung der neu entstehenden Kinder- und Jugendliteratur. Pädagogisches Schrifttum, das Methoden und Anschauungsmaterial für die Lese- oder moralische Erziehung der Kinder vermittelte, erschien vermehrt seit dem letzten Drittel des 18. Jahrhunderts. So erfreute sich beispielsweise Campes »Kleine Seelenlehre für Kinder«, zuerst 1770 erschienen, 1812 in siebter Auflage, großer Nachfrage.

1798

## EUROPAS LÄNDER UND VÖLKER
Ein lehrreiches Unterhaltungsbuch für die gebildete
Jugend

Felix Selchow
Stuttgart, bei Macklot, 1826

*Karton, Papier, Letterndruck, Kupferstich*

Stuttgart, Württ. Landesbibliothek, Geott. oct. 6592

1799*

## KLEINE SEELENLEHRE FÜR KINDER

Joachim Heinrich Campe (1746–1818)
Reutlingen, J. J. Mäcken, 1812

*Karton, Papier, Letterndruck, Kupferstich*

Stuttgart, Württ. Landesbibliothek, Paed. J. oct 903

1799

Sachbücher und Fachjournale erschienen für fast alle
Interessens- und Wissensgebiete: Ökonomie, Landbau,
Geschichte, Naturwissenschaft, Medizin, Recht und
Theologie. »Dingler's Polytechnisches Journal«, das ab
1820 bei Cotta erschien, wurde zur wichtigsten Informationsquelle über Neuheiten der technischen Entwicklung.
Cottas »Französische Sprachlehre« von 1802, zum Preis
von 1 Gulden und 12 Kreuzern, erhielt innerhalb von 7
Jahren 6 Neuauflagen, womit über 56 000 Exemplare in
Umlauf gebracht waren.

1800

## POLYTECHNISCHES JOURNAL
## BAND 1

Hg. Johann Gottfried Dingler
Stuttgart, bei Cotta, 1820

*Karton, Papier, Letterndruck*

Stuttgart, Württ. Landesbibliothek,
Gew. oct. 1273-1

1801

## FRANZÖSISCHE SPRACHLEHRE
## (GRAMMAIRE FRANCAISE)
in einer neuen und faßlichen Darstellung der auf die
einfachsten Grundsätze zurückgeführten Regeln

Abbe Mozin
Tübingen bei Cotta, 1809

*Karton, Papier, Letterndruck*

Stuttgart, Württ. Landesbibliothek, phil. oct. 5261

Zeitungen wurden ein populäres Medium mit einer Vielzahl von Titeln und hohen Auflagen. »In den Jahren nach
1789 wandten sich gut 200 deutsche Zeitungen mit einer
Gesamtauflage von – vorsichtig geschätzt – über 300 000
Exemplaren Woche für Woche an etwa drei Millionen
Leser.«[6] Das Lesen von Zeitungen bezeichnete der Verleger Bertuch 1792 als die »allgemeinste Lektüre«, die es je
gegeben habe, weil sie »vom Regenten und Minister an bis
herab zum Holzspalter auf der Straße und den Bauern in
der Dorfschenke« alle anspreche.[7]
In Württemberg erschienen um diese Zeit drei neue Zeitungen, die noch jahrzehntelang als führende Blätter
bestanden. Seit 1785 gab Gottfried Elben in Stuttgart den
»Schwäbischen Merkur« heraus, der von da an 156 Jahre
lang württembergische Geschichte schrieb. Cotta gab ab
1798 – zuerst unter dem Namen »Neueste Weltkunde« –
mit der »Allgemeinen Zeitung« eine der wichtigsten politischen Zeitungen auch der nächsten Jahrzehnte heraus, die
sogar bis 1924 überlebte. Zu Beginn seines Erscheinens

stellte das Blatt die Maximen seiner Berichterstattung auf und formulierte damit bereits moderne verlegerische Leitideale im Sinne der aktuellen, umfassenden und unparteilichen Informationspflicht.

Was die »Neue Weltkunde« ihren Lesern versprach, waren: »1. Wahre Facta«, »2. Historischwichtige Facta« und »3. Alle historischwichtige Facta, in allen Ländern und Erdteilen, in so weit sie durch Correspondenzen oder gedruckte Nachrichten zu unserer Kenntnis gelangen.«[9] In einer Vorankündigung vom 31. Oktober 1797 hieß es, die Allgemeine Zeitung wolle ein »politisches Tagblatt« werden, das »... wie ein treuer Spiegel die wahre und ganze Gestalt unserer Zeit zurückstrahlen« solle, »so vollständig, als ob es ganz auf das Bedürfnis einer Welt voll Gärungsstoff berechnet wäre, so edel in Sprache und so unparteiisch in Darstellung, als ob es auf die Nachwelt fortdauern sollte«.[10]

Wegen Schwierigkeiten mit den württembergischen Zensurbehörden verlegte Cotta die Zeitung 1803 nach Ulm, wo sie bis 1810 ohne weitere Anfechtung erscheinen konnte. Als die Reichsstadt Ulm 1810 württembergisch wurde, wechselte Cotta den Erscheinungsort der Zeitung erneut, diesmal zog er ins bayerische Ausland, nach Augsburg.

Die Kulturzeitung, »Das Morgenblatt für Gebildete Stände«, das bewußt ohne politische Zielsetzung geplant war, gab Cotta ab 1807 heraus. In einer Anzeige der Allgemeinen Zeitung wurde am 24. Dezember 1806 ihr Erscheinen wie folgt angekündigt: »Der Zweck dieses Tagblattes ist: eine Anstalt zu begründen, die mit Ausnahme jedes politischen Gegenstandes Alles umfassen soll, was dem gebildeten Menschen interessant seyn kann, und die also keine andere Tendenz haben wird, als diejenigen Kenntnisse zu verbreiten, welche zur geistigen und sittlichen Kultur nothwendig sind, und auf dem Wege der Unterhaltung die angenehmste Belehrung gewähren ... Sie wird den Stempel keiner Partei tragen, und – unbekümmert um den literarischen Anhang des Einzelnen, und noch mehr um seine Persönlichkeit – Wahrheit, Besonnenheit und Humanität sich zum Grundsatze machen«. Die Neuigkeiten aus Kunst, Literatur, Musik, die neuesten gesellschaftlichen Moden, neueste Reiseziele und kulturelle Begebenheiten im Ausland – all das berichtete das Morgenblatt von 1807 bis 1851, täglich außer sonntags. Schnell hatte das Blatt eine beherrschende Position erlangt und bildete *die* kulturkritische Instanz in Württemberg.

Im Gegensatz zu Zeitungen »für gebildete Stände« erschienen verschiedene Unterhaltungsblätter »für alle Stände«, wie etwa die »Badische Wochenschrift«. Sie bot einen bunten Querschnitt, der von Gedichten über topographische Nachrichten bis zu praktischen Ratschlägen und ökonomischen Fragen reichte. C.P.

1
Ulrich Riedel, Der Verleger Johann Friedrich Cotta. Ein Beitrag zur Kultursoziologie seiner Zeit und zur Verlagssoziologie, Diss. Heidelberg 1951, S. 277.

2
Heinrich Rump, Einige Gedanken über eine auf Nationalbildung berechnete Büchersammlung für die deutsche, besonders norddeutsche Stadt, Bremen 1817, S. 85, zitiert nach: Rolf Engelsing, Der Bürger als Leser, S. 254.

3
Rolf Engelsing, Analphabetentum und Lektüre, a.a.O., S. 57.

4
Ebd., S. 59.

5
Ebenda.

6
Martin Welke, Zeitungslesen in Deutschland, in: Otto Dann (Hg.), Lesegesellschaft und bürgerliche Emanzipation, S. 30.

7
Zitiert nach: Martin Welke, Zeitungslesen in Deutschland, S. 42.

8
Neueste Weltkunde, 2. Januar 1798.

9
Zitiert nach: Herbert Schiller, Johann Friedrich Cotta, in: Schwäbische Lebensbilder, Band III, Stuttgart 1942, S. 88.

1802

## Schwäbischer Merkur

(Reproduktion)

Hg. M. Christian Gottfried Elben
Stuttgart

*Papier, Letterndruck*

Stuttgart, Württ. Landesbibliothek, W. G. qt. 378

1803

## Allgemeine Zeitung

(Reproduktion)

Tübingen, bei Cotta

*Papier, Letterndruck*

Stuttgart, Württ. Landesbibliothek,
Allg. gesch. qt. 401–1798,2

1804

## Morgenblatt für gebildete Stände

(Reproduktion)

Tübingen, bei Cotta

*Papier, Letterndruck*

Stuttgart, Württ. Landesbibliothek, Misc. qt. 396

1805

**Badische Wochenschrift zur Belehrung und Unterhaltung für alle Stände vom**

(Reproduktion)

Hg. Aloys Schreiber
Heidelberg, bei Mohr und Zimmer

*Papier, Letterndruck*

Stuttgart, Württ. Landesbibliothek, Misc. qt. 486

# Bücher aus der Krämerkiste

Ganz andere Lesestoffe wurden von den Eninger Kolporteuren mit ihren Bücherkisten verkauft. Sie zogen über Land mit Nachdrucken im Gepäck, die sie fast ausschließlich von den Reutlinger Druckern Fleischhauer, Mäcken, Fischer und Lorenz kauften. Diese geschäftstüchtigen Drucker hatten erkannt, daß es nicht nur in gehobenen Kreisen und unter der städtischen Bevölkerung eine ständig wachsende Nachfrage nach Lesestoffen gab. Einerseits war ein allgemein gewachsenes Informationsbedürfnis, angeregt durch die Ereignisse der Französischen Revolution vorhanden, andererseits suchten sich auch die »unteren Stände« und die Landleute mit billigen Lesestoffen zu unterhalten.

In den Holztruhen der Eninger Krämer, die mit Riemen über dem Rücken getragen wurden, verbarg sich jede Menge »volkstümliche« Literatur: Gebetbücher, das Brastberg'sche Predigtbuch, die »Seelen-Apotheke«, Landkarten, Kochbücher. Neben diesen belehrenden Schriften hatten die Krämer auch Bilderbögen mit Schlachtendarstellungen und Landschaftsmotiven sowie Lieder- und Volksbücher mit dabei, die sie in den deutschen Staaten ambulant vertrieben. Romantitel, die durch diesen Vertrieb weite Verbreitung fanden, sind etwa »Die schöne Magelone«, »Siegfried« oder Campes »Robinson«.

Wurden solche Bücher in Städten auf dem Jahrmarkt angeboten, erreichten sie allerdings auch ein ganz anderes Publikum. Die Lebenserinnerungen von Karl Varnhagen von Ense und Justinus Kerner geben Zeugnis von der Faszination dieser Titel etwa bei feinen Bürgersöhnen. So schrieb Kerner, der seine Lese-Biographie mit dem »Robinson« begonnen hatte: »Das Vergnügen, das mir damals das erste Lesen dieses Buches machte, hat bis auf den heutigen Tag das Lesen eines anderen Buches noch nicht überstiegen. Neben diesem Buche standen »Tausend und eine Nacht«, »Musäus«, »Volksmärchen« und all die alten Volksbücher, »Haimonskinder«, »Magelone«, »Siegfried« usw., die die Reutlinger Buchhändler auf den Jahrmarkt in das Städtchen sandten.«[1]

Dieser Nebenbuchhandel, der seit dem Ende des 18. Jahrhunderts mit Nachdrucken betrieben wurde, erweckte erhebliches Mißtrauen bei der Obrigkeit. Der Zeitgenosse Karl Julius Weber bemerkte, als er auf seiner Reise durch Württemberg nach Eningen in der Nähe von Reutlingen kam: »Eningen, das größte Dorf Württembergs, das 4600 Seelen zählt, meist herumziehende Krämer, genannt Spitzenkrämer. Diese Leute handeln auch mit Reutlinger Volksbüchern, die wohl mitunter der Aufmerksamkeit der Polizei zu empfehlen wären!«[2] Weniger die Tatsache des Nachdrucks, der zu dieser Zeit allgemein üblich war, erregte Besorgnis, sondern die unkontrollierte Verbreitung von Schrifttum, dessen Inhalt staatlicherseits nicht überprüfbar war. Zudem brachten diese fliegenden Buchhändler, auch Schriften aus dem Ausland mit nach Württemberg. Vermutlich auch aus Furcht vor Agitationsmaterial reglementierte daher das Ober-Zensur-Collegium den

Handel der Landkrämer und Hausierer in einem Dekret vom 21./26. Mai 1812[3] in strenger Form.

Die Wirkung blieb jedoch begrenzt, denn die Krämer waren in ländlichen Gebieten nicht nur Lieferanten von Waren, sondern auch die erste Nachrichtenquelle. So tauchten nach wie vor in den Krämerkisten auch Flugblätter auf. 1814 etwa fand sich darunter auch ein Blatt mit dem Titel »Napoleons Licht- und Schattenseite«.[4]

Nicht nur aus politischen Gründen indessen waren die Reutlinger Volksbücher verdächtig. Pädagogen, Kultur- und Sittenwächter, die gegen jede Art von Unterhaltungsliteratur Bedenken hatten, fürchteten diese »geschmacklose« Lektüre wegen ihrer »verderblichen« Einflüsse. Johann Gottfried Pahl vermerkte zwar in seinen »Denkwürdigkeiten des eigenen Lebens« den geringen Preis der Lektüre, der die Schriften einem breiten Publikum zugänglich machte, bemängelte aber ihren Inhalt: »Aber diese Producte, statt dem Unterrichte und der Bildung des Volkes förderlich zu sein, waren im Gegentheile die Niederlagen und die Werkzeuge des rohesten Aberglaubens, der Dummheit und des Betrugs, indem sie ihren Lesern schauerliche Mord- und Hinrichtungsgeschichten, Erzählungen von Gespenstererscheinungen, gräßlichen Naturbegebenheiten, Wundern und Himmelszeichen,... Anpreisungen von unfehlbaren Arzneimitteln,... Gebete und Lieder voll gotteslästerlichen Unsinns, – und dies alles in einer rohen, gemeinen Sprache, selbst mit Vernachläßigung der ersten Regeln der Orthographie, zum Besten gaben. Ich hielt es für möglich, daß diese verderbliche Art von Buchhandel zu Grunde gerichtet, und auf dem durch ihn gebahnten Wege, statt des bisher auf ihm ausgestreuten Giftes, viel gesunde und fruchtbare Geistesnahrung unter dem Volke ausgespendet werden könnte.«[5]    C.P.

1
Justinus Kerner, Das Bilderbuch aus meiner Knabenzeit, Berlin 1914, S.112.

2
Karl Julius Weber, Deutschland, oder Briefe eines in Deutschland reisenden Deutschen, Stuttgart 1834, S.240.

3
Dekret betr. den Handel der Landkrämer und Hausierer mit Druckschriften, vom 21./26. Mai 1812, in: August Ludwig Reyscher, Vollständige, historisch und kritisch bearbeitete Sammlung der württembergischen Gesetze, Stuttgart/Tübingen 1828–1850, Bd. 15/1, S.594f.

4
Vgl. Rudolf Schenda, Die Lesestoffe der kleinen Leute, München 1976, S.20.

5
Johann Gottfried Pahl, Denkwürdigkeiten aus meinem Leben, und aus meiner Zeit, Tübingen 1840, S.94.

## 1806

### HÄNDLERKRÄTZE

Eningen, um 1800

*Holz mit Eisen; Trageriemen aus Leder*
*H. 95 cm, B. 48 cm, T. 30 cm*

Eningen, Bürgermeisteramt

## 1807

### ROBINSON DER JÜNGERE

Ein Lesebuch für Kinder
Reutlingen, Fleischhauer & Spohn 1813

*Papier, Letterndruck*

Stuttgart, Württ. Landesbibliothek, A 1/2864

## 1808

### DIE ENTDECKUNG VON AMERIKA. EIN UNTERHALTUNGSBUCH FÜR KINDER UND JUNGE LEUTE

Joachim Heinrich Campe (1746–1818)
Reutlingen, bei Mäcken, 1815

*Karton, Papier, Letterndruck*

Stuttgart, Württ. Landesbibliothek, Paed. J. oct. 852

## 1809

### FORTUNATUS MIT SEINEM SECKEL UND WÜNSCHHÜTLEIN IN EINER ÜBERAUS LUSTIGEN LEBENSBESCHREIBUNG VORGESTELLT

Reutlingen, Justus Fleischhauer

*Papier, Letterndruck*

Stuttgart, Württ. Landesbibliothek, D. D. oct. KAPS. 3297

## Die Welt im Bild

Die Vedute – die genaue bildliche Wiedergabe einer Landschaft – in Zeichnung, Stich oder Radierung, erreichte in Deutschland um 1800 einen Höhepunkt künstlerischer Perfektion wie auflagenstarker Absatzzahlen. Sie entwickelte sich zu einem wichtigen bürgerlichen Bildmedium, das zu dieser Zeit Graphikmappen füllte und Zimmerwände zierte.

Die Motive entstammten der nahen wie der fernen Welt. Die Welt mit ihren bekannten und unbekannten Gegenden im Bild einzufangen war eine Form ihrer Erkundung und Eroberung. Wer in fremde Gegenden reiste, kam selten ohne Skizzenbuch und gekaufte Ansichten, ohne solche frühen »Souvenirs« etwa aus der Schweiz oder Italien, zurück. Die Daheimgebliebenen wiederum suchten die unerfüllte Reiselust mit Lektüre und Bildern aus der Ferne zu stillen.

Die durch die Aufklärung angeregte Suche, den »Horizont« zu »erweitern«, vermittelte sich in den Ansichten ganz handgreiflich. Der weite Blick in luftige Ferne von erhöhten Standpunkten aus wird auch zum Muster für die Abbildung der Nahwelt. Johannes Hans' Nordansicht von Ulm, 1810, gibt auf mehr als der Hälfte seines Blattes dem Himmel Raum und läßt am Horizont die Alpen aufragen. Für den lokal begrenzten Gesichtskreis damaliger Lebenswelten hatte auch die bildliche Aneignung der näheren Umgebung ihre Bedeutung: der neue Blick auf das Bekannte, oder die Entdeckung des Unbekannten nebenan. Mag sein, daß auch die territoriale Vergrößerung Württembergs durch Säkularisierung und Mediatisierung eine Nachfrage nach bildlicher (Selbst-)Darstellung des neuen Königreichs ausgelöst hatte.[1]

Mit der Erfindung des Panoramas 1787 durch den Iren Robert Barker schließlich wurde das »Gemälde ohne Grenzen« geboren. In idealtypischen Ansichten, die einen 360 Grad umfassenden Rundblick aufs Papier bannten, wurden Landschaften allseitig erfahrbar. Diese »Totalansicht« setzte sich auch in Deutschland schnell durch und wurde im zusammenfaltbaren Taschenformat zum unerläßlichen Reisebegleiter. 1804 fertigte Carl Urban Keller ein »Panorama von Stuttgart mit seiner nahen Gegend«, das zum Preis von 2 Gulden und 24 Kreuzern bei Löflund in Stuttgart angeboten wurde. Außer dem panoramatischen Rundumblick hielt Keller die einzelnen Blicksegmente in Einzeldarstellungen fest. Diese Motive des Stuttgartpanoramas erfreuten sich großer Beliebtheit und wurden wiederholt auf Steinguttellern abgebildet.[2]

## Die Anfänge der Lithographie in Württemberg

Mit der Erfindung der Lithographie, der Steindrucktechnik, durch Alois Senefelder 1796 in München wurde die erste Form des Flachdrucks entwickelt. Bislang waren nur Techniken des Hoch- und Tiefdrucks bekannt, die vom mechanischen Abdruckprinzip ausgingen. Die Lithographie beruhte auf chemischen Prozessen, auf der Eigenschaft des Steins, Wasser wie Fett sowohl aufzunehmen als auch abzustoßen. Nachdem Senefelder das chemische Prinzip der Lithographie entdeckt hatte, entwickelte er 1797 mit der Stangenpresse die erste Druckpresse für das neue Verfahren.

Exakte Zeichnung und feine Tonabstufungen machte diese Drucktechnik leistungsfähiger als den Kupferstich der Zeit. Ihr unbestrittener Vorteil aber gegenüber den bisherigen Verfahren lag darin, daß hohe Auflagen bis zu 40.000 Abzügen ohne Qualitätsverlust von ein und demselben Druckstock hergestellt werden konnten. Der Kupferstich ermöglichte bislang Auflagen um 1000 Exemplare. Die Lithographie bot damit das geeignete Verfahren, um der ständig steigenden Nachfrage nach seriell produzierten Bildern wie etwa Sammelblättern mit Landschafts- und Stadtansichten, Freundschaftbildchen und Buchillustrationen zu begegnen.

Während Senefelder in München 1799 das Privileg für den Steindruck erhielt und zusammen mit seinen Brüdern in den folgenden Jahren weiterentwickelte und -verbreitete, kam 1807 der Lithograph Karl Strohhofer aus München nach Stuttgart. Dieser hatte – laut Senefelder – »nur die Elemente der Lithographie bei seinem Bruder Karl erlernt.«[3] Strohhofer verkündete jedoch, in der Residenzstadt angekommen, er sei in der Lage, von einem Stein 20.000 bis 30.000 Abzüge zu erstellen, und erhielt daraufhin ein Privileg zur Betreibung der Steindruckerei in Stuttgart auf zehn Jahre. Der Kaufmann und Kunstliebhaber Heinrich Rapp und der Verleger Johann Friedrich Cotta eröffneten daraufhin am 26. Oktober 1807 gemeinsam eine lithographische Druckerei, in der Strohhofer angestellt wurde.

Rapp war fasziniert von den technischen Möglichkeiten der Lithographie und bemühte sich intensiv um die Weiterentwicklung der »Elementarkenntnisse«, die Strohhofer mitgebracht hatte. Einige der ersten Steindrucke Württembergs stammen aus seiner Hand. In Zusammenarbeit mit verschiedenen Künstlern aus Württemberg, wie etwa Ausfeld, Duttenhofer, J.F. Müller, brachte die Anstalt in kürzester Zeit ansehnliche Proben der neuen Technik hervor. Cottas »Morgenblatt für gebildete Stände« berichtete immer wieder über Fortschritte der Anstalt und veröffentlichte erste Proben. Zum ersten Mal berichtet das Morgenblatt am 15. Oktober 1807 über die Lithographie: »Diese höchstwichtige Kunst, welche bis jetzt noch von denen, die sie besitzen, als Geheimnis behandelt wird, ist schon zu einem ziemlich hohen Grade gebracht.«

Im Dezember 1807 wurde den Lesern des Morgenblatts die »Privilegierte Stuttgarter Steindruckerey« vorgestellt und eine Probe mit folgenden Worten angekündigt: »Was diese Manier zu leisten im Stande ist, davon werden wir in den nächsten Blättern eine sehr entsprechende Probe mittheilen. Es ist ein Blatt worauf die feinsten Züge und Schriften enthalten sind, und wovon wir versichern können, daß zwischen einem Abdrucke aus dem zwanzigsten Hundert und dem ersten nicht der mindeste sichtbare Unterschied zu entdecken ist. Welche Kupferplatte hätte das geleistet?«[4] Den vielleicht überzeugendsten frühen Druck bildete 1808 die Wiedergabe des Textes und der Noten von Schillers »Reiterlied« aus dem Wallenstein, dessen Titelblatt mit einer Zeichnung von Johann Baptist Seele versehen war.

1810 faßte Rapp seine Erfahrungen und Entdeckungen in einem Lehrbuch zusammen. »Das Geheimnis des Steindrucks in seinem ganzen Umfange, practisch und ohne Rückhalt nach eigenen Erfahrungen beschrieben von einem Liebhaber« erschien acht Jahre vor Senefelders »Lehrbuch der Lithographie«. Der Erfinder kam nicht umhin zu bekennen, »daß keiner von allen sich rühmen kann, nur so wie Herr Rapp in Stuttgart, der würdige Verfasser des Geheimnisses des Steindrucks, in das innere Wesen der Steindruckerei eingedrungen zu sein und den wahren Gesichtspunkt gefaßt zu haben.«[5] Die Lithographische Anstalt wurde 1810 von Karl Ebner übernommen, der damit bis 1817 die einzige Steindruckerei in Stuttgart betrieb. Erst 1818, als auch eine Königlich Lithographische Anstalt zur beruflichen Schulung für Lithographen eingerichtet wurde, entstanden weitere Werkstätten.

1813 übernahm Karl Ebners Bruder Georg die väterliche »Ebner'sche Kunsthandlung« und betrieb später neben der Radier- und Kupferstichanstalt ebenfalls eine lithographische Werkstatt. Das »Bodenseealbum« von Eberhard Emminger, das bei Georg Ebner 1825 erstmals aufgelegt wurde, zeugte bereits von der kommerziellen Nutzung der Lithographie. In zwölf Zeichnungen hatte der junge Künstler Städte, Landschaften und Besonderheiten des Bodensees, wie etwa die dort erst seit kurzem kreuzenden Bodenseedampfer, festgehalten. Die Blätter wurden in hohen Auflagen gedruckt und wegen großer Nachfrage neu aufgelegt. Die Produktion wurde bis zur völligen Abnützung der Steine fortgesetzt.[6]

Um 1820 existierten Steindruckereien bereits in vielen Städten Württembergs, etwa in Ulm, Tübingen und Reutlingen. Auch in Baden verbreitete sich die Technik rasch, in Karlsruhe bestanden um diese Zeit etwa die Müller'sche und die Wagner'sche lithographische Anstalt.                C. P.

1
Vgl. Rudolf Henning in einer Nachbemerkung zu den »Kleinen Ebner'schen Radierungen«, in: Karl Julius Weber, Reise durch das Königreich Württemberg, Stuttgart 1978, S. 263.

2
Vgl. Max Schefold, Alte Ansichten aus Württemberg, Bd. 1, Stuttgart 1956, S. 72.

3
Conrad Lamparter, Geschichte der Lithographie in Württemberg, in: Württembergische Jahrbücher für Statistik und Landeskunde Jahrgang 1898, Stuttgart 1899, S. 55.

4
Morgenblatt für gebildete Stände, 11. Dezember 1807.

5
Conrad Lamparter, Geschichte der Lithographie in Württemberg, S. 59.

6
Vgl. Rudolf Henning/Gerd Maier, Eberhard Emminger, Stuttgart 1986, S. 14.

1810*

## LANDSCHAFT IN KLASSIZISTISCHEM STIL

Einer der ersten Steindrucke aus der Stuttgarter Lithographischen Anstalt

Heinrich Gottlob Rapp (1761–1832)
1807

*Lithographie*
*H. 19 cm, B. 23 cm*
*Bez.: Stein-Druck/HR f. 1807*

Stuttgart, Archiv der Stadt, B 3246 (2. 9. 62)

1811    *nicht ausgestellt*

## SCHILLERS REITERLIED AUS DEM WALLENSTEIN

Johann Bapstist Seele
1808

*Lithographie*
*H. 22 cm, B. 26 cm*

Marbach, Schiller-National-Museum, Inv.-Nr. 51.799

1812

## DAS GEHEIMNIS DES STEINDRUCKS IN SEINEM GANZEN UMFANGE

Heinrich Gottlob Rapp (1761–1832)
Tübingen, bei Cotta, 1810

*Papier, Letterndruck*
*H. 25,5 cm, B. 42,5 cm*

Stuttgart, Württ. Landesbibliothek, Ra 19 Rap 1

1810

1813*

## LITHOGRAPHISCHE WERKSTATT

P. Wagner
Karlsruhe, um 1820

*Lithographie*
*H. 18 cm, B. 21,5 cm*
*Bez.:* Lithographie von P. Wagner in Karlsruhe

Offenbach, Stadtmuseum

1814*

## ANDENKENBILDCHEN

Stuttgart, bei Ebner

*Kolorierte Lithographie*
*B. 18,5 cm, H. 11,5 cm*
*Bez.:* Zum Andenken/Ebner fec.
Stuttgart, Archiv der Stadt, 1972/2, 3, 4

1814

1813

1815

## Wolfegg

Eberhard Emminger (1808–1885)
Stuttgart, 1825

*Lithographie*
*H. 25,9 cm, B. 31,5 cm*
*Bez.:* gezeichnet & lithogr. von E. Emminger, Stuttgart
Verlag der G. Ebnerschen Kunsthandlung
*u. M. Prägestempel:* Ebner

Stuttgart, Württ. Landesbibliothek, Graph. Sammlung

1816

## Schloss Friedrichshafen

Eberhard Emminger (1808–1885)
Stuttgart, 1825

*Lithographie*
*H. 22 cm, B. 27,5 cm*
*Bez. u. M. Prägestempel:* Ebner
*u. l.:* gezeichnet und lithographiert von E. Emminger

Stuttgart, Württ. Landesbibliothek, Graph. Sammlung

1817

## Waldburg

Eberhard Emminger (1808–1885)
Stuttgart, 1825

*Lithographie*
*H. 23 cm, B. 30,5 cm*
*Bez. u. l.:* gezeichnet & lithogr. von E. Emminger
Stuttgart Verlag der G. Ebnerschen Kunsthandlung

Stuttgart, Württ. Landesbibliothek, Graph. Sammlung

# Guckkästen – die ersten Fernseher

Nicht nur die gedanklichen Illusionen, wie die Literatur sie produzierte, sondern auch »optische Illusionen« gehörten zu den Moden der Zeit. Guckkasten und Laterna Magica, in ihren Grundprinzipien bereits im 17. Jahrhundert entdeckt, fanden eine wesentliche Weiterentwicklung wie Popularisierung gegen Ende des 18. und zu Beginn des 19. Jahrhunderts. In einer Zeit, noch ohne Fotografie und bewegte Bildmedien, bildeten die herumziehenden Guckkastenmänner, die sich mit ihrem »Zauberkasten« auf Jahrmärkten niederließen, eine große Attraktion. Der Blick durch die Linse auf geschickt von innen und außen beleuchtete kolorierte Kupferstiche, auf die »Guckkastenbilder«, offenbarte eine unbekannte Welt. Fürstliche Gärten, großstädtische Prachtstraßen, seltene Bauwerke wie die Pyramiden entfalteten sich durch diese Optik zu dreidimensionalen Räumen, in denen man mit dem Auge spazierengehen konnte.

Ferne Länder, aber auch sensationelle Ereignisse wie der Aufstieg der Montgolfiere 1783 in Paris oder die Schlacht von Jena 1806 wurden auf Guckkastenblättern festgehalten und als Bildnachricht auf dem Rücken der Guckkastenträger über das Land gesandt. Als ambulantes Bildungsinstitut vermittelte der Guckkasten nicht nur Unterhaltung, sondern auch Wissen. Wie nachdrücklich dies wirken konnte, spiegeln die Kindheitserlebnisse des Schriftstellers Theodor Fontane (1819–1898) wider, der nicht bedauerte, seine »früheste zeitgeschichtliche Belehrung aus einem Guckkasten erhalten zu haben«: »Bis zu meinem zehnten Jahre freilich blieb mir ... Lektüre ... vorenthalten, was denn zur Folge hatte, daß mir die geschichtlichen Ereignisse der zwanziger Jahre: Die Freiheitskämpfe der Griechen, samt dem sich anschließenden Russisch-Türkischen Kriege, lediglich durch eine Jahrmarktschaubude zur Kenntnis kamen. All diese augenblendenden, immer wieder in Gelb und Rot ... auftretenden Guckkastenbilder taten aber, trotz aller ihrer Gröblichkeit und Trivialität, oder vielleicht auch um dieser willen, ihre volle Schuldigkeit an mir und prägten sich mir derart ein, daß ich über die Personen, Schlachten und Heldentaten jener Epoche besser als die Mehrzahl meiner Mitlebenden unterrichtet zu sein glaubte.«[1]

Um die Jahrhundertwende fanden die Guckkästen ihre Entsprechung im kleinen Format, als Spielzeug für Erwachsene und Kinder. Im Angebot des Nürnberger Großhändlers für Spielzeug, Hieronymus Bestelmeier, das erstmals 1793 in einem Katalog zusammengefaßt wurde, tauchten gleich mehrere »optische Kästchen für Kinder« mit verschiedenen »Prospekten« etwa zum Preis von 1 Gulden und 15 Kreuzern auf. Diese Geräte waren mit einem Spiegel und einer schwachen Sammellinse ausgestattet. Beim Blick durch die Linse wurde das Bild über den Spiegel mit einer gewissen Tiefenwirkung wahrgenommen.

Der »größte Guckkasten« wurde das um 1800 neu entstandene Lichtmedium, das Panorama genannt. Tempelartige Rundgebäude, wie sie etwa im 19. Jahrhundert in England, Frankreich und Berlin entstanden, wurden mit 360 Grad-Totalansichten in Bildräume verwandelt. Die Zuschauer betrachteten das über die gesamte Innenfläche der Wand projizierte Bild von einer Plattform aus und standen sozusagen mitten im Bild. Auch solche »optische Panoramen«, die spektakulärer waren als Guckkastenillusionen, wurden vom Schaustellergewerbe, zum Teil mit verblüffender Wirkung, in nur provisorischen Räumen nachgeahmt.

1
Theodor Fontane, Meine Kinderjahre, Leipzig 1959, S. 127, zitiert nach: Heiner Vogel, Bilderbogen, Papiersoldat, Würfelspiel und Lebensrad, Würzburg 1981, S. 88.

*Ernst Hrabalek, Laterna Magica. Zauberwelt und Faszination des optischen Spielzeugs, München 1985. – Stephan Oettermann, Das Panorama. Die Geschichte eines Massenmediums, Frankfurt/M. 1980. – Wolfgang Schivelbusch, Lichtblicke. Zur Geschichte der künstlichen Helligkeit im 19. Jahrhundert, Frankfurt/M. 1986. – Friedrich von Zglinicki, Die Wiege der Traumfabrik, Berlin 1986.*

C.P.

1818

## GUCKKASTEN MIT TRAGEGURTEN

*Holz, Glas, Leder*
*H. 66 cm, B. 53 cm, T. 37 cm*

Stuttgart, Württembergisches Landesmuseum, Inv.-Nr. VK 1982/259 a

1819*

## SCHAUSTELLER MIT GUCKKASTEN UND SCHAULUSTIGEN

F. Bolt (1763–1836)
1798

*Aquarell*
*H. 15,6 cm, B. 21,6 cm*
*Bez. mit Neujahrswunsch:* Zum neuen Jahr Schau jedermann ein lehrreich Bild aus meinem Kasten, das Bild von unserem Leben an!

Nürnberg, Germanisches Nationalmuseum, Inv.-Nr. HZ 4751 Kapsel 576 a

1820*

## GUCKKASTENBILD

Ansicht des Dorfes Plieningen

Jos. Carmine
1800

*Kolorierter Kupferstich*
*H. 36 cm, B. 50 cm*
*Bez.:* Ansicht des Dorfes Plieningen im Rücken des
Schloßes Hohenheim
*Titel zusätzlich in italienisch und französisch*

Stuttgart, Stadtarchiv, B 7881 (1. 4. 17)

1820

1821

## GUCKKASTENBILD

Aufstieg von Charles und Robert
am 1. Dezember 1783 in den Tuilerien

*Kolorierte Radierung*
*H. 33 cm, B. 48 cm*

Lörrach, Museum am Burghof, Inv. Nr. BGK 34

1822

## GUCKKASTENBILD

Peking, Kaiserlicher Hof

*Kolorierte Radierung*
*H. 40 cm, B. 50 cm*

Lörrach, Museum am Burghof, Inv.-Nr. BGK 61

1819

1823

## GROSSE OPTISCHE ZIMMERREISE

Vermutl. Engelbrecht
Augsburg, 3. Viertel 18. Jahrhundert

*Papier, Karton, Glas, Verpackung: Spanholz
mit 36 kolorierten Prospekten aus je 6 Teilansichten
L. 62 cm, B. 22,5 cm, H. 15,5 cm*

Karlsruhe, Badisches Landesmuseum, Inv.-Nr. 79/398

1824

## KUNSTNACHRICHT ÜBER OPTISCHE PANORAMEN

Karlsruhe, 1817
Plakat

*H. 35 cm, B. 20 cm*

Karlsruhe, Stadtarchiv, geb. Verz. »Kulturelle Veranstalt.
Nr. 1« 8/StS g/Nr. 1

# Horizont in Bewegung

Nur wenige Jahre vor der Französischen Revolution von 1789 revolutionierte ein Ereignis in Annonay bei Lyon das europäische Weltbild. Am 5. Juni 1783 setzten dort die Brüder Montgolfier mit dem Aufstieg ihres Heißluft-Ballons den Auftakt zur Verwirklichung eines jahrtausendealten Menschheitstraumes, dem Traum vom Fliegen und der Eroberung des Luftraumes. War dieser erste Ballon noch unbemannt und blieb nur 10 Minuten in der Luft, so folgte schon am 21. November der erste Aufstieg zweier Menschen in einem Ballon. Der Physiker und Chemiker Jean-François Pilâtre de Rozier und der Infanteriemajor François d' Arlandes starteten in Paris zu diesem spektakulären Unternehmen, bei dem sie 5 Meilen – statt zu Fuß in 2 Stunden – in 25 Minuten zurücklegten und eine Höhe von 1000 Metern erreichten.

Die Resonanz auf diese Sensation war weltweit. Technische Varianten der Montgolfiere wurden entwickelt, etwa von Charles und Robert, die als Füllung für den Ballon Wasserstoff verwendeten. Die Ballonaufstiege in Frankreich häuften sich, wurden zum Massenspektakel. Die Faszination der Luftschifferei aber kannte keine Grenzen. Bald war überall in Europa das »Ballonfieber« ausgebrochen.

Die Möglichkeit des Fliegens, die Eroberung der Vertikalen, eröffnete den Menschen eine neue Perspektive auf die Welt und sich selbst. »Ein unendlicher Raum trennte uns vom Himmel, aber dank Montgolfier, den der Genius inspirierte, hat der Flügel Jupiters seine Macht verloren, und der schwache Sterbliche vermag sich den Göttern zu nähern«[1], lauteten Zeilen aus einer Kantate für die Brüder Montgolfier. Darin kam zum Ausdruck, welche hochfliegenden Utopien für die Ballonsüchtigen – Flieger wie Zuschauer – plötzlich in greifbare Nähe rückten. Der neue Blick von oben verhieß den Menschen die Möglichkeit, die Herrschaft über sich selbst und den Überblick über die Welt zu gewinnen.

Der Ballon wurde zur Metapher für grenzenlose Freiheit und anbrechende Moderne. So sah ihn auch die zeitgenössische Literatur. Der Dichter Jean Paul etwa setzte seine Satire »Des Luftschiffers Gianozzo Seebuch« aus der Schilderung von 14 imaginären Luftfahrten zusammen, die aus der Vogelperspektive beschrieben, was »unten« passierte. Mit seiner Betrachtung von oben skizzierte Jean Paul zugleich auch die Veränderung im bürgerlichen Weltbild um 1800, wenn er schrieb: »Auf der Fläche, die auf allen Seiten ins Unendliche hinausfloß, spielten alle verschiedenen Theater des Lebens mit aufgezogenen Vorhängen zugleich«[2]. – Der Vorhang zur Welt öffnete sich langsam und gab den Blick frei auf den unbegrenzten und unerforschten Raum sowie auf die Gleichzeitigkeit bisher getrennter Lebenswelten.

Der Aufstieg in den Luftraum war die spektakulärste, aber nicht die einzige Aufbruchsbewegung, die im Gefolge der Aufklärung die bürgerliche Raumerfahrung veränderte. Schon vor der Eroberung der Vertikalen prägte die Erfahrung und Überwindung des Horizonts neue Wahrnehmungs- und Verhaltensweisen. War dem mittelalterlichen Menschen die Erfahrung des Horizonts als »Seh-« oder »Augenende« noch fremd, so wurde sie für die Menschen der Aufklärung zur sensationellen Erfahrung. Zwar dürfte um die Mitte des 18. Jahrhunderts der Begriff des Horizonts in gebildeten Kreisen bekannt gewesen sein. Wie überwältigend die sinnliche Erfahrung des Horizonts aber noch gegen Ende des 18. Jahrhunderts gewesen sein mußte, läßt eine Beobachtung Goethes auf seiner Italienreise 1787 ahnen. Anläßlich einer Seereise von Neapel nach Palermo notierte er in sein Tagebuch: »Hat man sich nicht ringsum vom Meere umgeben gesehen, so hat man keinen Begriff von Welt und seinem Verhältnis zur Welt. Als Landschaftszeichner hat mir diese große simple Linie ganz neue Gedanken gegeben.«[3]

»Reisen erweitert den Horizont«, lautete auch das Motto, unter dem die Bürger zu ihrer »Bildungsreise« nach Italien, Griechenland oder die Schweiz aufbrachen. Die Kutsche wurde in den letzten Jahrzehnten des 18. Jahrhunderts zu einem ebenso wichtigen Ort der Aufklärung wie das Buch oder die Lesegesellschaft. Das emanzipatorische Programm des aufstrebenden Bürgertums bedurfte neben dem Wissen über die Welt auch der eigenen Anschauung der Welt. Die Lektüre war nur eine stationäre Reise, eine Reise im Kopf, auf der die Welt theoretisch begriffen und erobert wurde. Die Reise mit der Kutsche oder zu Fuß aber war reale Praxis, um Grenzen zu überwinden, Neuland zu betreten, eine neue Perspektive auf den eigenen gesellschaftlichen, politischen und räumlichen Standort zu finden.

Die Reiselust der gebildeten Bürger – zeitgenössische Kritiker sprachen von »Reiseepidemie« – suchte sich ihre eigenen Ziele. Um die Jahrhundertmitte orientierten sich die ersten aufbrechenden Bürger noch an den Zielländern der adligen Kavalierstour, die traditionellerweise über Frankreich nach Italien führte. Gegen Ende des 18. Jahrhunderts, als sich das Reisen immer deutlicher auch als neue bürgerliche Kulturtechnik verstand, existierte bereits ein Kanon der vorrangig zu bereisenden Länder oder Sehenswürdigkeiten, der von gesellschaftlichen Moden und Zeitströmungen geprägt und abhängig war.

Italien blieb auch weiterhin eines der ersten bürgerlichen Sehnsuchtsziele, das vor allem durch den Klassizismus in der zeitgenössischen Kunst seine Anziehungskraft ausübte. Aus dem gleichen Grund wurde auch Griechenland immer häufiger bereist. Die Länder der Antike wurden jedoch wie überdimensionale Freilichtmuseen erkundet. Baudenkmäler, antike Stätten und Ruinen wurden regelrecht studiert, die Existenz speziell eines zeitgenössischen Griechenlands aber wurde regelrecht negiert. Naturbegeisterung und schwärmerische Landschaftsbeschreibungen wie Rousseaus alpiner Kultroman »Nouvelle Héloïse« (1760) und Horace-Bénédict Saussures Bericht einer Alpenreise (1779) vermittelten die Schönheiten, die auf hohen Berggipfeln und zwischen Gletschern entdeckt werden konnten. Die zuvor gemiedene Unwirtlichkeit der Schweizer Alpen eroberte sich daraufhin in den siebziger und achtziger Jahren einen der ersten Plätze im Kanon der Reiseziele, den sie bis weit ins 19. Jahrhundert

hinein beibehielt. Mit dem beginnenden Alpinismus wurde auch das Wandern »salonfähig«. Zu Fuß unterwegs sein, zuvor als Reisestil verpönt, da eine Verhaltensweise unterer Stände, speziell der Handwerksburschen, wurde von den Bürgern als besondere Form des »Zwiegesprächs mit der Natur« entdeckt.

Zur Zeit der Französischen Revolution, die ganz Europa bewegte, wurden Paris oder Straßburg zu attraktiven Zielen. Der Wunsch, ein politisch freieres Klima als in der Heimat zu spüren, und die Lust an der Sensation ließen manchen Bürger zum »Revolutionstouristen« werden.

Nach Straßburg kam auch, wer um diese Zeit eine Rheinreise unternahm. Neben den landschaftlichen Schönheiten galt vor allem eine Sehenswürdigkeit als touristische Pflichtübung: Das Straßburger Münster. Nicht nur wegen der sakralen Baukunst wurde es geschätzt und empfohlen, sondern wegen dem »panoramatischen Blick«, der sich dem Betrachter vom Turm des Münsters aus bot. »Wegen bereits im Mittelalter steckengebliebener Bauarbeiten war der rechte Turm des Münsters nie wie sein Zwillingsbruder mit einer Spitze überbaut worden, und die so entstandene Plattform entwickelte sich am Ende des 18. Jahrhunderts zu einem vielbesuchten Lustort, an dem man, den weiten Blick in die Rheinebene und auf die Vogesen genießend, auch kleine Erfrischungen zu sich nehmen konnte.«[4] So »touristisch« wie der Ort war auch das Verhalten der Fernsehsüchtigen. In der Zeit von 1780–1850 verewigten sich im weichen Sandstein der Plattformbrüstung Herder, Lavater, Klopstock, Voltaire, Goethe und andere berühmte oder weniger berühmte Reisende in frühen Graffiti-Orgien.

Wer am ökonomischen und technischen Fortschritt interessiert war, bereiste um die Jahrhundertwende und noch lange danach die englische Insel. Wie in der Schweiz die Gletscher, so bestaunten die frühen Touristen dort Dampfmaschinen, Brückenkonstruktionen, die Gartenarchitektur und die erste Lokomotive für den Personenverkehr, die 1809 am Londoner Euston Square vorgeführt wurde. Die Reize einer Englandreise verlockten dementsprechend vor allem Sensationslustige und Industriespione.

Entdeckungsfahrten, wissenschaftliche Expeditionen und Reisen in die exotische Fremde bildeten sicher die Ausnahmen der Reiseerfahrung. Ihr Echo war jedoch beträchtlich. Die in Reiseberichten vermittelten Erfahrungen mit fremden oder »wilden« Kulturen, wie sie etwa Georg Forster auf seiner Reise mit dem Weltumsegler James Cook in der Südsee 1772–1775 sammelte, riefen Interesse wie Begeisterung hervor. Forsters Beschreibung von Otaheiti – die heutige Pazifikinsel Tahiti – löste unter den aufgeklärten Bildungsbürgern eine langandauernde Paradiessehnsucht aus. Solche Expeditionen zu den »Schattenseiten der Welt«, wie sie auch Alexander von Humboldt zu Beginn des 19. Jahrhunderts unternahm, hatten nachhaltige Wirkung auf das bürgerliche Weltverständnis. Sie konfrontierten den auf die christlich-europäische Kultur zentrierten Horizont mit anderen Kulturen und Lebensweisen. »Man mußte erfahren, daß ›Wilde‹ nicht nur barbarische Heiden sind, ja daß fremde Erdteile Völker von hoher Kultur und humaner Gesinnung zu Bewohnern haben. Dort, wo sie noch in urtümlichen Zuständen leben, wird diese Stufe der Zivilisation sehr bald schon sehnsuchtsvoll verklärt.«[5] Aufgrund der Vorstellung vom »edlen Wilden«, der in einer gerecht geregelten Gesellschaft lebte, wurden Orte wie Otaheiti das Ziel von zivilisationskritischen Fluchtideen und Fluchtversuchen aus der Gesellschaft. Diese Reaktion zeigt augenfällig, wie direkt die durch Reisen oder Reiseliteratur er-fahrene Welt auf das bürgerliche Weltbild einwirken konnte. Der auf den eigenen Lebensraum begrenzte Horizont geriet in Bewegung: neues Sehen und Neues sehen blieben keine losgelösten sinnlichen Erlebnisse, sondern erhielten praktische Lebensbezüge.

Wie sehr Reisefaszination und Entdeckungsdrang damals bereits Lebensläufe prägen konnten, illustriert die sicherlich ungewöhnliche Reisebiographie des Carl Urban Keller aus Marbach. Keller, 1772 geboren, studierte ab 1793 als »Oppidaner« an der Stuttgarter Karlsschule Jura und hatte aus Neigung nebenher das Kunstfach belegt. Doch von seiner Berufsausbildung zum Advokat machte Keller nach dem Abschluß seines Studiums vermutlich weitaus weniger Gebrauch als von seiner nur beiläufig ausgebildeten Fähigkeit zu zeichnen und zu malen.

Carl Urban Keller unternahm ausgedehnte Reisen. In der Zeit von 1802 bis 1825 bereiste er mit kürzeren oder längeren Pausen Mittel- und Südeuropa und fixierte Blickpunkte – Sehenswürdigkeiten, landschaftliche Stimmungen und Architektur – mit Pinsel und Feder auf Papier. Seine Skizzenbücher, die er teilweise auch mit Bemerkungen über seine Reiseziele versah, sind Erfahrungskonserven, die der Nachwelt eine mobile Biographie erhalten haben. Vor unseren Augen blättert sich der Lebenslauf eines Reisesüchtigen auf, der in der bürgerlichen Aufbruchszeit um 1800 loszog, um Neues zu sehen, seinen Horizont zu erweitern und zu »erzeichnen«.

Das Bedürfnis, die Augen-Blicke festzuhalten, entsprang sicherlich seiner künstlerischen Neigung, vermutlich aber auch dem Bewußtsein, daß der eigene Blick in die Welt jeweils einzigartig, aber auch flüchtig sein muß. Obwohl die individuelle Anschauung das persönliche Weltbild prägt, »verlieren« sich die einzelnen Augenblicke im Gedächtnis. Mit seinen Skizzen schuf und dokumentierte Keller auf minutiöse Weise seinen wachsenden Horizont und überantwortete dem Papier die Aufgabe des »photographischen Gedächtnisses«.

Nähert man sich seiner Biographie nur über seine Skizzenbücher, ergibt sich aus dem Ausschnitt von nur 18 seiner Alben mit über 1500 Zeichnungen und Aquarellen folgendes Streiflicht auf Reise-Lebens-Stationen, die Keller im Alter zwischen 30 und 54 Jahren, in der Zeit von 1802 bis 1825, durchlebt hat.

1802–1803 Italien: u. a. Lugano, Venedig, Rom, Neapel.
1807–1808 Schweiz: Kantone Appenzell, Schwyz, Bern, Glarus.
1810–1811 Italien: Rom und Umgebung.
1813 Schweiz: u. a. Simplon, Splügen, Comer See.
1814 Baden-Baden.
1816 Schweiz: u. a. Leuker Bad, Thun, Luzern.
1817 Frankreich/Italien: Provence und italienische Riviera.
1818 Schweiz: Savoyen, Wallis.
1819 Frankreich: Pyrenäen.
1820 Schweiz/Österreich: Tirol, Veltin, Engadin, Graubünden.
1821 Schweiz: u. a. Lugano, Locarno, Bellinzona.
1822 Italien: Gardasee.
1823 Italien: Lucca und Umgebung.
1825 Italien: Comer See.

Zwischen diesen Auslandsreisen war Keller immer wieder auch in den verschiedensten Gegenden Württembergs unterwegs, wo er ebenfalls zahlreiche Skizzen und Studien anfertigte, die später teilweise in Stiche umgesetzt und zum Verkauf angeboten wurden.

1
Westfälisches Landesmuseum für Kunst und Kunstgeschichte/ Landschaftsverband Westfalen-Lippe (Hg.), Leichter als Luft. Zur Geschichte der Ballonfahrt (Ausst.-Kat.), Münster 1978, S. 30.

2
Ebd., S. 212.

3
Stephan Oettermann, Das Panorama. Geschichte eines Massenmediums, Frankfurt/M. 1980, S. 9.

4
Ebd., S. 11.

5
Ralph-Rainer Wuthenow, Die erfahrene Welt. Europäische Reiseliteratur im Zeitalter der Aufklärung, Frankfurt 1980, S. 17.

*Klaus Beyrer: Die Postkutschenreise, Tübingen 1985. – B. I. Krasnobaev/Gert Robel/Herbert Zeman (Hg.), Reisen und Reisebeschreibungen im 18. und 19. Jahrhundert als Quellen der Kulturbeziehungsforschung, Berlin 1980. – Kunsthistorisches Institut der Universität Tübingen (Hg.), Mit dem Auge des Touristen. Zur Geschichte des Reisebildes (Ausstellungskatalog), Tübingen 1981. – Max Schefold, Alte Ansichten aus Württemberg, Bd. 1, Stuttgart 1956.*

C.P.

Die Motive der Dia-Projektion sind folgenden Skizzenbüchern von Carl Urban Keller (1772–1844) entnommen:

1825

1825*

## LANDSCHAFTEN AUS DER SCHWEIZ

Carl Urban Keller
1708–1808

*83 Zeichnungen im Klebeband; Bleistift, Feder, Pinsel, z. T. aquarelliert*

Stuttgart, Staatsgalerie, Inv.-Nr. 5561

1826

## BADEN

Carl Urban Keller
1814

*60 Zeichnungen im Klebeband; Pinsel, Feder, aquarelliert*

Baden-Baden, Stadtgeschichtliche Sammlung

1827

## ANSICHTEN AUS DER SCHWEIZ

Carl Urban Keller
1816

*87 Zeichnungen im Klebeband, Feder, Pinsel, z. T. aquarelliert*

Stuttgart, Staatsgalerie, Inv.-Nr. 5563

1828

## ANSICHTEN AUS DER SCHWEIZ

Carl Urban Keller
1818

*63 Zeichnungen im Klebeband, Feder, Pinsel, Bleistift, z. T. aquarelliert*

Stuttgart, Staatsgalerie, Inv.-Nr. 5564

1829

## ANSICHTEN AUS TIROL UND DER SCHWEIZ

Carl Urban Keller
1820

*68 Zeichnungen im Klebeband, Feder, Pinsel, Bleistift, z. T. aquarelliert*

Stuttgart, Staatsgalerie, Inv.-Nr. 5565

1830

## ANSICHTEN AUS DER ITALIENISCHEN SCHWEIZ

Carl Urban Keller
1821

*55 Zeichnungen im Klebeband, Feder, Pinsel, z. T. aquarelliert*

Stuttgart, Staatsgalerie, Inv.-Nr. 5566

1831

## ANSICHTEN AUS OBERITALIEN

Carl Urban Keller
1822, 1825

*70 Zeichnungen im Klebeband Feder, Pinsel, Bleistift, z. T. aquarelliert*

Stuttgart, Staatsgalerie, Inv.-Nr. 5557

1832

## ANSICHTEN AUS DER UMGEBUNG VON LUCCA

Carl Urban Keller
1823

*48 Zeichnungen im Klebeband, Feder, Pinsel, Bleistift, z. T. aquarelliert*

Stuttgart, Staatsgalerie, Inv.-Nr. 5558

# Auf Wanderschaft

Entdeckten die Bürger kurz vor der Jahrhundertwende die Reise zu Fuß als neue Form der Fortbewegung und als Mittel, die Natur zu erkunden, so gehörte die Fußwanderung für Händler, Gewerbetreibende und Handwerkergesellen zum Berufsbild. Somit unterschieden sich natürlich auch Zweck und Ziele der Handwerkerreise von der Bildungsreise des Bürgers. Die zünftische Wanderpflicht der Gesellen, die für die Mehrzahl der Handwerksberufe bestand, sollte dem Erwerb grundlegender beruflicher Fertigkeiten, aber auch besonderer Fähigkeiten und Kenntnisse dienen. Für das Wandern existierten feste Regeln, Routen und Programme. Die ökonomische Attraktivität und der Ruf einzelner Gegenden für ihr besonders qualifiziertes Gewerbe bestimmten die Route der wandernden Gesellen entscheidend mit. Dabei wurden neben Traditionsstädten im Laufe des 19. Jahrhunderts auch neue »Innovationszentren« in den Kanon mit aufgenommen.

Das »Unterwegssein« der wandernden Handwerker wurde zu Beginn des 19. Jahrhunderts einer immer stärkeren Kontrolle unterworfen. Waren die Gesellen auch »Wanderprofis«, so unterscheiden sie sich in ihrer Form des Reisens auf den ersten Blick kaum von Bettlern und Heimatlosen und wurden aus der Sicht der Obrigkeit der Gruppe der Vaganten zugerechnet. Diese Bevölkerungsgruppe sollte systematisch in Passantenlisten erfaßt und durch die Einführung einheitlicher Paßformulare in Württemberg und Baden kontrollierbar werden. »Warnungspatente«, die öffentlich angeschlagen wurden, verkündeten unter anderem, daß Handwerksburschen sich mit ihrer »Kundschaft«, sozusagen ihrem Zuftausweis, oder mit ihrem »Wanderbuch« auf dem Polizeiamt zu melden hätten. Ab 1809 wurde das Wanderbuch, von der Heimatbehörde als Legitimation ausgestellt, zum obligatorischen Ausweis der Gesellen unterwegs. Darin mußten einzelne Stationen wie die Aufenthaltsdauer des Handwerksburschen an fremden Orten nachgewiesen werden. Wurde ein wandernder Geselle ohne sein Wanderbuch und ohne Tätigkeitsnachweis aufgegriffen, drohten Strafen.

Wie die Wanderschaft nicht nur die handwerklichen Fähigkeiten, sondern auch das Leben der Handwerksgesellen prägte, zeichnet sich ab, wenn man einzelne Routen verfolgt. Die 2 Jahre, die etwa Wilhelm Zimmermann auf Wanderschaft war, vermitteln ein in seiner Struktur repräsentatives »Bewegungsbild« für viele Wanderleben davor und danach.

Das Wanderbuch des Mühlburger Schlossergesellen wurde am 16. 3. 1825 ausgestellt. Es gestattete dem Gesellen die Wanderschaft im In- und Ausland auf eine Dauer von 2 Jahren, wobei er alle 3 Monate über seinen Aufenthaltsort Auskunft zu geben hatte. Am 6. April 1825 meldete er sich in Straßburg, wo er länger gearbeitet hatte. Im Januar 1826 wurde sein Aufenthalt in Schlettstadt eingetragen, wo er von Februar bis Oktober des Jahres beschäftigt war. Am 27. Januar 1827 passierte er die Schweizer Grenze, zog nach Zürich, wo er sich nur wenige Tage aufhielt und über verschiedene Orte wieder den Rückweg in die Heimat antrat. Im April 1828 zog er wieder von dort los. Seine Route verlief über Ludwigsburg, Ulm, München. Im Juni meldete er sich in Reichenhall, von wo er nach Salzburg, Linz, Wien und Graz wanderte. Nach 14tägiger Arbeit in Laibach führte ihn sein Weg nach Triest, Villach, Sterzing, Innsbruck, München, Pfaffenhofen und Nürnberg. Seine weitere Wanderung wies Stationen in Norddeutschland auf, von wo er am Ende des Jahres 1828 über Würzburg in seine Heimat zurückkehrte.

*Rainer S. Elkar, Reisen bildet, in: B. I. Krasnobaev/Gert Robel/Herbert Zeman (Hg.), Reisen und Reisebeschreibungen im 18. und 19. Jahrhundert als Quellen der Kulturbeziehungsforschung, Berlin 1980. – Generalverordnung in Betreff der Reisepässe, vom 2. Mai 1811, in: August Ludwig Reyscher, Vollständige, historisch und kritisch bearbeitete Sammlung der württembergischen Gesetze, Stuttgart/Tübingen 1828–1850, Bd. 15/1, S. 489–495.* C. P.

## 1833

### WARNUNGSPATENT FÜR FREMDE REISENDE

Königliche Ober-Regierung/Ober-Polizei-Departement Stuttgart, 1. 10. 1807

*Papier, Letterndruck*
*H. 32,2 cm, B. 41 cm*

Dischingen, Heimatmuseum

## 1834

### WANDERBUCH DES SCHLOSSERGESELLEN WILHELM ZIMMERMANN AUS MÜHLBURG

Mühlburg, 1825

*Gebundenes Heft*
*H. 16,8 cm, B. 20,5 cm (aufgeschl.)*

Karlsruhe, Städt. Sammlungen, Prinz-Max-Palais, Inv.-Nr. StS Persönlichkeiten/Nr. 44

## 1835

### WANDERBUCH DES WEBERS GEORG BALTHASAR VALENTIN ZOBEL

Ausgestellt nach der Verordnung von 1809
Lörrach, 1821

*Gebundenes Heft*
*H. 16,5 cm, B. 21 cm*

Lörrach, Museum im Burghof, Inv.-Nr. ST 10

1836

## WANDERBUCH DES WAGNERS JOSEPH HERBOTER

Ausgestellt nach der Verordnung von 1809
Lörrach, 27. Juli 1819

*Gebundenes Heft*
*H. 16,5 cm, B. 19 cm*

Lörrach, Museum am Burghof, o. Inv.-Nr.

1837

## WANDERBUCH DES SATTLERGESELLEN REINHARD VORTISCH AUS LÖRRACH

Ausgestellt nach der Verordnung von 1809
Lörrach, 16. 4. 1818

*Gebundenes Heft*
*H. 16,5 cm, B. 19 cm*

Lörrach, Museum im Burghof, Inv.-Nr. ST 11

1838

## REISEPASS FÜR JOSEPH WIGLER

Freiburg, 19. Dezember 1808

*Papier, Letterndruck, Feder, Siegelreste*
*H. 48,9 cm, B. 32,4 cm*

Freiburg, Augustinermuseum, Inv.-Nr. D 1351
Kasten 122

1839

## REISEPASS DES ALEXANDER VON DUSCH

Großherzogtum Baden, Amt Mannheim
Mannheim, 11. Januar 1812

*Papier, Letterndruck*
*H. 22,5 cm, B. 35,5 cm*

Karlsruhe, Generallandesarchiv
Nachlaß A. v. Dusch, Nr. 2

# Baden-Baden: »Überall Glanz, Wohlleben, Müßiggang ...«

Bäder- und Kurorte entwickelten sich in den letzten Jahrzehnten des 18. Jahrhunderts zu beliebten Reisezielen des neuen Bürgertums. Die Wiederbelebung und Neugründung mehrerer Badeorte und »Gesundbrunnen« datieren aus dieser Zeit.

Das »Journal des Luxus und der Moden«, seit 1786 führendes »Gesellschaftsblatt« in Deutschland, berichtete während der Sommermonate über die Bäder, die gesellschaftlich hoch im Kurs standen, wie etwa Karlsbad, Aachen, Spa und Bath. Auch die unverzichtbaren modischen Accessoires für eine Badereise wie etwa der »Neueste geschmackvolle Badeanzug« wurden darin vorgestellt. Reiseführer verbreiteten die Kenntnis über die Badeorte, ihre Attraktionen, ihre Heilquellen und -erfolge. Der Arzt Christoph Wilhelm Hufeland, der seinen Patienten – darunter auch Goethe, Schiller und Wieland – den Gebrauch der Heilwasser empfahl, verfaßte 1815 eine »Praktische Übersicht der vorzüglichsten Heilquellen Teutschlands«. 1820 erschien eine Übersicht »Über die Gesundbrunnen und Heilbäder Wirtembergs«. Dieses zweibändige »Taschenbuch für Brunnen- und Badereisende« stellte mehrere württembergische Bäder vor, gab Reisetips, Ausrüstungsvorschläge, Anhaltspunkte für Reisekosten sowie Baderegeln und Kuranweisungen.

Zu den Badeorten, die in dieser Zeit eine Renaissance erlebten, gehörte kurz nach der Jahrhundertwende Baden-Baden, damals Baden bei Rastatt genannt. Seit der Römerzeit war Baden als Badeort bekannt. Von den Zerstörungen des Stadtbrands 1689 jedoch blieben Ort und Badebetrieb über 100 Jahre lang gezeichnet. Ein Bericht des Hofkammerrates Dürrfeld beklagte im Jahre 1765 den noch immer unzureichenden Zustand des Hotel- und Gaststättenwesens. Es fehle an bequemen Zimmern und an Dienstboten, die Ausstattung der Wirtshäuser sei ungenügend, Badegäste würden mit unfreundlichem Benehmen und Bettelei behelligt. Hochangesehene Gäste seien aus diesen Gründen unzufrieden wieder abgereist.[1]

Ganz anders klingt da die Empfehlung, die Clemens Brentano seinem Freund und Kollegen, dem Volksdichter und Märchensammler Achim von Arnim, im Sommer 1806 gab: »In Baden ist kein Franzos, das ist schon etwas sehr angenehmes, und Straßburg, das Münster! bedenke nur sieben Meilen davon! Rings um Baden habe ich eine Menge Lieder sammelnde Männer, und wir können uns dort täglich im Bade eine Parthie vorlesen. Willst Du Dich ein wenig über Baden orientieren, so lasse Dir doch in irgend einer Buchhandlung Baaden und seine Umgebung von Aloys Schreiber geben ...«[2] Zu dieser Zeit war Baden noch ein ruhiger, jedoch bereits aufstrebender Badeort. Der Verweis auf den Stadtführer, der 1805 erschienen war, deutet die langsam einsetzende Entwicklung zum bekannten und vielbesuchten Reiseziel an, wie sie auch die Besucherstatistik dokumentiert.

Seit 1806 lagen die jährlichen Besucherzahlen bei über 1000 Badegästen, zehn Jahre später waren die Zahlen auf über 7000 Besucher in der Saison angestiegen. Von diesem Datum an steuerte die Statistik relativ kontinuierlich auf über 20 000 Gäste pro Jahr in der Jahrhundertmitte zu[3]. Die Besucher entstammten dem gehobenen Bürgertum wie dem Adel. Nachdem Baden seit 1805 immer wieder großherzoglicher Sommersitz gewesen war, zog es auch die internationale Aristokratie an.

Dieser Aufstieg von Stadt und Bad verdankte sich in doppelter Hinsicht einer Quelle – und zwar einer finanziellen. Quelle des Vergnügens und verlockenden Anreiz für den Besuch Badens bildete schon zu dieser Zeit die Spielbank. Zugleich war es das Glücksspiel, das, als Einnahmequelle vom Staat entdeckt, die finanzielle Basis für die baulichen Veränderungen des Ortes legte. Ab 1806 wurde die Spielkonzession staatliches Monopol. Die beiden Spielbanken unter staatlicher Aufsicht, die im Promenadenhaus und im Konversationshaus residierten, führten Gelder an die »Konzessionsgelder-Kasse des Hasardspiels« ab, durch die der Ausbau Badens mitfinanziert wurde.

Seit 1802 begann der badische Staat, sich um die Infrastruktur des Badeorts zu kümmern. In diesem Jahr erhielt der badische Architekt des Klassizismus, Friedrich Weinbrenner, den Auftrag, das Promenadenhaus am Stadtrand um einen Tanzsaal zu erweitern. Das Promenadenhaus stand den Kurgästen als bislang einziges Vergnügungszentrum offen – dort traf man sich, las die neuesten Zeitungen und Journale, spielte Roulette und fand nach dem Anbau die Möglichkeit zum Tanz. 1810 kam noch der Neubau eines kleinen Theaters neben dem Promenadenhaus als kultureller Anziehungspunkt hinzu.

Auch der weitere Ausbau Badens wurde in seiner architektonischen Prägung überwiegend von Weinbrenner bestimmt. 1807 erwarb der Verleger Johann Friedrich Cotta das ehemalige Kapuzinerkloster und beauftragte Weinbrenner mit dem Umbau zum Hotel. Nach dem Ausbau 1809 bot das Haus vielfältige Attraktionen unter einem Dach: Ball-, Musik- und Konversationsräume, Spiel-, Billard- und Lesesäle sowie einen über 3 Geschosse angelegten Speisesaal. Der »Badische Hof« entwickelte sich in kürzester Zeit zu *dem* gesellschaftlichen Treffpunkt Badens, wo Bürgertum und Adel, Künstler und Politiker abstiegen. Cotta verstand es, das Hotel nicht nur zum Zentrum des Badeorts zu machen, sondern zum Zentrum geistigen und künstlerischen Austausches, den er mit seinen eigenen politischen und unternehmerischen Interessen zu verbinden verstand. So bat Cotta seine Autoren im Sommer zu Besuch und warb neue Autoren vor allem für seine Kulturzeitung, das »Morgenblatt für gebildete Stände«. Er lud Sulpiz Boisserée dorthin ein, um mit ihm über die »Boisseréé'sche Sammlung« zu verhandeln, und Gneisenau und Schinkel, um deren Meinung als Vertreter der preußischen Kunstpolitik zu hören.

Nach dem Ausbau des ehemaligen Jesuitenkollegiums 1812 zum Konversationshaus, das eine zweite große Spielbank beherbergte, verfügte die Stadt nun über 3 gesellschaftliche Treffpunkte für die Badegäste: Promenadenhaus, Konversationshaus und Badischer Hof.

Als Zusammenbindung dieser drei geselligen Zentren, die unverbunden und in einiger Entfernung voneinander

lagen, folgte 1811 die Anlage einer Allee und bis 1822 einer das Gelände umfassenden englischen Gartenanlage, dem Kurpark. Dem Bedürfnis der Gäste nach »Spaziergängen« – das Wort im damaligen Sinn bezeichnete den Ort wie die Tätigkeit des »Lustwandelns« – standen schon vorher zwei Wege offen: die städtische Promenade und die in die »ländliche Idylle« hinausführende Lichtenthaler Allee.

Den vorläufigen Schlußpunkt der Stadtgestaltung setzte 1824 der Bau des neuen Konversationshauses. Diese, ebenfalls von Weinbrenner erbaute, großzügige Anlage bezog das Promenadenhaus wie das Theater mit ein und bildete mit dem umliegenden Kurpark zusammen den unbestrittenen Mittelpunkt des Badelebens der folgenden Jahrzehnte.

Auch die Badeanlagen wurden 1819 von Weinbrenner um ein Dampfbad neben der Ursprungsquelle erweitert, nachdem der Arzt Dr. Kölreuter seit 1816 beachtliche Heilerfolge mit Dampfbädern und -inhalationen erzielt hatte. Sicher hatten auch diese medizinischen Möglichkeiten ihre Wirkung auf den »Fremdenverkehr«. Doch was die Besucher zur Erholungs- oder Kurreise aus aller Welt nach Baden zog, waren nicht allein die Bäder, sondern die Vielfalt der zusätzlichen Attraktionen: Ausflüge, Spaziergänge, Glücks- und Gesellschaftsspiele, Lesekabinette, Rachel Varnhagens »romantischer Salon«, das Publikum im Badischen Hof und andere gesellschaftliche Kontaktmöglichkeiten.

Ein allgemeiner Badeführer beginnt seine Ausführungen über Baden mit folgender Feststellung: »Fast alle kranken Curgäste (denn es giebt deren dort auch sehr viele gesunde, da man in Baden angenehm, wohlfeil und sehr gut lebt) kommen an diese Quelle um zu baden…«[4] Nicht zum Baden reiste auch Johann Peter Hebel im August 1812, mitten in der Saison, dorthin. Der badische Schriftsteller und Pfarrer fand bei einem Bekannten Unterkunft, da alle Hotels ausgebucht und die Gaststätten voll waren. Hebel faszinierte die Vielschichtigkeit des Publikums und der Reichtum des Angebots. »Man ist in einer ganz anderen Welt, überall Glanz, Wohlleben, Müßiggang, Geldspiel, Könige, Fürsten, Grafen, Professoren, Juden, Komödianten untereinander. Am Abend war ich zu Ball, nur um das neue Konversationshaus und die Einrichtung dort zu sehen. In dem Tanzsaal hätte das ganze Riedlinger Bad mit Haus und Hof Platz oder nicht einmal ganz aber der Saal hat doch 9 Lüsters ohne die Wandleuchter, die Spiegel sind so groß wie ein mittelmässiger Kleiderkasten, alle Vorhänge von Seide. Alle Erfrischungen werden von Parisern bereitet. Deshalb versuchte ich fast alle…«[5] Auch am Glücksspiel kam Hebel nicht vorbei, er setzte jedoch nur zwei Kronen – und verlor.

C.P.

1
Vgl. Rolf Gustav Haebler, Geschichte der Stadt und des Kurortes Baden-Baden, Bd. 1, Baden-Baden 1969, S. 133.

2
Heinrich Berl, Baden-Baden im Zeitalter der Romantik, Baden-Baden 1936, S. 21.

3
Angabe nach einer Zusammenstellung »Frequenz der Bade-gäste« in Baden aufgelistet am 2. April 1844. Entnommen dem Nachlaß des Staatsrates Nebenius im Generallandesarchiv, Karlsruhe, Signatur: N Nebenius Con. 30.

4
Friedrich August von Ammon, Brunnendiätetik oder Anweisung zum zweckmäßigen Gebrauche der natürlichen und künstlichen Gesundbrunnen und Mineralbäder, Dresden 1828, 2. Ausg., S. 261.

5
Heinrich Berl, wie Anm. 2, S. 40.

## 1840

### DIE QUELLE IN BADEN

(Reproduktion)

C. Frommel
Karlsruhe bei C. Frommel, 1825

*Stahlstich*
*H. 21 cm, B. 28 cm*
*Bez.:* C. Frommel del & sculp.

Baden-Baden, Stadtgeschichtliche Sammlung,
Inv.-Nr. 4415 (GRA 11 A 3)

## 1841*

### DER BADISCHE HOF IN BADEN

(Reproduktion)

Vorlage von: C. U. Keller
Augsburg bei Herzberg, um 1815

*Aquatinta*
*H. 13,8 cm, B. 19,6 cm*

Baden-Baden, Stadtgeschichtliche Sammlung,
Inv.-Nr. Sammlung Alben, 84/200

## 1842

### DAS THEATER IN BADEN

(Reproduktion)

Vorlage von C. U. Keller
Augsburg bei Herzberg, um 1815

*Aquatinta*
*H. 23,2 cm, B. 30,2 cm*

Baden-Baden, Stadtgeschichtliche Sammlung,
Inv.-Nr. 78/112 (GRA 19 A 3)

## 1843*

### DIE PROMENADE IN BADEN

(Reproduktion)

Vorlage von: C. U. Keller
Augsburg bei Herzberg, um 1815

*Aquatinta*

H. 21,9 cm, B. 28,7 cm
Baden-Baden, Stadtgeschichtliche Sammlung,
8524 (GRA 19 A 3)

1843

1841

1844

1844*

## ANSICHT DES NEUEN PROMENADE-, CONVERSATIONS- UND THEATERGEBÄUDES

um 1825

*Aquarell*
*H. 14,5 cm, B. 21,5 cm*

Baden-Baden, Stadtgeschichtliche Sammlung,
Inv.-Nr. 83/228

1845*

## DIE ROUGE ET NOIR BANQUE IM PROMENADENSAAL ZU BADEN

B. Becht

*Lithographie*
*H. 35,5 cm, B. 50,7 cm*
*Bez.:* Nach der Natur gezeichnet von B. Becht, jun.

Baden-Baden-, Stadtgeschichtliche Sammlung,
Inv.-Nr. 80/143 (GRA 05 A 1)

1846*

## DER KURGARTEN

C. Frommel

*Lithographie, koloriert*
*H. 49 cm, B. 68cm*

Baden-Baden, Stadtgeschichtliche Sammlung,
Inv.-Nr. 78/146

1845

1846

## Im Eiltempo in die Moderne

Raum und Zeit zu erfahren und zu überwinden war das Leitmotiv für die bürgerliche Reise- und Entdeckungslust wie für die Gestaltung des Verkehrs und die Suche nach neuen Formen der Fortbewegung. Unser modernes Verkehrsverständnis, das auf dem Absolutum der Geschwindigkeit beruht, wie auch verschiedene moderne Verkehrsmittel fanden ihre gedankliche Anlage und sogar technische Vorläufer zu Beginn des 19. Jahrhunderts.

Den Fortbewegungs-Standard der Zeit definierten die Füße des Menschen und die Hufe des Pferdes. Wer eine Reise unternahm, bediente sich der Postkutsche. Doch die Beförderung mit der Post war mit einer Vielzahl von Unannehmlichkeiten verbunden und garantierte selten ein schnelles Fortkommen. Die Kritik am Postverkehr pointierte der Journalist und Schriftsteller Ludwig Börne 1821 in der »Monographie der deutschen Postschnecke«. Er rechnete auf, daß eine Reise mit der Ordinari-Post von Frankfurt am Main nach Stuttgart rund 40 Stunden dauerte. Im folgenden Jahr hatte sich bereits eine Neuerung im Postwesen durchgesetzt, die – in Preußen »Schnellpost« und in anderen deutschen Staaten »Eilwagen« genannt – durch eine völlig neue Organisation den Postverkehr bedeutend schneller machte: »Von Frankfurt führt der Eilwagen Montags Mittags 12 Uhr ab, ist Abends in Heidelberg, Dienstag früh in Heilbronn und Mittags 1 Uhr in Stuttgart.«[1] Dieselbe Strecke konnte nun in nur 25 Stunden zurückgelegt werden, eine Verkürzung der Reisezeit um rund 40 Prozent!

Verdankte sich diese Entwicklung vorrangig organisatorischer »Erfindungsgabe«, so entsprangen dem Wunsch nach Geschwindigkeit und Beweglichkeit auch verschiedene technische Erfindungen, die man unter dem Begriff »Fortbewegungsmaschinen« zusammenfassen kann. Jede dieser Erfindungen bedeutete eine Sensation, wurde in den Journalen diskutiert und fand genauso begeisterte Nachahmer wie ungläubige Kritiker und Spötter.

Die Erfindung des Ballons durch die Brüder Montgolfier 1783 fand in der Folge auch in Baden und Württemberg ihre Resonanz und praktische Anwendung. 1801 konstruierte der Mechanicus Drechsler in Karlsruhe einen Ballon, der am 3. Oktober, anläßlich des Friedensschlusses von Lunéville, als Symbol für das »Frieden bringende 19. Jahrhundert« in die Luft stieg. Der Mannheimer Mechanicus Bittorf betrieb wie andere berühmte Kollegen die Luftschifferei schon fast berufsmäßig. Er war unter anderem in Dresden, Leipzig, Ulm, Stuttgart (1811) und Karlsruhe (1812) aufgestiegen, bevor er 1812 bei seinem 30. Flug tödlich verunglückte.

Die Eroberung der Vertikalen und der Traum vom Fliegen waren auch die Leitmotive für die Erfinder von Flugapparaten. Als 1808 bekannt wurde, daß dem Schweizer Uhrmacher Jakob Degen mittels eines selbstgebauten Schwingenflugapparats und einer Hebelmechanik mit Gegengewicht der »Aufstieg« in die Luft gelungen war, schrieb das »Morgenblatt für gebildete Stände«, die führende württembergische Kulturzeitung dieser Zeit: »Mit seinen Flügeln setzt der Uhrmacher Degen, da eine Erfindung leicht eine Verbesserung nach sich zieht, dem ganzen Europa ein neues Gewicht und Getriebe ein, und die Entdeckungen sind unabsehlich, auf welche dieses Segelwerk die Schmuggler, die Nonnen, die Polizisten, die Diebe und die Dichter noch bringen wird!«[2] Der Artikel trug den Titel »Über die erfundene Flugkunst«, der Autor den Namen Jean Paul.

Aus technischer Sicht war Degens Entwicklung wenig zukunftsträchtig, wie auch schon frühere Überlegungen und Fluggeräte, etwa die des Müllers Schweickhardt aus Wildberg oder des badischen Landbaumeisters Karl Friedrich Meerwein aus Emmendingen, die Anfang der 80er Jahre des 18. Jahrhunderts ihre Flugversuche unternommen hatten. Von Degen beeindruckt, verschrieb sich der »Schneider von Ulm«, Albrecht Ludwig Berblinger, der Idee des Fliegens. Im Gegensatz zu Degen aber konstruierte er aus Fischbein, Seide, Holz und Schnüren keinen Schwingflugapparat, sondern einen halbstarren Hängegleiter. Damit verfolgte Berblinger ein wesentlich moderneres Prinzip, das nicht mehr starr an den Nachahmungswunsch des Vogelflugs gebunden war. An die Stelle der Idee, sich mit Schwingenkraft in die Höhe zu erheben, trat damit der Versuch, »fallend zu gleiten«.

Nach mehrfachen Versuchen mit seiner Flugmaschine trat Albrecht Ludwig Berblinger am 31. Mai 1811 in Ulm mit seiner Erfindung vor die Öffentlichkeit. Bei dieser Vorführung – in Anwesenheit des Königs –, die als Sensation geplant war und eine große Menschenmenge an der Donau versammelt hatte, stürzte Berblinger ins Wasser und damit ins persönliche Verderben. »Das Publikum war zur Prüfung der Ursache des Unglücks nicht in der Lage. Ihm genügte die Wirkung, um daraus Schlüsse auf die Unfähigkeit Berblingers zu ziehen und davon die Berechtigung zu zügellosem Spott abzuleiten, der sich bis zur Jahrhundertwende als einziges Resultat des Ereignisses verstärkte und hielt.«[3] Erst in jüngerer Zeit wurde durch die Versuche, ihn zu rehabilitieren, Berblingers Pionierleistung als erster Gleitflieger anerkannt. Damit wird er in eine Reihe mit Otto Lilienthal gestellt, der 80 Jahre später mit seinem Gleitflugapparat die ersten 15 Meter flog und als »Vater der Fliegerei« bezeichnet wird.                C. P.

**1847\***

## Ballonaufstieg von Mechanicus Drechsler auf dem Schlossplatz in Karlsruhe 1801

Aigler
1801

*Stich, koloriert*
*H. 50 cm, B. 38 cm*
*Bez.:* Zum Frieden bringenden 19. Jahrhundert

Karlsruhe, Prinz-Max-Palais

**1848**

## Ankündigung des Ballonaufstiegs von Mechanicus Bittorf

in dem großherzoglichen Marstallhof in Karlsruhe

Bittorf
Karlsruhe, 1812

*Plakat*
*H. 40,3 cm, B. 31 cm*

Karlsruhe, Stadtarchiv, 8/PBS X/579

**1849**

## Modell des Flugapparats von Albrecht Ludwig Berblinger

Wolf Hirth
Nabern, 1951

*Eschenholz, Bambus, Leinen, Fallschirmseide, Schnüre*
*H. 125 cm, B. 247 cm, L. 655 cm*

Ulm, Stadtmuseum

**1850**

## Flugmaschine verfertigt von Berblinger in Ulm

Johannes Hans
1811

*Kupferstich*
*H. 32,8 cm, B. 25 cm*

Stuttgart, Württ. Landesbibliothek,
Graphische Sammlung

1847

**1851\***

## Luftreise des geflügelten Schneiders von Ulm im Jahr 1811

Anonym

*Kupferstich*
*H. 25 cm, B. 32,4 cm*
*Bez. u. l.:* Wien A. h. Nr. 230

Stuttgart, Württ. Landesbibliothek,
Graphische Sammlung

1851

Eine Maschine ganz anderer Art erfand 1817 in Mannheim der badische Freiherr Karl von Drais. Sein Laufrad, das erste Zweirad, nahm die Idee des Fahrrads vorweg. Man setzte sich rittlings auf den Sattel des zweirädrigen Gefährts, umfaßte mit den Händen eine Lenkstange und stieß sich – da Pedale und Kette noch fehlten – mit den Füßen vom Boden ab. Die »Draisine«, wie das Laufrad auch genannt wurde, stellte vor allem wegen ihrer Geschwindigkeit eine Sensation dar. Aus einer Gebrauchsanweisung, die Drais 1817 veröffentlichte, wie aus Zeitungsberichten geht hervor, daß mit dem Laufrad auf ebenen und trockenen Wegen die vierfache Geschwindigkeit eines Pferdes im Galopp oder einer Postkutsche erreicht werden konnte.

Eindrucksvolle Demonstrationen der Fahreigenschaften seiner Erfindung verhalfen Drais innerhalb kurzer Zeit zu großer Publizität. So berichtete die Karlsruher Zeitung vom 1. August 1817: »Der Forstmeister Freiherr Karl von Drais, welcher nach glaubwürdigen Zeugnissen, Donnerstag, den 12. Juli d. J., mit der neuesten Gattung seiner von ihm erfundenen Fahrmaschinen ohne Pferd... von Mannheim bis an das Schwetzinger Relaishaus und wieder zurück, also gegen 4 Poststunden Weges in einer kleinen Stunde Zeit gefahren ist, hat mit der nämlichen Maschine den steilen, 2 Stunden betragenden Gebirgsweg von Gernsbach nach Baden in ungefähr einer Stunde zurückgelegt und auch hier mehrere Kunstliebhaber von der großen Schnelligkeit dieser sehr interessanten Fahrmaschine überzeugt.«[4] 1818 ließ Drais seine Erfindung sogar im Jardin du Luxembourg in Paris vorstellen und erntete großen Erfolg.

Schon 1817, im Jahr seiner Erfindung, fand das Laufrad ein so großes Echo, daß es hieß: »Eine der wichtigsten Erscheinungen in dem Gebiete der mechanischen Wissenschaften ist die v. Drais'sche Fahr-Maschine, und beinahe halb Deutschland beschäftigt sich in diesem Augenblick mit der Entscheidung über deren Brauchbarkeit oder Unbrauchbarkeit.«[5] Brauchbar schien die Draisine manch einem Zeitgenossen des Freiherrn. Sie wurde für Spazierfahrten, Wettrennen und selbst für Reisen verwendet, wofür sogar als Gepäckstück eine speziell gefertigte Satteltasche erworben werden konnte.

Karl von Drais erhielt 1818 den Professorentitel und das Privileg für den Bau des Laufrads auf zehn Jahre. Eine rege Nachbauaktivität, die selbst noch in London und New York einsetzte, machte Drais bekannt als den »Mann, welcher die Körper schnell bewegen lehrte«, wie sein Zeitgenosse Graf Benzel-Sternau ihn nannte, und brachte ihm Gewinne durch Lizenzgebühren ein.

**1852***

## Laufrad aus dem Nachlass des Freiherrn Karl Friedrich Drais von Sauerbronn

Karl Friedrich Drais von Sauerbronn (1785–1851)

*Versch. Hölzer, Metall, Leder*
*H. 106 cm, B. 54 cm*

Karlsruhe, Prinz Max Palais

**1853***

## Der Freiherr von Drais auf dem Laufrad

Hoffmeister
um 1820

*Lithographie, koloriert*
*H. 20 cm, B. 18,5 cm*

Mannheim, Reiß-Museum

**1854**

## Drais'sche Fahrmaschine

*Stich, koloriert*
*H. 26,9 cm, B. 20,8 cm*

Karlsruhe, Generallandesarchiv,
Abt. G/T Techn. Pläne:
Draisine Nr. 1

**1855***

## Wettrennen mit Laufrädern

um 1820

*Umrißstich, koloriert*
*H. 20,6 cm, B. 27 cm*
*Bez.: Draisinen-Wettrennen*

Nürnberg, Germanisches Nationalmuseum, Graphische
Sammlung, Inv.-Nr. H. B. 23546 Kapsel 1375

**1856***

## The Ladies Accelerator

Karikatur zum Laufrad
London, 1819

*Stich, koloriert*
*H. 27,5 cm, B. 40,5 cm*

Mannheim, Reiß-Museum, Inv.-Nr. F 3^w

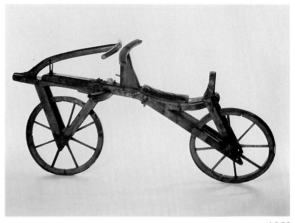

1852

1853

The LADIES ACCELERATOR

1856

Die allerneueste Reisegesellschaft auf der Bergstraße

1857

1857*

## DIE ALLERNEUESTE REISEGESELLSCHAFT
## AUF DER BERGSTRASSE

Karikatur zum Laufrad
um 1820

*Stich, koloriert*
H. 19,2 cm, B. 25 cm

Mannheim, Reiss-Museum, Inv.-Nr. F 3ᴾ

1855

Zu der Zeit, als die Draisine die Bürger dazu »mobilisierte«, sich aus eigenem Antrieb fortzubewegen, wurde die erste Probefahrt eines dampfangetriebenen Schiffs auf dem Bodensee unternommen. Der Amerikaner Robert Fulton hatte mit seinen erfolgreichen Versuchen 1803 bzw. 1807 das Dampfzeitalter im Schiffsverkehr eröffnet und in ganz Europa Nachahmer gefunden. Der Schweizer Fabrikant Johann Caspar Bodmer hatte nach einem Aufenthalt in England, der Heimat der Dampfmaschine, 1817 mit dem Bau des ersten Bodensee-Dampfschiffs begonnen. Mit der Unterstützung des Großherzogs von Baden und dem Aktienkapital des Bodmer'schen Schiffahrtsunternehmens in Konstanz stellte der Fabrikant das Schiff im April 1818 fertig.

Die Jungfernfahrt des Dampfschiffs, das auf den Namen der badischen Großherzogin »Stephanie« getauft wurde, fand am 29. April statt. Mit den Schiffshandwerkern, den Aktionären und hochgestellten Persönlichkeiten an Bord verließ das Schiff den Hafen von Konstanz und lief – allerdings erst nach vier Stunden Fahrtzeit – unter dem Beifall des versammelten Publikums in Meersburg ein. Der Beifall galt mehr der Idee der Dampfschiffahrt als dem Schiff selbst, das, mit einer zu wenig leistungsfähigen Dampfmaschine ausgestattet, einen Mißerfolg darstellte. Die Jungfernfahrt der »Stephanie« blieb zugleich ihre letzte Fahrt. Sie lag, von der Bevölkerung mit dem Spottnamen »Steh-fahr-nie« bezeichnet, bis zu ihrem Abbruch 1821 unbewegt im Konstanzer Hafen. Der Fabrikant Bodmer hatte sein Ansehen verspielt und sah sich, von seinen Aktionären verfolgt, zur Flucht ins württembergische Ausland gezwungen.

Nachdem die Idee der Dampfschiffahrt auf dem Bodensee geboren war, konnte die Überwindung dieses ersten Mißerfolgs nur eine Frage der Zeit sein. Der zweite Impuls ging von dem Stuttgarter Verleger und Unternehmer Johann Friedrich Cotta aus, der sich gleich zu Beginn seines Vorhabens der Unterstützung zweier Personen vergewisserte: der des Königs Wilhelm als Förderer und der des amerikanischen Konsuls Church, der durch die erfolgreiche Bauaufsicht für das Schweizer Schiff »Wilhelm Tell« auf dem Genfer See Erfahrung im Dampfschiffbau vorzuweisen hatte. Die Finanzierung wurde wiederum durch eine Aktiengesellschaft, die »Friedrichshafener Dampfbootgesellschaft« organisiert, in der die württembergische Staatskasse, König Wilhelm und Cotta die Hauptaktionäre darstellten.

Am 23. Oktober 1823 erhielt Church den Auftrag, auf der Friedrichshafener Werft mit dem Bau eines Dampfschiffes zu beginnen. Rund ein Jahr später, am 10. November 1824, machte der auf den Namen »Wilhelm« getaufte Dampfer seine Jungfernfahrt nach Langenargen – mit folgendem Erfolg: »Die anfänglich misstrauische und mit kritischem Spott nicht sparende Volksmenge brach in den überlieferten Ruf aus »er goht, er goht«, als die Schaufelräder anfingen, sich zu drehen und das Schiff dem offenen See zustrebte. Diese erste Fahrt ging nach Langenargen und zurück, wobei für die Hinfahrt eine Stunde und für die Rückfahrt nur 40 Minuten gebraucht wurden.«[6]
Cotta hatte von Anfang an den Plan verfolgt, die Dampf-

schiffahrt auf dem Bodensee in Form eines Schiffsverkehrsnetzes zu entwickeln. Die drei wichtigsten Seehäfen – das württembergische Friedrichshafen, das bayerische Lindau und das badische Konstanz – sollten darin einbezogen sein. Mit diesem Ziel vor Augen und zum größten Teil auf seine Rechnung hatte Cotta parallel zur »Wilhelm« das Dampfschiff »Max Joseph«, benannt nach dem bayerischen König, bauen lassen. Am 3. Dezember 1824 brach auch dieses Dampfschiff zu seiner ersten Probefahrt nach Lindau auf, wo es von einer erwartungsvollen Menschenmenge und mit Kanonensalut empfangen wurde.

Die »Wilhelm«, deren maximale Geschwindigkeit bei 10,5 km/h lag, nahm am 1. Dezember 1824 den regelmäßigen Kursverkehr zwischen Friedrichshafen und Rorschach auf. Eine vertragliche Abmachung mit der Post sah vom gleichen Tag an den Transport von Briefen, Paketen und Reisenden von einer Hafenstadt in die andere mit dem Dampfschiff vor. Neben den Kursfahrten gingen Transporte in andere Hafenstädte und sonntags wurden bei schönem Wetter »Lustfahrten« angeboten. Ab 1. Mai 1825 verkehrte auch die »Max Joseph« mit ihrer Maximalgeschwindigkeit von 11,5 km/h regelmäßig auf dem See. Da sich jedoch Cottas Plan, den bayerischen König für die Dampfschiffahrt zu gewinnen, nicht verwirklichen ließ, wurde die »Max Joseph« nicht wie projektiert in Lindau stationiert und die Linie Lindau–Rorschach–Schaffhausen nur einmal die Woche gefahren.

Im Gegensatz zur »Wilhelm« wurde die »Max Joseph« deshalb kein wirtschaftlicher Erfolg für das Dampfschiffahrtsunternehmen von Cotta. 1829 gab er das Unternehmen in Lindau auf und verkaufte die »Max Joseph«. Das Dampfschiff »Wilhelm« aber wurde bis ins Jahr 1848 im Dampfschiffverkehr eingesetzt – zu dieser Zeit kreuzten dann schon acht Dampfer auf dem See.

Typisch schon für das damalige Verständnis und den technischen Entwicklungsstand der Zeit scheint, daß sich das Echo auf die Erfindungen in Begeisterung und Skepsis teilt. Zum einen wurde technischer Fortschritt auch damals schon als Feind der menschlichen Arbeit begriffen, wie etwa die ernsthaften Konflikte um die Dampfschiffahrt in Friedrichshafen oder Lindau zeigen. Die dort ansässigen Schiffer boykottierten aus Angst um ihre wirtschaftliche Existenz hartnäckig den Ausbau des Dampfschiffverkehrs auf dem See.

Andererseits spiegeln zeitgenössische Karikaturen, Spottgedichte und Verhöhnungen wider, wie ungläubig jede Art von »Maschine« zur Kenntnis genommen wurde, wie sehr man noch vom menschlichen Vermögen als dem Maß aller Dinge und der Grenze der Möglichkeiten ausging. Gerade diese Verblüffung, daß der Mensch sich durch Maschinen tatsächlich anders, das heißt schneller bewegen und etwa in die Luft erheben konnte, löste dann indessen die Faszination der technischen Erfindungen aus. Von neuen »Mobilen« versprachen sich besonders die neuen Bürger individuelle Bewegungsfreiheit und wirtschaftlichen Nutzen. Sie suchten Formen der Fortbewegung, die unabhängig von den Widerständen der Elemente und der Naturgesetze zu Lande, zu Wasser und in der Luft sein sollten – gefunden wurden sie zum Teil erst Jahrzehnte später. Die

Suche danach aber symbolisiert die Hoffnung auf ein Stück Freiheit und zugleich den Zeitpunkt der Abkehr vom menschlichen Maß als Grundlage der Mobilität: Der Mensch wollte schneller werden, als die Füße tragen, und weiter sehen, als das Auge reicht.

1
Allgemeine Zeitung Beilage Nr. 122, 1822, S. 486, zitiert nach: Klaus Beyrer, Die Postkutschenreise, Tübingen 1985, S. 238.

2
Jean Paul, Über die erfundene Flugkunst, in: Morgenblatt für die gebildeten Stände vom Juni 1808.

3
Heiner Dörner, Zwei Jahrzehnte Drachenfliegen. Späte Bestätigung für den »Schneider von Ulm«, Albrecht Ludwig Berblinger, in: Stadtbibliothek Ulm (Hg.), Der Schneider von Ulm. Fiktion und Wirklichkeit (Ausst.-Kat.), Ulm 1986, S. 85.

4
Karlsruher Zeitung vom 1. 8. 1817.

5
Johann Karl Siegmund Bauer, Beschreibung der v. Drais'schen Fahrmaschine, Nürnberg 1817, S. 7.

6
Werner Deppert, Mit Dampfmaschine und Schaufelrad. Die Dampfschiffahrt auf dem Bodensee 1817–1967, Konstanz 1975, S. 12.

*Ludwig Börne, Monographie der deutschen Postschnecke. Ein Beitrag zur Naturgeschichte der Mollusken und Testaceen, in: Die Wage 2, S. 1–25. – Karl von Drais, Die Laufmaschine des Freiherrn Karl von Drais, Mannheim 1817. – Max Messerschmidt, Das Dampfboot »Wilhelm« 1824–1848. Beginn der Dampfschiffahrt auf dem Bodensee, in: Schriften des Vereins für Geschichte des Bodensees und seiner Umgebung 93, 1975, S. 119–147. – Herbert Schiller, Johann Friedrich Cotta. Verleger, Politiker, Staatsmann und Unternehmer, in: Schwäbische Lebensbilder Bd. III, Stuttgart 1942, S. 72–125. – Aloys Schreiber, Die Dampfschiffahrt auf dem Rheine und dem Bodensee, Heidelberg 1828. – Stadt Ulm (Hg.), Ein Flugzeug, das schön aussieht, fliegt auch gut. Von den Ahnen des Albrecht Ludwig Berblinger, »Schneider von Ulm«, zu seinen Enkeln (Ausstellungsbegleitheft), Ulm 1986. – Stadtbibliothek Ulm (Hg.), Der Schneider von Ulm. Fiktion und Wirklichkeit (Ausst.-Kat.), Ulm 1986. – Stadtarchiv Karlsruhe (Hg.), Karl Friedrich Drais von Sauerbronn 1785–1851. Ein badischer Erfinder (Ausst.-Kat.), Karlsruhe 1985. – Westfälisches Landesmuseum für Kunst und Kulturgeschichte / Landschaftsverband Westfalen-Lippe (Hg.), Leichter als Luft. Zur Geschichte der Ballonfahrt (Ausst.-Kat.), Münster 1978.* C.P.

1858

## Modell des Dampfschiffs »Wilhelm«

Hermann Ferchel
Friedrichshafen, 1953

*Holz, bemalt; Blech*
*H. 50,5 cm, B. 22,5 cm, L. 121,5 cm*

Friedrichshafen

1859*

## Constanz von der Morgenseite

Nicolaus Hug
Konstanz, 1827

*Radierung, koloriert*
*H. 13,7 cm, B. 42,8 cm*
*Bez.: Nicolaus Hug fecit 1827. Zu haben in Constanz bei Nicolaus Hug.*

Konstanz, Rosgartenmuseum, Inv.-Nr. T 14

1859

1860

### BLICK VOM SEE AUF SCHLOSS UND STADT FRIEDRICHSHAFEN

um 1825

*Lithographie, koloriert*
*H. 48 cm, B. 31,8 cm*

Stuttgart, Württ. Landesbibliothek,
Graphische Sammlung

1861

1861*

### DAS DAMPFSCHIFF WILHELM IN FRIEDRICHSHAFEN

Eberhard Emminger (1808–1885)
Stuttgart, um 1825

*Lithographie, koloriert*
*H. 24,5 cm, B. 32 cm*
*Bez.: Stuttgart, Verlag der G. Ebner'schen Kunsthand-*
*lung*

Ludwigsburg, Heimatmuseum, Inv.-Nr. 212

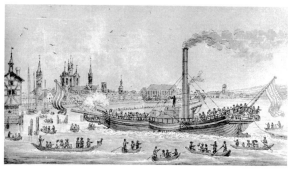

1862

1862*

### ERSTE ANKUNFT DES DAMPFBOOTES MAX JOSEPH AUS FRIEDRICHSHAFEN IN CONSTANZ AM 5. 12. 1824

Nikolaus Hug
Konstanz 1824

*Kupferstich, aquarelliert*
*H. 8 cm. B. 14,2 cm*
*Bez.: zu haben in Constanz bei Nicolaus Hug*

Konstanz, Rosgartenmuseum, Inv.-Nr. T 777

1863

### WESTLICHE ANSICHT DES FREIHAFENS VON MANNHEIM

H. Günther nach J. Keller
vor 1840

*Lithographie*
*H. 30 cm, B. 52,5 cm*
*Bez. u. l.: gezeichnet von J. Keller*
*u. r.: Lithographie von H. Günther*

Mannheim, Reiß-Museum, Inv.-Nr. A 104

## Der Spaziergang

Um 1800 erfreuen sich naturgetreue Stadt- und Landschaftsansichten, die sogenannten Veduten, etwa als Souvenirs besonderer Beliebtheit beim Bürgertum. Auffällig sind hierbei die ins Bild gesetzten Staffagefiguren, die gemächlich im Vordergrund der Szenerie dahinschlendern.

In diesen Bildern drückt sich ein kultureller Wandel aus: Amüsiert sich der Adel abgetrennt vom Volk in privaten Gärten, so dominiert beim bürgerlichen Spaziergang das Sich-Zurschaustellen und Flanieren in der Öffentlichkeit. Hier bietet sich die Möglichkeit des geselligen Vergnügens ohne kostspielige Repräsentation; man kann plaudern und sich sehen lassen, ohne umständliche Einladungen auszusprechen, ohne den privater werdenden Wohnbereich jedermann zugänglich zu machen. Auf den Promenaden kann man »den gesellschaftlichen Umgang ohne Aufwand und Zwang bequemer genießen.«[1] Die Veduten nehmen den bürgerlichen Spaziergänger nun mit ins Bild und greifen Ausschnitte auf, die dem Betrachter den idealen Blick in die Landschaft vorführen.

In Württemberg und Baden fallen zu Beginn des 19. Jahrhunderts zahlreiche Neugründungen von »Spaziergängen« auf, im zeitgenössischen Sprachgebrauch verstanden als Ort des Lustwandelns. In Stuttgart werden 1808 die Oberen Anlagen der Öffentlichkeit zugänglich gemacht – allerdings mit striktem Spaziergangs-Reglement. Tübingen vollendet 1805 den Botanischen Garten und 1819 die Kastanienallee, kurz darauf wird die Platanenallee gepflanzt. Auch Ettlingen und Pfullingen haben ihren »Spaziergang«, Wertheim hat ihn hinter dem Hofgartenschlößchen, Baden-Baden die Lichtenthaler Allee und Wildbad die Alleen am Enzfluß, um dem Bürger nunmehr »Seelenruhe, Heiterkeit und Zufriedenheit«[2] zu ermöglichen.

Jedoch nicht jeder Spaziergang bietet ungestörtes Vergnügen. Der Tübinger Wöhrd, zwischen Neckar und Steinlach gelegen, ist zugleich Viehweide der Weingärtner. Hier hat die »Landeskultur« an der Gestaltung noch mehr Anteil als die Kunst, und die Benutzung als Viehweide hinterläßt Spuren, »die dem Spazierengehenden keine angenehmen Gegenstände seyn können«.[3] Die Interessengegensätze zwischen müßiggängerischer und materieller Nutzung der Natur, zwischen der sozialen Gruppe der Professoren und Studenten und jener der Weingärtner treten in vielen Klagen und Konflikten deutlich zutage. Aus diesen Gründen sind die gestalteten, künstlichen Anlagen und Gärten noch der bevorzugte und »vornehmere« Ort zum Promenieren.

Christian C. L. Hirschfeld prägt den Begriff »Volksgarten« in seiner »Theorie der Gartenkunst«, die zwischen 1779 und 1785 erscheint. Für ihn soll das Vergnügen aller zweckgerichtet den allgemeinen Patriotismus fördern. Der Volksgarten kann durch Denkmäler vaterländischer Geschichte in einen Nationalgarten verwandelt, moderne staatsbürgerliche Identität in der gemeinsamen Geschichte gefunden werden. Hirschfeld argumentiert bereits mit dem Naturverlust in den Städten, der eine Erholung in solchen Volksgärten notwendig mache. Auch fördere das Aufeinandertreffen der verschiedenen Stände die »anständige Sittsamkeit und scheulose Bescheidenheit«[4], und er beruft sich dabei auf das antike Griechenland, wo die Bürger der Polis auf allen Spaziergängen mit Denkmälern zu bürgerlichen Tugenden ermuntert worden waren. Allerdings hat er in diese Tugenden offenbar noch kein rechtes Vertrauen, denn er führt aus, daß gerade Alleen den Vorzug haben, die Aufsicht durch die »Polizey« zu erleichtern.

Spazieren, vom lateinischen »spatiari« hergeleitet, wird schon bei Hans Sachs erwähnt. Doch dort ist es noch kein Vergnügen der Bürger. Zuerst muß ihre Arbeit losgelöst sein von der Natur, bevor sie zum Müßiggang in die Landschaft schreiten können. Und auch dann ist das zunächst nur ein Vergnügen für diejenigen, die sich schon am weitesten von der Natur entfernt haben: Solange der Bauer nach dem Reifen der Ernte schaut, solange der Handwerksbursche auf Wanderschaft ist, solange ist ihr Gehen noch kein Promenieren. Denn der entscheidende Zweck des Spazierens ist seine Distanz zur Arbeitserfahrung. Nur Bürger und Beamte können deshalb diese neue Erfahrungswelt genießen; nur sie haben »Freizeit« im Sinne von Muße und können diese auch demonstrativ zur Schau stellen.

Zur Erholung des Körpers genügt die Bewegung auf beschränktem Raum, zur Erholung des Geistes jedoch muß man ins Freie. Das Auge, gleichsam als das Sinnesorgan des Geistes, soll über romantische Umgebungen schweifen und so dem Geiste Anregung und Entspannung gewähren: »Daher sind diejenigen Promenaden die besten, wo das Auge eine schöne Aussicht in die Ferne genießt, und der Blick bald auf Wald, bald auf Wiesen, bald auf Kornfeldern ruht.«[5] Für solche Ausblicke sind kleine Anhöhen am geeignetsten, wie wir es häufig auf den historischen Ansichten vorgeführt bekommen. Ein Spaziergänger ist – so ein zeitgenössisches Lexikon – »derjenige, der zu seinem Vergnügen oder zur Erholung seines Körpers und Geistes die öffentlichen Oerter, die der Erholung gewidmet sind, besucht, sich mit Umhergehen daselbst belustigt, oder überhaupt nur um die Zeit herumzubringen, zu tödten, in der Stadt, in den Straßen, auf öffentlichen Plätzen, Promenaden, Gärten etc. umherwandelt.«[6]

Dieser bürgerliche Spaziergang mit seiner Voraussetzung der Muße, mit seinem romantischen Blick auf die Natur und seiner Utopie der Auflösung der Standesgrenzen ist eng verknüpft mit den politischen und ökonomischen Verhältnissen seiner Entstehungszeit. Seine kulturhistorisch neue Erscheinungsform verlangt ausführliche Erklärungen in Lexika, Hinweise in topographischen Landesbeschreibungen und Ratschläge in Zeitschriften. Um möglichen Verhaltensunsicherheiten vorzubeugen, widmet sich ein Artikel der Zeitschrift »Amaliens Erholungsstunden. Teutschlands Töchtern geweiht« besonders der Begegnung von Mann und Frau auf der Promenade: Treffen beim Spaziergang Personen »beyderley Geschlechts« zusammen, so sollen sie sich nicht »fader Galanterie« hingeben, sondern eine »vernünftige Unterhaltung« führen, und den Frauen wird geraten, nicht im »eitlen Putz« zu erscheinen. Denn jene Frau, die sich auf der Promenade im neuesten Schmuck zeigt, muß zwangsläufig eine schlechte Hausfrau sein und kann daher das Ziel, einen Ehemann zu finden, ohnehin nicht erreichen.

Die bürgerlichen »Tugenden« müssen also auf dem Spaziergang bereits in der äußeren Erscheinung sichtbar und im Betragen spürbar werden. Nicht »sträflicher Müßiggang«, sondern der Gesundheit dienliche Bewegung, nicht Männerfang, sondern vernünftige Unterhaltung und gesittetes Benehmen sind Zweck der Promenade. In Zukunft, so dieser Zeitschriftenartikel aus dem Jahre 1792, komme es nur darauf an, »jede Person ohne Rücksicht auf Geschlecht und Stand dazu einzuladen.«[7]    Gudrun König

1
Amaliens Erholungsstunden. Teutschlands Töchtern geweiht. Viertes Bändchen, Tübingen 1792, S. 22.

2
P. J. Schneider, Versuch einer medizinisch statistischen Topographie von Ettlingen, Karlsruhe und Baden 1818, S. 182.

3
Philipp Ludwig Hermann Röder, Geographie und Statistik Wirtembergs, Laybach in Krain 1787, S. 253.

4
C[hristian] C[lay] L[aurenz] Hirschfeld, Theorie der Gartenbaukunst, Bd. 5, 1785, S. 68–70, hier zit. n. Martin Lang, Königliche Anlagen und Volksgarten in Stuttgart zu Beginn des 19. Jahrhunderts, unveröff. Magisterarbeit Stuttgart, Kunsthistorisches Institut 1983, S. 54.

5
Johann Georg Krünitz, Oekonomisch-technologische Encyklopädie oder allgemeines System der Staats-, Stadt-, Haus- und Landwirtschaft, Theil 156, Berlin 1832, S. 583.

6
wie Anm. 5, S. 622.

7
wie Anm. 1, S. 24.

---

**1864**

## »Ansicht der königlichen Anlagen gegen dem Residenzschloss in Stuttgart.«

Gottlieb Friedrich Müller
Stuttgart, um 1810

*Kolorierte Umrißradierung, Holz, Glas*
*H. 52 cm, B. 71 cm (m. Rahmen)*
*Bez.: nach der Natur gez. und gest. v. F. Müller*

Stuttgart, Württembergisches Landesmuseum, Inv.-Nr. E 1364

Die Oberen Anlagen in Stuttgart, von König Friedrich initiiert und von Hofbaumeister Thouret ausgeführt, wurden gleich nach ihrer Fertigstellung im Jahr 1808 der Öffentlichkeit zugänglich gemacht. Die Anlagen boten nicht nur die Möglichkeit des Spazierengehens, sondern auch eine Reihe von anderen Vergnügungen: Bootsfahrten, ein Vogelhaus, ein Restaurationspavillon mit Meierei sowie belebte Gewässer mit Schwänen, Enten und Fischen. Strohhütten gewährten Schutz vor Regen und Bänke luden zum Ausruhen ein.

Die Anlagen erfüllten gemäß ihrer Gestaltung zwei Funktionen. Einerseits repräsentierten sie, auf das Schloß ausgerichtet, königliche Macht und Herrschaft, andererseits entsprachen sie dem Prinzip des öffentlichen »Volksgartens«, wie es von zeitgenössischen Gartenbautheoretikern formuliert wurde.

*Morgenblatt für gebildete Stände, Nr. 148, 21. 6. 1810. – Martin Lang, Königliche Anlagen und Volksgarten zu Beginn des 19. Jahrhunderts, unveröff. Magisterarbeit Stuttgart, Kunsthistorisches Institut 1983.*    G. K.

---

**1865**

## Stuttgart von der Morgenseite

Wilhelm Johann Esaias Nilson (1788–?)
Stuttgart, um 1815

*Kolorierte Radierung*
*H. 46 cm, B. 60,5 cm*

Stuttgart, Staatsgalerie, Graphische Sammlung, Inv.-Nr. A 31978

Bis zum Ende des 18. Jahrhunderts wurden in den Stadtansichten die charakteristischen Merkmale der jeweiligen Stadt im Bild idealtypisch zusammengefaßt. Die Folge davon waren topographische Ungenauigkeiten, Maßstabverschiebungen und unnatürliche Perspektiven. Die neue Seh- und Darstellungsweise, wie sie sich nun entwickelt, zeichnet sich durch topographische Genauigkeit und maßstabsgerechtes Abbilden aus. Die Stadtansichten sind geprägt von dem Gang durch die Natur vor der Stadt. Damit werden sie zum Vorbild für den Spaziergang. Sie zeigen den idealen Blick, den schönsten Aussichtspunkt, die vollkommene Perspektive. Die buchstäbliche Erweiterung des bürgerlichen Horizonts verrückt zuweilen die Stadt in den Bildhintergrund und die Landschaft dominiert. Nunmehr werden nicht nur die klassischen Gefilde Italiens als abbildungswürdig anerkannt, sondern mit zunehmendem Selbstbewußtsein der Bürger gerät auch die nähere Umgebung in den Blick.

*Christian Melk, Tübinger Ansichten und Maler im 19. Jahrhundert, Tübinger Katalog Nr. 27, Tübingen 1986.*

G.K.

1866

## 1866*

## DER SPAZIERGANG

Luise Duttenhofer (1776–1829)
Stuttgart, 1. Viertel 19. Jahrhundert

*Scherenschnitt*
*H. 8,5 cm, B. 15,2 cm*

Stuttgart, Archiv der Stadt, Inv.-Nr. B 3678/8

Der Spaziergang ist nicht nur ein Thema der Vedutenmalerei, auch in anderen Medien spielt er eine unübersehbare Rolle. Die Scherenschnittkünstlerin Luise Duttenhofer hat das Thema aufgegriffen und wieder andere Akzente gesetzt; hier ist nicht die Landschaft dominant, sondern sie betont den geselligen Aspekt des Lustwandelns, das Gespräch, die Neckerei und die Beziehung zwischen den Spazierenden.

G.K.

## 1867

## DREI FRAUEN AUF DEM SPAZIERGANG

S. A. Fuchs nach Rommel
Ulm, 1842

*Kolorierte Lithographie, Letterndruck*
*H. 27,7 cm, B. 22,2 cm*
*Bez.: Eine Jungfrau vom ersten Handwerksstand auf dem Spaziergang/Ein gemeines Handwerksweib auf dem Spaziergang/Eine Krämers Frau auf dem Spaziergang*

Ulm, Stadtarchiv, Inv.-Nr. F.8 Trachten Nr. 4 Bl. 20

Dieses Blatt gehört in die Reihe »Ulmisches Reichsstadt-Costüm gegen das Ende des 18. Jahrhunderts in 24 Bildern«. Sie entstand nach den kleinen Tonfiguren des Ulmer Hafners Septimus Rommel (1760–1846). Die Bildlegende wurde wohl von den Beschriftungen der Rommel-Figuren übernommen.

G.K.

## 1868

## »ANSICHTEN VON STUTTGART. CANNSTADTER THOR.«

Wilhelm Johann Esaias Nilson (1788–?)
Stuttgart, 1812

*Kolorierte Radierung*
*H. 44,2 cm, B. 55,9 cm*
*Bez.:* Stuttgart bei Ebner, Augsburg bei Herzberg, gez. W. Nilson

Stuttgart, Staatsgalerie, Graphische Sammlung, Inv.-Nr. A 31970

Spazieren ging man nicht nur in öffentlichen Gärten, beliebt waren auch die Straßen vor den Toren der Stadt. Röder schrieb schon im Jahr 1787 in seiner »Geographie und Statistik Wirtembergs« über Stuttgart: »In der Stadt selbst, und ausser ihr ist also kein Mangel an öffentlichen Spaziergängen.« Wie wir auf dieser Ansicht sehen, begegnen sich vor dem Stadttor Menschen aus verschiedenen Schichten. In den Königlichen Anlagen hingegen lustwandelt ein müßiggängerisches Publikum und bleibt unter sich. Hier sehen wir ein bürgerliches Paar beim Flanieren, links im Bildvordergrund einen Spaziergänger, der innehält und einen Gedenkstein betrachtet, einen Kutscher, Gardesoldaten und einen Kraxenträger. So wie schon der Spaziergang von seiner Idee her Distanz zur Arbeit ausdrückt, so wird er auch im Bild umgesetzt. Der Kraxenträger geht leicht gebeugt seines Weges, den Blick nach unten gerichtet. Ihm dient der Gang durch die Natur nicht seiner Erholung, sondern der Sicherung seines Lebensunterhaltes.

G.K.

1870

1869

1871

## 1869*

### PRÄLATUR OBERMARCHTAL NACH DER SÄKULARISATION

Reiner
Württemberg, um 1810

*Aquarell*
*H. 30,8 cm, B. 45 cm*
*Bez.:* Ansicht der Prelatur von OberMarchtal von der DonauSeite/Vue de la Prelatur de Ober Marethal de la Côte de Danuber. – Nach der Natur gezeichnet von Reiner.

Ludwigsburg, Städtisches Museum, Inv.-Nr. 1087

*Alb-Donau-Kreis (Hg.), Alb-Donau-Kreis. Historische Ansichten, Ulm 1985.*

## 1870*

### ALBECK VON DER MORGENSEITE

Carl Roscher
Albeck, 1815

*Aquarell*
*H. 36 cm, B. 51,6 cm*
*Bez.:* Carl Roscher pinx: 1815

Ludwigsburg, Städtisches Museum, Inv.-Nr. 8

Vor der Kulisse der alten Oberamtsstadt Albeck, die erst im Jahr 1810 dem württembergischen Königreich eingegliedert wurde, unterhalten sich zwei bürgerlich gekleidete Damen, deren Begleiter gerade auf sie zu schreitet. Nicht weit von ihnen entfernt steht am Feldrand ein Paar in ländlicher Tracht, sie trägt einen Rechen über der Schulter und er hält eine Peitsche in der Hand; ihre lässige Körperhaltung deutet jedoch nicht auf die Mühsal ihrer Arbeit hin. Die soziale Differenz zwischen beiden Gruppen wird

nicht nur durch die Kleidung und die unterschiedlichen Utensilien deutlich – eine der bürgerlichen Damen benützt einen modischen Stockschirm, um sich vor der Sonne zu schützen –, sondern hauptsächlich durch das ländliche Paar, das kleiner gezeichnet ist, obwohl die Perspektive dies nicht verlangt. Bürgerlicher Selbstdarstellung und sozialer Abgrenzung müssen diese Ansichten Rechnung tragen, wollen sie ihren potentiellen Käufern gefallen.

*Alb-Donau-Kreis (Hg.), Alb-Donau-Kreis. Historische Ansichten, Ulm 1985.*                                    G. K.

## 1871*

### WEINSBERG UND DIE WEIBERTREU

Carl Dörr (1777–1842)
Weinsberg, um 1825

*Aquatinta, koloriert*
*H. 25,5 cm, B. 37,5 cm*

Heilbronn, Städtische Museen, Inv.-Nr. B 176

## 1872

### BADEN-BADEN VON DER LICHTENTALER ALLEE AUS

Carl Ludwig Frommel (1789–1863)
Mannheim, 1810

*Radierung, handkoloriert*
*H. 42 cm, B. 57 cm*
*Bez.: Mannheim bey D. Artarie 1819 No 8*

Baden-Baden, Stadtgeschichtliche Sammlung,
Inv.-Nr. 2782

## 1873*

### MANNHEIM VOM RHEINDAMM UND MÜHLAU-SCHLÖSSCHEN AUS

Carl Kuntz (1770–1830)
Mannheim, um 1815

*Kolorierter Kupferstich*
*H. 61 cm, B. 72,4 cm (m. Rahmen)*

Mannheim, Reissmuseum, Inv.-Nr. A 76

## 1874

### ULM VON DER MORGENSEITE

Johannes Hans (1765–1826)
Ulm, um 1808

*Kolorierte Lithographie*
*H. 45 cm, B. 65 cm (m. Passepartout)*

Stuttgart, Württ. Landesbibliothek, Graphische Sammlung, Inv.-Nr. Schefold 98

»In ansprechender Weise schmilzt bei ihm (Hans G. K.)
topographische Richtigkeit, die trefflichen Charakterisierung der Baulichkeiten und des Geländes mit geschmackvoller, künstlerischer Gestaltung zusammen.« (Schefold)

*Max Schefold, Der Maler und Kupferstecher Johannes*
*Hans. Ein Beitrag zur süddeutschen Vedutenmalerei um*
*1800, in: Mitteilungen des Vereins für Kunst und Altertum*
*in Ulm und Oberschwaben 29 (1934), S. 84–96.* G. K.

## 1875

### DIE FRIEDRICHSAU

Johannes Hans (1765–1826)
Ulm, nach 1810

*Kolorierte Radierung*
*H. 21 cm, B. 30,6 cm*

Ulm, Stadtarchiv, Inv.-Nr. F 3, Ans. 774,e

1873

Nachdem Ulm im Jahr 1810 württembergisch geworden ist,
wird die Friedrichsau als »Spaziergang« neu angelegt und
verdrängt das zuvor beliebte »Steinhäule«.
Im Vordergrund lauschen Kinder und Erwachsene dem Har-
fenspieler, und rechts daneben sind mehrere Gesellschaftsgar-
tenhäuser zu sehen. Der Ulmer »Gesellschaftsgarten« wurde
im Jahr 1793 gegründet, 19 Bürger formulierten als Zweck
der Vereinigung die »gesellschaftliche Erholung«, im Jahr
1820 stieg die Mitgliederzahl enorm an.

*Schefold, wie Kat.Nr. 1874. – Emil von Löffler, Geschichte*
*des Ulmer Gesellschaftsgarten, Ulm 1893.* G. K.

## 1876*

### DIE UNTERE BLEICHE

Johannes Hans (1765–1826)
Ulm, zwischen 1805 und 1818

*Kolorierte Radierung*
*H. 25,8 cm, B. 36,5 cm*

Ulm, Stadtarchiv, Inv.-Nr. F 3, Ans. 218

Der Maler und Kupferstecher Johannes Hans wurde im
Jahr 1765 als Sohn eines Tagelöhners und Schirmers in
Straßburg geboren. Nach dem Tode seiner ersten Frau
kommt Johannes Hans 1805 nach Ulm. In Ulm heiratet er
zum zweitenmal, allerdings kann er das Bürgerrecht nicht
erwerben. Sein Ulmer Aufenthalt ist bis zum Jahr 1818
belegt. Hans ist beeinflußt von der schweizerischen Vedutenmalerei. Die »Entdeckung« der alpinen Welt hatte dort
der »Produktion« von Veduten als Souvenirs für Reisende
großen Auftrieb gegeben. Wie die schweizerische Tradition, so teilt Hans die Vorliebe für die Sujets der nahen
Heimat, die sachliche Darstellungsweise mit starker räum-
licher Wirkung und ein lichtes Kolorit.

1876

1877

Das bürgerliche Ideal des Naturgenusses und das Bildungsstreben konkretisiert sich hier in der Gestalt des lesenden Spaziergängers. Bürger und Bürgerin lieben zwar den Aufenthalt in der freien Natur, doch schützt sich die Dame an dem Arm des Herrn mit einem Sonnenschirm vor verräterischer Bräune. Noch gilt eine helle Haut als Zeichen der Muße in der vornehmen Welt.

*Schefold, wie Kat.Nr. 1874.*                    G.K.

### 1877*

### PARTIE AN DER DONAU MIT BLICK GEGEN DAS HERDBRUCKERTOR

Johannes Hans (1765–1826)
Ulm, 1805–1818

*Kolorierte Radierung*
*H. 27,7 cm, B. 37,5 cm*

Stuttgart, Württembergische Landesbibliothek, Graphische Sammlung, Inv.-Nr. Schefold 9855          G.K.

1878

### 1878*

### EIN PAAR DAMENSCHUHE

Freiburg, um 1800

*Leder, Seidenrips*
*L. 24 cm*

Freiburg, Augustinermuseum, Inv.-Nr. 4112

Zu Beginn des 19. Jahrhunderts galten Schuhe mit hohen Absätzen eigentlich schon als unmodern. Vermutlich gehörten diese Schuhe der Freiburger Bäckersfrau Cäcilia Beck (1767–1846). Sie soll sie zu ihrer Hochzeit im Jahr 1801 getragen haben – eine »modische Ungleichzeitigkeit«.

Es ist heute sehr schwierig, Schuhe aus den Anfängen des 19. Jahrhunderts, die nicht nur bei besonderen Gelegenheiten getragen wurden, im Museum zu finden. Ballschuhe, Hochzeitsschuhe, aufwendige und teure Stücke können leichter entdeckt werden. Schuhe für den alltäglichen Gebrauch, benützt auf schlechten Straßen und Wegen, sind wohl eher aufgetragen und nicht aufgehoben worden. Gleichwohl können die hier gezeigten Schuhe veranschaulichen, welche Art von Schuhen – vergleichen wir sie mit den Modefarben und der Fußbekleidung der Damen auf den Ansichten – in den ersten Jahrzehnten des 19. Jahrhunderts von Frauen der gehobenen Schicht auch auf dem Spaziergang getragen wurden.          G.K.

**1879**

## DAMENSCHUH

Mainz, um 1790

*Leder, Seidenband*
*L. 23 cm*

Offenbach, Deutsches Leder- und Schuhmuseum,
Inv.-Nr. 8077

Die absatzlosen Schuhe, die mit dem Empire-Stil modern
wurden, waren leichte Schuhe aus weichem Leder oder mit
Stoff bezogen, häufig passend zum Kleid. Als die Kleider
kürzer wurden und den Knöchel sichtbar werden ließen,
kam als Neuheit um 1810 das Kreuzband auf. Die Seidenbänder wurden um den Knöchel geschlungen und bis zu
den Waden hochgebunden. Die Mode hielt sich etwa bis
1830.
Der Wechsel der Schuhmode von den hohen zu den flachen
Absätzen hatte männliche Zeitgenossen zu spitzzüngigen
Bemerkungen veranlaßt. Sie interpretierten dies leicht
ironisch als Angriff auf die männliche Vorherrschaft und
befürchteten den Verlust von »Weiblichkeit«. Das »Journal des Luxus und der Moden« konstatierte im Jahr 1802,
daß alle Damen übereingekommen seien, »den männlichen Schritt mit uns zu halten, und am zweckmäßigsten
dazu die flache Sohle wählten, welche den Gang nie
hemmen kann«.

*Deutsches Leder- und Schuhmuseum, Katalog Nr. 6,*
*Offenbach 1980.*                                    G.K.

**1880**

## EIN PAAR DAMENSCHUHE

Süddeutsch, Ende 18./Anfang 19. Jahrhundert

*Leder, Seide*
*L. 25,5 cm*

Freiburg, Augustinermuseum, Inv.-Nr. 4113

**1881**

## EIN PAAR BALLERINAS

D. Rübenacker
Karlsruhe, 1. Viertel 19. Jahrhundert

*Leder, Atlas, Taft, Tinte, Papier, Letterndruck*
*L. 24 cm*
*Bez.: Gedruckter Zettel in der Ferse des linken Schuhs:*
D. Rübenacker/fertigt/Alle Sorten/Schuh und Stiefel/Für
Herrn und/Damen/in/Carlsruhe.
*Innensohle beschriftet mit Tinte:* Droit *und* Gauche.

Karlsruhe, Badisches Landesmuseum, Inv.-Nr. 82/400a,b

Der Werbezettel des Schuhmachers Rübenacker, der *alle*
*Sorten Schuh und Stiefel für Herrn und Damen fertigt,*
deutet auf die damals noch übliche Art des »Schuhein-
kaufs« hin: Schuhe dieser Art wurden auf Bestellung
gearbeitet, und auch damals konnten sich dies nur wenige
leisten. In den Jahrzehnten nach der Jahrhundertwende
kündigt sich eine Umbruchsphase in der Schuhproduktion
an, die manufakturelle, arbeitsteilige Produktionsweise
beginnt. In Leipzig wird die Messe in den 1820er Jahren
zum ersten Umschlagplatz konfektionierter Schuhe. Im
»Karlsruher Amts- und Intelligenzblatt« von 1816 lesen
wir eine Annonce des Schuhmachers Hartleb, er beginnt,
sich auf die »neue Zeit« einzustellen. Er gibt bekannt, daß
er »bereits ein ansehnliches Assortiment schön gearbeiteter Frauenzimmerschuhe besitzt«.

*Deutsches Leder- und Schuhmuseum, Katalog Nr. 6,*
*Offenbach 1980.*                                    G.K.

**1882***

## DAMENSCHUH MIT ÜBERSCHUH

England, um 1810

*Leder*
*L. 26 cm*

Offenbach, Deutsches Leder- und Schuhmuseum,
Inv.-Nr. 6188

Um die leichten Schuhe vor Verschmutzung und Nässe zu
schützen, trugen die Damen Überschuhe. Längere Wege
konnten damit sicher nicht »leichtfüßig« zurückgelegt
werden. Wie notwendig Überschuhe wegen der schlechten
Straßenverhältnisse gewesen sein mögen, illustriert eine
Briefpassage der Redakteurin Therese Huber im Jahr
1821: »Die Stuttgarter City patscht im Kote ohne allen
Spott.«

*Ludwig Geiger, Therese Huber 1764–1829, Stuttgart*
*1901, S. 240.*                                    G.K.

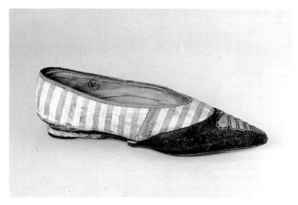

1882

## 1883*

### GESTICKTER BEUTEL

Süddeutsch, Anfang 19. Jahrhundert

*Seide, Pailletten, Seidenkordel, Platt-, Stiel- und Kettstich*
*H. 28 cm*

Karlsruhe, Badisches Landesmuseum, Inv.-Nr. R 234

Die Mode der Chemisenkleider mit ihren durchsichtigen und fließenden Stoffen machte die Handtasche zu einem notwendigen Accessoire. Nun kamen kleine Täschchen mit einem Zugband auf, die am Handgelenk getragen wurden, statt den zuvor am Gürtel befestigten Börsen und den in der Kleidung verborgenen Taschen. Diese neuartigen kleinen Taschen nannte man damals Ridikül, von »ridicule« die Lächerlichkeit; es gibt noch einen zweiten möglichen Wortstamm, nämlich »réticule« gleich Netzchen. Beide Worterklärungen finden wir in zeitgenössischen Lexika, auch wenn im alltäglichen Wortgebrauch die erste, verballhornende Interpretation bevorzugt wurde.                                                                G.K.

1883

## 1884

### RIDIKÜL

Süddeutsch, 1. Drittel 19. Jahrhundert

*Silberfaden, Pailletten, gestrickt und gewebt, Petitpoint-*
*stickerei, Seidenkordel*
*H. 15 cm*

Karlsruhe, Badisches Landesmuseum, Inv.-Nr. R 231

Im Ridikül, einem bunten Arbeits- oder Strickbeutel, trugen die Damen beispielsweise Schnupftuch und Riechfläschchen.
Accessoires wie die Handtasche, flache Schuhe und der Sonnenschirm markieren die neuen kleinen Schritte bürgerlicher Damen in öffentlichere Räume der Geselligkeit: Salon, Lesekränzchen und Spaziergang.                     G.K.

## 1885

### BEUTEL

Wien?, 2. Viertel 19. Jahrhundert

*Perlenstickerei, Seide, Baumwollhäkelei*
*L. (mit Fransen) 33 cm, B. 22 cm*

Karlsruhe, Badisches Landesmuseum, Inv.-Nr. 78/43

1886

## REGENSCHIRM

Geislingen, 1. Viertel 19. Jahrhundert

*Seide, Elfenbein, Fischbein, Messing*
*L. 91,5 cm*

Geislingen, Kunst- und Altertumsverein, Inv.-Nr. 2550

Der Regenschirm war in erster Linie ein bürgerliches Requisit. Adelige Damen und Herren bevorzugten die Kutsche oder Sänfte bei schlechtem Wetter. Der »fleißige« Bürger, der sich beides nicht leisten konnte, schützte sich vor dem Regen mit einem Schirm. In den Zeitungen des frühen 19. Jahrhunderts fallen zahlreiche »Schirmempfehlungen« auf, wie die Annonce im Schwäbischen Merkur Nr. 102 im Jahr 1828. Der Schirmfabrikant Bockstedt, wohnhaft in der Hirschgasse Nr. 120 in Stuttgart, nahm »alte Regenschirme, in angemessenem Werth an Zahlungsstatt an, und überzieht und repariert beschädigte Regenschirme möglichst billig«.
Wie »kostbar« solch ein Schirm zu dieser Zeit und wie ungewohnt der Umgang mit ihm war, schildert eine Episode aus den Lebenserinnerungen der Tusnelde Schöll geborene Schaal (1848–1912). Ihre Großmutter, eine Pfarrfrau auf der Schwäbischen Alb, erhielt hin und wieder von ihrem Bruder aus Wien ausgesucht moderne Geschenke, so auch kurz vor den Freiheitskriegen das »Allerneueste«, einen großen seidenen Regenschirm. Dem Herrn Dekan, der sich bei starkem Regenguß von der Pfarrfrau verabschieden wollte, wurde dieser Schirm angeboten. Dieser lehnte ab mit der Begründung, der Schirm sei zu kostbar. Schließlich ließ er sich doch überzeugen. Am nächsten Botentag schickte er den Schirm in einem Gestell, extra vom Schreiner angefertigt, mit einem lateinisch verfaßten Dankschreiben zurück.

*Tusnelde Schöll, Wie unsere Vorfahren des Lebens Lust und Leid getragen, Stuttgart[2]1983.* G.K.

1887

## SONNENKNICKER

Süddeutsch, um 1800

*Seide, Holz, Elfenbein, Metall*
*H. 51 cm, Schirm-Dm. 31 cm*

Ulm, Frau G. Beck

1888

## STOCKSCHIRM

Süddeutsch, 19. Jahrhundert

*Baumwolle, Seide, Holz, Messing*
*H. 94 cm, Schirm-Dm. 31,5 cm*

Freiburg, Augustinermuseum, Inv.-Nr. K 69/10

Der Stockschirm kam als modische Neuheit gegen Ende des 18. Jahrhunderts aus England und tauchte im »Journal des Luxus und der Moden« im Jahr 1787 zum ersten Mal auf. Er war eine sinnige Kombination aus Spazierstock und Schirm, vor allem als die Damen noch hohe Absätze trugen und häufig Spazierstöcke benutzten. Allerdings hatte der Stockschirm den Nachteil, daß man sein unter Umständen verschmutztes Stockende in die Hand nehmen mußte, um ihn als Sonnenschirm tragen zu können. Er hielt sich nicht lange, kam jedoch in den 1870er Jahren nochmals in Mode.

*Max von Boehn, Das Beiwerk der Mode, München 1928.*
G.K.

1889

## SONNENSCHIRM MIT SCHACHTEL

Süddeutsch, 19. Jahrhundert

*Elfenbein, Messing, Holz, Seide, Metall*
*H. 65,5 cm, Schirm H. 30 cm*

Freiburg, Augustinermuseum, Inv.-Nr. K 69/8

Bereits Anfang des 18. Jahrhunderts wurde der »gebrochene Schirm« erfunden, eine Konstruktion, die es erlaubte, den Schirm in der Mitte zusammenzulegen und dadurch leichter zu verstauen. Doch diese Erfindung löste vorerst keinerlei Resonanz aus, erst ab der Mitte des 18. Jahrhunderts wurden die zusammenklappbaren Sonnenschirme zahlreicher, gleichwohl sie noch ausgesprochen teuer und exquisit waren. Erst das 19. Jahrhundert mit seinen Veränderungen im produktionstechnischen Bereich machte den Sonnenschirm zu dem Accessoire der bürgerlichen Dame auf dem Spaziergang.

*Max von Boehn, Das Beiwerk der Mode, München 1928.*
G.K.

1890

## SPAZIERSTOCK

Süddeutsch, 1. Hälfte 19. Jahrhundert

*Holz, Bein, Eisen*
*L. 86 cm*

Lörrach, Museum am Burghof, Inv.-Nr. HV 17

1891

## FLANIERSTOCK

Süddeutsch, 1. Viertel 19. Jahrhundert

*Bein, Holz*
*L. 81 cm*

Lörrach, Museum am Burghof, Inv.-Nr. HV 19

Je mehr sich das bürgerliche Vergnügen am Lustwandeln durchsetzt, desto augenfälliger wird der Spazierstock zum Zeichen der sozialen Distinktion. Würde und Vermögen können mit ihm dezent und doch allgemein sichtbar zur Schau gestellt werden. Dabei sind die Variationsmöglichkeiten von Formen und Materialien unerschöpflich. Das Interesse der Tüftler und Erfinder am Spazierstock und seinen Metamorphosen ist enorm. Da gibt es etwa Spazierstöcke mit integrierter Puderdose und Parfümfläschchen für die Dame, den Stock mit medizinischen Instrumenten für den Arzt, Stöcke aus exotischen und einheimischen Hölzern, aus Hornscheiben und Koralle, Griffe aus Gold, Silber und Porzellan.

Im Unterschied zum Spazierstock hat der Flanierstock keine Eisenzwinge, auch kann der Flanierstock relativ dünn und kurz und damit als Stütze nicht mehr dienlich sein.

*Catherine Dike, Les Cannes à Système. Un monde fabuleux et méconnu, Paris, Genève 1982. – Ulrich Klever, Spazierstöcke. Zierde, Werkzeug und Symbol, München 1984.*                                                    G. K.

### 1892

### DEGENSTOCK

Süddeutsch, um 1800

*Messing, Malakkarohr, Eisen, Horn*
*L. 88 cm*

Stuttgart, Württembergisches Landesmuseum, Inv.-Nr. 1953/37(393)

Als neueste Mode der »elegants« bezeichnet das »Journal des Luxus und der Moden« im Jahr 1791 die Degenstöcke. Dieser Spazierstock, der unsichtbar einen Degen in seinem Innern birgt, ist eine diskrete und unauffällige Waffe. Ob politisch unruhige Zeiten ihn zum modischen Attribut einer sich angegriffen fühlenden Generation werden ließ, mag dahingestellt sein.                                                    G. K.

### 1893

### FLANIERSTOCK

Süddeutsch, 1. H. 19. Jahrhundert

*Rindenholz, Horn*
*L. 92 cm*

Freiburg, Augustinermuseum, Inv.-Nr. 3657

### 1894

### SPAZIERSTOCK

Süddeutsch, 1. Hälfte 19. Jahrhundert

*Nußbaumholz, Eisen*
*L. 90 cm*

Freiburg, Augustinermuseum, Inv.-Nr. 8433

### 1895

### STOCKFLÖTE

Stuttgart, 1. Drittel 19. Jahrhundert

*Holz, Eisen, Metall*
*L. 88 cm*
*Bez.: E. v. Hügel s. Lindpaintner*

Stuttgart, Archiv der Stadt, Inv.-Nr. 510 a

Der Komponist und langjährige Stuttgarter Hofkapellmeister Peter Joseph von Lindpaintner (1791–1856) erhielt diese Mischung aus Instrument und Spazierstock offensichtlich als Freundschaftsgeschenk, wie die Widmung verrät. Stockflöten sind zu Beginn des 19. Jahrhunderts eine Neuheit; ob sie sich angemessen spielen lassen, ist zweifelhaft. Seinen Besitzer weist die Stockflöte jedenfalls schon beim Spaziergang als Kenner, Förderer und Liebhaber der Musik aus.

Welche Akzente setzt nun die zeitgenössische Meinung in Hinblick auf den Nutzen des Spazierstocks? Das Krünitzsche »ökonomisch-technologische Wörterbuch« veröffentlicht im Jahr 1832 eine ausführliche Beschreibung des Spazierstocks: »als ein Stock von Holz, Rohr, Stahl, Fischbein etc, den man auf seinen Spaziergängen, als Zeitvertreib, oft auch als Stütze mit sich führt«. Der Spazierstock ist also beileibe nicht in erster Linie Stütze beim Spazierengehen, er dient dem »Zeitvertreib« und ist ein modisches Zubehör. Schon 1784 ist der »Spazierstab mit Schrittzähler« lexikalisch aufbereitet. Cottas »Taschenbuch auf das Jahr 1799 für Natur- und Gartenfreunde« stellt den Spazierstock für Gartenliebhaber mit Konstruktionszeichnung vor: Sein Griff aus Gemshorn ist geeignet, Zweige herabzuziehen, mit wenigen Handgriffen kann statt der Zwinge ein Messer oder Spaten angeschraubt werden. Diese »Stöcke mit System«, wie der Fachausdruck heißt und wozu auch die Stockflöten zählen, scheinen eher Spielerei denn brauchbare Werkzeuge und Geräte zu sein. Sie können jedoch nur für diejenigen zur Spielerei werden, die nicht wirklich mit einem Werkzeug hantieren müssen. Nur wer Garten oder Feld nicht zum Broterwerb bestellen muß, kann Freizeitgefühle mit einem umnutzbaren Spazierstock entwickeln.

*Johann Georg Krünitz, Ökonomisch-technologische Enzyklopädie, Teil 156, Berlin 1832, S. 624. – Johann Karl Gottfried Jacobssons technologisches Wörterbuch, 4. Teil, Berlin und Stettin 1784, S. 202.*          G. K.

1896

1897

1896*

## FLANIERSTOCK

Deutsch, 1. Hälfte 19. Jahrhundert

*Elfenbein, Mallakkarohr, Horn, Messing*
*L. 91 cm*

Bad Wiessee, Dr. Werner Thiess

Ein Spazierstock, der ein politisches Bekenntnis seines Trägers verrät, ist dieser Stock, dessen Knauf – bei entsprechender Haltung und Beleuchtung – das Schattenbild Napoleons wirft. Vermutlich stammt dieser Stock aus der Zeit von Napoleons Verbannung, ein Erkennungszeichen seiner ungebrochenen Anhänger. G. K.

1897*

## FLANIERSTOCK MIT BÜSTE NAPOLEONS ALS KNAUF

Frankreich(?), 1. Hälfte 19. Jahrhundert

*Schlangenholz, Elfenbein*
*L. 89,6 cm*

Privatbesitz

Mit diesem Stock bekundet der Flaneur seine politische Einstellung unkaschiert. Vielleicht zeigte er, mit der kleinen Büste Napoleons in der Hand, seine Bewunderung für ihn noch in der Zeit des »Grand Empire«. Vielleicht erhob er Napoleon jedoch zum Idol, nachdem die Schreckensherrschaft bereits vergessen war.

*Catherine Dike, Les Cannes à Système, Paris, Genève 1982. – Ulrich Klever, Spazierstöcke, München 1984.*
G. K.

## Bürgerliche Gefühlskultur und »verbottene Liebe«

»Der Freundschaft gewidmet«, »Souvenir«, »Zum Angedenken meiner Freunde« oder »à l'amitié« – solche Widmungen sind auf Stammbüchern eingeprägt, die angelegt, geschrieben und aufbewahrt wurden im Zeichen der Freundschaft. Dieser bürgerliche Freundschaftskult der Zeit um 1800 ist zu verstehen als direkte Folge der Auflösung traditionaler Bindungen und Wertvorstellungen. Die ständische Gesellschaft, in der der einzelne in streng voneinander getrennte soziale Gruppen eingebunden war, löst sich langsam auf. Die Welt wird bunter und vielfältiger, die Offenheit jedoch verlangt neue, andere Verhaltensregeln. Die wachsende soziale und räumliche Mobilität, der zunehmende staatliche Einfluß mit seiner Kontrolle über die eng begrenzten Herrschaftsgebiete der alten Welt hinweg, bedeuten eine verstärkte Individualisierung des einzelnen. Der zuvor relativ geschlossene Horizont wird durchbrochen, und neue Lebensinhalte und Weltdeutungssysteme werden notwendig, um den Verlust der alten Ordnung – bei aller Kritik an ihr – zu verkraften. Eine Antwort auf diese Umwälzungen ist die starke Betonung des Gefühls: Im anderen, in der Freundschaft versucht der einzelne seine Orientierung zu begründen. Freundschaftskult, Freundschaftslob und Freundschaftsdichtung werden zum Ersatz für verlorene Sicherheiten und Glaubenssysteme.

Vergegenwärtigen wir uns die zahlreichen Relikte dieses Freundschaftskultes, Gegenstände des alltäglichen Gebrauchs und besondere Freundschafts- und Liebesgeschenke, geschmückt mit den Symbolen und dem Zeichencode der Freundschaft: Verschränkte Hände, »Denkmäler der Liebe«, Anker, Amor, Lyra, so können wir davon ausgehen, daß für das Bürgertum in all seinen Schattierungen die Pflege des Gefühls zur neuen, alltäglichen Verhaltensweise wurde. Die Bedeutung der Gefühlswerte wirkte auch auf die Liebesbeziehung zum anderen Geschlecht: »So setzt sich gleichzeitig die Idee der romantischen Liebe durch, die in dem Verstehen und der Ergänzung individueller Partner den alleinigen Sinn und die alleinige Legitimation der Liebe wie auch der Ehe sieht.«[1] Zuvor schien die Ehe als einzigen Zweck die wechselseitige materielle Unterstützung zu beinhalten, Liebe und Ehe galten als unvereinbar. Die Ehe auf geistig-körperlicher Liebe aufzubauen, wurde als schamlos empfunden. Die Liebe konnte vergehen, die Ehe aber sollte Bestand haben. Erst die Romantiker ließen eine Ehe ohne Liebe nicht mehr gelten, für sie war Liebe gleich Ehe, auch ohne Trauschein. Das romantische Liebesideal erhöhte die Paarbeziehung, die durch »Kinder der Liebe« harmonisch ergänzt werden sollte. Das »Paarsein« schob sich als neuer Abschnitt im Lebenslauf vor die Phase der Familie. Die bürgerliche Liebes- und Eheauffassung intensivierte die Gefühlsbeziehungen.

Doch schon in der bürgerlichen Ehe jener Zeit stellte sich die Liebe nicht so ohne weiteres ein. Der meist große Altersunterschied zwischen den Ehegatten – immerhin starb am Ende des 18. Jahrhunderts noch jede zwölfte Frau im Kindbett, so daß Männer häufig Zweit- und Dritttehen eingingen, um den Haushalt und eventuell Kinder aus erster Ehe nicht unversorgt zu lassen – deutete nicht auf die ideale Ergänzung zweier gleichgesinnter Partner hin.

Die Realität war nüchterner. So bekundete der Antrag um Erlaß der Trauerzeit des Bürgers und Bauers Jacob Friedrich Thaler aus Vaihingen sehr direkt, um was es bei seiner Heirat ging. Er erklärte nach fünfmonatiger Trauerzeit im Jahr 1814: »Nun sehe ich mich genötigt, zu Führung meiner Haushaltung und besonders wegen Herannahender Erndte-Zeit mich bald möglichst wieder zu verheurathen.«[2] Jacob Thalers Wiederverheiratung war eine ökonomische Entscheidung. Die Erfordernisse der Arbeit kamen vor der Liebesbeziehung. Die Eheschließung auf der Grundlage von Freundschaft und Liebe war nur ein bürgerliches Konstrukt. Bürgerliche Aufklärer versuchten zwar auch dem »Landmann« die neuen Ideale näherzubringen. »Es käme also dabey (der Heirat) nicht auf die Güter, sondern auf die Gemüter an.«[3] Doch im bäuerlichen und handwerklichen Milieu galt es, mit einer Heirat den sozialen Status zu erhalten, wurden Gefühle und Leidenschaft zumeist der Statussicherung untergeordnet. Die ideellen mußten nicht im Widerspruch zu den materiellen Interessen stehen, war »Liebe« wohl im besten Fall die Verbindung von »Gut und Gemüt«.

Die Realität der Partnersuche für ärmere Schichten hatte mit dem bürgerlichen Ideal nichts mehr gemein; sie unterstanden vor allem dem Druck staatlicher Kontrolle. In Württemberg wie auch in anderen süddeutschen Staaten reichte die Tradition der Beschränkung der Verehelichungsfreiheit bis ins 16. Jahrhundert zurück. So bat etwa im Jahr 1787 der verwitwete Daniel Fischer, Bürger und Rotgerber, den Rat der Reichsstadt Villingen um die Bewilligung der Heirat mit Margaretha Stöhrin. Der Rat entgegnete: »Da die Stöhring eine berüchtigte und schon zum dritten Mal zu Fall gekommene Person ist, dieselbe auch lediglich nichts in Vermögen hat, Bittsteller selbst auch mittellos ist, also ist die Heirat mit der Stöhrin abzuschlagen und solle sich um eine andere Person umsehen.«[4]

Am Ende des 18. Jahrhunderts galt noch das Recht der Grundherrschaft, wonach es etwa in der kleinen kirchlichen Herrschaft Schussenried lapidar hieß: »Ohne herrschaftlichen Konsens darf keine Ehe eingegangen werden.«[5]

Zu den Modernisierungsbestrebungen König Friedrichs in Württemberg und Reitzensteins in Baden gehörte unter anderem die Auflösung der Verehelichungsbeschränkungen. Die heterogenen Landesteile mit ihren unterschiedlichen Rechtstraditionen sollten durch entsprechende Gesetze vereinheitlicht und damit integriert werden.

In Baden und Württemberg wurden daher entsprechende, vom Code Civil beeinflußte Gesetze im Jahr 1807 erlassen, die »Freyheit zu heiraten« wurde allgemein gültig. In beiden Staaten lag als einzige Einschränkung das Mindestalter für Männer bei 25 Jahren und für Frauen bei 18 Jahren. Allerdings bedeuteten auch diese neuen Gesetze noch längst keine freie Partnerwahl. Nun hatten nämlich die Gemeinden das Entscheidungsrecht, da die Eheerlaubnis mit dem Bürgerrecht gekoppelt war. Aus Sorge um ihre

Armenkasse lag es daher im Interesse der Gemeinde, unliebsame Eheschließungen zu verhindern. Da das Bürgerrecht ausschließlich ererbt wurde oder teuer erkauft werden mußte, hatten die Gemeinden weite Handhabungsmöglichkeiten, den Ehekonsens zu verweigern, obwohl mit dem Gesetz von 1807 auch die Erleichterung der Einbürgerung vorgeschlagen worden war. Manche Paare hatten zusammen schon mehrere uneheliche Kinder, bevor ihnen schließlich die Heiratserlaubnis erteilt wurde.

Der Bestrafung wegen »fleischlicher Vergehen« waren sie dabei trotz Heiratswilligkeit immer ausgesetzt. Das Gesetz von 1806 regelte das Strafmaß gestaffelt nach der Häufigkeit der »Verfehlungen« und setzte es für Frauen zum Teil doppelt so hoch an wie für Männer. Zudem war nun für Unzuchtsvergehen nicht mehr der Kirchenkonvent, sondern die amtliche Behörde zuständig. Auch durften diejenigen, die wegen eines »fleischlichen Vergehens« vorbestraft waren, nur noch mittwochs heiraten, und den bestraften Frauen war das Kränzchentragen am Hochzeitstag streng verboten. Eine Regelung, die regional jedoch unterschiedlich gehandhabt wurde. In manchen Gegenden mußten »geschwächte Weibspersonen« mit einem Strohkranz zur Trauung gehen, oder sie wurden, wie in Rottweil, mit einem Strohkranz öffentlich zur Schau gestellt, wenn sie die Unzuchtsgebühr für ein uneheliches Kind nicht bezahlen konnten. Neben dem Strohkranztragen gab es noch andere »Schandstrafen« wie den »Hurenstuhl« in der Upfinger Kirche, von dem Pfarrer Köhler berichtete, daß »in die diejenige Mädchen, die eine Frucht verbotener Liebe zur Welt brachten, stehen müssen.«[6] Die Verschärfungen der Ehebeschränkungen führten zu einem Ansteigen der illegitimen Geburten im 19. Jahrhundert – in den 1830er Jahren wurde die »Freiheit zu heiraten« endgültig zurückgenommen –, so daß diese moralischen Sanktionen allmählich ihren Sinn verloren.

In der engen dörflichen Welt war die »verlorene Geschlechtsehre« für Frauen ein lebenslanges Stigma. Für sie gab es kaum Wege, mit einer »Frucht verbotener Liebe« der Schande zu entgehen. Prophylaktische empfängnisverhütende Methoden waren zu Beginn des 19. Jahrhunderts kaum bekannt. So blieb nur die gesellschaftlich noch tolerierte Kindesvernachlässigung oder die Weggabe zu einer Amme, was dieser gleichkam. Mit der bürgerlichen »Entdeckung der Kindheit« sind diese Möglichkeiten später zunehmend verpönt. Eine zweite Methode, die weitgehend auf ledige Frauen beschränkt blieb, war die Einnahme von Kräutern und Wurzeln zur »Beförderung der monathlichen Reinigung«, die neben der Beruhigung krankheitsbedingter Unregelmäßigkeit im Monatszyklus auch zur Fruchtaustreibung in frühen Schwangerschaftsphasen führen konnte. Da der Fötus nach medizinisch-theologischen Vorstellungen erst im 6. Schwangerschaftsmonat »beseelt« wurde, kann dieses Verhalten natürlich nicht an heutigem Rechtsempfinden gemessen werden. Hebammen wurden gleichwohl ermahnt, diese Mittel vor allem keinen »ledigen oder fremden Weibspersonen anzurathen«. Nachdem sich die akademische Medizin allmählich etabliert hatte, war dieses volksmedizinische Wissen der Obrigkeit ein Dorn im Auge. Manche

Erfahrungen schienen sich dem staatlichen Zugriff jedoch noch zu entziehen. Im Kochbuch der Caroline Rudolphin aus Willspach aus dem Jahr 1809, einer gemischten Sammlung von Koch- und Haushaltsrezepten sowie medizinischen Hausmitteln, lesen wir: »Wan eine Person ihr Monatliches nicht hat, so nehme man 13 Rosmarein Zweiglein und koche es in einem Schoppen alten Wein bis die helfte eingesotten ist, und trinke dan die Helfte davon eine Stunde vor dem frühstük und die andere vor schlaffen gehen, man muß aber eine zeitlang damit fort machen.«[7] Daß solches Wissen um »abortiva« kein Einzelfall war, zeigt der Bericht eines Göttinger Arztes von seiner Reise durch Schwaben im Jahr 1801 auch dann noch, wenn wir beim Lesen Abstriche machen, da er als Gegner dieser Methoden vielleicht übertrieben haben mag: »Wenn ich aufs Land reise und an einem Dorfgarten vorbei kam, in welchem ich einen Sewenbaum oder -busch sahe (ein Abortivum, auch bekannt als Lebensbaum oder stinkender Wacholder), so wußte ich ... daß der Garten dem Barbierer oder der Hebamme gehöre. Betrachtet man diese Bäume oder Stauden, so sind sie gewöhnlich ihrer Krone beraubt, weil sie so oft berupft oder mitunter bestohlen werden.«[8] Während sich für die unteren Schichten die Heiratsbestimmungen also weiter verschärften und illegitime Kinder zum sozialen Schicksal wurden, so bestimmten in den bürgerlichen Schichten die materiellen Interessen noch im ganzen 19. Jahrhundert die Wahl des Ehepartner. Offenbar wurde jedoch mit ansteigendem Lebensstandard wenn schon nicht »aus«, so doch zunehmend »mit Liebe« geheiratet.

1
Friedrich H. Tenbruck, Freundschaft. Ein Beitrag zu einer Soziologie der persönlichen Beziehungen, in: Kölner Zeitschrift für Soziologie und Sozialpsychologie, 16. Jg. 1964, S. 437.

2
Brief des Jacob Friedrich Thaler aus Rothenberg, Oberamt Stuttgart-Vaihingen vom 30. Juli 1814, Staatsarchiv Ludwigsburg, E 308 II, Bü 124, Obertribunal Tübingen.

3
Rudolph Zacharias Becker, Noth- und Hülfsbüchlein für Bauersleute, Nachdruck der Erstausgabe von 1788, Dortmund 1980, S. 192.

4
Ulrich Rodenwaldt, Das Leben im alten Villingen. Im Spiegel der Ratsprotokolle des 17. und 18. Jahrhunderts, 2. Auflage Villingen-Schwenningen 1983, S. 171.

5
Allgemeine Ordnung von Schussenried, ca. 1795, Artikel XII Von Eheverlöbnissen, Absatz 1, S. 26, Stadtarchiv Biberach.

6
Eckart Frahm, Wolfgang Kaschuba, Carola Lipp (Hg.), Friedrich A. Köhler, Eine Albreise im Jahre 1790 zu Fuß von Tübingen nach Ulm, 2. Auflage Bühl-Moos 1984, S. 109.

7
Kochbuch der Caroline Rudolphin, Württembergisches Landesmuseum, Inv.-Nr. VK L 13784, S. 146.

8
Zit. n. Barbara Duden, »Keine Nachsicht gegen das schöne Geschlecht«. Wie sich Ärzte die Kontrolle über Gebärmütter aneigneten, in: Susanne v. Paczensky (Hg.), Wir sind keine Mörderinnen, Reinbek, 1980, S. 118.

*Peter Borscheid, Geld und Liebe, Zu den Auswirkungen des Romantischen auf die Partnerwahl im 19. Jahrhundert, in: Peter Borscheid/Hans J. Teuteberg (Hg.), Ehe, Liebe, Tod, Münster 1983, S. 112–134. – Gisela Dischner, Friedrich Schlegels Lucinde und Materialien zu einer Theorie des Müßiggangs, Hildesheim 1980. – Barbara Duden, »Keine Nachsicht gegen das schöne Geschlecht«. Wie sich Ärzte die Kontrolle über Gebärmütter aneigneten, in: Susanne v. Paczensky (Hg.), Wir sind keine Mörderinnen, Reinbek 1980, S. 109–126. – Carola Lipp, Dörfliche Formen generativer und sozialer Reproduktion, in: Carola Lipp/Wolfgang Kaschuba, Dörfliches Überleben, Tübingen 1982, S. 288–598. – Klaus-Jürgen Matz, Pauperismus und Bevölkerung: die gesetzlichen Eheschränkungen in den süddeutschen Staaten während des 19. Jahrhunderts, Stuttgart 1980. – Heidi Rosenbaum, Formen der Familie. Untersuchungen zum Zusammenhang von Familienverhältnissen, Sozialstruktur und sozialem Wandel in der deutschen Gesellschaft des 19. Jahrhunderts, Frankfurt/M 1982. – Friedrich H. Tenbruck, Freundschaft. Ein Beitrag zu einer Soziologie der persönlichen Beziehungen, in: Kölner Zeitschrift für Soziologie und Sozialpsychologie, 16. Jg. 1964, S. 431–456.* G. K.

## 1898

### AGNES CHRISTIANA GOTTLIEBIN EBNER GEB. RUEF (1787–1849)

Wendelin Moosbrugger (1760–1849)
Ulm, 1808

*Öl auf Leinwand*
*H. 67,5 cm, B. 52 cm*

Ulm, Ulmer Museum, Inv.-Nr. 1916 3735 30 B

## 1899

### JOHANN FRIEDRICH EBNER (1785–?)

Wendelin Moosbrugger (1760–1849)
Ulm, 1808

*Öl auf Leinwand*
*H. 67,5 cm, B. 52 cm*

Ulm, Ulmer Museum, Inv.-Nr. 1916 3735 30 A

## 1900

### PAUL KROMER (1763–1839) AUS FISCHBACH

Unbekannt
Schwarzwald, Anfang 19. Jahrhundert

*Öl auf Leinwand*
*H. 51 cm, B. 39,3 cm*

Freiburg, Augustinermuseum, o. Inv.-Nr.

## 1901

### MARIA KROMER, GEBORENE FÜRDERER (1767–1829) AUS NEUSTADT

Unbekannt
Schwarzwald, Anfang 19. Jahrhundert

*Öl auf Leinwand*
*H. 51 cm, B. 39,3 cm*

Freiburg, Augustinermuseum, o. Inv.-Nr.

Die Porträtmalerei kommt im Schwarzwald am Ende des 18. Jahrhunderts auf. Das nach der Französischen Revolution erstarkte Bürgertum drückt sein neues Selbstbewußtsein auch in dem Wunsch nach Darstellung aus. Auftraggeber dieser Doppel- und Familienbildnisse waren reiche Bauern, Handwerksmeister, Wirte, Ärzte und frühe Unternehmer. Meist wird die Frau in Tracht gemalt und der Mann in bürgerlicher Kleidung. Auffällig ist die realitätsnahe Wiedergabe der Personen ohne geschönte künstlerische Interpretation. Die Künstler kamen meist aus der Uhrenschildmalerei, eine klassische Ausbildung konnten sie selten vorweisen.

*Das Schwarzwaldbild, Katalog zur gleichnamigen Ausstellung des Augustinermuseums, Freiburg 1986, Kat. Nr. 239.* G. K.

## 1902.1

### JOHANN THIERGÄRTNER AUS LICHTENTAL

Ortliep?
Baden-Baden, um 1807

*H. 35,7 cm, B. 30,3 cm (gerahmt)*

Baden-Baden, Stadtgeschichtliche Sammlungen, Inv.-Nr. 10733

## 1902.2

### EHEFRAU DES JOHANN THIERGÄRTNER

Ortliep?
Baden-Baden, um 1807

*H. 35,7 cm, B. 30 cm (gerahmt)*

Baden-Baden, Stadtgeschichtliche Sammlungen, Inv.-Nr. 10734

Johann Thiergärtner bekam im Jahr 1807 von Großherzog Karl Friedrich die Silberne Militärverdienstmedaille verliehen. Dies mag ihn veranlaßt haben, sich mit seiner Frau im Bild festhalten zu lassen. G. K.

1903

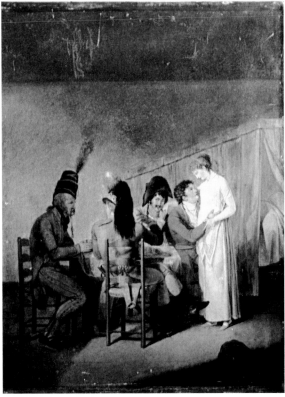

1904

1903*

## Dame in Baumrinde schneidend

Mainz, dat. 1796

*Scherenschnitt, Papier, Holz, Glas*
*H. 32,5 cm, B. 27,1 cm*
*Bez.:* Souvenir/Damille

Stuttgart, Württembergisches Landesmuseum,
Inv.-Nr. 458

»Ich schnitt es gern in alle Rinden ein«, dieser Liedanfang von Schubert fällt einem bei diesem Scherenschnitt ein. Ein Motiv, das hin und wieder bei Freundschaftsgeschenken bildlich umgesetzt wurde. Die Dame zeichnet oder schneidet mit einem Stöckchen die Widmung in den linken Baum, der rechte Baum – der Scherenschnitt ist symmetrisch aufgebaut – verbirgt unter einem eingeschnittenen Fensterchen einen handschriftlichen Federeintrag, bei dem außer Ort und Datierung nichts mehr entzifferbar ist. Die beiden Bäume wiederum werden eingerahmt von zwei Säulen, die Urnen tragen. Diese Freundschaftsdenkmäler erinnern an die Vergänglichkeit des Lebens, beschwören damit den Augenblick und sollen so die Freundschaft erhöhen.                                                   G. K.

1904*

## L'Amusement des François

Johann Baptist Seele (1774–1814)
Süddeutsch, dat. 1800

*Öl, Papier, Leinwand*
*H. 35 cm, B. 26 cm*
*Bez.:* Seele 1800

Donaueschingen, Fürstlich Fürstenbergische Sammlung,
Inv.-Nr. F. F. S. Inv. 180

Wie bei anderen militärischen Genreszenen von Seele existieren von diesem Bild mehrere Fassungen. Es wurde ausgeführt als Gouache, Aquarell, Aquatinta sowie als Stich von Morace. Die zahlreichen Fassungen sprechen für ein breites Interesse an diesen bildlichen Nachrichten vom Rande des Kriegsgeschehens. Seele nimmt dabei nicht Partei für die eine oder andere Seite, wie sein Gegenstück »L'Amusement des Autrichiens« zeigt.
Vier französische Soldaten sitzen beim Wein in einem Zimmer, hinten rechts ist ein Himmelbett angedeutet, und zwei dieser Soldaten scherzen mit einem Mädchen. Dieses Thema – die Soldaten als Verführer und Mädchen, die mehr oder weniger willig auf die Annäherungsversuche eingehen – hat Seele in mehreren Varianten aufgegriffen.

*Hermann Mildenberger, Der Maler Johann Baptist Seele,*
*Tübingen 1984, S. 214. – Ders., Johann Baptist Seele.*
*Genreszenen aus der Zeit um 1800, in: Schwäbische*
*Heimat 4 (1984), S. 339–349.*                    G. K.

## 1905

### FREUNDSCHAFTSALBUM
### DER SOPHIE GEBHARD

mit Schuber

Lörrach, ab 1813

*Feder, Papier, kolorierte Kupferstiche, Karton*
*H. 10,5 cm, B. 16,5 cm*
*Aufschr.: Souvenir d'amitié S G*

Lörrach, Museum am Burghof, Inv.-Nr. ST 3

Das Stammbuch mit seinen Versen und Bildern ist das
Buch der Freundschaft schlechthin. Mit Gedichten, guten
Wünschen und Bonmots verewigen sich in ihm Freunde
und Freundinnen, Familienangehörige, Lehrer und Studenten. Die rechte Seite eines gebundenen Stammbuchs ist
meist dem Text vorbehalten, die linke ziert ein Aquarell,
Kupferstich, eine Silhouette, gestickte Bilder und später
Lithographien und Stahlstiche.
Die Ursprünge des Stammbuchs oder Freundschaftsal-
bums reichen zurück bis ins 16. Jahrhundert, doch sein
massenhafter Gebrauch fällt in die Wende vom 18. ins 19.
Jahrhundert. Nun ist es nicht mehr exklusive Angelegenheit weniger, sondern das aufstrebende Bürgertum setzt
sich damit im wahrsten Sinn des Wortes ein Denkmal.
Denkmäler der Freundschaft und der Liebe gehören zum
festen Repertoire der Freundschaftssymbolik. Bevor
Lithographien als massenproduzierte Freundschaftsbilder
eingeklebt wurden, füllten Briefmaler die leeren Seite der
Stammbücher. Auch die Gedichte und Sprüche entflossen
nicht nur der eigenen Feder und dem eigenen Herz. Schon
im Jahr 1789 erschien in Nürnberg eine »Sammlung
auserlesener Stellen zum Gebrauch für Stammbücher«.

*Günther Böhmer, Sei glücklich und vergiß mein nicht.*
*Stammbuchblätter und Glückwunschkarten, München*
*1973. – Eva-Maria Hanebutt-Benz, Stammbücher der*
*Goethe-Zeit, Frankfurt, Museum für Kunsthandwerk*
*1982.*                                          G. K.

## 1906

### KASSETTE MIT 37 STAMMBUCHBLÄTTERN

Lörrach, 1809–1855

*Leder, Karton, Goldprägedruck, Papier, Feder,*
*Kupferstich*
*H. 13 cm, B. 19 cm*
*Aufschrift: Souvenir d'amitié*

Lörrach, Museum am Burghof, Inv.-Nr. ST 4

1907

1907*

### STAMMBUCH DES LUDOVICUS SOMMER

Lindau, um 1800

*Leder, Karton, Goldprägedruck, Papier, Feder,*
*Zeichnung, kolorierte Stiche*
*H. 11,8 cm, B. 19,5 cm*
*Aufschr.: Denkmal wahrer Freunde*

Biberach, Städtische Sammlungen (Braith-Mali-
Museum), Inv.-Nr. 86/17 G

*Alles bricht und alles fällt/ Mit dem Leben in der Welt,/*
*Wahre Freundschaft nur allein/ Soll bey uns unsterblich*
*seyn* mit diesem Spruch empfiehlt sich *der getreue Freund*
in Sommers Stammbuch. Das dazugehörige Aquarell zeigt
zwei sich umarmende Freunde. Die unauflösliche Freundschaft wird der Vergänglicheit des Lebens entgegengesetzt,
eine Methapher, die sehr häufig in der Freundschaftslyrik
vorkommt. Die schwärmerische Freundschaft brauchte
den Schmerz des Abschieds, um sich voll entfalten zu
können. Mit Urne und Trauerweide, zwei Symbolen dieses
profanen »memento mori«, oder eben mit Abschiedsszе-
nen zwischen Freunden wird die Vergänglichkeit des Seins
zur Vergegenwärtigung des Daseins beschworen. Mit dem
schriftlichen Eintrag in ein Stammbuch vergewisserte man
sich seiner selbst und seiner Freunde.          G. K.

## 1908

### STAMMBUCH MIT EINTRAG JOHANN
### BAPTIST PFLUGS (1785–1866)

Biberach, 1818/19

*Leder, Karton, Papier, Feder, Zeichnung, kolorierte*
*Stiche, Gouache*
*H. 10,6 cm, B. 16,8 cm*

Biberach, Städtische Sammlungen, (Braith-Mali-
Museum), Inv.-Nr. 86/19 G

Mit einer Darstellung der Allegorie von »Glaube, Liebe,
Hoffnung«, als Gouache ausgeführt, und der Widmung
*aus wahrer Freundschaft* verewigte sich der bekannte
Biberacher Genremaler hier im Stammbuch eines Unbekannten.                                        G. K.

**1909**

## KASSETTE MIT STAMMBUCHBLÄTTERN UND FREUNDSCHAFTSBILLETS

Württemberg, Ende 18./Anfang 19. Jahrhundert

*Papier, Karton, Feder, Goldprägedruck,
kolorierte Stiche
H. 10,9 cm, B. 17,4 cm
Aufschr.: Für Freunde gewidmet*

Stuttgart, Württembergisches Landesmuseum,
Inv.-Nr. 1986/309

**1910**

## STAMMBUCH DER LOUISE LANGDORFF
im Schuber

Stuttgart, 1793–97

*Papier, Karton, Feder, Prägedruck, Schattenrisse,
Stickbilder
H. 8 cm, B. 11 cm
Aufschr.: Zum Angedenken meiner Freunde*

Stuttgart, Stadtarchiv, Inv.-Nr. S 1450

Mit Sinnsprüchen, zwei gemalten Silhouetten und zwei gestickten Bildern haben sich Freundinnen, Tante und Onkel, Vetter und Base eingetragen. Mehrere französische Widmungen und Sinnsprüche weisen weder auf ein Freundschaftsverhältnis noch eine andere Beziehung hin. Bis auf zwei Eintragungen aus Holzgerlingen sind die restlichen mit Ortsangabe aus Stuttgart. G. K.

**1911**

## STAMMBUCH DER MARIE LOTTER

Stuttgart, 1811–1821

*Karton, Papier, Aquarell, Zeichnung, Feder*

Stuttgart, Stadtarchiv, Inv.-Nr. S 1448

Dieses Stammbuch besteht aus 57 losen Blättern, die von einem Schuber zusammengehalten werden, also nicht in der üblichen Kassette aufbewahrt worden sind.
Marie Lotter war die Nichte von Tobias Heinrich Lotter (1772–1834). Der Kaufmann zählte zu den Gründungsmitgliedern der »Privaten Gesellschaft freiwilliger Armenfreunde«, die im Jahre 1805 in Stuttgart ins Leben gerufen wurde. Marie Lotters Stammbuch enthält eine Mischung von Eintragungen aus dem Freundeskreis und der näheren Verwandtschaft. G. K.

1912

1912*

## STAMMBUCH DES CARL LOTTER

Stuttgart, 1790–98

*Papier, Karton, Feder, Aquarelle, Silhouetten, Aquarelle,
Stiche, Sepiazeichnungen, Stickbild
H. 17 cm, B. 11,5 cm
Aufschr.: Der Freundschaft gewidmet*

Stuttgart, Stadtarchiv, Inv. Nr. S 1441

Carl Lotter war ebenfalls ein Onkel der Marie Lotter und ein Bruder des oben erwähnten Tobias Heinrich Lotter. In Lotters Stammbuch haben sich im Lauf weniger Jahre 117 Freunde, Verwandte und Studienkollegen eingetragen. Gegen Ende des Jahres 1790 angelegt, verweist die Widmung Nr. 8 *Mit dieser Erinnerung entläßt Dich / Deine Frau Mutter / Elisabeth Dorothea Lotterin* darauf, daß viele Eintragungen mit Carl Lotters Weggang von zu Hause in Verbindung stehen. Wahrscheinlich verließ er das Elternhaus, um anderswo zu studieren, dafür sprechen Widmungen aus den Jahren 1795/96, die von Studenten stammen. Die Texte sind außer in deutsch auch in französisch und italienisch geschrieben; neben Stuttgart wird Tübingen, Frankfurt und Leipzig häufig genannt. Die Stammbücher waren offensichtlich nicht nur dem Sammeln von Sympathiekundgebungen vorbehalten, sondern sie wurden immer wieder vorgenommen, gelesen und »aktualisiert«. So fügt auch Carl Lotter bei seinem Freund Ernst Henning, der sich zweimal ins Stammbuch eintrug, hinzu: *Ruhe sanft o du theurer unvergeßlicher Freund / du warst meinem Herzen wert und lieb* und *Ich weine Thränen des Schmerzes um dich früh entschlafener Freund.* G. K.

## 1913

### KLEINE BRIEFTASCHE

Marie Susanne Gegenschatz
Mannheim, dat. 1790

*Seide, Pailletten, Stickerei*
*H. 19,7 cm, B. 14 cm*
*Bez.: J. L./1790 und dedie à l'amitié*

Heidelberg, Kurpfälzisches Museum, Inv.-Nr. 221

*In Freundschaft gewidmet* hat Marie Gegenschatz diese Brieftasche ihrem späteren Mann Johann Jacob Leipold. Mit ihrer Stickerei zitiert sie aus dem Programm der Freundschaftssymbolik: Urnenvase, Vergißmeinnicht und ihre eigene Silhouette zieren die Tasche. Viele Alltagsgegenstände werden mit den Freundschaftsemblemen zum Liebesgeschenk. Relativ häufig waren wohl diese gestickten Täschchen, die den Zauber des »Selbstgemachten« in sich aufnahmen. Sie dienten als Aufbewahrungsort für Liebesbriefe, einzelne Freundschaftsbillets, Silhouettenbilder und andere Liebesbeweise.                         G. K.

## 1914*

### ETUI MIT FREUNDSCHAFTSBILLET

Schwäbisch Gmünd, um 1800

*Seide, Stickerei, Pailletten, Kupferstich, Letterndruck*
*H. 11 cm, B. 17 cm*

Schwäbisch Gmünd, Städtisches Museum, o. Nr.

## 1915   *nicht ausgestellt*

### ETUI MIT FREUNDSCHAFTSBILLET

Schwäbisch Gmünd, um 1820

*Papier, Karton, Feder*
*H. 14 cm, B. 8,5 cm*

Schwäbisch Gmünd, Städtisches Museum, o. Nr.

## 1916

### KLEINE KLAPPTASCHE

Süddeutsch, Anf. 19. Jahrhundert

*Taft, Seidenfaden, Kettstich*
*H. 14 cm, B. 10,3 cm*
*Bez.: L G*

Karlsruhe, Badisches Landesmuseum, Inv.-Nr. R 238

1914

## 1917

### BRIEFTÄSCHCHEN

Süddeutsch, dat. 1782

*Karton, Seidenatlas, Brokatborte, Seidenstickerei,*
*Pailletten, Silberlahn, Taft*
*H. 10 cm, B. 15 cm*
*Bez.: M I E/1782 und Z P/1782*

Karlsruhe, Badisches Landesmuseum, Inv.-Nr. 18989

## 1918

### FREUNDSCHAFTSBILDCHEN IN HERZFORM

Schwäbisch Gmünd, dat. 1795

*Wasserfarbe auf Papier, Letterndruck, eingeflochtenes*
*Bändchen*
*H. 10,9 cm, B. 8,9 cm*
*Bez.: An Demoiselle Jeanette/Debler/von dero ergeben-*
*sten/Bruder/und Joseph Miller/Am/1ten Jenner/1795*

Schwäbisch Gmünd, Städtisches Museum, o. Nr.

Allgemeine Wunschkarten, Freundschaftsbillets und Glückwunschkarten zu besonderen Anlässen, wie hier die Neujahrskarte, unterscheiden sich in ihrer Funktion kaum. Sie gelten als Zeichen der Freundschaft und drücken die innere Verbundenheit aus. Die Blütezeit der Wunschkarten währt von den letzten Jahrzehnten des 18. Jahrhunderts bis in die 1830er Jahre.

*Gustav E. Pazaurek (Hg.), Biedermeier-Wünsche. Fünfzig Kleinfolio-Tafeln in Licht- und Farbendruck nebst illustriertem Text, Stuttgart o. J., Abb. 1, S. 2.*        G. K.

1919

## Freundschaftsbillet zum Neuen Jahr

Schwäbisch Gmünd, dat. 1784

*Kupferstich, Seidenatlas, Letterndruck*
*H. 8,6 cm, B. 12,5 cm*
*Federeintrag:* Pour Mademoiselle de Stahl/De Jeanette
Debler

Schwäbisch Gmünd, Städtisches Museum, o. Nr.

Diese Atlasmedaillonkarten waren in den letzten drei
Jahrzehnten des 18. Jahrhunderts sehr beliebt. Der vorge-
druckte Spruch: *Zum / neuen / Jahr. / Freundinn, mit dem
besten Herzen. / Das die Gottheit je erschuf, / Du verdie-
nest keine Schmerzen, / Glücklich seyn sey dein Beruf!*
bekommt durch den handschriftlichen Zusatz, der zeitgenössischen Mode folgend in französischer Sprache, den
persönlichen Bezug.                                    G. K.

1920

## Model

Süddeutsch, um 1820

*Birnholz*
*H. 17 cm, B. 9,7 cm*

Stuttgart, Württembergisches Landesmuseum,
Inv.-Nr. 12480 h

Die beiden Motive, ein Mädchen mit einem Schaf und ein
schlafender Amor in einem Korb, sind sowohl von vorne
als auch von hinten in den Model eingeschnitten. Ein
Gebrauchsgegenstand trägt hier Bildsymbole des Freundschaftskultes.                                        G. K.

1921

## Petschaft mit Freundschaftshänden

Süddeutsch, Anfang 19. Jahrhundert

*Bein, Messing*
*H. 8 cm*

Freiburg, Augustinermuseum, Inv.-Nr. H 63/2

Dieser Handstempel zum Versiegeln von Briefen nimmt
mit den beiden ineinandergreifenden Händen eines der
Hauptzeichen der Freundschaft auf. Die verschränkten
Hände begegnen uns auf allerlei Liebes- und Freund-
schaftsgaben, so etwa auch auf Ringen.                G. K.

1922

## Liebesbrief

Schwäbisch, 1. Dr. 19. Jahrhundert

*Deckfarbenmalerei, Feder, eingeflochtenes Bändchen und
Metallfolie*
*H. 32,5 cm, B. 20,5 cm*

Stuttgart, Württembergisches Landesmuseum,
Inv.-Nr. 12.29

*Treu lieben und vergiß nicht mein,* so beginnt der Spruch
unter dem geflochtenen Herzen des doppelseitigen Liebes-
briefes. Beim Lehrer oder Schreiber in Auftrag gegeben,
konnten so auch im Schreiben ungeübte ihre Sehnsüchte zu
Papier bringen lassen.                                G. K.

1923

## Bettwärmer

Württemberg, dat. 1809

*Gebrannter Ton, Ritztechnik*
*H. 8,7 cm, Dm. 15,6 cm*
*Bez.:* Regena Catharina? Fridz Heim. A. 1809

Stuttgart, Württembergisches Landesmuseum,
Inv.-Nr. VK 1970/68

Liebesgeschenke bekundeten insbesondere im ländlichen
Bereich das Eheversprechen und galten als rechtskräftige
Beweise der Verlobung. In der badischen Eheordnung von
1807 wird das Eheversprechen abgeschafft: »Eheversprechen gelten nichts mehr; das heißt: Niemand kann daraus
den andern klagen, und man kann davon bis zur Einho-
lung der Trau= (oder Ausruf=) Scheine frey abgehen: wer
es später thut, kann zwar auch nicht gehindert werden,
abzugehen, muß aber einen gesetzmäßigen Abtrag zahlen.« Nicht unwichtig war das Eheversprechen bei der
Feststellung der Vaterschaft eines unehelich geborenen
Kindes, der Festsetzung der Alimente, und zudem lag die
Geldstrafe für »unehelichen Beischlaf« bei »gesetzmäßig
ehelich verlobten« Personen erheblich niedriger.      G. K.

1924

## Strumpfbänder,
## sogenannte Knieringe

Süddeutsch, um 1800

*Seide, Stickerei, Chenille, Eisenblech*
*L. 31 cm, B. 3 cm*
*Aufschr.:* Andenken/der Liebe

Baden-Baden, Stadtgeschichtliche Sammlung,
Inv.-Nr. 1672

1925

## FLÄSCHCHEN,
## SOGENANNTES SCHNAPSBUDELE

Schwarzwald, dat. 1807

*Braunes Glas, eingewölbte Seitenflächen, Emailmalerei,
weiße Schrift, Beliverschluß*
Aufschr.: Ich bitte Schöne! Laß mich fragen: Wie lang
muß ich Hörner tragen. 1807

Löffingen, Heimatmuseum, o. Nr.

Der unglückliche Liebesseufzer eines betrogenen (Ehe-)
mannes ziert dieses Glas. Ob die Braut tatsächlich untreu
war, ist fraglich. Es könnte sich auch um ein anspielungs-
reiches Geschenk der Jahrgangskameraden an den Bräutigam handeln.                                          G. K.

1926

## SPRUCHTELLER

Römer & Co
Mosbach, 1787–1799

*Fayence, Scharffeuermalerei*
*Dm. 22,1 cm*
Aufschr.: wen/ich dich hätt/einmal im/Bett

Mannheim, Reißmuseum, o. Nr.

1927

1927*

## FABRIKATIONSMUSTERBUCH

Schwäbisch Gmünd, ab 1809

*Kolorierte Federzeichnung*
*H. 25,5 cm, B. 21,5 cm*

Schwäbisch Gmünd, Städtisches Museum, o. Nr.

Die abgebildete Seite aus dem Fabrikationsmusterbuch der
»Handlung Michael Debler« zeigt Freundschaftsring-
entwürfe aus den Jahren 1810–1820. Die Bedeutung des
Gmünder Schmuckgewerbes lag in der Herstellung von
Massenartikeln. Die produzierenden Handwerker konn-
ten ihren Schmuck nur über die Handelshäuser wie das des
Michael Debler absetzen.

*Walter Klein, Geschichte des Gmünder Goldschmiede-
handwerks, Stuttgart 1920. – Peter Scherer (Hg.), Das
Gmünder Schmuckhandwerk bis zum Beginn des XIX.
Jahrhunderts, Schwäbisch Gmünd 1971.*          G. K.

1928*

## FREUNDSCHAFTSRING

Deutsch, um 1780

*Elfenbein, bemalt, Glas, Gold*
*H. 3,1 cm, B. 1,7 cm (Platte)*

Stuttgart, Württembergisches Landesmuseum,
Inv.-Nr. 12.94

Die bürgerliche Gefühlskultur mit ihrem Freundschaftskult schlägt sich auch in den Themen der Freundschafts-
ringe nieder. Die großplattigen Ringe wurden mit dem
Repertoire der Freundschaftslyrik verziert: Anker, Ruinen, Urnen, gemalte Landschaften, Denkmäler der Liebe
und der Freundschaft mit ihren Inschriften.        G. K.

1929*

## FREUNDSCHAFTSRING

Österreich(?), um 1810–1820

*Gold, Haare, Glas, Spruchband*
*H. 2,9 cm, B. 1,7 cm (Platte)*
*Inschr.: Zum Angedenken*

Stuttgart, Württembergisches Landesmuseum

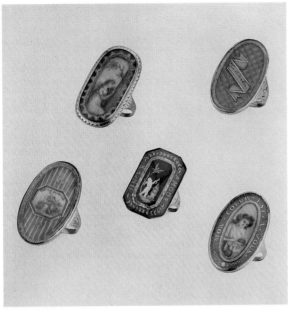

1928–1932

Auf einem Gitter aus Haaren liegt das Spruchband mit dem Text. Die Anfänge des Haarschmucks, der später ja auch ein Wandschmuckthema wurde, liegen in der sentimentalen Beziehung zu dem Haar als einem Teil des Menschen, der für das Ganze steht. Zu Beginn des 19. Jahrhunderts wird der Haarschmuck einfach geflochten und gelegt, zum Teil werden auch einzelne Locken unter Glas gefaßt. Ab den 1830er Jahren werden sehr kunstvolle Gebilde und Stickereien aus Haaren in Heimarbeit hergestellt. G. K.

## 1930*

### TRAUERRING

Deutsch, Ende 18. Jahrhundert

*Gold, Glas, Haare*
*H. 3,5 cm, B. 2,5 cm (Platte)*
*Inschr.:* c'est tout, qui me reste

Stuttgart, Württembergisches Landesmuseum,
Inv.-Nr. 11.331

Die Grenzen zwischen Freundschafts- und Trauerringen sind fließend. Schon in der Freundschaftssymbolik bedeuten Urne und Denkmal die Betonung des Gefühls über den Tod hinaus. Der Gedanke an Abschied und Trennung ist in der Freundschaftsidee schon enthalten. G. K.

## 1931*

### FREUNDSCHAFTSRING

Deutsch, 1790–1800

*Gold, Glas, Email, Relief*
*H. 2,45 cm, B. 1,5 cm (Platte)*
*Inschr.:* Sincer/Amour

Stuttgart, Württembergisches Landesmuseum,
Inv.-Nr. 16.183

Aufrichtige Liebe beschwört diese Formel. Die Inschrift verweist nicht unbedingt auf eine französische Herkunft, denn noch war Französisch die Sprache der Gebildeten. Der Ring als Pfand der unwandelbaren Gefühle sollte diesen Empfindungen Ausdruck geben. G. K.

## 1932*

### FREUNDSCHAFTSRING

Deutsch, Ende 18. Jahrhundert

*Gold, Glas, Email, Miniaturmalerei*
*H. 3 cm, B. 1,8 cm (Platte)*
*Inschr.:* MON CŒUR EST A VOUS

Stuttgart, Württembergisches Landesmuseum,
Inv.-Nr. 16.149

Die Miniatur stellt eine Dame mit halbentblößter Brust dar, die Amor eine Augenbinde umlegt. G. K.

## 1933

### FREUNDSCHAFTSRING

Deutsch, um 1800

*Gold, Glas, Haare, Miniaturmalerei*
*H. 3,1 cm, B. 1,7 cm (Platte)*
*Inschr.:* Andenken *und* AK

Stuttgart, Württembergisches Landesmuseum,
Inv.-Nr. 16.148

*Gisela Zick, Gedenke mein. Freundschafts- und Memorialschmuck, Dortmund 1980.*

**1934**

## LIEBES- ODER FREUNDSCHAFTSRING

Württemberg, 1. Hälfte 19. Jahrhundert

*Silber*
*Dm. 1,9 cm*

Stuttgart, Württembergisches Landesmuseum,
Inv.-Nr. E 1837

Silberne »Treu- oder Verspruchsringe« wurden in ländlichen Bevölkerungsschichten meist nur bei besonderen Gelegenheiten getragen. Sie gelten als Vorläufer der Eheringe.

*Justus Kutschmann, Volkstümliche Fingerringe, in: Rheinisch-westfälische Zeitschrift für Volkskunde, Bd. XI, 1964, S. 1–30.*    G. K.

**1935**

## BIRNKRUG

Durlach, dat. 1790

*Fayence, Scharffeuermalerei*
*H. 20,1 cm, Dm. 12 cm*
*Bez.: Carl Schatz./Regina Magerin./1790*

Durlach, Pfinzgaumuseum, Inv.-Nr. Pfm 4

**1936**

## BIRNKRUG

Durlach, dat. 1807

*Fayence, Scharffeuer- und Muffelmalerei*
*H. 19,5 cm*
*Bez.: Johann Christian Greiner/Stadt- und Amtspfleger in Lemberg/Christiana Dorothea Greinerin, 1807*

Stuttgart, Württembergisches Landesmuseum,
Inv.-Nr. 7444

Birnkrüge waren beliebte Verlobungs- und Hochzeitsgeschenke. In einer Rocaille-Kartusche hat sich der Stadt- und Amtspfleger an seinem Arbeitsplatz verewigen lassen. Einen Federkiel in der Hand haltend, sitzt er an einem Aufsatzsekretär und unterschreibt ein Dokument.    G. K.

1937

**1937***

## BIRNKRUG MIT DECKEL

Löwer Söhne
Durlach, dat. 1810

*Fayence, Scharffeuermalerei*
*H. 22,3 cm (ohne Deckel), Dm. 14,5 cm*
*Bez.: Tobias Lansche/Jacobine Lanschen/1810*

Durlach, Pfinzgaumuseum, Inv.-Nr. Pfm 16

Einen sinnesfreudigen Ausblick auf den Ehealltag zeigt die Bemalung dieses Hochzeitskruges. Das Paar, sie in Tracht, er in bürgerlicher Kleidung, sitzt an einem Tisch und prostet sich zu. Ein dicker Schinken und Brot gehören zum Mahl.    G. K.

1938

## BIRNKRUG

Durlach, dat. 1797

*Fayence, Scharffeuermalerei*
Bez.: Johann Jacob/Joßle./Ana Catharina Joßlein./1797

Durlach, Pfinzgaumuseum, Inv.-Nr. Pfm 7

In einer Rocaille steht eine Frau, die auf einer großen Waage kleine Holzfässer wiegt. Vielleicht bringt die Frau das ererbte Ladengeschäft in die Ehe ein, auf jeden Fall war ihre Arbeit offensichtlich wichtiger als die des Bräutigams.
G. K.

1939

## HEIRATSKONTRAKT ZWISCHEN WILHELM FRIEDRICH WEYSSER UND CAROLINE MUSCULUS

Elsaß, dat. 1815

*Papier, Siegel, Feder*
*H. 30,5 cm, B. 21,5 cm*

Durlach, Pfinzgaumuseum, o. Nr.

Wilhelm Friedrich Weysser stammte aus Durlach und verheiratete sich nach Sulz am Wald im Elsaß. Der Heiratskontrakt, im badischen auch »Eheberedungsprotokoll« genannt, listet das Vermögen der Brautleute auf. Nicht so detailliert wie in den württembergischen Inventuren und Teilungen, sondern summarisch. Während die Braut 5068 Franken *beibringt*, liegt das Beibringen des Hochzeiters bei 8571 Franken. Das eingebrachte Vermögen bleibt, etwa bei einer Trennung, jedem *eigenthümlich vorbehalten*. Das in der Ehe zugewonnene Vermögen wird *zur gerechten Halbheit* aufgeteilt.
G. K.

1940

## EHEORDNUNG FÜR DAS GROSSHERZOGTUM BADEN

Karlsruhe, 1807

*Papier, Letterndruck*
*H. 20 cm, B. 12 cm*

Offenburg, Stadtarchiv, Nr. 21/68

1941   *nicht ausgestellt*

## HOCHZEITSWIDMUNGSBLATT FÜR D. DEBLER (1755–1836) UND SEINE ERSTE FRAU ANNA MARIA (1741–1788)

Pater Felix
Schwäbisch Gmünd, dat. 1784

*Deckfarbenmalerei, Papier*
*H. 25 cm, B. 17,5 cm*

Schwäbisch Gmünd, Städtisches Museum, o. Nr.

1942

## DIE HEIMFÜHRUNG DER BRAUT

Conrad Wiesner (1796–1865)
Oberschwaben, 1824

*Kolorierte Umrißradierung*
*H. 18,8 cm, B. 23,5 cm*
Bez.: gez. von Pflug radiert von Wiesner

Stuttgart, Staatsgalerie, Graphische Sammlung, Inv.-Nr. A 32379

*Volksleben in Baden und Württemberg gesehen mit Künstleraugen des 19. Jahrhundert. Ausstellungskatalog zur gleichnamigen Ausstellung der Städtischen Museen Heilbronn, 8. 9.–4. 10. 1981, S. 76, Abb. 32, Kat. Nr. 78.*
G. K.

1943*

## »SITZENGELASSENE« LEDIGE MUTTER

Gebäckmodel
Süddeutsch, um 1780

*Birnholz*
*H. 24,7 cm, B. 10,8 cm*

Stuttgart, Württembergisches Landesmuseum, Inv.-Nr. 12373 k

Ein Soldat entfernt sich von »seinem Mädchen«, das ihm halb bittend, halb anklagend ein gewickeltes Kind entgegenstreckt. Soldaten hatten während ihrer Einquartierungszeit natürlich kein Heimatrecht in den jeweiligen Gemeinden, und ohne ausreichendes Vermögen wurde ihren Heiratsgesuchen selten zugestimmt. Ob sie allerdings immer eine Heirat anstrebten, sei dahingestellt.
G. K.

1943

1944

1944*

## GETÄUSCHTER EHEMANN

Gebäckmodel
Süddeutsch, um 1780

*Birnholz*
*H. 20,8 cm, B. 13,4 cm*

Stuttgart, Württembergisches Landesmuseum
Inv.-Nr. 1954/3

*Meine Ehestand freuet Mich/nur Halb ich kauf die Kuh/
Mit samt dem Kalb*, diese Klage steht unter einem Bild
dieses vierteiligen Models, auf dem ein Mann seine Frau
und ein Kind in einer Händlerskrätze trägt. Sie weist auf
die angeblich voreheliche Schwangerschaft der Frau hin.
Der Ehemann befürchtet, nicht der Vater des Kindes zu
sein. Eine *fremde Last*, die er nun gemeinsam mit der
vermeintlich untreuen Ehefrau (er-)tragen muß. Nicht nur
reale Erfahrungen, hintergangen worden zu sein, sondern
auch männliche Ängste und Phantasien mögen bei der
Darstellung dieses Themas eine Rolle gespielt haben.

G. K.

1945

**1946**

## FRIEDRICH FERDINAND FISCHER, AMTMANN IN ALTENSTEIG (1760–1817?)

Wachsbossierung

Altensteig, um 1785

*Wachs, Holz, Glas, Samt*
*H. 19,8 cm, B. 16 cm (mit Rahmen)*

Stuttgart, Württembergisches Landesmuseum,
Inv.-Nr. 1957/224

**1947**

## EHEFRAU DES FRIEDRICH FERDINAND FISCHER

Wachsbossierung

Altensteig, um 1785

*Wachs, Holz, Glas*
*H. 20 cm, B. 15,9 cm (mit Rahmen)*

Stuttgart, Württembergisches Landesmuseum,
Inv.-Nr. 1957/225

**1945\***

## BRAUTKRONE, SOGENANNTE SCHAPPEL

Rottweil, 18./Anfang 19. Jahrhundert

*Karton, Draht, Stoffrosetten, Spiegel, Glanzpapier,*
*Glaskugeln, geprägtes Goldblech*
*H. 18 cm, Dm. (oben) 30 cm*

Münsingen, Heimatmuseum, o. Nr.

Diese Brautkrone stammt vermutlich von einer Rottwei-
lerin, die nach Münsingen heiratete.
Um 1700 übernahm die bäuerliche Bevölkerung die Braut-
kronen, allerdings in einfacherer Machart, aus der bürgerlichen und adligen Schicht, die die Krone bereits abgelegt
hatten. Als Zeichen der Jungfräulichkeit wurde sie von
Mädchen bis zur Hochzeit bei verschiedenen Gelegenheiten getragen. »Geschwächten«, das heißt ledigen schwangeren Frauen oder Frauen mit illegitimen Kindern war das
Kränzchentragen am Hochzeitstag verboten. Als Zeichen
der verlorenen Unschuld mußten sie einen Strohkranz
aufsetzen. Daß dies jedoch keine Frage der Moral, sondern
vielmehr ein soziales Problem war, ergibt sich aus den
Heiratsbeschränkungen der Obrigkeit, die selbst heirats-
willigen Paaren den Ehekonsens abschlagen konnte.   G. K.

**1948\***

## OBERJUSTIZPROKURATOR BECKER

Wachsbossierung

Xaver Heuberger (1791–1863/64)
Ellwangen, dat. 1825

*Wachs, Holz, Glas, Naturhaare*
*Dm. 14,8 cm (mit Rahmen)*
*Bez.: X. Heuberger fecit 1825*

Stuttgart, Württembergisches Landesmuseum,
Inv.-Nr. 11824 a

**1949\***

## EHEFRAU DES OBERJUSTIZPROKURATORS BECKER

Wachsbossierung

Xaver Heuberger (1791–1863/64)
Ellwangen, dat. 1825

*Wachs, Holz, Glas, Naturhaare*
*Dm. 14,8 cm (mit Rahmen)*
*Bez.: X. Heuberger fecit 1825*

Stuttgart, Württembergisches Landesmuseum,
Inv.-Nr. 11824 b

1948

1949

Am Ende des 18. und Anfang des 19. Jahrhunderts waren aus Wachs gefertigte Miniaturporträts in gehobenen Kreisen beliebt. Das weiße, gebleichte Bienenwachs ließ sich gut modellieren und konnte gefärbt und bemalt werden. Franz Xaver Heubergers Arbeiten sind ungewöhnlich, da er die schwierige und seltene Perspektive »en face« in der Darstellung bevorzugte. Heuberger wurde in der Schweiz geboren, hielt sich jedoch die meiste Zeit seines Lebens in Baden und Württemberg auf. Ein Werkverzeichnis der noch erhaltenen und nachweisbaren Stücke von Heuberger umfaßt 19 Porträts, entstanden zwischen 1812 und 1862, fast alle von Personen großbürgerlicher und adliger Herkunft wie etwa die Wachsbossierung von Königin Katharina im Jahr 1821 oder die der Großherzogin Sophie. Da Heuberger bekannt und geschätzt war, erstaunt die geringe Anzahl seiner Werke, einige haben sicher die Jahre nicht überstanden, da Wachs relativ empfindlich ist und es zudem doch geringer geschätzt wurde als Ölporträts. Franz Xaver Heuberger war damals ein »gesuchter Mann«. Im Schwäbischen Merkur Nr. 102 aus dem Jahr 1828 ist eine »Nachfrage« abgedruckt: »Wem der Aufenthalt des H. Xaver Heuberger, der schöne Bildnisse in Wachs verfertigt, bekannt seyn sollte, wird hiermit höflichst um dessen gefällige Mitteilung gebeten von der G. Ebnerschen Kunsthandlung.«

*Paul Oberholzer, Die Wachsbossierer Heuberger von Richenbach bei Wil, in: Zeitschrift für Schweizerische Archäologie und Kunstgeschichte, Bd. 38, 1981, S. 202–219.*                                    G. K.

1950

### Georg Wolfang Lochner

Wachsbossierung

Mich. Jos. Aubera
Süddeutsch, dat. 1797

*Wachs, Holz, Glas*
*Dm. 14,3 cm (mit Rahmen)*

Stuttgart, Württembergisches Landesmuseum,
Inv.-Nr. 2628

1951

### Ehefrau des Georg Wolfgang Lochner

Wachsbossierung

Mich. Jos. Aubera
Süddeutsch, dat. 1797

*Wachs, Holz, Glas*
*Dm. 14 cm (mit Rahmen)*

Stuttgart, Württembergisches Landesmuseum,
Inv.-Nr. 2628 b

1952.1

## HERRENBILDNIS AUS DER FAMILIE BEHAGEL

Wachsbossierung

Baden, um 1800

*Wachs, Glas, Holz, Gips*
*H. 12,5 cm, B. 9,7 cm*

Freiburg, Augustinermuseum, Inv.-Nr. H 72/6 a

1952.2

## DAMENBILDNIS AUS DER FAMILIE BEHAGEL

Wachsbossierung

Baden, um 1800

*Wachs, Glas, Holz, Gips*
*H. 13,6 cm, B. 10,3 cm*

Freiburg, Augustinermuseum, Inv.-Nr. H 72/6 b

## *Kindheiten*

Die Auswirkungen jener Flut von Erziehungs- und Jugendliteratur, angefangen bei Jean-Jacques Rousseaus »Emile«
(1762) und den pädagogischen Theorien von Johann
Heinrich Pestalozzi (1746–1827), später von Friedrich
Fröbel (1782–1857) und anderen Medizinern und Aufklä-
rern, wurden um die Jahrhundertwende auch im deutschen Familienalltag spürbar. Die »Entdeckung der Kindheit« als eigenständiger, von der Erwachsenenwelt ge-
schiedener Lebensabschnitt prägte das neue bürgerliche
Familienbild. Die traditionelle Einstellung zum Kind
wurde in dem Moment in Frage gestellt, als nicht mehr
davon ausgegangen werden konnte, daß sich das Leben
der Kinder weiterhin in den gleichen von Standesgrenzen
bestimmten Lebensbahnen bewegen würde wie das Leben
ihrer Eltern. Die neue relative Beweglichkeit zwischen den
Schichten erhob Bildung und Leistung zu Werten, die den
gesellschaftlichen Aufstieg garantieren sollten. Eine
bewußte Kindererziehung für diese Erwachsenenwelt
wurde zur Bedingung für den späteren Erfolg: »Alles was
er ist, ist er durch Erziehung«[1], schrieb im Jahr 1818 der
Ettlinger Arzt Schneider in seinem Beitrag »Über die
physische Erziehung der Kinder«. Zahlreiche Veröffentlichungen dieser Art popularisierten die neuen Leitbilder
und machten sie zu Merkmalen »bürgerlichen Lebens«.
Der Adel setzte Erziehung noch weithin gleich mit der
Bildung von äußerlichen Umgangsformen und dem
Bewußtmachen von Standesinteressen. In den unteren
Schichten, im bäuerlichen, handwerklichen und hausindustriellen Milieu hingegen blieben die Kinder weiterhin
»kleine Erwachsene«, denn sie wurden als billige Arbeitskräfte im Rahmen der Familienwirtschaft gebraucht. Die
bürgerliche Familienfassung grenzte sich nach »oben« und
nach »unten« ab. Ihren Vorstellungen entsprach, daß die
Ehe freiwillig und aus Zuneigung gegründet und auf der
Basis einer gefühlsmäßigen Bindung geführt werden sollte.
In Abgrenzung zum Adel und zu dessen Zweckheiraten im
Dienst der Herrschaftssicherung und in Distanz zu den
unteren Schichten, die bei der Eheschließung notgedrungen materiellen Zwängen folgten, wurde die bürgerliche
Familie zum Ort des privaten Glücks und zuständig für die
emotionale Geborgenheit. Dieser Binnenraum schien frei
von den Gesetzen der Arbeit und des Gelderwerbs, indem
man einfach die Arbeit der Hausfrauen und Mütter igno-
rierte, die zu den eigentlichen Garantinnen der emotionali-
sierten Familienbeziehungen wurden. Erst dieses neue
Familienmodell machte also die »Entdeckung der Kindheit« möglich.
Offensichtlich wurde das neue Interesse am Kind und am
Stadium der Kindheit in der Einstellung zur Kinderkleidung. Bis in die letzten Jahrzehnte des 18. Jahrhunderts
wurden Kinder noch wie kleine Erwachsene gekleidet, nun
propagierten die Modejournale und andere Zeitschriften
kindgerechte, auf Bewegungsfreiheit und Bequemlichkeit
achtende Kinderkleidung: »Schon längst sind wir glück-
licherweise von der Thorheit geheilt, die Kleidung der

Kinder nach der Tracht erwachsener Personen einzurichten, und die jungen Geschöpfe eingeengt und gepreßt, wie Puppen aufzustellen.«[2] Kinderkleidung sollte nun der »neuen Vernunft« entsprechen. Aus England kam der »Skeleton« für den jungen Herrn, eine lange bequeme Hose, die bis unter die Achseln gezogen wurde und über der er eine kurze, schmale Jacke aus dem gleichen Stoff trug. Auch die Mädchenkleidung veränderte sich mit den modischen Impulsen nach der Französischen Revolution, sie wurde vorübergehend vom Korsett befreit. Der Unterschied zur Kleidung der Mütter war gering, da auch die Damenmode den »natürlichen« Stil bevorzugte. Ärzte diskutierten die Vorteile leichter Stoffe für die Kinderkleidung, da diese »den freien Wuchs des Leibes, die Bewegung der Säfte und den bequemen Gebrauch der Glieder« nicht behinderten, und erteilten Ratschläge, »die Füsse der Kinder am sorgfältigsten« zu bedecken.[3]
Eine andere soziale Kinderwelt offenbart sich in den Ratsprotokollen der Stadt Villingen. Im Jahr 1789 entschuldigten Eltern das Fernbleiben ihrer Kinder vom Schulunterricht mit dem Mangel an Kleidern und dem Fehlen von Schuhen.[4]
Jedoch brachte die »neue Freiheit« zugleich Begrenzungen und Zwänge anderer Art mit sich. War die Gefahr, sich beim Spiel zu beschmutzen, in der steifen »Kinder«mode früherer Jahre ungleich geringer, da diese Kleidung »wilde« Spiele erst gar nicht zuließ, so ging die Verbreitung der neuen kinderfreundlicheren Mode mit dem moralischen Druck einher, sie sauberzuhalten: »Prägen Sie ihren Kindern vorzüglich auch ein, daß sie sich selbst bei Zeiten ankleiden lernen, die Kleider schonen, artig in den Schrank legen, und das für ihren schönsten Puz halten, wenn sie reinlich und ordentlich gekleidet sind.«[5]
Die Mütter waren die Adressatinnen zahlreicher Ratschläge und Mahnungen, denn Mutterliebe im heutigen Sinne mußte erst zur allgemeinen kulturellen Norm werden. »Finstere Vorurtheile« galt es für die Ärzte auszuräumen. Diese Bemühungen wurden jedoch nicht nur von philanthropischen Vorstellungen gespeist, sondern sie standen in enger Verbindung mit den Interessen des spätabsolutistischen Staates an zahlreichen Untertanen zur Sicherung der Wirtschaftskraft und zur Stärkung der militärischen Macht.
Zuerst ging es darum, bürgerliche Frauen davon zu überzeugen, daß das Selbst-Stillen einen wesentlichen Teil der »mütterlichen Pflege« ausmache. Sie sollten nicht der »Etikette oder der Toilette frohnen«, also etwa aus eitlen, egoistischen Gründen an althergebrachten Vorstellungen festhalten. Bis dahin wurden die Kinder zum Stillen einer Amme oder Milchmutter übergeben, denn Stillen galt als unfein. Nun befürchteten die bürgerlichen Theoretiker jedoch, daß die Säuglinge bei Ammen aus den unteren Schichten mit der Milch gleichsam auch andere soziale Vorstellungen einsaugen könnten.
Den Müttern der »niederen Klasse« hingegen wurde nahegelegt, die Kinder nicht länger als ein ¼ Jahr zu stillen. Lange Stillzeiten, in denen die eheliche Fruchtbarkeit erheblich gemindert war, lagen nicht im Interesse des »staatlichen Wohls«. Von Ärzten wurde insbesondere die

»Gleichgültigkeit« der Mütter gegenüber ihren Kindern gegeißelt. Sie schenkten ihnen nicht genügend Aufmerksamkeit und überließen die Kinderkrankheiten der Natur. Diese Vorwürfe waren jedoch deutlich von der Ignoranz der bürgerlichen Schicht geprägt, die selbst nie materielle Not erfahren mußte: »Sie verkaufen die beste Kuhmilch, während sie sich und ihre Kinder mit elenden Wassersuppen ernähren ... Die Mütter lassen ihre Kinder schon in den ersten Tagen nach der Geburt zu Hause liegen und schreien, während sie den größten Teil des Tages der Feldarbeit nachgehen.«[6] Hier zeigen sich sehr eindringlich ökonomische Nöte und Zwänge im Alltag der Unterschichten, die den bürgerlichen Moralvorstellungen zwangsläufig zuwiderliefen.
Das galt auch für das nun verpönte Einwickeln der Kinder, das gleichfalls einem ökonomisch-zweckgerichteten Verhalten entsprach. Feldarbeit nach kurzer Kindbettzeit war natürlich nur möglich, wenn das Kind auch unbeaufsichtigt – zwar vernachlässigt, aber sicher – »abgelegt« werden konnte. Vorstellungen, daß die Knochen der Säuglinge noch nicht gefestigt seien und daher des Bandagierens bedurften, waren dabei durchaus im Einklang mit diesem von der Not diktierten Verhalten. Das neue pädagogische, emotionalisierte Verständnis des Kindes konnte diese Einstellung nicht mehr gutheißen. Hände und Arme sollten keinesfalls an den Leib »geschmiedet« und vor allem sollte das Kind öfters aufgewickelt werden, um sich wenigstens ab und an frei bewegen zu können. Dies alles zog natürlich eine viel intensivere mütterliche Hinwendung zum Kind nach sich. Es verlangte eine andere Ernährung, mehr Fürsorge und bessere Hygiene. Für letztere wurde mit drastischen Sprachbildern geworben, wenn etwa in den Saugfläschchen stets eine »eckelhafte Unreinlichkeit« vermutet wurde.
Frauenzeitschriften wie »Amaliens Erholungsstunden. Teutschlands Töchtern geweiht von Marianne Ehrmann« versuchten, mit moralisch-belehrenden Geschichten die neuen Verhaltensanforderungen verständlich und populär zu machen. Das »Schreckliche Beispiel von unterdrücktem Muttergefühl«[7], in dem die »Frucht der unerlaubten Liebe« starb durch die Nachlässigkeit der Mutter, die sich lieber in der Spinnstube amüsierte, sollte auch die verheirateten Mütter überzeugen, daß Verantwortung und Achtsamkeit ein »natürliches Gefühl« und ihnen ein Bedürfnis sein müßte. Die damals hohe Mortalitätsrate bei Kindern – etwa jedes dritte Kind starb, bevor es das fünfte Lebensjahr erreichte, und im ersten Lebensjahr lag die Säuglingssterblichkeit bei fast 50 Prozent – konnte tatsächlich nur mit entsprechender Fürsorge, Aufmerksamkeit und »Mutterliebe« verringert werden. Den bürgerlichen Ärzten und Pädagogen war die fatalistische Haltung der unteren Schichten gegenüber dem Tod ihrer Kinder ohnehin ein unerklärliches Rätsel: »Viele Eltern machen sich nichts aus den Krankheiten und dem Tod ihrer Kinder. Im Gegenteil, sie wünschen ihnen diesen sogar oft.«[8] Der Tod eines Kindes mag in Anbetracht der Not des Lebens in den unterbürgerlichen Schichten vielleicht mit weniger Betroffenheit erlebt worden sein. Immerhin stand mit jedem weiteren Kind auch die Existenz der Familie auf dem Spiel,

solange das Kind noch zu klein war, seinen Lebensunterhalt mitzutragen.

So kann beides gelten: Die geringere elterliche Zuwendung mag einerseits eine Folge der hohen Kindersterblichkeit gewesen sein, entlastete sie doch von etwaigen Verlustgefühlen bei den zahlreichen Sterbefällen. Andererseits war die minimale emotionale Fürsorge gewiß auch mit ein Grund für die hohe Mortalitätsrate.

Bis weit ins 19. Jahrhundert hinein verhinderte die bürgerliche »Entdeckung der Kindheit« nicht die Kinderarbeit in den unteren Klassen und Schichten. Sie veränderte hingegen sehr massiv den Umgang der Bürger mit den eigenen Kindern. Die nun abgetrennte Kinderwelt wurde von den Eltern mit kindgerechten Arrangements wie Kinderzimmer, Kinderkleidung, Kinderfesten und Kinderspielzeug neu bestimmt. Die Spielzeugherstellung reagierte augenblicklich auf die sich verändernde Einstellung. Ende des 18. Jahrhunderts erschien bereits der erste große Spielzeugkatalog. In diesem wird die Erwachsenenwelt im Kleinformat lebendig: Kriegsspiele, Englische Gärten, bewegliche Spiele, physikalische Experimente, Puppen und Pferdeställe sollten die Mädchen und Jungen auf ihr späteres Rollenverhalten spielerisch vorbereiten.

Die Geschichte der Kindheit im Museum ist weitgehend eine Geschichte dieses Spielzeugs. Eines Spielzeugs, das jedoch ausschließlich ein Relikt aus Kinderstuben wohlhabender Familien ist, denn nur sie konnten sich Spielzeug leisten. Spielmittel von Kindern unterer Schichten waren aus Naturmaterialien und somit vergänglich – Stöcke, Kastanien, Holundermark. Andere einfache Spielsachen wurden »verspielt« oder erst im Spiel hergestellt. Diese Kinder mußten allerdings erst einmal Zeit haben zum Spielen und nicht etwa gerade in Heimarbeit das Spielzeug für die »anderen« Kindheiten herstellen müssen.

*Sigrid und Wolfgang Jacobeit, Illustrierte Alltagsgeschichte des deutschen Volkes 1550–1810, Köln 1986 – Lloyd de Mause (Hg.), Hört ihr die Kinder weinen. Eine psychogenetische Geschichte der Kindheit, Frankfurt/M. 2. Auflage 1982. – Heidi Rosenbaum, Formen der Familie. Untersuchungen zum Zusammenhang von Familienverhältnissen, Sozialstruktur und sozialem Wandel in der deutschen Gesellschaft des 19. Jahrhunderts, Frankfurt/M. 1982. – Jürgen Schlumbohm (Hg.), Kinderstuben. Wie Kinder zu Bauern, Bürgern, Aristokraten wurden 1700–1850, München 1983. – Edward Shorter, Der Wandel der Mutter-Kind-Beziehung zu Beginn der Moderne, in: Geschichte und Gesellschaft, 1. Jg. 1975, S. 256–287. – Ingeborg Weber-Kellermann, Der Kinder neue Kleider. Zweihundert Jahre deutsche Kindermoden, Frankfurt/M. 1985.* G. K.

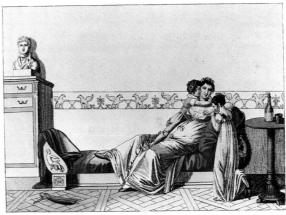

1953

1
P. J. Schneider, Versuch einer medizinisch statistischen Topographie von Ettlingen, Karlsruhe und Baden 1818, S. 129.

2
Journal des Luxus und der Moden, Mai 1807, S. 339.

3
Das Ökonomie-Wochenblatt, Stuttgart, 2. Jg. 1791, S. 143.

4
Ulrich Rodenwaldt, Das Leben im alten Villingen. Im Spiegel der Ratsprotokolle des 17. und 18. Jahrhunderts, S. 110.

5
Wie Anm. 3.

6
F. X. Mezler, Versuch einer medizinischen Topographie der Stadt Sigmaringen, Freiburg 1822, S. 154f, zit. n. Sigrid und Wolfgang Jacobeit, Illustrierte Alltagsgeschichte des deutschen Volkes 1550–1810, Köln 1986, S. 176.

7
Amaliens Erholungsstunden. Teutschlands Töchtern geweiht von Marianne Ehrmann, 2. Bändchen, Tübingen 1792, S. 180f.

8
F. X. Mezler, wie Anm. 6, S. 154.

1953*

## »Die Liebe der Kinder zu den Eltern«

F. Fleischmann nach Mallet
Nürnberg, um 1800

*Kolorierter Stich*
H. 18,2 cm, B. 25,5 cm
Bez.: No 548, Mallet pinx: F. Fleischmann sculp.,
Nürnberg bei Fr. Campe

Stuttgart, Württembergisches Landesmuseum,
Inv.-Nr. 27.77

*Häuslicher Friede und Familienglück, machen das Leben froh, selbst in Zeiten, wo Friede und Glück von der Erde verbannt zu seyn scheinen,* so lautet der Untertitel dieses Nürnberger Bilderbogens. Das Bildthema, eine innige Mutter-Kind-Beziehung, dient dazu, das bürgerliche Familienideal zu verbreiten. Der Text verstärkt zudem die Dominanz innerfamiliärer Werte als Gegenbild zu einer friedlosen Welt. G. K.

1954

1955*

## KINDERSPIELE

Nürnberg, Ende 18. Jahrhundert

*Kupferstich*
*Bez.: A. G. Schneider et Weigel exc Nürnberg*

Frankfurt, Historisches Museum, Graphische Sammlung,
Inv.-Nr. C 2335

1956

## SPIELENDE KINDER MIT ZIEGENGESPANN

Luise Duttenhofer (1776–1829)
Stuttgart, dat. 1816

*Scherenschnitt, Holz, Glas*
*H. 9,8 cm, B. 20,5 cm (Scherenschnitt)*

Stuttgart, Württembergisches Landesmuseum,
Inv.-Nr. 1937/254

1957

## KINDERSZENE AUS DEM HAUSE BRUCKMANN IN HEILBRONN

Georg Konrad Weitbrecht (1796–1838)
Heilbronn, 1818–1820

*Feder, Bleistift auf Papier*
*H. 7,9 cm, B. 17,5 cm*

Stuttgart, Staatsgalerie, Graphische Sammlung,
Inv.-Nr. 2777

1958

## SILHOUETTEN EINER FÜNFKÖPFIGEN FAMILIE

Süddeutsch, dat. 1792

*Tusche, Gouache, Eichenholz, Glas*
*H. 31 cm, B. 25 cm*

Stuttgart, Württembergisches Landesmuseum,
Inv.-Nr. 1925/64

Die fünf gemalten Silhouetten erinnern in ihrer Anordnung an einen Familienstammbaum. Die Eltern, er mit Zopf und Jabot und sie mit Haube, bilden die oberste Reihe, unter ihnen der Sohn und darunter zwei Mädchen. Sie tragen blaue Stirnbänder mit Schleifen, was vermutlich darauf hinweist, daß sie schon tot waren, als das Bild in der Erinnerung an die vollständige Familie angefertigt wurde.

G. K.

1954*

## DAME UND MÄDCHEN

Süddeutsch, Ende 18. Jahrhundert

*Tusche, Papier, Wasserfarbe, Goldpapier, Holz, Glas*
*H. 22,1 cm, B. 17,1 cm*

Stuttgart, Württembergisches Landesmuseum,
Inv.-Nr. 7675 b

Es ist wohl die Mutter, die hier ihre kleine Tochter am »Laufzügel« hält. Das Mädchen ist eine Miniaturausgabe seiner Mutter, eine kleine Erwachsene. Sie tragen nicht nur beide ein Kleid mit dem gleichen Muster und eng geschnürter Taille, sondern auch die Körperhaltung ist fast identisch.

G. K.

1955

## 1959*

### WICKELKIND UND LIEBESPAAR

Beidseitiger Gebäckmodel

Süddeutsch, 3. Drittel 18. Jahrhundert und um 1820

*Holz*
*H. 24,2 cm, B. 11,1 cm*

Stuttgart, Württembergisches Landesmuseum,
Inv.-Nr. 1935/269

Vorder- und Rückseite dieses Models wurden wohl zu verschiedenen Zeiten beschnitzt. Das Wickelkind scheint die ältere Arbeit zu sein. Bis ins 19. Jahrhundert hinein wurden Säuglinge in den ersten Lebenswochen vollkommen mit Binden eingewickelt. Zu Beginn des 19. Jahrhunderts wenden sich die »aufgeklärten Mediziner« gegen diese »rohen Verfahren«, bei denen den Säuglingen »die kleinen Hände und Arme durch Binden und sonstige Maschinen fest an den Leib« gepreßt werden. Nun sollte darauf geachtet werden, »daß nicht überall das Kind zu fest und zu enge eingewickelt werde, daß die Brust und die Arme freygelassen werden, der Unterleib nicht zu fest eingeschnürt, keine Nadeln, sondern nur Bänder an den Wickelbinden statt haben«. (Schneider)

Gebäck in Form eines Wickelkindes wurde der Braut zur Hochzeit überreicht, als sinnbildlicher Wunsch einer mit Kindern gesegneten Ehe. Auch als Neujahrsgeschenk ist sein Gebrauch bekannt, damit Fruchtbarkeit und Gedeihen dem Empfänger auch im Neuen Jahr »hold« sein mögen.

*P. J. Schneider, Versuch einer medizinisch statistischen Topographie von Ettlingen, Karlsruhe und Baden 1818. – Albert Walzer, Liebeskutsche, Reitersmann, Nikolaus und Kinderbringer. Volkstümlicher Bilderschatz auf Gebäckmodeln, in der Graphik und Keramik, Stuttgart 1963.*

G. K.

1959a         1959b

## 1961

### VOTIVTAFEL

Süddeutsch, dat. 1792

*Öl auf Leinwand, Fichtenrahmen vergoldet
H. 32,5 cm, B. 23 cm
Bez.:* Ex/Voto/1792/Aloysi-Kapeler/von Fridingē/
Fransisca=/Steinhartin

Stuttgart, Württembergisches Landesmuseum,
Inv.-Nr. LVK 1978/149

## 1962*

### KINDER-TOTENERINNERUNG IN HERZFORM

Urach, dat. 1790

*Papier, Letterndruck, Gold- und Silberdraht
H. 23,5 cm, B. 24 cm
Bez.:* Wohl dir du gutes Kinde! du schlafts / still sanfft
Gelinde in deinem Kühlen Grab;…

Stuttgart, Württembergisches Landesmuseum,
Inv.-Nr. 1969/41

## 1960

### KINDERSAUGFLASCHE

Deutsch, um 1800

*Glas, Zinn
H. 15 cm, Dm. (Boden) 6,2 cm*

Stuttgart, Württembergisches Landesmuseum,
Inv.-Nr. G 719

Zu Beginn des 19. Jahrhunderts verdrängte die Glasflasche
zunehmend alle anderen Sauggefäße. Diese relativ einfache Flasche, es gab zuvor schon sehr kostbar verzierte
Fläschchen mit Silbermundstücken, war zwar mit ihrem
engen Hals nicht einfach zu reinigen, aber sie entsprach
eher den neuen hygienischen Maßstäben.

*Dieter Klebe und Hans Schadewaldt, Gefäße zur Kinder-
ernährung im Wandel der Zeit, Frankfurt am Main 1955.*
G.K.

1962

Die »Entdeckung der Kindheit« und die Emotionalisierung von Familienbeziehungen verändern auch das Verhältnis zum Tod und zur Trauer. Neben traditionellen Formen der Anheimstellung und Fürbitte wie Votivtafeln oder diese Kinder-Totenerinnerung, die wahrscheinlich einen Sarg schmückte, drückt sich nun langsam Trauer um Kinder in neuen Formen wie Anzeigen und Totenerinnerungen als Wandschmuck aus. G.K.

## 1963*

### KINDERTOTENERINNERUNG FÜR ERNST WILHELM SALOMON DIEM (8. 2.–24. 7. 1815)

Luise Duttenhofer (1776–1829)
Stuttgart, dat. 1815

*Scherenschnitt, Papier, Karton, Aquarell, Tusche*
*H. 34 cm, B. 25,7 cm (mit Rahmen)*
*Bez.:* Fec. Louise Duttenhofer 1815.

Stuttgart, Württembergisches Landesmuseum,
Inv.-Nr. 1959/66

Das Gedenkblatt galt dem Sohn des Stuttgarter Küfermeisters Johann Peter Diem und der Charlotte Heinrike geborene Plank. Dies ist einer der wenigen Scherenschnitte von Luise Duttenhofer, die mit Namen und Jahreszahl versehen sind. Der obere Bildteil mit dem Scherenschnitt ist quadratisch aufgebaut, darunter ist die handschriftliche *Erklärung* der Künstlerin beigegeben, in der sie die verwendeten Symbole aufschlüsselt: *a. Glaube, Liebe Hoffnung / b. Drey Lilien, das Reich Gottes vorstellend. / c. Schlange, den Lauf durch die Welt,* diese Aufzählung wird fortgeführt bis zu *o. Fünf Buchstaben. Ernst Wilhelm Salomon Diem.*

*Manfred Koschlig, Die Schatten der Luise Duttenhofer, Marbach 1968, Abb. 95.* G.K.

## 1964*

### KINDERBILDNIS DES GEORG FRIEDRICH DOLLINGER

Johann Baptist Pflug (1785–1866)
Biberach, um 1828

*Gouache*
*H. 18 cm, B. 14,5 cm*
*Bez.:* Pflug f. *und unter dem Bild:* Georg Friedrich Dollinger, geboren am 22ten Julius 1827 – gestorben am 6ten November 1828 bey seinen Groß-Eltern Chr. Fridrich Hanj und Maria Barbara Hanj.

1963

1964

Biberach, Städtische Sammlungen (Braith-Mali-Museum), Inv.-Nr. 6123

*Idis B. Hartmann, Johann Baptist Pflug (1785–1866) – Gemälde und Zeichnungen, Biberach / Riß 1985, Abb. 7.*

## 1965

### WALZENKRUG

Durlach, dat. 1794

*Fayence, Scharffeuermalerei, Zinn*
*H. 17,5 cm, B. 10,5 cm*
*Bez.:* Franciscus Seraficus / gelobt sey Jesus Christus, behüt dich Gott Lolast / und meine Kind adie, und lebet wohl ich muß fort / verdin kein Brod / 1794

Karlsruhe, Badisches Landesmuseum, Inv.-Nr. V 12693

Die Aufschrift verweist eindringlich auf ökonomische Zwänge und Nöte, die diesen Vater zwingen, von seiner Familie Abschied zu nehmen. Die relativ liebliche Darstellung verblüfft dabei weniger als die Diskrepanz zwischen dem nicht gerade billigen Walzenkrug als Abschiedsgeschenk und der erklärten Notsituation.          G. K.

## 1966*

### PUPPE DER FRIEDERIKE WAGNER
### (1823–1888)

Stuttgart, um 1820 – ursprünglich Sonneberg?

*Papiermaché, Leder, Seide*
*H. 40 cm*

Stuttgart, Württembergisches Landesmuseum, Inv.-Nr. 1961/83 (a–1)

Die Puppe gehörte der Friederike Elisabeth Katharina Wagner, Tochter des Seifensiedermeisters Jakob Friedrich Wagner in Stuttgart. Im Jahr 1839 heiratete sie Heinrich Dolmetsch, Bäckermeister und Weinwirt in Stuttgart. Die Puppe trägt ein rosa Seidenkleid mit hoher Taille, wie es um 1820 noch Mode war.

*Jürgen und Marianne Cieslik, Puppen. Europäische Puppen zwischen 1800 und 1930, Gütersloh 1985.*          G. K.

1966

1967

## Puppe, sogenannte »Ulmer Dockanne«

Ulm, Ende 18./1. Viertel 19. Jahrhundert

*Leder, Holz, Echthaarperücke, Seide, Leinen, Wollstoff,*
*Silberschmuck, Batist, Brokat, Elfenbein*
*H. 59 cm*

Stuttgart, Württembergisches Landesmuseum,
Inv.-Nr. 14432 a

Gekleidet ist diese Puppe wie eine Ulmer Bürgerin der
Reichsstadtzeit. Die Nahtführung des Überrocks läßt vermuten, daß der Rock ursprünglich anders ausgesehen hat.
Die Puppe trägt ein Leinenhemd mit Monogramm, darüber einen Wollunterrock, dann – vielleicht auch später
hinzugekommen – einen wattierten Rock, schließlich über
einem weißen Unterrock den seidenen Überrock. Interessant ist der Puppenkörper: Ober- und Unterschenkel
haben eingeschnittene Lederkeile mit Verschluß. Werden
sie geöffnet, so kann die Puppe hingesetzt werden. Zusätzlich trägt sie ein mit Silberketten verschnürtes Mieder, ein
Schultertuch aus Batist, eine goldene Bockelhaube, silberne Ohrstecker und in der Hand hält sie einen Fächer mit
der Aufschrift *Bal.* Gestrickte, weiße Kniestrümpfe und
halbhohe Lederschuhe mit Silberschnallen bekleiden ihre
Füße.
Sie ist eher eine Mischung aus Mode- und Trachtenpuppe
als eine Spielpuppe. Dienten im 18. Jahrhundert aufwendige Puppen noch der Unterhaltung Erwachsener in begü-
terten Kreisen, so werden im 19. Jahrhundert Puppen
immer mehr zum Spielzeug kleiner Mädchen. Von dieser
Entwicklung ausgenommen sind die einfachen Holzpup-
pen, die schon seit dem 15. Jahrhundert etwa von Nürnberger »Dockenmachern« hergestellt wurden.          G. K.

1968

## Gliederholzpuppe

Sonneberg, um 1830

*Holz, Textil*
*H. 9 cm*

Göppingen, Stadtmuseum, o. Nr.

Sonneberg im Thüringer Wald war neben Nürnberg einer
der Hauptproduktionsorte für Spielzeug. In Heimarbeit
und in Abhängigkeit von dem Verleger, der den Vertrieb in
die »ganze Welt« organisierte, arbeiteten die »Fabrikanten« auf eigenes Risiko oder mußten an den Verleger
Auftragsarbeit abliefern. Die in Heimarbeit beschäftigten
Familien standen unter hartem Konkurrenzdruck, der sie
zwang, möglichst billig zu liefern. Von dieser dezentrali-
sierten Produktionsform profitierten in erster Linie die
Verleger.

*Jürgen und Marianne Cielik, Puppen. Europäische Pup-*
*pen 1800–1930, Gütersloh 1985.*          G. K.

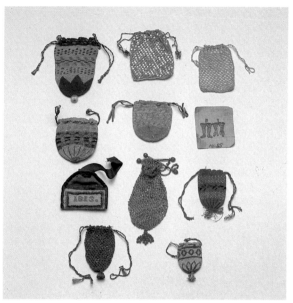

1969

1969*

## Zehn kleine Täschchen und Beutel

Süddeutsch, 1. Viertel 19. Jahrhundert

*Seide, gehäkelt, gestrickt, bestickt*
*H. 2,6 cm bis 8 cm, B. 4 cm bis 5 cm*

Stuttgart, Württembergisches Landesmuseum,
Inv.-Nr. G 13, 212; 13, 214–13, 222

1970

## »Magazin/von/verschiedenen Kunst-
## und anderen nützlichen Sachen, /

zur lehrreichen und angenehmen Unterhaltung der
Jugend, als auch für Liebhaber der Künste und Wissenschaften«

Georg Hieronimus Bestelmeier
Nürnberg, 1803

*Papier, Karton, Leder, Prägedruck, Letterndruck,*
*Kupferstiche*
*H. 20 cm, B. 25 cm*

Tübingen, Universitätsbibliothek, Signatur El 32

Georg Hieronimus Bestelmeier, Nürnberger Galanterie-
warenhändler, gab seit 1792/93 die ersten bebilderten
Spielwarenkataloge heraus. Die hier vorliegende neue und
verbesserte Auflage seines »Magazins« von 1803 (nur der
7. Teil ist 1801 datiert) ist in 8 Teile gegliedert. Im Vorwort
preist er seine *pädagogischen und andern nützlichen*
*Sachen, zur Unterhaltung für die Jugend.* Zudem habe er

in diesem neuen Verzeichnis *manche artigen Sachen, die, ob sie gleich im Preise ganz geringe, dennoch eben so schön wie die theuren bearbeitet sind, und der Jugend angenehme Unterhaltung gewähren.* (2. Teil)

Sein Katalog sei ein *vollständiges Magazin, aller hier fabrizierten Spielsachen* und er ersucht die *Herren Pädagogen und Erzieher*, ihm Anregungen weiterzugeben. Am Ende des Warenkatalogs ist ein systematisches Register angeführt, unterteilt in *Bau= und Gartenkunst für junge Liebhaber, Spiel= und nützliche Sachen für Knaben und Mädchen, Unterhaltende und belehrende Spiele für Kinder und Erwachsene, Astronomie, Gnomonik und Metreologie, Elektrizität, Geometrie und Arithmetik, Hydraulik und Hydrostatik, Magnet, Mechanik, Optik, Musik, Oekonomie, Technologie und Luxus.* Nürnberger Spielwaren wurden schon zu Beginn des 19. Jahrhunderts in »alle Erdteile« geliefert, so ein zeitgenössischer Beobachter, und »in ganz Deutschland ist überall, wo nicht die Einfuhr Nürnbergischer Waren ganz verboten ist, keine beträchtliche Stadt, die nicht wenigstens eine Handlung in Nürnbergischen Waaren hätte, und der Hausirer für die Märkte auf den Dörfern, so wie der beständig umherreisenden Krämer sind eine außerordentliche Menge.«

Bei Bestelmeiers Angebot werden wissenschaftliche Erkenntnisse für den Hausgebrauch aufbereitet und in magische und zauberhafte Spielereien aufgelöst. Ein modellhafter Ausschnitt der Welt – ehedem den Kunst- und Wunderkammern der Fürsten vorbehalten – gelangte nun *artig* und im *Preise ganz geringe* in die Bürgerhäuser. »Sie (die Bürger, G.K.) huldigten dem Geschmack der Zeit, indem sie eine ländliche Idylle, einen kunstvoll gestalteten Garten oder Park oder einen heiligen Hain mit Freundschaftstempeln aufstellten.« (Gantner).

*Manfred Bachmann, Spielwarenbücher und -kataloge als Quellen zur Alltagsgeschichte, in: Jeggle, Korff, Scharfe, Warneken (Hg.), Volkskultur in der Moderne. Probleme und Perspektiven empirischer Kulturforschung, Reinbek 1986, S. 145–161. – Bestelmeier-Katalog, Nachdruck der Ausgabe von 1803, mit einem Vorwort von Theo Gantner, Zürich 1979.*                                                G.K.

## 1971

## »Ein bewegender Seehafen«

Papierspielzeug
Süddeutsch, Anfang 19. Jahrhundert

*Papier, Karton, Holz, Aquarell*
*H. 26 cm, B. 34 cm, T. 28 cm*

Göppingen, Stadtmuseum, o. Nr.

Der Nürnberger Spielwarenhändler Bestelmeier hat im Jahr 1803 ein ähnliches Spielzeug im Angebot und beschreibt es wie folgt: »Ein Seehafen welcher in Pappendeckel ausgehauen, und schön gemahlt ist, 30 Zoll lang, 10 Zoll breit, wird perspektivisch nach der Zeichnung aufgestellt, 6 große und kleine Schiffe haben unter Bley anhän-

gend; wenn man nun solche auf die holen Rinnen stellt, so machen sie eine sehr lange Bewegung von selbsten fort, und täuschen dadurch das Auge, besonders in der Ferne, man kan sie aber auch hin und her passiren lassen, welches sehr artig aussieht. Kostet zusammen nebst der Kiste 3 Gulden 48 Kreuzer.« (7. Teil)

Da Preise allein wenig aussagekräftig sind, hier zum Vergleich: »Des Knaben Wunderhorn. Alte Deutsche Lieder gesammelt von A. v. Arnim und C. Brentano« kosteten im Jahr 1805 fast genausoviel, nämlich 3 Gulden 45 Kreuzer (Schwäbischer Merkur Nr. 235, 1805); hingegen verdienten – umgerechnet aus der Chronik von Dominikus Debler, Schwäbisch Gmünd – im Jahr 1815 Flachsspinnerinnen in der Woche 28 Kreuzer, Strickerinnen und Goldschmiedearbeiterinnen 1 Gulden 30 Kreuzer. Auch wenn Papierspielzeug häufig als ein billiges Spielzeug angesehen wird, so zeigt uns doch der Preisvergleich, daß selbst dieses nur von wohlhabenden Familien gekauft werden konnte.

*Löhne zit. n. Peter Scherer (Hg.), Das Gmünder Schmuckhandwerk bis zum Beginn des 19. Jahrhunderts, Schwäbisch Gmünd 1971, S. 19.*                           G.K.

## 1972

## »Alphabetisches Myriorama mit 24 illuminierten Karten

womit unzählige Landschaften in grosser Mannigfaltigkeit zusammengestellt werden können.« Im Schuber

Leipzig Magazin für Industrie und Literatur, um 1825

*Kolorierte Lithographie, Papier, Karton*
*H. 13 cm, B. 6,3 cm, T. 1,6 cm*

Privatbesitz

Die Landschaftsausschnitte auf den Karten sind so gezeichnet, daß jede Karte neben eine andere paßt. Dabei werden Horizontlinie, Weg und Fluß fortgeführt, und immer wieder entsteht eine neue Landschaftskomposition. Der veränderte Blick in die Landschaft und das andere Verhältnis zur Natur – all diese Horizonterweiterungen machen nicht vor der Kinderstube halt. Mit beweglichem Spielzeug aller Art, mit Miniaturparks, im Spiel variierenden Landschaften werden die neuen gesellschaftlichen Erfahrungen für die Jugend aufbereitet.                    G.K.

1973

Heiner Vogel. Bilderbogen, Papiersoldat, Würfelspiel und Lebensrad, Würzburg 1981, identische Spielfiguren mit dazugehörigem Spielplan Abb. 150. G. K.

1975

## BEQUEME KINDERKLEIDUNG

Journal des Luxus und der Moden, Weimar, Mai 1807

*Karton, Papier, Letterndruck, kolorierter Kupferstich
H. 19,2 cm, B. 11 cm (Blattmaß); Journal
(aufgeschlagen) H. 20 cm, B. 28 cm*

Stuttgart, Landesbibliothek, Signatur Z 90004/22,
1–6, 1807

1976*

## KINDERKLEID

Süddeutsch, um 1815

*Perl-Strickarbeit in weißem Baumwollgarn
und farbigen Glasperlen
L. 66,5 cm, Saumweite 97 cm*

Stuttgart, Württembergisches Landesmuseum,
Inv.-Nr. 1972–125

1973*

## FABLES EN ACTION
im Schuber

Paris, Augustin Legrand, 1819

*Papier, Karton, Letterndruck, kolorierte Kupferstiche
H. 17,5 cm, B. 11 cm*
*Bez.:* Petit Tableaux mouvons. Figurées découpées et
coloriées;/Texte explicatif./A mes Enfans.

Stuttgart, Württembergisches Landesmuseum,
Inv.-Nr. 22.178

1974

## PAPPKÄSTCHEN MIT BELAGERUNGSSPIEL

Deutsch, 1. Viertel 19. Jahrhundert

*Karton, Papier, Letterndruck, Holz, kolorierter Stich
H. 7 cm, B. 8 cm, T. 7,5 cm, Figurenhöhe 4,5 cm*
*Bez.:* Belagerungs Spiel

Freiburg, Augustinermuseum, Inv.-Nr. 13403

Der Spielanleitung ist zu entnehmen, daß das zugehörige
Spielbrett fehlt. Das Spiel ist in etwa vergleichbar mit
Halma, die Spielfiguren sind stilisierte, bemalte Büsten von
Soldaten.

1976

1977*

## PUPPENHAUS DER FAMILIE STECHER

Johannes Alber (1775–1839)
Biberach, 1813

*Holz, Zinn, Messing, Eisenblech, Fayence u. a.*
*H. 60 cm, B. 106 cm, T. 48,5 cm*

Ludwigsburg, Rudolf und Uta Henning

Bis heute blieb dieses zweistubige Puppenhaus – Küche und Wohnzimmer – mit seiner ungeschmückten, herausziehbaren Fassade in Familienbesitz. In Auftrag gegeben hat es Johann Daniel Stecher (1763–1833), Konditor und Spezereihändler in Biberach, damals wohnhaft im Gebäude Marktplatz Nr. 1. Ausgeführt wurde ein Teil des Auftrags von Johannes Alber, Bürger und Hafner, ebenfalls aus Biberach. Zwei Spanschachteln und ein Holzkistchen, in denen die Einrichtung des Puppenhauses einst geliefert wurde, sind beschriftet und datiert mit *Puppenküchel feines Porcellan/Joh. Alber 1813* und *Puppenzinn Einrichtung... (?) Joh. Alber/Biberach/1813*. In diesen Kistchen haben Geschirr und Möbel des Puppenhauses die Jahre überdauert, sie wurden zumindest in den letzten Jahrzehnten nur an Weihnachten ausgepackt.

Wahrscheinlich zur selben Zeit ließ sich das Ehepaar Stecher von dem Ulmer Hafner Septimus Rommel (1760–1846) in Kleinformat in Ton nachbilden. Die beiden Figürchen wurden, so die Familienüberlieferung, immer gemeinsam mit dem Puppenhaus aufgestellt. Rommel, bekannt für seine Figuren der Ulmer Bürger und Bürgerinnen, hat auch kleine Abbilder seiner Kunden und nicht nur idealtypische Figuren geschaffen.

Wer mit dem Puppenhaus spielte, wenn vielleicht auch mehr mit den Augen als mit den Händen, sehen wir auf einem Familienbildnis von Johann Friedrich Dietrich (1787–1846). Der Biberacher Maler bedankte sich mit diesem Gemälde im Jahr 1812 oder 1813 bei Johann Stecher für die Finanzierung seines Studienaufenthaltes in Rom. Das jüngste Töchterchen der Familie Stecher, Thusnelde, war zu diesem Zeitpunkt noch nicht geboren und wurde nachträglich hinzugemalt. Dies ist insofern wichtig, als die Geburt dieser Tochter im Jahr 1814 bisher als Anlaß zum Erwerb des Puppenhauses galt. Die Verknüpfung beider Ereignisse drängt sich wohl auf, weil in der Stube des Puppenhauses die Puppenmutter im Alkoven im Wochenbett liegt und eine Hebamme oder Kinderfrau das »Neugeborene« versorgt. Diese Szenerie finden wir jedoch häufiger in Puppenhäusern und Puppenstuben. Sie verdeutlicht das bürgerliche System Familie, in dem die Frau in erster Linie Kinder gebären und aufziehen soll.

Die Ausstattung des Puppenhauses entspricht dem zeitgenössischen bürgerlichen Wohngeschmack. Zwar gehören die Püppchen nicht mehr alle zu dem originalen Puppenhaus, sondern wurden nach und nach ergänzt, auch die Vorhänge sind jüngeren Datums, nicht jedoch die Möbel, der Ofenschirm, eine kleine Säule mit einer Plastik, Spiegel als gerahmter Wandschmuck und Vogelkäfige. Indes ist das Puppenhaus relativ einfach, schon eher zum Spielen gedacht und nicht allein als Repräsentationsstück, wie etwa die aufwendigen fürstlichen Puppenhäuser des 18. Jahrhunderts. In der Küche des Puppenhauses, die der richtigen Küche von Frau Stecher nachempfunden worden sein soll, steht ein gemauerter Herd, offene Tellerregale reichen bis zur Decke und sind gut bestückt mit Zinngeschirr, Birnkrügen, Fayencetellerchen und Hafnerware; Messingpfannen, Ofenknechte aus Eisen und allerlei Kochbesteck gehören zur Kücheneinrichtung und für den »lebendigen« Vorrat fehlt auch nicht der Hühner- und Gänsestall unter dem Arbeitsbrett. Kulturhistorisch ist dieses Konvolut also äußerst interessant, da die Verbindung von biographischem und sachkulturellem Zugang für diese Zeit selten geschehen kann. Uns vermittelt das Puppenhaus heute nicht nur einen Eindruck bürgerlichen Spielzeugs, sondern darüber hinaus einen Einblick in die Wohnkultur und Lebenswelt einer bürgerlichen Familie zu Beginn des 19. Jahrhunderts.

*Carl Kleindienst, Häuserbuch der Kreisstadt Biberach, Band II, Biberach 1961. – Angelika Lorenz, Das Deutsche Familienbild in der Malerei des 19. Jahrhunderts, Darmstadt 1985. – Leonie von Wilckens, Das Puppenhaus. Vom Spiegel des bürgerlichen Hausstandes zum Spielzeug für Kinder, München 1978.* G. K.

## 1978

### Knabe und Mädchen: geschlechtsspezifische Erziehung

Bilderbogen (Reproduktion)

Augsburg, um 1815

*Kolorierte Lithographie*
*Bez.:* Augsburg bei Herzberg, Nr. 6

Frankfurt, Historisches Museum, Graphische Sammlung, Inv. Nr. C 4724

In je sechs Bildern verfolgen wir den Lebenslauf eines Knaben und eines Mädchens. Im Stadium des Kindseins spielt er wild auf einem Steckenpferd, sie sitzt und behütet ruhig das kleine Puppenkind in der Wiege. Einige Jahre später studiert der Knabe in der Bibliothek, das Mädchen steht mit Strickzeug im Grten, als »Jüngling« eilt er eifrigen Schrittes seines Weges, sie, die »Jungfrau« spielt Gitarre. Solcherart auf das Leben vorbereitet, wird er zum »Geschäftsmann« und sie zur »Braut«. G. K.

## 1979

### Familie Dr. Klein

Johann Baptist Seele (1774–1814)
Stuttgart, 1809

*Öl auf Leinwand*
*H. 115 cm, B. 83,5 cm*
*Bez.:* Seele im Decemb: 1809

Stuttgart, Staatsgalerie, Inv.-Nr. 1979

Das bürgerliche Familienideal wird in den Familienporträts offensichtlich. Dr. Karl Christian Klein (1772–1825) heiratete im Jahr 1805 Friederike Henriette Gros (1776–1849), seine zweite Ehefrau, die wir hier mit dem gemeinsamen Töchterchen Lotte sehen. Bei Frau Klein ist bereits die nächste Schwangerschaft leicht angedeutet, ein mutiges und neuartiges Detail in Seeles Ausführung. Damit betont er das Ideal der liebenden Gattin und Mutter, das gesellschaftliche Leitbild der bürgerlichen Frau.
Der Vater, der mit einer Feder in der Hand an einem Tisch sitzt, wendet sich dem Töchterchen zu, das die Mutter ihm hinhält. Die Tochter, eine Hand am Hals der Mutter, die andere in der Hand des Vaters, stellt damit die Verbindungslinie zwischen den Ehegatten her: eine harmonische, vom Gefühl getragene Familienszene.

*Abbildung siehe Bd. 2 dieses Kataloges, S. 545, Abb. 17. – Schwaben sehen Schwaben. Bildnisse 1760–1940 aus dem Besitz der Staatsgalerie, Stuttgart 1977, S. 47–49.* G. K.

## 1980*

### Der Biberacher Oberförster Buchholz (1774–1869)

mit seiner Familie vor seinem Haus an der Theaterstraße in Biberach

Johann Baptist Pflug (1785–1866)
Biberach, um 1815

1980

*Öl auf Leinwand*
*H. 54 cm, B. 72 cm*
*Bez.:* J. B. Pflug pinxit

Biberach, Städtische Sammlungen (Braith-Mali-Museum),
Inv.-Nr. 6294

*Idis B. Hartmann, Johann Baptist Pflug (1785–1866).*
*Gemälde und Zeichnungen. Biberach 1985.*

## 1981

### DIE FAMILIE DES GASTWIRTS JOHANN GEORG RENNER (1747–1819)

Peter Eduard Stroehling (1768–nach 1826)
Mannheim, dat. 1789

*Öl auf Leinwand*
*H. 49,8 cm, B. 61 cm*
*Bez.:* P. H. L. Stroehling inv. et pinxit 1789

Mannheim, Reiß-Museum, Inv.-Nr. 0.80

Der Wirt des »Pfälzer Hofes«, wohlbeleibt im Kreise seiner
Famlie, das klassizistisch ausgestattete Zimmer und die
Wirtin, eine Hand in die Hüfte gestützt, vermitteln schon
bürgerliches Selbstbewußtsein und gediegene Wohlhabenheit.                                              G. K.

## 1982

### BAUERNFAMILIE IN TRACHT

Georg Friedrich Reichmann (1798–1848)
Schwarzwald, 1826

*Öl auf Leinwand*
*H. 49 cm, B. 49,5 cm*

Freiburg, Augustinermuseum, Inv.-Nr. M. 12355 B

## 1983

### KNABE MIT STECKENPFERD

Johann Georg Strobel (1735–1792)
Schwäbisch Gmünd, um 1780

*Öl auf Leinwand*
*H. 78 cm, B. 56,5 cm*

Schwäbisch Gmünd, Städtisches Museum, o. Nr.

Statuenhaft steht der Knabe, mit einem Maiglöckchen-
strauß in der rechten und dem Steckenpferd in der linken
Hand. Unbewegt und starr steht er Modell für ein Bild, das
das Repräsentationsbedürfnis der Eltern befriedigen soll.
Johann Georg Strobel war der erste »Zeichenmeister« der
Zeichenschule in Schwäbisch Gmünd, die auf Veranlassung der Goldschmiedezunft zur Förderung der künstleri-

schen Ausbildung der Lehrlinge und Gesellen im Jahr 1776
gegründet worden war. Strobel verfertigte zahlreiche
Familienbildnisse der Gmünder Oberschicht.

*Eduard Dietenberger (Hg.), Gmünder Leute. Ein Bilder-*
*und Geschichtenbuch mit Darstellungen vom 18. bis zum*
*Beginn des 20. Jahrhunderts aus der Julius Erhard'schen*
*Gmünder Bilderchronik und anderen Sammlungen des*
*Städtischen Museums Schwäbisch Gmünd im Prediger,*
*Schwäbisch Gmünd 1983, S. 15. – Walter Klein,*
*Geschichte des Gmünder Goldschmiedegewerbes, Stutt-*
*gart 1920, S. 68.*                                G. K.

## 1984

### ZWEI KINDER DER FAMILIE KUENZER IM GARTEN

Wendelin Moosbrugger? (1760–1849)
Freiburg, um 1825

*Öl auf Leinwand*
*H. 55 cm, B. 65 cm*

Freiburg, Augustinermuseum, Inv.-Nr. M 65/15

Tochter und Sohn des Freiburger »Cichorienfabrikanten«
Franz Xaver Kuenzer. Fast fünfzig Jahre nach dem Kinder-
bildnis von Johann Georg Stobel entstanden, wird deutlich, wie sich mit der »Entdeckung der Kindheit« auch die
Darstellungsweise entscheidend verändert hat.       G. K.

## 1985

### KASTENWIEGE

Württemberg-Franken, um 1820

*Fichtenholz, bemalt*
*H. 95,3 cm, B. 81,5 cm, T. 66,3 cm*
*Bez.:* In der Wiege kan man sehen was aus Liebe kan ent-/
stehen

Stuttgart, Württembergisches Landesmuseum,
Inv.-Nr. E. 3100

Das staatliche Interesse an zahlreichen und gesunden
Untertanen erstreckt sich auch auf die Form und Art der
Wiegen. Ein Erlaß vom 15. Juni 1812, »Verfügung, die
Abstellung der in mehreren Gegenden hergebrachten
gefährlichen Wiegen betr.«, kritisiert die zu niedrigen
Seitenwände der Wiegen, da die Kinder zu leicht herausfal-
len könnten. Den Schreinermeistern wird nun verboten,
Wiegen mit zu niedrigen Seitenwänden oder Wiegen auf
einem Wiegenständer herzustellen. Bei den vorhandenen
Wiegen seien die Seitenbretter zu erhöhen, die zu starke
Rundung der Kufen abzuändern und die Ständer zu ver-
kürzen. Diese Kastenwiege entspricht somit den Anforderungen der Obrigkeit.

*Friedrich von Zglinick, Die Wiege. Eine Wiegentypologie mit über 500 Abbildungen, Regensburg 1979, Abb. 14.*

G. K.

## 1986

### RÄDERPFERDCHEN

Süddeutsch, Ende 18. Jahrhundert

*Holz gefaßt, Leder*
*H. 55 cm, B. 30 cm, L. 47 cm*

Frankfurt, Historisches Museum, Inv.-Nr. X 25190

## 1987

### KINDER-DRAISINE

Lörrach, um 1825

*Holz, Leder, Eisen*
*H. 86 cm, B. (Lenker) 31 cm, L. 100 cm*

Lörrach, Museum am Burghof, o. Nr.

Die neuen »Bewegungsmaschinen« erobern auch die bürgerlichen Kinderzimmer. Allerdings verdrängt etwa die Kinder-Draisine nicht das Räder- oder Schaukelpferd.

G. K.

## Frauenleben – Frauenarbeit

Zu Beginn des 19. Jahrhunderts führen ökonomische und gesellschaftliche Veränderungen – Ausdehnung von Handwerk und Gewerbe, Ausbau des Steuerwesens und des Beamtenapparats, Bauernbefreiung – zu einer entsprechenden Ausweitung der Geldwirtschaft und zur weiteren Ausdifferenzierung der Berufe. Der Faktor Lohnarbeit wächst im bäuerlichen wie im gewerblichen Bereich, und die gesellschaftlichen Beziehungen regeln sich zunehmend über Geld. In diesem Prozeß verlagert sich auch die Erwerbsarbeit aus dem häuslichen Produktionsbereich hinaus. Diese Trennung zwischen familiären und erwerbswirtschaftlichen Produktionsweisen führt zu einer veränderten Einschätzung männlicher und weiblicher Tätigkeitsbereiche und Wesensmerkmale. Überkommene geschlechtsspezifische Zuweisungen verfestigen sich zu »natürlichen« Eigenschaften der Geschlechter: Die psychischen »Geschlechtseigentümlichkeiten«, die »Geschlechtscharaktere«, prädestinieren den Mann für das öffentliche Leben und die Frau für den häuslichen Bereich. Zugleich erfährt die häusliche Arbeit der bürgerlichen Frau eine gesellschaftliche Minderbewertung im Gegensatz zur bezahlten, außerhäuslichen Erwerbsarbeit des Mannes. In diesem Umwertungsprozeß entsteht also das, was wir heute als Hausarbeit bezeichnen.

Dieser Entwicklung stehen selbst egalitäre Geschlechtsdefinitionen der Frühromantik nicht ernstlich im Wege. Seit der Aufklärung gilt zwar auch die Frau als »vernunftbegabtes« Wesen, an ihrer rechtlichen Situation ändert dies aber nichts. Die Frau soll nun mit und aus Liebe die Hausarbeit erledigen, wobei der Arbeitscharakter ihrer Tätigkeiten möglichst hinter dem Deckmantel weiblicher Anmut und Würde verschwinden soll. Mit der Rollenvorgabe der idealisierten, liebevollen Gattin und Mutter nimmt vor allem die emotionale Versorgungsleistung der Frauen für die Familie stetig zu. Konrad Weitbrecht schildert in seinem Zyklus »Die Hausfrau«, wie die idealtypische Vorstellung in den ersten Jahrzehnten des 19. Jahrhunderts aussah. Seine »Hausfrau« steht einem Haushalt vor, in dem die Selbstversorgung gekoppelt ist mit den neuen emotionalen Ansprüchen an die Mutter, familiäre »Gefühls- und Reproduktionsarbeit« zu leisten.

Solange wir aus jener Perspektive bürgerlicher Ideologieproduktion heraus argumentieren, solange bleibt das historische Frauenbild natürlich einseitig. Die bürgerlichen Leitvorstellungen sehen Frauen nur als Hausfrauen, vor allem aber als Ehefrauen. Die schematische Einteilung der gesellschaftlichen Arbeit in Erwerbs- und Hausarbeit, hier Männer-, dort Frauenarbeit, übergeht die vielfältigen Übergangsformen zwischen Lohn- und Hausarbeit. Die Arbeit der Frau im alten Handwerkshaushalt etwa schlicht als »Mithilfe« bezeichnet, verliert so ihren ursprünglichen Arbeitscharakter. Zudem müssen auch ledige und verwitwete Bürgersfrauen zur Sicherung ihres Lebensunterhaltes Arbeit annehmen, auch wenn es außer der Tätigkeit als Erzieherin und allenfalls noch als Gesellschafterin kaum qualifizierte Frauenberufe gibt.

In den Freiheitskriegen kristallisiert sich dann ein neues Aufgabenfeld der bürgerlichen Frau heraus, das ihren engen häuslichen Wirkungskreis sprengt: Die organisierte Wohltätigkeit. Einer der ersten Wohltätigkeitsvereine ist der im Februar 1814 von der badischen Großherzogin Stephanie initiierte Frauenverein zur Unterstützung der »verwundeten oder kranken vaterländischen Krieger«. Friederike Griesbach, die Gattin des Karlsruher Oberbürgermeisters, unterstützt diese Vereinsgründung und ermutigt durch ihr Vorbild andere dazu, gleichfalls solche Aufgaben zu übernehmen. Hier gelingt es Frauen, sich aktiv für öffentliche Angelegenheiten einzusetzen, allerdings wieder unbezahlt in einem als »weiblich« und »Nicht-Arbeit« definierten Bereich.

Erst der biographische Blick in die Geschichte legt Spuren von Frauenleben frei, die den kulturellen Formungen und Normen nicht entsprechen, die allerdings als Ausnahmen zugleich wieder die Regel bestätigen. Ludovike Simanowiz etwa, Porträtmalerin aus Ludwigsburg, reist im Jahr 1787 nach Paris, erhält dort Malunterricht bei dem Hofmaler Antoine Vestier auf Empfehlung von Guibal, dem württembergischen Hofmaler und Professor an der hohen Kunstschule, und mit Hilfe eines Stipendiums des württembergischen Herzogs. Auch sie muß sich jedoch zwischen »Kunstruhm« und »häuslichem Glück« entscheiden. Ähnlich Therese Huber, Schriftstellerin und sieben Jahre lang Redakteurin des Cottaschen »Morgenblatts für gebildete Stände«, die hin- und hergerissen ist zwischen ihrer Berufstätigkeit und ihren Ansprüchen, der kulturellen Norm zu genügen und eine »gute Hausfrau« zu sein. Ihre Zweifel treten jedoch hinter der ökonomischen Notwendigkeit zurück, daß sie als Witwe ihren Lebensunterhalt verdienen muß.

Die Berufstätigkeit verwitweter und lediger Frauen ist indessen keine Ausnahmeerscheinung. In Murrhardt, bis zum Jahr 1806 württembergische Oberamtsstadt, enthält bereits eine Gewerbezählung des Jahres 1787 die Rubrik »Weibspersonen mit eigenen Haushaltungen«. Gezählt wurden 50 Witwen und 33 Ledige oder »Eigenbrödlerinnen«, das macht einen Anteil von über 20 Prozent der örtlichen Haushalte aus.[1] Dieses Anführen der selbständigen Haushalte von Frauen ist zu diesem frühen Zeitpunkt sehr ungewöhnlich. Gemeinhin wird in der amtlichen Statistik erst um die Mitte des 19. Jahrhunderts nach Geschlechtern unterschieden, und bis dahin wird die Erwerbsarbeit der »Weibspersonen mit eigenen Haushaltungen«, also ein selbständiger ökonomischer Status von Frauen, kaum verzeichnet. Von daher ist es schwierig, die Lohnarbeit von Frauen mit Zahlen zu belegen. Wir müssen dennoch davon ausgehen, daß die existentielle Überlebensfähigkeit der Unterschichtsfamilien damals nur durch die zusätzliche Erwerbsarbeit von Frauen und Kindern gesichert werden kann. Zeitgenössische Bilder und schriftliche Quellen bestätigen diese Annahme. Frauen dürfen gemäß den handwerklichen Zunftordnungen kein selbständiges Handwerk ausüben, allenfalls als Witwen das Handwerk des verstorbenen Mannes weiterführen. Zudem stehen die Frauen in Württemberg bis zum Jahr 1828 unter »Geschlechtsvormundschaft«[2], das heißt, sie

dürfen ohne Zustimmung des Vaters, Ehemannes oder Vormundes keine Rechtsgeschäfte erledigen. Das Gros der Frauenarbeit bewegt sich also zwischen unqualifizierter und unzünftiger Arbeit.

In der Ettlinger Baumwollspinnerei und Rotfärberei seien »vor einigen Jahren«, so ein Chronist im Jahre 1818, »täglich 150 Personen beyderley Geschlechts«[3] beschäftigt gewesen. In der Druckerei des Buchhändlers Cotta arbeiten »4–6 Weiber, die die Geräte und Buchstaben waschen«.[4] Mit »Dienstgesuchen« und »Dienstanträgen« werden in der Schwäbischen Chronik Nachfrage und Angebot der Stellenvermittlung für Mägde, Haus- und Ladenjungfern geregelt. In »Marktempfehlungen« kündigen Händlerinnen ihre Anwesenheit auf der Stuttgarter Maimesse an. Hofputzmacherin Wilhelmine Schnell aus Ludwigsburg preist ihre »nach neuesten Geschmack sortirten Modewaren«[5], und Mme Dobost aus Straßburg verkauft »Schleierroben, Chemisetten, Hauben, allerlei Sorten von Fantasiefichus«.[6] Wäscherinnen und Büglerinnen machen mit »Arbeitsempfehlungen« auf sich aufmerksam, und die Bleicherin Autenriethin annonciert, daß sie »mit dem Auslegen der Leinwand, Garne, Faden«[7] angefangen habe. Die Zitronenhändlerin Tribacher gibt im »Karlsruher Intelligenz- und Wochenblatt«[8] ihre Logisveränderung bekannt, um möglichst wenig Kunden durch ihren Umzug zu verlieren.

Zu diesen Dienstleistungs- und Handelsangeboten von unselbständiger wie selbständiger Erwerbsarbeit von städtischen Frauen kommt in ländlichen Gebieten die Tagelöhnerin, die Magd, die Botin und die Hausiererin hinzu. In den regional unterschiedlichen Hausindustrien muß notgedrungen die ganze Familie mitarbeiten. Damit sind nur die häufigsten Formen von Frauenarbeit aufgezählt.

Natürlich widerspricht die ökonomische Notwendigkeit der Lohnarbeit vieler Frauen dem zeitgenössischen Ideal, und sie wurde deshalb auch lange Zeit nicht zur Kenntnis genommen.

Die privilegierten Frauen in den bürgerlichen Salons proben zwar ihre Emanzipation, doch macht die Phase der restaurativen Gesellschaftspolitik nach dem Wiener Kongreß 1815 diese Erfahrungen wieder zunichte. Die Biedermeierzeit weist den Frauen ihren Platz am Herd und in der Wohnstube zu, wieder eingezwängt und eingeschnürt in das Korsett, am Rockzipfel die Kinder, im Herzen das Wohlergehen der Ehemänner.

1
Philipp Wilhelm Gottlieb Hausleutner (Hg.), Schwäbisches Archiv, 1. Bd. Stuttgart 1790, S. 251.

2
Carola Lipp, Bräute, Mütter, Gefährtinnen. Frauen und politische Öffentlichkeit in der Revolution 1848, in: Helga Grubitzsch, Hannelore Cyrus, Elke Haarbusch (Hg.), Grenzgängerinnen. Revolutionäre Frauen im 18. und 19. Jahrhundert. Weibliche Wirklichkeit und männliche Phantasie, Düsseldorf 1985, S. 71–92, hier S. 88, Anm. 2.

3
P. J. Schneider, Versuch einer medizinisch statistischen Topographie von Ettlingen, Karlsruhe und Baden 1818, S. 213.

4
Brief der Therese Huber an Böttiger vom 14. 12. 1826, zit. n.
Ludwig Geiger, Therese Huber 1764–1829, Stuttgart 1901,
S. 366.

5
Schwäbische Chronik, 20. 5. 1811, S. 202.

6
Schwäbische Chronik, wie Anm. 5.

7
Schwäbische Chronik, 25. 4. 1811, S. 166.

8
Karlsruher Intelligenz= und Wochen=Blatt, 3. 8. 1816,
S. 432.

*Karin Hausen, Die Polarisierung der »Geschlechtscharaktere«. Eine Spiegelung der Dissoziation von Erwerbs- und Familienleben, in: Werner Conze (Hg.): Sozialgeschichte der Familie in der Neuzeit Europas, Stuttgart 1976, S. 363–384. – Carola Lipp (Hg.), Schimpfende Weiber und patriotische Jungfrauen. Frauen im Vormärz und in der Revolution 1848/49, Bühl-Moos 1986.*    G.K.

1988*

## BILDNIS EINER UNBEKANNTEN

Christoph Friedrich Dörr (1782–1841)
Württemberg, um 1810

*Öl auf Leinwand*
*H. 52,2 cm, B. 46 cm*

Stuttgart, Staatsgalerie, Inv.-Nr. 1327

*Christian von Holst, Malerei und Plastik des 19. Jahrhunderts, Staatsgalerie Stuttgart 1982.*

1989

## DIE HAUSWASCH

Johann Baptist Pflug (1785–1866)
Oberschwaben, um 1828

*Kreidelithographie*
*H. 34 cm, B. 41 cm*

Biberach, Städtische Sammlungen (Braith-Mali-
Museum), Inv.-Nr. 6175

1988

1990

## DIE »HERRSCHSÜCHTIGE« FRAU

Luise Duttenhofer (1776–1829)
Stuttgart, um 1805

*Scherenschnitt, Holz, Glas*
*H. 25 cm, B. 35 cm (mit Rahmen)*

Stuttgart, Württembergisches Landesmuseum,
Inv.Nr. 1937/255

Eine Frau mit einem Staubwedel in der Hand führt einen Mann mit Zopf und Gehrock, der ein Buch in der Hand hält, an einem Nasenring hinter sich her. Der Mann in der Gewalt der putzsüchtigen Frau, die den Staubwedel wie ein Zepter schwingt und ihn vom Bücherlesen fortzieht – spielt Luise Duttenhofer hier mit der ironischen Wiederaufnahme eines alten Vorurteils? Karikaturen über Frauen, die in der Ehe die »Hosen anhaben«, reichen zurück bis ins 16. Jahrhundert. Gleichwohl haben Frauen auch noch zu Beginn des 19. Jahrhunderts keine Entscheidungsgewalt in Haushaltsangelegenheiten. In der Gesindeordnung der Stadt Stuttgart heißt es etwa im Jahr 1819: »In der Regel kommt es dem Manne zu, das Gesinde zu wählen« oder »Die weiblichen Dienstboten können von der Ehefrau, jedoch nicht ohne Genehmigung ihres Gatten, angenommen werden.«    G.K.

1991

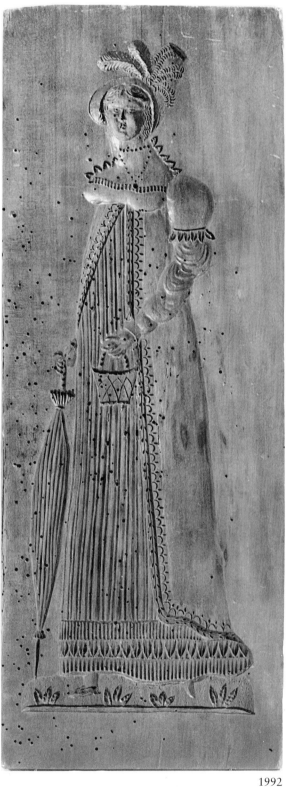

1991*

## SELBSTBILDNIS

Frau Kohnlen (1727–?)
Süddeutsch, dat. 1785

*Hinterglasmalerei, Tempera, Mahagonirahmen, Glas*
*H. 41,2 cm, B. 32,3 cm*
*Bez.: Kohnlen einer geborenen Hämmerlen.pinxit 1785*
*natus 1727 7. janer*

Stuttgart, Württembergisches Landesmuseum,
Inv.Nr. 1937/146

1992*

## FRAU MIT SCHIRM UND KÖRBCHEN

Gebäckmodel
Süddeutsch, um 1820

*Birnholz*
*H. 40,4 cm, B. 15,5 cm*

Stuttgart, Württembergisches Landesmuseum,
Inv.-Nr. E 986

1992

1993

## Pfarrerin Dinkelacker

Süddeutsch, 1780–1790

*Gold-Eglomissé, Tusche, Holz, Glas*
*H. 27 cm, B. 19,5 cm*

Stuttgart, Württembergisches Landesmuseum,
Inv.-Nr. 9393b

Die »Pfarrerin« meint hier natürlich »nur« die Ehefrau des
Herrn Pfarrers. Allerdings war ohne sie ein protestantischer Pfarrhaushalt mit all seinen sozialen Verpflichtungen auch nicht denkbar. Die rückwärtige Beschriftung
dieses Bildnisses nimmt so eine Gewohnheit auf, die bis ins
20. Jahrhundert fortgeführt wurde, nämlich die Frau mit
dem Beruf des Ehemannes anzusprechen. Diese Anredeform gesteht der Frau zwar keine Eigenständigkeit zu, sie
nimmt jedoch indirekt die Tatsache auf, daß viele Ehemänner ihre Berufsarbeit nur leisten konnten, weil sie von ihren
Ehefrauen unterstützt und von den alltäglichen Problemen
damit entlastet wurden.                                        G. K.

1995 a                         1995 b

1994

## Christiane Ludowike Dietrich
## geborene Kauffmann

Zugeschrieben: Joh. Valentin Sonnenschein (1749–1828)
Ludwigsburg, um 1800

*Gips, Holz, Glas*
*H. 26,3 cm, B. 21,9 cm*

Stuttgart, Württembergisches Landesmuseum,
Inv.-Nr. 1971/71

Das gleiche wie für die Pfarrerin Dinkelacker gilt für die
Beschriftung auf der Rückseite dieses Reliefmedaillons, die
vielleicht nachträglich von Verwandten angebracht
wurde: *Frau Reichspostmeister und Expeditionsrat Christiane Ludowike Dietrich geb. Kauffmann, lebte in Ludwigsburg etwa 1780–1820.* Frauen werden also nach dem
Beruf der Ehemänner eingeordnet, ein eigener, getrennter
Status wird ihnen nicht zuerkannt.                             G. K.

1995*

## »Holder«- und »Senff«-Händlerin

Model
Schwaben, um 1800

*Holz*
*H. 15,3 cm, B. 6,4 cm*

Ulm, Brotmuseum e. V., Inv.-Nr. M–5910

Händlerin war eine weit verbreitete Form der Frauenerwerbsarbeit. So verkaufte etwa die Bäuerin ihre geringen
Überschüsse auf dem Markt. Andere Frauen spezialisierten sich auf bestimmte hausgewerbliche Produktionen und
veräußerten sie wie die Senfhändlerin. Sie fungierten als
Zwischenhändlerinnen wie die Hausiererinnen und paßten ihre Erwerbsarbeit dem jahreszeitlichen Rhythmus an,
indem sie etwa Holunderbeeren sammelten, und wie diese
»Holder«-Händlerin verkauften.                                 G. K.

1996

## »Aepfel«-Händlerin und
## »Latwerge«-Händler

Model
Schwaben, um 1800

*Holz*
*H. 15,4 cm, B. 6,3 cm*

Ulm, Brotmuseum e. V., Inv.-Nr. M–5913

Der »Latwerge«-Händler bot dick eingekochten Frucht-
oder Beerensaft feil, der wie Marmelade aufs Brot gestrichen gegessen wurde.                                           G. K.

1997

## FRAU MIT BRIEF UND KORB (GMÜNDER BOTIN?)

Schwäbisch Gmünd, Ende 18. Jahrhundert
Auf dem Brief: »Monsieur Debler...?«

*Öl auf Leinwand*
*H. 29 cm, B. 21 cm*

Schwäbisch Gmünd, Städtisches Museum, o. Nr.

1998

## WALLABBRUCH BEIM ULMER FRAUENTOR

Johannes Hans (1765–1826)
Ulm, nach 1805

*Radierung, koloriert*
*H. 33,8 cm, B. 42,8 cm*

Ulm, Stadtarchiv, Inv.-Nr. F 3, Ans. 260

Nach der Übergabe der Stadt Ulm mußten die alten
Festungsmauern niedergerissen werden. Zu diesen Arbeiten wurden auch Frauen aus der Stadt und der Umgebung
von Ulm herangezogen. G. K.

1999.1

## TASCHENBUCH AUF DAS JAHR 1801, 1802, 1805, 1807, 1808, 1809 FÜR DAMEN

Herausgegeben von (Ludwig Ferdinand) Huber, (August
Heinrich Julius) Lafontaine, (Gottlieb Konrad) Pfeffel
und Sulzer
Tübingen, J. F. Cotta'sche Buchhandlung

*11 Kupfer, illustrierter Originaleinband mit Schuber,*
*Papier, Letterndruck*
*H. 11,2 cm, B. 7,6 cm, 250 S.*

Marbach, Schiller-Nationalmuseum, Signatur Hb2 710

1999.2

## TASCHENBUCH AUF DAS JAHR 1803 (1804, 1806, 1810) FÜR DAMEN

Herausgegeben von (Ludwig Ferdinand) Huber, (August
Heinrich Julius) Lafontaine, (Gottlieb Konrad) Pfeffel
und andere
Tübingen, J. F. Cotta'sche Buchhandlung

*Kupferstiche, illustrierter Originaleinband, Papier,*
*Letterndruck*
*H. 11,3 cm, B. 7,6 cm, 250 S.*

Tübingen, Universitätsbibliothek, Signatur Dk. XI. 578

Um die Jahrhundertwende begünstigte die »Lesewut« die
Herausgabe von unterhaltenden, belehrenden Taschenbüchern und Almanachen. Das Taschenbuch für Damen
etwa war mit seiner ansprechenden Ausstattung ein geeignetes Geschenk des Vaters an seine Tochter oder des
Ehemannes an seine Frau. Zudem vermittelten Bilder und
Geschichten der Taschenbücher ein Frauenbild, das den
bürgerlichen Idealen und Werten entsprach. Das
Taschenbuch für Damen erschien in einer billigeren
»Volksausgabe« in Papier gebunden, während die Maro-
quinlederausstattung »auf das Jahr 1806« immerhin gut
2 Gulden kostete. Doch auch diese Taschenbücher entsprachen bald nicht mehr dem Zeitgeschmack. Von einer
Auflagenhöhe im Jahr 1801 von 6500 Exemplaren, dem
noch ein Nachdruck folgte, sank sie im Jahr 1820 auf
2000 Stück.

*Cotta und das 19. Jahrhundert. Aus der literarischen*
*Arbeit eines Verlages, Deutsche Schillergesellschaft, Mar-*
*bach 1980.* G. K.

2000

## AMALIENS ERHOLUNGSSTUNDEN. TEUTSCHLANDS TÖCHTERN GEWIDMET

Marianne Ehrmann
Tübingen, 1. Jg. 1790

*Papier, Karton,*
*Letterndruck*

Marbach a. N., Schiller-Nationalmuseum, Cotta-Archiv
(Stiftung der Stuttgarter Zeitung)

Die ersten Zeitschriften, die sich an Frauen richten,
erscheinen im 1. Viertel des 18. Jahrhunderts. Am Ende
jenes Jahrhunderts kommen dann die ersten, von Frauen
herausgegebenen Zeitschriften auf den Markt. »Pomona
für Teutschlands Töchter«, unter diesem Titel fungiert
Sophie La Roche als Herausgeberin, und Marianne Ehrmann betreut *Amaliens Erholungsstunden.* G. K.

2001

## FLORA. TEUTSCHLANDS TÖCHTERN GEWEIHT

Eine Monatsschrift von Freunden und Freundinnen des
schönen Geschlechts

Tübingen, 1. Jg. 1793, J. F. Cotta'sche Buchhandlung

*Papier, Karton, Letterndruck,*
*Kupferstich*

Marbach a. N., Schiller-Nationalmuseum, Cotta-Archiv
(Stiftung der Stuttgarter Zeitung)

»Flora« ist die Nachfolgerin von »Amaliens Erholungsstunden«, die nun allerdings nicht mehr von Marianne

Ehrmann herausgegeben wird. Cotta erklärt diesen Wechsel: »Madame Ehrmann … entschloß sich am Ende dieses Jahres (1792) sich von uns zu trennen.« Ihr Name hätte schon früher vom Titelblatt gestrichen werden müssen, so Cotta, aber aus Schonung für Frau Ehrmann sei er stehen geblieben. Trotz der ausführlichen Kommentare Cottas wird eigentlich nur deutlich, daß finanzielle Erwägungen den Ausschlag zur Übernahme gegeben haben. Cotta definiert den Zweck der nun von ihm übernommenen Zeitschrift mit der »Beförderung der Moralität der Frauenzimmer, Erweiterung ihrer Kenntnisse, und dann die Erholung ihres Geistes durch angenehme Unterhaltung.«
G. K.

## 2002

### ÜBER DIE BÜRGERLICHE VERBESSERUNG DER WEIBER

Theodor Gottlieb Hippel
Leipzig und Frankfurt, 1794

*Papier, Karton, Letterndruck*
*H. 16 cm, B. 10,1 cm, 460 S.*

Tübingen, Universitätsbibliothek, Signatur Af 224

Der Königsberger Jurist sprach sich in dieser zentralen Streitschrift der Frauenfrage dafür aus, auch Frauen jene Menschen- und Bürgerrechte zu gewähren, die Männer für sich beanspruchten. Mit seinen Schriften wollte Hippel dazu beitragen, Frauen aus den »galanten Bastillen, häuslichen Zwingern und bürgerlichen Verließen« zu befreien.

*Ute Frevert, Frauen-Geschichte. Zwischen bürgerlicher Verbesserung und Neuer Weiblichkeit, Frankfurt/M 1986.*
G. K.

## 2003

### WÜRTTEMBERGISCHES TASCHENBUCH AUF DAS JAHR 1806 FÜR FREUNDE UND FREUNDINNEN DES VATERLANDS

Mit 5 Kupfern und einer Musikbeilage

Ludwigsburg, 1805

*Papier, Karton, Letterndruck,*
*Kupferstich*

Tübingen, Universitätsbibliothek, I 29a

## 2004

### KOCHBUCH DER AUGUSTA WENNERIN

Lörrach, dat. 1791

*Marmoriertes Papier, Leder, Papier, Feder*
*H. 21 cm, B. 17 cm*
*Bes. Vermerk:* Dieses/Koch=Buch/gehört/Augusta Wennerinn/in Lörrach/ 24ten Jenner + Anno 1791

Lörrach, Museum am Burghof, Inv.-Nr. RZ 2

Bürgerliche Frauen orientierten sich in ihrer Kochkunst nicht nur an den gedruckten Kochbüchern jener Zeit, sondern sie erstellten auch ihre eigenen »Bücher«. Das Sammeln und Aufschreiben von Kochrezepten kann als eine Möglichkeit angesehen werden, sich mit der Arbeit als Köchin im Familienhaushalt auseinanderzusetzen.    G. K.

## 2005

### »DIE KARLSRUHER KÖCHIN«

J. Stolz, Großherzoglich badischer Mundkoch
Karlsruhe, 1816

*Papier, Karton, Letterndruck*
*H. 21,8 cm, B. 13,5 cm, 541 Seiten und Inhaltsverzeichnis*

Durlach, Pfinzgaumuseum, o. Nr.

## 2006

### FÄCHER

Frankreich ?, 4. Viertel 18. Jahrhundert

*Sandelholz, Horn, kolorierte Radierung*
*H. 24,5 cm*

Karlsruhe, Badisches Landesmuseum, o. Nr.

Das »galante« Zeitalter neigt sich dem Ende zu. Der Fächer mit seiner Zeichensprache und den Gesten des Flirts spielt keine Rolle mehr. Nach der Französischen Revolution, im Klassizismus und Empire verlangt die Mode kleine und zierliche Fächer. Um 1800 ist die Handhabung des Fächers einfach und »natürlich«, die Damen halten ihn meist zusammengeklappt, oft kaum sichtbar und ohne Posen, wie es die Bewegung gerade mit sich bringt.
Das Motiv dieses Fächers erinnert in seiner Ausführung an die »Schäferszenen«, doch nimmt es politische und soziale Belange seiner Zeit auf. Bürger und Jakobiner begegnen sich auf einem Feld, zwei Frauen lesen Ähren auf.    G. K.

## 2007

### KAFFEE- UND TEEKANNE

Süddeutsch, um 1800

*Zinn, Holz*
*a. H. 20 cm, Dm. (Boden) 10 cm*
*b. H. 18 cm, Dm. (Boden) 8,3 cm*

Stuttgart, Württembergisches Landesmuseum,
Inv.-Nr. 4809 a, b

Kaffee- und Teekanne dokumentieren einerseits die familiären Versorgungsleistungen der Hausfrau, andererseits verweisen sie darüber hinaus auf ein Gesprächsverhalten, den Kaffeeklatsch, das gerne ausschließlich Frauen zugewiesen wird. Diese Zuschreibungen, die in unsere Sprache eingingen mit Begriffen wie Klatschbase und Schwatztante, haben historische Wurzeln, die in der Trennung des Erwerbs- vom Familienleben begründet liegen. In der nun getrennten Berufswelt hat sich die Kommunikation aus den engen Grenzen der Nachbarschaft gelöst. Die dem häuslichen Bereich verhaftet gebliebene, Nähe und Gefühle integrierende Gesprächsform fällt unter die Negativbewertung, die für die gesamte Hausarbeit gilt. Dabei wird Frauen ein Verhalten zugeschrieben, das auch von Männern gepflegt und geliebt wird, ohne daß sie als »Klatschonkel« bezeichnet werden.                G. K.

## 2008

### KLINGELZUGGRIFF IN SCHLANGENFORM

Deutsch, um 1800

*Bronze*
*H. 14 cm, B. 6,1 cm*

Stuttgart, Württembergisches Landesmuseum
Inv.-Nr. 22.263

Wenn wir allgemein von Frauen reden, vergessen wir gerne, daß sie trotz der Benachteiligungen, denen sie qua Geschlecht ausgeliefert waren, dennoch verschiedenen Schichten angehörten. Mit diesem Klingelzug rief vielleicht die Hausherrin nach dem Dienstmädchen, er ist ein Symbol für ein hierarchisches Verhältnis auch unter Frauen.                G. K.

## 2009

### SCHLÜSSELHALTER

Münsinger Alb ?, dat. 1810

*Messing*
*H. 12,1 cm, B. 6,5 cm*
*Bez.: L H, 1810*

Münsingen, Heimatmuseum, Inv.-Nr. B 80

Statussymbol und Sinnbild für die »Schlüsselgewalt« der Frau in der alten, auf Selbstversorung beruhenden Hauswirtschaft war der Schlüsselhalter. Die Hausmutter trug ihn am Gürtel, befestigte daran die Schlüssel für die Vorratskammer, -truhen und -schränke.                G. K.

## 2010*

### RIECHFLÄSCHCHEN DER GUSTAVE FECHT
### (1768–1828)

im Lederetui

Süddeutsch, 1790

*Porzellan, bemalt, Messing, Silber, Leder, Karton*
*H. 6,5 cm, Dm. 4 cm,*
*Etui: H. 9 cm, B. 5 cm*

Lörrach, Museum am Burghof, Inv.-Nr. HP 340

Das Riechfläschchen gehörte zur ständigen Begleitung einer Dame. Gefüllt mit einer stark riechenden Essence (z.B. 2 Teile Salmiak, 1 Teil Pottasche), wurde es bei einer Ohnmacht geöffnet und daran gerochen. Neben den »realen« Ohnmachten waren diese auch ein weibliches Kulturmuster mit dem Ziel, sich auf subtile Art zu entziehen oder den eigenen Kopf durchzusetzen.
Gustave Fecht war die langjährige Freundin und Vertraute Johann Peter Hebels.                G. K.

## 2011*

### BLICK IN EINE BÜRGERSTUBE

Stammbuchblatt
Stuttgart, Ende 18./Anfang 19. Jahrhundert

*Papier, Feder, Aquarell*
*H. 10,2 cm, B. 12,2 cm*

Stuttgart, Stadtarchiv, Inv.-Nr. B 3678/5

Dieses Stammbuchblatt führt uns nicht eines der zahlreichen Freundschaftsmotive vor Augen, sondern lenkt unseren Blick in eine schlicht und einfach möblierte Stube. Eine Frau sitzt vor dem Fenster am Tafelklavier, der Mann neben ihr hat seine Hand auf ihre Stuhllehne gelegt. Am Tisch daneben sitzt eine ältere Frau und strickt Strümpfe. Äußerst selten haben wir Gelegenheit, in »belebte Innenräume« zu schauen. Hier begegnen uns gleich zwei Hauptbeschäftigungen der Frau im Haus. Zur Unterhaltung macht sie Musik und sie kümmert sich flickend und strickend um die Wäsche.
»Die Kunst, ein gutes Mädchen, eine gute Gattin, Mutter und Hausfrau zu werden«, wie ein zeitgenössischer Ratgeber heißt, beinhaltet ein geradezu simples Geheimnis: »Sie sorgt für sich, wenn sie für den Gatten sorgt«: Die Frau bei der Arbeit und die Arbeit der Frau sollen das männliche Auge erfreuen: »Aber da ich Dich mit so viel Emsigkeit und so netten feinen Stichen ausbessern sah, da holte ich unseren Oheim, es mitanzusehen, und ich küßte die deutsche Weiberhand, die wechselweise weißes Zeug nähen, Landschaften und Bilder zeichnen, Sticken, Kochen, Hauben und Garnierungen machen, Clavier spielen, Hausrechnung führen, Wäsche plätten und Briefe schreiben kann.« Diese Worte legt Sophie La Roche einem Oberamtmann in den Mund.

2010

2011

*Zit. n. Barbara Duden, Das schöne Eigentum. Zur Herausbildung des bürgerlichen Frauenbildes an der Wende vom 18. zum 19. Jahrhundert, in: Kursbuch 47, S. 125–142.*   G.K.

**2012**

## SEIDENTÄSCHCHEN MIT BRIEFEN DER ALBERTINE LEONHARD, GEBORENE SPITZ AUS NECKARGEMÜND

Heidelberg, um 1800

*Seide, Perlenstickerei, Papier, Feder*
*H. 16,5 cm, B. 10,2 cm*

Heidelberg, Kurpfälzisches Museum, Inv.-Nr. ST 169

In diesem gestickten Täschchen wurden liebgewordene Dinge aufbewahrt, wie Briefe und Silhouettenbilder. Stikken gehörte zu den »Freizeitbeschäftigungen« bürgerlicher Mädchen und Frauen. Sticken galt als schön und anmutig aussehende Tätigkeit, und es fördere die »weiblichen Tugenden« wie »Sanftmut und Bescheidenheit«, stundenlang mit gesenktem Kopf über diesen Zierarbeiten zu sitzen. Mit viel Geduld wurden die feinsten Muster ausgearbeitet.   G.K.

**2013**

## STICKSCHERE

Süddeutsch, um 1800

*Goldbronze*
*L. 10,2 cm*

Stuttgart, Württembergisches Landesmuseum, Inv.-Nr. 15.48

**2014**

## SCHMUCKKÄSTCHEN

Baden, um 1810

*Goldbronze, Glas, Trockenblumen, Samt, Spiegel*
*H. 6,2 cm, B. 22,5 cm, T. 14,2 cm*

Mannheim, Reissmuseum, Inv.-Nr. J 53

**2015**

## SPRUCHPLATTE

Odenwald, 2. Hälfte 18. Jahrhundert

*Gebrannter Ton, Glasur,*
*Pinsel- und Malhörnchendekor*
*Beschr.:* Mein lieberMann sei nith so böss ich will dir kogen gute glosß

Buchen, Bezirksmuseum, Inv.-Nr. 297

# »Gute Frauen – Bösse Weiber«

»Die guten Frauen als Gegenbilder der bösen Weiber«, unter diesem Titel schildert Goethe ein fiktives Streitgespräch mehrerer Damen und Herren über Karikaturen von angeblich typisch weiblichen Verhaltensweisen. Die Stiche zeigen Damen beim Kaffeeklatsch, eine eitle, vergnügungssüchtige »theure Gattin« auf der Promenade und keifende Marktfrauen am Straßenrand. Amalia, eine Teilnehmerin der Gesprächsrunde, resümiert: »Die Männer wissen sich gar viel, wenn sie etwas finden können, was uns, dem Scheine nach herabsetzt.«[1]

Die Überhöhungen und Idealisierungen im bürgerlichen Frauenbild der »zärtlichen Gattin und guten Mutter« gestanden den Frauen keine Eigenständigkeit zu. Somit wird insbesondere aktives, selbständiges Verhalten von Frauen in Karikaturen zensiert. Lesen wir das »typisch Weibliche« gegen den Strich, so bedeutet »vergnügungssüchtig« auch ein an sich selbst Denken. Herrschsucht ist eine Form von Widerständigkeit, da sich das »herrschsüchtige« Eheweib einfach nicht alles gefallen läßt, und keifende Marktfrauen setzen sich eben lautstark für ihre eigenen Interessen ein.

Doch nicht nur in bildungsbürgerlichen Kreisen werden »weibliche Verhaltensweisen« karikiert. Spott und Witze auf Kosten von Frauen begegnen uns ebenso im Alltag anderer Schichten, etwa auf Ofenwandplättchen, auf Modeln, in der populären Druckgraphik und auf Hausgerät, das mit Sprüchen verziert ist: »Lieber allein als beim bösen Weibe sein«, heißt es auf einem Fayenceteller; »Gute Weiber gibt es wenig, bösse aber zimlick«, lesen wir auf einem Ofenwandplättchen. Da ist die Frau faul und dumm; sie muß geschlagen werden, und wahre Liebe ist nirgends zu finden. Vereinzelt nur tauchen freundliche, liebevolle Aussagen auf: »Wir bede sind getreu, wir lieben ohne scheu«, die häufig jedoch ins Derbe abgleiten: »wen ich dich hätt einmal im bett.« Trotz dieser zweifellos auch Zuneigung ausdrückenden Sprüche kennzeichnen letztendlich abfällige und negative Äußerungen das dahinter stehende Frauenbild. G.K.

1
Johann Wolfgang Goethe, Die guten Frauen als Gegenbilder der bösen Weiber, mit Kupferstichen von Johann Heinrich Ramberg aus dem Taschenbuch für Damen auf das Jahr 1801, zit. n. Nachdruck Frankfurt/M. 1986, S. 11.

2016

2016*

## OFENWANDPLÄTTCHEN

Conrad Kipfer
Holzgerlingen, 1802

*Gebrannter Ton, Glasur, Malhörnchendekor*
*H. 18,5 cm, B. 18,7 cm*
*Beschr.:* Ach lieber bruder geh und schau,/ dort hinder dem ofen ligt meine frau

Stuttgart, Württembergisches Landesmuseum, Inv.-Nr. 1951/171

Die sogenannten Ofenwandplättchen dienten als Feuerschutz, Wärmespeicher und Wandschmuck in den überwiegend protestantischen Gebieten Württembergs. Die Wand hinter dem gußeisernen Ofen in der Stube wurde mit ihnen verkleidet. Verbreitet waren sie in Bauern-, ländlichen Handwerker- und Wirtshäusern. Ihre Bemalung zitierte aus dem Repertoire der »volkstümlichen« Bildersprache: Blumen, Reiter, Hirsche, religiöse Themen und Sprüche über menschliche Schwächen. Spott und Spitzen gingen häufig auf Kosten von Frauen. Manchmal wurden auch politische, soziale und alltägliche Belange auf den gebrannten Ton geschrieben: »wir sind alle brüder, wir sind alle gleich,/der reiche lebt von des armen schweis«, heißt etwa ein Spruch des Hafners Dompert. Zum Teil sehen wir die gleichen Sprüche auch auf anderem Hafnergeschirr, die meisten Bilder und Sprüche jedoch finden sich so nur auf den Ofenwandplättchen und machen diese zu einer reichen Quelle von Vorstellungen, Gedanken, Wünschen und Sehnsüchten der ländlichen Bevölkerung.

*Karl Hillenbrand, Schwäbische Ofenwandplättchen, in: Museumsfreund Heft 12/13, Stuttgart 1971. – Hans-Ulrich Roller, Volkskultur in Württemberg, Stuttgart, Württembergisches Landesmuseum 1974.*   G.K.

## 2017

### OFENWANDPLÄTTCHEN

Neubulach, 1811

*Gebrannter Ton, Glasur, Malhörnchendekor*
*H. 20,1 cm, B. 20,2 cm*
*Beschr.:* Unser magd die ann die het so gern ein man

Stuttgart, Württembergisches Landesmuseum,
Inv.-Nr. 1951/411

## 2018

### OFENWANDPLÄTTCHEN

Neubulach, 1811

*Gebrannter Ton, Glasur, Malhörnchendekor*
*H. 19,9 cm, B. 20,2 cm*
*Beschr.:* Auf den bergen und in den krinden da ist kein
warre lieb zu finden/1811

Stuttgart, Württembergisches Landesmuseum,
Inv.-Nr. 1951/445

## 2019

### OFENWANDPLÄTTCHEN

Neubulach, 1811

*Gebrannter Ton, Glasur, Malhörnchendekor*
*H. 20 cm, B. 20,5 cm*
*Beschr.:* Der brad der steht im ofenloch geh lieb frau und
hol in doch

Stuttgart, Württembergisches Landesmuseum,
Inv.-Nr. 1951/447

## 2020

### OFENWANDPLÄTTCHEN

Conrad Kipfer
Holzgerlingen, 1802

*Gebrannter Ton, Glasur, Malhörnchendekor*
*H. 19,8 cm, B. 18,6 cm*
*Beschr.:* Biß der Vogel lernd fliegen, so werden gewiß alle
Jungfer männer kriegen

Stuttgart, Württembergisches Landesmuseum,
Inv.-Nr. 1951/192

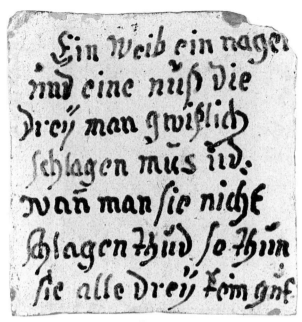

2021

## 2021*

### OFENWANDPLÄTTCHEN

Johann Jacob Brehm
Wildberg, 1789

*Gebrannter Ton, Glasur*
*H. 17,3 cm, B. 16,7 cm*
*Beschr.:* Ein Weib ein nagel und eine nuß die drey man
gewißlich schlagen mus und wan man sie nicht schlagen
thud, so thun sie alle drey kein gut

Stuttgart, Württembergisches Landesmuseum,
Inv.-Nr. 1951/499

## 2022

### OFENWANDPLÄTTCHEN

Heinrich Widmann
Heimsheim, Ende 18. Jahrhundert

*Gebrannter Ton, Glasur*
*H. 18,5 cm, B. 18,7 cm*
*Beschr.:* Wir bede sind getreu wir leiben ohne scheu

Stuttgart, Württembergisches Landesmuseum,
Inv.-Nr. 1951/970

**2023**

OFENWANDPLÄTTCHEN

Heinrich Widmann
Heimsheim, Ende 18. Jahrhundert

*Gebrannter Ton, Glasur*
*H. 18,5 cm, B. 18,7 cm*
*Beschr.: gute Weiber gibt es wenig bösse aber zimlick*

Stuttgart, Württembergisches Landesmuseum,
Inv.-Nr. 1951/981

**2024**

OFENWANDPLÄTTCHEN

Heinrich Widmann
Heimsheim, Ende 18. Jahrhundert

*Gebrannter Ton, Glasur*
*H. 18,5 cm, B. 18,6 cm*
*Beschr.: Bösse weiber bösses geldt find man in der
gantzen welt*

Stuttgart, Württembergisches Landesmuseum,
Inv.-Nr. 1951/974

## Therese Huber
## »Sie war nach Geisteskräften gewiß eine der vorzüglichsten Frauen ihrer Zeit«

Seit dem Ende des Jahres 1816 ist Therese Huber (geborene Heyne, verwitwete Forster, 1764–1829) Redakteurin des Cottaschen »Morgenblatts für gebildete Stände«. Ab Anfang 1817 bekommt sie 700 Gulden Gehalt. Einen Kontrakt schließt sie nicht mit Cotta ab; sie will auch nicht, daß sie mit ihrem Namen in der Zeitung als Redakteurin erscheint. Therese Huber ist Witwe, als ihr diese Stellung angeboten wird, wobei die Quellen den Hergang nicht eindeutig berichten. Seit dem ersten Erscheinen des Morgenblattes im Jahr 1807 hatte Therese Huber darin immer wieder Artikel publiziert, jedoch stets unter dem Namen ihres zweiten Ehemanns: Ludwig Ferdinand Huber; das erste Buch unter ihrem eigenen Namen erscheint sieben Jahre nach Hubers Tod: »Bemerkungen über Holland aus dem Reisejournal einer deutschen Frau«. Therese Huber leitet die Redaktion des Morgenblattes bis 1823/24. Anfang des Jahres entzieht Cotta ihr ohne Kündigung die Redaktion des Blattes. Eine Reihe von Mißverständnissen und Querelen führt zu diesem endgültigen Bruch: Therese leidet darunter, daß Cotta ihr nicht wirklich freie Hand bei der Auswahl der Artikel läßt, daß Adolph Müllner die Redaktion des zugehörigen Literaturblattes übertragen bekommt, dazu noch das Dreifache ihres Gehalts. Auch ist Cotta offenbar ärgerlich darüber, daß Therese Huber zugleich bei seinem großen Konkurrenten Brockhaus in Leipzig publiziert.

Bereits diese ersten Hinweise lassen erkennen, wie wenig die Person und Lebensgeschichte der Therese Huber damals in den Rahmen durchschnittlicher Frauenbiographien passen. Aus einer Professorenfamilie in Göttingen stammend, hat sie zwar keine systematische Bildung genossen, lernt aber früh wissenschaftliche Diskurse kennen und erfährt darin auch eine gewisse Förderung durch ihren Vater.

In vielen ihrer Briefe erscheint sie als kritische, witzige, eigenwillige und selbstbewußte Frau: »Denn herrschsüchtig halten dich mancherlei Leute gern, wenn du ihnen sagst: Thut was ihr wollt, ich tue aber was mir recht deucht.«[1] Sie selbst bezeichnet sich als »unabhängige, kecke, alte Frau«.[2]

Als schreibende Frau nicht unter dem eigenen Namen zu publizieren, ist für ihre Zeit nicht untypisch. Viele Artikel von Frauen werden anonym oder unter männlichem Pseudonym veröffentlicht. Denn als Frau überhaupt einen Verleger zu finden, ist schwierig genug. Dazu kommt die Angst, entweder gar nicht oder eben kritischer gelesen zu werden als männliche Kollegen, jedoch bestimmend für Therese Huber scheint ein innerer Zwiespalt in bezug auf ihre Arbeit. Sie, die mehr als 2000 Nummern des Morgenblattes betreut und zahlreiche Erzählungen und Romane veröffentlicht, schreibt ihrem Freund Usteri: »Sagen Sie dem Publikum, daß ich lieber und besser Strümpfe stricke, als redigiere.«[3]

Diese Ambivalenz prägt ihre ganze Person, zeigt sich in ihrem Antrieb zum Schreiben, in ihrer Redaktionsarbeit, in ihren politischen Meinungsäußerungen oder in ihrer Einstellung zur Frauenrolle. Ihren Beweggrund zu schreiben erklärt sie selbst so: »Endlich im Jahr 1794 (während ihrer Ehe mit Huber, G.K.) sah ich ein, daß wir nicht ausreichen würden ... Ich verdiente also die Hälfte unseres Einkommen, ohne je ein Hausgeschäft zu versäumen.«[4] Finanzielle Engpässe spielen auch später, als sie als Witwe Arbeit sucht, eine Rolle. Dabei sieht sie ihre Berufsarbeit immer in enger Beziehung zu ihrer Hausfrauenarbeit. Sie benützt zwar die materielle Notwendigkeit des Schreibens als Argument, um ihre journalistischen Interessen zu rechtfertigen, erlaubt es diesen jedoch nie, sich ganz in den Vordergrund zu drängen.

Therese Huber wird von ihren Zeitgenossen nicht nur als scharfsinnige und kritische Literaturkennerin erlebt, ihre lebendige und selbstbewußte Urteilskraft zeigt sich vielmehr auch in Urteilen zur gesellschaftlichen Lage: »Sagen Sie mir, ob unser Zeitalter durchaus Kopf oder Herz verlieren macht. Der eine berechnet die Menschen wie Ziffern der andere behandelt sie wie überirdische Wesen, und so die Künste und die Wissenschaften immer im extremen.«[5] In eleganter, lockerer Weise bringt sie hier die Gegensätze ihrer Zeit auf den Punkt: die Auseinandersetzung zwischen der aufklärerischen Vernunft und der Gefühlsbetontheit der Romantik.

Immer wieder jedoch zeigt sich ihre Zwiespältigkeit. In einem Brief an Usteri schildert sie erst ihre politische Einstellung, um sich zugleich, leicht ironisch, dafür zu entschuldigen. »Ich habe heute ein Paar Strümpfe geendigt; habe Wäsche zusammengelegt, habe Clairen eine Fleischgallerte machen lehren, habe Luisen ihren Stickrahmen eingespannt, j'ai fait preuve de mon féminisme (ich habe meine Weiblichkeit bewiesen G.K.), ich darf gegen einen gütigen diskreten Mann wohl schwatzen.«[6] Diese kritisch-ironische Distanz zu ihrer Rolle als Frau verliert sie hingegen, wenn sie ihre eigene politische Meinung mit der der vermeintlich kompetenteren Männer vergleicht. Zwar möchte sie gerne »öffentliche Angelegenheiten« mit bestimmten Personen besprechen, »aber meine Ansicht meines Anstandes als Weib, Witwe, anerkannte Anhängerin der französischen Nation ... legt es mir auf, nie von Politik und Zeitgeschichte zu sprechen.«[7] Fesselt sie sich hier nicht selber, indem sie die zeitgenössischen Vorurteile über die Nicht-Zuständigkeit der Frauen für das Politische antizipiert? Fast in einem Atemzug bezieht sie klare Position, um sich darin gleich wieder selbst zu zensieren: »Ich war ja Jacobinerin und Democratin und Revolutionär, aber ich wußte stets, das Weib soll schweigen, wenn Männer sprächen, und nie außer dem innigsten Zirkel von Politik sprechen.«[8] Doch in dem Stuttgarter Herren-Kränzchen, in dem sie als einzige Frau aufgefordert wird mitzudiskutieren, scheint sie sich keineswegs durch Schweigen ausgezeichnet zu haben: »Stell Dir vor«, schreibt sie ihrer Tochter, »dieses Kränzle, bei dem noch keine Dame ihre Nase hineingesteckt hat, bat mich zu präsidieren.«[9]

Diese Ambivalenz, die bei Therese Huber immer wieder deutlich wird, findet sich bei vielen ähnlich exponierten Frauen am Anfang des 19. Jahrhunderts. Geboren und aufgewachsen in einer Zeit, in der den bürgerlichen Frauen das Bild der liebevollen Mutter und fürsorgenden Haus- und Ehefrau als alleiniges Lebensziel und als einziger Lebensinhalt vorgegeben wird, scheint jede Abweichung von diesem Ideal eine Erklärung, eine Entschuldigung zu verlangen, ja scheint sogar zur Verleugnung solch eigener Wünsche zu führen.

Therese Huber handelt zwar in ihrem Leben oft selbstbewußt gegen diese Norm. Aber auch ihr scheint erst die Erfüllung der Mutter- und Hausfrauenpflichten – sie hat zehn Kindern das Leben geschenkt, von denen nur vier die Kindheit überlebt – letztlich die Voraussetzung und die Rechtfertigung für die Verwirklichung in geistiger Arbeit. Daß sie trotz aller Zerrissenheit das zeitgemäße bürgerliche Frauenideal auch kritisiert, wird in ihrem letzten Roman »Die Ehelosen« deutlich. Noch sieht sie zwar keine gesellschaftliche Alternative zum Leben als Hausfrau und Mutter. Doch sie stellt entschieden die Frage, ob es richtig sei, junge Mädchen zur Ehe zu drängen, ob das ihr wirklicher »Beruf« sein könne. Dieses Suchen und diese Ambivalenz zwischen Fügsamkeit und Rebellion scheint auch für sie selbst die einzige Möglichkeit zu sein, mit dem Widerspruch von zeitgenössischer Norm und eigenem Verhalten leben zu können.

1
Brief an ihren Sohn Aimé, zit. n. Ludwig Geiger, Stuttgart 1901, S. 245.

2
Brief an Bothiger, 1820, zit. n. wie Anm. 1, S. 340.

3
zit. n. wie Anm. 1, S. 286.

4
Brief an ihren Sohn, 1817, zit. n. wie Anm. 1, S. 343.

5
Brief an Usteri, 1808, zit. n. wie Anm. 1, S. 224.

6
Brief an Usteri, 1808, zit. n. wie Anm. 1, S. 225.

7
Brief an Usteri, 1814, zit. n. wie Anm. 1, S. 228.

8
Brief an Usteri, 1814, zit. n. wie Anm. 1, S. 228.

9
Brief an ihre Tochter Therese, 1802 oder 1803, zit. n. wie Anm. 1, S. 119.

*Ludwig Geiger, Therese Huber 1764–1829. Leben und Briefe einer deutschen Frau, Stuttgart 1901. – Gabriele v. Koenig-Warthausen, Therese Huber. Schriftstellerin, Redakteurin von Cottas Morgenblatt 1764–1829, in: Max Miller und Robert Uhland (Hg.), Lebensbilder aus Schwaben und Franken Bd. 10, Stuttgart 1966, S. 215–232.*                                    G.K.

## 2025

### Therese Huber (1764–1829)

Zwei Porträts (Frühe Fotografien nach alten Vorlagen)

Göttingen, 1780er Jahre und Anfang 19. Jahrhundert

*a. H. 24,6 cm, B. 17,5 cm*
*b. H. 9,1 cm, B. 6,9 cm*

Göttingen, Niedersächsische Staats- und Universitätsbibliothek, Cod. Ms. Th. Huber 7

## 2026*

### Therese Huber, lesend (1764–1829)

Luise Duttenhofer (1776–1829)
Stuttgart, 1. Viertel 19. Jahrhundert

*Scherenschnitt auf gelbem Papier*
*Reproduktion, Original H. 20,6 cm, B. 17 cm*

Marbach, Schiller-Nationalmuseum, Inv.-Nr. 1504

2026

## 2027

### Brief der Therese Huber an Ludovike Simanowiz

Staffenried, 1806

*Papier, Feder, Siegel*
*H. 20,8 cm, B. 16,5 cm, 3 S.*

Marbach, Schiller-Nationalmuseum, Inv.-Nr. 1694

Die bürgerliche Welt scheint klein gewesen zu sein, auch damals schon. Die Wege der Personen, die auf der großen und kleinen Weltbühne spielten, kreuzten sich immer wieder. So besuchte etwa Frau v. Staël Therese Huber im Jahr 1807, als diese noch in Günzburg wohnte. In diesem Brief erwähnt Therese Huber, daß sie im Jahr 1792 das erste Mal Ludovike Simanowiz getroffen habe und zwar in Straßburg. Beide waren auf der Flucht, Therese Huber aus der Schweiz, Ludovike Simanowiz aus Paris. Höchstwahrscheinlich trafen sie sich bei dem Straßburger Buchhändler Treuttel, eine »gesellschaftliche Institution« im Straßburg jener Zeit. G. K.

## 2028

### »Ellen Percy oder Erziehung durch Schicksale«

Therese Huber (1764–1829)
Erster Teil, Reutlingen 1825

*Papier, Karton, Letterndruck, Titelkupfer*
*H. 18,9 cm, B. 10,9 cm, 152 S.*

Tübingen, Universitätsbibliothek, Signatur Dk XI 2

*Ellen Percy* ist der Roman, der Therese Huber bekannt machte. Er ist die freie Wiedergabe nach einer älteren englischen Vorlage. G. K.

## 2029

### »Die Familie Seldorf. Eine Geschichte von L(udwig) F(erdinand) Huber«

(d. i.) Therese Huber (1764–1829)
Teil 1.2, Tübingen 1795–96

*Papier, Karton, Letterndruck, Titelkupfer*
*H. 16,4 cm, B. 10,2 cm, 299 S. und 346 S.*

Stuttgart, Württembergische Landesbibliothek, Signatur d. D. oct. 5885

# Ludovike Simanowiz
## »Glückliche Porträtmalerinn«

Eine Beschreibung von Stuttgart und Ludwigsburg vom Anfang des 19. Jahrhunderts führt ein Verzeichnis der dort ansässigen Künstler auf. Unter ihnen genannt wird Frau von Simanowiz, »glückliche Porträtmalerin«.[1] Das Attribut »glücklich« bezeichnet im zeitgenössischen Sprachgebrauch ein Urteil, das Erfolg und Können vereint. Allerdings taucht eine derartige Wertung bei keinem ihrer männlichen Kollegen auf. In der Verbindung mit der einzigen genannten Malerin beinhaltet dieser Zusatz also offenbar doch einen leicht abwertenden Charakter: Bei einer Frau muß Qualität extra betont werden, während sie bei Männern selbstverständlich vorausgesetzt wird. Zudem assoziiert »glücklich«, daß Können und Leistung ein eher zufälliges Produkt und nicht abhängig sind von Talent, Ausbildung, Arbeit und gesellschaftlichen Zugangsmöglichkeiten.

Malerin zu sein in einer Zeit, in der die weibliche Berufstätigkeit dem bürgerlichen Ideal widersprach, und eine künstlerische Betätigung auszuüben, die über dilettierende Selbstbeschäftigung hinausging, das verspricht einen außergewöhnlichen Lebensweg.

Ludovike Simanowiz, geborene Reichenbach (1759 bis 1827), wurde von ihrer Familie in ihrem Wunsch, Malerin zu werden, unterstützt. Sie galt als zeichnerisches Wunderkind und erhielt Unterricht bei dem Hofmaler Nicolas Guibal in Stuttgart. Mit einem Stipendium Karl Eugens reiste sie nach Paris, um dort ihre Ausbildung bei dem Porträtmaler Antoine Vestier zu vervollkommnen. Die Jahre zwischen 1787 und 1790 sowie 1791 und 1793 verbrachte sie in Paris. Sie wohnte während dieser Zeit bei der berühmten Sängerin Balletti, einer Ludwigsburgerin, die auch in Stuttgart aufgetreten war. Erhalten ist ein Ganzporträt der Balletti von Ludovike Simanowiz, das durch die starke Betonung der Landschaft aus ihren anderen Arbeiten heraussticht: »Die Landschaft besteht aus einer Waldlichtung, die durch einen Bach mit kleinem Wasserfall belebt ist. Die Waldszene entspricht damit dem Zeitempfinden, wie es sich etwa in Deutschland in der Sturm- und Drang-Bewegung artikulierte.«[2]

Malerinnen hatten zweifelsohne geringere Chancen, zu Anerkennung und Erfolg zu gelangen. Ihnen war der Zugang zu den klassischen Ausbildungsstätten, den Akademien, so gut wie verschlossen. Das galt vor allem für die Zeichenklassen und damit für die Aktmalerei, deren Studium die Voraussetzung zur Ausübung der prestigeträchtigen Historienmalerei war.

Trotz ihrer Ausbildung in Stuttgart und Paris fehlte auch Ludovike Simanowiz die Unterstützung und Förderung durch eine Akademie. Dies mochte zu einer relativen Geringschätzung und Unaufmerksamkeit ihrem Werk gegenüber beigetragen haben, denn ihre Biographin Friederike Klaiber stellte fest: »Über ihre Kunstleistungen wäre manches zu sagen, dieselben wurden zu wenig bekannt und zu wenig anerkannt. Ihr Lehrer Vestier und

ihr Freund Historienmaler Wächter sind vielleicht die einzigen Künstler, welche ihrer Kunst Gerechtigkeit widerfahren ließen.«[3] Gleichwohl wurde sie von der Kunstgeschichtsschreibung nie ganz vergessen, was in erster Linie daran lag, daß sie ihren Jugendfreund Friedrich Schiller porträtierte. Ihre Hauptarbeiten – bis auf die Porträts der fürstlichen Familie, die sie während ihres Aufenthalts am Hof von Mömpelgard malte – sind Bildnisse aus dem Familien-, Freundes- und Bekanntenkreis. Zudem griff sie religiöse Themen auf und widmete sich der Landschaftsmalerei. Die meisten ihrer Arbeiten verblieben in Familienbesitz, Selbstporträts von ihr und die Porträts von Berühmtheiten wie Eberhard Friedrich Wächter, Schiller, auch das der Balletti, kamen dagegen in die Museen. Ihre Bilder, die durchaus einen Zug bürgerlicher Selbstdarstellung in sich tragen, zeigen nicht die große, repräsentative Geste, sondern den privaten, direkten Blick in das Gesicht ihrer Zeitgenossen.

Ludovike Simanowiz schlug, die trotz ihrer Heirat mit Franz von Simanowiz weiterhin den Weg der Künstlerin ein, doch sie tat dies nicht ohne Zweifel. Malerinnendasein und »häusliche Pflichten« zu vereinen, fiel ihr nicht leicht. Ihr Freund Clamb, Seelsorger an der schwedischen Botschaft in Paris, skizzierte diese Konfliktsituation sehr plastisch: »Ich wünschte meine theuerste Freundin, daß Sie die Unentschlossenheit, mit der Sie zwischen Paris und Stuttgart, zwischen Kunst und Liebe hin und her wanken, einmal zu überwinden suchten. Eine ihrer Neigungen müssen sie der anderen aufopfern, wollen Sie das häusliche Glück genießen, so müssen sie auf den Kunstruhm verzichten und umgekehrt.«[4] Sie »wählte« das »häusliche Glück«, kehrte nach Stuttgart zurück und trug mit Zeichenunterricht entscheidend zum ehelichen Lebensunterhalt bei: »Ich habe mich an die Notwendigkeit, die Kunst mitunter als Erwerb treiben zu müssen, gewöhnt.«[5] Denn ihre Ehe mit Franz von Simanowiz war überschattet von der schweren Krankheit ihres Mannes. In einem Pensionsgesuch, das sie nach dem Tode ihres Gatten im Jahr 1827 an König Wilhelm richtete, stellte sie lapidar fest: »Ich lebte 36 Jahre mit ihm im Ehestand und 28 Jahre war ich seine Pflegerin.«[6]

1
Johann Daniel Georg Memminger, Stuttgart und Ludwigsburg mit ihren Umgebungen, Stuttgart und Tübingen 1817, S. 441.

2
Schwaben sehen Schwaben. Bildnisse 1760–1940 aus dem Besitz der Staatsgalerie Stuttgart, Stuttgart 1977, S. 30.

3
Friederike Klaiber, Ludovike. Ein Lebensbild aus der nächsten Vergangenheit, geschildert für christliche Mütter und Töchter unserer Tage, Stuttgart 1847, S. 309.

4
Zit. n. Andrea Berger-Fix, Unveröffentlichtes Manuskript zu der Ausstellung über Ludovike Simanowiz im Städtischen Museum Ludwigsburg 1985. Ich danke Andrea Berger-Fix für die großzügige Bereitstellung ihrer Ausstellungstexte.

5
Brief der Ludovike Simanowiz an ihre Freundin Regine Voßler, etwa 1810, zit. n. Friederike Klaiber, Ludovike, Stuttgart 1847, S. 401.

6
Pensionsgesuch der Ludovike Simanowiz, Original im Deutschen Literaturarchiv/Schiller-Nationalmuseum, Zugangsnr. 18235.

*Erhard Fischer, Die Malerin Ludovike Simanowiz. Kurze Lebensbeschreibung und Auswahlbibliographie, in: Heimatblätter, Jahrbuch für Schorndorf und Umgebung 3 (1985), S. 177–184. – Johann Philipp Glökler. Lebensbilder aus den drei letzten Jahrhunderten, Stuttgart 1865, S. 355–397. – Friederike Klaiber, Ludovike. Ein Lebensbild aus der nächsten Vergangenheit, geschildert für christliche Mütter und Töchter unserer Tage. Von der Herausgeberin des Christbaums (d. i. F. Klaiber), Stuttgart 1847.*

G. K.

Dem Briefwechsel mit Schillers Schwester entnehmen wir, daß Ludovike Simanowiz eine begeisterte Anhängerin der Französischen Revolution war. Allein die nachrevolutionären politischen Ereignisse in Frankreich riefen entschiedene Kritik bei ihr hervor, und sie distanziert sich von ihrer Haltung als »warme Democratin aus voller Seele«. Gleichwohl lehnte sie auch die napoleonische Schreckensherrschaft ab. Zur Zeit seiner Verbannung auf die Insel St. Helena äußerte sie wiederum in einem Brief an Schillers Schwester: »Käme der Löwe aus St. Helena wieder an die Spitze, Gott Gnade der Welt.«

*Friederike Klaiber, Ludovike. Ein Lebensbild für christliche Mütter und Töchter, Stuttgart 1847. – Schwaben sehen Schwaben. Bildnisse 1760–1940, Staatsgalerie Stuttgart 1977.*

G. K.

2030*

## SELBSTBILDNIS

Ludovike Simanowiz (1759–1827)
Württemberg, 1780er Jahre?

*Öl auf Leinwand*
H. 16,5 cm, B. 15 cm

Marbach, Schiller-Nationalmuseum, Inv.-Nr. 75.156

2030

2031

2031*

ROSINE HELENE BALLETTI (1767–?)

Ludovike Simanowiz (1759–1827)
Paris, um 1790

*Öl auf Leinwand*
*H. 110 cm, B. 88 cm*

Stuttgart, Staatsgalerie, Inv.-Nr. 766

Rosine Helene Balletti wurde als Tochter des herzoglichen
Solotänzers und Ballettmeisters und einer Tänzerin im
Jahr 1767 in Ludwigsburg geboren. Ihre Ausbildung
erfolgte an der der Militärakademie angegliederten »Ecole
des Demoiselles«. Zunächst war sie am Hoftheater tätig
und ging im August 1787 nach Paris. Das »Journal des
Luxus und der Moden« lobte sie ausführlich im Februar
1792: »Die vorzüglichsten Sänger und Sängerinnen desselben verdienen in Ihrem Journale genannt zu werden. Den
ersten Rang darunter hat nach einstimmiger Meinung
Mlle. Balletti, eine Teutsche aus Stuttgard.« Ludovike
Simanowiz porträtierte sie auf der Bühne, und es ist eines
ihrer wenigen Werke, in der die Landschaftsdarstellung
einen großen Raum einnimmt.

*Schwaben sehen Schwaben (wie Kat.-Nr. 2030).*    G. K.

# Friederike Griesbach
# »Thätige Antheilnahme«

Friederike Griesbach unterzeichnet Anfang des Jahres
1814 einen Aufruf, den sie auf Handzetteln verbreiten
läßt. In der Annahme, daß der von Großherzogin Stephanie in der Staats-Zeitung abgedruckte Appell: »Zur Unterstützung der verwundeten oder kranken vaterländischen
Krieger einen Frauenverein (zu) bilden«[1], nicht von allen
gelesen wird, will sie damit die Vereinsgründung publik
machen. Der Aufruf richtet sich an die »Mitbürgerinnen
und alle wohltätigen Frauen hiesiger Stadt«[2], die aufgefordert werden, »Leinwand, Hemden, Charpis (Verbandsma-
terial), Bandagen, Kompressen, wollenen Socken, Leibbin-
den, Handstützchen, Handschuhen« oder auch Geld zu
spenden. Friederike Griesbach ist von der Großherzogin
beauftragt, die »Beyträge« zu sammeln, und sie erbittet sie
»zu jeder Stunde des Tages« in ihrem Haus abzugeben.
Friederike Griesbach war die Ehefrau des damaligen Oberbürgermeisters von Karlsruhe. So wie sich Großherzogin
Stephanie mit der Gründung des Frauenvereins als »Lan-
desmutter« engagierte, so war auch für Friederike Griesbach das öffentliche Eintreten für Wohltätigkeit bestimmt
durch ihre Rolle als Gattin des Stadtoberen.
Nach der Völkerschlacht bei Leipzig im Oktober 1813
wurden – auf Anregung der Landesfürstinnen – nicht nur
in Baden, sondern auch in Bayern und Preußen die ersten
Frauenwohltätigkeitsvereine gegründet. Wohltätigkeit,
den Frauen als »natürliche« Charaktereigenschaft zugeschrieben, und Fürsorge, die bisher auf den familiären
Bereich beschränkt geblieben waren, wurden nun öffentliche Betätigungsfelder für Frauen der bürgerlichen und
adligen Schicht.
In Baden hatte sich mit der kurz zuvor erfolgten Auflösung
des Rheinbundes und dem Anschluß an die preußisch-
deutsche Befreiungsidee das politische Klima entscheidend
verändert. Im Gegensatz zu den vorangegangenen Koali-
tionskriegen waren die Befreiungskriege nun vaterländi-
sche Kriege, mitgetragen von einem neuen Nationalgefühl.
Der Gründungsaufruf zu diesem vaterländischen Frauenverein verband das sozialpolitische Engagement mit dem
Hinweis, daß die »Brüder« nicht nur für das Vaterland,
sondern auch für die Frauen gelitten hätten. Und dieses
doppelte Leiden müsse nun der Einsatz der Frauen wieder-
gutmachen. Die Koppelung von »Nationalismus und
Geschlechterbeziehung«[3] war ein Mittel, das soziale Engagement der Frauen zu nutzen, sie für öffentliche Aufgaben
einzusetzen, ohne ihnen politische Rechte zuzugestehen.
Die »soziale Mutterschaft« stützte somit die kulturelle
Definition der Geschlechter.
Nach den Befreiungskriegen lösten sich die Vereine zum
Teil wieder auf. Andere dehnten ihre Aufgaben auf die
allgemeine Armenfürsorge aus, und Neugründungen, wie
der im Dezember 1816 von Königin Katharina in Stuttgart
initiierte Wohltätigkeitsverein, dessen Mitglieder Männer
und Frauen waren, bestanden fort.

Was wir über diesen Aufruf hinaus über das Leben der Friederike Griesbach wissen, ist dürftig. Geboren wurde sie im Jahr 1779 als Tochter des Holzhandlungsbesitzers Katz in Gernsbach. Nach dem frühen Tod des Vaters führte sie mit der Mutter die Holzhandlung weiter. Friederike genoß – so ihr Nachruf – eine sorgfältige Bildung und hatte Talent zu allen »weiblichen Beschäftigungen«. 28jährig heiratete sie den Wittwer Christian Griesbach, Tabak- und Lederfabrikant und Besitzer einer Steingutmanufaktur, der seit dem Jahr 1809 Bürgermeister und ab 1812 Oberbürgermeister von Karlsruhe war. Christian Griesbach hatte aus erster Ehe bereits drei Kinder, und seine schnelle Wiederverheiratung mag daher von dem Wunsch mitbestimmt worden sein, diese wieder versorgt zu wissen. Friederike Griesbach zog zusätzlich noch drei eigene Kinder auf. Alle Zeugnisse, die wir aus ihrem Leben besitzen, dokumentieren ihre Kindererziehung, -fürsorge und ihre Haushaltsarbeit.
Sie stirbt, zwei Jahre nach ihrem Gatten, im Alter von 61 Jahren.

1
Aufruf der Friederike Griesbach vom 4.2.1814, Stadtarchiv Karlsruhe, Nachlaß Griesbach 7/N/Griesbach Nr. 121.

2
wie Anm. 1.

3
Carola Lipp, Liebe, Krieg und Revolution. Geschlechterbeziehung und Nationalismus, in: dies. (Hg.), Schimpfende Weiber und patriotische Jungfrauen. Frauen im Vormärz und in der Revolution 1848/49, Bühl-Moos 1986, S. 353–384.

*Amélie Sohr, Frauenarbeit in der Armen- und Krankenpflege. Daheim und im Auslande. Geschichtliches und Kritisches, Berlin 1882.*                           G.K.

### 2032

### Aufruf zur Gründung eines vaterländischen Frauenvereins

Karlsruhe, 1814

*Papier, Letterndruck*
*H. 22,2 cm, B. 17,3 cm*

Karlsruhe, Stadtarchiv, Nachlaß Griesbach Nr. 121

### 2033

### Kochbuch der Friederike Griesbach (1779–1840)

Karlsruhe, 1. Drittel 19. Jahrhundert

*Gewachstes Deckblatt, Fadenheftung, Papier, Feder*
*H. 21,7 cm, B. 17,5 cm*

Karlsruhe, Stadtarchiv, Nachlaß Griesbach Nr. 101

Das eigenhändig geschriebene Heft enthält neben Koch- und Backrezepten wie *Butterschnitten, gefüllte Omelette* und *Äpfelmus* auch Rezepte zur Herstellung von Reinigungsmitteln.                           G.K.

### 2034

### Kochbuch der Friederike Griesbach (1779–1840)

Karlsruhe, 1. Drittel 19. Jahrhundert

*Gewachstes Deckblatt, Fadenheftung, Papier, Feder*
*H. 21,5 cm, B. 18,0 cm*

Karlsruhe, Stadtarchiv, Nachlaß Griesbach Nr. 103

### 2035

### Aschgeldbüchlein der Friederike Griesbach (1779–1840)

Karlsruhe, 1820er Jahre

*Papier, Feder, Fadenheftung*
*H. 17 cm, B. 11,5 cm*

Karlsruhe, Stadtarchiv, Nachlaß Griesbach Nr. 116

In dem Büchlein sind die Verkäufe von Hausasche, der Lohn der Wäscherin und Transportkosten aufgeführt. Aus Asche, Knochen und Schweinefett (Flomen) wurde Seife selbst hergestellt oder beim Seifensieder gekauft. In Württemberg war der Einkauf und Verkauf von Haus- und Pottasche bis zum Jahr 1809 reglementiert, erst im Zuge einer freieren Gewerbeförderung wurden in einem Regierungserlaß im Jahr 1809 alle Beschränkungen aufgehoben.
                           G.K.

2036

## KOCHBUCH DER FRIEDERIKE GRIESBACH (1779–1840)

Karlsruhe, 1. Drittel 19. Jahrhundert

*Gewachstes Deckblatt, Fadenheftung, Papier, Feder*
*H. 22,5 cm, B. 17,8 cm*

Karlsruhe, Stadtarchiv, Nachlaß Griesbach Nr. 102

Auch die städtische Hauswirtschaft war zu Beginn des 19. Jahrhunderts noch weitgehend auf Selbstversorgung ausgerichtet. Zwar wurden nicht mehr alle Lebensmittel selbst produziert, doch der Weiterverarbeitungsprozeß war zeitintensiv, da außer einigen Luxusgütern wie Kaffee, Tee und Gewürze wenig konsumfertig gekauft werden konnte. Friedrike Griesbach, so entnehmen wir ihren Haushaltsbüchern, wurde von Dienstmägden bei ihrer Hausarbeit unterstützt. Immer wieder lesen wir den Rechnungsposten »Schwarzbrot für die Mägde«, das billiger war als Weißbrot. Nicht nur Lebensmittel mußten aufwendig bearbeitet und haltbar gemacht werden, auch Seifen, Kerzen und Pomaden wurden selbst hergestellt.

G. K.

2037

## SECHS PÄCKCHEN MIT HAUPTHAAREN DER KINDER GRIESBACH

Karlsruhe, zwischen 1819 und 1820

*Papier, Feder, Naturhaare*
*Je ca. H. 7 cm, B. 4 cm*

Karlsruhe, Stadtarchiv, Nachlaß Griesbach Nr. 115 a-f

Die Päckchen sind mit den Namen der Kinder und der Jahreszahl beschriftet, in der die Locke abgeschnitten wurde: *Otto 1819 / Otto 1820 / Fanny 1819 / Casimir 1819 / Casimir 1820.*
Friedrike Griesbach bewahrte die ersten Haarlocken auf, die sie ihren Kindern abschnitt. Die »bürgerliche Entdeckung der Kindheit« schuf somit offensichtlich neue, symbolische Formen der Wertschätzung. Die aufbewahrten Haare, die auch als Ersatz für die »ganze Person« galten, verdeutlichen Friedrike Griesbachs Interesse an ihren Kindern. Auch für die Kinder dokumentierten sie die mütterliche Liebe.

G. K.

2038

## ERBTEILZETTEL FÜR FRIEDERIKE GRIESBACH, GEBORENE KATZ

Karlsruhe, 1809

*Papier, Feder*
*H. 36,5 cm, B. 23 cm*
*Aufschrift:* Copia des Zubringens-Inventarium für Wilhelm Christian Griesbach und seiner 2.then Ehegattin Friederica Elisabetha Katz

Karlsruhe, Stadtarchiv, Nachlaß Griesbach Nr. 139

## Der Kampf um Nadel und Faden – Zunftrecht gegen Frauenarbeit

»Die Verfertigung weiblicher Kleidungsstücke durch Frauenspersonen ist dem Zunftzwange der Schneider nicht unterworfen.«[1] Diese Formulierung des Artikels 73 der Württembergischen Gewerbeordnung von 1828 setzte einen vorläufigen Schlußstrich unter eine Auseinandersetzung, die seit Jahrzehnten andauerte und sowohl das »heiße Eisen« der Gewerbefreiheit als auch jenes der Frauenarbeit war. Zweifellos bedeutete diese neue Regelung einen Sieg für die Frauen, denn erstmals war es ihnen nun möglich – wenn auch noch immer mit Einschränkungen – ein Handwerk auszuüben.

Bereits 1809 hatte die Regierung in dieser Sache vermitteln müssen, weil die Reutlinger Schneiderzunft sich über die zunehmende weibliche Konkurrenz beklagt hatte. Schon die Entscheidung in diesem Konflikt hatte den Schneidern ein Stück ihrer zünftigen Privilegien zugunsten der betroffenen Frauen genommen. Den zünftig organisierten Schneidern blieb das Privileg der »Verfertigung der Kleidungs=Stücke, welche façon haben, das heißt, welche angemessen und zugeschnitten werden müssen«. Den Näherinnen wurde gestattet, »von Haus aus Hemden, Bett= und Leinwandzeug, Puzmacher=Arbeit, auch Kleidungstüke für Kinder zu verfertigen«, nur in den Häusern der Kunden durften sie alle Arten von Kleidern machen.[2]

Die Reutlinger Schneider waren indes nicht die einzigen, die mit Hilfe von Entscheidungen des Stadtrats, des Oberamts und im Zweifelsfalle der Regierung die weibliche Konkurrenz ausschalten wollten. Die Verordnung weist ausdrücklich auf das »in der Residenz und andern Amtsorten aufgestellte Prinzip« hin, nach welchem nun auch in Reutlingen verfahren werden sollte.

Dieses Prinzip unterteilte die nach eigenem Einkommen und selbständiger Arbeit strebenden Frauen deutlich in zwei Klassen, in privilegierte »Schneidernäherinnen« und in einfache Näherinnen. Die Eßlingerin Barbara Weber, die 1815 ein Gesuch an die Administration des Innern richtete, um die »Schneidernäherei« als Gewerbe treiben zu dürfen, erhielt abschlägigen Bescheid. Denn, so teilte die oberste Entscheidungsinstanz mit, die Verfügung habe eigentlich den Zweck gehabt, »unverheuratheten unbemittelten Frauenzimmern aus dem Honoratioren- oder Mittelstande eine HülfsQuelle zu eröffnen, wodurch sie auf eine ehrbare Weise nicht nur sich selbst zu ernähren, sondern auch noch Hülfe bedürftige Eltern oder Geschwister zu unterstützen vermögen«.[3] Offenbar konnte die Weberin diese bürgerliche Herkunft nicht nachweisen, und überdies war die Zahl der privilegierten Näherinnen in Eßlingen auf drei begrenzt worden.

In der unterschiedlichen Behandlung von Bürgerstöchtern und Unterschichtsfrauen wird die doppelbödige Moral der entscheidenden bürgerlichen Beamten deutlich. Zwar ließ sich die wirtschaftliche Notwendigkeit, durch Erwerbstätigkeit den eigenen Lebensunterhalt und den von Angehörigen zu sichern, nur schwer mit dem bürgerlichen Ideal der Frau vereinbaren. Gegenüber der drohenden Armut und damit der völligen sozialen Deklassierung war die Berufsarbeit von Frauen jedoch das kleinere Übel – zumal in einem Arbeitsbereich, welcher ohnehin von vielen Frauen für den Familienbedarf erledigt wurde. Die Privilegierung sicherte für die einen den Schein der bürgerlichen Ehrbarkeit. Die anderen, die nicht privilegierten Näherinnen beließ sie in ökonomischer und rechtlicher Unsicherheit. Eine Verfügung des Eßlinger Stadtrates erlaubte den einfachen Näherinnen lediglich die Erledigung von Arbeiten in den Häusern der Kunden und stellte die Produktion in der eigenen Wohnung unter Strafe. Gleichzeitig legte sie den Taglohn für die drei Privilegierten auf 16 Kreuzer, den der übrigen jedoch auf nur 8 Kreuzer fest.

Die Frauen scheinen die ihnen zugestandenen Arbeitsrechte gut genutzt und die ihnen gezogenen Grenzen verständlicherweise oft übertreten zu haben, denn 1819 beschwerte sich die Eßlinger Schneiderzunft erneut, daß trotz der Erlaubnis für nur drei Näherinnen mittlerweile bereits fünfzehn dieses Gewerbe ausübten. Außerdem würden jene drei allzuviele Lehrmädchen annehmen, die nach einiger Zeit auf eigene Rechnung arbeiteten, und so »bildet sich ein Samen, unter welchem bald alle Vorzüge der Meisterschaft ersticken müssen«.

Doch nicht nur die weibliche Konkurrenz untergrub den zunftherrlichen Besitzstand, häufiger noch waren Übergriffe von männlichen Handwerkern abzuwehren. Sei es das Verbot für Strumpfstricker, mit Strumpfweberwaren zu handeln, oder das mit einer Genehmigung versehene Herstellen von Hosenträgern durch einen Zeugmacher – stets wurden Einzelentscheidungen getroffen, die in ihrer Addition letztendlich eine allmähliche Aushöhlung der Zunftverfassung bedeuteten. Zwar sind diese behördlichen Anweisungen noch sehr differenziert, auf konkrete lokale Beschwerden über die Nichtachtung der Zunftregeln bezogen und stellten die Abgrenzung der einzelnen Produktions- und Dienstleistungsbereiche nicht grundsätzlich in Frage, sie markieren jedoch bereits die Stationen des Übergangs zur Gewerbefreiheit.

Während den Zünften bei der Abwehr männlicher Konkurrenten nur die Berufung auf das geltende Recht möglich war, konnte man sich zur Unterdrückung der unerwünschten Erwerbstätigkeit von Frauen darüber hinaus auf das herrschende Frauenbild stützen. Zwei Argumente, die in der Diskussion über Frauenarbeit noch immer zu hören sind, dienten auch schon den Eßlinger Schneidern zur Sicherung ihrer Vormachtstellung: die Verdammung von Frauenarbeit als widernatürlich und als rufschädigend. Qualifizierte Berufsarbeit von Frauen galt als Eingriff in die »HandwerksOrdnung und in die von selbst bestehende(n) Natur-Geseze«, und einen geschickten, »mit der Mode laufenden« Gesellen könne man sich nicht nur wegen der drückenden wirtschaftlichen Situation nicht leisten, solche wollten auch in Eßlingen gar nicht in Arbeit treten, wegen »der, im Schwange gehenden großen Pfuscherinnen«.

S. Ph.

1
Allgemeine Gewerbe=Ordnung vom 22. April 1828, in: August
Ludwig Reyscher, Vollständige, historisch und kritisch bearbeitete Sammlung der württembergischen Gesetze, Bd. 15/2, Tübingen 1846, S. 1231ff.

2
Rescript der K.Oberregierung ans Oberamt Reutlingen, betreffend die Abgränzung der Arbeitsbefugnisse zwischen den Schneidern und den Näherinnen, vom 26. Januar 1809, wie Anm. 1
Bd. 15/1, S. 1148f.

3
Und alle weiteren Zitate aus: Stadtarchiv Esslingen, Best. Stadt-
schultheißenamt VIII, Bü 2, Nr. 1.

2039

SCHERE

Süddeutsch, 1. Hälfte 19. Jahrhundert

*Eisen*
*L. 27 cm*

Pfullingen, Pfullinger Museum (Schwäbischer Albverein),
o. Inv.-Nr.

2040*

NADELBÜCHSCHEN IN FISCHFORM

Hans Neidhard
Schwäbisch Gmünd, Ende 18. Jahrhundert

*Silber*
*L. 15,5 cm, B. 9 cm, T. 6 cm*

Schwäbisch Gmünd, Städtisches Museum, o. Inv.-Nr.

2041*

NADELBÜCHSCHEN IN FISCHFORM

Hans Neidhard
Ende 18. Jahrhundert

*Silber*
*L. 15,5 cm, B. 9 cm, T. 6 cm*

Schwäbisch Gmünd, Städtisches Museum, o. Inv.-Nr.

2042*

NADELBÜCHSCHEN IN FISCHFORM

Hans Neidhard
Ende 18. Jahrhundert

*Silber*
*L. 15,5 cm, B. 9 cm, T. 6 cm*

Schwäbisch Gmünd, Städtisches Museum, o. Inv.-Nr.

2040–2042

2043

## Nähtischchen

Freiburg, um 1800

*Verschiedene Hölzer*
*H. 80 cm, Dm. 40 cm*

Freiburg, Augustinermuseum, Inv.-Nr. 1671

2044

## Nähkästchen

um 1800

*Holz, Samt*
*H. 21 cm, B. 13 cm*

Ettlingen, Albgaumuseum, Inv.-Nr. 1260 Fach 2326

2045

## Bügelofen

1. Viertel 19. Jahrhundert

*Gußeisen*
*H. 120 cm, B. 60 cm, T. 30 cm*

Buchen, Bezirksmuseum, o. Inv.-Nr.

2046

## Bügeleisen

Süddeutsch, 1. Hälfte 19. Jahrhundert

*Holz, Messing*
*L. 17 cm, H. 15 cm, B. 9 cm*

Lörrach, Museum im Burghof, Inv.-Nr. HM 91

2047*

## Bügeleisen. Sogenannte Ochsenzunge

19. Jahrhundert

*Messing mit herausnehmbarem Eisenboden, Holzgriff*
*L. 13 cm, H. 14 cm, B. 5 cm*

Karlsruhe, Badisches Landesmuseum, Inv.-Nr. 60/170

2048*

## Bügeleisen

1793

*Messing*
*L. 15,9 cm, H. 16,7 cm, B. 9,3 cm*

Stuttgart, Württembergisches Landesmuseum,
Inv.-Nr. E 683

2047

2048

## 2049

### BÜGELEISEN IN FORM EINES KAHNS

um 1800

*Eisen*
*H. 19 cm, B. 18 cm*

Privatbesitz

## 2050

### KISSENBEZUG

Taubergrund, Ende 18. Jahrhundert

*Leinen, Batist, Seide, Stickerei in Gold*
*H. 72 cm, B. 67 cm*

Karlsruhe, Badisches Landesmuseum, Inv.-Nr. P 845

Bettwäsche wurde sowohl in häuslicher Arbeit von den Frauen selbst hergestellt als auch von im Taglohn beschäftigten Näherinnen. Aufgrund der kunstvollen Verzierung dieser Bezüge ist anzunehmen, daß sie vermögenden Schichten gehörten. S. Ph.

## 2051

### KISSENBEZUG

Taubergrund, Ende 18. Jahrhundert

*Leinen, Batist, Seide, Stickerei in Gold*
*H. 72 cm, B. 67 cm*

Karlsruhe, Badisches Landesmuseum, Inv.-Nr. P 958

## 2052*

### ZWEITEILIGES SOMMERKLEID

Karlsruhe (?), um 1825

*Baumwollkattun mit Weißstickerei*
*L. 126 cm*

Karlsruhe, Badisches Landesmuseum, Inv.-Nr. 76/3 a–b

Dieses zweiteilige Kleid ist durch die hohe Taille und die weiße Schlichtheit des leichten Baumwollstoffes noch der Mode zu Anfang des Jahrhunderts verbunden. Die arbeitsaufwendige Verzierung mit einer Stickerei aus Lochspitzen weist es eindeutig als Frauenarbeit aus. S. Ph.

2052

2053

## 2053*

### HÄUBCHEN

19. Jahrhundert

*Weißer Leinenbatist, Schattenapplikation in weiß,*
*schwarze Seidenstickerei*
*L. 25 cm, B. 48 cm (Bänder)*

Karlsruhe, Badisches Landesmuseum, Inv.-Nr. 68/78

## Leineweber – zwischen Zunftherrlichkeit und Konkurrenzdruck

»Baumwollen- und Wollenspinnereien findet man besonders im Schwarzwalde, Leinwand- und Baumwollwebereien und Leinwandbleichen fast überall«,[1] ist in einer Beschreibung Badens von 1825 zu lesen. Ähnliches trifft gleichzeitig – mit Abstrichen bei der Baumwollverarbeitung – auch für Württemberg zu. Nach Vieh und Getreide stand an dritter Stelle in seinen Handelsbilanzen die Ausfuhr von Leinwand. Der überwiegende Teil der Stoffe wurde in handwerklicher Familienproduktion hergestellt. Bevölkerungswachstum und durch Realteilung kleiner werdende Höfe und Einkommen zwangen zum Nebenerwerb, und seit der Mitte des 18. Jahrhunderts gab es kaum einen Ort, an dem nicht mehrere Weber ansässig waren. In Württemberg arbeiteten im Jahr 1820, nach den Angaben der ersten landesweiten Berufszählung, 17 492 Meister und 2 805 Gesellen als Leineweber. Mit mehr als 16 Prozent aller aufgeführten Handwerksmeister bildeten, nach den Bauern und Weingärtnern, die Leineweber die größte Berufsgruppe. Die hohe Anzahl der Meister und die wenigen Gesellen geben den geringen Wohlstand in diesem Handwerk wieder.[2] Es überwogen die Kleinstbetriebe, die zur Aufrechterhaltung ihrer Produktion auf die Mitarbeit aller Familienmitglieder angewiesen waren. »Manns= und Weibsleute weben, die Mädchen so gut als die Knappen«, berichtet die Oberamtsbeschreibung über den Flecken Laichingen, der damals größten Leinewebergemeinde. Nur selten und nur auf Bestellung wurde anderes als glatte Leinwand hergestellt, wie etwa aus zwei Farben und mit Muster gewobenes »gemodeltes Tischzeug« oder leichte, baumwollene »Zeuglein«.[3]

Der Vertrieb der Leinwand – und auch der anderen Textilien – lag in der Regel in den Händen von Verlegern, die sowohl das Garn lieferten als auch die fertige Ware abnahmen. Obwohl die Weber rechtlich den Status zünftiger, selbständiger Handwerker hatten und bis zum völligen Niedergang ihres Gewerbes in den 1840er Jahren zu den angesehenen Berufen zählten, waren viele von diesem Verlagssystem abhängig. Frei verfügen konnten sie lediglich über ihre Arbeitszeit. Im Herzogtum Württemberg kontrollierten in den meisten Gegenden privilegierte Handlungshäuser den Warenverkehr. Im Uracher Amt, zu dem auch Laichingen zählte, mußte alle Ware zunächst den Kaufleuten der seit 1599 bestehenden und seit 1662 privilegierten »Uracher Leinwandhandlungskompagnie« angeboten werden. Erst wenn diese nicht aufkauften, durften die Weber anderweitig verkaufen. Der eigentliche Handel und Ankauf von Stoffen anderer Meister war den Webern jedoch verboten, und auch mit Flachs und Garnen durfte nur die Kompagnie handeln. In Laichingen wehrte man sich letztendlich mit Erfolg gegen die »Uracher Spitzbuben«. Die Abwehr bestand nicht nur in Zuwiderhandlungen, in Verkäufen und Aufkäufen trotz des Verbotes, sondern notfalls auch in tätlichen Angriffen und Brandanschlägen auf die Vertreter der Kompagnie. Sogenannte »Weber-Marchands«, Leineweber und Händler zugleich, übernahmen den verbotenen Vertrieb. Sie genossen trotz zahlreicher Strafen offenbar das Vertrauen ihrer Zunftgenossen und gehörten zur lokalen Oberschicht. In den 1820er Jahren, nachdem die Kompagnie zerfallen war, wurde im Oberamt Münsingen auf dreierlei Art gehandelt: »1) durch eine ordentliche Leinwandhandlung von Rheinwald und Comp. in Laichingen, 2) durch einen Commissionshandel für Schweizerhäuser von dem Damastweber J. J. Ruoß in Münsingen, 3) durch kleinere Commissionäre und die Weber selbst und durch unmittelbaren Aufkauf in den Dörfern von den auswärtigen Abnehmern.«[4]

Neben der Leineweberei war das Verspinnen der zur Weberei benötigten Rohmaterialien Flachs und Hanf ein weiterer wesentlicher ländlicher Erwerbszweig, besonders auf der Schwäbischen Alb, deren magere und steinige Böden auch in guten Erntejahren keine großen Erträge brachten: »Da spinnt Mann, Weib, Sohn, Tochter, Knecht und Magd, entweder um den Lohn, oder, welches noch einträglicher ist, den eigenen oder erkauften Flachs, und verkauft die Schneller an den Weber. Dieses ist das eigentliche Wintergeschäft der Alpenbewohner, welches Nacht vor Nacht bis 11 Uhr fortdauert.«[5] Gearbeitet wurde zumeist in nachbarschaftlicher Gemeinschaft, in den von der Obrigkeit wegen vorgeblich unsittlicher Zustände streng beaufsichtigten und reglementierten »Lichtkarzen«. Doch ob Weber- oder Spinnerhaushalt, stets blieben die Arbeit in der Landwirtschaft und die Warenproduktion nebeneinander bestehen. Die Prioritäten in der Arbeitseinteilung zwischen beiden Bereichen setzten allerdings Ackerbau und Viehzucht. Der Weber blieb zugleich Bauer, und in der Weberei erwirtschaftetes »Kapital« wurde in der Landwirtschaft investiert.

Die ländliche, auf der Mitarbeit aller Familienmitglieder aufbauende Produktionsweise konnte flexibel reagieren und Einbußen im einen Bereich durch vermehrten Arbeitsaufwand im anderen weitgehend auffangen. Dies ermöglichte zwar einerseits ein Überleben auch unter Bedingungen, die weit hinter denen von reinen Lohnarbeitern zurückblieben, andererseits verhinderte es eine rechtzeitige Anpassung an die technologische Entwicklung und modisch bedingte Veränderungen. Das Interesse der produzierenden Familien war weniger am Geldeinkommen orientiert, als an dem, was sie dafür kaufen konnten – und die Ansprüche an die eigene Lebenshaltung und der Konsum aus Gründen des dörflichen Sozialprestiges waren äußerst gering. Was von frühen Volkswirtschaftlern oft »mangelnde Industrie« oder »geringer Gewerbsfleiß« genannt wurde, war nicht etwa die Faulheit des Landvolkes, sondern der Niederschlag dieser mangelnden kapitalistischen Orientierung. Vorausschauend wurde, wenn das Einkommen dies zuließ, durch Vergrößerung des Land- und Viehbesitzes für den agrarischen Arbeitsbereich geplant. Dem gegenüber stand eine geringe Kapitalanlage in der Leineweberei und eine fast völlige Reaktionsunfähigkeit der einzelnen Produzenten auf die längst über einen weltweiten Markt geregelten Bedingungen von Angebot und Nachfrage in der Textilherstellung.

Der Prozeß des Niedergangs der hausindustriellen Fertigung in der Spinnerei und Leineweberei dauerte bis in die zweite Hälfte des 19. Jahrhunderts; eingeleitet wurde er jedoch bereits zu einem Zeitpunkt, als noch ständige Zuwachsraten zu verzeichnen waren. Die letztendlich existenzgefährdenden Konkurrenzen erwuchsen zum einen aus der seit Mitte des 18. Jahrhunderts ständig wachsenden Nachfrage nach Baumwollstoffen, zum anderen aus der beginnenden Mechanisierung und Industrialisierung der Textilherstellung. In beiden Bereichen war England führend, und die dortigen Entwicklungen wurden erst mit erheblicher zeitlicher Verzögerung in Deutschland aufgenommen. Im Gegensatz zu den hiesigen Verhältnissen gab es dort kaum noch kleinen, bäuerlichen Landbesitz. Die großen Güter dominierten, und ein Ausweichen von einem in den anderen Produktionsbereich wie in der deutschen Hausindustrie war englischen Webern kaum möglich. Technische Neuerungen fielen hier, auch aufgrund der andersartigen Kapitalverteilung und trotz heftiger Abwehrkämpfe und Maschinen-Zerstörungen der englischen Arbeiterschaft, auf einen fruchtbaren Boden. Seit den 1760er Jahren wurde der bereits dreißig Jahre zuvor entwickelte Webstuhl mit sogenannten Schnellschützen verwendet, der das zeitaufwendige Durchreichen der Spule erübrigte und auch das Weben breiterer Stücke zuließ. Der technische Vorsprung der Weberei vor der Spinnerei wurde 1764 mit der Entwicklung der »Spinning Jenny«, einer mechanischen Spinnmaschine, aufgeholt. Mit ihr konnte auf acht Spindeln gleichzeitig gesponnen werden. Sie wurde von einer Kurbel mit der Hand angetrieben und produzierte vor allem das weichere Schußgarn. 1768/69 erfand James Arkwright die »Water-Frame«, eine Flügelspinnmaschine, mit der kontinuierlich und sehr fein gesponnen werden konnte. Sie lief mit Wasserantrieb und war speziell für die Fabrikproduktion entwickelt worden. 1785 wurde, ebenfalls in England, der erste mechanische Webstuhl patentiert. Eine französische Erfindung von 1795, der Jacquard-Webstuhl, ermöglichte auch das Weben komplizierter Muster auf mechanischen Stühlen.

Gegenüber diesen technologischen Errungenschaften, die arbeits- und kostensparend wirkten und darüber hinaus auch eine gleichbleibendere und feinere Qualität garantierten, mußte die württembergische Produktion zwangsläufig abfallen. Zwar wurde seit der Jahrhundertwende zunehmend mit technisch verbesserten Webstühlen gearbeitet, dem damit gewachsenen Garnverbrauch trug man mit der üblichen staatlichen Förderpraxis jedoch ebensowenig Rechnung wie den an englischen Maßstäben gemessenen Anforderungen an die Qualität des Garns. Während andernorts große Fabriken den Bedarf deckten, beschäftigte man in Württemberg die Armen und Strafgefangenen in Industrieschulen, Waisen- und Zuchthäusern an Spinnrädern und versuchte deren Produktion zu Lasten der Qualität zu steigern: mit »Doppelspinnrädern«, an denen gleichzeitig zwei Fäden von einer Person gesponnen werden konnten. Ein Versuch, der aufgrund der erforderlichen hohen Konzentration wenig Nutzen brachte und bald wieder aufgegeben wurde.

Auch die Investitionsbereitschaft in die zukunftsträchtige Verarbeitung von Baumwolle war in Württemberg insgesamt gering. Der Rohstoff mußte importiert werden, und die Produktion erforderte einen größeren Aufwand als die Herstellung von Leinen. Obwohl bereits seit 1754 in Sulz am Neckar eine Baumwollmanufaktur bestand – mit insgesamt 1 680 Beschäftigten in der Manufaktur und in der zuliefernden Hausindustrie – und seit 1766 ein ähnlicher Betrieb in Heidenheim, wurden Baumwollstoffe in großen Mengen importiert. Im badischen Hochschwarzwald war dagegen in der zweiten Hälfte des 18. Jahrhunderts die Verarbeitung von Baumwolle neben der Landwirtschaft der Haupterwerbszweig. Produziert wurde in einer Kombination von Hausindustrie und Manufaktur, vor allem für den Export nach Frankreich und in die Schweiz. Zu Anfang des Jahrhunderts bestanden jedoch nur noch wenige Betriebe, wie etwa die bereits 1753 gegründete – und damit älteste deutsche Kattunfabrik – Firma Köchlin in Lörrach. Französische Einfuhrverbote, »der allverheerende Revolutionskrieg, ... das Verbot der Einführung von Kolonialwaaren, im Jahre 1810, wodurch der Preis der Baumwolle so ungeheuer gesteigert wurde, die Erfindung der Spinnmaschine, und noch eine Menge anderer mit herbeigeführter ungünstiger Verhältnisse, machten den Handel und die Industrie auf dem Schwarzwalde stocken, und rißen Tausenden von Menschen den gewohnten Nahrungszweig aus den Händen.«[6]

Die Krise der Baumwollfertigung verbarg um die Jahrhundertwende noch die Probleme der Leineweberei. In den 1820er Jahren häuften sich jedoch die Klagen über Absatzschwierigkeiten. Württembergische Leinwanderzeugnisse galten zwar als strapazierfähig, modischen Ansprüchen konnten sie jedoch nicht genügen. Die Gründe dieser Billigproduktion waren deutlich und nirgends »als in dem Zustande unserer Industrie und Betriebsamkeit selbst zu suchen, welche offenbar, von der Erzeugung des Stoffes und Gespinnstes an bis zur Ausrüstung der Waaren und vielleicht bis zum Aufsuchen neuer Absatzwege, hinter den Forderungen unserer Zeit zurückgeblieben ist. Es ist in unseren Tagen weniger die gute, als die ins Gesicht fallende Waare, was man sucht: aber gerade hierin steht unsere Würt. Leinwand gegen die des Auslandes zurück.«[7]

Eine geringer werdende Ertragslage in der Weberei führte zwangsläufig auch zu geringerem Ansehen und zu schwindenden Fähigkeiten, die eigenen Interessen vertreten und den Absatz gegen Konkurrenten verteidigen zu können. Bereits 1825 schreibt der Chronist der Münsinger Alb, daß zu den Nachteilen der Weberei auch noch »der in ein nutzloses Sportulieren ausgeartete Zunftverband«[8] käme – die Standesorganisation galt schon als nachteilig und hatte in den Augen ihres Kritikers kaum andere Funktionen als Gebühren zu erheben. In der württembergischen Gewerbeordnung von 1828 wurde dieses gesunkene Ansehen der Leineweberzunft ebenfalls deutlich dokumentiert. Die bis dahin nur zünftigen Meistern vorbehaltene, über den Eigenbedarf hinausgehende Produktion für den Markt wurde nicht mehr an die Zugehörigkeit zur Zunft und an das Meisterrecht gebunden. Lediglich die Ausbildung von Lehrlingen und die Beschäftigung von anderen Gesellen als den eigenen Kindern blieb den Zunftgenossen als Privileg.

**1**

Friedrich Dittenberger, Geographisch-statistisch-topographische Darstellung des Großherzogtums Baden nach den neuesten Einrichtungen und Quellen bearbeitet, Karlsruhe 1825, S. 30.

**2**

Vgl. J. D. G. Memminger, Beschreibung von Württemberg nebst einer Übersicht seiner Geschichte. Zweyte völlig umgearbeitete und stark vermehrte Auflage, Stuttgart und Tübingen 1823, S. 366–368.

**3**

Beschreibung des Oberamtes Münsingen, mit einer Karte des Oberamts, zwey lithographierten Blättern und mit Tabellen, herausgegeben, aus Auftrag der Regierung, von Professor Memminger, Mitglied des Königl. Statistisch-Topographischen Bureau, Stuttgart und Tübingen 1825, S. 188.

**4**

Ebenda, S. 87.

**5**

Gottlieb Friedr. M. Rösler, Beyträge zur Naturgeschichte des Herzogthums Wirthemberg. Nach der Ordnung und den Gegenden der dasselbe durchströmenden Flüsse, Drittes Heft, herausgegeben von Philipp Heinrich Hopf, Tübingen 1791, S. 49.

**6**

Magazin für Handlung und Handlungsgesetzgebung Frankreichs und der Bundesstaaten, herausgegeben von Frh. von Fahnenberg, Bd. 5, Konstanz 1813, S. 102 f.

**7**

Vgl. Anm. 3, S. 90.

**8**

Ebenda.

*Hans Medick, Weben, Überleben und Widerstand im alten Laichingen, in: Schwäbische Heimat, Heft 1, 1986, S. 40 bis 52. – Almut Bohnsack, Spinnen und Weben. Entwicklung von Technik und Arbeit im Textilgewerbe, Hamburg 1981. – Wolfgang Kaschuba, Ländliche »Industrie«: Die Kiebinger Leineweber, in: ders. und Carola Lipp, Dörfliches Überleben, Tübingen 1982, S. 22–41.* S. Ph.

**2054**

## WEBSTUHL

Laichingen, 2. Hälfte 18. Jahrhundert

*Holz, Eisen, Leinen*
*H. 240 cm, B. 180 cm, T. 220 cm*

Laichingen, Heimatmuseum, o. Nr.

Die Bauweise der Weberhäuser folgte den Produktionsbedingungen des Handwerks. Für den Webstuhl wurde ein nur wenig über den Erdboden hinausgehender Kellerraum, die Dunk, angelegt. Hier behielt, bei realtiv gleichmäßiger Temperatur und Luftfeuchtigkeit, das Garn die zum Weben nötige Elastizität. Aufgrund der feuchten und kalten Arbeitsplätze und bei gleichzeitiger Mangelernährung lag die Lebenserwartung bei den Webern niedriger als bei anderen Berufsgruppen. S. Ph.

## »Die Beförderung der Land=Kultur« – Verhältnisse und Veränderungen in der Landwirtschaft

Betrachtet man landwirtschaftliche Statistiken der Gegenwart, so fallen einerseits ein ständiger Rückgang der Erwerbstätigen – 1950 arbeiteten noch 24,64 Prozent, 1978 nur noch 6,38 Prozent aller Erwerbstätigen der Bundesrepublik in der Landwirtschaft[1] – und andererseits eine wachsende Spezialisierung der einzelnen agrarischen Produktionsbereiche auf. Längst haben wir uns an intensive Hühner- oder Schweinemast gewöhnt, an Arbeitsteilung zwischen den einzelnen landwirtschaftlichen Betriebszweigen, an industrielle Produktionsweisen im Stall und auf dem Acker, an Butterberge und unüberschaubare Monokulturen.

Skizzieren wir dagegen das idealtypische Bild eines Bauern an der Wende vom 18. zum 19. Jahrhundert: noch ist ein nur auf den Ackerbau oder nur auf die Viehzucht setzender landwirtschaftlicher Betrieb undenkbar, noch greifen Ackerbau und Viehzucht ineinander als zwei eng zusammengehörende Teile einer ganzen ländlichen Ökonomie. Noch macht keine chemische Düngung, kein Transfer zwischen verschiedenen landwirtschaftlichen Zweigen das eine ohne das andere möglich. Noch produziert ein Großteil der Bauern für die eigene Subsistenz, für die Grundherren und das Steueraufkommen.

In Haushaltszählungen von 1822 wurde in Württemberg von einem Drittel der Bevölkerung als Beruf (selbständiger) Bauer oder Weingärtner angegeben, 35 Prozent arbeiteten als Handel- und Gewerbetreibende, der Rest als Taglöhner und Bedienstete. Die Zahlen verdecken jedoch den großen Anteil derjenigen unter den zwei letzten Gruppen, die zu ihrer existentiellen Sicherung auf landwirtschaftlichen Nebenerwerb angewiesen waren.[2]

Ein Zeitgenosse unterschied die »Gutsbesitzer« in drei Klassen: die großen Gutsbesitzer, die mehr produzieren als sie verbrauchen, die nicht arbeiten, sondern arbeiten lassen und »Verkäufer im Großen sind«. Als zweite Gruppe nannte er die kleinen Gutsbesitzer, »die ebenso viel consumiren als produciren«, als dritte die Taglöhner mit wenig Land- und oft ganz ohne Viehbesitz.[3] Zur ersten Gruppe zählten in Südwestdeutschland nur wenige Bauern, der Adel stellte hier den größten Anteil. Nur diese Gruppe konnte arbeiten lassen und – was für die Bildung von Kapital und Innovationsfähigkeit unerläßlich ist – im großen Stil und saisonunabhängig verkaufen. Wenn die Abgabe des Zehnten, die Rücklage des Saatgutes und der Eigenbedarf überhaupt noch Verkäufe zuließen, so waren die beiden unteren Schichten gezwungen, dies schnell nach der Ernte und zu schlechten Marktbedingungen zu tun, um das notwendige Bargeld für die mit Ausgang des Herbstes fällig werdenden Steuern zu beschaffen. Für viele reichte das mit der Landwirtschaft erworbene Einkommen nicht aus, und ein Zuerwerb in der häuslichen Industrie, im Handwerk oder im Taglohn war notwendig.

Die Bodennutzung auf einem durchschnittlichen badischen oder schwäbischen Dorf folgte noch den traditionellen Regeln der Dreifelderwirtschaft: die Ackerfläche war in Sommerfeld, Winterfeld und Brache gegliedert, die einzelnen Äcker über diese drei Zelgen verteilt und der Anbau – nach den Regeln des geltenden Flurzwangs – auf allen drei Flächen unabhängig vom bearbeitenden Bauern gleich. Hinzu kamen Gärten, Waldungen, vielerorts Weinberge und in der Regel als Weiden genutzte Allmenden, gemeindeeigene Flächen, die allen Güterbesitzern zur Verfügung standen. »Handelsfrüchte«, wie Tabak oder der für die Färberei benötigte Krapp, wurden nur selten angebaut. Häufiger traf man hingegen Flachs.

Die Viehhaltung überstieg kaum den eigenen Bedarf, Pferde wurden nur von großen ländlichen Besitzern gehalten oder von Bauern, die gleichzeitig als Fuhrleute tätig waren. Bereits ein Ochsengespann konnte als Ausweis relativer Wohlhabenheit angesehen werden. Bei Kleinstbesitzern diente die oft einzige Kuh gleichzeitig als Zugtier, Milch- und Fleischlieferantin. Der jährliche, durchschnittliche Milchertrag pro Kuh betrug kaum ein Fünftel der heutigen Leistungen.[4] Durch Kriegseinwirkungen und Hungersnöte wurde der Viehbestand weiter dezimiert.

Wachsende Bevölkerungszahlen, steigende Preise für Agrarprodukte und gleichzeitig stagnierende Löhne und Preise für handwerkliche Produkte machten Veränderungen dieser Produktionsformen unumgänglich.[5] Zusätzliche Impulse kamen von der starken physiokratischen Bewegung – von der in Baden und Vorderösterreich auch Regierung und Herrscherhaus beeinflußt waren. Die Maßnahmen zur »Verbesserung der Landes=Kultur«[6], die ab der Mitte des 18. Jahrhunderts verstärkt ergriffen wurden, standen noch ganz unter dem Postulat der Kameralistik. Eine wachsende Bevölkerung galt ihr ebenso als Voraussetzung allen wirtschaftlichen Wohlstands wie eine florierende Landwirtschaft. Drei Stichworte markieren diese Phase: Aufklärung der Produzenten, die Urbarmachung des Bodens und Intensivierung der Produktion.

Der öffentliche Diskurs über die zu ergreifenden Maßnahmen fand über den Buchmarkt und die Zeitungen statt. Die traditionelle Literatur für »Hausväter« und »Hausmütter« erfuhr eine Ergänzung durch unzählige Publikationen von praktischen und theoretischen Erkenntnissen der ländlichen Ökonomie. Die ersten landwirtschaftlichen Zeitungen traten neben die »Landcalender« – die Beschäftigung mit der ländlichen Ökonomie kam zweifellos in Mode. Aufgrund des geringen Alphabetisierungsgrades war allerdings die Vermittlung dieses neuen Wissens durch Pfarrer, Schullehrer und Beamte für die Durchsetzung der Reformen unbedingt notwendig. Wesentlich wichtiger als alle Reden und Druckwerke waren jedoch die konkrete Anschauung und das gelungene Experiment in der Nachbarschaft.

Das Programm, das mit dem massiven Einsatz aller verfügbaren Medien der Zeit verändernd in die traditionellen Strukturen eingriff, war in allen Regionen fast identisch und basierte auf vor allem in Holland, Belgien und England gewonnenen Erkenntnissen. Hier hatte man sich bereits im 17. Jahrhundert der Urbarmachung und Neulandgewinnung zugewandt und sowohl intensivere Formen der Bodenbearbeitung als auch Spezialisierungen einzelner Landwirtschaftszweige entwickelt. Für Deutschland, insbesondere die südwestdeutschen Staaten, ließen sich diese in großen Teilen voneinander abhängigen Neuerungen nur mühsam umsetzen. Die Einführung der Sommerstallfütterung war ohne den gezielten Anbau von Futterpflanzen nicht möglich. Einem ertragreicheren Brachanbau und der Fruchtwechselwirtschaft standen Flurzwang und Dreifelderwirtschaft entgegen.

Die empfohlene Aufteilung der Allmenden zur individuellen Nutzung für Hack- oder Futteranbau kam den ländlichen Unterschichten zugute und traf vor allem auf Widerstände der dörflichen Oberschicht, die aus diesen genossenschaftlichen, zumeist als Weiden genutzten Flächen den größten Vorteil gezogen hatte. Lokale Konflikte waren deshalb unvermeidlich. »Nun ist aber der Stein des Anstosses der«, berichtet der Nehrener Pfarrer August Köhler 1790 über die Streitigkeiten in seiner Gemeinde,[7] »daß die Reicheren die viel Stüke Vieh auf die Weide schiken bei einer vorzunehmenden Vertheilung ein größeres Stück begehren zu dürfen glauben, und weil das nicht seyn könnte, lieber eine Vertheilung der Commun und Gemeinweiden selbst mit Aufwand zu hindern suchen« – was ihnen auch häufig gelang. Von der Urbarmachung öder oder nur wenig genutzter Flächen, wie der vorwiegend als Weiden genutzten grasigen »Hutwälder«, profitierten dagegen vor allem die besitzenden Schichten, die in der Lage waren, das neue Land zu übernehmen und mit entsprechendem Einsatz von Arbeitskräften nutzbar zu machen.

Der Ertrag der verbleibenden Weide- und Wiesenflächen sollte durch gezielte Besamung, Düngung und die Verwandlung bis dahin einmähdiger in zweimähdige Wiesen erhöht und mit der Einführung der Sommerstallfütterung sollte der für die Viehhaltung benötigte Flächenbedarf weiter vermindert werden. Dies setzte jedoch einen systematischen Futteranbau voraus, der ertragreicher war als die Brachweide mit ihren Stoppeln, zufällig wachsenden Kräutern und durch Selbstaussaat gewachsenen Pflanzen. Während in den Gebieten mit milderem Klima vorwiegend für den Anbau von Rotklee und Luzerne geworben wurde, gewann auf der Alb und anderen kalkhaltigen Böden die dort auch wildwachsende, genügsame Esparsette als Kulturpflanze an Bedeutung.

Viel Aufmerksamkeit wurde der Verbesserung des Bodens durch intensivere Bearbeitung und Düngung gewidmet. Nach dem Grundsatz: »Ein jedes Geschöpf, wann es aufgelöset wird, dunget das andere«[8], ließ man nahezu alles, was nicht mehr zu anderen Zwecken brauchbar war, vermodern und gären und trug es auf die Äcker. Die intensivere Ausnutzung bedurfte auch intensiverer Nährstoffzufuhr, und an der Verbesserung der Humusbildung wurde mit den unterschiedlichsten Ansätzen experimentiert. Die meisten Anhänger gewann das Streuen von zerstampftem Gips nach dem Vorbild des Kupferzeller Pfarrers Johann Friedrich Mayer – der sich mit mehreren Veröffentlichungen hierzu den Beinamen »Gyps-Mayer« erwarb. Auch für die Einführung der Stallfütterung wurde nicht nur mit besseren Milch- und Fleischleistungen und

der geringeren Gefahr einer Verbreitung der gefürchteten Viehseuchen argumentiert, sondern ebenso mit dem größeren und qualitativ besseren Mistanfall.

Während der Rheinbundzeit geriet die Landwirtschaftspolitik völlig unter den Primat der Außenpolitik. Der Bedarf an Geld und Soldaten hatte sich noch gesteigert, die Kriegslasten bedeuteten wachsende Ansprüche des Staates an das finanzielle Aufkommen seiner Untertanen. Die in dieser Periode getroffenen Maßnahmen wiederholten weitgehend die alten Bestimmungen. Grundsätzliche Veränderungen der feudalen Lehensverfassung, in deren Regeln die strukturellen Behinderungen der angestrebten Neuerungen lagen, wurden jedoch weiterhin kontrovers diskutiert und unterblieben. Man hielt am Prinzip der Abgaben an Zehnt-, Grund- und Gerichtsherrschaft fest und gab auch die Ansprüche auf Frondienste nicht auf. Obwohl die Forderungen aus der reformfreudigen Bürokratie eine Entschädigung der berechtigten Grund-, Leib- oder Fronherren vorsahen, gab die Regierung den sicheren Einkünften und der Beibehaltung der persönlichen Bindung den Vorzug. Die Abgaben betrugen im Durchschnitt ein gutes Drittel der Ernte.[9] Für die Berechtigten erwies sich dieses System noch bis weit in das 19. Jahrhundert hinein als rentabel. In der Markgrafschaft Baden wurde zwar bereits 1783 die Leibeigenschaft abgeschafft, aber dies hatte für die einzelnen Leibeigenen auch unter finanziellen Aspekten mehr ideellen als praktischen Wert, denn die wachsenden direkten und indirekten Steuern hatten die geringen Zahlungen aus diesem feudalen Recht längst überholt.[10]

Die ländliche Bevölkerung war an die Formen der Einbindung in Pflichten und Lasten als Teil des Herrschaftssystems gewöhnt. Zwar gab es zahlreiche Konflikte um die Berechnung und Erhebung einzelner Abgaben, aber nur selten wurde eine grundsätzliche Veränderung der bestehenden Rechtsverhältnisse gefordert. Auch in den unruhigen, von freiheitlichen Attitüden geprägten Zeiten der Französischen Revolution kam es nur in wenigen Orten zu Bauernunruhen.[11]

Für Württemberg bedeutete der Regierungsantritt Wilhelm I. eine partielle Neuorientierung der landwirtschaftlichen Politik. Verstärkt setzte man nun auf die wissenschaftliche Durchdringung der landwirtschaftlichen Probleme, auf gezielte Fördermaßnahmen und die Betonung einzelner herausragender Leistungen durch Prämien. Am sinnfälligsten wird diese Neuorientierung 1818 in der Stiftung des Cannstatter Volksfestes. Der junge Staat, durch Gebietserweiterungen und wechselnde Bündnisse in seiner nationalen Identität noch unentwickelt, von Hunger und Kriegserfahrungen gebeutelt, schuf sich in diesem Fest ein landesweites, nationales Symbol. 1815 war in Bayern das Oktoberfest unter denselben Vorzeichen gefeiert worden, und in Karlsruhe fand 1825 ein landwirtschaftliches Fest mit nahezu identischem Programm statt.

In Württemberg wurde der Anbruch einer neuen Zeit enthusiastisch gefeiert; der König wurde zur vaterländischen Symbolfigur erhoben, und – im Landtag kämpfte man gerade um eine neue Verfassung – mit ihm wurden alle konstitutionellen Hoffnungen auf veränderte Beziehungen zwischen Herrscher und Untertanen verknüpft: »Alte Formen sind eingestürzt und vieles wird noch stürzen, bis die kreisende Zeit den jugendlichen Geist der Völker wird geboren haben, das Riesenkind eines verhängnisvollen Schicksals. Die Fürsten waren ihren Völkern fremd geworden. Der Hofsinn hatte nur allzulange des Völkersinnes sich schämen wollen, und da waren beide matt und schwach geworden, denn wo die Regierung nicht für das Volk ist, da ist das Volk auch nicht für die Regierung, ... Ach, es war doch endlich einmal wieder ein deutscher Fürst öffentlich unter seinem Volk zu sehen, und das Volk war froh.«[12] Mit diesem Fest griff man angesichts der latenten Krisensituation bewußt altbewährte politische Integrationskonzepte wieder auf: »Beförderung des National-Wohlstandes«, des »National-Geistes, des Gemeinsinns und der Vaterlandsliebe« – »schon die alten Griechen und Römer (hatten) in dergleichen Festen und Volksspielen einen wirksamen Hebel des Volksgeistes gesucht«, kommentierte der Volksfreund aus Schwaben.[13] Die Motive waren indes noch vielschichtiger. Nachdem man die traditionellen Feste wie Kirchweihen und Jahrmärkte reglementiert und eingeschränkt hatte, wurden nun »ernsthafte und nützliche«, von oben verordnete Feiern mit der Verbindung von wirtschaftlicher Leistungsschau und spektakulären Vorführungen inszeniert. Das gleichzeitig mit dem landwirtschaftlichen Fest ebenfalls in Cannstatt abgehaltene traditionelle Schifferstechen sollte nun auch der »Beförderung der Neckar-Schiffahrt« dienen, das Pferdewettrennen die »vernachlässigte Pferdezucht des Vaterlandes«[14] beleben.

Persönliche Stiftungen des Königs und der Königin ermöglichten das zentrale Ereignis des gesamten Festes: die Prämierung des Viehs. Angesichts der Probleme in diesem Zweig der Landwirtschaft war die Beteiligung in einigen Gruppen nur mäßig, und nicht alle Preise konnten vergeben werden. Auch hätte, nach dem kritischen Urteil eines Zeitgenossen, die öffentliche Vorführung der Preisträger noch schöner gestaltet werden können. Zwar war das im Zug durch die Rennbahn geführte Vieh »mit Blumen-Kränzen und auf andere Weise geschmückt, und vermehrte dadurch die Wohlgefälligkeit des Zuges«, und jeder Preisempfänger hätte »einen Eichzweig am Hute haben (sollen); allein bey dem auffallend schmutzigen Aufzuge, in dem sich einige Begleiter des Viehs zu erscheinen erlaubten, würde dieser, wenn auch noch so einfache, Schmuck sonderbar abgestochen haben«.[15] Im Aufeinandertreffen von realem Schmutz der Viehtreiber und idealem Schönheitsgeist der Bürger ließen sich – trotz aller Beschwörungen des »Gemeinsinns« – die sozialen Distanzen eben doch nicht verbergen.

Auf 25 000 bis 30 000 Besucher wurde die Teilnahme an diesem ersten Fest geschätzt. Von »denen, die den Pflug führen, sah man doch zuwenige«,[16] bemerkte ein Berichterstatter. Um die Teilnahme auch aus residenzfernen Orten zu fördern, wurden 1820 sogenannte »Weitpreise« ausgesetzt, ein Jahr später jedoch zugunsten von verordneten »Partikularfesten« wieder abgeschafft.

In Szene gesetzt wurde diese erste nationale Leistungsschau durch den 1817 von der Regierung gestifteten »Landwirthschaftlichen Verein für das Königreich Württemberg«. Bis 1830 war dessen »Centralstelle« auch für die Gewerbeförderung zuständig. Nachdem sich auf eine allgemeine Beitrittsaufforderung – offenbar zum Erstaunen der hoheitlich-bürgerlichen Initiatoren – auch »Individuen von der untersten Volksclasse um den Beitritt beworben hatten«, sah man sich veranlaßt, die Modalitäten der Mitgliedschaft eindeutiger zu regeln. Zwar sollte der Beitritt »bei Besitzern von Bauerngütern oder Pächtern aus dem Bauernstande nicht gehindert werden; doch sollten nur Diejenigen zur Aufnahme geeignet seyn, welche sich entweder durch zweckmäßige Bearbeitung ihrer eigenen Güter oder durch redlichen und musterhaften Betrieb eines Pachtgutes als erfahrene und verständige Landwirthe ausgezeichnet haben«.[17] Der badische, 1819 in Ettlingen gegründete landwirtschaftliche Verein[18] formulierte in seinen Statuten einen demokratischeren Anspruch: »Die Gesellschaft entsteht durch freywilligen Beitritt einer unbestimmten Anzahl Mitglieder aus allen Ständen, sie mögen Inländer oder Ausländer sein.« Vorausgesetzt wurde jedoch »ein unbescholtener Ruf, Liebe und reger Eifer zum Gemeinnützigen«.[19]

Bereits 1817, im Zusammenhang mit der Stiftung des landwirtschaftlichen Vereins, hatte der württembergische König die Errichtung einer landwirtschaftlichen Lehr- und Bildungsanstalt bestimmt. Erfahrungen aus dem Ausland hatten hierzu den Anstoß gegeben. In der Markbrandenburg betrieb Albrecht Daniel Thaer bereits seit 1806 eine landwirtschaftliche Schule, und die Fellenberg'schen Anstalten – eine Verbindung von Armenerziehungsanstalt und landwirtschaftlichem Versuchsinstitut – in Hofwyl in der Schweiz waren in Südwestdeutschland so populär, daß der badische Staat dorthin Stipendiaten entsandte.[20]

Erster Direktor in Hohenheim wurde der durch zahlreiche Publikationen hervorgetretene »Agronom« Johann Nepomuk Hubert von Schwerz. Gegen ein Schul- und Pensionsgeld von jährlich 400 Gulden[21] sollten »tüchtige Verwalter von königlichen Domänen oder gebildete Pächter«[22] unter seiner Leitung eine theoretische und praktische Ausbildung erhalten. Der Akademie wurde eine Ackerbauschule angegliedert, in der »gutartige und gesunde Knaben von 12–13 Jahren« aus den Waisenhäusern in Stuttgart und Ludwigsburg erzogen wurden. Kosten und Nutzen dieser besonderen Pädagogik waren wohl abgewogen. Man sah darin »ein Mittel ... in alle Gegenden des Königreichs aufgeklärtere, landwirtschaftliche Einsichten zu verbreiten und ihnen selbst bei dem Volke Eingang zu verschaffen«.[23]

Mit der Angliederung einer »Ackergeräthefabrik«, die sowohl die notwendigen Geräte und Werkzeuge für das Hohenheimer Institut als auch für den allgemeinen Verkauf herstellte, wurde zugleich der Grundstein für Veränderungen der Maschinen- und Geräteproduktion gelegt. Notwendige Betriebsmittel konnten nun nicht mehr nur vom örtlichen Handwerker – als mehr oder minder nach individuellen Wünschen hergestellte Einzelstücke – bezogen werden, sondern wurden zum konstruktiv und qualitativ gleichartigen Serienprodukt. Seit 1832 wurde auch die Sammlung von Geräten und Modellen für Konstruktionsstudien und Lehrzwecke systematisch betrieben.

Diese Maßnahmen wurden zwar wegweisend für die landwirtschaftliche Politik des gesamten 19. Jahrhunderts, der Krise der agrarischen und gesellschaftlichen Verhältnisse konnten sie jedoch nicht wirksam entgegensteuern. Grundsätzliche Veränderungen in den auf Konzepten der wirtschaftlichen Autarkie beruhenden Ansichten der Regierung brachten erst die Massennot der 1840er Jahre und der revolutionäre Druck von 1848. Die alte agrarische Ordnung, einer der tragenden Pfeiler des feudalen Systems, fiel erst lange nach den übrigen Bastionen feudaler Politik.

1
Prozentwerte berechnet nach: Faustzahlen für Landwirtschaft und Gartenbau, 9. überarbeitete Auflage, Münster-Hiltrup, München, Frankfurt, Wien und Aarau 1980, S. 2.

2
Willi A. Boelcke, Wege und Probleme des industriellen Wachstums im Königreich Württemberg, in: Zeitschrift für Württembergische Landesgeschichte, Jg. 22, 1973, S. 437.

3
Carl von Varnbühler, Königl. Württembergischen Kammerherrn, Beitrag zur Kenntniß der neuen Grundsätze der Landwirthschaft, Stuttgart 1812, S. 54f.

4
Harald Winkel gibt als durchschnittliche Milchleistung pro Kuh und Jahr 860 kg für 1800 und für 1974/75 3926 kg an, in: Gustav Comberg, Die deutsche Tierzucht im 19. und 20. Jahrhundert, mit Beiträgen von M. Becker et al., Stuttgart 1984, S. 39.

5
Vgl. Wilhelm Abel, Agarkrisen und Agrarkonjunktur. Eine Geschichte der Land- und Ernährungswirtschaft Mitteleuropas seit dem hohen Mittelalter, Hamburg und Berlin 1966, S. 189ff.

6
Zum Beispiel: General-Rescript die Verbesserung der Landes-Kultur betreffend vom 23. August 1798, in: August Ludwig Reyscher, Vollständige, historisch und kritisch bearbeitete Sammlung der württembergischen Gesetze, Bd. 15/1, Tübingen 1846, S. 1148ff.

7
Friedrich August Köhler, Eine Albreise im Jahre 1790 zu Fuß von Tübingen nach Ulm. Ein Lesebuch zur historischen Landschaft der Schwäbischen Alb. Überarbeitete und erweiterte Neuausgabe, herausgegeben und kommentiert von Eckard Frahm, Wolfgang Kaschuba, Carola Lipp, Bühl-Moos 1984, S. 44.

8
Vgl. Kat.Nr. 2072. Johann Friedrich Mayer, Lehrbuch für die Land- und Hauswirthe in der pragmatischen Geschichte der gesamten Land- und Hauswirthschafft des Hohenlohe Schillingfürstlichen Amtes Kupferzell, Nürnberg 1773, hier zitiert nach dem Faksimiledruck, Schwäbisch Hall 1980, S. 77.

9
Wolfgang v. Hippel, Die Bauernbefreiung im Königreich Württemberg, Bd. 1, Boppard am Rhein 1977, S. 287.

10
Ebenda, S. 143 und 258ff.

11
Vgl. Günther Franz, Geschichte des deutschen Bauernstandes vom frühen Mittelalter bis zum 19. Jahrhundert (Deutsche Agrargeschichte Bd. IV), 2. ergänzte und erweiterte Auflage, Stuttgart 1976, S. 251f.

12
Landwirthschaftliche Zeitung aus Schwaben, Nro. 11, Beilage in: Volksfreund aus Schwaben, Stuttgart 1818, S. 41.

13
Ebenda.

14
Ebenda.

15
Anonym, Das landwirthschaftliche Fest zu Kannstadt zum ersten Mal gefeyert den 28. September 1818. Mit einem Umrisse der Renn-Bahn und ihrer Einrichtungen. Stuttgart, bey Joh. Friedr. Steinkopf 1818, S. 16.

16
Wie Anm. 12.

17
Correspondenzblatt 5 des Württembergischen Landwirtschaftlichen Vereins, Bd. 1, Stuttgart 1822.

18
Zur Geschichte des Landwirtschaftlichen Vereins in Baden vgl. W. Märklin. Der Landwirtschaftliche Verein im Großherzogtum Baden, 1810–1909, Den badischen Landwirten gewidmet, Karlsruhe 1909.

19
Kat.Nr. 2057. Neue Statuten des Großherzoglich Badischen Landwirtschaftlichen Vereins nebst Beylagen, Pforzheim 1825, S. 4, Paragraph 7 und 5.

20
Generallandesarchiv Karlsruhe, Bestand 236/1509.

21
Wolf-Rüdiger Ott, Grundlageninvestitionen in Württemberg. Maßnahmen zur Verbesserung der materiellen Infrastruktur in der Zeit vom Beginn des 19. Jahrhunderts bis zum Ende des ersten Weltkriegs, Diss. Heidelberg 1971, S. 187.

22
Wie Anm. 17, S. 13.

23
Wie Anm. 17, S. 15.

2055

2055*

## Das Volksfest in Cannstadt

Conrad Wiesner, nach J. B. Pflug
1824

*Kolorierte Umrißradierung*
*H. 21 cm, B. 25,6 cm*
*Bez.:* Wiesner fec.

Stuttgart, Staatsgalerie, Graphische Sammlung,
Inv.-Nr. A 26/51

Das Cannstatter Volksfest wurde zum ersten Mal am 28.
September 1818 als landwirtschaftliches Fest gefeiert. Die
Stiftung erfolgte »in der landesväterlichen Absicht, zur
fortschreitenden Verbesserung der Viehzucht im Königreiche zu ermuntern und diejenigen, welche zu diesem wichtigen Zweige der Landwirtschaft etwas Vorzügliches leisten, einen Beweis des allerhöchsten Wohlgefallens zu
geben«. Im Vordergrund stand deshalb die Prämierung der
württembergischen Viehzucht. Durch ein Pferderennen
und den gleichzeitig stattfindenden Zunfttag der Schiffer-
zunft mit dem Schifferstechen war zugleich für Unterhalt-
samkeiten gesorgt. Besondere Weihen erhielt der Festtag
durch den am selben Tag gefeierten Geburtstag des
Königs. Den gestalterischen Rahmen in Cannstatt hatte
der Professor der Hohen Karlsschule, Thouret, entworfen.
Der Pavillon des Königs und der Königin wurde nach
Plänen des Hofbaumeisters Salucci gebaut.

*Das landwirtschaftliche Volksfest zu Kannstadt, zum*
*ersten Mal gefeyert den 28sten September 1818, mit einem*
*Umrisse der Renn=Bahn und ihrer Einrichtungen, Stutt-*
*gart, bey Joh. Fried. Steinkopf, 1818, S. 4.*          S. Ph.

2056

## 2056*

### FRUCHTSÄULE UND TRIBÜNE ZUM CANNSTATTER VOLKSFEST

Nikolaus Friedrich Thouret (1767–1845)
Stuttgart, 1820

*Aquarell*
*H. 10,5 cm, B. 17,7 cm*

Stuttgart, Archiv der Stadt, Inv.-Nr. B 2644, 9.6.6.6

Die bekannte Fruchtsäule schmückte auch schon das erste Cannstatter Volksfest. Innerhalb der Rennbahn »erhob sich mitten noch eine hohe, überall sichtbare Säule, die wie die Musik=Stände mit grünem Tannen=Reisig bekleidet war, und den Rennern zum Ziele diente. Durch die sinnreiche Ausschmückung, die sie erhalten hatte, stand sie zugleich als Symbol des Festes da. Sie war nämlich an ihrem Haupte mit einem Kranz von Aehren, mit Trauben, Obst und anderen Feldfrüchten geschmückt, während der Schaft mit Siegeskränzen von Eichenlaub behangen war.«

*Das landwirtschaftliche Volksfest zu Kannstadt, zum ersten Mal gefeyert den 28sten September 1818, mit einem Umrisse der Renn=Bahn und ihrer Einrichtungen, Stuttgart, bey Joh. Fried. Steinkopf, 1818, S. 12.* S.Ph.

## 2057

### »NEUE STATUTEN DES GROSSHERZOGLICH BADISCHEN LANDWIRTSCHAFTLICHEN VEREINS«

Pforzheim, bei Michael Kaz, Witwe
1825

*Papier, Letterndruck*
*H. 19,5 cm, B. 12,5 cm*

Karlsruhe, Generallandesarchiv, 69 v. Babo No. 297

Bereits 1764 hatte die österreichische Kaiserin Maria Theresia die Bildung »ökonomischer Gesellschaften« befohlen, um den wissenschaftlichen Diskurs und den Austausch praktischer Erfahrungen organisatorisch abzusichern. Ähnliche Gründungsbemühungen in Württemberg und Baden waren zunächst jedoch weniger erfolgreich. Die vom badischen Markgrafen 1765 gestiftete »Gesellschaft der nützlichen Wissenschaften zu Beförderung des gemeinen Besten« ging aufgrund mangelnder Beteiligung bereits im selben Jahr wieder ein. Vielleicht auch, weil sie, wie alle hoheitlich protegierten Gesellschaften, »nur allgemeine gute Rathschläge« geben durfte, die sich nicht speziell auf »Fehler und Gebrechen der Staatsverwaltung ihres Landes« beziehen und »überhaupt aber das Land drückende Übel nie mit seinem wahren Namen nennen« durften.

Grundsätzliche Kritik oder gar jakobinischer Umsturz, wie er 1785 dem Verfasser dieser Zeilen vorschwebte, war damals nicht nur in Baden undenkbar.

Erst nach den Hungerkrisen der Jahre 1816/17 war die Gründung der Landwirtschaftlichen Vereine in Baden und Württemberg erfolgreicher. Die Aufgaben der beiden Vereine waren nahezu identisch, für Baden sind sie in der Satzung von 1825 für die einzelnen Kreisabteilungen neu definiert worden: *1) Sie unternehmen Acclimatisirungs= und 2) vergleichende Versuche, 3) den Anbau nützlicher neue, oder auch bekannter Pflanzen, deren Ausbreitung gewünscht wird, des Beyspiels und der Aufmunterung wegen; oder 4) sie veranlassen daß dieser Anbau bewirkt werde, und übernehmen für die erste Zeit die Leitung davon. 5) Sie sammeln Notizen über den Zustand des Ackerbaus in dem Umfange ihrer Abtheilung, über dessen Eigenthümlichkeiten, über die Gründe derselben, über dessen Gebrechen und Vorzüge, über die mit dem Ackerbau in nächster Verbindung stehenden Gewerbe, und über deren Zustand... 10) Sie sammeln eine Bibliothek, Modelle und Instrumente, und errichten ein Samenkabinet.*

*Friedrich Karl Frh. von Moser, Patriotisches Archiv für Deutschland, Bd. 3, Frankfurt und Leipzig 1785, S. 514ff, 524.* S.Ph.

## 2058

### »NAMEN DER HERRN MITGLIEDER DES LANDWIRTHSCHAFTLICHEN VEREINS. — ABTHEILUNG DES NECKAR-KREISES 1825«

Baden, 1825

*Papier, Letterndruck*
*H. 35 cm, B. 22 cm*

Karlsruhe, Generallandesarchiv, 69 v. Babo No. 297

2059

## »Verzeichnis der Mitglieder des Landwirtschaftlichen Vereins für das Oberamt Reutlingen, im Dezember 1841«

Reutlingen, 1841

*Papier, Letterndruck*
*H. 10,5 cm, B. 16 cm*

Pfullingen, Stadtarchiv, A 249

Die in den 1820er Jahren auf Initiative der »Centralstelle« verstärkt gegründeten, regionalen »Landwirthschaftlichen Bezirksvereine« blieben weitgehend obrigkeitliche Institutionen. Ihre Mitglieder stammten noch 1841 vorwiegend aus dem Bürger- und Beamtentum: Oberamtmänner, Pfarrer, Schultheißen, Kaufleute, Apotheker, Wirte und Gemeinderäte. Die Berufsbezeichnungen Weingärtner oder Bauer sind in den Mitgliedslisten kaum zu finden, und hinter der Bezeichnung »Ökonom« sind vor allem Großbauern zu suchen.          S. Ph.

2060*

## »Königlich Württembergisches Land- und Forstwirtschaftliches Institut Hohenheim«

Renz
Stuttgart, um 1845

*Kolorierte Lithographie*
*H. 30 cm, B. 22,7 cm (Blatt)*
*Bez.: Bei Maler Renz in Stuttgart*

Ludwigsburg, Städtisches Museum, Inv.-Nr. 372

2060

2061

## Eröffnungs-Rede des Directors v. Schwerz bei seinem ersten Collegium am landwirtschaftlichen Institut Hohenheim den 20. November 1818

Stuttgart, Druck der J. B. Metzler'schen Buchdruckerei, 1868

*Karton, Papier, Letterndruck*
*H. 22,6 cm, B. 16 cm*

Tübingen, Universitätsbibliothek, LX 13.b.octav

*Nicht erdichten noch klügeln, sondern auffinden muß man, wie die Natur handelt und was sie erträgt.* Diesen Satz gab J. N. H. von Schwerz, der Direktor der Hohenheimer Akademie, seinen ersten Studenten als *Richtschnur Ihrer zukünftigen Unternehmungen.* Schwerz war Experte der damals modernsten landwirtschaftlichen Produktionsweisen und betrieb ein eigenes Landgut. Er veröffentlichte Berichte über Belgien und auch über das bekannte Fellenberg'sche Institut in der Schweiz – eine Verbindung von Armenerziehungsanstalt und landwirtschaftlichem Versuchsinstitut –, an welchem sich der Aufbau der Hohenheimer Akademie orientierte. Mit Albrecht Daniel Thaer, dem Vordenker der landwirtschaftlichen Reformen in Deutschland, der bereits seit 1806 eine landwirtschaftliche Lehranstalt in der Markbrandenburg leitete, stand er in engem Kontakt.          S. Ph.

2062*

## FAHRTONNE FÜR GÜLLE (MODELL)

Hohenheimer Ackergerätefabrik
Hohenheim, nach 1831

*Holz, Eisenbeschläge*
*L. 42,5 cm, H. 16,5 cm, B. 20 cm*

Hohenheim, Deutsches Landwirtschaftsmuseum,
Inv.-Nr. G 31

Eine grundlegende Veränderung bedeutete auch die Einführung der Sommerstallfütterung des Viehs. Dafür sprachen viele Gründe: sie »verlangt zwar mehr Wartung, aber
man gewinnt dabey an Futter, Milch und auch an Dünger,
und sichert das Vieh wider viele Krankheiten, vornehmlich
wider die Seuche«.
Die Intensivierung des Feldanbaus und der Viehzucht
waren eng miteinander verbunden – ohne vermehrten
natürlichen Dunganfall ließ sich, trotz regionaler guter
Erfolge mit Gips- oder Mergeldüngung, der Feldertrag
nicht in gewünschtem Maße steigern. Dem ökonomischen
Umgang mit Mist und Jauche wurde deshalb viel Aufmerksamkeit gewidmet. Statt die Jauche ungenutzt über
die Straßen fließen zu lassen, wurden Fanggruben angelegt, eine Maßnahme, die sowohl dem ökonomischen
Nutzen als auch den wachsenden hygienischen Ansprüchen gerecht wurde. Neue Transport- und Aufbringmög-
lichkeiten sollten den Umgang mit diesem kostbaren Wirt-
schaftsgut erleichtern.
Widerstand bei der Einführung der Stallfütterung ergab
sich vor allem aus der damit notwendig werdenden Um-
nutzung der Brachfelder und Allmenden. Befremden zeigten die Bauern aber wegen der damit vermehrt notwendig
werdenden Pflege des Rindviehs: »Als ich meine Milch-
wirtschaft antrat, und fremde Unterländer-Mägde hielt, so
wurden diese meine Mägde wegen dem striegeln und
Waschen ihrer Kühe überall verspottet, und als ich aus
hiesiger Gegend nochmals Mägde dingen wollte, bezeugte
keine Lust dazu, weil man, wie sie offenherzig sagten, in
meinem Dienst die Kühe alle Tage striegeln und die
Schwänze waschen müsse, was sie nicht gewohnt wären zu
tun.«

*Johann Beckmann, Grundsätze der teutschen Landwirt-*
*schaft, 6. verb. u. verm. Aufl., Göttingen 1806, S. 588. –*
*Carl Freiherr von Varnbühler, Annalen der württembergi-*
*schen Landwirtschaft, Bd. 1, Heft 4, Stuttgart 1818,*
*S. 437.*                                               S. Ph.

2062

2063

## WANDRAUFE (MODELL)

Hohenheimer Ackergerätefabrik
Hohenheim, 2. Viertel 19. Jahrhundert

*Holz*
*H. 13 cm, B. 26,7 cm, T. 7 cm*

Hohenheim, Deutsches Landwirtschaftsmuseum,
Inv.-Nr. 185

Schafe und Wolle zählten zu den wichtigsten Exportgütern Württembergs; die Wollqualität der landesüblichen Rassen entsprach jedoch nicht immer den gehobenen Ansprüchen der Tuchfabriken, und feinere Sorten mußten eingeführt werden. Zwar suchte man den eigenen Absatz durch Ausfuhrverbote und Einfuhrzölle zu schützen, allerdings mit wenig Erfolg. Seit 1786 wurde deshalb durch Einkreuzen spanischer und französischer Schafe der Bestand systematisch verbessert.
Besonders auf den kargen Böden der Alb, wo unter den Bedingungen der Dreifelderwirtschaft nur unzureichend Futter für die Rindviehzucht wuchs, wurden die Schafe – häufig als »Dungkarren auf vier Beinen« bezeichnet – zur wichtigsten und landschaftsprägenden Viehart.       S. Ph.

2064

## DREIFÜSSIGE PYRAMIDE FÜR KLEE (MODELL)

Hohenheimer Ackergerätefabrik
Hohenheim, 2. Viertel 19. Jahrhundert

*Holz*
*H. 42 cm, B. 28,6 cm, T. 28 cm*

Hohenheim, Deutsches Landwirtschaftsmuseum,
Inv.-Nr. F 28

Die Verbesserung der landwirtschaftlichen Erträge setzte eine Veränderung der überkommenen Anbauformen voraus. Um die für eine intensivere Viehhaltung notwendigen Voraussetzungen zu schaffen, sollte das innerhalb der Dreifelderwirtschaft vorwiegend als Weide dienende und wenig ergiebige Brachfeld mit Futterkräutern – bevorzugt mit Rotklee und Esparsette – »angeblümelt« und die natürlich wachsenden Wiesen sollten durch Besamung und häufigeren Schnitt gekräftigt werden. Um die Futterqualität dieser Pflanzen zu steigern und die Gärung bei feuchter Lagerung zu vermeiden, wurde die verstellbare und eine gute Lüftung zulassende Pyramide entwickelt.
Doch die Bauern, durch die Dreifelderwirtschaft überdies in ihrer Entscheidungsfreiheit behindert, ließen sich nur mühsam von den Neuerungen überzeugen, und das erfolgreiche Beispiel vor Ort hatte mehr Überzeugungskraft als aufklärende Reden und Erlasse: »Den Vernünftigen leuchtete mein großes Klee- und Wisenstück in die Augen; sie

begriffen es schnell, wie viel leichter Kleemähen denn angstvolles Grasstehlen im Walde seye, und wie gut es gegen sie meine Leute hätten, die nur mit der Sense auf den nahen Acker gehen, ein Fuder Klee abmähen und nach Hause führen durtten.«

*Carl Freiherr von Varnbühler, Annalen der württembergischen Landwirtschaft, Bd. 1, Heft 4, Stuttgart 1818, S. 397.*       S. Ph.

2065

## HOHENHEIMER PFLUG (MODELL)

Konrad Möhl, 1842 bis 1862 Pächter der Hohenheimer Gerätefabrik
Hohenheim, nach 1842

*Holz, Eisen*
*L. 11 cm, H. 11 cm, B. 9 cm*

Hohenheim, Deutsches Landwirtschaftsmuseum,
Inv.-Nr. A 642

Bereits zu Beginn der Arbeit der Hohenheimer Akademie war die Sammlung von Modellen für Lehr- und Experimentierzwecke empfohlen worden, und unter der Leitung des Direktors von Schwerz erhielt die Akademie zahlreiche landwirtschaftliche Geräte und Werkzeuge. Die Sammlung von Kleinmodellen, sowohl von in Hohenheim entworfenen und hergestellten Geräten als auch solcher von fremden Konstrukteuren, begann 1828.
Unter den zahlreichen Geräten, an deren Verbesserung in Hohenheim gearbeitet wurde, erreichte der »Schwerz-Pflug« oder »Hohenheimer Pflug« durch den beim landwirtschaftlichen Fest 1843 mitgeführten »Goldenen Pflug« einige Berühmtheit. Der Hohenheimer Pflug ist in seinen Grundzügen jedoch eine Kopie des »Brabanter« oder »Flandrischen Pflugs«. Gegenüber der flandrischen Vorlage wurde als einzige Veränderung die Wendung der umgebrochenen Schollen nach links den württembergischen Gewohnheiten angepaßt und in eine Rechtswendung verwandelt.
Die Umstellung auf die neuen Ackergeräte war jedoch nicht eben billig. Im Schwäbischen Merkur annoncierte 1828 eine Werkstatt in Assumstadt den Brabanter Pflug mit Stelze und Streichhaken für 25 Gulden – ein Preis, der dem Jahreseinkommen einer gut verdienenden Magd entsprach.

*Ernst Klein unter Mitwirkung von Wilhelm Krepela, Die historischen Pflüge der Hohenheimer Sammlung landwirtschaftlicher Geräte und Maschinen. Ein kritischer Katalog, Stuttgart 1967, Abb. 297, S. 141.*       S. Ph.

1 Scheffel hat 8 Simery.
1 Simery ... 4 Vierling.
1 Vierling ... 4 Ecklen.

2066

teabhängige Naturalabgaben, die zunehmend zum privaten Einkommen der Berechtigten geworden waren, bezog die Zehntherrschaft. Zum Empfang dieser Abgaben waren vielerorts unterschiedliche Herren berechtigt, zumal diese Privilegien nicht nur erblich waren, sondern durch Verpachtungen, Verkäufe oder Stiftungen häufig den Besitzer wechseln konnten.

Zahlreiche kleinere Abgaben waren gegen Ende des 18. Jahrhunderts bereits in sogenannte »Geldsurrogate« umgewandelt worden. Probleme bei der Umstellung der Landwirtschaft auf intensivere Produktionsformen ergaben sich vor allem aus der Berechnung der Zehnten. Da die Berechtigung zur Einziehung der Getreide-, des Wein-, des Heu- und Öhmdzehnten oder des Gartenzehnten häufig nicht in einer Hand lag, die Rechte jedoch vielfach nach Fruchtsorten unterschiedlich verteilt waren, konnte der Anbau neuer oder auch nur anderer Früchte zu Veränderungen des Bezugsrechtes führen. Streitereien unter den Berechtigten und Verweigerungen der Erlaubnis, von der bisherigen Bestellung abzuweichen, waren deshalb keine Seltenheit.

*Wolfgang v. Hippel, Die Bauernbefreiung im Königreich Württemberg, Bd. 1, Boppard am Rhein 1977.*    S.Ph.

2067

## GÜLTBUCH DES JACOB STIGLER

Appenweier, 1805–1808

*Papier, Feder*
*H. 20 cm, B. 17 cm*

Offenburg, Stadtarchiv, 21/58

2066*

## EINZUGSREGISTER ZUR GROSSEN GÜLT

Oeffingen, 1822–1844

*Karton, Papier, Feder, Aquarell*
*L. 35,5 cm, B. 46 cm*

Fellbach, Stadtarchiv, Best. 367

»Feudallasten« als Natural- und Geldabgaben waren an verschiedene Berechtigte zu zahlen: Die *Gült* erhielt der Grundherr, welcher als Obereigentümer das Land als erbliches oder Fallehen vergab. Hinzu kamen Küchengefälle, als Beitrag zur grundherrschaftlichen Hauswirtschaft, bei Besitzwechsel fällig werdende Laudemien und verschiedene Geldgülten. Aus der Leibeigenschaft waren jährliche Anerkennungsabgaben – der Leibeigenschaft – und von Fall zu Fall weitere Natural- oder Geldleistungen zu entrichten. Die »Zehnten«, zunächst zur Versorgung von Geistlichkeit, Kirche und Armenpflege gedachte, ern

2068

## SIMRIMASS

Dischingen, datiert 1810

*Holz, Eisenbeschläge, Brennstempel*
*H. 24 cm, Dm. 38 cm*

Dischingen, Heimatmuseum, o. Inv.-Nr.

2069

## SIMRIMASS

Dischingen, datiert 1812

*Holz, Eisenbeschläge, Brennstempel*
*H. 23 cm, Dm. 39 cm*

Dischingen, Heimatmuseum, o. Inv.-Nr.

2070

## Simrimass

Pfullingen, datiert 1786

*Holz, Eisenbeschläge, Brennstempel*
*H. 22 cm, Dm. 40 cm*

Pfullingen, Pfullinger Museum, o. Inv.-Nr.

2071

## Frontafel

Beuerlbach, datiert 1804

*Holz, Papier, Feder*
*H. 46 cm, B. 31 cm*
*Beschriftet:* Anno 1804 wurde diese Tafel, die Dienste
sämtlich hiesiger Lehen-Guts Besizere betreffend renovi-
ret. Johann Michael Schoeppler, derzeit Lehen Secreta-
riatus.

Crailsheim, Fränkisch-Hohenlohesches Heimatmuseum,
Inv.-Nr. 909

Auch die Fronlasten wurden von liberalen Theoretikern
als Hemmnis für die »Verbesserung der Landes=Kultur«
und als Widerspruch zur Freiheit von Person und Besitz
gesehen. Sie waren als Hand- und Spanndienste zu lei-
stende Arbeitsverpflichtungen und setzten sich aus – häufig in einer Hand liegenden – »Herren-« und »Landesfro-
nen« zusammen. Hinzu kamen innerhalb der Kommunen
Arbeiten an der Kirche, der Schule oder im Wege- und
Brückenbau. Leistungen der Bauern und Gegenleistungen
– Lohn und Beköstigung – waren zumeist vertraglich
geregelt oder bereits in Geldsurrogate verwandelt. An den
herrschaftlichen Einnahmen hatten die Fronleistungen –
mit Ausnahme der hohenlohischen Gebiete – einen ebenso
geringen Anteil wie innerhalb der bäuerlichen Gesamtbe-
lastungen. Die umfangreichsten Fronen, die Jagddienste
als Treiber und die Waldarbeiten, fielen zu Zeiten an, in
denen die landwirtschaftliche Arbeit nur geringen Aufwand forderte. Häufig wurde deshalb von der Möglichkeit
zur Umwandlung in Geldabgaben nur wenig Gebrauch
gemacht, zumal »der Bauer leichter über Zeit als über Geld
verfügte«.
Die Tafel nennt dreißig Namen von Fronpflichtigen und ist
in die Spalten *Dienst=Fuhren* und *Gesellen=Fuhren* unterteilt. Die Leistung von Fuhren war sowohl in den »Herren-
fronen« für die Gerichtsherrschaft wie auch in den Fronen
für die Gemeinde und den Landesherren enthalten. In
Kriegszeiten war der Bedarf an Fuhren gegenüber Frie-
denszeiten erheblich gesteigert.

*Badisches Landesmuseum (Hg.), Ausst.-Kat. Barock in*
*Baden-Württemberg, Karlsruhe 1981, Bd. 1, Nr. L 257. –*
*Wolfgang v. Hippel, Die Bauernbefreiung in Württem-*
*berg, Bd. 1, Boppard am Rhein 1977, S. 197.*        S. Ph.

2072

## »Lehrbuch für die Land- und Hauswirthe ...«

Johann Friedrich Mayer (1719–1798)
Nürnberg, bei Johann Eberhard Zeh, 1773

*Karton, Papier, Letterndruck*
*H. 18 cm, B. 11 cm*

Tübingen, Universitätsbibliothek, Eg 307 oct.

Johann Friedrich Mayer war von 1745 bis zu seinem Tode
im hohenlohischen Kupferzell als Pfarrer tätig und – den
Organisationsformen der Aufklärung entsprechend – Mitglied in verschiedenen Gesellschaften »der Wissenschaff-
ten, der Künste, der Landwirthschafft und Oekonomie,
der K. Königl. in NiederOestreich, Steyermark und Kärn-
then, der Königl. Großbritannischen und Churfürstl.
Braunschweig=Lüneburgl. zu Zelle, der Königl. Preußischen zu Frankfurt an der Oder, der Churfürstl. Bayerischen zu Alt=Oettingen und der Schweizerischen zu Bern«.
Er verband, wie viele Amtskollegen, die Seelsorge mit
direkten Hilfen zur Verbesserung der Lebenssituation der
Bauern – sowohl durch seine beispielhaften Methoden der
Landwirtschaft als auch durch zahlreiche Publikationen.
Die Entdeckung und Propagierung der Düngung mit Gips
machte ihn weit über die Landesgrenzen hinaus bekannt.

*Badisches Landesmuseum (Hg.), Ausst.-Kat. Barock in*
*Baden-Württemberg, Karlsruhe 1981, Bd. 1, Nr. L 253. –*
*H. Mehl, Das ländliche Hohenlohe im Zeitalter Napo-*
*leons, in: Bd. 2 dieses Kataloges, S. 697 ff.*        S. Ph.

2073

## »Ueber die Bildung eines Landwirths«

Johann Gottlieb Steeb
Stuttgart, 1799

*Karton, Papier, Letterndruck*
*L. 11,5 cm, H. 18,3 cm*

Tübingen, Universitätsbibliothek, Eg 38 oct.

Den größten Einfluß auf die Veränderung der landwirtschaftlichen Verhältnisse hatten die mit der Durchführung
von Ort betrauten Beamten und landwirtschaftlich gebildete und interessierte Pfarrer, von denen viele bei ihren
Zeitgenossen ohnehin in Verruf waren, mehr der Ökonomie als der Theologie zugetan zu sein. Wenn dieses Urteil
auch übertrieben sein mag, so stimmte daran doch soviel,
daß fast jeder Landpfarrer durch die Arbeit auf dem
Pfarrhof auch praktische Kenntnisse des Landbaus und
der Viehzucht besaß und daß in der sonntäglichen Chri-
stenlehre, die für alle Jugendlichen nach der Konfirmation
Pflicht war, zuweilen die Vorlesung aus ökonomischen
Schriften und das Gespräch über neue Anbaupflanzen, den
zweckmäßigsten Schnitt der Obstbäume oder die Vieh-

pflege mehr Raum eingenommen haben als die religiöse Unterweisung.

Johann Gottlieb Steeb, ab 1782 Pfarrer in Grabenstetten auf der Alb, widmete sich aufgrund seiner direkten Einblicke in die Notlage der Bauern auf den kargen Böden der Alb der landwirtschaftlichen Reformarbeit. Das *Anblümeln* der mageren Brachweiden mit der genügsamen, aber ertragreichen Futterpflanze Esparsette, schwäbisch verkürzt zu *Esper*, geht auf seine Versuche zurück. Seine Pfarrei wurde beispielhaft für andere, und Steeb erhielt die offizielle Funktion eines Beraters für die obrigkeitlich empfohlenen Erneuerungsbemühungen. Durch wissenschaftliche Arbeiten und philosophische Publikationen geschult, gab er darüber hinaus Anstöße zu grundlegenden Maßnahmen, deren Realisierung erst dem beginnenden 19. Jahrhundert vorbehalten war: die Gründung einer württembergischen landwirtschaftlichen Gesellschaft, eine systematische Bildung der ländlichen Bevölkerung und die exakte Beschreibung der Wirtschafts- und Lebensbedingungen auf der Alb.

*Ausst.Kat. Barock in Baden-Württemberg, Bd. 1, Nr. L 254. – Prof. von Fulda, M. Johann Gottl. Steeb, weil(and) Pfarrer in Grabenstetten, seine Schriften und Verdienste um die Landwirthschaft und Landeskunde Würtembergs und eine hinterlassene Handschrift derselben, in: J. D. G. Memminger, Württembergisches Jahrbuch, Stuttgart und Tübingen 1824, S. 105–115.* S.Ph.

## 2074

## »Das Oekonomie-Wochenblatt«. Eine Sammlung nüzlicher und nöthiger Erfahrungen für alle Stände«

Stuttgart, gedruckt bei Cotta
1. Jahrgang 1790

*Karton, Papier, Letterndruck
H. 18,5 cm, B. 37,5 cm*

Tübingen, Universitätsbibliothek, Inv.-Nr. Ea 2 quart

Periodisch erscheinende Publikationen für besondere Zielgruppen bereichern mit Ausgang des 18. Jahrhunderts den »Medienmarkt«. Das *Oekonomie-Wochenblatt,* ab 1790 in Stuttgart herausgegeben, wendet sich zwar an alle Stände, seine Artikel sind jedoch vorwiegend auf ein ländliches, Ackerbau- und Viehzucht treibendes Publikum abgestimmt. Neben Zusammenfassungen und Nachdrucken aus den zahlreichen Publikationen zur Verbesserung der Wirtschaft, insbesondere der ländlichen, finden sich Ratschläge zu den unterschiedlichsten Alltagsproblemen – von der Brauchbarkeit der Milch als Barometer über Rezepte zum Reinigen der Uniformtressen oder die medizinische Wirkung der Königskerze und die Konstruktion einer brennstoffsparenden Lampe bis hin zur Aufklärung über abergläubisches Brauchtum.

Auch die mangelnde Lesefähigkeit im angestrebten Publikum wurde berücksichtigt. In der Vorrede der ersten Ausgabe war zu lesen, daß bereits *viele Obrigkeiten und Orts=Vorsteher das Oekonomie=Wochenblatt für ihre Kommunen angeschafft und veranstaltet (hätten), daß es in den Schulen vorgelesen oder abgeschrieben, den Innwohnern in Wirtshäusern etc. mitgetheilt, und dann zum gemeinschaftlichen Gebrauch als ein Handbuch für den Landmann aufbewahrt* würde. S.Ph.

## 2075

## »Noth- und Hülfsbüchlein

oder lehrreiche Freuden- und Trauer-Geschichten der Einwohner zu Mildheim« Neue verbesserte Auflage

Rudolf Zacharias Becker
Gotha, Beck'sche Buchhandlung, 1799

*Karton, Papier, Holzschnitte, Letterndruck
H. 18 cm, B. 12 cm*

Tübingen, Universitätsbibliothek, Eg 70 b. oct.

Unter den zahlreichen, gegen Ende des 18. Jahrhunderts erschienenen Büchern zur Aufklärung der Landleute und zur Verbesserung ihrer wirtschaftlichen Situation zählt das *Noth- und Hülfsbüchlein* zu den wenigen, die wohl auch von den Bauern selbst gelesen wurden. Das insgesamt dreibändige Werk ist eingefügt in ein von Becker entwickeltes System der Aufklärung, das den Bauern zu eigenständigem Denken und Handeln innerhalb seines Wirkungskreises anregen sollte und umfassend angelegt war. Neben Ratschlägen zur Verbesserung der Hauswirtschaft – sowohl in hygienischen als auch in ökonomischen und Ernährungsfragen und Rezepten gegen die verbreitetsten Krankheiten – wurden die ehelichen Pflichten und Freuden, Erziehungsmethoden oder Neuerungen in der Landwirtschaft abgehandelt. Die zentralen Kategorien dieses Aufklärungsprogramms – Ordnung, Fleiß, Sparsamkeit, Sauberkeit und Pünktlichkeit in allen Lebensbereichen – wurden romanhaft, als Geschichte der Bürger von Mildheim erzählt.

Dank des didaktischen und verlegerischen Geschicks des Autors wurde das Werk in zahlreichen Auflagen gedruckt und zählte, neben christlicher Erbauungsliteratur, zu den häufigsten Titeln in Privatbesitz.

*Gottfried Weissert, Das Mildheimische Liederbuch. Studien zur volkspädagogischen Literatur der Aufklärung, Tübingen 1966, S. 11–19.* S.Ph.

2076

## »GESCHICHTE EINES KLEINEN VERBESSERTEN LANDGUTS IN WÜRTTEMBERG NEBST BEYGEFÜGTEM VERBESSERUNGSPLAN FÜR GUTSBESITZER UND LIEBHABER DER LANDWIRTSCHAFT«

Balthasar Sprenger, Rath und Prälat zu Adelberg
Stuttgart, bei Christian Gottlieb Erhard 1792

*Karton, Papier, Letterndruck*
*H. 17 cm, B. 10,5 cm*

Tübingen, Universitätsbibliothek, LX 86 oct.

Erfahrungsberichte über die Erfolge der Einführung neuer Verfahrensweisen in der Landwirtschaft zählen zu den häufigsten Werken der Bauernaufklärung. Viele der hier propagierten, auf größeren Landgütern erprobten Methoden ließen sich jedoch nur schwer auf die mit zersplitterten Feldern und wenig Investitionskapital versehenen durchschnittlichen Bauernhöfe übertragen.

*Badisches Landesmuseum Karlsruhe (Hg.), Ausst.Kat. Barock in Baden-Württemberg, Karlsruhe 1981, Bd.1, Nr. L 225.*                           S.Ph.

2077

2077*

## WETTERSEGEN

Schwäbisch Gmünd, 18. Jahrhundert

*Pappe, Metall, Wachs, Gips, Ton, Eichenholz, Glas, Textilien*
*Dm. 17 cm*

Schwäbisch Gmünd, Städtisches Museum, o. Inv.-Nr.

In den Wettersegen sind oft nur nahezu unentzifferbare Aneinanderreihungen von Bibelworten, verschiedenen Bezeichnungen für Christus oder die Namen der Heiligen enthalten. In andern sind zahlreiche verschiedene Heilszeichen miteinander verbunden: Reliquien der Märtyrer, Abbildungen des Schweißtuches, die in Wachs nachgebildete Zunge des hl. Nepomuk neben Wallfahrtsanhängern oder dem doppelbalkigen Kreuz. Sie sollten vor Blitzeinschlag und anderen Unwettern schützen. Als »Beispiele für die sich unhemmbar äußernde Hilfsbedürftigkeit und die durch Bedrängnis ausgelöste Sucht, zu versinnbildlichen und zu vergegenständlichen«, zeigen sie die Ungleichzeitigkeiten des ausgehenden 18. Jahrhunderts: während einerseits die existentielle Sicherheit von diesen und ähnlichen Schutzzeichen erhofft wurde, kam andererseits allmählich der Blitzableiter in Gebrauch, wurde über Hagelversicherungen diskutiert, und die aufgeklärte Kirche kämpfte gegen den Mißbrauch der christlichen Heilszeichen.

*Lenz Kriss-Rettenbeck, Bilder und Zeichen religiösen Volksglaubens, München 1963, S. 48.*           S.Ph.

2078

## WETTERSEGEN

1800

*Papier, Feder*
*Dm. 20,5 cm*

Dischingen, Heimatmuseum, o. Inv.-Nr.

2079*

## HEXENZETTEL FÜR PAULINE HEUSEL

*Papier, Feder*
*H. 12 cm, B. 24 cm, Dreiecksform*

Lörrach, Museum im Burghof, o. Inv.-Nr.

Unaussprechbare, unlesbare Kombinationen von Buchstaben, Zeichen und Ziffern, eine Mischung aus christlichen Symbolen wie dem Kreuz, dem Dreieck oder dem zweifachen I für Jesus, Heiligennamen oder die Abkürzung des Dreikönigssegens C + M + B, fragmentarische Bibelworte und mystisch besetzte Zahlen wie die sieben oder Drudenfüße: Hexenzettel, Himmelsbriefe und Hauszauber. Gegen persönliches Ungemach am Leibe getragen, zum Schutz vor Blitzeinschlag oder gegen die noch vielfach »bösen Blicken« zugeschriebenen Viehkrankheiten hinter Türstürzen verborgen und in Mauerspalten gesteckt, zeigen sie auch, welche zweifellos dubiosen Geschäfte sich trotz aller Aufklärung mit realen Ängsten und Bedrängnissen des bäuerlichen Alltags noch lange machen ließen – oder wäre es nicht besser zu sagen, machen lassen?     S.Ph.

2079

2080

## HEXENZETTEL

18. Jahrhundert

*Papier, Feder*
*H. 10 cm, B. 8,5 cm*

Eningen u. A., Heimatmuseum, o. Inv.-Nr.

2081

## HEXENZETTEL

18. Jahrhundert

*Papier, Feder*
*H. 8,5 cm, B. 9 cm*

Eningen u. A., Heimatmuseum, o. Inv.-Nr.

## Geld im Alltag

Das Geld war knapp, nicht nur in den Geldbeuteln der meisten Untertanen und in den durch Kriegslasten überstrapazierten Staatskassen, sondern auch in der insgesamt umlaufenden Menge. Noch bestand – zumindest den geltenden Münzkonventionen nach – ein direkter Zusammenhang zwischen Münzwerten und Metallgehalten. Zahlreiche unterschiedliche Landeswährungen wurden auch grenzüberschreitend als Zahlungsmittel akzeptiert. Das verwirrende Nebeneinander von Trierischen, Würzburger, badischen oder französischen, von nach dem alten oder dem gerade aktuellen Münzfuß geprägten Gulden, Dukaten und Kreuzern, Sechsern, Talern, Hellern und Pfennigen ...wurde durch gegenseitige Auf- und Abwertungen noch gesteigert.[1]

Leicht konnte da mit falscher Münze gezahlt werden. Nach in- und ausländischen Vorbildern geprägtes Falschgeld abzusetzen, war besonders während der Kriegs- und Krisenzeiten ein günstiges Geschäft. Im Jahr 1806 kursierten »beträchtliche Mengen französischer Louisd'or von den 1780er Jahren«, deren Goldgehalt wesentlich unter dem amtlich bestimmten Gegenwert von 11 Gulden lag.[2] Aber auch beim Umgang mit geringeren Münzen war Vorsicht geboten. Die silbernen badischen Sechskreuzerstücke wurden ebenso häufig gefälscht wie die württembergischen, und selbst Kupfermünzen von geringem Wert wurden noch verstümmelt und verändert.[3] Nach der badischen Gesetzgebung von 1812 wurde Falschmünzerei, je nach Umfang des Schadens, gemäß dem für andere Formen des Diebstahls üblichen Strafmaß geahndet.[4] In Württemberg war man da wesentlich rigoroser: »...jeder, welcher sich in Zukunft das Verbrechen der Münzfälschung zukommen läßt, Unsere Königliche oder andere in Unsern Königlichen Staaten aufgenommene, Cours habende Münzen boshafter Weise nachprägt, und die von ihm nachgeprägten ausgiebt, mit der Strafe des Stranges belegt werden solle« lautete das Gesetz von 1807, das auch keine Unterscheidung nach dem Umfang des Schadens zuließ.

Die geringe umlaufende Geldmenge entsprach dem geringen Grad der Monetarisierung der wirtschaftlichen Verhältnisse. Ein Großteil des Lebensunterhaltes wurde in der ländlichen Subsistenzwirtschaft erzielt, und der Prozeß der lokalen Trennung von Arbeiten und Wohnen hatte erst für wenige soziale Gruppen, wie etwa das Beamtentum, begonnen. Die Beziehungen zwischen Arbeitgebern und Arbeitnehmern, zwischen Staat und Untertanen oder zwischen Handwerkern und Kunden wurden noch vielfach durch Tauschgeschäfte oder die Kombination von Natural- und Geldwerten geregelt. Beamte erhielten ein jährliches Grundgehalt und häufig zusätzliche Naturalleistungen. Der Pfullinger Amtmann etwa bezog im Jahr 1818 ein Grundgehalt von 120 Gulden, der Unteramtsarzt erhielt 64 Gulden und der Baumeister 15 Gulden. Hinzu kamen noch Anteile an Gebühren für die unterschiedlichsten Amtsleistungen.[5] Bei der Besoldung von Schulmei-

stern waren Logis und Holz aus den Gemeindewäldern inbegriffen. In den Manufakturen und im Handwerk kam es häufig vor, daß an Stelle des Lohnes ein Teil der produzierten Waren abgegeben wurde, mit denen dann auf eigene Rechnung gehandelt werden mußte. Der Lohn von Knechten und Mägden setzte sich aus Bargeld, Kost und Logis zusammen. In den Jahren 1819/20 verdiente ein Knecht auf einem großen, mit modernen Methoden geführten Hof jährlich 50 bis 60 Gulden, eine Magd jedoch noch nicht einmal die Hälfte: zwischen 10 und 30 Gulden. Auch bei den Taglöhnern wurde ein deutlicher Unterschied in der Bewertung von Frauen- und Männerarbeit gemacht: »Sie werden nicht beköstigt. Der Taglöhner bekommt täglich 20–24 Kreuzer, morgens eine Suppe, etwas Getränke, gewöhnlich Most, und zwei Pfund Brod. Eine Taglöhnerin bekommt 12–16 Kreuzer, Suppe, Getränke und Brod wie der Mann.«[6]

Ebenso wie das Einkommen wurden auch die Abgaben sowohl in Naturalien als auch in Geld geleistet. Obwohl schon seit der Mitte des 18. Jahrhunderts zahlreiche Vorschläge debattiert wurden, wie das Abgabensystem zu vereinheitlichen, zu vereinfachen und – unter dem Einfluß liberal-aufgeklärter Ideen – auch gerechter zu verteilen sei, blieb diese Kombination noch bis nach der 1848er Revolution bestehen. Die Naturalabgaben aus Ernteerträgen und als Dienstleistungen zu erbringende Frohnden wurden zwar nach dem herrschenden Rechtsverständnis als privatrechtliche Beziehungen zwischen Leistungspflichtigen und -berechtigten angesehen. Für die Belastung der ländlichen Bevölkerung machte es jedoch kaum einen Unterschied, ob aufgrund der Leibeigenschaft jährlich mit einer »Rauchhenne« zum fürstlichen Haushalt beigetragen werden mußte oder ob anläßlich hoheitlicher Hochzeiten eine »Prinzessinnensteuer« erhoben wurde. Zu diesen Abgaben kamen Vermögenssteuern auf Haus-, Grund- und Kapitalbesitz, Gewerbesteuern und ein im Lauf der Geschichte ständig erweitertes System an Verbrauchs- und anderen indirekten Steuern. Der Ertrag aus »Accise = Gefällen« auf Vieh, Fleisch, Wein und anderen alkoholischen Getränken sowie einem zusätzlichen »Umgeld« auf Alkoholhaltiges erreichte fast zwei Drittel des Ertrags aus den direkten Steuern. Zu zahlen hatten ihn besonders die Unterschichten, deren Einkommen zum größten Teil vom unmittelbaren Kauf von Lebensmitteln aufgezehrt wurde.

Unter der fast uneingeschränkten Finanzgewalt der kleinen Potentaten hatten deren oft unersättliche feudale Macht- und Konsumgelüste die finanziellen Anforderungen an die Untertanen in die Höhe geschraubt. Nun brachte die ständige Ausweitung des staatlichen Sektors weitere Belastungen mit sich. Der Übergang von früher im Familienverband, in kirchlicher oder kommunaler Genossenschaft geregelten Versorgungs- und Entsorgungsleistungen fand ebenso seinen Niederschlag in höheren Steuern wie der wachsende Beamten- und Militärapparat. In zeitgenössischen Berechnungen des »Nationaleinkommens«, das für Württemberg im Rechnungsjahr 1822 mit annähernd 20 Millionen Gulden angegeben wurde, schlugen sie als »mancherley, aus den bürgerlichen Verhältnissen entspringende, theils freywillige, theils unfreywillige Leistungen, als Beyträge zu wohltätigen Zwecken, Brandversicherungs=Anlage, Gerichts= und Schreiberey=Kosten, Zunftgelder etc.«[7] zu Buche.

Die Kriegs- und Hungerjahre steigerten die Summe der Abgaben in einem fast unvorstellbaren Ausmaß. Noch im Jahr 1825 waren in Baden, das während des 18. Jahrhunderts noch Überschüsse erwirtschaftet hatte, trotz Finanzreform und massiven Steuererhöhungen 14 Millionen Gulden an Staatsschulden[8] abzutragen. In Württemberg hatte sich bis zum Jahre 1819 ein staatlicher Schuldenberg von mehr als 22 Millionen Gulden angesammelt, der nach Ablauf von 45 Jahren getilgt sein sollte.[9] Das Verfahren, nach welchem die Schulden abgetragen werden sollten, wurde analog der geltenden Steuergesetzgebung festgelegt. Von dieser Abwälzung der Kriegslasten waren die Handwerker am stärksten betroffen. Sowohl unter den Auswanderern, die bei einer Befragung auch häufig die drückenden Kriegs- und Steuerlasten als Auswanderungsgrund nannten, als auch bei den bei völliger Überschuldung unvermeidlichen »Vergantungen« dieser Zeit bilden die Handwerker die größte Gruppe.[10]

Im Prinzip galt in Baden seit 1812 eine allgemeine und gleiche Steuerpflicht. Adel und Standesherren, die in den vorangegangenen Steueränderungen stets privilegiert worden waren, mußten nun mit ihrem Vermögen und Einkommen in gleichem Maße wie andere Untertanen einen Beitrag zum Staatsaufwand leisten. Staatsschulden und private Schulden des Herrscherhauses wurden genau unterschieden, und die zivilen Ausgaben gewannen einen höheren Anteil am Staatshaushalt als die Kosten des Hofes. Auch die württembergische Gesetzgebung beschnitt die aristokratischen Vorrechte, ohne jedoch zu einer Gleichbehandlung aller zu gelangen. Diese Reformen gingen einerseits auf den starken französischen Einfluß zurück, andererseits auf große – in Steuerverweigerungen geäußerte – Legitimationsdefizite der alten Verteilungsprinzipien; zugleich dokumentieren sie einen Machtzuwachs der Bürokratie.

Zwar stiegen einerseits die finanziellen Forderungen des Staates ständig an, doch war man andererseits bemüht, das Wenige, was hohe Lebenshaltungskosten, Steuern und Kriegsschulden noch in den Geldbeuteln beließen, gewinnbringend anzulegen. Für die zinsbringende Anlage von kleinen Summen gab es bis zur Gründung der ersten Sparkassen so gut wie keine Möglichkeiten. Das hochentwickelte private Bankwesen arbeitete nur für staatliche Finanzierungsaktionen und private Kapitalgeschäfte größeren Umfangs. Kleine, aber existentiell oft unabdingbare Kredite waren nur im privaten Leihverkehr, vielleicht noch aus dem Vermögen der Spitäler und Heiligenpflegen oder über die zumeist jüdischen »Wucherer« zu erhalten. Rücklagen für die Altersversorgung und andere nur allmählich zusammenkommende Ersparnisse konnten nirgends sicher verwahrt werden. In einigen Gegenden wurde Geld ebenso wie Sonntagskleidung und persönliche Gegenstände der weiblichen Dienstboten in besonderen »Mägdetruhen« auf den Dachböden der Kirchen abgestellt und war nur über den Pfarrer wieder zugänglich. Ein Depot,

das ängstlichen Gemütern zwar relative Sicherheit vor Diebstahl bot, aber keine Zinsen bringen konnte. Witwen- und Waisenkassen mit kommunaler oder staatlicher Schuldgarantie, seit der zweiten Hälfte des 18. Jahrhunderts gegründet, um die Pflegschaftsgelder mit höherem Ertrag und ohne Verlustrisiko arbeiten zu lassen, nahmen zum Teil auch kleine andere Gutschriften an. Ebenso wurde versucht, mit öffentlichen Leih- und Pfandhäusern ein Gegengewicht zu privaten »Wuchergeschäften« zu schaffen. Das erste badische Pfandhaus wurde 1809 in Mannheim, ein zweites 1812 in Karlsruhe als städtische Institutionen errichtet. Schon bei der Einrichtung der Karlsruher Anstalt war die Angliederung einer Sparkasse geplant gewesen, diese Absichten wurden jedoch erst im Jahr 1816 realisiert. Nur Taglöhner, Dienstboten und Handwerker waren als Anleger zugelassen, alle anderen Personen blieben ausgeschlossen.[11]

In Württemberg wurde nach der Hungerkrise der Jahre 1816/17 auf Anregung und unter der Leitung des Stuttgarter Verlegers Cotta eine »freiwillige Hülfskasse« gegründet, deren vorrangiger Zweck es war, den Ankauf von Hilfsgütern zu erleichtern und Mittel für die Armenbeschäftigung vorzufinanzieren. Gleichzeitig sollte damit dem während der Krise deutlich spürbar gewordenen »Zinswucher« vorgebeugt werden. Diese Kasse war als Gesellschaft mit staatlicher Haftung organisiert und vergab für die angelegten Kapitalien fünf Prozent Zinsen, wobei die Anleger jedoch gebeten wurden, auf Erträge zu verzichten. Sie bestand bis zum Jahre 1832.[12] Auch die im Jahr 1818 gegründete »Württembergische Spar=Casse in Stuttgart« war eine direkte Reaktion auf die eben überstandene Krisenzeit. Die Kasse verzinste die Guthaben von Dienstboten »oder überhaupt von der arbeitenden bedürftigen Classe« mit fünf Prozent.[13] Königin Katharina, deren soziales Engagement die staatlichen Maßnahmen zur Verbesserung der Lebenssituation entscheidend beeinflußte, hatte auch bei dieser Gründung planend und dirigierend mitgewirkt. Insbesondere langfristig angelegte und dauerhaften Erfolg versprechende Programme und Förderungen, wie die Gründung der Akademie in Hohenheim oder die Armenerziehungs- und Beschäftigungspolitik des Wohltätigkeitsvereins fanden ihre Unterstützung.

1
Zur genauen Geschichte des Münzwesens siehe Kat.-Nrn. 531ff.

2
Kurbadisches Regierungsblatt Nr. 14, Karlsruhe 1806.

3
Verfügung des Ministeriums des Innern, enthaltend eine Warnung gegen verstümmelte Münzen vom 10. Oktober 1820.
August Ludwig Reyscher, Vollständige, historisch und kritisch bearbeitete Sammlung der württembergischen Gesetze, Bd. 15/2, Tübingen 1846, S. 1289.

4
Friedrich Wielandt, Badische Münz- und Geldgeschichte, 2. neubearbeitete Auflage, Karlsruhe 1967, S. 271–273.

5
Bürgermeisterrechnungen für die Jahre 1815 bis 1818, Stadtarchiv Pfullingen.

6
Annalen der Württembergischen Landwirthschaft, herausgegeben von Carl Freiherr von Varnbühler, 1. Bd., Stuttgart 1818, 4. Heft, S. 412.

7
J. D. G. Memminger, Beschreibung von Württemberg nebst einer Uebersicht seiner Geschichte, zweite und völlig überarbeitete Auflage, Stuttgart und Tübingen 1823, S. 421.

8
Friedrich Dittenberger, Geographisch-statistisch-topographische Darstellung des Großherzogtums Baden nach den neusten Einrichtungen und Quellen bearbeitet, Karlsruhe 1825, S. 46.

9
Vgl. Anm. 7, S. 414.

10
Vgl. Hans Schimpf, Auswanderung – Ursache, Verlauf und Struktur eines gesellschaftlichen Prozesses des 19. Jahrhunderts, dargestellt und erläutert am Beispiel des Oberamtsbezirks Münsingen, Magisterarbeit Tübingen 1980, Tabelle VII.

11
Friedrich Schulte, Die Entwicklung des Sparkassenwesens im Großherzogtum Baden, in: Volkswirtschaftliche Abhandlungen der badischen Hochschulen, 5. Bd., Tübingen und Leipzig 1902, S. 12ff.

12
August Ludwig Reyscher, Vollständige, historisch und kritisch bearbeitete Sammlung der württembergischen Gesetze, Bd. 15/2, Tübingen 1846, S. 927ff.

13
Bekanntmachung betreffend die Errichtung einer Sparkasse im Königreich Württemberg vom 12. Mai 1818, vgl. Anm. 12, S. 1031ff.

*Hans Peter Ullman, Zur Finanzpolitik des Großherzogtums Baden in der Rheinbundzeit: die Finanzreform von 1808, in: Reformen im rheinbündischen Deutschland, herausgegeben von Eberhard Weis unter Mitarbeit von Elisabeth Müller Luckner, Schriften des Historischen Kollegs, Kolloquien 4, München 1984, S. 99–120. – Direktor von Riecke, Die direkten Steuern vom Ertrag und vom Einkommen in Württemberg, in: Württembergische Jahrbücher für Statistik und Landeskunde, herausgegeben vom K. Statistisch-Topographischen Bureau, Jg. 1879, Heft 1, S. 71–150.* S. Ph.

2082*

## Geldkatze

18./19. Jahrhundert

*Leder mit Federkielstickerei, Messing*
*L. 111 cm, B. 14,5 cm*
*Bez.: L. Laupheimer*

Münsingen, Heimatmuseum, Inv.-Nr. B.33

Auf Reisen wurde Geld am sichersten direkt auf dem Leib getragen. Geldkatzen wie diese, die nach örtlicher Überlieferung aus dem Besitz eines Buttenhausener Viehhändlers stammen soll, gehörten deshalb zur Grundausstattung aller wandernden Händler. S. Ph.

2083

## Der Zahltag. Aus dem Zyklus über das Hüttenwerk Wasseralfingen

Konrad Weibrecht (1796–1838)
1825–1826

*Blei- und Federzeichnung*
*H. 13 cm, B. 36 cm (Blatt)*

Stuttgart, Staatsgalerie, Inv.-Nr. 26712, Blatt 46

2082

2084

## 2084*

### GOLDARBEITER JAKOB RIEGERT, VULGO MÄUSLE

um 1800

*Ölfarben auf Holz*
*H. 32 cm, B. 23 cm*

Schwäbisch Gmünd, Städtisches Museum, o. Inv.-Nr.

Philipp Roeder schreibt im Jahr 1804 über das Einkommen der Schwäbisch Gmünder Goldarbeiter in seiner Beschreibung Neuwürttembergs: »Bei allen diesem ist aber der Wohlstand dieser Arbeiter nicht groß. Sobald es an Bestellung mangelt, so mangelt auch die tägliche Nahrung; ihr Arbeitslohn ist äußerst gering, auch müssen sie oft anstatt der Zahlung Waaren annehmen, die sie nur mit großem Verlust in baares Geld umsetzen können«.

*Philipp Ludwig Hermann Roeder, Geographie und Statistik Württembergs, Teil 2, Ulm 1804, Seite 93.*    S.Ph.

## 2085

### 16 ASSIGNATEN IM WERT VON 500 PFUND

ASSIGNAT/de cinque cents Liv./Hypothéqué sur les DOMAINES NATIONAUX/créé le 20. Pluviose l'an 2eme de la REPUBLIQUE.

*Papier, Kupferstich*
*H. 11,8 cm, B. 17,6 cm.*
*Zwei Blindprägungsstempel mit Freiheitssymbol*
*In den Ecken:* Egalité Liberté
*Oben:* LA LOI PUNIT DE MORT/LE CONTREFAC-TEUR
*Unten:* LA NATION RECOMPENSE LE DENONCIA-TEUR

Karlsruhe, Städtische Sammlungen, Inv.-Nr. Nachlaß Giesbach Nr. 140

Nach den zeitgenössischen rechtlichen und volkswirtschaftlichen Grundsätzen sollte der Münzwert des Geldes seinem Metallgehalt entsprechen. Der Druck von Papiergeld wurde zwar bereits seit der Mitte des 18. Jahrhunderts diskutiert, aber wegen der Befürchtung, damit Staatsverschuldung und Geldentwertung zu beschleunigen, bis in die 1840er Jahre stets verworfen. Das französische Wort »assigner« hat im Deutschen die Bedeutung von »Anweisen einer Zahlung«. Die französische Republik, die ihre Ursprünge auch im finanziellen Bankrott des alten Reiches hatte, war gezwungen, diese schnell verrufenen Ersatzmittel auszugeben. Aufgrund der mangelnden Deckung der ausgegebenen Scheine wurden Assignaten in Deutschland durch einen Reichsbeschluß vom März 1793 zur verbotenen Ware erklärt und der Handel damit untersagt. Geschädigt wurden mit dieser Maßnahme auch die freiwilligen ausländischen Soldaten der Revolutionstruppen, die mit Assignaten besoldet worden waren.

*August Ludwig Reyscher, Vollständige, historisch und kritisch bearbeitete Sammlung der württembergischen Gesetze, Bd. 15/2, 2. Abt., Tübingen 1846, S. 1089.*    S.Ph.

## 2086

### GELDBEUTEL

Süddeutsch, um 1800

*Perlenstrickerei*
*L. 26 cm, B. 5 cm*

Tübingen, Städtische Sammlungen, o. Inv.-Nr.

2087

## Geldwaage

Paris, 3. Viertel 18. Jahrhundert

*Holz, Messing*
*H. 2 cm, B. 3 cm, L. 16 cm*
*Beschriftet:* Jecker, Paris, *auf der Innenseite des Deckels*
*Tabelle mit Münzwerten*

Lörrach, Museum am Burghof, Inv.-Nr. HM 84

Aufgrund der zahlreichen, nebeneinander bestehenden Währungen, der heimlichen Münzverfälschungen der Münzstätten und der Tätigkeit privater Münzfälscher gehörten Geldwaagen mit den aktuellen Vergleichstabellen der Münzen untereinander zu der Ausstattung vieler Kaufleute.                                                 S.Ph.

2088*

## Geldwechselkästchen mit Geldwaage und Gewichten

Johann Caspar Mittelstenscheid
Lennep bei Remscheid, um 1800

*Holz, Eisen, Messing*
*H. 18,7 cm, B. 10,8 cm, T. 2,3 cm*
*Messinggewichte mit folgenden Münzbezeichnungen:*
CRON.T, ls. DOR, SEVER, GINEE, FRANC, PISTOL,
MAXD, CARLIN, DUCAT

Karlsruhe, Pfinzgaumuseum, Inv.-Nr. 6d/22

2088

2090

**2089**

## KUPFER- UND KLEINSILBERMÜNZEN

Österreich, Württemberg, Baden
Ende 18./Anfang 19. Jahrhundert

Stuttgart, Württembergisches Landesmuseum,
Münzkabinett

Die Münzen zeigen einen Ausschnitt aus dem gegen Ende
des 18./Anfang des 19. Jahrhunderts im deutschen Südwesten umlaufenden Kleingeld. Die Kupfermünzen – zumeist
Prägungen der vorderösterreichischen Münzstätte Günzburg – im Wert von einem, einem halben und einem viertel
Kreuzer sind zuweilen bis zur Unkenntlichkeit abgenutzt.

*Zur Geschichte des Münzwesens vgl. Kat.Nr. 531ff.*

S. Ph.

**2090\***

## SPARDOSE

1830

*Messing, schwarz lackiert*
*H. 8 cm, T. 7,5 cm, Dm. 6 cm*
*Bez.: Emma / den 27. September 1830. / F. P.*

Affalterbach, Museum für Geldgeschichte, Gerhard
Riegraf,
Inv.-Nr. 2.058.81

**2091**

## SPARDOSE

1. Viertel 19. Jahrhundert

*Zinnblech, rot lackiert mit Golddekor*
*H. 10 cm, B. 7 cm, T. 6 cm*
*Beschr.: Üb in Deiner Jugendzeit Fleißig schon die Spar-*
*samkeit*

Affalterbach, Museum für Geldgeschichte,
Gerhard Riegraf,
Inv.-Nr. SSR 465

**2092**

## SPARDOSE

1797

*Messing*
*H. 13 cm, Dm. 13,5 cm*
*Bez.: LOUISE CHARLOTTE / WEBERIN / WARD*
*GEBOREN DEN 18. AUGUST / 1797.*

Affalterbach, Museum für Geldgeschichte,
Gerhard Riegraf,
Inv.-Nr. 5.067.84

**2093**

## SCHILD »KÖNIGLICH WÜRTTEMBERGISCHES ACCISAMT«

*Blech, bemalt*
*H. 32,5 cm, B. 24 cm*

Stuttgart, Stadtarchiv

Für die Verwaltung der herrschaftlichen und staatlichen
Finanzen war im Herzogtum Württemberg die Rentkam-
mer zuständig; in der neuen staatlichen Organisation trat
das »Steuer=Collegium« an ihre Stelle. Die Erhebung der
direkten Steuern auf Grund- und Hausbesitz und der
Gewerbesteuer wurde an Oberämter und Kommunen
delegiert. Für die Eintreibung der indirekten Steuern, der
Zölle und des Umgelds waren dem »Steuer=Collegium«

folgende Behörden untergeordnet: die für Handwerks- und Gewerbeprodukte zuständige Tax- und Stempelverwaltung, für indirekte Steuern die Accisämter, »Umgeldereyen« für die Steuern auf Wein, Branntwein und andere alkoholische Getränke und die Zollämter.     S.Ph.

## 2094

### VIER STEUERQUITTUNGEN DES OBER-ACCIS-AMTES BLAUBEUREN

dat. 27. Juli 1810

*Papier, Letterndruck, Feder*
*H. 25 cm, B. 18,5 cm*
*Links gestempeltes rotes Württembergisches Wappen*
Ober-Accisamt Blaubeuren von Jacobi bis Martini 1810
3 fl. drei Gulden Accise ausgestellt für B. Zech unterschrieben und bezeugt am 27. Juli 1810, *Unterschrift unleserlich*

Laichingen, Heimat- und Höhlenverein e. V.

## 2095

### »EINNAHM BEILAGEN ZUR BÜRGER-MEISTERRECHNUNG VON 1809/10«

Rottenburg a. N., 1809–1810

*Karton, Lederrücken*
*H. 34 cm, B. 23 cm*

Rottenburg am Neckar, Stadtarchiv, Best. R

Die Einnahmen der Stadt Rottenburg betrugen im Rechnungsjahr 1809/10 insgesamt 49 677 Gulden und 53 Kreuzer. Ein Teil dieser Gelder kam auch aus der Bestrafung von Vergehen, die aus der Not entstanden – wie etwa verbotenes Sammeln von Brennholz oder von Laub zum Einstreuen im Stall und in großen Notzeiten auch als Viehfutter. Die Summe dieser Waldfrevel ergab im genannten Rechnungsjahr 46 Gulden und 40 Kreuzer. Von diesem Betrag erhielt der denunzierende »Delator«, die staatliche Forstverwaltung und der Bürgermeister je ein Drittel.     S.Ph.

## 2096

### EINNAHMEN- UND AUSGABENBUCH DES BISCHOFS NEVEU

Offenburg, 1784–1790

*Karton, Papier, Feder*
*H. 34 cm, B. 21 cm*

Offenburg, Stadtarchiv, Inv.-Nr. 21/113

## 2097

### »DER KUKUK«. ILLUSTRATION ZU EINEM GEDICHT VON LEHRER JOSEPH EPPLE (1789–1846)

Johann Wilhelm Baumeister (1804–1846)
um 1830

*Lavierte Federzeichnung*
*H. 35,5 cm, B. 23,7 cm*

Schwäbisch Gmünd, Städtisches Museum, o. Inv.-Nr.

Zwei Bauern, die nach dem Gedicht von Joseph Epple auf der Straße handgreiflich miteinander gestritten hatten, wurden vor den Amtmann zur Bestrafung geführt. Parodiert wird auf diesem Blatt das Beamtentum, das, wann immer eine Straftat zu behandeln war, daran verdiente, während sich das übrige Volk stets auf der Seite der Zahlenden befand.

> *Wie seid ihr Bauern noch so dumm,*
> *So unverständge Leut!*
> *Es ist doch überall herum*
> *Wem jezt der Kukuk schreit!*

> *Uns Amtleut schreit er! Dann gibts Geld;*
> *Euch schreit er nur zur Straf!*
> *So ist's jezt Mode in der Welt –*
> *das merkt euch und seid brav.*     S.Ph.

## 2098*

### TRUHE. GOLDKISTE DER STADTKASSE DURLACH

Durlach, 1824

*Holz, Eisen*
*H. 30 cm, B. 80 cm, T. 44 cm*

Karlsruhe, Pfinzgaumuseum, Inv.-Nr. Eberle 1/9

2098

## Spielsucht und Staatsfinanzen: Lotto und Lotterien

Einen Gegensatz zu den sozialen Absichten und Maßnahmen, welche die bürgerliche Tugend der Sparsamkeit zum Wohl des einzelnen und des Staatswesens fördern sollten, und zu den im allgemeinen geltenden Verboten von Glücksspielen bildeten die mit staatlicher Gewinnbeteiligung durchgeführten Lotterien und Spielbanken. Zwar haben die erfolglosen Versuche der Herrschenden, dem Volk die Lust, Verlust und zuweilen auch Gewinn bringenden Hazardspiele mit Karten, Würfeln und anderem abzugewöhnen, wohl eine ebenso lange Tradition wie das Spielen selbst – aber die öffentlich propagierten Tugenden standen oft im Widerspruch zu den staatlichen Finanzierungslücken.

Bereits im ausgehenden Mittelalter waren Lotterien veranstaltet worden, zunächst zu wohltätigen Zwecken. Während des spanischen Erbfolgekriegs (1701–1713/14) sollen in fast allen holländischen Städten Lotterien zur Finanzierung der Kriegskosten gedient haben. Das Zahlenlotto mit einer Auswahl von fünf Zahlen aus neunzig war in Genua erfunden und dort um 1620 in staatliche Regie übernommen worden. Die Lotterie der Stadt Genua unterhielt noch während des 18. Jahrhunderts in vielen Städten Bureaus. Seit dem Jahr 1752 bestand in Wien eine österreichische Lotto-Anstalt, die seit 1787 in der Regie der Hofkammer geführt wurde und zwischen 1805 und 1808 Reinerträge von mehr als zwei Millionen Gulden einspielte. Auf Wien folgten Berlin, Ansbach, Bamberg, Würzburg, München, … und Mannheim. Fast alle Institute unterhielten Einnahmestellen auch in anderen Städten. Nach den Ratsprotokollen der Stadt Offenburg wurde dort seit 1777 unter der Regie des »Chur-Trierischen Herrn Lotteriedirector« alle vierzehn Tage eine Ausspielung durchgeführt. In Württemberg erhielt ein kaiserlicher Kammerherr, Marquis Mansi, im Jahr 1772 das Privileg, »sowohl das sogenannte Lotto di Genua, als auch alle andern Klassen- oder sonstige Lotterien, in den herzoglichen Landen zu betreiben«[1], das Unternehmen erhielt alle nötigen Hilfen, selbst die Unterstützung der herzoglichen Beamten bei der Eintreibung der »Collectengelder« – der repräsentationswütige Herzog versprach sich ein einträgliches Geschäft. Die Konzession wurde jedoch schon 1779, fünf Jahre vor Ablauf der Vertragszeit, zurückgenommen. Zwar mußte bei allen Formen des Lotteriespiels stets Geld eingesetzt werden, die Gewinne bestanden jedoch aus den unterschiedlichsten Objekten. Manche Künstler sahen darin eine Möglichkeit, ihre Werke abzusetzen, Handwerker erweiterten mit Lotterien ihren Markt, und verschuldete Grundbesitzer schrieben ihre Liegenschaften aus. Der Gewinn soll häufig, so die zeitgenössische Kritik, geholfen haben, sowohl die Schulden zu decken als auch den Besitz selbst zurück zu gewinnen. Wie bei allen Glücksspielen, die ein Bankdepot erfordern, waren auch hier die wahrscheinlichen Gewinnchancen der Veranstalter und Agenten am größten.

Die staatliche Verbots- und Duldungspraxis der Lotterien war nicht eben konsequent. In Baden gab es zwar kein generelles Verbot, aber zu jeder Ausspielung war eine Genehmigung einzuholen, die nur für einzelne »Fahrnißstücke«, bewegliche Objekte, erteilt werden sollte, wenn »ein Grund zu einer besonderen Vergünstigung eintritt … bey einem innländischen Kunstprodukt von hohem Wert und weniger Verkäuflichkeit, oder bey Büchersammlung dürftiger Witwen und Waisen etc.«[2]. Der kulturelle oder wohltätige Zweck sollte den Anlaß zur Ausnahmeregelung liefern, und Konzessionserteilungen waren damit vom Verhandlungsgeschick der Agenten abhängig. Entsprechend dem Beschluß des Fränkischen Kreises von 1787 waren in Württemberg alle Formen der Lotterie ebenso wie andere Glücksspiele verboten. Die notwendigen Wiederholungen der Verordnung verweisen jedoch darauf, daß auch hier das Geld nicht wie gewünscht tugendsam gespart, sondern zu nahen ausländischen Veranstaltern, etwa nach Bayern oder Österreich getragen wurde. Darüber hinaus bestanden noch innerhalb des Landes diverse Ausnahmeregelungen. »Es hat mir geträumt«, schrieb Friedrich List während seiner Inhaftierung auf dem Hohen Asperg an Justinus Kerner, »ich werde in der Lotterie mein Reisegeld gewinnen und noch etwas darüber … Wolltet Ihr nicht die Güte haben, mir von irgendeinem Kollekteur in Heilbronn (ich höre, es sollen sich dort mehrere mit diesem Geschäft abgeben) ein Los zu verschaffen, gleichviel von welcher Lotterie, nur darf es nicht über zwanzig Gulden kosten.«[3]

Gegen Verzweiflungstaten – List wollte mit dem Gewinn die Reise nach Amerika finanzieren – und Spielsucht waren moralische Appelle und Verbote machtlos: »Fleiß und Arbeitsamkeit, dieses Palladium für bürgerliche Tugenden und für die Reinheit der Sitten flieht den Lottosüchtigen; bald geräth er auf Abwege, die ihm und den Seinigen Verderben drohen … Verführt durch das Anlokende eines zweifelhaften Gewinns, schreckt ihn nicht die erste Niete. … alle Schrecknisse menschlichen Elends stürmen über ihn ein, und Verzweiflung bemächtigt sich seiner Seele!«[4]

1
August Ludwig Reyscher, Vollständige, historisch und kritisch bearbeitete Sammlung der württembergischen Gesetze, 14. Bd., Tübingen 1843, S. 869.

2
Kurbadisches Regierungs-Blatt, Nr. 7, Karlsruhe 1805, S. 128.

3
Brief von Friedrich List an Justinus Kerner vom 7.11.1824, zitiert nach Friedrich Seebass, Schwabenköpfe, Stuttgart 1958, S. 242.

4
Antrag an die badische Stände-Versammlung des Fürsten Georg zu Löwenstein und Wertheim vom 8. Juli 1819, Generallandesarchiv Karlsruhe, Bestand 233/320.

*Neues Konversationslexikon, herausgegeben von H. J. Meyer, Bd. 10. Hildburghausen 1871. – Anonym, Das Lottospiel und Die Spielbanken, Baden-Baden 1848.*

S. Ph.

Aussicht des Churpfälzischen Lotterie-HOTEL zu Mannheim.

2102

**2099**

## LOTTOTROMMEL

Offenburg, Ende 18. Jahrhundert

*Holz, Blech, Trommel außen aus Glas, rot bemalt, auf Holzgestell*
*H. 135 cm, B. 90 cm*

Offenburg, Ritterhausmuseum, Inv.-Nr. 3427

Ein Ausschnitt aus einer Offenburger Zeitung um 1900, der zusammen mit dem Lottobillett im Offenburger Stadtarchiv aufbewahrt wurde, gibt Auskunft über die Geschichte dieser Lottotrommel. Sie war seit 1777 in Benutzung. Während der Kriegszeiten wurden die üblicherweise wöchentlich stattfindenden Ziehungen jedoch zeitweilig eingestellt. Nachdem 1806, die ehemalige Reichsstadt Offenburg gehörte nun zum Kurfürstentum Baden, die Konzession für Lotterien aufgehoben worden war, kam das Glücksrad zunächst in Privatbesitz. Es wurde von der Stadt jedoch zurückerworben, um damit die noch um 1900 bestehenden Viehmarkt-Verlosungen durchzuführen.                            S.Ph.

**2100**

## LOTTERIESCHEIN

Offenburg, 1801

*Papier, Letterndruck*
*H. 16 cm, B. 9,7 cm*

Offenburg, Stadtarchiv, Inv.-Nr. 21/75

Über die Art des mit diesem Billett ausgespielten Lottos gibt ein Lexikonartikel eine nicht prägnanter zu formulierende Auskunft: »Lotto, das auch Lotto di Genua, oder die Zahlenlotterie, welche aus 90 Nummern besteht, von denen sich jeder Spieler 5 beliebige Zahlen wählt und sie mit Geld besetzt. Bei jeder Ziehung werden 5 Nummern gezogen, und trifft eine davon auf dem Billet des Spielenden befindliche Nummer, so hat dieser einen sogenannten Auszug (Extract) gewonnen, bei 2 Nummern eine Ambe, bei 3 eine Terne, bei 4 eine Quarterne, bei 5 eine Quinterne: der Auszug erhält 15 Mal so viel, als eingesetzt war; die Ambe 270, die Terne 5300, die Quarterne 60000 Mal so viel. Doch giebt es viele Abweichungen in diesem Spiele, das wegen seiner Verderblichkeit in den meisten Staaten aufgehoben worden« ist.

*Conversations=Hand=Lexikon. Ein Hülfswörterbuch für diejenigen, welche über die beim Lesen sowohl, als in mündlichen Unterhaltungen vorkommenden, mannigfachen Gegenstände näher unterrichtet seyn wollen, Reutlingen 1831.*                            S.Ph.

**2101**

## BILDNIS EINER JUNGEN FRAU

1. Hälfe 19. Jahrhundert

*Scherenschnitt, gerahmt*
*H. 8,9 cm*

Offenburg, Ritterhausmuseum, Inv.-Nr. 4238

**2102\***

## »AUSSICHT DES CHURPFÄLZISCHEN LOTTERIE-HOTEL ZU MANNHEIM«

Achsialer Aufriß
um 1770

*Papier, Holzschnitt*
*H. 12,3 cm, B. 31,3 cm*
*Bez. unten rechts: Finck fecit Basil*

Mannheim, Städt. Reiß-Museum, Inv.-Nr. A 145

**2103**

## AUSSPIELUNG DER GROSSEN HERRSCHAFT WOERDL UND EINES PALAIS IN LAIBBACH

Agentur W.H. Reingamm, Frankfurt a.M.
1. März 1822

*Papier, Letterndruck, Feder*
*H. 20 cm, B. 12,2 cm*

Karlsruhe, Generallandesarchiv, 236/2165

**2104**

## AUSSPIELUNG DER GROSSEN STAHL- UND EISENHAMMERWERKE ZU MALBORGETH

Agentur W.H. Reingamm, Frankfurt a.M.
14. März 1822

*Papier, Letterndruck*
*H. 20 cm, B. 12,2 cm*

Karlsruhe, Generallandesarchiv, 236/2165

*Beyspiellose Ausspielung eines Frauenzimmers durch die Lotterie.*

2105

## 2105*

## »Beyspiellose Ausspielung eines Frauenzimmers durch die Lotterie«

abgedruckt in: »Kurfürstlich=Badischer…
Land=Kalender… auf das Jahr 1804… gedruckt und zu
finden bey J. J. Sprinzing…«
Rastatt 1804

*Papier, Letterndruck*
*Kalender: H. 20,5 cm, B. 17 cm*

Karlsruhe, Generallandesarchiv, 236/472, Blatt 83

## 2106

## Ankündigung einer Lotterie von Spiel- und anderen Uhren

Stuttgart, Genehmigung der Lotterie am 3. August 1824

*Papier*
*H. 21 cm, B. 17,6 cm*

Karlsruhe, Generallandesarchiv, 236/2165

## 2107*

## Loszettel

1815

*Papier, auf Blatt fixiert*
*H. 27,5 cm, B. 38 cm (Blatt)*

Karlsruhe, Städtische Sammlungen,
Inv.-Nr. 8 PBS / X 575

Bei dem in Baden verbotenen »Lotto« wurden nur Geldge-
winne ausgespielt. Dagegen bestanden die Hauptgewinne
bei den erlaubten Lotterien oft in Kunst- und Kunstgewer-
beprodukten, oder, wie bei dieser Lotterie, in Liegenschaften:

Loos No

Uiber das Alleehaus in zwey Stöck bestehend, nebst einem
sehr geräumigen Keller, Stallung für 30 Pferde, nebst
gehörigen Remisen und Speichern, welches mit höchst
gnädigster Erlaubniß ausgespielt wird.

Dieses Haus liegt zwischen Karlsruhe und Durlach von
jeder Stadt ½ Stunde neben dem Landgraben, der schiffbar
ist, an der schönen PappelAllee, welche wegen ihrer
belebten Comunication der beiden Residenzstädte allgemein bekannt ist; hat eine immerwährende Schildgerech-
tigkeit und ist ongefähr mit 3½ Morgen Garten umgeben,
worauf 400 Obstbäume stehen, und zu jedem Gebrauch
ersprießlich ist.

Es wird auf 9000. Loose, das Loos zu 2f.42.kr. auf dem
Rathause zu Durlach unter obrigkeitlicher Aufsicht in 5.
Gewinnste nach der Einrichtung einer Lotterie herausge-
spielt werden. Die 1$^{te}$ N°. erhält das Haus 23000.f. an
Werth, die 2$^{te}$ eine Premie von 400.f. die 3$^{te}$ von 300.f. die
4$^{te}$ von 200.f. und die 5$^{te}$ von 100.f.

Die Ziehung geschieht nach Verschließung der Loose und
wird in öffentlichen Blättern bekannt gemacht werden.

Ch. Wagner

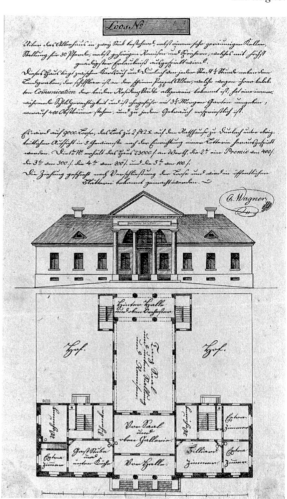

2107

## Präziser messen, effektiver nutzen: Zeit

Kalender, durch allerhöchste Privilegien genehmigt und wohlzensiert, zählen gegen Ende des 18. Jahrhunderts zur allgemeinen Pflichtlektüre. Ihr kalendarischer Teil enthält Datumsangaben, Sonnenauf- und -untergangszeiten, Mondzyklen, den Wechsel der Sternzeichen und »Zeitausgleichungs-Tafeln«, mit deren Hilfe mechanische Uhren nach der »wahren Zeit« gestellt werden können. »Mittlere Zeit im wahren Mittag ist also für einen Ort diejenige Zeit, welche eine nach der mittleren Bewegung der Sonne richtig gehende Pendul= oder Taschen=Uhr an einen jedem Tag zeigen muß, wenn der Mittelpunkt der Sonne im Mittagskreis eines solchen Ortes stehet, oder den wahren Mittag macht, und der Schatten einer richtig gestellten Sonnenuhr die 12te Mittags=Stunde weiset. Pendul= und Taschen= Uhren können daher nur selten mit dem wahren Laufe der Sonne, oder mit richtigen Sonnen=Uhren, die die wahre Zeit anzeigen, übereinkommen.«[1]

Trotz der Entwicklung der Uhrenmacherei, die annähernd einen technisch-konstruktiven Stand erreicht hat, der erst durch die Elektronik des 20. Jahrhunderts überholt werden wird, bestimmt noch der Sonnenstand die »wahre Zeit«. Noch verkündet im Ludwigsburger Schloßgarten ein vom höchsten Stand der Sonne durch ein Brennglas gezündeter Böllerschuß vernehmbar die Mittagsstunde. Noch stört es den Ablauf der Geschäfte nicht, wenn zwölf Uhr mittags in Ludwigsburg von derselben Stunde in Konstanz oder Schwäbisch Hall abweicht; noch gelten zahlreiche verschiedene Ortszeiten. Aber schon ist der Tag in zweimal zwölf gleichlange Stunden unterteilt, schon bedingt die unterschiedliche Dauer der Sonnentage keine unterschiedlichen Tageslängen mehr.

In wissenschaftlichen Debatten wird um die Maßeinheit einer Sekunde gestritten, 1820 einigt man sich schließlich auf den 86 400sten Teil eines mittleren Sonnentages. Möglich wird diese Exaktheit durch eine Fülle von technischen Verbesserungen der Uhren. Reibungs- und Antriebskräfte waren vermindert, die Laufdauer verlängert worden. Kompensatoren sorgen für eine von Temperatur- und Feuchtigkeitsschwankungen weitgehend unabhängige Ganggenauigkeit. Für astronomische Beobachtungen, chemische und physikalische Experimente gewinnt die Exaktheit der Zeitmessung immer mehr an Bedeutung. Auch im bürgerlichen Alltag wird die Uhr allmählich vom Prunkstück zum funktionalen Alltagsgegenstand. Mit präzisem Gehwerk ausgestattet und in ihrer äußeren Gestaltung dem Zeitgeschmack entsprechend, paßt sie sich in die Gestaltung der Räume ein. Auf prachtvolle Accessoires wird mehr und mehr verzichtet, nur noch selten ziehen sie mehr Blicke an als das Zifferblatt selbst. Die Zeit ist deutlich sichtbar in immer gleichgroße Abschnitte geteilt, es gilt, sie intensiv zu nutzen. In wirtschaftlichen Berechnungen schlägt sie als wichtiger Faktor zu Buche: der Geldwert der Zeit wird Teil des eben erst als solchem benannten »Zeitgeistes«.[2]

Dem Landmann, gemeinhin stellvertretend für die unteren Volksschichten so benannt, sucht man durch Erlasse, Verbote, aufklärerische Schriften und Predigten dieses neue Credo nahezubringen. Der alte Kampf der Obrigkeit gegen den die Steuerleistungen und damit das herrschaftliche Einkommen mindernden Luxus und die Verschwendung im niederen Pöbel, gegen den »Blauen Montag«, die »Gammeltage« und viele arbeitsfreie Feiertage, verbindet sich mit den ökonomischen Interessen des Bürgertums. Da die tägliche Arbeitszeit von dreizehn Stunden nicht mehr nutzbringend verlängert werden kann, wird die jährliche Arbeitszeit vermehrt. Das katholische Vorderösterreich reduziert 1772 und 1782 die Zahl der gesetzlichen Feiertage von insgesamt 41 auf 16 und droht Pfarrern, welche an verbotenen Feiertagen besondere Messen lesen, Strafen bis zu zwanzig Gulden an. Württemberg und andere Länder folgen diesem Beispiel.

Der Frage, wie das Volk am besten belehrt und angehalten werden könne, an den »abgebrachten Feyertagen zu arbeiten«, werden ganze Konferenzen gewidmet und im Archiv für Pastoralkonferenzen, dem offiziellen Organ der Diözese Konstanz, als Musterpredigten veröffentlicht. Die Kanzel wird einmal mehr zum Rednerpult der aufgeklärten Ökonomie, die Predigt zum Rechenexempel. Aus den durchschnittlichen Verdiensten berechnet man eine Summe »von 1625 fl. (Gulden), welche nur allein in unserem Dorfe durch die Abstellung der Feyertage mehr verdient würde. Welch große Summe müßte es abwerfen, für eine ganze Provinz, für ein ganzes Königreich?«[3]

Am stärksten greift jedoch die junge französische Republik in den gewohnten Rhythmus von Arbeits- und arbeitsfreien Tagen ein. 1793 wird der Kalender nach dem Dezimalprinzip neu geschrieben und die alte Zeitrechnung buchstäblich revolutioniert. Zwölf Monate mit je dreißig Tagen und jeder zehnte Tag ein Ruhetag sollen nun als Jahresrhythmus gelten. Die vier, in Schaltjahren fünf überzähligen Tage des Sonnenjahres werden als arbeitsfreie Ergänzungstage zum Jahreswechsel angehängt. Insbesondere von den Bauern nie akzeptiert und trotz Strafen unterlaufen, wird auch diese Revolution von Napoleon, der nach der alten Zeitrechnung am 1. 1. 1800 sein Scheinparlament erstmals zusammentreten läßt, in Übereinstimmung mit dem Papst 1806 wieder aufgehoben.   S. Ph.

1
Wirtembergischer Hof-Calender auf das Schaltjahr 1788, Stuttgart, S. 59.

2
Vgl. Rudolf Wendorff, Zeit und Kultur – Geschichte des Zeitbewußtseins in Europa, 2. Aufl. Opladen 1980.

3
Archiv für Pastoralkonferenzen in den Landkapiteln des Bistums Konstanz, Jg. 1804, Heft 7, S. 16.

2108

2109

2108*

## WÄCHTER-KONTROLLUHR

Schwarzwald, nach 1805

*Holz, Eisen, Messing*
*Dm. 24 cm*

Stuttgart, Württembergisches Landesmuseum,
Inv.-Nr. 1968–394

Zweierlei beabsichtigte der Triberger Obervogt 1806 mit
der Propagierung der Wächter-Kontrolluhr zu erreichen:
der Stundenruf der Nachtwächter – an dem zu erkennen
war, ob dieser seinen Dienst versah – sollte erübrigt und
die Produktion der Schwarzwälder Uhrenmacher durch
einen auch im Export Erfolge versprechenden Artikel
bereichert werden.
Die erste bekannte Kontroll-Uhr wurde vom bayerischen
Kriegsminister Graf von Rumford konstruiert und vom
Münchner Polizeidirektor Baumgartner weiterentwickelt.
In Kenntnis dieser Erfindung suchte der Freiburger Polizei-
kommissär Sines Bertsche nach einem Uhrmacher, der eine
Uhr zum selben Zweck bauen sollte. 1803 wurde von
Anton Gut in Möhringen eine Musteruhr angefertigt und
seit 1806 von anderen Uhrmachern nachgebaut. Durch
einen Hebel konnten zu bestimmten Stunden einzelne
ausziehbare Zapfen eingeschoben werden. War diese Zeit
verstrichen, so blieb der Zapfen außen und die Versäumnis
sichtbar. Ein Instrument zur Überwachung in Abwesenheit des Überwachers war entstanden.

*Gerd Bender, Die Uhrenmacher des hohen Schwarz-*
*waldes und ihre Werke, Villingen 2. Auflage 1979, Bd. 1,*
*S. 348ff.*                                        S. Ph.

2109*

## HORIZONTAL-SONNENUHR

Schweiz, 1795

*Zinn, graviert, Stein*
*Dm. 14,5 cm*

Stuttgart, Württembergisches Landesmuseum,
Inv.-Nr. 1968–350

Achteckige Horizontal-Sonnenuhr aus graviertem Zinn
für eine Polhöhe von etwa 47° auf Stein montiert. Ringsum
der Spruch: *Deum ora, volct hora, omni hora. 1795.* S. Ph.

2110*

## SEXTANT ZUR EXAKTEN EINSTELLUNG
## EINER SONNENUHR

Gottlob Friedrich Haug
Stuttgart, Ende 18. Jh.

*Holz*
*H. 23,5 cm*
*Signiert: G. Friedr. Haug in Stuttgart*

Stuttgart, Württembergisches Landesmuseum,
Inv.-Nr. E 306

2111*

## ANLEITUNG ZUM GEBRAUCH EINES SEXTANTEN...

Gottlob Friedrich Haug
Stuttgart, 1794

*Papier, Letterndruck, 112 Seiten (mit Kupferstichen)*
*H. 18,6 cm, B. 10,7 cm*

Stuttgart, Württembergisches Landesmuseum,
Inv.-Nr. 1923–37

2110, 2111

Der vollständige, werbend ausführlich formulierte Titel
lautet:
*Kurze und deutliche Anleitung zum Gebrauch eines Sex-*
*tanten, und denen hierzu gehörigen Tafeln der Sonnenhö-*
*hen, vermittelst welcher man, aus einer einzigen beobach-*
*teten Sonnenhöhe, die wahre Zeit sehr genau finden kann.*
*Ein leichtes Mittel alle Uhren in unserm Lande, und in den*
*übrigen, unter gleicher geographischer Breite liegenden*
*Ländern Teutschlands, mit der Sonne und untereinander,*
*übereinstimmend zu machen. Nebst einem Verzeichnis*
*vieler mechanischer, physikalischer, astronomischer und*
*mathematischer Werkzeuge, welche verfertigt werden von*
*Gottlob Friedrich Haug, Herzogl. Hofmechanikus und*
*Hofuhrmacher in Stuttgart. Stuttgart, gedruckt mit Cot-*
*taischen Schriften, 1794.*
Trotz dieser und zahlreicher anderer Hilfen zur exakten
Bestimmung der Sonnenzeit zeigten die Uhren unter-
schiedliche Zeiten und das, obwohl sie, glaubt man den
Ausführungen des Stuttgarter Hofuhrmachers Haug im
Vorbericht dieser Schrift, leicht erlernt werden konnten:
*von Jedem, der auch sonst mit solchen Werkzeugen nicht*
*umzugehen, und nur eine Waage zu gebrauchen, und den*
*Tag im Kalender aufzusuchen weiß.* Noch 1828 mußte das
Württembergische Innenministerium per Erlaß mahnen,
daß überall »die Stadt-Uhren stets gehörig nach dem
Sextanten gestellt und gerichtet« und die »im Allgemeinen
wünschenswerte Gleichheit der einzelnen Orts-Uhren
möglichst hergestellt werden« solle.

*Zit. n. Friedrich A. Köhler, Eine Albreise im Jahre 1790 zu*
*Fuß von Tübingen nach Ulm, hg. von Eckart Frahm,*
*Wolfgang Kaschuba und Carola Lipp, Bühl-Moos 1984,*
*S. 251.*                                    S. Ph.

# Uhrenmode

Es gibt wohl kaum einen anderen Gebrauchsgegenstand – wenn man sie als einen solchen bezeichnen will –, der in seinem äußeren Erscheinungsbild so der Mode unterworfen war und ist, wie die Uhr. Wenn man die vielen bunten Bildbände durchblättert, die bis heute leider den Großteil der Uhrenliteratur ausmachen, dann absolviert man einen Kurzlehrgang der Stilgeschichte des Kunsthandwerks, von der Gotik bis zum Jugendstil; die jüngste Zeit ist häufig noch nicht berücksichtigt!

Besonders in älterer Zeit war eine Uhr ein Wertobjekt, das sich nur Begüterte leisten konnten und das eine entsprechende »Verpackung« erhielt, die einerseits dem Wert der Uhr, andererseits dem gesellschaftlichen Rang des Besitzers gerecht werden mußte, und die stilistisch auf der Höhe des Zeitgeschmacks zu stehen hatte. Deswegen verwundert es kaum, daß bei einem Wechsel der Mode Uhrwerke häufig in neue oder »modernisierte« Gehäuse umgesetzt wurden, da sie zum Wegwerfen natürlich zu kostbar waren. So wurde z. B. eine Astronomische Maschine von Philipp Matthäus Hahn, die in ein üppiges Rokoko-Gehäuse eingebaut war, zu Beginn des 19. Jahrhunderts in ein von Nikolaus Thouret entworfenes streng klassizistisches umgesetzt. Große Verbreitung fanden um 1780 sog. Lyra-Uhren (Pendule lyre), weil dieser Typ von Ludwig XVI. favorisiert wurde und man selbstverständlich dem König in geschmacklicher Hinsicht nicht nachstehen wollte.

Stilbildend für die Uhrenmode der Zeit zwischen 1790 und 1830 wirkten die Pariser Uhrenkünstler, mehr Bildhauer und Bronzegießer als Uhrentechniker, die einfache, von Zulieferern hergestellte Serienuhrwerke mit Hinterpendel und Ankerhemmung in ihre prächtigen Gehäuse einbauten. Die »eigentliche« Uhr trat oft völlig in den Hintergrund, ja man suchte sie so unauffällig wie möglich anzubringen. Modeuhr jener Zeit war die 30 bis 80 cm hohe Stutzuhr, auch Kamin- oder »Empire«-Uhr genannt, mit vollplastischen allegorischen Darstellungen aus vergoldeter Bronze, manchmal auch aus Zinkguß, mit weiß emailliertem Zifferblatt oder Ziffernring. Häufig ist ein Stundenschlag, bei teureren Stücken Halb- oder Viertelstundenschlag (Grande sonnerie) vorhanden. Sehr beliebt waren zeitweise skelettierte Uhren mit offen sichtbarem Werkaufbau, der in der Regel technisch aufwendiger, individueller und interessanter war als bei den Serienwerken. Spezifische stilistische Eigenarten wechseln jeweils nach wenigen Jahren, so daß im Standard-Werk über die französische Pendule[1] folgendermaßen klassiziert werden kann: Pendule Louis XVI – Pendule Directoire – Pendule Empire – Pendule Charles X usw.

Zu den wichtigsten deutschen Uhrengestaltern gehört David Roentgen, der eine große Zahl von Gehäusen, fast immer für Bodenstanduhren, gebaut hat, deren Stil sich vom Rokoko zum Klassizismus wendet.

Mit der beginnenden Verbreitung von Uhren auch in »niederen« Volksschichten bleibt das Bestreben, die billigeren Uhren modisch zu gestalten, erkennbar. Nur mußte der technische und materielle Aufwand erheblich reduziert werden, der Surrogatcharakter wird dann deutlich sichtbar und wirkt mitunter bemüht und unbeholfen. Einige Beispiele hierfür zeigt unsere Ausstellung.

Freilich gab es auch Uhren, deren Gestaltung nicht modischen, sondern funktionalen Gesetzen folgte – mitunter fügten sich beide einander ergänzend zusammen! Hierzu gehören vor allem wissenschaftliche Präzisionsuhren des 18. und 19. Jahrhunderts, deren »zeitlose« Eleganz noch heute besticht.

1
Tardy, La Pendule française. Des Origines a nos Jours, 3 Bde., Paris 1961 ff.

*Klaus Maurice, Die französische Pendule des 18. Jahrhunderts. Ein Beitrag zu ihrer Ikonologie, Berlin 1967. – Ders., Die deutsche Räderuhr, München 1976.*    C. V.

2112*

## NACHT-LICHT-UHR MIT WECKAPPARAT UND ETUI

Frankreich, nach 1762

*Eisenblech, Kupfer, Messing, Glas*
*H. 57 cm*
*Signiert: Simonet*

Stuttgart, Württembergisches Landesmuseum,
Inv.-Nr. 1968/506

Die erste bekannte Reklame für die Uhr erschien in der Pariser Zeitung »Annonces, Affiches et Avis divers du 28 juillet 1762.« Ein Herr Musy warb dort mit folgenden Eigenschaften: »1. Kann man darauf irgendein Getränk warmhalten; 2. tönt zu jeder Stunde eine Glocke, die Patienten oder Nachtwächter erinnert, daß es Zeit zum Einnehmen ist; 3. hat man die ganze Nacht ein mildes Licht, das weder ermüdend noch schlafraubend wirkt; 4. befindet sich im Innern des Apparats ein Zifferblatt, von dem man bei Beleuchtung derselben Kerze die Stunden ablesen kann; 5. ist ein Wecker angebracht, der auf einer zum Einnehmen bestimmten Stunde abläuft, und 6. brennt in dieser Nachtuhr nur eine kleine Kerze, von denen 32 auf ein Pfund gehen.« Erreicht werden diese Funktionen durch das Zusammenwirken von Uhrwerk, Kerzenlänge und -flamme: Auf einem trichterförmigen Fuß ruht ein langer Schaft, der als Kerzenbehälter dient. Eine starke Feder drückt die abbrennende Kerze nach oben, damit wird gleichzeitig der Uhrzeiger in Gang gesetzt. Über dem Kerzenbehälter sitzt ein würfelförmiger Kasten, der mit aufziehbaren Klappen versehen ist. Hinter der – durch eine automatische Lichtputzschere immer in günstiger Docht-länge gehaltenen – Kerzenflamme befindet sich das Ziffer-blatt. Der Wasserbehälter bildet den oberen Abschluß der Uhr. Zur eingestellten Zeit fällt die rechte Seitenklappe auf und gibt den Blick auf das Zifferblatt frei, gleichzeitig ertönt das im Fuß montierte Weckerwerk.
Diese multifunktionale Uhr entsprach der Begeisterung des ausgehenden 18. Jahrhunderts für die Mechanik und war offenbar so ein Verkaufserfolg, daß sie von verschiedenen Uhrmachern noch bis zur Jahrhundertwende nachgebaut wurde.

*Königlich Württembergisches Landes-Gewerbemuseum,*
*Führer durch die Uhrensammlung, Im Auftrag der*
*Museumsdirektion verfaßt von Leo Balet, Stuttgart 1913,*
*S. 14f.*                                                    S. Ph.

2113*

## TISCHUHR

Süddeutschland, um 1800

*Messing, Email*
*H. 25 cm, B. 20 cm*

Ehingen, Heimatmuseum

2114*

## TISCHUHR

Württemberg, um 1800

*Messing, Email*
*H. 16 cm, B. 7 cm, T. 7 cm*

Göppingen, Museum im Storchen

Bei beiden Uhren wird versucht, mit einfachsten Mitteln eine Empire-Uhr zu gestalten, um dem modischen Zeitgeschmack gerecht zu werden. Die sehr einfachen Uhrwerke sind in ein »Gehäuse« aus Messingblech eingebaut, das in den typischen Konturen ausgesägt ist, gleichsam wie ein Scherenschnitt.                                          C. V.

2113

2114

2115

2116*

## WANDUHR

Österreich/Süddeutschland, um 1800

*Holz, Messing, Email*
*H. 60 cm, B. 47 cm*

Privatbesitz

2115*

## BILDERUHR

Württemberg, um 1800

*Öl auf Leinwand, Messing, Email*
*H. 60 cm, B. 80 cm*

Göppingen, Museum im Storchen

Seit etwa 1780 kamen die sog. Bilderuhren in Mode und erfreuten sich bis weit ins 19. Jahrhundert hinein großer Beliebtheit. Auf einem Ölgemälde auf Leinwand, Holz oder Blech waren Landschafts- oder Ortsansichten dargestellt, meist mit einer Kirche, bei der die gemalte Turmuhr durch eine kleine Penduluhr, häufig mit Schlagwerk, eingebaut war. Die hier gezeigte Bilderuhr zeigt Stiftskirche zu Faurndau bei Göppingen.                                    C. V.

2116

2117

2117*

STUTZUHR

Frankreich, um 1790

*Marmor, Zinkguß, Messing, Email*
*H. 60 cm, B. 56 cm, T. 22,5 cm*

Stuttgart, Württembergisches Landesmuseum,
Inv.-Nr. E 3398

Auf schwerem Marmorsockel mit Serienuhrwerk sitzende
weibliche Figur, wahrscheinlich als Allegorie von Dichtkunst und Musik zu verstehen, jedenfalls als eine der
klassischen Musen nicht eindeutig identifizierbar. Bemerkenswert, weil äußerst selten so ausgeführt, ist die Gestalt
der Lyra in ihrer ursprünglichen antiken Bauform mit
Schildkrötenpanzer und Stierhörnern.           C.V.

## Zeitgemäß: Taschenuhren

2118

Im Verlauf des 18. Jahrhunderts gewinnen Taschenuhren durch zahlreiche technische Verbesserungen nicht nur an Präzision, sondern auch in modischer wie symbolischer Hinsicht an Wert. Sie werden Ausdruck von Wohlstand, Modernität und männlicher Würde. Der modebewußte Herr beliebt in den 1790er Jahren deren gleich zwei links und rechts des Gürtels sichtbar an einer Kette zu tragen. Die Dame von Welt demonstriert Zeitbewußtsein an einer Kette um den Hals oder an der schmalen Taille. Modisch orientiert an klassisch antiker Schlichtheit, die keine Taschenuhren kannte, läßt man die – dank der Uhrmacherkunst immer flacher werdenden – Uhren um die Jahrhundertwende in den Taschen verschwinden. Ebenso wie in den modisch führenden Oberschichten findet die Taschenuhr auch im Kleinbürgertum zunehmend mehr Benutzer. Seit 1770 verzeichnen die Inventur- und Teilungsakten ihren Besitz auch in Handwerkernachlässen, nach 1820 gehören sie zum häufigst genannten Männerschmuck.[1]

Die Voraussetzungen für den Aufschwung sind in umwälzenden Veränderungen der Uhrenindustrie zu suchen. In der zweiten Hälfte des 18. Jahrhunderts um den Minutenzeiger bereichert, seit etwa 1760 auch mit Sekundenzeigern ausgestattet, durch verbesserte Verfahren des Emaillierens zunehmend lesbarer, mittels ständig verbesserter Hemmungen der Unruhe und Lagerung in verschleißarmen Rubinen der Werke präziser, durch Verzicht auf die Montage der Werke zwischen zwei Platinen flacher geworden, bietet sich dieses, längst arbeitsteilig produzierte Glanzstück der Mechanik geradezu für eine industrielle Fertigung an. Auch die hohe Nachfrage rechtfertigt die notwendigen Investitionen. In Frankreich, neben England und der Schweiz ein traditionelles Exportland, werden seit 1770 Rohwerke mit Hilfe von Maschinen hergestellt. Um 1780 sind allein im Kanton Genf etwa 3000 Menschen in dreißig verschiedenen Berufen mit der Uhrenherstellung beschäftigt. Selbst Voltaire läßt zeitweise von Schweizern in Frankreich eine Uhrenmanufaktur betreiben. Süddeutschland, mit einer nur im Schwarzwald entwickelten, jedoch auf Raumuhren spezialisierten Uhrenmacherei, zählt zu den wichtigsten Abnehmern.

1
Anja R. Benscheidt, Kleinbürgerlicher Besitz. Nürtinger Handwerkerinventare von 1660 bis 1840, Münster 1985.

*Königlich Württembergisches Landes-Gewerbemuseum, Führer durch die Uhrensammlung. Im Auftrag der Museumsdirektion verfaßt von Leo Balet, Stuttgart 1913. – Catherine Cardinal, Die Zeit an der Kette. Geschichte, Technik und Gehäuseschmuck der tragbaren Uhren vom 15. bis zum 19. Jahrhundert, München 1985.*

2118*

### TOMBAK-UHR

Frankreich, um 1780

*Vergoldetes gepreßtes Zifferblatt, weiße Emailzifferplättchen, Spindelwerk*
*Dm. 5,1 cm*

Stuttgart, Württembergisches Landesmuseum, Inv.-Nr. 1968–133

Darstellung einer sitzenden Diva im Wald mit Rundtempelchen. Die Ziffern sind auf weiße Emailplättchen aufgebracht. Das Außergewöhnliche dieser Uhr liegt nicht nur in ihrer schönen Gestaltung, sondern auch in dem für das Gehäuse verwendeten Material. Tombak, eine Legierung aus Kupfer und Zink mit einer geringen Beimischung von Zinn, wurde zeitweise fast ebenso geschätzt wie Gold.

S. Ph.

2119

### TASCHENUHR

Frankreich, um 1780–1790

*Vergoldetes Kupfer, Silbermedaillon, Emailzifferblatt, Werk mit Spindelgang, Brückenkolben*
*Dm. 5,5 cm*

Stuttgart, Württembergisches Landesmuseum, Inv.-Nr. 1968–107

Taschenuhr aus vergoldetem Kupfer mit rankengraviertem Zifferblatt: oben ein geschlagenes Silbermedaillon mit Christus am Kreuz und 2 Engeln (?).    S. Ph.

2120

## DAMENTASCHENUHR AN AUFHÄNGEHAKEN

Berthouch
Paris, 1780–1790
Aufhängehaken: 2. Viertel 19. Jahrhundert

*Gold, Goldbronze*
*Dm. 10,2 (3,9) cm*
*Sign.:* Berthouch A. Paris

Stuttgart, Württembergisches Landesmuseum,
Inv.-Nr. 11443

Die Uhr hat ein rundes Gehäuse und ein bemaltes Emailzifferblatt, auf welchem im inneren Kreis die Stunden, im äußeren die Minuten angezeigt werden. Die Bemalung zeigt einen Krieger und ein Mädchen, die auf ein Schiff deuten, wahrscheinlich Paris und Helena.        S. Ph.

2121

## LOUIS-XVI-TASCHENUHR

M. Brecht »S'l Buchle-Louysbourg«
Ludwigsburg 1780–1790

*Messing vergoldet, Zifferblatt weiß emailliert, Goldglas,*
*Spindelwerk signiert*
*Dm. 4,1 cm*
*Sign.:* M. Brecht fec./»S'l Buchle-Louysbourg«

Stuttgart, Württembergisches Landesmuseum,
Inv.-Nr. 1968–100

2122*

## CHATELAINE

Deutsch, 2. Hälfte 18. Jahrhundert

*Bronze mit Email*
*L. 16,7 cm*

Stuttgart, Württembergisches Landesmuseum,
Inv.-Nr. 1968–192

Die Uhrenkette besteht aus verschiedenen, ursprünglich nicht zusammengehörigen Teilen: einem doppelgliedrigen Barock-Kettenteil mit 2 Kupfer-Email-Anlagen, die romantische Landschaften darstellen und einem Louis-XIV-Anhänger aus 3 von Kränzen umgebenen Medaillons.        S. Ph.

2122

2123

## TASCHENUHR

G. F. Hahn
Echterdingen, um 1790

*Silber, Messing, Email; Zylindergang*
*Dm. 6 cm*
*Bez. a. d. Rückplatine:* G. F. Hahn à Echterdingen

Stuttgart, Württembergisches Landesmuseum,
Inv.-Nr. 1937-108

Silberne Taschenuhr mit Hauptzifferblatt für Sekunden und Monate und fünf Hilfszifferblättern für Minuten, Wochentage, Mondphasen, Datum und Stunden.
Unklar ist gegenwärtig noch, wer sich hinter G. F. Hahn verbirgt, wahrscheinlich der Sohn Gottlieb (Friedrich?) von Philipp Matthäus Hahn, der in den letzten Jahren von Hahns Echterdinger Zeit (kurz vor 1790) in der Werkstatt des Vaters gearbeitet hat.        C. V.

2124

TASCHENUHR

um 1790

*Silber, Emaillezifferblatt, Werk mit Spindelgang,
Brückekolben*
*Dm. 5,5 cm*

Stuttgart, Württembergisches Landesmuseum,
Inv.-Nr. 1968–816

Das Zifferblatt ist in der oberen Hälfte weiß für die
Tagesstunden, in der unteren Hälfte königsblau mit goldenen Sternchen für die Nachtstunden.                    S. Ph.

2125*

TASCHENUHR

Neidhardt (?)
Stuttgart, Ausgang 18. Jahrhundert

*Silber, Schutzbüchse Silber*
*Dm. 4,8 (4,2) cm*

Stuttgart, Württembergisches Landesmuseum,
Inv.-Nr. 14312

Zu der Uhr gehört ein mit *Neidhardt Stuttgart* gekenn-
zeichneter Schlüssel. Marken: Schreitender Löwe und
unkenntlich.                                            S. Ph.

2126

TASCHENUHR

Rosselet
Frankreich (?), um 1800

*Emailzifferblatt, bemalt, Statue vergoldete Bronze*
*Dm. 5,7 cm*

*Signiert:* Rosselet (Werk)
Stuttgart, Württembergisches Landesmuseum,
Inv.-Nr. 1968–129

2127*

TASCHENUHR

Bréguet
Paris, um 1800

*Silber, Emailmalerei*
*Dm. 5,7 cm*
*Sign.:* Bréquet à Paris

Stuttgart Württembergisches Landesmuseum,
Inv.-Nr. 1968–168

Taschenuhr mit buntbemaltem Emailzifferblatt. In der
Mitte ein kleiner Zifferring, links davon ein Soldat, rechts
eine violette Fahne unter einem Palmenbaum. Spindelgang.

2125

2127

Abraham Louis Bréguet (1747–1823) zählte zu den besten französischen Uhrmachern, er belieferte den hohen Adel und Geldadel der gesamten Welt. Zahlreiche Erfindungen, technische und ästhetische Perfektion begründeten seinen Ruhm. Seine Produktion, mit der nur die besten Uhrmacher betraut wurden, umfaßte ebenso »einfache Uhren« für ein Luxus gewohntes Publikum wie Uhren mit allen denkbaren Komplikationen der Zeit, selbst Taschenuhren mit automatischem Aufzug, der durch die Bewegung des Trägers betätigt wurde.

*Catherine Cardinal, Die Zeit an der Kette. Geschichte, Technik und Gehäuseschmuck der tragbaren Uhren vom 15. bis zum 19. Jahrhundert, S. 98ff.*   S. Ph.

2128*

## TASCHENUHR

Duchène
Paris (?), um 1800

*Silber, Emailzifferblatt, Spindelgang*
*Dm. 5,4 cm*
*Sign.: Duchène*

Stuttgart, Württembergisches Landesmuseum,
Inv.-Nr. 1968–131

2129

## TASCHENUHR

Paris (?), um 1810

*Silber, Spindelgang*
*Dm. 5,3 cm*

Stuttgart, Württembergisches Landesmuseum,
Inv.-Nr. 1968–106

Das Zifferblatt ist aus gepreßtem Silber und zeigt eine Darstellung der Verkündigung.

2130*

## TASCHENUHR

um 1810

*Silber, Emailzifferblatt, bemalt, Werk mit Spindelgang, Kette und Schnecke*
*Dm. 6 cm*

Stuttgart, Württembergisches Landesmuseum,
Inv.-Nr. 1968–128

Auf weißem Emailzifferblatt 2 kleine Medaillons, in denen bunt bemalte Brustbilder eines Herrn und einer Dame in zeitgenössischer Tracht abgebildet sind.   S. Ph.

2128

2130

2131

## TASCHENUHR MIT WÜRFELSPIEL

England, um 1810

*Silber, Spindelwerk*
*Dm. 5,5 cm*

Stuttgart, Württembergisches Landesmuseum,
Inv.-Nr. 1968–105

Drückt man auf den Knopf, so verspringen die Augen, die
durch drei Ausschnitte im silbernen Zifferblatt sichtbar
sind.                                                                S. Ph.

2132

## TASCHENUHR

Joseph Maler
Stauffen, 1820

*Silber, Zylindergang*
*Dm. 5,1 cm*
*Signiert:* Joseph Maler a Stauffen
*Gehäuse bez.:* CAT *unter einer Krone*

Stuttgart, Württembergisches Landesmuseum,
Inv.-Nr. 1968–177

Uhr mit Selbstaufzug, durch die Bewegung beim Gehen
rutscht das Pendel auf der unteren Platine hin und her und
zieht das Werk auf.                                          S. Ph.

2133*

## UHRKETTE MIT ANHÄNGERN

Meister J. G.
Schwäbisch Gmünd, 1. Viertel 19. Jahrhundert

*Silber*
*L. 22 cm*

Schwäbisch Gmünd, Städtisches Museum, o. Inv.-Nr.

2133

2134*

## ETUI MIT 7 ZIFFERBLÄTTERN

Ende 18. Jahrhundert

*Email bemalt, samtgefüttertes Etui*
*Dm. 4 bzw. 4,4 cm*

Stuttgart, Württembergisches Landesmuseum,
Inv.-Nr. 10068

Dieses Etui diente wahrscheinlich einem reisenden Händler von Zifferblättern als Muster. Die einzelnen Zifferblätter zeigen folgende Szenen:
1. junges Mädchen mit Hühnern,
2. sitzendes Mädchen mit Blumenkorb,
3. junger Herr und Knabe, spazierengehend,
4. junges Mädchen mit Rosen an einer Urne,
5. Jäger mit Hund,
6. sitzender Hirte,
7. sitzender Vogelfänger.  S. Ph.

2134

# Uhrenmacher und Uhrenhandel im Schwarzwald

Die Anfänge der Schwarzwälder Uhrenproduktion gehen bis in das 17. Jahrhundert zurück. Unterbrochen durch den 30jährigen Krieg, wurde die Produktion um 1720 erneut wiederaufgenommen. Hergestellt wurden zunächst nach altem Vorbild Waaguhren mit hölzernen Räderwerken, obwohl inzwischen bereits das Pendel erfunden worden war. Erst um die Mitte des 18. Jahrhunderts hielt diese Neuerung in Form des Kuhschwanzpendels Einzug im Schwarzwald.

Bereits um 1800 wurde die Uhrenmacherei arbeitsteilig betrieben. Bedingt durch die hohe Nachfrage, besonders nach Kuckucksuhren, überließen die Uhrmacher »gerne anderen jene Kleinigkeiten, die mehr Mühe als Kunst erfordern, und halfen dadurch vielen zu einem guten Stück Brod. Sonderlich jetzt sind aller Orten auf dem Walde gewisse Leute bestellt, welche die Gehäuse machen; andere, welche Räder von den Stangen sägen, und wiederum andere, welche die Zifferblätter in allerhand Formen drucken.«[1]

In den 1820er Jahren hatten sich aus der Überlassung von »Kleinigkeiten« bereits hochgradig spezialisierte Berufe entwickelt: Schildbrettmacher, Schilderdreher, Schildermaler, Glocken- und Rädergießer, Räderdreher, Kettenmacher und Gestellmacher. Die Figuren der Automatenuhren wurden, ebenso wie der berühmte Kuckuck, häufig von Frauen hergestellt. Für den Vertrieb sorgten zumeist in Kompagnien zusammengeschlossene Händler.

Aufgrund der großen Distanzen zu den Exportländern – Schwarzwälderuhren wurden bis nach Rußland, in die Türkei und seit 1790 auch nach Nordamerika vertrieben – gewannen die zunächst nur gegen Provision als Mittelsmänner der Uhrenhändler aufgetretenen »Uhrenpacker« an Bedeutung. Vor allem Wirte und Krämer übernahmen den Zwischenhandel, sie organisierten nicht nur den Vertrieb der Uhren, sondern schalteten sich auch zwischen die Uhrmacher und deren Zulieferer. Oft wurden Uhren nur im Gegengeschäft gegen Lebensmittel, Bekleidung, Material und Werkzeuge aufgekauft. »Der Wirt geht auch mit«, beklagte sich die Uhrenarbeiterin Margaretha Dufner in einem Aufsatz der Sonntagschule.[2] »Wer nicht ins Wirtshaus lauft, und nicht sein Geld darin versauft, Dem nimmt er keine Uhren ab. Sonst sind die Uhren schlecht Und niemals einem Wirth recht.« Dieses »Truck-System« ließ den abhängigen Uhrenmachern kaum noch eigene Kalkulationsmöglichkeiten und führte zu oft hohen Verschuldungen. Geringer werdende Qualität und mangelnde Innovationsfähigkeit waren damit fast zwangsläufig. Der Niedergang der hausgewerblichen Uhrenmacherei in den 1820er Jahren hatte auch hierin eine seiner Ursachen.

S. Ph.

1
Franz Steyrer, Geschichte der Schwarzwälder Uhrenmacherkunst, Freyburg 1796, zitiert nach: Gerd Bender, Die Uhrenmacher des hohen Schwarzwaldes und ihre Werke, Bd. 1, S. 348 ff.

2
Zitiert nach Bender, wie Anm. 1, Bd. 2, S. 312

2135

## WAND-UHR

Schwarzwald, datiert 1806

*Weichholz, Metall*
*H. 38 cm, B. 28 cm*
*Bez.: Die Or ist gewis aber der Tod ist ohn gewis 1806*

Ravensburg, Inv.-Nr. 11221

2136*

## SCHWARZWÄLDER FIGURENUHR

um 1800

*Holz, Messing, Eisen, Automatenuhr mit hintengehendem Pendel, holzgespindelte Messingräder mit Laterntrieben, Stundenschlag auf Metallglocke, zusätzliches Läutewerk aus zwei kleinen Glocken.*
*H. 43,5 cm, B. 25,5 cm (Schild*

Karlsruhe, Badisches Landesmuseum, Inv.-Nr. Sp 2039

2136

2137

Das weiß gemalte Zifferblatt ist mit einer bunten Trophäe und Rosen bemalt, die vollen Stunden sind mit römischen, die Minuten – 15, 30, 40 und 60 – mit arabischen Ziffern gekennzeichnet. Die ganze linke Hälfte des Uhrwerks nimmt ein Spielwerk ein, das auf elf Metallglocken sechs verschiedene Stücke spielt. S. Ph.

In der Szene, die sich über dem Zifferblatt zu jeder vollen Stunde abspielt, fließen das biblische Motiv der Enthauptung Johannes des Täufers und die blutigen Ereignisse der Französischen Revolution ineinander: Zu jedem Stundenschlag schlägt der Henker an den Kopf des Opfers, beim letzten Schlag stellt der Gehilfe das Haupt auf die (fehlende) von einer weiblichen Figur gehaltene Schüssel. Die Figuren tragen Kleidung und Haartracht des Empire, sie verkörpern die Jakobiner und deren »Herrschaft der Guillotine«. S. Ph.

2137*

### SCHWARZWÄLDER MUSIKUHR MIT GLOCKENSPIEL

Schwarzwald, datiert 1823

*Holzschild bemalt, Zeiger und Räderwerk Messing, Pendel mit Hackengang rückwärts, Stundenschlagwerk mit Metallglocke*
*H. 42 cm, B. 30 cm*
*Sign.: B. H.*

Stuttgart, Württembergisches Landesmuseum, Inv.-Nr. 1968–461

2138*

### SCHWARZWÄLDER KALENDER-UHR

Schwarzwald, Anfang 19. Jahrhundert

*Holz, Messing*
*H. 25 cm, B. 41 cm*
*Bez. links: Gottes Aug allein sint in daß inerste hinein*
*Mitte: Das Kreuz allein wär nicht so schwähr wenn wan nur daß böse wib nicht wär*
*Rechts: Mich erfreut zu jeder Zeit Gottes Aug und Gütigkeit*

Privatbesitz

2139*

### SCHWARZWÄLDER UHR

Schwarzwald, um 1820

*Holz, bemalt*
*H. 31 cm, B. 22 cm*

Stuttgart, Württembergisches Landesmuseum, Inv.-Nr. 1968–468

Schwarzwälder Uhr mit viereckigem, gewölbtem, weißem Zifferblatt mit Blumenmalerei und der Inschrift: *Johan. Dilger Maria Rombach.*

2140

### SCHWARZWÄLDER UHR

Schwarzwald, um 1820

*Holz, Eisen, Messing*
*H. 34,5 cm, B. 25 cm*

Stuttgart, Württembergisches Landesmuseum, Inv.-Nr. 1968–464

Schwarzwälder Uhr mit Holzzifferblatt mit Lackfarben weiß bemalt, die Ecken sind mit Blumenfüllung verziert. Der obere Abschluß hat einen Ausschnitt für die Mondphasen und einen Zeiger, der das Datum angibt.

2138

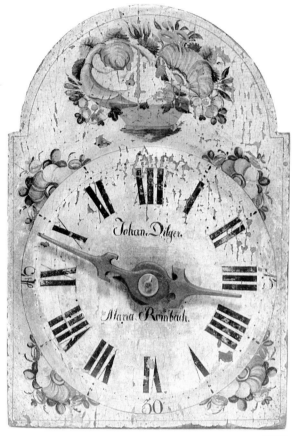

2139

## 2141

### SCHWARZWALD-UHR

Schwarzwald, um 1790

*Holz bemalt, Glasglocke*
*H. 39,5 cm, B. 31,5 cm*

Stuttgart, Württembergisches Landesmuseum,
Inv.-Nr. 1968–477

Schwarzwälder Uhr mit viereckigem Zifferblatt und
giebelartigem Abschluß, blau bemalt. An den Seiten sind
ausgesägte Anläufer angebracht. Drei Zifferringe: für das
Datum mit Ausschnitt für die Mondphasen, für die
Stunden und Viertelstunden. S. Ph.

## 2142

### JOCKELE-UHR

Josef Sorg (?)
Neustadt, um 1800

*Holz, Messing, Eisen, Email, Gehwerk mit Hackengang*
*und Pendel*
*H. 8 cm, B. 4,6 cm*

Stuttgart, Württembergisches Landesmuseum,
Inv.-Nr. 1968–488

Das Messingschild dieser zierlichen Uhr schmückt als
Aufbau über dem Emailzifferblatt ein sitzender Amor.
Jockele-Uhren wurden fast immer mit Emailzifferblättern
versehen, das Schild konnte jedoch auch aus geschnitztem
oder lackiertem Holz oder Porzellan sein. Erstmalig soll sie
1790 der in Hinterzarten lebende Jakob Herbstrieth mit
dem Beinamen »Jockelesjockel« oder »Zweimaljockele«
gefertigt haben.

*Gerd Bender, Die Uhrenmacher des hohen Schwarz-*
*waldes und ihre Werke, Bd. 1, S. 236.* S. Ph.

2143

### DIE UHRENFABRIKATION IN NEUSTADT IM SCHWARZWALD

Meichelt
Baden, 1825

*Aquatinta auf Papier*
*H. 27 cm, B. 39 cm*

Offenburg, Stadtarchiv, Inv.-Nr. 26/3/14 M

Meichelt zeigt die Werkstatt eines größeren Uhrmachers,
in welcher die Uhrenproduktion schon über das Stadium
des Nebenerwerbs hinausgewachsen ist. Der Meister und
ein Geselle sind rechts im Bild mit dem Zusammenbau
einer walzenbetriebenen Spieluhr beschäftigt, an der
Werkbank montieren drei Gesellen Räderwerke. Ein weiterer, vielleicht an einer Drehbank arbeitender Geselle ist
in einem angrenzenden Raum zu sehen. Der Schleifbock
und die große Säge lassen vermuten, daß hier die gröberen
Arbeiten verrichtet werden.
Im Zentrum des Bildes steht, sonntäglich mit Schnürlei-
chen und Seidenbändern geschmückt, die sich ganz zwei
kleinen Kindern widmende Meisterin. Das Bild vermittelt
so nicht nur einen detaillierten Überblick über Tätigkeiten,
Handwerkszeug und Produkte der Uhrenmacher, sondern
transportiert ebenso zentrale Inhalte des bürgerlichen
Familienideals. Aufgrund der erfolgreichen Arbeit des
Ehemannes frei vom Zwang zur Erwerbsarbeit, soll die
Bürgersfrau in der Führung des Haushaltes und der Erziehung der Kinder aufgehen, um so, nicht nur in der hier
gezeigten Szene, den ansehnlichen und ruhenden Mittelpunkt zu bilden.
Aloys Schreiber, ein der Romantik verbundener badischer
Volkskundler, veröffentlichte 1825 dieses Blatt in seinem
Buch »Badisches Volksleben. Das Großherzogtum Baden
in zwölf malerischen Darstellungen.« Die darin enthaltenen idyllischen Arbeiten von Meichelt, Nilson, Volmar
und Volz wurden auch als Einzelblätter gehandelt. S. Ph.

2144

2145

2144*

## Johann Baptist Dorer (1759–1829)

genannt »Gießhannes«, Glocken- und Rädergießer in
Furtwangen

Johann Baptist Laule (1817–1895)
Schönwald, 1885

*Öl auf Leinwand*
*H. 46 cm, B. 34,5 cm*

Privatbesitz

2145*

## Theresia Weisser

J. Laule (1817–1895)
Schönwald, 1885

*Öl auf Leinwand*
*H. 48,5 cm, B. 36,5 cm*
*Bez. auf der Rückseite des Keilrahmens:* Theresia Weißer
in Schönwald s'Gieshannesles erstes Weib
*signiert:* J. Laule 1885 (Kopie)

Privatbesitz

Ab 1760 wurden an Schwarzwälder Uhren die gläsernen
Glocken durch metallene ersetzt und ab den 1790er Jahren
die hölzernen Räder zunehmend von Metallrädern abgelöst. Laufruhe, Haltbarkeit und Präzision der Uhren konnten dadurch gesteigert, die Produktionskosten gesenkt
werden. 1838 bestanden in den Ämtern Triberg und
Neustadt bereits 19, vor allem auf Räder und Glocken
spezialisierte Gießhütten. Viele Handwerker hatten ihre
Kunst, wie Johann Baptist Dorer, in Nürnberger Werkstätten, im Ausland, erlernt.

*Gerd Bender, Die Uhrenmacher des hohen Schwarz-
waldes und ihre Werke. Bd. 1, S. 106.*          S. Ph.

2146

## PLACIDUS KREUZER (1775–1841)

1. Hälfte 19. Jahrhundert

*Öl auf Leinwand*
*H. 64 cm, B. 47,5 cm*

Privatbesitz

Ein wichtiges Glied in der Kette der arbeitsteilig organisierten Uhrenmacherei bildeten die Schildermaler. Ihr
Können bestimmte das endgültige Aussehen der Uhren, in
ihrer Arbeit schlugen sich Zeitgeschmack und Käuferwün-
sche am deutlichsten nieder.                          S. Ph.

2147

## KRÄTZE EINES UHRENHÄNDLERS

Schwarzwald, 19. Jahrhundert

*Holz, Metall, Ledertrageriemen*
*H. 91 cm, B. 40 cm*

Karlsruhe, Badisches Landesmuseum, VK Depot

Die Krätze wurde mit Schildern und Uhrwerken beladen,
dazu trugen die Händler einzelne Uhren als Vorführmo-
delle an einem Riemen über der Schulter.             S. Ph.

2148

## RECHNUNGSBUCH DES UHRENPACKERS MICHAEL GANTER

Schönenbach, 1821–1846

*Karton, Papier, Feder*
*H. 33,5 cm, B. 21 cm*
*Beschriftet:* Rechnungsbuch für August Risle für Josef
Kirner für Philipp Gfell und für Felix Ganter/Michael
Ganter

Privatbesitz

Im Lauf von 25 Jahren setzte Michael Ganter nach diesem
Rechnungsbuch insgesamt 20993 Uhren, 44 Spieluhren
und 15 Tabaksdosen im Gesamtwert von 66741 Gulden
um. Für einfache Kettenuhren wurden den Uhrmachern
durchschnittlich 2 Gulden und 20 Kreuzer gezahlt, Gan-
ters Handelsspanne betrug etwa 50 Prozent.

*Gerd Bender, Die Uhrenmacher des hohen Schwarz-
waldes und ihre Werke, Bd. 2, Villingen 1978, S. 324ff.,
Abb. 141, 141 a.*                                    S. Ph.

## Feste und Feiern: »gesittete Ergötzlichkeiten«

»Das Volk lebt in seinen Festen«: Diese Erkenntnis war seit der Aufklärungszeit unbestritten.[1] Die einst abschätzige Haltung der »oberen Stände« war einem neuen Verständnis der Festkultur des Volkes gewichen. Über »den« Stuttgarter wurde beispielsweise 1815 geschrieben, er liebe die Geselligkeit, besonders in Wirtshäusern, »ohne diese wird er leicht mißmutig, niedergeschlagen«.[2]

Für die absolutistischen Regimes war allerdings das »wie« und »wie oft« der Festkultur von entscheidender Bedeutung. Die Feste des Lebenslaufs, anläßlich von Geburt, Hochzeit und Tod sollten in ihrem »Aufwand«, wie es im zeitgenössischen Sprachgebrauch hieß, eingeschränkt und die Feste des Kirchen- und Arbeitsjahres auch in der Zahl reduziert werden. »Diese Absicht geht wesentlich dahin«, heißt es in einem Schreiben der Badischen Regierung von 1803 an die Diözesen des Landes[3], »die Anlässe zum Müßiggang und zu Ausschweifungen, welche die zu große Menge der Feyertage unter dem Vorwande der Gottesverehrung darbiethet, wegzuräumen.« Dafür sollten »die Sonntage und die verminderte Anzahl der noch bestehenden gebotenen Feiertage desto eifriger der Andacht und der religiösen Versammlung des Geistes« gewidmet sein. In einem weiteren Schreiben von 1811 wurde den Pfarrern und Ortsvorstehern gedroht, daß »zum erstenmal mit einer unnachsichtlich zu erhebenden Strafe von 20 Reichstalern« zu rechnen sei, und »übrigens auch an dergleichen abgestellten Festtagen öffentliche Belustigungen, Tänze oder sonstige Spiele schlechterdings nicht gestattet werden sollen«[4]. In Württemberg wurde 1817 bekannt gegeben: »das Tanzen an Sonn- und Feiertagen«, ebenso das »Zechen in den Wein- Bier- und Kaffee-Häusern soll während der Predigt nicht geduldet werden«.[5]

Religiöse Feiern und weltliches Fest, Frömmigkeit und pralle Lebenslust waren bisher übergangslos verbunden gewesen und sollten von nun an feinsäuberlich getrennt werden. Dies galt insbesondere für das Kirchweihfest, das bisher der Höhepunkt des kirchlichen Jahres gewesen war und »die Nothigkeit und Freudlosigkeit eines ganzen Jahres durch Übermaas«[6] ausgleichen sollte. Tage vorher schon wurde geschlachtet, gebacken und geputzt bis man sich dann am Sonntag in festlicher Kleidung in die Kirche begab und anschließend ins Wirtshaus, um sich bis tief in die Nacht auf dem Tanzboden und an Kegelbahnen zu vergnügen. Auf den Straßen und Plätzen drängte man sich vor Krämerbuden und Schaustellern. Am Montag hob der Kirchweihbetrieb von neuem an und währte oft bis zur Mitte der Woche.

Die Termine des Kirchweihfestes waren lokal unterschiedlich festgelegt, so daß im Herbst kein Wochenende verging, an dem nicht in einem der Nachbarorte Kirchweih gefeiert wurde. Um dieser Festflut ein Ende zu setzen, »zum besten der ökonomischen Verhältnisse der Unterthanen selbst, und zur Aufrechterhaltung der Sittlichkeit und guten Ordnung«, erging in Württemberg 1804 die Anordnung, das Kirchweihfest überall nur noch am drit-

ten Sonntag im Oktober zu feiern«, und »an demselben kein Tanz, Spiel oder andere störende Lustbarkeiten« zu gestatten. Erst am »darauffolgenden Montag und höchstens Dienstag, sollen ordnungsgemäße Volks-Ergötzlichkeiten gestattet, und folglich Tänze, erlaubte Spiele und Lustbarkeit zugelassen werden.«[7] Auch Jahrmärkte, ein weiterer Höhepunkt der Volkslustbarkeiten im Jahreszyklus, durften nicht mehr an Sonntagen abgehalten werden, sondern mußten auf »andere schickliche Tage« verlegt werden. Auf solchen Märkten versorgte man sich mit Waren, die von den örtlichen Gewerben nicht feilgeboten wurden, wie seltenen Stoffen, Steingut, Bildern, Büchern und Schmuck. Daneben traten Schausteller mit exotischen Tieren auf; Seiltänzer, Musikanten, Ringkämpfer und Puppenspieler gestalteten den Jahrmarkt zu einem regelrechten Schauspiel.

Nicht nur die außergewöhnlichen Feste wurden den obrigkeitlichen Ordnungsprinzipien unterworfen, auch die alltägliche Feierabendgestaltung blieb davon nicht ausgenommen. Die Spinnstubentreffen der Jugendlichen und die Wirtshausgeselligkeit der Erwachsenen wurden zwar nicht zum ersten Mal, dafür nun aber um so nachdrücklicher reglementiert.

Die ledige Jugend, insbesondere die jungen Frauen, gingen den Winter über in die Lichtstuben, auch Lichtkärze oder Kunkelstuben genannt. Von Martini (11. 11.) bis Lichtmeß (2. 2.) traf man sich in verschiedenen Stuben des Dorfes, wo der Hausherr oder die Hausfrau gegen ein kleines Entgelt »das Licht erhielt«. Die jungen Frauen arbeiteten während der abendlichen Unterhaltung an ihrer Aussteuer, sie spannen, strickten und nähten.

Auf dieses Spinnstubentreiben warf die Obrigkeit stets ein wachsames Auge. Es galt, unkontrollierten Beziehungen oder gar Eheanbahnungen in den Spinnstuben vorzubeugen. Und dies, so meinte man, könne nur durch den Ausschluß der jungen Burschen erreicht werden. Pfarrer wurden zur Zwischenkontrollinstanz erhoben, den Hausvätern und Hausmüttern selbst oblag die direkte Kontrolle. 1806 wurden in Württemberg, insbesondere in den »Neuen Landen«, die »Zusammenkünfte des ledigen Gesindes in solchen Spinnstuben« verboten, »den Hausvätern und Hausmüttern hingegen es unbenommen« gelassen, »mit Ihren Kindern und Gesinde einen oder den anderen Nachbar in den Winter-Abenden zu besuchen, wobei jedoch ihnen zur Pflicht gemacht wird, ihre mitbringenden Kinder und Gesind nicht nur während solcher Zeit unter ihren Augen und guter Aufsicht zu behalten, sondern auch ebenso wieder mit sich nach Haus zu nehmen«[9]. Wie die vorangegangenen so konnte auch diese Verordnung freilich nicht verhindern, daß in Württemberg die Spinnstubentreffen weiterhin von den jungen Frauen gepflegt wurden und die Burschen in der Regel zwischen neun und zehn Uhr abends Zutritt erhielten. Dabei bestimmten die jungen Frauen deutlich den Ton und die Umgangsformen zwischen den Geschlechtern, wie der Fall eines Laichinger Webers zeigt: Dieser war wohl einer der Frauen gegen deren Willen zu nahe getreten und wurde daraufhin von allen anwesenden Frauen mit dem Spinnrocken verprügelt.[10]

Für die verheirateten Frauen gab es zu dieser jugendlichen Feierabendgestaltung kein Pendant. Haushalt, Kinder und eifersüchtige Ehemänner dürften sie abends meist zuhause gehalten haben. Die verheirateten Männer dagegen trafen sich in den zahlreichen Schild-, Gassen- oder Besenwirtschaften. In den letzteren wurden, jahreszeitlich begrenzt, Getränke aus dem Eigenanbau ausgeschenkt wie Bier, Wein oder Most. Die Ausschankzeit zeigte der ausgehängte Besen an. Die Gassenwirte hatten das ganze Jahr über die Schankgerechtigkeit für Wein, Bier oder Branntwein. Dazu konnten sie ein kaltes Vesper reichen. Nur der Schildwirt besaß alle Rechte der Bewirtung: Er durfte ausschenken, warme Speisen servieren und beherbergen. Er allein konnte auch als Zeichen seiner privilegierten Stellung ein Wirtshausschild an seinem Haus anbringen. Wirtschaften waren einerseits der »Mittelpunkt aller öffentlichen und Privatlustbarkeiten«[11], andererseits auch der Ort, an dem lokale Politik gemacht wurde. Bis zum Beginn des 19. Jahrhunderts waren die Wirte häufig auch Schultheißen, Richter oder Ratsschreiber. Erst 1815 wurde in Württemberg den Schultheißen verboten, eine Wirtschaft zu betreiben. Die zentrale Rolle der Wirte in der Lokalpolitik dürfte dadurch kaum beeinträchtigt worden sein, saßen sie doch wie kein anderes Gemeindemitglied an der lokalen Informationsquelle schlechthin: Von den Einheimischen waren die örtlichen Neuigkeiten zu erfahren, von den Reisenden die Neuigkeiten von »draußen«.

Die Wirtschaften boten darüber hinaus auch Platz für die großen Familienfeste, für die Taufen, Hochzeiten und Leichenschmäuse, und mit Tanzsälen und Kegelbahnen versuchten die Wirte häufig das örtliche Angebot an »Lustbarkeiten« zusätzlich zu erweitern. Kartenspiel und durchreisende Schausteller ergänzten das Angebot des feuchtfröhlichen Wirtshaustreibens.

Doch auch hier griff die Obrigkeit regulierend ein. Wurde die Polizeistunde überschritten, so sollte »der Wirth, im Fall er das Abbieten unterlassen, und der Gast, wenn er der Warnung des Wirths nicht Folge geleistet hat, um eine kleine Frevel mit 3 fl. 15 kr. oder wenn der Schuldhafte unvermöglich wäre, mit 3 tägiger Eintürmung gestraft werden«[12]. Daß diese Vorschrift nicht immer so genau genommen wurde, können wir der bereits erwähnten Beschreibung der Stadt Stuttgart aus dem Jahr 1815 entnehmen: »So ist doch nicht zu leugnen, daß die allgemeine Fröhlichkeit...oft zu Mißbrauche des Weins oder Biers verleiten und wenn dem Stuttgarter eine Unmäßigkeit zugeschrieben werden kann, so ist es die im Trinken – ungeachtet eine polizeyliche Verordnung den Wirthen bei Strafe verbietet, abends nach 10 Uhr in den allgemeinen Wirtszimmern Wein oder Bier zu reichen«[13].

Nicht anders verhielt es sich offenbar mit den Glücksspielen in Wirtshäusern. Immer wieder wurden die Verbote erneuert und eine strengere Handhabung angedroht. 1772 hieß es in einer badischen Verordnung: »Niemand, weß Stand er auch sey, (soll) an keinem Ort einigerley Hazardspiele mit Charten, Würfeln oder wie sonst erfunden mögen,...daß sie von Glück und Zufall hauptsächlich abhängen,...gestattet«[14] sein. Weiter heißt es: »Müssen wir jedoch zu unserem größten Mißfallen wahrnehmen,

daß solche hohe Spiele sowohl in öffentlichen Caffee- und Gast- als anderen Privathäusern und Zusammenkünften ...ganz ohngescheut getrieben und zur Gewohnheit werden«. In einer württembergischen Verordnung wurde diesbezüglich im Jahr 1808 »in Folge allerhöchsten Befehls aufgegeben: Sämtliche Ober- und Stabsbeamte des Kreißes anzuweisen, besser als bisher geschehen, hierauf Augenmerk zu richten, und ohne Ansehen der Person die königlichen Verordnungen mit Nachdruck in Anwendung zu bringen«[15].

Mit Gesetzen, Predigten, Schulbüchern, populärer Literatur und persönlichem Vorbild setzten sich Beamte, Lehrer und Schriftsteller nun verstärkt für eine neue Volkskultur ein: maßvolle Vergnügungen und »gesittete Ergötzlichkeiten« – so sollte das Volk künftig feiern.  Heidi Staib

1
Dieter Narr, Studien zur Spätaufklärung im deutschen Südwesten, Stuttgart 1979, S. 214.

2
Georg Cleß, Gustav Schübler, Versuch einer medizinischen Topographie der königlichen Haupt- und Residenzstadt Stuttgart, Stuttgart 1815, S. 41.

3
Diözesanarchiv Freiburg, Feiertage/Allgemeines 1774–1812.

4
Ebenda.

5
Königlich Württembergisches Staats- und Regierungsblatt, Nr. 76 vom 16. 12. 1817, S. 589.

6
Karl Freiherr von Leoprechting, Aus dem Lechrain, München 1855, S. 194, zit. n. Werner K. Blessing, Fest und Vergnügung der »kleinen Leute«. Wandlungen vom 18. bis zum 20. Jahrhundert, in: Richard van Dülmen, Norbert Schindler, Volkskultur. Zur Wiederentdeckung des vergessenen Alltags (16.–20. Jahrhundert), Frankfurt 1984, S. 354.

7
August Ludwig Reyscher, Vollständige historisch und kritisch bearbeitete Sammlung der Württembergischen Gesetze, Stuttgart und Tübingen 1828–1850, Bd. 14, S. 1255.

8
August Ludwig Reyscher, Sammlung württembergischer Gesetze, Bd. 15/1, S. 314.

9
August Ludwig Reyscher, Sammlung württembergischer Gesetze, Bd. 15/1, S. 4.

10
Hans Medick, Spinnstuben auf dem Dorf. Jugendliche Sexualkultur und Feierabendbrauch in der ländlichen Gesellschaft der frühen Neuzeit, in: Gerhard Huck (Hg.), Sozialgeschichte der Freizeit, Wuppertal 1980, S. 38.

11
C. Gf. Sternberg, Bemerkungen über Menschen und Sitten auf einer Reise durch Franken, Schwaben, Bayern und Österreich im Jahre 1794, S. 34, zit. n. Werner K. Blessing, Fest und Vergnügen, S. 359.

12
August Ludwig Reyscher, Sammlung württembergischer Gesetze, Bd. 15/1, S. 896/897.

13
Georg Cleß, Gustav Schübler, Medizinische Topographie,
Stuttgart 1815, S. 42.

14
Generallandesarchiv Karlsruhe, 74/6353.

15
August Ludwig Reyscher, Sammlung württembergischer
Gesetze, Bd. 15/1, S. 315.

## 2149

### KIRCHWEIH IN OGGELSHAUSEN

Johann Baptist Pflug (1785–1866)
1834

*Öl auf Leinwand*
*H. 30 cm, B. 40 cm*

Friedrichshafen, Bodenseemuseum, alte Nr. e/2

Johann Baptist Pflug malte die »Kirchweih von Oggels-
hausen« im Auftrag des geistlichen Rats Greif aus Wien.
Eine Szene aus der Heimat wünschte sich der Auftraggeber. Mit Bedacht, so scheint es, wählte Pflug das Kirchweihfest als Szenerie, Bauern im Sonntagsstaat als Akteure
und den Bussen, den »Heiligen Berg« Oberschwabens als
Hintergrund – Symbole für das festfreudige Oberschwaben.
Im Mittelpunkt des Bildes sehen wir eine beschauliche
Familienszene: eine ihrem Putz nach reiche Bauernfamilie
hat sich auf einer Bank vor einem Wirtshaus niedergelassen. Vor ihnen kniet auf einem Teppich ein Gaukler. Eine
Spitzkappe in der Hand, erwartet er eine Gabe als Dank
für seine Künste. Rechts von der Familie sehen wir zwei
Frauen, links zwei Männer dem Gaukler zugewandt. Im
rechten Hintergrund stehen Menschen in Gruppen, im
linken sitzen sie auf Bänken zusammen. Das Bild vermittelt
den Eindruck, den die Obrigkeit durch ihre Verordnungen
herzustellen gehofft hatte: Den Eindruck einer »gesitteten
Ergötzlichkeit«.

*Johann Baptist Pflug, Aus der Räuber- und Franzosenzeit*
*Schwabens. Die Erinnerungen des schwäbischen Malers*
*aus den Jahren 1780–1840, hrsg. v. Max Zengerle, Wei-*
*ßenhorn 1966, S. 134, X.*                    H. St.

## 2150

### OBERSCHWÄBISCHES KIRCHWEIHFEST

Johann Baptist Pflug (1785–1866)
1836

*Öl auf Leinwand*
*H. 70 cm, B. 85,5 cm*

Biberach, Zweckverband Oberschwäbische Elektrizitäts-
werke

Der Kirchweihsonntag sollte nur noch der religiösen Feier
gewidmet sein. »Volksergötzlichkeiten« wie Tanz, Spiel
oder Märkte wurden nur noch am darauffolgenden Montag, höchstens Dienstag gestattet. Johann Baptist Pflug
hielt auf diesem Kirchweihbild gerade die weltlichen Freuden der Feier fest.                          H. St.

## 2151

### 12 JAHRMARKTS-SCENEN NO. 375

Georg Nikolaus Renner (1803–1855) und Schuster
Nürnberg 1835–37

*Kupferstich*
*H. 43 cm, B. 37,5 cm*

Karlsruhe, Badisches Landesmuseum, Inv.-Nr. 79/741.30

Die Vielfalt der von den Schaustellern angebotenen
Attraktionen des Jahrmarktes zeigen die *Jahrmarktszenen.*
Seiltänzer, Schauspieler, Akrobaten, Bären und Kamelfüh-
rer machen den Jahrmarkt zu einem einzigartigen Schauspiel.

*Uwe Geese, Eintritt frei. Kinder die Hälfte. Kulturge-*
*schichtliches vom Jahrmarkt, Marburg 1981.*      H. St.

Der Jahrmarkt war für die Landbevölkerung die einzige
Gelegenheit, Bedarfsgegenstände und Luxusgüter zu
erwerben, die von den örtlichen Handwerkern nicht feilgeboten wurden. Dieses Markttreiben sehen wir in der
Abbildung *der Schwarzwälder Jahrmarkt* dokumentiert.
An den Marktständen werden Messer geschliffen, Stoff-
ballen verkauft, Bilder, Gürtel, Rosenkränze, Pfeifen und
Schafe gehandelt. Zwischen den Ständen herrscht drang-
volle Enge. In Gruppen von zwei oder drei Personen
unterhalten und beraten sich die Marktbesucher. Im Hintergrund lädt ein Wirtshausschild zu geselligem Beisam-
mensein nach dem Markttrubel ein.              H. St.

## 2152*

### »BEIM ANFERTIGEN DER AUSSTEUER«

Johann Baptist Pflug (1785–1866)
1828

*Öl auf Leinwand*
*H. 22 cm, B. 21 cm*
*Bez. re. unten: f: Pflug 1828*

Biberach, Städtische Sammlungen, Braith-Mali-Museum,
Inv.-Nr. 6145

*Beim Anfertigen der Aussteuer* sehen wir junge Frauen um
einen Tisch versammelt. Allen obrigkeitlichen Anordnungen zum Trotz, befinden sich zwei Männer in der Frauen-

2152

runde. Einer der beiden könnte, seiner Haltung und seinem Alter nach noch als »Hausvater« angesehen werden, der gerade ein wachsames Auge auf das muntere Treiben am Tisch wirft. Der andere aber scheint eindeutig einer der jungen Frauen zugeneigt zu sein: lässig ruht sein Arm auf ihrer Schulter. Ein Verhalten, das nicht gerade im Sinne der Obrigkeit gewesen sein dürfte, deren größtes Anliegen die Trennung der Geschlechter in der jugendlichen Feierabendkultur war.

*Kat. Johann Baptist Pflug (1785–1866). Gemälde und Zeichnungen, Biberach/Riß 1985.*          H. St.

## 2153

### BILDERBOGEN: DER NACHTKARZ

Hörmann, nach Johann Ludwig Krimmel (1787–1821)
Stuttgart, um 1830

*Lithographie, handkoloriert*
*H. 28 cm, B. 37 cm (Blatt), H. 15 cm, B. 19,7 cm (Bild)*
*Bez.:* Ländliche Gebräuche in Württemberg / Der Nachtkarz / Stuttgart in der Ebnerschen Kunsthandlung

Stuttgart, Württembergisches Landesmuseum,
Inv.-Nr. C 1002 (8/I)

*Obwohl die Obrigkeit bemüht war, die unverheirateten Burschen und Mädchen am Feierabend zu trennen oder sie zumindest der Kontrolle der »Hausväter« und »Hausmütter« zu unterstellen, sehen wir hier Jugendliche beiderlei Geschlechts munter beisammen am Spinnrocken der Mäd-*

chen sitzen. »Im Dunkeln ist eben gut munkeln« – dieses Sprichwort drängt sich bei der dunklen, durch den Schimmer des Lichts dennoch warm gehaltenen Farbgebung geradezu auf.          H. St.

## 2154*

### WIRTSHAUSSCHILD ZUM SILBERNEN LÖWEN

Durlach/Baden, um 1800

*Eisenblech, geschmiedet, bemalt*
*H. 93 cm, B. 80 cm*

Karlsruhe-Durlach, Pfinzgau-Museum,
alte Nr.: 2672, Inv. Eberle

Vorläufer der Wirtshausschilder, wie wir sie heute kennen, waren aus frischem Laub gefertigte Sträuße und Kränze. Seit dem Mittelalter sind Wirtshausschilder aus dauerhaftem Material, aus Holz oder Eisen, bekannt. Schilder und Tragarme folgten in ihrer stilistischen Entwicklung und ihrem ornamentalen Schmuck dem jeweiligen Stil der Zeit. Vom Ende des 18. Jahrhunderts bis zur Biedermeierzeit zeichnete sich ihre Form, als Gegenreaktion auf das verspielte Rokoko, durch Einfachheit und eine statische Harmonie aus. In der Regel waren sie das Werk handwerklich geschulter Meister. Heute werden sie als Teil der Volkskunst angesehen.

2154

Die Namen der Wirtshäuser, die jeweils durch die Wirtshausschilder versinnbildlicht werden sollten, unterlagen verschiedenen Kultureinflüssen. Der Hausname »Löwe« beispielsweise kann staufischer Herkunft sein, er könnte aber auch aus der religiösen Sphäre stammen. Dort gilt der Löwe als Sinnbild des Auferstandenen, des Siegers über die Finsternis. Ebenso gut könnte er aber auch der griechischen Mythologie entnommen sein, wo der Löwe als ständiger Begleiter des Weingottes gilt.

*Walter Leonhard, Schöne alte Wirtshausschilder. Zeichen guter Gastlichkeit, München ²1977. – Herbert Schwedt u. Elke Schwedt, Schwäbische Volkskunst, Stuttgart 1977.*
                                                            H. St.

Die Symbolik der Wirtshausschilder wurde häufig dem Bereich der alltäglichen Gebrauchsgegenstände entnommen. In diesem Fall ist es eine Kanne. Solche Kannen wurden zum Weinausschank verwendet. In Verbindung mit dem Kranz, ob naturgetreu nachgeformt oder stilisiert dargestellt, enthält das Schild alle Zeichen der Schankgerechtigkeit.

*Walter Leonhard, Schöne alte Wirtshausschilder. Zeichen guter Gastlichkeit, München² 1977, S. 189.*        H. St.

---

## 2155*

### WIRTSHAUSSCHILD ZUR KANNE

Grötzingen/Baden, um 1800

*Schmiedeeisen, Blech*
*H. 94 cm, B. 76 cm*
*Sign.: Karl Lindenmaier*

Karlsruhe-Durlach, Pfinzgau-Museum,
alte Nr. 2673, Inv. Eberle

2155

## 2156

### WIRTSHAUSSCHILD »ZUM DREY KÖNIG«

Lörrach, 1780

*Öl auf Holz, beidseitig bemalt*
*H. 52 cm, B. 60 cm*
*Bez. oben: Zum drey König, unten: 17 Au trois Roys 80*

Lörrach, Museum am Burghof, ohne Inv.-Nr.

Die »Heiligen drei Könige« dokumentieren den starken Einfluß von Kirche und Religion auf alle Lebensbereiche: selbst so weltliche wie die Wirtshäuser wurden erfaßt.

*Walter Leonhard, Schöne alte Wirtshausschilder. Zeichen guter Gastlichkeit, München² 1977, S. 53.*        H. St.

## 2157

### WIRTSHAUSSCHILD:
### GASTHAUS ZUM LAMM

1801

*Schmiedeeisen, Blech*
*H. 97 cm, B. 60 cm*
*Bez.: Gasthaus zum Lamm 1801*

Bühl, Heimatmuseum

Das »Agnus dei«, das Lamm Gottes mit Kreuznimbus und Kreuzfahne soll an den Opfertod Christi und seine Auferstehung erinnern. Mit der Kreuzfahne, dem Symbol des Sieges ausgerüstet, wird das Opferlamm zum Siegeslamm erhoben. Die ältesten bekannten Wirtshausschilder mit dieser Symbolik sind aus dem 17. Jahrhundert erhalten.

*Walter Leonhard, Schöne alte Wirtshausschilder. Zeichen guter Gastlichkeit, München² 1977, S. 123.*        H. St.

2158

## Der Gasthof »Zum goldenen Hirsch« in der Hirschstrasse

Empfehlungsblatt
um 1790

*Radierung*
*H. 12 cm, B. 17,5 cm*
*Bez.:* Tobias Ludwig Leipheimer, Gastgeber zum goldenen Hirsch. Nächst dem Münster Tempel und der katholischen Kirche zu Ulm. *Dasselbe in französischer, englischer und italienischer Sprache*

Ulm, Stadtarchiv/Stadtmuseum, F 3 Aus. 711 a

2159*

## Gasthof »Zum Baumstark«. Empfehlungsblatt

Entwurf: J. D. Blatter (1745–1788)
Ausführung: JohannPaul Thelott (1758–1840)
um 1800

*Radierung auf Karton geklebt*
*H. 33,8 cm, B. 24,9 cm*
*Bez. u. l.:* Johann Ludwig Jänke, Gastbeb. zum Baumstark in Ulm Schwaben, *u. r.:* Jean Luis Jaenke, aubergiste… (dass. in frz.), *u. l.:* Delineavit, Blattner Ulmensis, *u. r.:* Skulpsit Ernst Christoph Thelott Aug. Vind.

Ulm, Stadtarchiv, F 3 Ans. 702 a

2160*

## Der Wirt an seine respectiven Gäste

ca. 1825

*Lithographie*
*H. 26,6 cm, B. 34,7 cm*
*Bez.:* Gäste, die in meinem Haus brav Geld verzehren, / Ehr und schätze ich bei Tag und Nacht. / Sich Vergnügen machen, und friedlich leben, / und auf's Zahlen auch sind wohl bedacht.

Ludwigsburg, Städtisches Museum, o. Inv.-Nr.

2160

2161

## Ravensburger Schankmasse

dreiteiliger Satz

1811

*Kupferlegierung*
*1.: H. 15 cm, 2.: H. 16 cm, 3.: H. 21 cm*

Ravensburg, Städtisches Museum Vogthaus, o. Inv.-Nr.

2159

2162

WIRTSHAUSGLÄSER

Süddeutsch, 1820–1830

*Grünes Glas, mundgeblasen*
*4 Trinkgläser: H. 12 cm, Dm. 6,5 cm*
*6 Trinkgläser: H. 13,5 cm, Dm. 7,5 cm*

Privatbesitz

2163

EIN GAUKLER IM GASTHOF ZU
LAMPERTSHAUSEN

Johann Baptist Pflug (1785–1866)
um 1830

*Öl auf Holz*
*H. 17 cm, B. 22 cm*

Biberach, Städtische Sammlungen, Braith-Mali-Museum,
Inv.-Nr. 6137

2164*

SPIELER IM GASTHAUS ZU
ELLMANNSWEILER

Johann Baptist Pflug (1785–1866)
um 1830

*Öl auf Holz*
*H. 17 cm, B. 22 cm*
*Bez.:* Pflug

Biberach, Städtische Sammlungen, Braith-Mali-Museum,
Inv.-Nr. 6138

2164

2165

RITTER-SPIEL

einfigurig, deutsche Farben

Irenaeus Bacher, Ulm
nach 1817

*Lithographie, schablonenkoloriert, Rückseite: punktierte
Winkellinien*
*H. 10 cm, B. 5,2 cm*
*Blatt-Daus im Druck beschriftet:* Irenaeus Bacher Spiel-
kartenfabrikant in Ulm, *auf Herz-8:* J. B.*Steuerstempel
auf Herz-Daus: Rot, bekröntes Württ. Wappen mit 6 und
sechs Kreuzer*

Leinfelden-Echterdingen, Deutsches Spielkartenmuseum
Inv.-Nr. B 409 Zug.Nr. 1953/204

## *»In Betreff der Wallfahrts- oder sogenannten Gnaden-Oerter«*[1] – *Gegen Wallfahrten, Bittgänge und Prozessionen*

Barocke, katholische Frömmigkeit schloß nahezu alles ein, was von den Protestanten abgelehnt wurde: prunkvolle, farbenfrohe Kirchen, prachtvolle Monstranzen, Heiligenverehrung, Beten des Rosenkranzes, Bruderschaften, Ablässe, Prozessionen, Bittgänge und Wallfahrten. Diese Formen der Frömmigkeit ließen sich nur noch schwer mit den vernunftgeprägten Glaubensauffassungen der Aufklärung vereinbaren, und die ihnen anhaftende demonstrative Abgrenzung gegenüber den Protestanten lief den Ideen der konfessionellen Toleranz zuwider. Bewußtere Gläubigkeit durch Erkenntnis und ein Leben in brüderlicher Nächstenliebe galten nun als vorrangige Ziele der Pastoration. Das katholische Österreich ließ schon 1784 die Weihegaben und prachtvollen kirchlichen Ausstattungen verbieten und gab die Anweisung, sie zugunsten der Pfarreien und der Armenpflege zu verkaufen. Der merkantilistische Staat begriff die Kirche als dienenden Teil des Ganzen und verband damit das Recht, in kirchliche Angelegenheiten ebenso einzugreifen wie in andere Lebensbereiche. Barocke Prachtentfaltung, sinnenfreudige, religiöse Feste und fließende Grenzen zwischen Glauben und Aberglauben fügten sich nur noch schwer in dieses politische Konzept.

Für die 400000 Katholiken, die dem protestantischen Königreich Württemberg nach 1803 als Untertanen einverleibt wurden, begann die Integration in den neuen Staat mit einer Kette von Enteignungen. Die meisten Klöster wurden aufgelöst, die Mönche und Ordensfrauen wurden den verbleibenden Zellen zugewiesen oder gingen außer Landes. Der Gewinn des Staates aus der Säkularisierung der katholischen Kirchengüter, dem österreichischen Stiftungsfond und der Ausstattung der Klöster betrug mehr als 40 Millionen Gulden, hinzu kamen unschätzbare Kunstgegenstände.[2] Schonungslos ihrer materiellen Basis beraubt, geriet die katholische Kirche in die politische und wirtschaftliche Abhängigkeit des Staates. Der Katholische Kirchenrat, nun die oberste Kirchenbehörde, wurde als staatliches Organ mit Weisungsbefugnis an den gesamten Klerus etabliert.

Zwar mußte niemand, wie vielerorts befürchtet, evangelisch werden, aber der protestantisch-württembergische Charakter des neuen Staatswesens wurde, trotz aller Versicherung von Parität der Konfessionen, in den neuen Landesgebieten schnell spürbar. Die Säkularisierung führten zentralistisch gesinnte, altwürttembergische Kommissäre durch. Alle wichtigen Stellen wurden mit protestantischen Beamten besetzt, denen die katholischen Formen der Glaubensäußerung völlig fremd waren und mittelalterlich anmuteten.

»Das gemeine Volk – also der größte Teil der Bewohner – in Ellwangen und Gmünd ist noch weit von der Aufklärung entfernt«, stellt Philipp Ludwig Hermann Roeder in seiner 1804 erschienenen »Geographie und Statistik Württembergs« fest.

Begriffe wie »Teufelsbannerei«, »Finsternis«, »Blindheit« und »Aberglauben« charakterisieren das Bild des – als protestantischem Pfarrer durchaus parteiischen – Chronisten von den neuen katholischen Untertanen. Das Programm für die Veränderung dieser Zustände war schon entworfen und in Gang gesetzt. Die Klöster, einst wichtigste Stütze der katholischen Kirche und häufig mit Wallfahrtsorten verbunden, waren aufgelöst. Sie hatten den aufklärerischen Reformen den meisten Widerstand entgegengesetzt. So konnte Roeder, voll Zuversicht, daß auch aus den »unaufgeklärten« Katholiken noch gute, »gewerbsame« Württemberger werden würden, prognostizieren: »Das Volk wird alsdann, geleitet von treuen und gebildeten Lehrern, einsehen, daß das praktische Christentum nicht im Rosenkranz beten, im Messe laufen, Prozessionen und Wallfahrten bestehe, sondern in Ausübung der christlichen Religionspflichten.«[3]

Doch die neuen Lehrer, auf die Roeder seine Hoffnungen stützte, mußten nicht erst erzogen werden, denn die »Weltgeistlichen« waren bereits häufig dem aufgeklärten Zeitgeist zugetan. Musterpredigten, Amtsanweisungen und Berichte in den Zeitschriften für die Geistlichkeit propagierten das neue, der innerlichen Andacht, dem Leben in christlicher Demut und Nächstenliebe und dem sittlichen Lebenswandel Vorrang gebende Erziehungsprogramm. Gestützt auf die Macht des Staates sollten Verbote und Erlasse dessen Durchsetzungskraft verstärken.

Vermieden werden sollte nun alles, »was die Flamme der reinen Andacht ersticken, oder wodurch zu sinnlicher Zerstreuung und sittlicher Unordnung Anlaß gegeben würde«.[4] Wallfahrten, Bittgänge und Prozessionen, die fast immer mit Festen verbunden waren, ließen sich ebenso schlecht mit den Forderungen nach mehr innerer, bewußterer Frömmigkeit vereinbaren wie mit den Interessen des geldhungrigen württembergischen Staates. Um das Geld im eigenen Lande zu halten, wurden Wallfahrten in ausländische Orte untersagt und die Ämter angewiesen, keinen Reisepaß auszustellen, wenn als Anlaß der Reise eine Wallfahrt angegeben wurde.[5]

Ebenso wurde den zahlreichen regionalen Wallfahrten der Kampf angesagt, nichts schien sie mehr zu rechtfertigen. Der Blick konzentrierte sich einseitig auf die Mißbräuche, »die nothwendige Gefährten der Wallfahrten sind. Die Vernachlässigung des Pfarrgottesdienstes, die Verachtung der Mutterkirche, die Gelegenheit zu Unordnungen und wirkliche Ausschweifungen, die Hintansetzung der Standespflichten sind die Folgen der Wallfahrten.«[6]

In drastischen Bildern wurde die »Unsittlichkeit der Verhältnisse« an den Wallfahrtsorten angeprangert, wurde der Entzug aus der Kontrolle des Ortspfarrers durch anonymes Beichten an auswärtigen Orten gebrandmarkt: »Den ledigen Leuten ist das Wallfahrten durchaus schädlich. Ihre Sitten werden verdorben; gute, bekannte Freundinnen gesellen sich zusammen, und sind gutes Muthes. Wenn sie einen Psalter und eine unverständliche Litanei abgebetet haben, so vertreiben sie sich die Zeit mit Narren-

possen. Kommt man abends in die Herberge, so thut man sich mehr als gewöhnlich zu gut; man fängt an zu scherzen, zu lachen, wohl gar grobe Zoten zu reden, und Muthwillen zu treiben. Die ledigen Leute besonders schleppen ihre Seelenbündel viel lieber an einen Wallfahrtsort hin, als daß sie den Zustand ihres Herzens dem eigenen Seelsorger entdeckten. Der fremde Beichtvater, sagen sie, kennt mich nicht; er kann die Sache auch nicht so genau nehmen... ferner kann der Priester gewöhnlich auf Wallfahrten von allen Sünden absolviren.«[7]

Gnadenorte wurden im aufgeklärten Sprachgebrauch des bischöflichen Generalvikars Wessenberg zu »sogenannten Gnaden=Oertern« degradiert, und die Wunderkraft der verehrten Gnadenbilder wurde ebenso in Frage gestellt wie der Glaube an die durch Fürsprache der Muttergottes oder der Heiligen bewirkten Hilfen und Heilungen. Votivgaben, einst Zeugnis erfolgreicher Gelübde, galten nun als Beweis für die Unwissenheit und den zum Aberglauben neigenden Unverstand des einfachen Volkes. Die Geistlichen wurden aufgefordert, nicht weiter »den blinden Wunderglauben zu nähren«, sondern Mirakelberichte der Gläubigen zu protokollieren und dem Bischöflichen Ordinariat zur wissenschaftlichen Prüfung vorzulegen. »Alle Votivtafeln, oder wächsernen Bilder und Zeichen, auch alle Krücken u.dgl. Dinge«[8] sollten aus den Kirchen entfernt, neue nicht mehr angenommen und aufgestellt werden, nichts sollte mehr an die einst hochverehrte Wunderkraft des Ortes erinnern.

Dem Reformeifer geopfert werden sollten auch die zahlreichen Bittgänge und Prozessionen. Alle besonderen, lokalen Eigenarten der Heiligenverehrung und der Prozessionen um Fürbitte für bessere Ernten, gegen Hagelschlag, Viehsegnungen oder Dankprozessionen für Verschonung von Kriegsauswirkungen sollten unterbleiben – vor allem solche an den »abgestellten Feiertagen«. Selbst die allgemeinen Bittgänge an Fronleichnam, am Markustag und in der Bittwoche sollten »entweder inner der Kirchen, oder in der Nähe derselben angestellt zu werden pflegen«.[9]

Der Absicht der aufgeklärten Kirchenoberen, alle Wallfahrten und Bittgänge grundsätzlich zu verbieten, versagten jedoch die Landesherren ihre Zustimmung. Der Anlaß schien ihnen das Risiko von Widersetzlichkeiten und Aufständen nicht wert. Fiskalische Erwägungen spielten bei dieser Zurückhaltung ebenso eine Rolle, denn der wirtschaftliche Niedergang vieler Gewerbe an den Wallfahrtsorten[10] wirkte sich auch in verminderten Steuereinnahmen aus.[11]

Zwar bewirkten die mit Nachdruck betriebene Kritik und die zahlreichen Verbote und Anweisungen spürbare Veränderungen, aber sie zeichnen doch ein farbloseres Bild, als es die katholische Frömmigkeit Anfang des 19. Jahrhunderts tatsächlich bot. Eine vom Bischöflichen Ordinariat eingeforderte Übersicht über die einzelnen Dekanate ergab, daß auch an außerordentlichen Bittgängen weiter festgehalten wurde. An manchen Orten ging man gegen das Verbot des Pfarrers eben allein und ließ die Rathausstatt der Kirchenglocken läuten. Zuweilen verfaßten Pfarrer und Gemeinden gemeinsame Bittschriften an das Bischöfliche Ordinariat, um an der Tradition festhalten zu

dürfen; sie wurden jedoch durchweg abgelehnt. Mancher Pfarrer mag deshalb die Erlasse aus dem fernen Konstanz recht großzügig ausgelegt und sich darüber hinweggesetzt haben. Die Ortsgeistlichen standen zwischen aufgeklärter kirchlicher und weltlicher Obrigkeit und ihren an alten Frömmigkeitsformen hängenden Gemeindemitgliedern. Schnell waren da Zusammenhänge zwischen dem Verleugnen der Tradition und erlittenem Unheil hergestellt. »Hoffentlich«, seufzte ein Pfarrer von der Alb, »gibt es in diesem Jahr keinen Hagelschlag – oder uns Pfarrern geht es schlecht. Wir müssen sonst daran schuld sein.«[12]
Die Stimmung gegenüber den neuen Landesherrn blieb insgesamt jedoch eher friedlich, Protestaktionen blieben die Ausnahme. Die Umbrüche, Veränderungen, Kriegs- und Noterfahrungen der Zeit und die herrschende Aufklärung ließen wenig Raum für die Entwicklung eines neuen katholischen Selbstverständnisses. Noch hatte sich die katholische Frömmigkeit nicht neu formiert, noch sahen die im Lande verbliebenen aufgeklärten und in den württembergischen Beamtenapparat integrierten Geistlichen keinen Anlaß zur Wiederbelebung demonstrativer Formen katholischer Frömmigkeit. Der Boden für die konfessionellen Streitigkeiten des 19. Jahrhunderts war jedoch bereitet. S.Ph.

1
Eingangszeile der Bischöflichen Verordnung für die Rheinischen Bundeslande vom 4. März 1809, Diözesanarchiv Rottenburg, Bestand Q, Amtsdrucksachen Diözese Konstanz.

2
Vgl. Christel Köhle-Hezinger, Evangelisch – Katholisch, Untersuchungen zu konfessionellem Vorurteil und Konflikt im 19. und 20. Jahrhundert vornehmlich am Beispiel Württembergs, Tübingen 1976, S. 141.

3
Philipp Ludwig Hermann Roeder, Geographie und Statistik Württembergs, Teil 2, Ulm 1804, S. 37f. Die Schrift erschien anonym.

4
Erlaß des Bischöflichen Ordinariats Konstanz vom 17. März 1803, Diözesanarchiv Freiburg, Akten der Diözese Konstanz, Faszikel Bittgänge.

5
Ministerialerlaß vom 17. 10. 1811. Vgl. Ludwig August Reyscher, Vollständige, historisch und kritisch bearbeitete Sammlung der Württembergischen Gesetze, Bd. 10, Kirchengesetze, Stuttgart 1836.

6
Geistliche Monatsschrift mit besonderer Berücksichtigung auf das Bistum Konstanz, Meersburg 1803, Heft 2, S. 313.

7
Archiv für die Pastoralkonferenzen in den Landkapiteln des Bistums Konstanz, Jg. 1804, Heft 9, S. 204.

8
Vgl. Anm. 1.

9
Vgl. Anm. 4.

10
Vgl. Wolfgang Brückner, Die Verehrung des Hl. Blutes in Walldürn, Aschaffenburg 1958, S. 84ff.

11
Vgl. Rudolf Reinhard, Die Kritik der Aufklärung am Wallfahrtswesen, in: Kommission für geschichtliche Landeskunde in Baden-Württemberg, Bausteine zur geschichtlichen Landeskunde von Baden-Württemberg, Stuttgart 1979, S. 338ff.

12
Zitiert nach August Hagen, Geschichte der Diözese Rottenburg, Stuttgart 1956, Bd. 1, S. 28.

2166*

## WALLFAHRT DER EINWOHNER DES DORFES UHLDINGEN

Joseph Anton Koch (1768–1839)

*Federzeichnung in Braun, Pinsel in Hellgrau und Braun, auf rohweißem Bütten*
*H. 23,5 cm, B. 18,5 cm (Blatt)*

Stuttgart, Staatsgalerie, Inv.-Nr. 6442,6

Die Skizze ist ein Beispiel, daß die Kritik an Wallfahrten und Prozessionen nicht nur die Gemüter des aufgeklärten Klerus und seiner führenden Köpfe bewegte. Das Wallfahren und »Prozessionengehen« machte die Katholiken auch in den Augen anderer Zeitgenossen lächerlich. S.Ph.

2167

## PROZESSIONSSTANGE: JOACHIM, ANNA UND MARIA

Ravensburg, Mitte 17. Jahrhundert

*Holz*
*H. 24,7 cm*

Rottenburg, Diözesanmuseum, Inv.-Nr. A 82

2168

## PROZESSIONSSTANGE: DREIFALTIGKEIT UND HL. FAMILIE

Oberschwaben, Mitte 18. Jahrhundert

*Holz*
*H. 57 cm*

Rottenburg, Diözesanmuseum, Inv.-Nr. A 68

Die Prozessionsstangen waren noch im 19. Jahrhundert in Gebrauch.

*Das Diözesanmuseum in Rottenburg am Neckar. Gemälde und Plastiken, Katalog und stilkundlicher Führer, herausgegeben und bearbeitet im Auftrag des Bischöflichen Ordinariats in Rottenburg von Carl Gregor Herzog zu Mecklenburg, Rottenburg o. J., S. 245, 238.* S.Ph.

2166

2169*

## PROZESSIONSAMPEL

2. Hälfte 18. Jahrhundert

*Holz, Bleiverglasung*
*H. 165 cm, B. 20 cm, T. 20 cm*

Ehingen, Heimatmuseum, o. Inv.-Nr.

2170

## PROZESSIONSAMPEL

1754

*Holz, Glas, leichte Bemalung in grün, rot und weiß*
*H. 160 cm, B. 20 cm, T. 20 cm*
*Bez.: J. M. Johannes Schmucker 1754*

Ehingen, Heimatmuseum, o. Inv.-Nr.

2171

## PROZESSIONSSCHILD MIT LEUCHTER. DARSTELLUNG DES PFINGSTFESTES

Anfang 18. Jahrhundert

*Bemaltes Eisenblech*
*H. 30 cm, B. 22 cm, Dm. 2,7 cm (Tülle)*

Ehingen, Heimatmuseum, o. Inv.-Nr.

2169

2172*

## PROZESSIONSSCHILD MIT LEUCHTER. ANBETUNG DER HEILIGEN DREI KÖNIGE

Anfang 18. Jahrhundert

*Bemaltes Eisenblech*
*H. 30 cm, B. 22 cm, Dm. 2,7 cm (Tülle)*

Ehingen, Heimatmuseum, o. Inv.-Nr.

2173

## PROZESSIONSLEUCHTER DER SCHNEIDERZUNFT »ZUM SCHEPPELE«

1817

*Bemaltes Holz, z. T. vergoldet, Metall*
*H. 210 cm, Dm. 20 cm*
*Bez.:* Zunft zum Scheppele 1817, Zunftmeister Konrad
Ergyelet 1817
Zunftmeister Jos: Serrer/Laubert/Bihler/1817

Freiburg, Augustinermuseum, Zunftnummer 9

Auf Wallfahrten und Prozessionen ging man nicht, ohne
irgend etwas mit sich zu tragen; selbstverständlich waren
das Gesangbuch und der Rosenkranz dabei, dazu trug man
Fahnen und Leuchter. Die Anordnung der Bruderschaften,
Zünfte und gewöhnlichen Gemeindemitglieder im Prozes-
sionszug wurde durch die soziale Stellung bestimmt.
S. Ph.

2172

2174

## PROZESSIONSLEUCHTER DER SCHNEIDERZUNFT

1817

*Bemaltes Holz, z. T. vergoldet, Metall*
*H. 210 cm, Dm. 20 cm*
*Bez.:* Zunft zum Scheppele1817, Zunftmeister Konrad
Ergyelet 1817
Zunftmeister Jos: Serrer/ Laubert/ Bihler/ 1817

Freiburg, Augustinermuseum, Zunftnummer 4

## Zeugnisse der Frömmigkeit
## aus Schwäbisch Gmünd

Der bereits zitierte Philipp L. H. Roeder argumentierte ganz im aufgeklärten Sinne seiner Zeit, wenn er als wichtigste Maßnahme, um den Wohlstand der wirtschaftlich schwachen ehemaligen Reichsstadt Gmünd zu heben, empfahl: »Abschaffung aller Hindernisse der Arbeitenden, als Feiertage, Prozessionen, Wallfahrten, Messelaufen und andern Dingen.« Angesichts der relativen Armut der Stadt veranlaßten ihn deren achtzehn Kirchen und sechs Klöster zur fast schon boshaften Bemerkung, daß wenn »Kirchen und Klöster den Wohlstand einer Stadt befördern würden«, Gmünd im »auffallenden Wohlstand« sein müsse.[1]

Was Roeder als »Finsternis« und »Aberglauben« charakterisierte, kommentierte der zeitgenössische Gmünder Chronist Debler ganz anders: »... sind gern lustig und lieben die Lustbarkeit, sind arbeitsam und äußerst reinlich, ... sind gute, vernünftige Christen«, lautete die Beschreibung seiner Mitbürger. Für den Reformeifer seiner Zeit hatte er dagegen nur einen Stoßseufzer übrig: »O blinde Welt! Aufklärung! O ja, Ausleerung.«[2]

Die aus Gmünder Familien erhaltenen Zeugnisse der Frömmigkeit machen deutlich, daß man hier trotz Aufklärung, Eingriffen und Reglements an hergebrachten Traditionen festhielt, daß Debler mit seinen Seufzern nicht allein stand. Zwar hatte man von den sechs Klöstern nur noch zwei belassen und 1803 auch gleich das beliebte Passionsspiel verboten, doch tat dies der religiösen Alltagspraxis wenig Abbruch. Das als Aberglauben gebrandmarkte Wallfahren fand kein abruptes Ende, man verehrte auch weiter zahllose Heilige und betete seinen Rosenkranz.

Der Rosenkranz hatte in Gmünd einen besonderen Stellenwert. Durch das gesamte 19. Jahrhundert war er eines der Markenzeichen Gmünder Silberschmiedekunst. Er diente dem täglichen Gebet, wurde bei Wallfahrten und Prozessionen mitgeführt und galt als Ausweis katholischer Frömmigkeit.                                    S.Ph.

1
Philipp Ludwig Hermann Roeder, Geographie und Statistik Württembergs, Teil 2, Ulm 1804, S. 93ff.

2
Zitiert nach Eduard Dietenberger (Hg.), Gmünder Leute, ein Bilder- und Geschichtenbuch mit Darstellungen vom 18. bis zum Beginn des 20. Jahrhunderts aus der Julius Erhard'schen Gmünder Bilderchronik und anderen Sammlungen des Städtischen Museums Schwäbisch Gmünd im Prediger, Schwäbisch Gmünd 1983, S. 6 und S. 69.

2176

2175

## MARIA MAGDALENA DEBLERIN (1695–1778)

Johann Georg Strobel (1735–1792)
um 1770

*Öl auf Leinwand*
*H. 92,5 cm, B. 69,5 cm*

Schwäbisch Gmünd, Städtisches Museum, o. Inv.-Nr.

Stolz präsentiert sich die Deblerin als Katholikin: sie trägt einen Rosenkranz mit roten Ave-Maria- und goldenen oder vergoldeten Pater-Noster-Kugeln und unter dem Arm ein Gebetbuch mit silbernen Beschlägen.

*Eduard Dietenberger (Hg.), Gmünder Leute, ein Bilder-*
*und Geschichtenbuch mit Darstellungen vom 18. bis zum*
*Beginn des 20. Jahrhunderts aus der Julius Erhard'schen*
*Gmünder Bilderchronik und anderen Sammlungen des*
*Städtischen Museums Schwäbisch Gmünd im Prediger,*
*Schwäbisch Gmünd 1983, S. 6, 16.*          S. Ph.

2176*

## ROSENKRANZ MIT ARMA CHRISTI

18./19. Jahrhundert

*Silberfiligran, Glas, Holz, Perlmutternlagen*
*L. 43 cm*

Schwäbisch Gmünd, Städtisches Museum, o. Inv.-Nr.

2177

## ROSENKRANZ MIT WALLFAHRTSANHÄNGER

18./19. Jahrhundert

*Silberfiligran mit Glasperlen*
*L. 46 cm*

Schwäbisch Gmünd, Städtisches Museum, o. Inv.-Nr.

2178*

## ROSENKRANZ MIT WALLFAHRTSANHÄNGER

18. Jahrhundert

*Silberfiligran, Gagat*
*L. 45 cm*

Schwäbisch Gmünd, Städtisches Museum, o. Inv.-Nr.

Das angehängte Wallfahrtszeichen zeigt das Gnadenbild der Maria von Einsiedeln. Ein Zeichen, daß der ehemalige Besitzer diesen Wallfahrtsort aufgesucht hat.          S. Ph.

2178

2179

2180

## 2179*

### Hl. Barbara

Augsburg (?), 2. Hälfte 18. Jahrhundert

*Hinterglasmalerei, Fichte, Nußbaum*
*H. 38,4 cm, B. 31,2 cm*

Stuttgart, Württembergisches Landesmuseum,
Inv.-Nr. L VK 1978–167

Die Hl. Barbara, erkennbar am leuchtend weißen
Gewand, am Abendmahlskelch und dem darüberschwe-
benden Altarssakrament und dem Palmzweig, gehört zu
den 14 Nothelfern. Sie wurde als Beistand der Sterbenden
angerufen.
Hinterglasbilder begannen im frühen 18. Jahrhundert die
kolorierten Holzschnitte und Kupferstiche abzulösen.
Während diese Bilder nur in Schränken und Truhen
aufgeklebt wurden, waren die Hinterglasbilder sichtbarer
Wandschmuck und Andachtsmittel zugleich. Produziert
wurden sie vor allem in der Umgebung von Glashütten,
zum Beispiel ab 1800 von Uhrenschildermalern im
Schwarzwald. Von wandernden Händlern auf Jahrmärkten und bei Wallfahrten vertrieben, waren sie auch für
weniger wohlhabende Volksschichten erschwinglich.

*Leopold Schmidt, Hinterglas. Zeugnisse einer alten Haus-*
*kunst, München 1979.* S.Ph.

## 2180*

### »Matthäus wird zum Apostelamte beruffen. Matth. IX.9«

vor 1849

*Hinterglasmalerei, Fichte, Papier*
*H. 25,6 cm, B. 32 cm*

Stuttgart, Württembergisches Landesmuseum,
Inv.-Nr. L VK 1978–177

Das Bild hat nicht die persönliche Verherrlichung eines
Heiligen zum Thema, sondern beschreibt die Berufung des
Zolleinnehmers Matthäus zum Apostel. In Anbetracht der
wegen ihres geringen Steueraufkommens in Württemberg
schlecht angesehenen Gmünder könnte dieser Art des
Wandschmucks und der Verehrung eine besondere Bedeutung zugemessen werden. Die Zolleinnehmer standen
ebenfalls in schlechtem Ruf, und dennoch wurde einer von
ihnen ausgezeichnet; Jesus aß mit ihnen und sprach: »Ich
soll nicht die in Gottes neue Welt einladen, bei denen alles
in Ordnung ist, sondern die ausgestoßenen Sünder.«
S.Ph.

## 2181

### Hl. Theresia

Spätes 18./Anfang 19. Jahrhundert

*Hinterglasmalerei, bemalter Fichtenrahmen*
*H. 16,9 cm, B. 12,3 cm*

Stuttgart, Württembergisches Landesmuseum,
Inv.-Nr. L VK 1978–169

2182

## »S. Francisca«

1. Hälfte 19. Jahrhundert

*Hinterglasmalerei, Rahmen Fichte*
*H. 23,4 cm, B. 17 cm*

Stuttgart, Württembergisches Landesmuseum,
Inv.-Nr. L VK 1978–164

2183

## S. Joanna de Cruce

Klosterarbeit
18. Jahrhundert

*Kolorierter Kupferstich, Stoff, Papier, Glas, Holz*
*H. 20 cm, B. 13 cm*

Schwäbisch Gmünd, Städtisches Museum, o. Inv.-Nr.

2184

## Reliquar

*Pappe, Silberfäden, Wachs, Stoff, Leder*
*H. 15,4 cm, B. 13,6 cm*

Schwäbisch Gmünd, Städtisches Museum, o. Inv.-Nr.

Reliquien der Heiligen: S. Austeri M, S. Donati M, S.
Severini M, S. Aureli M, S. Fortunati M, S. Gortonii M.
Ende des 16. Jahrhunderts wurden in Rom zahlreiche
Katakomben entdeckt, die darin gefundenen Gebeine wur-
den den Märtyrern der ersten christlichen Gemeinden
zugeschrieben und als Reliquien in großer Zahl nach
Deutschland gebracht. In kleine Papiere gehüllt, mit
Namen versehen und kunstvoll ausgeschmückt, dienten
sie noch Ende des 18. Jahrhunderts der Verehrung.     S. Ph.

2186

2185

## MINIATUR MIT RELIQUIE IM SPIEGELSCHLIFFRAHMEN

18. Jahrhundert

*Deckfarben auf Pergament, Goldfaden, Papier, verspiegelter Kugel- und Mittelschliffrahmen, Fichte H. 17 cm, B. 13,5 cm*

Stuttgart, Württembergisches Landesmuseum, Inv.-Nr. L VK 1978–148

2186*

## 12 HEILIGENBILDCHEN, ZUM TEIL GEWEIHT

Wahrscheinlich Klosterarbeiten um 1800

*Kupferstich, Aquarell und Gouache je H. 12 cm, B. 8 cm*

Schwäbisch Gmünd, Städtisches Museum, o. Inv.-Nr.

# Wallfahrt zum St. Salvator

Dem seit 1618 bestehenden Gmünder Wallfahrtsort »St. Salvator«, um 1800 noch außerhalb der Stadt auf einem Berg an der Landstraße nach Lorch gelegen, zollte selbst der den Gmündern sonst nicht eben wohlgesinnte Roeder Beifall für »sein hübsches Aussehen«. Er konstatierte regen Besuch aus der Stadt und Umgebung: »man sieht beständig Leute herauf und hinauf steigen. Denn vom Wallfahrten und Prozessionengehen sind die Gmünder große Freunde«.[1]

Der St. Salvator zeigt eine außergewöhnliche Architektur. Eine vorhandene Höhle ist mit künstlichen Außenmauern versehen worden, die in ihrer unregelmäßigen Gestaltung das Motiv des Felsens wiederaufnehmen. Das Gnadenbild in der unteren der zwei Kapellen, eine Kreuzigungsgruppe, ist aus dem anstehenden Felsen gehauen worden, ebenso die das Hauptthema der oberen Kapelle bildende Ölbergszene. Ein 1792 abgebrochenes »Haus von Nazareth« – mit Szenen aus dem Leben der Hl. Familie ausgemalt – und ein Hl. Grab beförderten die zu Beginn des 17. Jahrhunderts beliebte Illusion einer Wallfahrt in das Hl. Land.[2] Besondere Wallfahrten mit Predigten und feierlicher Prozession fanden an den Feiertagen der Fastenzeit statt.

Viele Pilger bedeuteten auch hohe Einnahmen in den Opferstöcken, große Stiftungen und Spenden. Dazu kamen Geschenke von Meßgeräten und anderen Ausstattungsgegenständen. Eine Zählung von 1770 nennt dazu hundert silberne Votivgaben »außer denen, so in dem Haus des Herrn Unterpflegers sein«.[3] Die günstige finanzielle Situation ermöglichte es, ab 1737 einen Kreuzweg mit einzelnen Häuschen und lebensgroßen Figuren anzulegen. Ab 1789, wieder durch umfangreiche Spenden und städtische Mittel finanziert, wurde mit dem Umbau der Stationen zu einzelnen klassizistischen Kuppelbauten begonnen.                                                           S. Ph.

1
Philipp Ludwig Hermann Roeder, Geographie und Statistik Württembergs, Teil 2, Ulm 1804, S. 98.

2
Hans Dünninger, Zur Geschichte der barocken Wallfahrt im deutschen Südwesten, in: Badisches Landesmuseum Karlsruhe (Hg.) Ausst.-Kat. Barock in Baden-Württemberg, Karlsruhe 1981, Bd. 2, S. 412.

3
Zitiert nach: Rudolf Weser, St. Salvator bei Schwäb. Gmünd. Seine Geschichte und Beschreibung. Mit einem Anhang herausgegeben von Ludwig Zimmer, Kaplan auf dem St. Salvator, Schwäb. Gmünd 1919, S. 42.

2187*

## 21 Wachsvotive aus der St. Salvatorkirche

15 Beinchen, 4 Arme, 2 Figuren

Schwäbisch Gmünd
Ende 18./Anfang 19. Jahrhundert

*Wachs, Textilien*
*L. bis zu 13 cm, Dm. 2,5 cm bis 3,5 cm*

Schwäbisch Gmünd, Katholische Kirchengemeinde

Wachsvotive in Form von Augen, Brüsten, Gebissen, Armen, Beinen und inneren Organen wurden als Stellvertreter für die erkrankten Körperteile an vielen Wallfahrtsorten geopfert. Die Gabe von in Wachs abgegossenen menschlichen Figuren sollte die gemeinte Person unter besonderen Schutz stellen oder bedeutete besondere Fürbitte für einen Toten.
Von Wachsziehern, Lebzeltern oder Zuckerbäckern in Modeln gegossen, wurden sie am Wallfahrtsort an die Pilger verkauft. Waren in einer Kirche größere Mengen zusammengekommen, so wurden sie eingeschmolzen und zu Kerzen verarbeitet. S.Ph.

2188*

## Gebet vor einer Kreuzwegstation des St. Salvators

um 1810

*Öl auf Leinwand*
*H. 33 cm, B. 26,5 cm*

Schwäbisch Gmünd, Städtisches Museum, o. Inv.-Nr.

Angesichts der hohen Kindersterblichkeit waren Votivbilder, die wie hier den Tod von Säuglingen und Kleinkindern dokumentieren, keine Seltenheit. S.Ph.

2189

## Andachtsbild

*Kupferstich*
*H. 11,3 cm, B. 6,5 cm*

Schwäbisch Gmünd, Städtisches Museum, o. Inv.-Nr.

2187

2188

2190

## ILLUSTRATION AUS EINEM ANDACHTSBUCH ZUR ST. SALVATOR WALLFAHRT

Ellwangen, bei Antoni Brunhauer
18. Jahrhundert (?)

*Kupferstich*
*H. 12,4 cm, B. 8,3 cm*

Schwäbisch Gmünd, Städtisches Museum, o. Inv.-Nr.

Titelblatt des Buches: *Göttliches Gespräch / Einer andäch-tigen Seel mit / GOtt auf dem Berg GOttes. / Das ist :/ Kurtze Betrachtung über die Ge= / heimnussen und Statio-nen des Ley= / den, und Sterbens / CHristi JESU/ Welche samt denen zwey uralten in / einem eintzigen Stein, oder Felsen / eingehauenen Capellen auf St. / SalvatorBerg / Ohnweit des Heil.Röm.Reichs= / Stadt Schwäbisch=*

*Gmünd mit sondern / Seelen Nutzen zu besuchen seynd, allen / Innwohnneren, und Wallfahrtern / zu Trost in Druck gegeben. / Mit angehängtem Meß=Beicht, und / Communion Gebetteren, / Und mit kurtzem Bericht der daselbst ordent= / lich eingeführten Bruderschafft der allerhei= / ligsten Wundmahlen JEsu Christi. / Permissu Superiorum. / Gedruckt zu Ellwang bey Antoni Brun= / hauer/ in Verlag Joseph Walter/Burger/ und Handelsmann in Gmünd.*

Das Blatt zeigt eine abstrahierende Ansicht der Stadt Schwäbisch Gmünd mit dem dominierend und entgegen der Perspektive vergrößerten St. Salvator. Es wurde mög-licherweise als Andachtsbild benutzt. Ob der Druck aus einem Buch herausgeschnitten oder auch als Einzelblatt gehandelt wurde, ist nicht geklärt.

*Ergänzungen, Anmerkungen und Literaturhinweise zum Bilder- und Geschichtenbuch Gmünder Leute, Sonderaus-gabe von UNICORNIS, Mai 1984, S. 8, 9.*          S.Ph.

*Klause hinter der S. Salvator kirche*

2191

2191*

## ANSICHT KLAUSE HINTER DER SALVATORKIRCHE

Johann Sebald Baumeister (1775–1829)
Schwäbisch Gmünd, um 1820

*Aquarellierte Federzeichnung*
*H. 8,6 cm, B. 11,9 cm (Blatt)*

Schwäbisch Gmünd, Städtisches Museum, o. Inv.-Nr.

2192*

## S. SALVATORKIRCHE

Johann Sebastian Baumeister (1775–1829)
Schwäbisch Gmünd, um 1820

*Aquarellierte Federzeichnung*
*H. 8,5 cm, B. 11,6 cm*

Schwäbisch Gmünd, Städtisches Museum, o. Inv.-Nr.

2193

## 2 ANHÄNGER ST. SALVATOR FÜR ROSENKRÄNZE

um 1800

*Messing*
*H. 2,7 cm, B. 1,9 cm*

Schwäbisch Gmünd, Städtisches Museum, o. Inv.-Nr.

2192

2194

**2194\***

EX VOTO:
KERKERSTATION AUF DEM SALVATOR

Christoph Haas
Schwäbisch Gmünd, 1820

*Wasserfarben auf Papier
H. 32 cm, B. 25 cm (Blatt)*

Schwäbisch Gmünd, Städtisches Museum, o. Inv.-Nr.

## Pietistischer Eigensinn und staatliche Herrschaft

Die altwürttembergische protestantische Staatskirche war im Laufe des 18. Jahrhunderts in verschiedene theologische Richtungen und soziale Gruppen zerfallen. Am Ende des 18. Jahrhunderts entzogen sich einzelne pietistisch orientierte Gruppen gar der kirchlichen Einflußnahme und Unterweisung. Gesamtgesellschaftlich gesehen rekrutierten sich diese Kreise aus den Schichten, die in der zweiten Hälfte des 18. Jahrhunderts zunehmend vom sozialen Abstieg bedroht waren. Hohe Steuer- und Feudallasten und die wirtschaftliche Krisenzeit an der Wende zum 19. Jahrhundert hatten vor allem jene Bevölkerungsgruppen hart getroffen, die im Übergangsbereich zwischen unterer Mittelschicht und Unterschicht lebten. Die Mitglieder der separatistischen Zirkel in Nordheim, Fellbach, Iptingen und Rottenacker – um nur einige Orte zu nennen – waren vorwiegend kleine Dorfhandwerker und weniger vermögende Weingärtner. Auch Frauen und ledige Jugendliche zählten zu den Mitgliedern[1].

Die Separatisten äußerten ihr Mißfallen an der Amtskirche deutlich: Sie gingen nicht mehr in die Kirche, tauften ihre Kinder selbst, lehnten den Ortsgeistlichen ab und entwickkelten eigene Formen eines Laienpriestertums. Urchristliche und – vor dem Hintergrund der Französischen Revolution – durchaus auch umstürzlerische Ideen wurden laut, wenn etwa der Müller Christian Greulich aus Nordheim an seinen Pfarrer schrieb, er lasse sein Kind nicht taufen, »weil die Kirche seinem Kind die Seligkeit nicht bringe; sie habe zu viele breite Gänge, und doch führe ein schmaler Weg zum Leben; sie sey ein Rauff- und Todten-Haus. (...) ich bin ein Patriot in Christo Jesu, und liebe die Freiheit, Gleichheit und Brüderschaft.«[2]

Es blieb also nicht beim religiösen Autonomieanspruch. Der chiliastische Glaube an das unmittelbar bevorstehende Weltende – Johann Albrecht Bengel hatte den Weltuntergang nach der Offenbarung des Johannes für das Jahr 1836 vorhergesagt und berechnet – war die Folie, auf der die Separatisten das politische Geschehen deuteten. Während die einen in Napoleon den »Engel des Abgrunds« sahen, der jene politischen Wirren und Kriege verursacht hatte, die in der Offenbarung dem Weltuntergang vorausgehen, sahen andere in Napoleon den »Bruder«, den Mitstreiter im Kampf um Gleichheit und Freiheit, den Befreier von drückenden weltlichen Mächten.

Beseelt von der Überzeugung, daß Gott der einzig rechtmäßige Gesetzgeber sei, gerieten die Separatisten zunehmend in Konflikt mit dem staatlichen Herrschaftsanspruch. Sie duzten Vertreter der Obrigkeit, wetterten gegen deren häufig luxuriösen Lebenswandel, unterrichteten ihre Kinder selbst und lehnten den Eid und die Wehrpflicht grundsätzlich ab. Solches Verhalten konnte der Obrigkeit, die sich ja gerade zu Beginn des 19. Jahrhunderts ihren Untertanen verstärkt ordnend und disziplinierend zuwandte, nicht gleichgültig sein. In zahlreichen Verordnungen und Erlassen wurde verfügt, daß Separatisten künftig für ihre Widerborstigkeit gegenüber der Staatsmacht zu bestrafen seien. Die Umerziehung und Einpassung widerständiger Separatisten wurde zum Exerzierstück im Bemühen des württembergischen Staates um innere Einheit und um eine einheitliche »untertänige« Mentalität seiner Bürger.

In der Folge griff in separatistischen Kreisen eine wahre »Auswanderungssucht« um sich. Die einen zogen die Donau hinunter nach Bessarabien und Kaukasien. Sie waren getrieben von dem Glauben, daß es gut sei, dem »Herrn« bei seiner Wiederkunft in Palästina im Jahr 1836 möglichst nahe zu sein, und auch sicherlich nicht unwesentlich angezogen von den wirtschaftlich günstig scheinenden Siedlungsangeboten der russischen Regierung. Andere wanderten in die Vereinigten Staaten aus, in das Land der »Freyheit«. Eine Gruppe um Georg Rapp aus Iptingen gründete in Pennsylvanien 1805 eine Kolonie mit dem beziehungsvollen Namen »Harmonie«.

Der württembergischen Regierung war es zunächst gar nicht unrecht, daß sie auf diese Weise einen Teil der widerspenstigen Untertanen los wurde. Freilich mußte sie verhindern, daß die »Auswanderungssucht« überhandnahm. Es zeigte sich nämlich, daß es sich bei den Auswanderungswilligen nicht nur um Separatisten, sondern auch um zum Teil nicht unvermögende und durchaus biedere Bürger handelte. Zunächst zögernd, dann aber zunehmend bereitwillig nahm deshalb die Regierung den Vorschlag gemäßigterer Pietistengruppen an, in Württemberg selbst Kolonien zu gründen, um die Auswanderungswelle einzudämmen. Die Kolonisten hatten zunächst weitgehende Privilegien gefordert, in erster Linie die Befreiung von der Wehrpflicht. Von diesen Vorrechten blieb, abgesehen von geringen Zugeständnissen, die die Zusammensetzung der Bewohner und die Form ihres Zusammenlebens im Innern betrafen, dann wenig übrig, als die Regierung schließlich der Gründung von Kolonien zustimmte. Die Siedlungen wurden rechtlich weitgehend der staatlichen Obrigkeit unterstellt.

In diesem Arrangement zwischen obrigkeitlichen Herrschaftsansprüchen und pietistischen Autonomiebestrebungen, das zur Gründung der Orte Königsfeld (1806), Korntal (1819) und Wilhelmsdorf (1823) führte, spiegelte sich auch der Wandel wider, der sich mittlerweile in pietistischen Kreisen vollzogen hatte. Die rebellischen »Brüder und Schwestern« waren längst ausgewandert, als sich die neue zukunftsträchtige Union zwischen Staat und Pietismus vollzog. Bürgerliche Pietisten riefen nun zum Gehorsam gegenüber der Obrigkeit auf, der ihnen angesichts des drohenden Weltendes geboten schien. Ab 1819 erschienen denn auch die Werke eines Hauptvertreters der »neuen Linie«, Johann Michael Hahn, mit obrigkeitlicher Erlaubnis im Druck. 15 bislang nur handschriftlich verbreitete Bände wurden in laufender Folge veröffentlicht. Fortan betätigten sich die Kolonisten kaum mehr politisch. Ihre neuen Aufgaben lagen im sozialen Bereich. Die Gründung von »Kinder-Rettungs-Anstalten« und die Erziehung erwachsener Armer zu Arbeit und Untertänigkeit waren nunmehr die Betätigungsfelder der bürgerlich gewordenen Pietisten. In Personalunion mit der 1806 in Stuttgart gegründeten »Privatgesellschaft freywilliger Armenfreunde«, die später wesentlichen Anteil an der Konstituierung der staatlichen »Centralleitung für Wohlthätigkeit« hatte, entstand 1812 die Bibelgesellschaft. 1816 waren bereits die ersten Bibeln gedruckt, die portofrei – der König hatte die Kosten für den Versand übernommen – an arme Familien und Schulkinder verschickt wurden. Im selben Jahr lobte der König: »Das Unternehmen hat einen sehr wohlthätigen, den religiösen Bedürfnissen des Volkes angemessenen Zweck.«[3] Der Wandel vom separatistischen zum quietistischen, staatstreuen Pietismus war vollzogen.

1
Hierzu ausführlicher: Hans-Volkmar Findeisen, Pietismus in Fellbach, Diss. Tübingen 1985.

2
Landeskirchliches Archiv Stuttgart, A 26/ 473.2/1; Schreiben des Specialis Uhland an den Herzog vom 22. Jun. 1801.

3
HStA Stuttgart, E 14–16/ Bü 1115, Bericht vom 13. Jun. 1816. Zit. nach: Hartmut Lehmann, Pietismus und weltliche Ordnung, Stuttgart 1969, S. 168.

*Hans-Volkmar Findeisen, Pietismus in Fellbach 1750 bis 1820. Zwischen sozialem Protest und bürgerlicher Anpassung, Diss. Tübingen 1985. – Hartmut Lehmann, Pietismus und weltliche Ordnung in Württemberg, Stuttgart 1969. – Martin Scharfe, Subversive Frömmigkeit. Über die Distanz unterer Volksklassen zur offiziellen Religion, in: Jutta Held (Hg.): Kultur zwischen Bürgertum und Volk, (Argument Sonderband 103) Berlin 1983, S. 117–135. – Joachim Trautwein, Religiosität und Sozialstruktur, Stuttgart 1972.*

B. B.

2195

## EVANGELISCHE ZEUGNISSE DER WAHRHEIT ZUR AUFMUNTERUNG IM WAHREN CHRISTENTHUM

Immanuel Gottlob Brastberger
Stuttgart, 1803

*Oktav, Pappeinband*
*H. 22,6 cm, B. 19 cm*

Stuttgart, Württembergische Landesbibliothek, 24 / 646

Brastberger war Dekan und Stadtpfarrer in Nürtingen. Die *Evangelischen Zeugnisse der Wahrheit* erschienen erstmals im Jahr 1758 und wurden mehrfach wieder neu verlegt. Brastbergers Buch war eines der am meisten gelesenen Predigtbücher.
In protestantischen und besonders in pietistischen Gegenden läßt sich an der Wende vom 18. zum 19. Jahrhundert ein verhältnismäßig umfangreicher Besitz von geistlichen Büchern nachweisen. Untersuchungen ergaben, daß der durchschnittliche Buchbesitz der Haushalte in Laichingen auf der Schwäbischen Alb beispielsweise deutlich über der durchschnittlichen Bücherzahl der Haushalte in der Universitätsstadt Tübingen lag: In Tübingen belief sich der durchschnittliche Buchbesitz pro Haushalt in den Jahren 1800–1810 auf 7–8 Bücher. Laichinger Haushalte wiesen zwischen 1794–1798 im Durchschnitt 10–11 fast ausschließlich religiöse Bücher auf. Der große Buchbesitz erklärt sich aus der spezifischen Art protestantischer und vor allem auch pietistischer Religionsausübung: Die Frömmigkeit beschränkte sich nicht auf den sonntäglichen Kirchenbesuch. Gleichwertig und häufig sogar wichtiger war die erbauliche Andacht zu Hause, das gemeinsame Lesen von Predigten und Briefen religiöser ›Väter‹, deren Werke immer wieder neu aufgelegt wurden. B.B.

2196

## ERKLÄRUNG VOM GLAUBEN

Rechtfertigung, von dem Wesen und Nutzen der wahren Gottseligkeit und Bericht von der Mystic

Gerhard Tersteegen
Tübingen 1773

*Oktav, Pappeinband*
*H. 17,2 cm, B. 10,8 cm*

Stuttgart, Württembergische Landesbibliothek, Theol. oct. 17870

2197

## EINES UNGENANNTEN SCHRIFTFORSCHERS BETRACHTUNGEN UND PREDIGTEN...

Philipp Matthäus Hahn
Frankfurt und Leipzig, 1780 (2. Aufl.)

*Oktav, Pappeinband*
*H. 18,3 cm, B. 12 cm*

Stuttgart, Württembergische Landesbibliothek, Theol. oct. 7202

2198

## FINGERZEIG ZUM VERSTAND DES KÖNIGREICHS GOTTES

Philipp Matthäus Hahn
Winterthur, 1778

*Oktav, Pappeinband*
*H. 16,5 cm, B. 10,6 cm*

Stuttgart, Württembergische Landesbibliothek, HBF 1696

2199

## GEDANKEN VOM HIMMEL

Von dem Verfasser der vermischten theologischen Schriften.

Philipp Matthäus Hahn
o. O. 1780

*Oktav, Pappeinband*
*H. 19,2 cm, B. 12 cm*

Stuttgart, Württembergische Landesbibliothek, Theol. oct. 7199

2200

## DAS HEIMWEH

Johann Heinrich Jung-Stilling
Stuttgart, 1826 (4. Aufl., 1. Aufl.: 1800)

*Oktav, Pappeinband*
*H. 19,2 cm, B. 11,5 cm*

Stuttgart, Württembergische Landesbibliothek, d.D. oct. 6168

Der Autor starb 1817 als Kirchenrat in Karlsruhe. In seinem Roman begleitet er seinen Helden, einen jungen Mann, auf der Suche nach der Heimat, die im Osten, im Reich des Königs des Lichts und der Wahrheit, liegt. Die damals vor allem in pietistischen Kreisen herrschende Weltuntergangsstimmung wird in Stillings Werk literarisch verarbeitet: *Die Christenheit naht sich ihrem großen Herbst, in welchem die schreckliche Kelter des Zorns Gottes getreten werden soll; es wird eine große Scheidung vorgenommen werden: denn der Herr hat seine Wurfschaufel in der Hand, er wird nun auch diese Tenne fegen.*

B.B.

## 2201

### Zweiter Band über das Neue Testament

aus: Schriften 1819–1841, Bd. 3

Johann Michael Hahn (1758–1819)
Tübingen, 1820

*Oktav, Pappeinband*
*H. 18,5 cm, B. 11 cm*

Stuttgart, Württembergische Landesbibliothek,
Theol. oct. 7175

## 2202

### Dritter Band über das Neue Testament

aus: Schriften 1819–1841, Bd. 4

Johann Michael Hahn (1758–1819)
Tübingen, 1820

*Oktav, Pappeinband*
*H. 19 cm, B. 11,5 cm*

Stuttgart, Württembergische Landesbibliothek,
Theol. oct. 7175

## 2203

### Sammlung von auserlesenen geistlichen Gesängen

Johann Michael Hahn (1758–1819)
Tübingen, 1822

*Oktav, Pappeinband*
*H. 18,9 cm, B. 11,8 cm*

Stuttgart, Württembergische Landesbibliothek,
Theol. oct. 7194

## 2204

### Bibelkästchen

Schwäbische Alb, 1. Viertel 19. Jahrhundert

*Holz, gefaßt*
*H. 22 cm, B. 50 cm, T. 30 cm*

Pfullingen, Schwäbischer Albverein e. V./Museum,
Inv.-Nr. T 423

Pietisten und Protestanten verwahrten ihren Bücherbesitz wohl gemeinsam mit Dokumenten und Ersparnissen in kleinen Truhen oder aber, wohl häufiger noch, auf Wandbrettern über dem Fenster der Stube. Hier standen die religiösen Bücher neben dem Nähkästchen und den Gewürzen.

*Hans Medick, Buchkultur auf dem Lande, Laichingen 1748–1820. Ein Beitrag zur Geschichte der protestantischen Volksfrömmigkeit in Altwürttemberg, in: Landeskirchliches Archiv Stuttgart (Hg.), Glaube, Welt und Kirche im evangelischen Württemberg. Ausstellung zur 450-Jahr-Feier der Evangelischen Landeskirche, Stuttgart 1984, S. 46–68.*

## 2205

### Absage an die »Lust der Welt«

Emblematisches kleines Andachtsbild

Augsburg?, spätes 18. Jahrhundert

*Handkolorierter Kupferstich*
*H. 8,2 cm, B. 5,3 cm*
*Bez.: Mein Herze flieht die / Lust der Welt / Weil ihm ihr Tand / nicht mehr gefällt.*

Stuttgart, Württ. Landesmuseum, Inv.-Nr. VK 1970/308/8

Als Lesezeichen und zur Erbauung waren in religiöse Bücher Andachtsbildchen eingelegt. In protestantischen und pietistischen Gebieten rufen diese Einlegebildchen häufig zu mäßigem, gottgefälligem Lebenswandel auf (vgl. Kat. Nrn. 2206–2210).

*Martin Scharfe, Evangelische Andachtsbilder, Stuttgart 1968.*
B.B.

## 2206

### Kleines Andachtsbild

Rebusbild: Memento mori

Paul Joseph Busch
Augsburg, spätes 18. Jahrhundert

*Handkolorierter Kupferstich*
*H. 11 cm, B. 7,4 cm*
*Bez.: Hiob XIIII v. 5 / Der Mensch hat Seine / bestimmte / (Zeit) / Die Zahl seiner / (Tage, Monde?) / Stehet bey Gott / – Menschen Zeit u. Zil, Zum Todt. / Rührt von gott u. steht bei gott*
*Signiert: P. I. Busch. A.V.*

Stuttgart, Württ. Landesmuseum, Inv.-Nr. VK 1970/308/7

2207

## KLEINES ANDACHTSBILD

Rebusbild

Frehling (d. Ä. ?)
Augsburg, spätes 18. Jahrhundert

*Handkolorierter Kupferstich*
*H. 9,4 cm, B. 5 cm*
*Bez.:* Wie oft hab ich wollen / Deine (Kinder) Versam̃len,
wie eine (Henne) Versam̃elt ihre / (Küken) / unter ihre /
(Flügel) / und due hast ni- / -cht Gewollt / Matth XXIII.
V.37. *Signiert:* Frehling Ca A V.

Stuttgart, Württ. Landesmuseum, Inv.-Nr. VK 1970/322

2208

## KLEINES ANDACHTSBILD

Rebusbild

Johann Martin Will (1727–1806)
Augsburg, 2. Hälfte 18. Jahrhundert

*Handkolorierter Kupferstich*
*H. 11,7 cm, B. 7,8 cm*
*Bez.:* Nehemia I. v. &. / Ach HERR / Las doch deine
(Ohren) / aufmercken und / deine (Augen) / Offen sein das
du hörest / Daß (Gebet) / Deines Knechtes. / Hör und
Siehe mein Gott. / das Gebeth in unserer Noth.
*Signiert:* J. M. Will A. V.

Stuttgart, Württ. Landesmuseum, Inv.-Nr. VK 1970/308/6

2209

## EMBLEMATISCHES KLEINES ANDACHTSBILD

Johann Martin Will (1727–1806)
Augsburg, 2. Hälfte 18. Jahrhundert

*Handkolorierter Kupferstich*
*H. 11,9 cm, B. 7,2 cm*
*Bez.:* Vor Gottes Angesicht, gehorsam / from̃ Zu leben /
Hab ich mein Herz u. Siñ, bis / an mein End ergeben.
*Signiert:* Ioh. Martin Will excudit Aug. Vind.

Stuttgart, Württ. Landesmuseum, Inv.-Nr. VK 1970/308/4

2210*

## ANDACHTSBILD:
## VERTREIBUNG AUS DEM PARADIES

Georg Frehling (Vater) oder Franz Xaver Frehling (Sohn)
Augsburg, um 1800

*Hand- und schablonenkolorierter Kupferstich*
*H. 12,8 cm, B. 8,2 cm*
*Bez.:* Straf der Adams- Sünde. G.(enesis) III. *Und:* Gleich

2210

einer Schlange ist die Sünde / Drum Flieh die Lust u.
überwinde. *Signiert:* Frehling. Sc. A. V.

Stuttgart, Württ. Landesmuseum, Inv.-Nr. VK 1970/308/5

2211

## D. JOHANN ALBRECHT BENGELS / SECHZIG
## / ERBAULICHE REDEN / ÜBER DIE /
## OFFENBARUNG JOHANNIS...

Mit Titelkupferstich Bengels

Verlegt bei Johann Christoph Erhard, Buchhändler;
Kupferstich von Hieronymus Sperling (1695–1777)
Stuttgart, 1771; Kupferstich Augsburg, 1747

*Oktav, Ledereinband, 1306 S.*
*H. 17,5 cm, B. 10 cm*

Stuttgart, Württ. Landesmuseum, Inv.-Nr. VK 1970/314

Im politischen Geschehen um 1800 sahen die Pietisten die
Vorhersagungen erfüllt, die in der Offenbarung des Johannes der Apokalypse vorausgehen. Der Weltuntergang mit
dem Jüngsten Gericht sollte demnach 1836 sein (vgl.
Kat. Nrn. 2212–2214).                                    B.B.

2212

## GLAUBENS UND HOFFNUNGS-BLICK DES VOLKS GOTTES IN DER ANTICHRISTLICHEN ZEIT...

Johann Jakob Friederich (1759–1807)
ohne Ort, 1800

*Papier, Letterndruck*
*H. 16 cm, B. 10 cm*

Stuttgart, Landeskirchliches Archiv, A 26, Bd. 459,7/6.2

2213*

## BERECHNUNG DES ZEITPUNKTES, AN DEM DER WELTUNTERGANG SEIN WIRD

Johann Jacob Schmid
Münsingen, 1800

*Federzeichnung auf Pappe*
*H. 48 cm, B. 37 cm*
*Bez.:* Tabula Chronologica qua / Aetas Mundi / Septem
Chronis distincta / sistitur / Autore Phil. Matth. Hahn.
*Signiert:* Johann Jakob Schmid, Ziegler. Anno Mundi
1800. in Münsingen

Münsingen, Heimatmuseum, Inv.-Nr. A 9

Der Ziegler Johann Jacob Schmid setzte die Berechnungen
J. A. Bengels und Ph. M. Hahns zeichnerisch um. Die
Zeittafel reicht von der Erschaffung Adams bis zum
Jüngsten Gericht.                                    B. B.

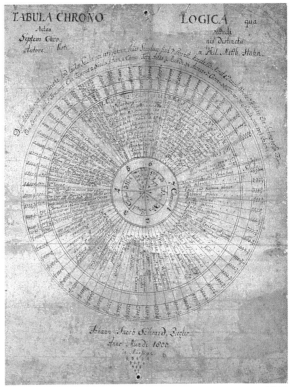

2213

2214*

## ZUR STÄNDIGEN ERINNERUNG AN DAS BEVORSTEHENDE WELTENDE

Kalligraphisches Blatt

Hans Marthin Bilger
Boll b. Oberndorf, 1787

*Feder und Deckfarbenmalerei auf Papier*
*H. 32 cm, B. 40 cm*
*Bez.:* Sie werden / sehen des Mensch / en Sohn komen / in
den / Wolck / en.
*Signiert:* HANS MARTH / IN BILGER IN BOL / DEN
XV / janniwari / Anno / 1787

Privatbesitz

Der von chiliastischen Vorstellungen getragene Text des
Blattes mahnte den Leser, sich auf das im Jahr 1836
vermeintlich bevorstehende Weltende vorzubereiten: *Da
unser Teurer Heyland Jesus Christus seine Liebe Jünger
und uns alle Lehret Wie wir uns in den letzten Zeiten wenn
sich die Zeichen und Wunder Als Vorboten seiner
Zukunft ...eugnen werden Ver Halten sollen spricht er*

2214

*Mitt diesen Worten So Seyt Nun wacher alle Zeit und bittet daß ihr Würdig Werden Möget zu entfliehem diesem Allen Daß geschehen soll und zu stehen Vor des Menschen Sohn Also meiner Seele ist jetzt Gewiß die letzte Stunde daß ende der Welt ist Nicht weit…*

Die zahlreichen alten Knickfalten des Blattes weisen darauf hin, daß das Blatt wohl kaum als Wandschmuck gedient hat, sondern wohl eher in einer Schublade, einer Truhe oder einem Buch verwahrt wurde. Möglicherweise wurde das Blatt auch vom damaligen Besitzer in den Kleidern am Leib getragen. B.B.

## 2215

### BERICHT DES SPECIALIS UHLAND ÜBER DEN HERGANG DER ZU NORDHEIM VORGEFALLENEN SEPARATISTISCHEN UNORDNUNGEN

Brakenheim, 22. Jan. 1801

*Feder auf Papier*
*H. 33,5 cm, B. 21 cm*

Stuttgart, Landeskirchliches Archiv, A 26 / 473.3

Pfarrer Uhland berichtet dem Herzog von seinen Auseinandersetzungen mit dem Separatisten Christian Greulich, der sich geweigert hatte, sein Kind kirchlich taufen zu lassen. In der vom Pfarrer zitierten Begründung Greulichs wird u. a. dessen laienpriesterliches Ansinnen deutlich: *wer den Geist habe, der sey von Gott privilegirt, und brauche es nicht von der geistlichen Hure zu seyn; wer das Privilegium seines Amts von der Welt habe, der sey von der Welt, und mithin Gottes Kind…* B.B.

## 2216

### VERHÖRPROTOKOLL EINES SEPARATISTEN, DER SEIN KIND SELBST GETAUFT HATTE

Urach, 2. Apr. 1816

*Feder auf Papier*
*H. 32 cm, B. 19,5 cm*

Stuttgart, Landeskirchliches Archiv, A 26/ 603

Vor allem nach der Einführung der neuen Liturgie im Jahr 1809, die von Staat und Kirche gemeinsam erlassen worden war, mehrten sich die Widerstände pietistischer Kreise gegen die Staatskirche. Stein des Anstoßes wurde häufig die neue aufklärerische Variante der Taufformel, in der die Absage an den Teufel gestrichen war. Auf Befragen gab der Weber Johan Georg Hartter dem Oberamt (sic!) zu Protokolle, *Er habe allen Respect gegen die Obrigkeit, aber diß habe ihm sein Gewissen nicht zu gelassen. (…) Er gäbe lieber sein Leben auf, als daß er sich zu soetwas nöthigen liesse.* B.B.

## 2217

### VERHÖRPROTOKOLL DES JOHANN GEORG RAPP

Maulbronn und Dürrmenz, 10. Mai 1787

*Feder auf Papier*
*H. 33 cm, B. 21,5 cm*

Stuttgart, Landeskirchliches Archiv, A 26 / 473.2

Johann Georg Rapp war als Anführer eines separatistischen Zirkels in Iptingen aufgefallen. Sein Betragen gab dem Oberamt Anlaß, sich grundsätzlich über den Unterschied zwischen religiöser und politischer Freiheit zu äußern: *Blos so lang sie sich noch in den Schranken des ersten (der freien Religionsausübung) halten, sind solche Leute ein – von dem Pfarr- oder allenfalls auch Decanat Amt mit viel Schonung und Mitleiden zu behandelnder Gegenstand, sobald sie aber zu dem andern (der Verbreitung ihrer Ideen und geringschätziger Ausdrücke gegen die Obrigkeit) überzuschreiten sich wagen, so hat man sie vor das Gemeinschaftl. Oberamt zu ziehen, und eben dadurch zu bezeugen, daß ihre Sache von da an nimmer blos eine Gewissens Sache, und allein nach Christi Wort und Geist zu behandeln seye, sondern daß sie sich wider die Weltliche Obrigkeit, und deren Landes Religion versicherten Schuz aufgelöhnet, und mithin von derselben als Störrer der öffentlichen Ruhe, untersucht und gerichtet werden müssen.* B.B.

## 2218*

### PLAN DER SEPARATISTENKOLONIE »HARMONY« IN PENNSYLVANIA

(Reproduktion)

W. Weingartner
Pennsylvania, 1833

*Kolorierte Federzeichnung*
*H. 44 cm, B. 55 cm*
*Bez.:* So lag die Stadt Harmonie in / Butlercounte im Jahr 1815. Sie wurde / angelegt im Jahr 1805. u. im Juni 1814. / gieng der erste Zug ab an den Wabasch. / gezeichnet von / W. Weingartner. den 22. Febr.: / 1833.

Harrisburg (Pennsylvania, USA), Pennsylvania Historical & Museum Commission, MG 185 Harmony Society Records Collection

Schon im Jahr 1794 waren die ersten Separatisten um Johann Georg Rapp in Konflikt mit der Obrigkeit geraten, weil sie »sich der Erfüllung der ersten und wesentlichsten Bürgerpflicht, nemlich der Vertheidigung des Vaterlandes durch Kriegs-Dienste, zu entziehen« suchten. Diejenigen, die zu arm waren, um sich freizukaufen und keinen Ersatzmann fanden, wanderten aus. Nach dem Erlaß des sogenannten »Separatistengesetzes« 1803, das Toleranz

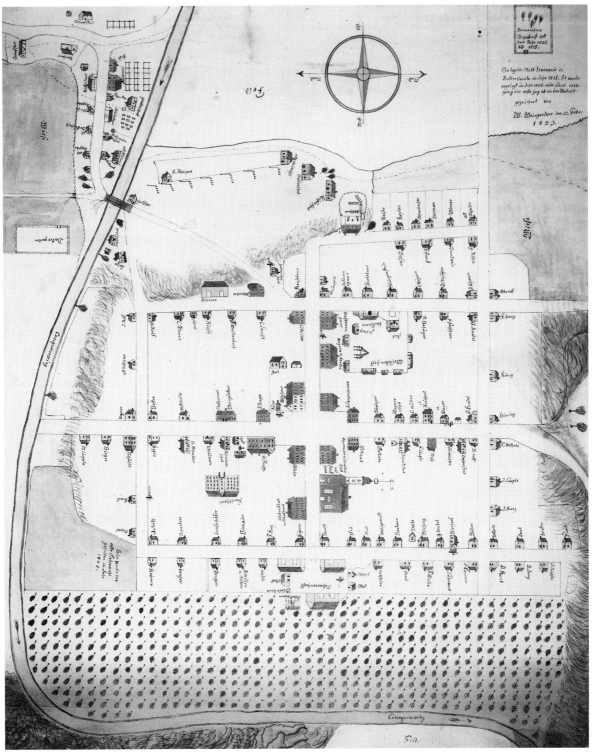

2218

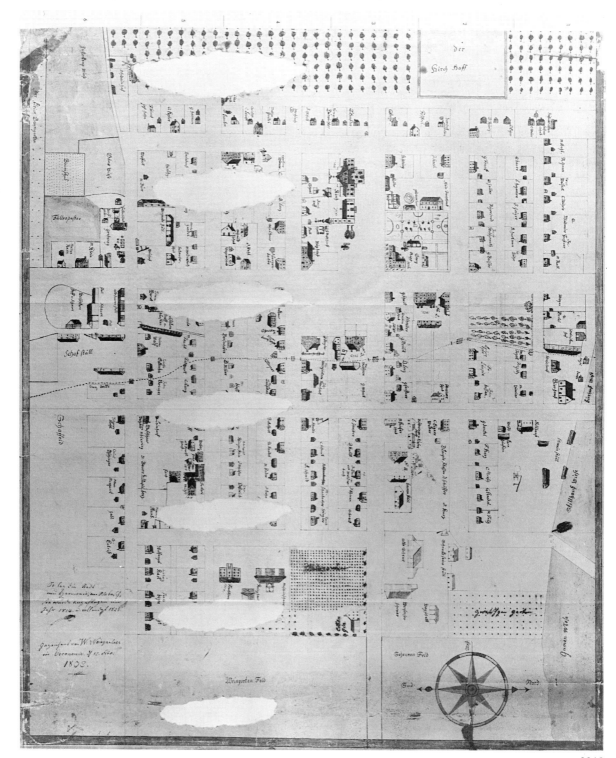

2219

nur im religiösen, nicht aber im politischen Bereich festschrieb, erkannte Rapp, daß für ihn und seine Anhänger in Württemberg kein Platz mehr war. 1804 wanderten etwa 600 Männer, Frauen und Kinder nach Amerika aus, wo sie sich in der Nähe von Pittsburgh niederließen.

*Karl J. R. Arndt, George Rapp's Harmony Society 1785–1847, Philadelphia 1965. – Albrecht Lehmann, Pietismus und weltliche Ordnung, Stuttgart 1969, S. 142–145, S. 157f.* B.B.

## 2219*

### PLAN DER SEPARATISTENKOLONIE »NEW HARMONY« IN PENNSYLVANIA

W. Weingartner
Pennsylvania, 1832

*Kolorierte Federzeichnung*
*H. 44 cm, B. 55 cm*
*Bez.:* So lag die Stadt / neu Harmonie, am Wabasch, / sie wurde angefangen im / Jahr 1814. u. vollendet 1825. / gezeichnet von V. Weingartner / in Oeconomie d. 12. Nov: / 1832.

Harrisburg (Pennsylvania, USA), Pennsylvania Historical & Museum Commission, MG 185 Harmony Society Records Collection

Nach »Harmonie« gründete die Gruppe um Rapp noch zwei andere Kolonien, »New Harmony« und »Oeconomie«, bevor sie sich durch das selbst auferlegte Zölibat die Zukunft nahm. Die Kolonie »Oeconomie« wurde schließlich von dem frühen sozialistischen Utopisten Robert Owen aufgekauft, der die dort mittlerweile florierende Textilindustrie weiter betrieb. B.B.

## 2220

### DARSTELLUNG DER URSACHE DER GEGENWÄRTIGEN AUSWANDERUNGSSUCHT IN FREMDE WELTTHEILE. EIN WORT ZU SEINER ZEIT GESPROCHEN.

A. F. Koch
Esslingen und Stuttgart, 1817

*Papier, Letterndruck*
*H. 15,7 cm, B. 9,8 cm, 13 S.*

Ludwigsburg, Staatsarchiv, D 41 Bü 4416

Der damals anonym gebliebene Autor der Schrift, ein pensionierter Schullehrer, spielt in seinen Ausführungen auch auf die religiös motivierten Auswanderungen an: *Sie waren der irrigen Meinung, nicht nur Reise- und Entschädigungsgelder zu erhalten, sondern sie glaubten auch, in Kaukasien oder in Amerika Wohnungen und angebaute Felder schon für sich bereit zu finden! – Die Unglückli-*

*chen! – Wie sehr täuschten sie sich, wie viel Elend und Jammer erwartet ihrer, bis sie nur das Ziel ihrer mühseligen Reise erreicht haben, – und dann treffen sie öde Felder, statt den gesegneten Fluren Wirttembergs, der freie Himmel ist ihr Dach, weil sie die bequemen Wohnungen ihres Vaterlandes verschmähten! –*

A. F. Koch vermißt bei seinen auswandernden Landsleuten *Vaterlandsliebe, Gemeingeist* und *Arbeitsamkeit*. Sie seien getrieben von *Gewinnsucht* und würden durch die lügenhaften Erfolgsgeschichten einzelner Rückkehrer zur Auswanderung verführt. Kochs einfache Erklärung der *Auswanderungssucht* lenkt von den wichtigeren Antriebsfaktoren in Württemberg und Baden ab: Politische Unfreiheit und drohende Verarmung waren für die meisten Auswanderer gewichtige Gründe, ihr Heimatland zu verlassen.

*Günter Moltmann (Hg.), Aufbruch nach Amerika. Friedrich List und die Auswanderung aus Baden und Württemberg 1816/17, Tübingen 1979, S. 379–385.* B.B.

## 2221*

### BEKANNTMACHUNG »DAS AUSWANDERN NACH AMERIKA BETREFFEND«

Amsterdam, 12. Mai 1817

*Plakat, Letterndruck*
*H. 43,7 cm, B. 37 cm*

Karlsruhe, Generallandesarchiv, P 840 B.B.

## 2222

### ABFAHRT VON AUSWANDERERN AUS BASEL

Johann Heinrich Heitz
1805

*Kolorierter Holzschnitt*
*H. 17,4 cm, B. 29,2 cm*
*Bez.:* Vorstellung der Abfahrt von Basel der Auswanderer nach Amerika zu Ende May 1805.

Privatsammlung

*Günter Moltmann (Hg.), Aufbruch nach Amerika, Tübingen 1979, S. 84.*

## 2223

### BRIEF DES 1821 MIT SEINER FAMILIE NACH SÜDRUSSLAND AUSGEWANDERTEN SALPETERSIEDERS JOHANN MARTIN HERRE

Carlsthal bei Odessa, 12. Januar 1822

*Feder auf Papier*
*H. 33 cm, B. 21,5 cm*

Balingen-Ostdorf, Privatbesitz Emil Frommer

# Das Auswandern nach Amerika betreffend.

Folgender Bericht nebst seiner Anlage wird andurch zur Warnung gegen das unüberlegte Auswandern nach Amerika öffentlich bekannt gemacht.

Amsterdam, den 12. May 1817.

## Großherzoglich Hochpreißliches Ministerium des Innern.

Die hier befindliche Badische Auswanderer nach Amerika und ihre dermalige Lage betreffend.

Während unserm hiesigen Geschäfts-Aufenthalt, wegen Erkaufung einer Quantität Brodfrüchten für das Großherzoglich Badische Land, fanden wir auch eine große Anzahl unserer Landsleute auf den Straßen, welche uns ihre Noth klagten, daß sie zum Theil kein Geld mehr hätten und der Capitän Stein, an den sie adressirt seyen, nicht mehr hier wäre, überhaupt in ihren Erwartungen und Versprechungen sich gänzlich betrogen fänden.

Nach ihren Aeußerungen, sind viele dieser Leute durch Mißverständnisse, ausgestreute falsche Briefe und grundlose Versprechungen, welche sich nur auf hören sagen gründen und weßwegen sie niemanden nahmhaft machen können, zu dem unglücklichen Auswandern verleitet worden und sizen nun größtentheils jezo schon im Unglück. Wir haben die Angaben von einigen zu Protokoll gebracht und halten für Pflicht, solches der höchsten Einsicht gehorsamst vorzulegen. Wobei wir die Geschichte des angeblichen Capitäns Stein, welche wir auf dem hiesigen Polizei-Bureau erfahren haben, für nöthig finden zu bemerken.

Stein seye angeblich aus Straßburg, habe sich einige Zeit unter dem Titel eines Schiffs-Capitän hier aufgehalten und habe gewußt, mehrere hundert Familien, größtentheils aus der Schweiz, welche nach Amerika auswandern wollen, zu engagiren, die akkordirte Fracht sich voraus bezahlen lassen, und nachdem er auf diese Art über 30,000 fl. an sich gebracht hatte, seye er mit seinem Raub auf und davon, und werde nun durch Steckbriefe verfolgt. In eben diesem Stein nun auch die Badischen Emigranten, welche in voriger Woche hier angekommen sind, adressirt worden, und es scheint, daß dieser Betrüger an mehreren Orten im Badischen Lande, durch ausgestreute Briefe sich empfohlen hat, für die Spedition der auswandernden Familien nach Amerika zu sorgen.

Wir haben wir von sicherer Hand vernommen, daß die hiesige Regierung denen hier ankommenden Auswanderern, welche keine Zahlung leisten können, den Aufenthalt hier nicht gestattet, und zurückkehren wird, und so werden viele, die kein Geld mehr haben, und auf den Ersaz ihrer Reisekosten rechneten, mit leerer Hand wieder zurückkehren, wenigstens haben wir viele dieser Leute diese Erklärung gegeben, wir enthielten uns aber Ihnen weder zu dem einen noch andern zu rathen, weil uns bekannt ist, daß sie allen Ansprüchen im Vaterland entsagt haben.

Uebrigens glauben wir, wenn Seine Königl. Hoheit unser gnädigster Herr! aus höchstem Mitleiden sich bewegen fühlten, diesen unglücklichen, verführten, der Verzweiflung überlassenen Menschen die Rückkehr in das Vaterland, gnädigst zu gestatten, daß durch die Schilderung ihrer dermaligen Lage, allen übrigen im Lande, welche allenfalls noch zu der Auswanderung Lust hätten, der Muth benommen und mehr als alle Schilderungen von Seiten der hochpreißlichen Regierung, wirken würde.

Die Fürbitte, welche wir für diese unglückliche Menschen hier unterthänigst einzulegen uns erlauben, wird und gnädigst nachgesehen werden, wenn in Betrachtung gezogen wird, daß wir hier von so vielen unglücklichen Familienvätern mit Weib und 6 bis 7 Kindern überlaufen worden, die ihr Elend weinend und nicht genug schildern können und das menschliche Gefühl in Anspruch nehmen, welches unsern hiesigen Aufenthalt unangenehm macht, da wir nicht im Stande sind, sie zu unterstüzen.

Hoyer,  
Oeconomie-Rath.

F. Sievert,  
General-Kassier.

---

Actum Amsterdam, den 12ten Mai 1817.

Gelegenheitlich unseres hiesigen Aufenthalts, haben wir mehrere unserer unglücklichen Landsleute, welche vor einigen Tagen hier angekommen sind und nach Amerika auswandern wollen, angetroffen. Diese Leute bereuen sehr ihren gefaßten Entschluß und klagten daß sie durch Versprechungen, welche nun nicht erfüllt würden, zu diesem Schritt verleitet worden seyen.

Diese Bemerkung veranlaßte uns, das nähere von denselben zu vernehmen, und haben einige von den Männern auf heute in unser Logis bestellt. Es erschienen hierauf:

Friederich Pfundstein von Gottenheim, 1sten Landamts Freiburg.  
Georg Schreiber von da, Philipp Streicher, ledig, von da, Xaver Streicher ditto.  
Paulus Weiner, von Mußbach, Amts Emmendingen, verheirathet.  
Johann Wehrle, von Waldkirch, verehelicht.

und geben an: Es seye bey ihnen der Ruf gegangen, daß diejenigen welche nach Amerika auswandern wollten, von Amsterdam aus, freye Ueberfahrt und Verköstigung erhielten, nehmlich: auf den Kopf täglich ½ Pfund Fleisch, Zugemüß, ¼ Schoppen Branntwein, 1 Maaß Bier und 1 Maaß Wasser. Dieses und die weitere Nachricht im Land, welche allgemein seye, daß ihnen nicht nur die Reise-Kosten von Haus bis hieher, ersezt würden, sondern daß auch jeder am Bord des Schiffes 100 fl. baar Geld und bey der Ankunft in Amerika 6 Jauchert Ackerfeld 2 Stück Zugvieh, 2 Stück Kühe, Schweine und was sie nothwendig hätten, erhielten, habe sie bey dem weitern Umstand, daß bey ihnen ein großer Mangel an Lebensmitteln und kein Verdienst seye, veranlaßt, auszuwandern.

Schiffs-Capitain Stein seye aber nicht mehr hier, und sie wüßten nun nicht auf welche Art sie ihre Reise fortsezen könnten, da sie sich auf die Versprechungen verlassen und kein Geld mehr hätten.

Sie wollten nun bitten, daß ihre übrigen Landsleute, welche sich zu dem Auswandern entschlossen hätten von ihrem Unglück benachrichtiget würden, damit ihnen nicht ein gleiches widerfahre.

Die Angabe bestätigen obige mit ihrer Unterschrift.

T. † Friederich Pfundstein, Handzeichen. T. † desgleichen vom Georg Schreiber. T. Z. † Johann Wehrle. † Xaver Streicher. wovon keiner schreiben kann.

Die Handzeichen bestätigt    T. Martin Däubert von Carlsruhe.

Nach vorstehenden erschienen ferner:  
Friederich Scherer, von Malterdingen.  
Jacob Schillinger von da.  
Anton Kohler von Wyhl, Endinger Amts.  
Georg Sailer, von da und  
Joseph Zipfel von St. Ulrich.

und erklärten ebenfalls, daß sie durch falsche Nachrichten und erdichtete Briefe, welche im Lande in großer Menge circulirt hätten, über die großen Vortheile in Amerika und daß sie nicht nur die freye Ueberfahrt von Amsterdam aus zu haben, sondern daß ihnen auch die Reise-Kosten von Haus aus bis hieher wieder ersezt würden, zu dem unglücklichen Entschluß gekommen seyen, auszuwandern. Bey ihrer hiesigen Ankunft hätten sie sich erst von dem Gegentheil aller angepriesenen Vortheile überzeugt, auch hätten sie vernommen, daß der Capitain Stein an den sie sich hätten wenden wollen, ein Betrüger gewesen und mit dem Geld mehrerer Auswanderer davon seye. Sie seyen seit ihrer Ankunft bey einigen Schiffs-Commissairs gewesen, welche aber keine zu Schiff nehmen wollten, welche nicht wenigstens die Hälfte der Fracht bezahlen könnten. Bey diesen Umständen seyen viele ihrer Landsleute in dem Fall wieder zurückzukehren, indem sie nicht mehr so viel Geld übrig hätten, daß sie nur die Rückreise machen könnten.

In den nächsten Tagen erwarteten sie noch mehrere Schiffe voll auswandernde Familien aus dem Badischen, welche sich ebenso betrogen finden werden, sie wünschten, daß keinem mehr die Erlaubniß zur Auswanderung ertheilt werden möchte, welches allein dem Unglück so vieler Familien steuern könnte, indem allen übrigen, wahren Nachrichten, welche die Leute zurück halten sollten, kein Glaube beigemessen werde, wenigstens seye dieses bey Ihnen der Fall gewesen.

Sie wollten nur noch bitten, daß wann sie zur Ueberfahrt nach Amerika nicht aufgenommen würden, daß man ihnen die Rückkehr in das Vaterland gnädigst gestatten möchte.

Nach geschehener Verlesung haben solche diese Angaben durch ihre Unterschriften bestätiget.

T. Friederich Scherer. T. Jakob Schillinger. T. Antoni Kohler. T. Georg Sailer. T. Joseph Zipfel.

Beschluß. Vorstehendes Protocoll Großherzogl. Badischem Hochpreißlichen Ministerium des Innern mit Bericht gehorsamst einzusenden.

Hoyer,  
Oeconomie-Rath.

F. Sievert,  
General-Kassier.

## Großherzoglich Badisches Ministerium des Innern.

### In Abwesenheit des Ministers.

Stößer.

J. M. Herre schreibt in seinem Brief an seine Verwandten in Balingen u. a.: *Daß ich hier Heimweh habe, kan ich nicht sagen, doch aber ist der Pfad meines Lebens mit Dunkel umhüllt. Und mein ganzer Auswanderungsplan ist mir wirklich zu einem Räthsel geworden, und ich denke oft, daß wenn ich die Bücher eines Bengels, eines Hahns und Stillings niemals gelesen hätte, so würde ich nicht hier sein. Ob es dem aber wirklich so ist, kan ich selbst nicht gewis bestimmen. Diesen Männern schenkte ich, durch Veranlassung unserer erlebten Zeitgeschichte, meinen ganzen Beifall, und so wuchs nach und nach die Auswanderungslust bis zu einem unwiderstehlichen Trieb in mir.*

Johann Martin Herres Auswanderungswunsch war sicherlich nicht nur religiös, sondern auch wirtschaftlich begründet. 1798 waren die herrschaftlichen Privilegien der Salpetersieder, deren Produkt der Schießpulverherstellung diente, abgeschafft worden. Die Konkurrenz auf dem nunmehr »freien Markt« machte manchem Salpetersieder zu schaffen und dürfte auch Johann M. Herres Auswanderungswunsch bestärkt haben.

*Hans Schimpf, Privilegiert und gehaßt – Die Salpetersieder, in: Vereinsgemeinschaft Ostdorf und Stadtverwaltung Balingen (Hg.), Pflugwappen-Festschrift Ostdorf, Balingen 1985, S. 170–175.* B. B.

## 2224*

### KÖNIGSFELD, ANSICHT VON OSTEN

Benedict Staehelin (1766–1841)
1817

*Aquarell*
*H. 21 cm, B. 33,5 cm*
*Bez.: B. Staehelin, 1817*

Königsfeld, Archiv der Brüdergemeine

## 2225

### ENTWURF DES KIRCHENGEBÄUDES DER BRÜDERGEMEINE IN KÖNIGSFELD

Aufriß

Benedict Staehelin (1766–1841)
1810

*kolorierte Federzeichnung*
*H. 36,5 cm, B. 73,5 cm*

Königsfeld, Archiv der Brüdergemeine

2224

## 2226

### KÖNIGLICHES PRIVILEGIUM ZUR GRÜNDUNG DER BRÜDERGEMEINDE KORNTAL

Stuttgart, 22. August 1819

*Feder auf Papier*
*H. 32 cm, B. 20 cm*

Korntal-Münchingen, Bürgermeisteramt

## 2227

### GESCHICHTE UND VERANLASSUNG ZU DER BITTE... UM ERLAUBNISS ZU GRÜNDUNG UND ANLEGUNG RELIGIÖSER GEMEINDEN

Gottlieb Wilhelm Hoffmann
o. O. (Leonberg) 1818

*Papier, Letterndruck*
*H. 20 cm, B. 11 cm*

Korntal-Münchingen, Archiv der evangelischen Brüdergemeinde, o. Sign.

G. W. Hoffmann, der erste Gemeindevorsteher Korntals, wirbt mit seiner Schrift um die Sympathie der württembergischen Regierung für die von ihm geplante Gründung einer Kolonie: *Eine solche Einrichtung, die der so schön ausgesprochenen Gewissensfreiheit gemäß ist, und durch welche der Staat in politischer Hinsicht durchaus nichts verliert, vielmehr religiöser Sinn und Ordnung auch im Aeußern erzeugt wird, kann für den Staat im Ganzen, so wie für jeden einzelnen Staatsbürger nur nützlich, nie schädlich werden, weil jedes Glied solcher Gemeinden die Wohlfahrt des ganzen Staates befördert, und weil eben dadurch ein noch nie gehabtes Mittel gegeben wird, dem schädlichen Separatismus vorzubeugen; denn nie würde der Ausgang aus einer kirchlichen Gemeinde die schädliche Folgen haben können, wie sich solche bei einem Theil der Separatisten bewiesen haben, wenn solchen Personen, die sich dazu veranlaßt finden, eine Gelegenheit gegeben wäre wieder in eine geordnete Gemeinschaft einzutreten.*

B. B.

2228

2228*

## Ansicht von Korntal

um 1820

*kolorierte Radierung*
*H. 22 cm, B. 35 cm*
*Bez.: Kornthal.*

Ludwigsburg, Städtisches Museum, Inv.-Nr. 531

Das Blatt ist, wohl nachträglich, mit ironischen Bezeichnungen versehen worden. So wird beispielsweise der Gemeindesaal als *Schaafstall* bezeichnet.

*Schefold, Württemberg, Nr. 4137.*          B.B.

2229

## Einnahme und Ausgabe für die Rettungs- Anstalt armer und verwahrloster Kinder zu Kornthal

Stuttgart, 1824

*Papier, Letterndruck*
*H. 20 cm, B. 10,5 cm*

Korntal-Münchingen, Archiv der Brüdergemeinde, o. Sig.

2230

## Ansicht der ersten Kleinkinderrettungsanstalt Schlotwiese nebst Seidenplantage

Wilhelm Löffler
Korntal, um 1835

*Aquarell*
*H. 14 cm, B. 21 cm*

Korntal-Münchingen, Archiv der Brüdergemeinde, o. Sig.

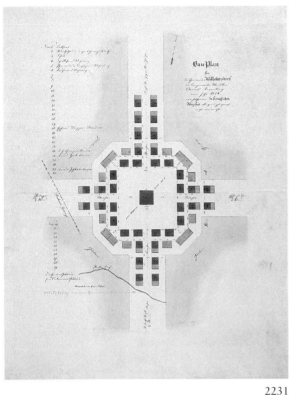

2231

2232

**2231***

## BAUPLAN FÜR DIE GEMEINDE WILHELMS-DORF IM LANGENWEILER MOOSRIED OBERAMTS RAVENSBURG VOM JAHR 1824

Grundriß

1824

*Kolorierte Federzeichnung*
*H. 51 cm, B. 40 cm*

Stuttgart, Württ. Landesbibliothek, Graphische Sammlung

Der Grundriß der neu gegründeten Gemeinde Wilhelmsdorf wurde als Symbol für das christliche Leben seiner Einwohner in Kreuzesform angelegt. Im Zentrum, also an der Schnittstelle der beiden Kreuzbalken, wurde der Betsaal erbaut.

*Schefold, Württemberg, Nr. 11229*          B.B.

**2232***

## DER BETSAAL IN WILHELMSDORF

Aufriß

um 1828

*Lithographie*
*H. 11,2 cm, B. 16 cm*
*Bez.:* Aufriss des Bet- Saals in Wilhelmsdorf, in Oberschwaben, auf allen vier Seiten gleiche Ansicht. erbaut im Jahr 1828.

Stuttgart, Württ. Landesbibliothek, Graphische Sammlung

*Schefold, Württemberg, Nr. 11230*          B.B.

**2233**

## PREDIGTEN ... AUF ALLE SONN-, FEST- UND FEIERTAGE.

Stuttgart, 1834

*Oktav, Pappeinband*
*H. 23 cm, B. 14 cm*

Stuttgart, Bibliothek des Oberkirchenrats, 4138

Um der neu gegründeten Gemeinde Wilhelmsdorf aus ihren finanziellen Schwierigkeiten zu helfen, wurde ein Predigtband herausgegeben. Der Erlös aus dem Verkauf des Bandes kam der Brüdergemeinde zugute.          B.B.

2234

## 2234*

## BILDNIS JOHANN MICHAEL HAHN
(1758–1819)

Spachholz nach Johann Michael Holder
1. Hälfte 19. Jahrhundert

*Kupferstich*
*H. 13,7 cm, B. 8,5 cm*
*Bez.:* MICHAEL HAHN / geb. añ. 1758. gest. 1819. / Dis
liebevolle Bild, mit Herrlichkeit verkläret, / zeigt einen
Bauern an, der göttlich weise war, / Von Jesu Ursprungs
Kraft, hat er allhier gelehrt, / Wie, aus, durch und zu Ihm
sei alles offenbar. / Evan. Joh. 17.22. 1. Corin. 12.6.
Röm. 11.36. *Sign.:* Holder pinx. / Spachholz fecit

Stuttgart, Württ. Landesbibliothek, Graphische
Sammlung

*Martin Scharfe, Evangelische Andachtsbilder, Stuttgart*
*1968, S. L*                                                     B.B.

## 2235

## BRIEFE UND LIEDER ÜBER DEN ZWEITEN KORINTHERBRIEF UND DEN ZWEITEN PETRUSBRIEF

Johann Michael Hahn
1817

*Gebundene Handschrift, Feder auf Papier*
*H. 17 cm, B. 12 cm*
*Bez.:* A.E. 1817

Stuttgart, Landeskirchliches Archiv, HS 52

Bis zum Tode von Johann Michael Hahn im Jahr 1819
waren dessen Schriften ausschließlich handschriftlich verbreitet gewesen. Die Schriften wurden jeweils weitergereicht und von Hand abgeschrieben. Ab 1819 erschienen
die Werke Hahns im Druck.                                       B.B.

## 2236

## BRIEFE VON DER ERSTEN OFFENBARUNG GOTTES DURCH DIE GANZE SCHÖPFUNG BIS AN DAS ZIEL ALLER DINGE...

Mit koloriertem Frontispiz
Tübingen, 1825

*Oktav, Pappeinband*
*H. 17 cm, B. 10 cm*

Stuttgart, Bibliothek des Oberkirchenrats, 4226

## 2237

## DIE BIBEL, ODER DIE GANZE HEILIGE SCHRIFT DES ALTEN UND NEUEN TESTAMENTS.

Stuttgart, in der Privilegirten Bibelanstalt, 1815

*Oktav, Pappeinband*
*H. 21 cm, B. 14 cm*

Stuttgart, Deutsche Bibelgesellschaft, Inv.-Nr. 3001

Die erste, von der 1812 in Stuttgart gegründeten Bibelanstalt herausgegebene Bibel.                                     B.B.

## 2238

## SCHMERZLICHER IRRTHUM DES IPPIGEN LEBENS JETZIGER WELT MENSCHEN.

Carl Hör
Cannstatt, um 1830

*Federlithographie*
*H. 34,3 cm, B. 29,5 cm*

*Bez.:* Gehet ein durch die enge Pforte! Luk. 13 V. 24. den weit ist die Pforte und breit die Straße / die zum Verder-ben führt, und viele gehen darauf. Matth: 7 K. v. 13, 14
*Und:* Zu haben bei dem Verfaßer Carl Hör in Cannstadt bei dem ehemaligen Fischer Thor

Stuttgart, Württembergisches Landesmuseum, Inv.-Nr. VK 1973/4

Das Zweiwegebild, bekannter unter der Bezeichnung »Der breite und der schmale Weg«, ist bis heute ein zentrales Thema pietistischen Wandschmucks in Württemberg. Als Bilderbogen und Wandschmuck finden solche Darstellun-gen etwa ab der Mitte des 19. Jh. weite Verbreitung.

*Martin Scharfe, Evangelische Andachtsbilder, Stuttgart 1968, S. 263–270* B.B.

## Armenfürsorge: Arbeit statt Almosen

Bis zum Ende des 18. Jahrhunderts waren arme Leute durch ein vielfältiges System von privaten und kirchlichen Stiftungen unterstützt worden. Hinzu kamen kleine Almo-sen, mit denen die Gebenden nicht zuletzt auch ihr eigenes Seelenheil zu befördern suchten. Die nun zu Beginn des 19. Jahrhunderts einsetzenden Reformen im Bereich der Armenunterstützung stehen unter den Vorzeichen der politisch-zentralistischen Interessen der jungen Staaten Baden und Württemberg wie auch des moralisch-ethi-schen Wertewandels der Nachaufklärung. Ihr politischer Zweck war die Beseitigung lokaler Sonderentwicklungen und Traditionen im Bereich der Wohltätigkeit, um das System der Armenversorgung jeweils staatlich zu verein-heitlichen und zu zentralisieren.
Da jedoch dieser »Zweck nur bei einer vollkommenen Übersicht aller Umstände, welche bei Gaben einzelner Menschenfreunde an einzelne Arme selten statt findet, erreicht werden kann...«[1], wurde zum einen das Vermö-gen aller Stiftungen der staatlichen Verfügungsgewalt unterworfen und zum anderen das Betteln verboten, um die Unterstützungsleistung und die Unterstützungswür-digkeit kontrollieren zu können. Trotzdem blieben die Kommunen durch das erneuerte Unterstützungsprinzip des »Heimatrechts« für ihre Ortsarmen verantwortlich. Danach mußten die jeweiligen Gemeinden allen in ihrem Ort das Bürger- oder Beisitzerrecht genießenden Personen bestimmte Unterstützungsleistungen gewähren. Neu war, daß nunmehr staatlich kontrollierte oder gar staatlich eingesetzte, häufig ortsfremde Beamte den lokalen Unter-stützungsfond verwalteten.
Hand in Hand mit der Zentralisierung gingen eine Ratio-nalisierung und eine Bürokratisierung der Armenfürsorge: Während die Armen vorher je nach Vermögenslage der örtlichen Stiftungen in unterschiedlicher Höhe und Häu-figkeit unterstützt worden waren, wurde jetzt ihre Bedürf-nislage genau festgeschrieben. Ermittlungsbögen, Armen-listen und andere Formulare wurden angelegt, um die konkrete Lebenssituation und Bedürftigkeit armer Leute genauer erfassen zu können. Es etablierte sich ein fester lokaler Verwaltungsapparat, der entsprechend der staatli-chen Rahmenvorschriften und der lokalen Etatmittel die Höhe der Unterstützungsleistung bestimmte.
Getragen und gerechtfertigt wurde dieses, besonders in Württemberg großangelegte Fürsorge-Reformprogramm durch den der Aufklärung entstammenden Gedanken, daß niemand, der nicht von Natur aus gebrechlich oder krank sei, arm sein oder bleiben müsse. Arme sollten vielmehr ständig bemüht sein, ihre Lage selbsttätig durch Fleiß und Arbeit zu verbessern. Dadurch erhoffte man sich nicht zuletzt auch eine Verminderung der Aufwendungen für die öffentliche Armenversorgung.
Zur Umsetzung des neuen Programms in organisatori-scher wie in erzieherischer Hinsicht wurde in Württem-berg die im Dezember 1816 unter Mitwirkung von Köni-gin Katharina gegründete »Centralleitung des Wohlthätig-

keitsvereins« bestimmt. Der sicherlich nicht zufällig auf dem Höhepunkt der wirtschaftlichen Krisenjahre 1816/17 ins Leben gerufene Verein sollte zunächst kurzfristig zur »Linderung des augenblicklichen Mangels«[2] beitragen: Die Errichtung von Suppenanstalten zur Speisung von Hungernden war eine seiner ersten Initiativen. Darüber hinaus stellte er sich selbst noch die Aufgabe, sich mit längerfristig wirkenden »Mitteln zur Verstopfung der Quellen der Armut«[3] zu befassen. »Es ist nämlich ein von dem ersten Entstehen des Vereins an ausgesprochener Grundsatz desselben, daß der Lebensunterhalt der arbeitsfähigen Armen von ihrer Beschäftigung abhängig zu machen und der Geist der Arbeitsamkeit darum in ihnen anzufachen, zu beleben und zu erhalten sey, um dadurch den Keim der Laster zu ersticken«, heißt es dazu in einem Erlaß der Centralleitung vom 5. Mai 1818[4].

Auf oberamtlicher wie auf lokaler Ebene wurden deshalb Gremien gebildet, die sich vornehmlich aus »rechtschaffenen« Bürgern, kirchlichen wie weltlichen Amtspersonen zusammensetzten und – ein Novum – auch Frauen zu ihren Mitgliedern zählten. Als erste Maßnahme wurde eine Differenzierung der vorhandenen Versorgungsanstalten vorgenommen. Während bislang alle Bedürftigen, also Kranke wie Irre, Waisen oder Arme, gemeinsam in einem Haus, dem »Spital«, untergebracht waren, sollten diese Gruppen nun in verschiedenen Häusern getrennt untergebracht werden. Wo dies nicht möglich war, sollten sie zumindest unterschiedlichen Hausreglements unterworfen werden. Innerhalb der Armengruppen wurde jetzt zwischen »würdigen« und »unwürdigen« unterschieden. »Würdige«, d. h. arbeitsunfähige Arme, wurden weiterhin unterstützt. Sogenannte »unwürdige«, d. h. zwar arbeitsfähige, doch bislang arbeitsunwillige Arme sollten nunmehr jedoch zwangsweise zur »Arbeitsamkeit« angehalten werden. Sie wurden entweder in den neuen »Arbeits-« oder »Armenhäusern« untergebracht oder in den vorhandenen Einrichtungen beschäftigt. 1818 bestanden in 35 württembergischen Gemeinden solche Beschäftigungsanstalten für erwachsene Arme, in denen man nicht nur auf die unentwegte Betriebsamkeit der Insassen, sondern auch auf deren geregelten Tagesablauf achtete. Tagespläne wie die »Ordnung für den Bürgerhospital zu Rottenburg« aus dem Jahr 1808[5] erinnern gleichermaßen an klösterliche Disziplin wie an spätere Fabrikordnungen.

Auch für die sogenannten »Hausarmen«, die nicht in einem Spital oder einem Arbeitshaus wohnten, suchte man nach Beschäftigungsmöglichkeiten. In Pfullingen etwa teilten Bürgersfrauen Flachs und Hanf, der von der Centralleitung zur Verfügung gestellt wurde, an arme Familien aus. Diese verarbeiteten dann das Rohmaterial zu Garn, und die Bürgersfrauen sorgten wiederum für den Vertrieb der Ware. Auch in den Arbeitshäusern wurde gesponnen, gestrickt und – zeitlich etwas später – Stroh zu Gebrauchsgegenständen wie Schuhen und Hüten geflochten.

Besonderes Augenmerk richtete man auf die Arbeitserziehung der Kinder der Armen. Schon 1795 hatte Pfarrer Kohler in Birkach bei Stuttgart eine »Industrieschule« errichtet und damit vorweggenommen, was 25 Jahre später zum Programm werden sollte. Kohler war so der praktische wie theoretische Verfechter des Industrieschulgedankens in Württemberg. In seinen Schriften formulierte er als Grundsatz der von ihm gegründeten Schule: Kinder seien leichter zu erziehen und zu formen als Erwachsene. Deshalb solle man, um langfristig der weiteren Verarmung der Bevölkerung vorzubeugen, die Kinder armer Leute schon von klein auf zu »Industriosität« erziehen – im damaligen Wortsinn gleichbedeutend mit Fleiß, Ordnung, Pünktlichkeit und Sparsamkeit. Die »bürgerlichen Tugenden« sollten den Kindern im Rahmen des Beschäftigungsprogramms der Industrieschule dadurch eingeimpft werden, daß sie zur Arbeitsamkeit in denselben Bereichen wie die erwachsenen Armen angehalten wurden. Obwohl bereits zwei herzogliche Reskripte zur Nachahmung dieser als vorbildlich erachteten Anstalt geraten hatten, existierten im Jahr 1800 erst acht solcher Einrichtungen in Württemberg. Unmittelbar anschließend an die Krisenzeit 1816/17 kam es dann zu einer wahren Gründungswelle, die im Zusammenhang mit der propagandistischen und materiellen Unterstützung des Industrieschulgedankens durch die Behörden zu sehen ist. 1817 wurden in 88 Anstalten 2000 Schüler unterrichtet, 1822 zählte man bereits 7520 Schüler[6].

Am Beispiel der Industrieschulen wie in den theoretischen Schriften zur Armenpolitik, etwa jenen des Sekretärs des Wohltätigkeitsvereins, Johann Gottlieb Schmidlin, wird das erzieherische Ziel deutlich, das gemeinsam hinter all diesen Beschäftigungsprogrammen stand: Arme, Kinder wie Erwachsene, sollten im Rahmen der Fürsorgepolitik nicht wirklich, etwa durch eine qualifizierende Berufsausbildung, selbständig gemacht werden. Vielmehr sollten sie mit Hilfe dieses sozialdisziplinierenden Programms an den neuen, dem merkantilistischen Wirtschaftssystem und der bürgerlichen Ordnung gleichermaßen nützlichen Wertekanon von Pünktlichkeit, Ordnung, Fleiß und Sparsamkeit gewöhnt werden: Sie sollten »pflichtgetreue Untertanen« werden.

1
Schreiben der Armendeputation Rottenburg a. N. vom 11. Okt. 1810. Zit. n. Karlheinz Geppert, Der Rottenburger Spital, Mag.arbeit Tübingen 1986, S. 107.

2
Zweck und Ziel des »Wohltätigkeitsvereins« werden ausführlicher beschrieben im »Aufruf der Centralleitung für die freiwilligen Wohltätigkeitsvereine, die Einrichtung von Oberamts- und Local-Leitungen der Wohltätigkeitsvereine betreffend« vom 6. Jan. 1817 und im »Erlaß der Centralleitung des Wohltätigkeits-Vereins, betreffend die Mittel zur Erreichung des Zwecks der Armenversorgung« vom 5. Mai 1818. In: August Ludwig Reyscher, Vollständige und historisch kritisch bearbeitete Sammlung der württembergischen Gesetze, Stuttgart und Tübingen 1828–50, Bd. 15.1, S. 854–868 bzw. 1025–1030, sowie: Bd. 15.2, S. 93–95, hier: S. 93.

3
Ebd., Bd. 15.2, S. 94.

4
Ebd., Bd. 15.1, S. 1025.

5
Stadt- und Spitalarchiv Rottenburg a. N., C 29.5.

6
Lisgret Militzer-Schwenger, Armenerziehung, Tübingen 1979,
S. 47f.

*Karlheinz Geppert, Der Rottenburger Spital zum Hl. Geist
im 19. Jahrhundert. Zur Entwicklung und Ausdifferenzierung einer Armeninstitution, Magisterarbeit Tübingen
1986. – Friedrich Wilhelm Kohler, Spinnanstalt zu Birkach, Stuttgart 1795. – Ders., Gedanken eines Wittember-
gers (...) über Verbesserung der Armenpflege und Volkserziehung, vermittelst der Industrieschulen, Stuttgart
1796. – Ders., Schwäbische Provinzblätter über Armen-
Versorgung und Armenerziehung, o.O. 1796–98. –
Ders., Gedanken über Einführung der Industrieschulen
auf Begehren der württembergischen allg. Landesver-
sammlung aufgesetzt und übergeben, Leipzig 1801. –
Lisgret Militzer-Schwenger, Armenerziehung durch
Arbeit, Tübingen 1979. – Johann Gottlieb Schmidlin,
Über öffentliche Kinder-Industrie-Anstalten in Württem-
berg, Stuttgart 1821. – Ders., Die Orts- und Bezirks-
Erziehungshäuser für verwahrloste Kinder im Königreiche
Württemberg, Stuttgart 1828. – Wolfgang Schmierer
(Hg.), Akten zur Wohltätigkeits- und Sozialpolitik Würt-
tembergs im 19. und 20. Jahrhundert, Stuttgart 1983. –
Christoph Sachße und Florian Tennstedt, Geschichte der
Armenfürsorge in Deutschland, Stuttgart 1980.* B.B.

2239

2239*

## BETTLER

Johann Georg Edlinger (1741–1819)
Süddeutschland, nach 1805

*Öl auf Leinwand*
*H. 62 cm, B. 48,5 cm*

Augsburg, Städtische Kunstsammlungen, Inv.-Nr. 6194

*L. Ch. Heinemann, Johann Georg Edlinger, Diss. Mün-
chen 1924, S. 105, Nr. 103. – Städtische Kunstsammlungen Augsburg/Bayerische Staatsgemäldesammlung (Hg.),
Deutsche Barockgalerie. Katalog der Gemälde, Bd. II,
2. Aufl. Augsburg 1984, S. 64.* B.B.

2240

## GELDBEUTEL EINES ADLIGEN

Ellwangen, 18. Jahrhundert

*Perlenstickereiarbeit*
*L. 29 cm*

Ellwangen/Jagst, Schloßmuseum, ohne Nr.

Dieser Geldbeutel setzt sich durch seine feine und teure
Ausführung von der Masse der damals gebräuchlichen
Geldstrümpfe ab. Die örtliche mündliche Überlieferung
bezeichnet ihn als »Wurfgeld-Säckchen eines Edelman-
nes«, was, entsprechend der häufig wenig systematischen
Armenfürsorge des Adels im 18. Jahrhundert, durchaus
stimmen könnte: Hielt man doch das Auswerfen von
häufig nur zu diesem Zweck geprägten Münzen von
geringem Wert an bettelnde Arme durchaus für genügend,
um das eigene Seelenheil zu befördern und sich vor
Belästigungen zu schützen. B.B.

2241

## BITTSCHRIFT DER »ArmenInstituts
Deputation« IN SCHWÄBISCH GMÜND

Zuschrift und Bitte an die gesamte Bürger, und Einwohner der k. freyen Reichsstadt Schwäbischgmünd, im
Namen der wahrhaft Armen, und Nothleidenden.

Schwäbisch Gmünd, 1800

*Druckschrift, 47 S.*
*H. 16,7 cm, B. 10,4 cm*

Schwäbisch Gmünd, Stadtarchiv, kleinere Schriften

Die Druckschrift ist der erste Rechenschaftsbericht der
»ArmenInstitutsDeputation« in Schwäbisch Gmünd. Das
Armeninstitut hatte sich zum Ziel gesetzt, sämtliche Gelder, die zur Unterstützung der Armen zur Verfügung
standen, in einer Kasse zu vereinen. Im Vorwort wird die
Bevölkerung deutlich auf die Notwendigkeit dieser Systematisierung hingewiesen. B.B.

2242

## ARMENVERZEICHNIS

Verzeichnis der auf das Jahr 1814 in dem Genuss
des öffentlichen wöchentlichen oder jährlichen Almosens
allhier stehenden Armen.

(Reproduktion)

Stuttgart, 1814

*Papier, Letterndruck*
*H. 16 cm, B. 9,5 cm*

Stuttgart, Württembergische Landesbibliothek
Nichtkatalog. württ. Drucksachen Bd. 169 a (geogr.
Reihe) Stgt. Arl–Arz

Im Zuge der zunehmenden Bürokratisierung der Armenfürsorge wurden nunmehr in regelmäßigen Abständen
Armenlisten angelegt.                              B.B.

2243

2243*

## KATHARINA, KÖNIGIN VON WÜRTTEMBERG
(1788–1819)

Franz Seraph Stirnbrand (1788–1882)
Stuttgart, 1819

*Öl auf Leinwand*
*H. 67,7 cm, B. 52,2 cm*
*Bez.: F. Stirnbrand pinx 1819.*

Stuttgart, Württembergisches Landesmuseum,
Inv.-Nr. 1953/120

Königin Katharina unterstützte und förderte die Reformen
im Bereich der Fürsorgepolitik.                    B.B.

2244

## NOTIZBUCH DER KÖNIGIN KATHARINA

Württemberg, ohne Jahr (1818/19)

*Ledereinband, Eintragungen in Bleistift*
*H. 8,5 cm, B. 13 cm*

Stuttgart, Hauptstaatsarchiv, G 270 Bü 8

In dieses Notizbuch schrieb Königin Katharina von Hand
u. a. Überlegungen zur Reform der Wohltätigkeitspolitik
in Württemberg.                                    B.B.

2245

*Arbeits Institut*

2246

## 2245*

### SPARBÜCHSE DES FREIBURGER ARMEN-INSTITUTS

Freiburg, 1. Hälfte 19. Jahrhundert

*Holz, Eisen*
*H. 23 cm, B. 11 cm*
*Beschr.: Armen-Institut*

Freiburg, Augustinermuseum, Inv.-Nr. 555

## 2246*

### »ETWAS ZUM ANDENKEN DER IN DEN JAHREN 1816 UND 1817 GEHERRSCHTEN ALLGEMEINEN THEUERUNG«

J. A. Gradmann, Buchdrucker
Ravensburg, nach 1817

*11 kolorierte Lithographien, handschriftl. Notizen in Feder, geheftet*
*H. 15,6 cm, B. 19,7 cm*

Stuttgart, Württ. Landesbibliothek, Graph. Sammlung, ohne Nr.

Nach der wirtschaftlichen Krise von 1816/17 erschien im Verlag des J. A. Gradmann in Ravensburg diese elfteilige Bildergeschichte, die die Auswirkungen der Lebensmittelknappheit und der Teuerung erzählt. Der ehemalige Besitzer dieses Exemplars, ein Pfarrer aus Aichstetten, hat auf den leeren Bildrückseiten im Februar 1818 handschriftlich eigene Beobachtungen und Einschätzungen notiert. Eines der Bilder zeigt ein »ArbeitsInstitut«, also den Arbeitssaal in einem Armen- oder Arbeitshaus. Frauen und Mädchen spinnen und stricken unter der Aufsicht einer Arbeitslehrerin. Der Pfarrer notierte zu diesem Bild folgendes: *Solche Arbeitsinstitute mögen vorzüglich in Städten von großem Nutzen sein. Ehedessen aber waren solche ganz natürli-*

chen Institute die große Handlungsfabriken selbst, wo man mit freiem Willen, und nützlicher Beschäftigung, freudig, ein Brod finden konnte. Jetzt, wo aller Handel und Gewerb allenthalben gehämt sind sind diese Zwangs-Institute ein trauriger Nothfall, denn auch da fehlt es, wie ganz natürlich ist, an gehörigem und vortheilhaftem Apatze (franz. »appât« = Reiz, Köder, Lockung), so lange dem allgemeinen, und öffentlichen Handel, und Wandel etc. die angeworffene Feßlen (= Fesseln) nicht wieder abgenommen werden.

*Württembergischer Sparkassen- und Giroverband (Hg.), Württembergischer Sparkassen- und Giroverband. Werden und Wirken 1885–1985, Stuttgart 1985, S. 18–21.*

B.B.

## 2247

### WIFLING-GEWEBE

Rottenburg, Spital zum Hl. Geist, 1810

*Wollene Lumpen, Abwerg*
*B. 17 cm, L. 44 cm*

Rottenburg a. N., Stadt- und Spitalarchiv, C 29.5

Der Spitalverwalter und spätere Sekretär der »Centralleitung für Wohlthätigkeit«, Johann Gottlieb Schmidlin, errichtete 1810 im Rottenburger Spital ein »Wollenarbeitsinstitut« zur Beschäftigung der Armen. Dort wurde aus wollenen Lumpen und aus sogenanntem »Abwerg«, d. h. Flachsabfall, eine minderwertige Version des damals für Hosen und Röcke üblichen Wifling-Stoffes gewoben.

B.B.

## 2248

### »ORDNUNG FÜR DEN BÜRGERHOSPITAL ZU ROTHENBURG«

Rottenburg, Spital zum Hl. Geist, 1808

*Handschriftliche Bekanntmachung, Feder auf Papier*
*H. 43 cm, B. 31 cm*

Rottenburg a. N., Stadt- und Spitalarchiv, C 29.5

Diese »Ordnung« war von Spitalverwalter Schmidlin zum »Anhaften« in den Speisesälen gedacht. Den »Spitaliten« wurden Tagesablauf und persönliches Verhalten genau vorgeschrieben:
*Auf alle Tage Um 4 Uhr im Sommer und um 6 Uhr im Winter wird ein Zeichen mit der Glocke gegeben. Wer gesund ist, muß aufstehen, und der Spital wird geöffnet. Von 4 bis 3/4tel auf 5 Uhr im Sommer und von 6 bis 3/4tel auf 7 Uhr im Winter muß jeder Spitäler, männlichen sowohl als weiblichen Geschlechts,*
*1.) Gesicht und Hände waschen, und den Mund reinigen,*
*2.) seine Haare kämmen, machen und sich von Ungeziefer reinigen,*
*3.) sein Bett machen,*

*4.) seinen Nachttopf in das Cloac, und nicht durch das Fenster ausleeren,*
*5.) die Fenster in seiner Kammer aufmachen, und*
*6.) seine Kammer auskehren und den Unrath vor die Thüre herausschaffen.*
*Um 3/4 auf 5 Uhr im Sommer und 3/4 auf 7 Uhr im Winter wird das 2te Zeichen gegeben, und müssen die Spitälerinnen abwechslungsweise alle Stuben, Gänge, Oehrne u. Stiegen rein kehren, alle bewohnte Stuben u. Kammern, auch die Oehrne mit Wacholderbeeren ausräuchern, und die Size des Cloacs rein aufwaschen und wieder abtroknen. Um 5 Uhr im Sommer und um 7 Uhr im Winter wird zur Morgensuppe geliten, und ehe ausgeliten ist, muß jeder Spitäler in der Speisestube sein. Der Armenschaffner verliest die männliche, die Armenschaffnerin die weibliche Spitäler, und visitiren eins ums andere in Ansehung der Reinlichkeit…*

*Karlheinz Geppert, Der Rottenburger Spital, Magisterarbeit Tübingen 1986.*

B.B.

## 2249

### TAGESPLÄNE VERSCHIEDENER ERZIEHUNGSHÄUSER FÜR VERWAHRLOSTE KINDER IM KÖNIGREICH WÜRTTEMBERG

Stuttgart, 1828

*Papier, Letterndruck*
*H. 32,8 cm, B. 33,1 cm*

Tübingen, Universitätsbibliothek, LXIII 45a

Diese Übersicht wurde von Johann Gottlieb Schmidlin in seinem Buch »Die Orts- und Bezirks-Erziehungshäuser für verwahrloste Kinder im Königreiche Württemberg« veröffentlicht: Auch der Tageslauf bedürftiger Kinder wurde streng reglementiert.

B.B.

## 2250

### »ANMELDUNGEN ZUR AUFNAHME IN DIE KINDERBESCHÄFTIGUNGS-ANSTALT ZU TÜBINGEN«

Tübingen, 1827

*Handschriftliches Verzeichnis, Feder auf Papier*
*H. 22,5 cm, B. 18,5 cm*

Tübingen, Evang. Dekanatsarchiv, Bestand: Kinderarbeitsanstalt 1816–1850, Nr. 118

2251

## Sechs Hefte: »Spinnverzeichnis«

Pfullingen, 1817

*Handschriftliche Verzeichnisse, Feder auf Papier*
*H. 20,5 cm, B. 16,5 cm*

Pfullingen, Stadtarchiv, A 265

Für eine Art »dezentraler« Armenbeschäftigung stellte die »Centralleitung für Wohlthätigkeit« Flachs zur Verfügung. In Pfullingen wurde das Rohmaterial von Frau Speciälin Kapff, also der Frau des Pfarrers, Frau Apotheker Becker, Frau Bürgermeister Memminger, Frau Oberaccisor Klemm, der Frau des Buchdruckers und der Frau des Lammwirts Beck an arme Familien ausgegeben. Die Bürgersfrauen sorgten nach der Verarbeitung des Materials für den Vertrieb des Garns. In den »Spinnverzeichnissen« sind die Ausgaben und die Einnahmen der Bürgerinnen vermerkt.
Für die Beschäftigung der Armen benötigte man verschiedene Arbeitsgeräte (vgl. Kat. Nrn. 2252–2256). B.B.

2252

## Flachs- und Hanfspinnrad

Anfang 19. Jahrhundert

*Holz*
*H. 36 cm, B. 45 cm, T. 78 cm*

München, Deutsches Museum, 12b/64571

2253

## Spinnrad

Anfang 19. Jahrhundert

*Holz*
*H. 48 cm, B. 34 cm, T. 78 cm*

München, Deutsches Museum, 12b/72998

2254

## Abwerg-Spinnrad

1. Hälfte 19. Jahrhundert

*Holz*
*H. 62 cm, B. 75 cm, T. 39 cm*

Langenau, Heimatmuseum, Inv.-Nr. 2504

Auf Abwerg-Spinnrädern wurde Flachs- und Hanfabfall zu Garn gesponnen, aus dem man Seile und Säcke herstellte. B.B.

2255

## Schnellerzähler

1. Hälfte 19. Jahrhundert

*Holz*
*H. 44 cm, B. 36 cm, T. 48 cm*

Langenau, Heimatmuseum, Inv.-Nr. 535

Ein »Schneller« ist die webstuhlgerechte Länge eines Kettfadens. Ein Schnellerzähler ist ein Arbeitsgerät, mit dem die Länge der Kettfäden bemessen wird. B.B.

2256

## Bandwebstuhl mit Schiffchen

Anfang 19. Jahrhundert

*Holz, Flachsgarn*
*H. 21 cm, B. 18,7 cm, L. 39 cm*

Stuttgart, Württembergisches Landesmuseum, Inv.-Nr. 1955/54 a, b

Auf einem Bandwebstuhl wurden Bänder und Gurte gewoben. An dem kleinen, leicht zu bedienenden Gerät arbeiteten vor allem Kinder. B.B.

## Schule

»Das ganze Wohl des einzelnen Menschen, ja ganzer Staaten beruht auf dem ersten Unterricht der Jugend«, so lautet der einleitende Satz zum Themenbereich Schule im »Neuen Orbis Pictus«, einem wichtigen Aufklärungswerk der dreißiger Jahre des 19. Jahrhunderts.[1]
Die Schulpflicht war zwar in Altwürttemberg und den protestantischen Gebieten Badens bereits in der Reformationszeit eingeführt worden, und an fast allen Orten wurde Schule gehalten. Der Schulbesuch jedoch, der Zustand der Schulen sowie der Erfolg des Unterrichts ließen viel zu wünschen übrig. Analphabetentum war mithin keine Seltenheit. Noch am Ende des 18. Jahrhunderts schildern Berichte inneren und äußeren Zustand der Schulen, der nicht in Einklang zu bringen war mit der Vorstellung von einer Erziehungsinstitution, die auf das Wohl des Staates abzielte. In Zeitschriften wie der »Geistliche(n) Monatsschrift« des Bistums Konstanz und in Christoph F. Mosers »Taschenbuch für teutsche Schulmeister« beschrieben Pfarrer und Lehrer die Mißstände und diskutierten über notwendige Neuerungen.
Die Schulen werden in diesen Schriften als kleine, niedrige Häuser beschrieben, in denen nicht selten die einzige Stube der Lehrerfamilie wie den Schulkindern als gemeinsamer Aufenthaltsraum diente: »Wenn nun 70 Kinder in selbem sitzen und nebst dem Lehrer seine Frau spinnt, die alte Mutter die verschiedenen Hausbedürfnisse hin und her trägt, die kleinen Kinder schreyen, lärmen, weinen, die größeren aus- und einlaufen, welche Kinder- und Schulmeisterhölle ist dies?« Und weiter heißt es: »Viele Frau Schulmeisterinnen haben den ganzen Winter auch noch ihre Hennen- und Gänseställe im Zimmer. An dem Geländer des Ofens hängt meistenteils Kinderwäsche... Wenn wir zu diesen Unbequemlichkeiten noch die Ausdünstung der Kinder hinzurechnen, welche durch das Schnee- und Regenwetter, durch die unreinen Köpfe und schmutzigen Kleider der Schüler vergrößert wird, so ist es platterdings unmöglich, daß nicht die Gesundheit der Kleinen leide.«[2] Als 1803 in Baden und 1808 bzw. 1810 in Württemberg das Schulsystem vereinheitlicht und der staatlichen Kontrolle unterstellt wurde, erging daher die Anordnung: »An allen Filial=Orten sollen auf Kosten der Communen eigene Schulen« errichtet werden. »Wo die vorhandenen Schul=Gebäude und Schulstuben zu enge, zu finster, ungesund und schadhaft sind, da soll ungesäumt... auf die Verbesserung der ernstlichste Bedacht genommen« werden.[3] Jedem Lehrer sollte von nun an eine eigene Schulstube zustehen. Auch das Einkommen der Lehrer wurde neu geregelt. Er empfing nun nicht mehr wie ein Almosen seinen, obendrein geringen Lohn aus den Händen der Eltern, sondern wurde von der Gemeindekasse bezahlt. Ferner durften nur noch examinierte Lehrer zum Unterricht zugelassen werden, und nicht mehr, wie aus der Not häufig geschehen, jeder, der eben noch lesen und schreiben konnte.
1811 wurde in Esslingen dann das erste württembergische Lehrerseminar eröffnet. Die Schulpflicht bestand in Baden für Knaben vom 7.–14. Lebensjahr, für Mädchen vom 7.–13. Lebensjahr und in Württemberg einheitlich vom 6.–14. Lebensjahr. Der Unterricht wurde vom Winterhalbjahr auf den Sommer ausgedehnt. Dabei trug man den Arbeitsverpflichtungen der Kinder insoweit Rechnung, als der Unterricht im Sommer nicht so lange wie im Winter gehalten und anläßlich der Heuernte, der Wintergetreideernte und der Weinlese für acht bis zwölf Tage unterbrochen werden konnte. Jeweils am Ende des Winter- und des Sommerhalbjahres mußten die Kinder eine Prüfung ablegen und der Lehrer gleichzeitig dem Pfarrer eine Tabelle über den Zustand der Schule und die Schulversäumnisse der Kinder überreichen. Der Pfarrer seinerseits legte der Tabelle einen Bericht bei über den Lehrer, über die Schulbuchsammlung und den Schulfonds, aus dem die besten Schüler einen Preis in Form eines Buches erhalten sollten.
Die neuen Verordnungen regelten freilich nicht nur die Rahmenbedingungen des Schulwesens, auch die Unterrichtsmethoden sollten den neuen pädagogischen Erkenntnissen entsprechend reformiert werden. Insbesondere der Einfluß Pestalozzis ist hier unverkennbar. So wurde den Eltern empfohlen, ihre Kinder am ersten Schultag zu begleiten und sie feierlich in die Obhut des Lehrers zu übergeben. Dieser sollte die Kinder väterlich behandeln, sie mit Geduld unterrichten, in Belohnungen wie Strafen sich stets an »der Fähigkeit und den Bedürfnissen der Kinder« orientieren, damit die Kinder »nicht mit Abneigung zur Schule kommen, und diese als ihren Kerker, oder als einen Ort der Marter betrachten.«[4] In der Unterrichtsmethode »ist die Hauptregel diese: Alles, was den Schülern zum Lesen und Schreiben vorgelegt wird, muß ihnen erklärt werden.« Dabei waren vor allem auch die Möglichkeiten einer sinnlichen Darstellung zu bedenken, also nicht allein Bilderbücher, sondern auch Beispiele aus der unmittelbaren Lebenswelt der Kinder heranzuziehen: »Ohne die Erweckung des Nachdenkens, des Beobachtungsgeistes, ohne Beschäftigung und Ausbildung der Denkkraft, ist aller Schulunterricht ein toter Buchstabe.« Außer lesen, schreiben und rechnen sollten die Kinder »einige wohl aufgefaßte, brauchbare Kenntniße aus der Naturlehre, Naturgeschichte, Erdbeschreibung, Landwirtschaft, Gesundheitslehre usw. in den Kreis ihres folgenden Lebens mitnehmen.«
Allerdings – und dies steht ebenfalls ganz im Zeichen von Pestalozzis Pädagogik – sollten die Schulkinder auf dem Land aus solchen Fächern nur soviel erfahren, wie nach den jeweiligen »Lokalrücksichten«, sprich den örtlichen ökonomischen Bedingungen, notwendig sei. Den Kindern in der Stadt aber seien diese Kenntnisse »ganz unentbehrlich«, weshalb ihnen auch die besseren Lehrer zugedacht waren. Dem »Landmann« indessen würde zuviel Bildung nur schaden, ihn mit seiner Situation unzufrieden machen; dies war im übrigen ja auch die Ansicht Pestalozzis. Zum Nutzen des dörflichen Gewerbes sollte allen Schulen eine Arbeits- und Industrieschule zugeordnet werden. Ziel dieser Institutionen war, die Arbeitsamkeit der Kinder zu fördern und sie »in den Arbeiten, die ihrem Stande und künftigen Berufe gemäß sind, vollkommener und vollständiger« zu unterrichten. Zu den »vorzüglichsten Arbeiten«

der Mädchen zählten dabei: Waschen, Nähen, Stricken, Spinnen und die Gartenarbeit. Die Burschen sollten wenigstens stricken können und über Nutzbäume Bescheid wissen. Jede Schule hatte daher einen »Wurzgarten« mit Bäumen anzulegen. Ferner sollten die Kinder mit »allerlei Hülfsmitteln der Industrie« bekannt gemacht werden, besonders dem Flechten von Körben und Strohhüten. Die lapidare Antwort auf diese Verordnung allerdings lautete in Seißen wie in Ofterdingen oder in Altenburg: »Eine Arbeitsschule ist... nicht vorhanden, weil die Eltern ihre Kinder bei überhäuften häuslichen und Feldgeschäften genug beschäftigen.«[5]

Pflicht hingegen war der Besuch der Sonntagsschulen. Schulentlassene Jugendliche mußten mindestens drei Jahre lang am sonntäglichen Unterricht teilnehmen. Zur »Belebung der Industrie« wollte man die jungen Burschen dort von der überkommenen Vorstellung befreien, man müsse alles so belassen, wie es seit Jahrhunderten überliefert worden sei. Vielmehr sollte ihnen beigebracht werden, wie die Feldarbeit bequemer, mit weniger Kosten und mit größerem ökonomischem Nutzen verrichtet werden könne.

Auf dem Weg zum neuen Staat kam der Schule als Instanz der Volkserziehung aber auch die Aufgabe der Aufklärung des Volkes in Hygienefragen und in der Zivilisierung seiner »Sitten« zu. Demzufolge durften die »Schulkinder nie anders als mit rein gewaschenen Händen und Gesicht, mit ordentlich gekämmten Haaren und abgeschnittenen Nägeln in der Schule erscheinen... Auch ihr Anzug soll ordentlich und ihre Hemder und übrigen Kleider rein gewaschen und ganz sein.«[6] Als pädagogische Maßnahme zur Durchsetzung der neuen Hygiene-Leitlinien wurde empfohlen: »Man lasse ihnen also, wenn sie so beschmutzt zur Schule kommen, ein Waschbecken reichen, um sie zu beschämen und dergleichen fernerer Übertretungen bei ihnen und ihren Mitschülern vorzubeugen.«[7] Außerdem müßten sie »zugleich zur Ordnung, Reinlichkeit und Höflichkeit angewöhnt und vorzüglich soll ihr sittliches Gefühl frühe angeregt, belebt und geschärft werden.«[8] Ebenso wurde pünktliches Erscheinen verlangt, das Verspeisen von Eßwaren während der Unterrichtsstunden verboten und vor allem das Stillsitzen gelernt.

Im Streit um die verschiedenen Lehrmethoden siegten zwar nach 1812 die Gegner des pestalozzischen Systems, die Gott als Zentrum aller Dinge und damit die Religion als Mittelpunkt des Schulunterrichts bewahrt wissen wollten, dennoch entsprach wohl der Aufbau des Schulwesens in vieler Hinsicht durchaus den Anforderungen der Zeit. 1808 berichtete beispielsweise der Ofterdinger Lehrer: »Die Schule ist in einem guten Zustand. Es wird darinnen über Ordnung, Stille und gute Sitten streng gehalten. Die Schulkinder versäumen im Sommer wenig, im Winter gar keine Schulstunden.« Über die Schulmethode schrieb er: »Denen Schulkindern wird das, was sie lesen, schreiben, auswendiglernen und hersagen durch erklären verständlich gemacht. Ist bisher keine neue Unterrichtsmethode, nicht pestalozzische, nicht stephanische... getrieben worden«[9]. Über den Bichishausener Schüler Mathias Kuhn erfahren wir aus einem Tagebuchaufschrieb seines Leh-

rers, daß er nun, nach seiner Schulentlassung und sofern er nicht alles vergesse, »als ein brauchbarer Bürger in die bürgerliche Gesellschaft eintreten« könne.[10]

Auch das höhere Schulwesen wurde mit den Anforderungen der neuen Zeit konfrontiert. Die Gymnasien und Lateinschulen, die es in allen größeren Städten Badens und Württembergs gab, sollten auf sogenannten »Realien«, also lebenspraktischen Dinge im Unterricht stärker Rücksicht nehmen. Außerdem begann man, für Kinder des bürgerlichen Mittelstandes besondere Real- oder Bürgerschulen zu errichten. Das neue Bildungsziel hieß »Klugheit in allen Dingen des Lebens«. Der Lateinschüler sollte als zukünftiger »Diener des Staates das Glück seiner Mitbürger befördern helfen und... als Seelsorger und Lehrer ächte wissenschaftliche und religiöse Aufklärung über seine Zeitgenossen und selbst über zukünftige Generationen verbreiten.«[11] Als notwendige Voraussetzungen dafür wurden Kenntnisse aus der Geschichte, der Erdbeschreibung, der Naturlehre, der Arithmetik und der Elementargeometrie angesehen. Die lateinische Sprache galt zwar nach wie vor als »vorzügliches Bildungsmittel«, das die Geisteskräfte wecken und stärken könne, doch nun sollten ihr die sogenannten Realfächer in eigenen Unterrichtsstunden zur Seite gestellt werden. Zuvor waren Kenntnisse aus diesen Fächern je nach Geschick des Lehrers dann und wann in den Unterricht eingeflossen. Problematisch war allerdings, daß es kaum ausgebildete Fachlehrer für diese Realfächer gab. Dennoch wurden erste Ansätze gemacht: Das »Gymnasium illustre« in Stuttgart erhielt 1796 eine »realistische Abteilung« und 1818 einen »Sprößling«, das Friedrich-Eugen Realgymnasium. Auch in Baden-Baden bekam das dortige Gymnasium einen neuen Lehrplan, der neben Französisch den Unterricht in den Realfächern vorsah.

Eine erste Realschule wurde bereits im Jahr 1782 von dem Dekan Jakob Friderich Klemm in Nürtingen gegründet. Sie sollte Lehrlinge wie auch Schüler der »teutschen« und der Lateinschule ansprechen und einen breitgefächerten Stundenplan anbieten, der sich vom Unterricht in französischer Sprache bis hin zu landwirtschaftlichen Fächern erstreckte. Das Vorhaben ließ sich jedoch nur teilweise verwirklichen: Am Unterricht nahmen nur Lateinschüler teil. Dennoch wurde im Schulgesetz von 1793 die Nachahmung dieses Versuchs in allen württembergischen Städten empfohlen.

In Ebingen, Ulm und Reutlingen wurden daraufhin solche Schulen gegründet, sie waren jedoch keineswegs unumstritten, wie das Beispiel Reutlingen zeigt. Dort wurde die Realschule als Parallelabteilung zu den oberen Klassen der Lateinschule eingerichtet, wobei vor allem auf »diejenigen Realunterrichtsgegenstände Rücksicht genommen werden« sollte, welche besonders für die Stadt Reutlingen besonderes Bedürfnis seien.[12] Dafür wurden zwei Lehrer für die Realfächer sowie für die deutsche, französische, englische und italienische Sprache eingestellt, außerdem ein Kaufmann für kaufmännisches Rechnen, Buchhalten, Münz-, Gewicht- und Warenkunde und schließlich ein Maler für den Zeichenunterricht. Obwohl die Klassen mit jeweils 20–30 Schülern besetzt waren, wurde die Schule

1818 wieder geschlossen, da »die Abneigung gegen die Realschule sich in publico immer lauter ausgesprochen habe.«

Jene Forderung, für Schüler, die nicht fürs Studium vorgesehen waren, besondere Bürger- und Realschulen zu gründen, entsprang der Absicht, die Lateinschulen und Gymnasien von einer stets wachsenden Schülerzahl zu entlasten und dennoch »den bürgerlichen Mittelständen« zu einer »zweckmäßigen und gedeihlichen Bildung« zu verhelfen.[13] Der Tübinger Magistrat zum Beispiel lehnte die Errichtung einer Realschule mit der Begründung ab, die Unterscheidung der Schüler in zukünftige Studenten und Realschüler sei für viele Eltern kränkend. Man sei daher der Meinung, daß jeder Bürger die Landes- und Lokalanstalten besuchen dürfe, und man habe obendrein kein Geld für eine solche Anstalt.[14] Die bürgerlichen Eltern dürften sich nicht nur als Anhänger einer humanistischen Bildung brüskiert gefühlt haben, sondern auch aus Sorge um die Zukunft ihrer Kinder. Waren doch alle Privilegien des höheren Bildungswesens an die Teilnahme am Lateinunterricht gebunden, wie der Zugang zur Universität, die verkürzte ein-jährige Militärzeit und der Zugang zur höheren Beamtenlaufbahn.[15]

1
E. J. Gailer, Neuer Orbis Pictus für die Jugend oder Schauplatz der Natur, der Kunst und des Menschenlebens in 316 lithographischen Abbildungen, Stuttgart 1832, S. 438.

2
Geistliche Monatsschrift mit besonderer Rücksicht auf die Konstanzer Diözese, 2. Jg. H. 7, Meersburg 1803, S. 149.

3
Generalverordnung das deutsche Elementar-Schulwesen in den evangelischen Orten des Königreiches betreffend, 23./24. Dezember 1810, in: Königlich Württembergisches Staats- und Regierungsblatt Nr. 1, 1811.

4
Generalreskript. Die Einführung einer allgemeinen Schulordnung in den katholischen Elementarschulen des Königreiches betreffend vom 10. 9. 1808, in: Regierungsblatt Nr. 47, 1808, Beilage – alle folgenden Zitate sind diesem Reskript entnommen.

5
Ofterdinger Pfarrbericht 1817, Evangelisches Dekanatsarchiv Tübingen 71b.

6
Generalrescript. Die Einführung einer allgemeinen Schulordnung, S. 538.

7
Christoph Ferdinand Moser, Taschenbuch für teutsche Schulmeister, Ulm 1792, S. 708.

8
Generalrescript. Die Einführung einer allgemeinen Schulordnung, S. 533.

9
Tabellarischer Schulbericht, Ofterdingen 1808, Evangelisches Dekanatsarchiv Tübingen, 71g.

10
Schulbuch für die Schule Bichishausen 1827, Stadtarchiv Münsingen B Bi 20.

11
Verordnung wegen des lateinischen Schulwesens in dem Herzogtum Wirtemberg vom 11. 3. 1793, in: August Ludwig Reyscher, Vollständige historisch und kritisch bearbeitete Sammlung der württembergischen Gesetze, Bd. 11/2, Stuttgart und Tübingen 1839, S. 274.

12
Th. Finck, Geschichte der Oberrealschule, Jubiläumsschrift der Oberrealschule Reutlingen 1876/1926, S. 11.

13
Kur-Badisches Regierungs-Blatt, 24. 6. 1806, Nr. 14, Pag. 39 Generaldekret… Die Aufnahmefähigkeit der Schüler in das hiesige Lyceum betreffend.

14
R. Stahlecker, Beiträge zur Geschichte des höheren Schulwesens in Tübingen, Stuttgart 1905, S. 75.

15
Achim Lechinski, Peter Martin Roeder, Schule im historischen Prozess, Stuttgart 1976, S. 185.

*Gerd Friedrich, Die Volksschule in Württemberg im 19. Jahrhundert, Diss. Tübingen 1978. – 450 Jahre Kirche und Schule in Württemberg, hg. v. pädagogisch-theologischen Zentrum Stuttgart, Stuttgart 1984. – Karl Stiefel, Baden 1648–1952, Bd. 2, Karlsruhe 1978.* H. St.

2257*

## ANTIKES SCHULWESEN

Friedrich Campe (1777–1846)
Nürnberg, 1825, lithogr. b. Friedrich Lange

*Kolorierte Lithographie
H. 22 cm, B. 33,5 cm
Sign.: J. Nußbiegel SO/1825*

Karlsruhe, Badisches Landesmuseum, Inv.-Nr. 79/741.16

Friedrich Campe verdeutlicht uns in dieser Lithographie den chaotischen Zustand, der noch am Ende des 18. Jahrhunderts an nicht wenigen Schulen geherrscht haben mag. Angesichts der Reformbestrebungen der Regierungen erschien dieser Zustand der Schulen dem Künstler 1825 wohl bereits als »antik«: vorbei waren die Zeiten, in denen im Schulzimmer Wäsche der Lehrerfamilie aufgehängt wurde und sich Hühner und Hunde im allgemeinen Chaos des Schulzimmers tummeln konnten. H. St.

Antikes Schulwesen.

2257

---

2258*

## BUCHSTABENTABELLE

Buchdruckerei Macklot
Karlsruhe, 1785

*Schwarzer Druck, Papier, Holz*
*H. 43,3 cm, B. 48,5 cm*
*Bez.:* Buchstaben-Tabelle… welcher man kleinen Kindern sowohl in der öffentlichen großen Schule als auch bey dem Privat-Unterricht die gedruckten und geschriebenen Lateinischen und Deutschen Buchstaben zugleich auf die leichteste Art beybringen kann,
*oberer u. unterer Rand:* Gedruckt bey… Macklot Hochfürstlich Markgräflich Badische Hof-Buchhändler auch Hof und Canzley Buchdrucker 1785 Carlsruhe.

Karlsruhe-Durlach, Pfinzgau-Museum, Inv.-Nr. ZE/30, alte Nr. 19/5, Inv. Eberle 1938

2259*

## NEU EINGERICHTETES ABC-BÜCHLEIN MIT EINER GEBETSSAMMLUNG UND BRENZISCHEM CATECHISMO

Verlag Fischer und Lorenz
Reutlingen, o. J.

*Pappeinband, Letterndruck*
*H. 16,5 cm, B. 9,7 cm*

Stuttgart, Oberkirchenrat, Inv.-Nr. 4231

*Kommet her, Kinder, höret / mir zu. Ich will euch die Furcht des HErrn Lehren* – bereits der erste Satz weist den Weg dieses ABC-Büchleins. Konservative Theologen wie Rümelin und Völter fürchteten, angesichts der neuen Lehrmethoden sei im Unterricht kein Platz mehr für Gott und die Religion. Als 1812 jedoch die königliche Resolu-

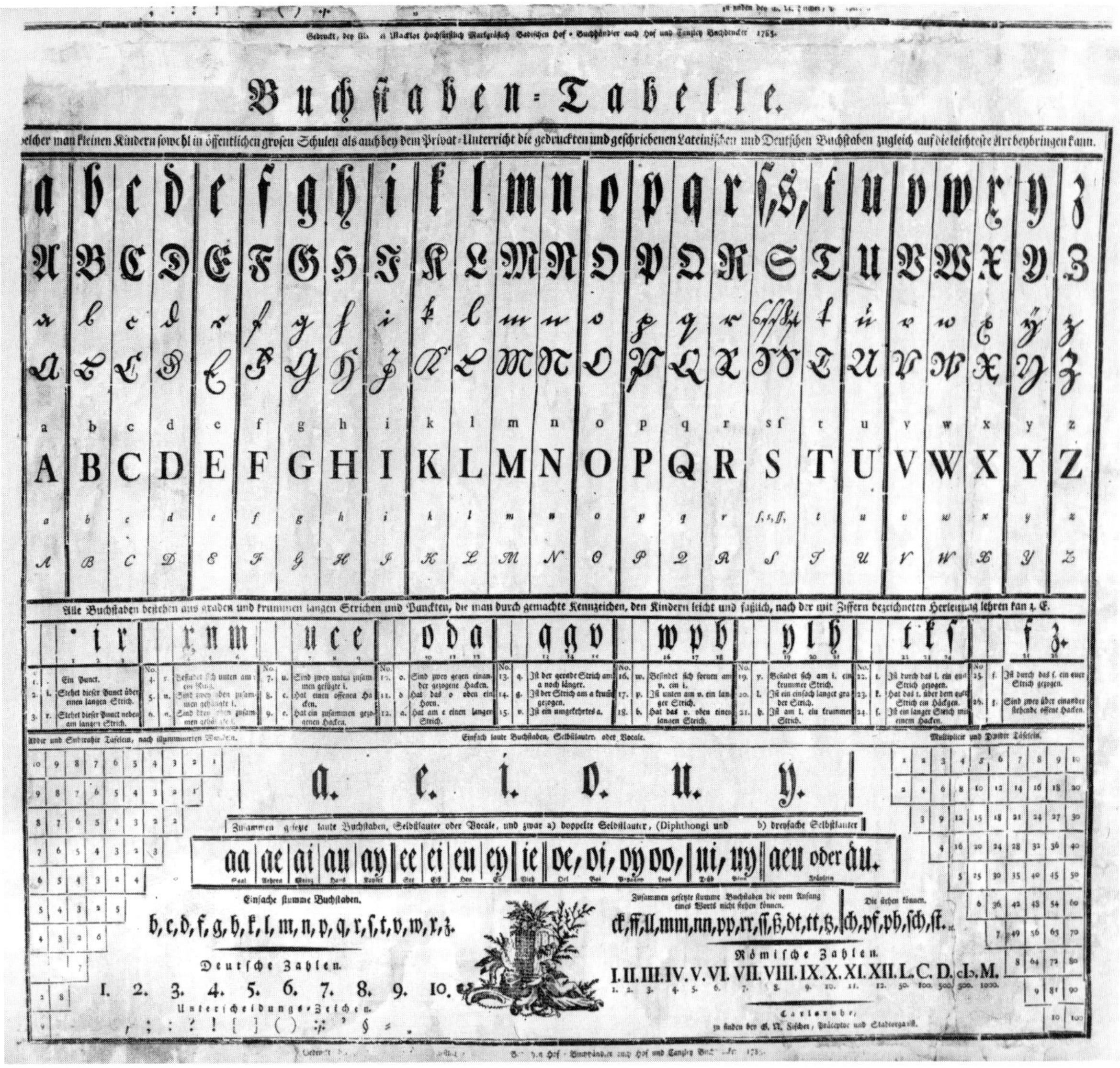

2258

tion erging, die neuen Methoden seien« »ein für allemal nicht mehr einzuführen«, gewannen diese konservativen Pädagogen wieder die Oberhand: «weilen dem Herrn nicht allein mit geschickten, sondern mit frommen Leuten am meisten gedient ist«, hatte es ja in der württembergischen Schulordnung von 1730 schon geheißen.

*Walter Dietz, Die deutsche Schule/Volksschule im 18. und 19. Jahrhundert, in: Pädagogisch-theologisches Zentrum Stuttgart, 450 Jahre Kirche und Schule in Württemberg, Stuttgart 1984, S. 169. – Friedrich A. Köhler: Eine Albreise im Jahr 1790 von Tübingen nach Ulm, Hg. Eckard Frahm, Wolfgang Kaschuba, Carola Lipp, Bühl-Moos 1984, S. 225.*                                    H. St.

2260

### NAMENBÜCHLEIN: ZUM GEBRAUCHE DER STADTSCHULEN IN DEN KAISERL.-KÖNIGL. STAATEN

Johann Ignaz Felbiger (1724–1788)
Brünn, 1780

*Karton, Papier, Letterndruck*
*H. 18 cm, B. 22 cm*

Stuttgart, Württembergische Landesbibliothek,
Paed. oct. 2813

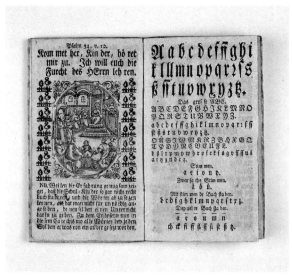

2259

Als in Altwürttemberg am Ende des 18. Jahrhunderts erst wenige Pfarrer und Lehrer über die Notwendigkeit einer Schulreform diskutierten, führte die königlich kaiserliche Regierung der Vorderösterreichischen Gebiete diese Reformen bereits an allen Schulen ein. Das Namenbüchlein, das den Namen des österreichischen Schulreformers Johann Ignaz Felbiger trägt, dokumentiert die Zielsetzung der Reformen: an Beispielen aus dem Arbeits- und Familienleben wurden neue Normen der Lebensführung vermittelt. Sprüche wie die folgenden verdeutlichen diese Absicht: *halt rechte Maß in Speis und Trank, so wirst du alt und selten krank*, *Befleißige dich stets mein Kind der Reinlichkeit* und *Müßigkeit ist aller Laster Anfang*.

*Markus May, Robert Schweizer, Wie die Kinder lesen lernten. Geschichte der Fibel. Ausstellungskatalog, Stuttgart 1984, S. 11. – Ulrich Herrmann, Kunde fürs Volk: Die Botschaft der Fibel, in: Utz Jeggle u. a. (Hg.), Volkskultur in der Moderne. Probleme und Perspektiven empirischer Kulturforschung, Hamburg 1986, S. 69–87.*

H. St.

2261

## ELEMENTARBÜCHLEIN ZUM LESEN LERNEN

Anwendbar für die Stephanische und jede andere Lehrart

Buchdrucker Kuen
Buchau, 1809

*Letterndruck, Pappeinband*
*H. 16,2 cm, B. 20,5 cm*

Stuttgart, Württembergische Landesbibliothek, Paed. oct. 876

2262

## SCHULHEFT

Anna Margareta Schütz
1814

*Feder auf Papier*
*H. 24 cm, B. 18,5 cm*

Weinheim, Stadtarchiv, Rep. 36 Nr. 190

Unter dem Titel *Fortsetzung der Naturgeschichte* gibt uns das Schulheft der Anna Margareta Schütz einen Überblick über die neuen Lehrinhalte des Schulunterrichts. Themen wie: der menschliche Körper, Verhaltensweisen vor und nach dem Essen, Krankheiten und Gifte, aber auch: die Natur, Gewitter, Schnee und Lichterscheinungen wurden in Form von Diktaten oder Aufsätzen in diesem Schulheft festgehalten.

H. St.

2263

## URKUNDE DER VATERLANDSTREUE

Schüler/innen der katholischen Schule Mannheim
Mannheim, 4. Juni 1803

*Seide, Karton, Papier, Tusche*
*H. 32,7 cm, B. 42,5 cm*
*Beschriftet vorne: CF*
*Innen: Ewige Trüw und Huldigung dem bäßten Landes-Vater und Kurfürsten Carl Friedrich von den hier unten/ stehenden Zöglingen als künftigen Vaterlands=Bürgern und Bürgerinnen, aus der dahiesigen katholischen Schule des Schul-Rektors Dierolph*
*Rückseite: Herrscher, wandle lange nach hinieden/spät erst rufe Dich der Herr von hier/ Weile unter uns in sanftem Friden/Sie uns gut, und glücklich sind auch wir/ Vivat Carl Friederich*

Karlsruhe, Generallandesarchiv, Hfk. Hs. 191 HGZ

2264

## VERFASSUNGSURKUNDE FÜR DAS GROSSHERZOGTUM BADEN

Leseübungen verschiedener Handschriften für badische Schulen

Karlsruhe, 1831

*Papier, Letterndruck*

Karlsruhe, Generallandesarchiv, Cl 123

Der Stolz der Badener auf ihre neue Verfassung zeigt sich unter anderem in der Verwendung des Verfassungstextes zu Leseübungszwecken.

*Paul Sauer, Baden-Württemberg, Bundesland mit parla-
mentarischen Traditionen. Dokumentation, hg. v. Landtag von Baden-Württemberg, Stuttgart 1982, S. 28.*

H. St.

## 2265*

### RUTENTAFEL FÜR DIE BESTE ELEMENTAR-
### SCHÜLERIN THERESIA WEISS

G. J. Edinger
Ravensburg, 1825

*Gouache und Tusche*
*H. 34 cm, B. 45,5 cm*
*Beschriftet:* Heil Dir! Nach vielen edeln Stunden/des
Fleisses, die dahin geschwunden, schwingt sich ein
Wonne Tag empor! Er zeugt von deiner Arbeitsliebe/Er
predigt laut: daß deiner Triebe zum Guten, keiner/sich
verlor! Sieh dieses Bild mag dir bedeuten, daß goldne/
Frucht dein Herz erfreut/Wenn hier im raschen Lauf der
Zeiten/stets guten Saamen Du gestreut!!

Ravensburg, Stadtarchiv, Dk 8

Im Mittelpunkt des Ravensburger Rutenfestes, einem traditionellen Schülerfest der ehemaligen Reichsstadt, standen die besten Schüler und Schülerinnen der einzelnen
Schulen. Bereits im 17. Jahrhundert wurde ihnen ein
»Friedensgemälde« als Auszeichnung überreicht. Seit etwa
200 Jahren wurden sie als »Oberstköniginnen« mit Kronen und als federgeschmückte »Oberstfähnriche« an die
Spitze des Schülerfestzuges gestellt. Von Freunden, Nach-
barn und Lehrern wurden ihnen Geschenke überreicht,
darunter auch die sogenannte Rutentafel. Auf der Rutentafel von Theresia Weiß sehen wir auf einem altarähnli-
chen Tisch eine Obstschale, Bücher, ein Tintenfaß, eine
Tafel und eine halb entrollte Weltkarte – die »Realfächer«
hatten schon ihren Einzug in die Ravensburger Schulen
gehalten.

*Alfons Dreher, Geschichte der Reichsstadt Ravensburg,
Weißenhorn-Ravensburg 1972, S. 604. – Schwäbische
Zeitung v. 26. 6. 1975. – Stuttgarter Nachrichten, Nr.
164, 17.7.1954.*

H. St.

## 2266

### SCHULHAUSGLOCKE

Anselm Franz Speck, Heidelberg
Büchnenau, 1784

*Bronze*
*H. 40 cm, Dm. 42,5 cm*
*Bez. am unteren Rand:* Anselm Speck in Heidelberg goss
mich vor die Gemeind Bigenau Anno 1768, *oben:* 17 7 34

Bruchsal, Städtisches Museum, Inv.-Nr. 759

2265

## 2267

### NATURGESCHICHTLICHER ANSCHAUUNGS-
### BOGEN: VÖGEL

Paul Wolfgang Schwarz (1766–1815)
Nürnberg, zw. 1810 und 1818

*Kolorierte Federlithographie*
*H. 31 cm, B. 39,5 cm*
*Legende unten* 1 Aente *bis* 17 Prächtiger Fasahn

Karlsruhe, Badisches Landesmuseum,
Inv.-Nr. 80/409-209

## 2268

### NATURGESCHICHTLICHER ANSCHAUUNGS-
### BOGEN: TIERE

Christian Martin Trummer (1784–1808)
Nürnberg 1810–18

*Kolorierte Federlithographie auf Büttenpapier*
*H. 31 cm, B. 40 cm*
*Legende unten von* 1 Giraffe *bis* 13 Schildkröte

Karlsruhe, Badisches Landesmuseum,
Inv.-Nr. 80/409-209.

2269

2270

2269*

## CHARTE VON DEUTSCHLAND

Adam Carl Jung
Durlach, 1823–26

*Braune Tuschfeder, aquarelliert*
*H. 17,3 cm, B. 20,5 cm*
*Beschr. auf dem Deckblatt:* Landkarten, welche ich
verfertigte in meinen Schuljahren von 1823–1826 von
Adam Carl Jung in Durlach
*links unten:* im Paedagogium dahier bei den Lehreren
Kilgenstein und Gerlach

Karlsruhe-Durlach, Pfinzgau-Museum

1803 wurden in Baden die Pädagogien, Gymnasien,
Lyzeen und Lateinschulen zu unteren Studienanstalten
zusammengefaßt. Sie sollten die wissenschaftliche Grundlage einer höheren Bildung anlegen und das Studium an
den Universitäten vorbereiten. Das Pädagogium in Durlach wurde 1586 als »Gymnasium Illustre« gegründet und
1724 als »Pädagogium« weitergeführt. Daß die Realfächer auch in das Pädagogium einzogen, zeigen die Landkarten Adam Carl Jungs. Während seiner Schulzeit am
Pädagogium zeichnete er insgesamt 34 Landkarten. Sämtliche Erdteile bis hin zu einzelnen deutschen Staaten
wurden von ihm in Tusche festgehalten.

*400 Jahre Gymnasium Durlach 1586–1986. Festschrift,*
*hg. v. der Direktion des Markgrafen Gymnasiums in*
*Verbindung mit der Fördergemeinschaft, Durlach 1986. –*
*Karl Stiefel, Baden 1648–1952, Bd. 2, Karlsruhe 1978,*
*S. 1970.* H. St.

2270*

## ATLASKÄSTCHEN

Neuer Atlas für die Jugend von 21 Kärtchen mit einer
kurzen Anleitung, wie man ihn gebrauchen solle,
die Erdbeschreibung auf eine ganz neue Art leicht
und nützlich zu lernen ( in einem Schubladenkasten)

M. Jakob Friderich Klemm
Tübingen, bey Jakob Friedrich Herrbrandt, 1782

*Kartonpapier, farbig*
*H. 51,5 cm, B. 13–22 cm (von unten nach oben),*
*T. 10–17,5 cm (von oben nach unten)*

Karlsruhe-Durlach, Pfinzgau-Museum

Das Atlaskästchen ist in der Art eines Schreibschranks
aufgebaut: in den 11 Schubladen, die von unten nach oben
kleiner werden, befindet sich jeweils ein Landkarten-
puzzle. Die Karten zeigen die fünf Kontinente der Erde,
außerdem die einzelnen Länder Europas und Palästina.
Der Urheber dieses Kästchens, Dekan Jakob Friderich
Klemm, gründete 1782 in Nürtingen eine Realschule, die
in Württemberg zum Vorbild für weitere Realschulgrün-
dungen werden sollte.

*Lothar Bauer, Württemberg wird Königreich. Ende des*
*konfessionellen Bekenntnisstaates. Neuorganisation des*
*Schulwesens, in: 450 Jahre Kirche und Schule, S.*
*146–149.* H. St.

## »Volksmedizin« und »gelehrte Medizin«

»Es scheint die Zeit gekommen zu seyn, da die Ärzte regieren wollen«[1]

Die absolutistischen Regimes benötigten, ihrer merkantilistischen Doktrin folgend, eine stets wachsende Bevölkerung, um genügend Arbeitskräfte, Steuerzahler und Soldaten für ihren »Staatszweck« zur Verfügung zu haben. Angesichts hoher Bevölkerungsverluste durch die Kriege, Hungersnöte und Epidemien zu Beginn des 19. Jahrhunderts wurde so die Gesundheitsvorsorge zu einer vorrangigen gesellschaftspolitischen Aufgabe: »Eine der Hauptsorgen unserer Regierung«, hieß es in einer Hofratsinstruktion Karl Friedrichs aus dem Jahr 1794«, ist die Wachsamkeit für die Gesundheit der Unterthanen«.[2]
In vielfältigen gesetzgeberischen Aktivitäten wurde ein auf allen Ebenen kontrolliertes Gesundheitswesen organisiert: die Badische Regierung erließ 1806 eine Medizinalordnung. In Württemberg sah man von einem umfassenden Gesetzeswerk ab und ordnete das Medizinalwesen schrittweise. Beide Staaten ergriffen Maßnahmen zum Schutz vor Epidemien und ließen Gesundheitsstatistiken erstellen. Wichtigste Neuerung war in Württemberg die Einführung der Pockenschutzimpfung 1818.[3] In Baden waren die »Menschenblattern«, wie die Pocken auch genannt wurden, zwar ebenfalls Gegenstand der medizinischen Diskussion, von einer allgemeinen Impfpflicht sah man jedoch ab. Die staatlichen Maßnahmen wurden schließlich durch eine Kampagne zur Aufklärung des Volkes über eine gesunde Lebensführung ergänzt. Dabei gingen die staatlichen Maßnahmen im Gesundheitsbereich Hand in Hand mit den berufsständischen Interessen der »gelehrten Ärzte«, die ihren bisher geringen Einfluß nun als Vermittler und Berater in Fragen der staatlichen Gesundheitspolitik zu steigern hofften.
Die medizinische Versorgung der Bevölkerung wurde durch Heiler verschiedenster Ausbildung aufrechterhalten. Das Spektrum reichte von den »gelehrten«, d.h. studierten Ärzten über die handwerklich ausgebildeten Wundärzte, Barbiere und Bader, bis hin zu sogenannten Quacksalbern und der medikalen Selbstversorgung der Bevölkerung. Als Ärzte zugelassen waren aber lediglich die studierten Ärzte und die Wundärzte, Barbiere und Bader. Die gelehrten Ärzte absolvierten an der Universität ein Studium der inneren Krankheiten, nur wenige widmeten sich zusätzlich auch der Chirurgie und der Geburtsheilkunde. Sie allein konnten von den Gemeinden als Ober- oder Unteramtsärzte angestellt werden. Eine Generalverordnung von 1814 definierte in Württemberg den Tätigkeitsbereich der Oberamtsärzte: »Jedes Oberamt erhält unter der Benennung Oberamtsarzt einen öffentlichen Gesundheitsbeamten, welchem ... insbesondere die Aufsicht über alle Medizinalanstalten und das Übrige medizinische Personal, die öftere Visitation der Apotheken, sowie der Wundärzte und ihrer Instrumente, die Prüfung der der Wundarzneikunst sich widmenden Jünglinge, die Versorgung der Legalfälle, Epidemien ... ferner, wenn er zugleich Geburtshelfer ist, der Unterricht der Hebammen unterliegt.«[4] In den höheren Medizinalbehörden nahmen die gelehrten Ärzte die Prüfung des Heilpersonals vor und erarbeiteten Gesetzesvorschläge, so daß die Aufsicht über das Medizinalwesen in den Händen der gelehrten Ärzte lag.
Zu Beginn des 19. Jahrhunderts kannte man noch verschiedene Klassen von Wundärzten, Barbieren und Badern. Die erste Klasse durfte alle Operationen durchführen, während die unterste lediglich barbieren, schröpfen, Zähne ziehen, zur Ader lassen, klistieren und leichte Wunden versorgen durfte. In der Praxis spielten diese Klasseneinteilungen jedoch keine Rolle, man ging einfach zum Nächstbesten. Die Wundärzte wurden in dreijähriger Lehre und auf sechsjähriger Wanderschaft praktisch ausgebildet. Sie waren in Baden bis 1806[5], in Württemberg bis 1814 in Zünften organisiert.[6] Zunächst ersetzte eine Gesellschaftsordnung die Zunft, bis im Verlauf des 19. Jahrhunderts der Stand der Wundärzte schrittweise abgeschafft wurde.
Großes Vertrauen schien die Bevölkerung der ärztlichen Kunst allerdings nicht entgegenzubringen. Pointiert drückt dies eine Scherztafel »Danck des Totengräbers an den Arzt« aus Calw aus (vgl. Kat. Nr. 2273):
»Herr Collega danck sey euch eure Weisheit macht / mich reich meine Schaufel, eure Billen können / unsern Kirchhoff füllen«.
Gelehrte Ärzte wären für das einfache Volk ohnehin zu teuer gewesen. So behalf man sich, so lange wie möglich mit Selbstmedikation und konsultierte nur in schwierigen Fällen einen Barbier und Wundarzt. Mit ihren traditionellen und pragmatischen Behandlungsmethoden genossen diese eher das Vertrauen der Bevölkerung als ihre studierten »Kollegen«. Gelehrte Ärzte fanden ihr Klientel daher mehr im gehobenen Bürgertum, also in einer verhältnismäßig kleinen Gruppe der Bevölkerung. Als die Anzahl der Mediziner zu Beginn des 19. Jahrhunderts rasch anstieg, spitzten sich in den Städten »Brodneid« und Konkurrenzkampf der Ärzte zu, während die ärztliche Versorgung der ländlichen Bezirke bezeichnenderweise mangelhaft blieb. Die Praxis eines gelehrten Arztes glich noch einem Studierzimmer, wie die Schützenscheibe »Arztpraxis« aus Schwäbisch Hall zeigt. Die Ärzte wurden in der Regel ans Krankenbett gerufen. Dort stand ihre universitäre Kunst vielfach in Konkurrenz zu den bewährten volksmedizinischen Vorstellungen, und ihr Hauptproblem bestand zunächst darin, sich gegen die guten Ratschläge der um das Krankenlager stehenden durchzusetzen. Frauen, besonders alte Frauen wurden von den Ärzten als Konkurrenz gefürchtet. Deshalb polemisierte der gelehrte Ärztestand auch energisch gegen die volksmedizinalen Kompetenzen der Frauen. »Sie wollen klüger seyn als die Männer, und wenn sie es auch wären, so sind sie doch nicht gelehrt. Also, so lange keine Frau aufs Rathaus gelassen wird, so lasset sie auch nicht zum Rath am Krankenbette«, schreibt Sefft[7] in seinem Gesundheits-Katechismus für das Landvolk. Frauen sollten nur noch als Pflegerinnen geduldet werden und sich jeder eigenmächtigen medikamentösen Behandlung enthalten.

Trotzdem blieb die Selbstmedikation vorerst gängige Praxis auf dem Land, nicht nur aus traditionalen Gründen und aus Mißtrauen gegenüber der Schulmedizin, sondern eben auch wegen der chronischen Unterversorgung mit Amtsärzten. Kurpfuscher, Wunderdoktoren und Urinbeseher konnten daher trotz obrigkeitlicher Verbote und teilweise mit Duldung der örtlichen Behörden weiterpraktizieren. Selbst bei strengster Winterkälte wanderte man aus »Dörfern und Residenzen« zu den »Harnpropheten und Afterärzten«, wie der großherzogliche Physikus Roller über Pforzheim zu berichten weiß.[8] Er sah hinter diesem Verhalten aber lediglich den »Hang des Menschen zum Mystischen und Wunderbaren«, der ihn »zur Quacksalberei in allen ihren Auswüchsen« hinziehe.

In dieses negative Urteil schloß er auch den Erfahrungsschatz an Hausmitteln ein, der aus einer Mischung von magisch-religiösen Zauber- und Beschwörungsformeln, aber auch aus überlieferten und bewährten Behandlungsrezepten bestand. In alten Rezeptbüchlein und in Kochbüchern beispielsweise finden wir heute diesen Erfahrungsschatz der historischen Laienmedizin dokumentiert.

Einst wurden diese Kenntnisse einem Fundus entnommen, aus dem auch die gelehrten Ärzte schöpften. Veränderungen der gelehrten Medizin spiegeln sich häufig in der Volksmedizin wider, wie die Historikerin Ute Frevert[9] am Beispiel des »Aderlaßmännchens« gezeigt hat. Zu Ader lassen gehörte zu der üblichen Gesundheitsprophylaxe des 18. Jahrhunderts. Mindestens zweimal im Jahr sollte man sich von »schlechtem«, altem Blut reinigen, etwa durch Aderlaßschnepper, »blutiges Schröpfen« oder Blutegel. In Kalendern wurden Aderlaßtafeln – eben Aderlaßmännchen genannt – verbreitet, die die besten Termine zum Aderlaß angaben. Da sich diese Termine am Zyklus des Mondes orientierten, den aufgeklärten Ärzten aber derartige astrologische und magische Vorstellungen ein Dorn im Auge waren, sollten diese »Aderlaßmännchen« aus den Kalendern verschwinden. An ihre Stelle wollte man Ratschläge über alltägliche Gefahren für die menschliche Gesundheit und neue Normen einer gesunden, sittlichen Lebensführung setzen. Die Versuche schlugen jedoch fehl, die neuen Kalender wurden einfach nicht mehr gekauft. Also mußte jenes Aderlaßmännchen in den Kalendern belassen werden, wollten die Ärzte den Kalender als Mittel der Volksaufklärung nicht verlieren. Als Gegenstrategie brachten sie deshalb sogenannte »Gesundheitskatechismen« in Umlauf, die in ihrem Aufbau den kirchlichen Unterweisungen der Katechismen entsprachen. Individuelles Wohlergehen und vorsorgende Gesundheitspflege wurden dem einzelnen als persönliche Aufgabe und religiöse Pflicht aufgetragen: »Des Leibes warten und ihn pflegen. Das ist o Schöpfer meine Pflicht.«[10] Krankheit sollte nicht mehr als von Gott gesandte Strafe, Gesundheit nicht mehr als Gottes Geschenk angesehen werden. Die »gute Lebensordnung, die Mäßigkeit und die Gemütsruhe« – das waren die neuen Gesundheitsgaranten. Dabei knüpften Gesundheitsaufklärer wie Franz Anton Mai durchaus an Erkenntnisse der Antike an und erweiterten diese nun: frische Luft, helle Räume, gesunde Nahrung, bequeme Kleidung wurden zu den wichtigsten Gesundheitsvoraussetzungen einer gesunden Lebensführung gezählt.

Dem Bürgertum kamen diese Leitlinien sehr entgegen. In ihrem Bedürfnis, sich von der luxuriös-verschwenderischen Lebensführung des Adels bewußt abzugrenzen, nahmen die bürgerlichen Kreise bereitwillig die Flut neuer gesundheitsaufklärender Ratschläge auf. Besonders die Pfarrer, denen die mystisch-magischen Elemente der laienmedizinischen Praktiken ohnehin nicht geheuer waren, da sie heidnische Elemente darin vermuteten, wurden so geeignete Vermittler der neuen Gesundheitsbotschaften. In Schulen und in Gottesdiensten sollte auch das Volk zu Hygiene und Gesundheit erzogen werden. Doch für die Mehrheit der Bevölkerung blieben diese Programme realitätsferne Utopien. Da Mensch und Vieh oft noch unter einem Dach lebten, waren hohe, helle Wohnungen und frische Luft in Räumen ebenso illusorisch wie die Vorstellung von einer gesunden Ernährung während der Hungerperioden zu Beginn des Jahrhunderts, als die meisten froh waren, wenn sie überhaupt etwas zu essen hatten.

Der Anspruch der Ärzte auf die alleinige medizinische Behandlungskompetenz scheiterte also zunächst ebenso wie die Normen einer gesunden und sittlichen Lebensführung an den materiellen und sozialen Lebensbedingungen eines Großteils der Bevölkerung. Ungeachtet dessen waren die neuen Forderungen dennoch wegweisend für die neue Bürgerkultur, während sich die »volkstümliche« Laienmedizin zunehmend von der herrschenden medikalen Kultur entfernte.

1
Zit. nach Ute Frevert, Krankheit als politisches Problem 1770–1880, Göttingen 1984, S. 37.

2
Hofratsinstruktion Karl Friedrichs vom 28. 7. 1794, zit. nach Karl Stiefel, Baden 1648–1952, Bd. 2, Karlsruhe 1978, S. 1283.

3
Viktor Adolf Riecke, Das Medizinalwesen des Königreichs Württemberg, Stuttgart 1856, S. 287.

4
Ebenda, S. 19.

5
Karl Stiefel (wie Anm. 2), S. 1284.

6
August Ludwig Reyscher, Vollständige historisch und kritisch bearbeitete Sammlung der württembergischen Gesetze, Stuttgart u. Tübingen 1828–1850, Bd. 15/1, S. 751.

7
Zit. nach Ute Frevert (wie Anm. 1) S. 48.

8
Johann Christian Roller, Geschichte und Beschreibung der Stadt Pforzheim mit besonderer Beziehung auf deren Medizinalverfassung und das physische Wohl seiner Bewohner, Heidelberg 1816, S. 190, 196.

9
Ute Frevert (wie Anm. 1), S. 51.

10
Zit. nach Wolfgang Alber u. Jutta Dornheim, »Die Fackel der
Natur vorgetragen mit Hintansetzung allen Aberglaubens«.
Zum Entstehungsprozeß neuzeitlicher Normsysteme im Bereich
medikaler Kultur, in: J. Held (Hg.), Kultur zwischen Bürgertum
und Volk, Argument Sonderband 103, Berlin 1983, S. 173.

*Wolfgang Alber, Leib–Seele–Kultur. Diätetik als Modell
sozialer Wirklichkeit. Skizzen zur Ideen- und Wirkungsge-
schichte, in: U. Jeggle u.a. (Hg.), Tübinger Beiträge zur
Volkskultur, TVV Bd. 69, Tübingen 1986, S. 29–50. –
Wolfgang Alber, Jutta Dornheim, »Die Fackel der Natur
vorgetragen mit Hintansetzung allen Aberglaubens«. Zum
Entstehungsprozeß neuzeitlicher Normsysteme im Bereich medikaler Kultur, in: J. Held (Hg.), Kultur zwischen
Bürgertum und Volk. Argument Sonderband 103, Berlin
1983, S. 163–181. – Alfons Fischer, Geschichte des
deutschen Gesundheitswesens, Bd. 2., Reprographischer
Nachdruck der Ausgabe Berlin 1933. – Ute Frevert,
Krankheit als politisches Problem 1770–1880. Kritische
Studien zur Geschichtswissenschaft Bd. 62, Göttingen
1984. – Victor Adolf Riecke, Das Medizinalwesen des
Königreichs Württemberg, Stuttgart 1856. – Johann Chri-
stian Roller, Geschichte und Beschreibung der Stadt
Pforzheim mit besonderer Beziehung auf deren Medizinal-
verfassung und das physische Wohl seiner Bewohner,
Heidelberg 1816. – Sabine Sander, Handwerkschirurgen
im Gesundheitswesen des Ancien Régime. Das Beispiel
Württembergs, Diss. phil. Gießen 1987 (masch.) – Sabine
Sander, Handwerkliche Wunderarznei in der Zeit der
Auflösung des traditionalen Gesundheitswesens, in: Jahr-
buch des Instituts zur Geschichte der Medizin der Robert
Bosch Stiftung, hg. v. Werner S. Kümmel, Bd. 5 (1986),
Stuttgart 1987 (im Druck). – Karl Stiefel, Baden
1648–1952, Bd. 2, Karlsruhe 1978.*        H. St.

2271*

## Schützenscheibe: »Arztpraxis«

Schwäbisch Hall, 1792

*Öl auf Holz*
*Dm. 67 cm*
*Beschr.:* Johannes Friedricus Haspel, Physicus Ordinarius
1792

Schwäbisch Hall, Fränkisch-Hällisches-Museum,
Inv.-Nr. 86/143–77

Schützenscheiben wurden von angesehenen Bürgern
gestiftet. Alltägliche und lokalpolitische Darstellungen
finden sich darauf ebenso wie Szenen aus der Berufswelt.
Die Schützenscheibe »Arztpraxis«, die vermutlich von
einem Arzt gestiftet wurde, zeigt den Arzt in einem Raum,
der eher einem Studierzimmer gleicht als einer Arztpraxis
in unserem heutigen Verständnis. In Bücher vertieft sitzt er
am Tisch, hinter ihm ist ein Regal voller Bücher zu sehen.
Lediglich ein Totenkopf auf dem Wandbord deutet die
medizinische Tätigkeit des Abgebildeten an. Durch die Tür
tritt eine Frau mit verbundener Stirn. Ikonographisches
Stilmittel oder Wunschvorstellung des Stifters, muß sich
der Betrachter fragen, denn es war weder üblich, bei
äußeren Wunden einen gelehrten Arzt zu konsultieren,
noch diesen zu Hause aufzusuchen. Sofern man sich einen
gelehrten Arzt leisten konnte, rief man ihn ans Krankenbett.

*Badisches Landesmuseum Karlsruhe (Hg.), Barock in
Baden-Württemberg, Karlsruhe 1981, S. 642, 647.*   H. St.

2272

## Spanschachtel mit Pillen und Rezept

Johann Georg, Bayr. Kaiserl. Priv. Chimic

Augsburg, um 1800

*Holz, Papier, Letterndruck*
*H. 2 cm, Dm. 2 cm*

Karlsruhe, Badisches Landesmuseum, o. Inv.-Nr.

Arzneien wurden Anfang des 19. Jahrhunderts in billigen
Glasfläschchen oder in Spanschachteln verkauft, wobei
Spanschachteln die kostengünstigere Verpackung darstellten, da sie vom Apotheker selbst hergestellt werden
konnten.
1771 wurde die erste Pillenmaschine erfunden. Als Binde-
mittel fügte man den Pillen Brotteig, Honig und teilweise
auch Speichel bei. Zur Geschmacksveredelung überzog
man sie mit einer Lösung aus Gummiarabicum und pu-
derte sie anschließend mit Zucker. Aber auch versilberte
Pillen waren bekannt. Sie waren für den Großteil der
Bevölkerung jedoch unerschwinglich.

Johann Georg, Bayrisch kaiserlicher priv. Chimic. in Augsburg – der Hersteller dieser Pillen – wies durch das beiliegende Rezept auf den Verwendungszweck seiner *Pillulen* hin. Aufgrund jahrelanger Erfahrung hielt sie der Apotheker u. a. bei folgenden Krankheiten für geeignet: *...überflüssigen Feuchtigkeiten, Haupt- oder Kopfschmerzen, Cathar, Husten und Drucken auf der Brust, Seitenstechen, Schlagflüssen, Lähmung der Glieder, mit Verstopfung an Milz und Leber.* Fünf bis sieben dieser Pillen sollten auf einmal, und zwar acht bis vierzehn Tage lang eingenommen werden.

*Werner Gaude, Die alte Apotheke, Stuttgart 1979, S. 180, 184.*                                          H. St.

## 2273

### »DANCK DES TOTENGRÄBERS AN DEN ARZT«

Scherztafel

Calw, 18. Jahrhundert

*Öl auf Leinwand*
*H. 38 cm, B. 55 cm*

Calw, Heimatmuseum, Inv.-Nr. 16/10

Ein Totengräber und ein vornehm gekleideter Arzt stehen sich auf einem Friedhof am Sarg gegenüber. Die Inschrift des Bildes kommentiert ironisch das Mißtrauen, das die Bevölkerung der ärztlichen Kunst entgegenbringt:
*Herr Collega danck sey euch*
*eure Weisheit macht mich reich*
*meine Schaufel, eure Billen*
*können unsern Kirchhoff füllen*

*Badisches Landesmuseum Karlsruhe (Hg.): Barock in Baden-Württemberg, Karlsruhe 1981, S. 654.*       H. St.

## 2274

### ZAHNZIEHSZENE

(Reproduktion)

Lous Léopold Boilly (1761–1865)

*Kolorierte Lithographie*
*H. 25 cm, B. 32,5 cm*
*Bez. u.: Le baume d'acier (der stählerne Trost)*

Ettlingen, Schloßmuseum, Inv.-Nr. 732

Zahnheilkunde entwickelte sich als Wissenschaft erst im Verlauf des 19. Jahrhunderts. Zahnärzte waren daher äußerst selten. Vorwiegend Wundärzte und Bader kümmerten sich um Zahnbeschwerden. Auch sogenannte Scharlatane boten auf Jahrmärkten ihre Dienste an, obwohl die Obrigkeit reisenden Zahnheilkundigen gerne das Handwerk gelegt hätte.

Die Behandlungsmethoden der Zeit beschränkten sich auf das Ziehen der Zähne und einfache Zahnsteinentfernungen. Daneben wurden Zahnschmerzen mit den üblichen medizinischen Mitteln bekämpft: man ließ zur Ader, nahm am nächsten Tag ein Abführmittel, setzte Schröpfköpfe an die Wirbelsäule und hinter das Ohr, behandelte den Nerv mit Brenneisen oder mit ätzenden Mitteln. Schließlich gab es noch die Möglichkeit, Medikamente ins Ohr zu flößen, da ein Zusammenhang zwischen Ohren- und Zahnschmerzen bereits erkannt worden war.

*Elisabeth Benion, Alte medizinische Instrumente, Stuttgart und London 1980, S. 197.*                 H. St.

## 2275

### ZAHNEXTRAKTIONSBESTECK

18./19. Jahrhundert

*Leder, Stahl*
*L. 19 cm, B. 19 cm*

Reutlingen, Heimatmuseum, Inv.-Nr. 1265 a–d

Das Zahnextraktionsbesteck besteht aus einem Geißfuß, zwei Zangen und einem Zahnextraktionsschlüssel mit verschiedenen Schlüsselaufsätzen.
Als Grundausrüstung genügte das Besteck den zahnmedizinischen Anforderungen, die ein zeitgenössischer Wundarzt bewältigen konnte.

*Elisabeth Benion, Alte medizinische Instrumente, Stuttgart und London 1980, S. 197–210.*             H. St.

## 2276

### ZAHNHAKEN

19. Jahrhundert

*Stahl*
*B. 10,5 cm, H. 14,5 cm*

Nürnberg, Germanisches Nationalmuseum, Inv.-Nr. WI 1478

## 2277

### GEISSFUSS

Ettlingen, 18./19. Jahrhundert

*Stahl, Horn*
*L. 13 cm, B. 10 cm*

Ettlingen, Schloßmuseum, Inv.-Nr. 730

Der sogenannte Geißfuß galt als beliebtester Zahnwurzel-heber. Mit ihm wurden Schneide- und Eckzähne gezogen, aber auch Wurzeln und Zahnstümpfe angehoben. Seinen Namen erhielt er durch sein einem Ziegenfuß ähnliches Aussehen.

*Elisabeth Benion, Alte medizinische Instrumente, Stuttgart und London 1980, S. 202.*              H. St.

## 2278

### GEISSFUSS

Ettlingen, 18./19. Jahrhundert

*Stahl, Holz*
*L. 11 cm, B. 8 cm*

Ettlingen, Schloßmuseum, Inv.-Nr. 731

## 2279

### CHIRURGISCHES ARZTBESTECK

2. Hälfte 18. Jahrhundert

*Etui: Holz, Leder*
*Geräte: Messing, Eisen, Holz*
*H. 7 cm, B. 46 cm, T. 23,5 cm*

Ehingen, Heimatmuseum, o. Inv.-Nr.

Der chirurgische Instrumentenkoffer enthält u. a. Trepanationsgeräte, die zur Schädelöffnung eingesetzt wurden. Mit einem Anschaffungspreis von ca. 25–30 fl. wären Instrumentenkästen wie dieser für den einzelnen Wundarzt zu teuer gewesen. Die Württembergische Medizinalordnung von 1755 legte daher den Chirurgenzünften bereits nahe, Instrumente zum »Trepanieren, Steinschneiden, Beinabstoßen, schweren Geburten und Verrenkungen« gemeinsam anzuschaffen. In Städten wie Stuttgart und Ludwigsburg lassen sich Instrumentenkästen mit Trepanationsgeräten in den Instrumentenverzeichnissen der Zunft nachweisen.

*Sabine Sander, Die Handwerkschirurgen im Gesundheitswesen des Ancien Régime. Das Beispiel Württembergs, Diss. Gießen 1987, S. 136.*              H. St.

## 2280

### HOLZKÄSTCHEN MIT SCHRÖPFGERÄTEN

18./19. Jahrhundert

*Holz, Glas, Messing*
*H. 85 cm, B. 28,5 cm, T. 19 cm*

Freiburg, Augustiner Museum, Inv.-Nr. 12798

2281–2282

2281*

### SCHRÖPFSCHNÄPPER (SCHRÖPFAPPARAT) ZUM BLUTIGEN SCHRÖPFEN

18./19. Jahrhundert

*Messing*
*H. 3,45 cm, B. 3,7 cm, T. 3,8 cm*

Karlsruhe-Durlach, Pfinzgau-Museum, Inv.-Nr. 6/5

Ziel des Schröpfens ist, die Durchblutung bestimmter Körperpartien zu steigern. Diese Methode war zwischen dem 17. und 19. Jahrhundert sehr beliebt, wird aber auch heute noch von Heilkundigen angewendet. Zu den bevorzugten Körperzonen gehörten die Schläfen und der untere Teil des Rückgrates. Je nach Krankheit setzte man auch auf andere Körperteile Schröpfköpfe an.
In den kuppelartig geformten Gläsern erzeugte man durch das Erhitzen der Gläser einen Unterdruck und setzte die Gläser an die zu behandelnde Körperpartie an.
Beim trockenen Schröpfen verletzte man die Haut nicht. Beim blutigen Schröpfen ritzte man die Haut mit dem Schröpfschnäpper an.
Schröpfköpfe wurden vor allem von Wundärzten und Badern angesetzt.

*Ute Frevert, Krankheit als Politisches Problem 1770–1880, Göttingen 1984, S. 40. – Sabine Sander, Die Handwerkschirurgen des Ancien Régime. Das Beispiel Württembergs, Diss. Gießen 1878, S. 108, 133.*              H. St.

2282*

### SCHRÖPFGLÄSER

18./19. Jahrhundert

*Glas*
*H. 4,8 cm, Öffnungsdm. 3,2 cm*

Karlsruhe-Durlach, Pfinzgau-Museum, Inv.-Nr. 6/6

2283

## KLISTIERSPRITZE

um 1800

*Zinn mit Holzschieber*
*L. 30 cm*
*Marke:* LACROIX TOLOUSE

Ehingen, Heimatmuseum, o. Inv.-Nr.

Klistiere zählen zu den ältesten medizinischen Geräten. Mit ihnen wurde das »Gleichgewichte der Säfte« wieder hergestellt. Nach Hippokrates waren Krankheiten eine Folge von Störungen des Gleichgewichtes der Säfte: Blut, Schleim, gelbe und schwarze Galle. Lange Zeit glaubte man, durch Stimulieren des einen oder durch Entzug des anderen Saftes sei dieses Gleichgewicht wieder herstellbar und die Krankheit zu besiegen.
Klistiere gehörten zur Grundausstattung der Wundärzte und Barbiere.

*Elisabeth Benion, Alte medizinische Instrumente, Stuttgart und London 1980, S. 167. – Ute Frevert, Krankheit als politisches Problem 1770–1880, Göttingen 1984, S. 40. – Sabine Sander, Die Handwerkschirurgen im Gesundheitswesen des Ancien Régime. Das Beispiel Württembergs, Diss. Gießen 1987, S. 133.* H. St.

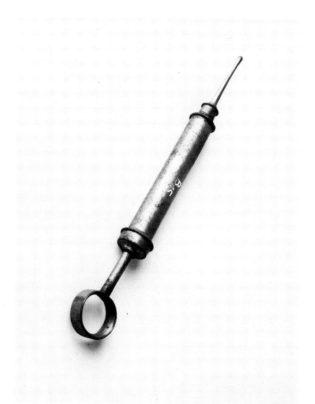

2284\*

## SPRITZE

Anfang 19. Jahrhundert

*Zinn*
*L. ausgezogen: 22 cm, B. 2, 4 cm*

Münsingen, Heimatmuseum, alte Inv.-Nr. 624, neue Inv.-Nr. B 15

Maße und Form der Spritze weisen auf einen Verwendungszweck im Hals-Nasen- und Ohrenbereich hin. Ein Drittel der Wundärzte in Wildberg und Waiblingen verfügte über Spritzen dieses Behandlungsbereichs, wie eine Untersuchung der Nachlaßinventare von Wundärzten an den genannten Orten ergab.

*Sabine Sander, Die Handwerkschirurgen im Gesundheitswesen des Ancien Régime. Das Beispiel Württembergs, Diss. Gießen 1987, S. 134.* H. St.

2285

## ADERLASSSCHNÄPPER

um 1800

*Etui: Holz mit Leder; Messing, Eisen*
*H. 3,5 cm, B. 6 cm, T. 3 cm (aufgeklappt)*

Ehingen, Heimatmuseum, o. Inv.-Nr.

Der Aderlaß zählt zu den ältesten medizinischen Behandlungsformen. Er galt als Allheilmittel, und es gab kaum ein Krankheitsbild, bei dem der Aderlaß nicht angemessen schien.
Aderlaßschnäpper, auch Lanzetten genannt, sind heute öfter erhalten als andere medizinische Geräte, was bei der häufigen Anwendung des Aderlasses sicher kein Zufall ist. Die Lanzetten bestehen aus kleinen, spitz zulaufenden Messern in aufklappbaren Scheiden aus Schildpatt oder ähnlichem Material.
Im frühen 19. Jahrhundert wurde bereits ein automatischer Aderlaßschnäpper erfunden, dessen Spitze mit Hilfe einer Feder in die Haut geschnellt werden konnte.
Als 1818 in Württemberg die Pockenschutzimpfung eingeführt wurde, benutzte man vermutlich Aderlaßschnepper als Impflanzetten.

*Elisabeth Benion, Alte medizinische Instrumente, Stuttgart und London 1980, S. 35–41.* H. St.

2286*

## Aderlasstafel

(Reproduktion)

*Aus:* »Kurfürstlich=Badischer/gnädigst privilegierter/ Land-Kalender/für die Badische Markgrafschaft/katholischen Anteils/auf das Jahr nach Christi Geburt 1804«

J. J. Sprinzing
Rastatt 1804

*Papier*
*H. 20,5 cm, B. 17 cm*

Karlsruhe, Generallandesarchiv, 236/472, Blatt 90 b

Besondere Jahreszeiten und Tage galten als günstig bzw. ungünstig für das Aderlassen. Das Frühjahr und die Tage des zunehmenden Mondes zählten zu den günstigen Terminen.
Die Stellen, an denen das Blut entnommen werden sollte, wechselten je nach Krankheit. So wurde bei *hitzig Fieber, Brustentzündung, Seitenstechen, Mutterfluß* das Blut der Armbeuge entnommen, während in der *Tollheit, im Wahnsinn und in der Rasereyen* das Blut an den Schläfen abgezapft wurde.
Die Farbe des Blutes gab Hinweise auf Krankheiten. Rotes

Blut mit schwarzem Ring bedeutete *Kopfwehe*, weißes zeigte dagegen *bleibende Feuchtigkeit und Gicht* an. Blaues Blut wiederum bedeutete *Wehe an der Milz* und *Melancholie mit böser Feuchtigkeit*.
Diese Hinweise konnten den Aderlaßtafeln oder *Aderlaßmännchen* entnommen werden, die über Kalender, welche die Hauptlektüre der Bevölkerung darstellen, verbreitet wurden.                    H. St.

2287

## Dank für geheiltes Augenleiden

Votivtafel

Künstler unbekannt
Süddeutsch, um 1820

*Öl auf Eisenblech*
*H. 15 cm, B. 17 cm*

Maria Steinbach, Kath. Pfarramt, Inv.-Nr. 1526/12

Angesichts fehlender Spezialisten half manchmal nur noch der Glaube an eine wundersame Heilung. Nicht selten wurden Wallfahrten in dieser Hoffnung angetreten. Im Anschluß an eine solche Wallfahrt spendeten die Gläubigen Votivtafeln als Zeichen ihrer Dankbarkeit.        H. St.

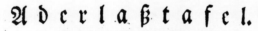

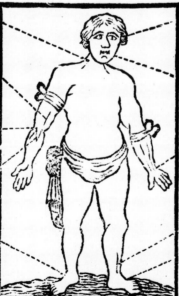

2286

2288

## Zwei Leinensäckchen mit Heilkräftigem Inhalt

Heilmittel der Volksmedizin

Ende 18./Anf. 19. Jahrhundert

*Textil, Papier, Pulver*
*H. 3 cm, B. 1,8 cm*

Ehingen, Heimatmuseum, o. Inv.-Nr.

2289

## 13 Fläschchen Walpurgisöl

Heilmittel der Volksmedizin

Eichstätt, Ende 18./Anf. 19. Jahrhundert

*Glas, Textilverschluß*
*H. 2 cm, Dm. 0,7 cm*
*Bez.:* Walpurgisöl aus Eichstätt

Ehingen, Heimatmuseum, o. Inv.-Nr.

Die Heilige Walpurga, Stifterin und Äbtissin des Benediktinerklosters in Heidenheim, starb 779 in Eichstätt/Franken. Sie gilt als Pestpatronin, hilft gegen Unterleibs- und Augenleiden.
Walpurgisöl ist seit 893 bekannt. Es soll »gegen alle Gefahren des Leibes und der Seele« helfen.

*Bächthold-Stäubli, Hans (Hg.), Handwörterbuch des deutschen Aberglaubens, Berlin/Leipzig 1927–1942, Bd. 9, S. 84.*                H. St.

2290

## »Polvere della S. Casa di Loreto«

Heilmittel der Volksmedizin

Ende 18. Jahrhundert

*Kupferstich, Papier, Pulver*
*H. 7 cm, B. 5 cm, T. 0,2 cm*

Ehingen, Heimatmuseum, o. Inv.-Nr.

»Staub aus dem Heiligen Haus in Loreto« verspricht die Aufschrift des Pulverpäckchens.
Der Legende nach gelangte das »Heilige Haus«, das Haus Marias von Nazareth, 1295 nach Loreto. Bereits im 14. Jahrhundert wurde Loreto zum Wallfahrtsort. Seinen Höhepunkt erreichte der Loretokult im deutschen Sprachgebiet im 17. und 18. Jahrhundert. Pilgerfahrten und der Bau von Loretokapellen häuften sich in dieser Zeit.
Das *Polvere della Santa Casa di Loreto* ist bereits seit dem 16. Jahrhundert Teil des Loretokultes und konnte noch vor 50 Jahren in Loreto erstanden werden. Es sollte ins Essen gestreut dem allgemeinen Wohlbefinden dienen.

*Walter Pözl, Santa-Casa-Kult in Loreto und in Bayern, in: Kriss-Rettenbeck, Lenz (Hg.), Wallfahrt kennt keine Grenzen. Ausstellung des Bayerischen Nationalmuseums, München 1984, S. 368–382.*                H. St.

2291

## Zauberbuch des Hironimus Zobel

1792–1828

*Handschrift*
*17 cm x 20 cm*

Bühl, Heimatmuseum, o. Inv.-Nr.

2292

## Zauberspruch gegen die Schwinde

18./19. Jahrhundert

*Handschrift*
*H. 20,5 cm, B. 10 cm*

Privatbesitz

*Schwinde aus der Mark*
*Schwinde aus dem Bein*
*Schwinde aus der Nerv*
*Schwinde aus dem Fleisch*
*Schwinde aus dem Blut*
*Schwinde aus der Haut*
*Schwinde aus dem Haar*
*Gott der Vatter schwindet nicht*
*Gott der Sohn schwindet nicht*
*Gott der Heilige Geist auch nicht*

*Samstag 3 mall zu sprechen*
*gegen der Morgen Sonn zu*
*schauen unbeschauen.*

*Glaube, Welt und Kirche im evangelischen Württemberg, hg. v. Landeskirchlichen Archiv Stuttgart, Stuttgart 1984, S. 206.*                H. St.

2293

## Zauberspruch gegen Krankheit

18./19. Jahrhundert

*Handschrift*
*H. 11 cm, B. 10 cm*

Privatbesitz

*Ich stand auf Holz und seh' durchs Holz*
*und durch die grünen Zweigen*
*der liebe Gott nehm mir mein Gschoß*
*und auch mein heilig Leiden.+++*

*Glaube, Welt und Kirche im evangelischen Württemberg, hg. v. Landeskirchlichen Archiv Stuttgart, Stuttgart 1984, S. 206.*                H. St.

## 2294

### REZEPTBÜCHLEIN FÜR MENSCHEN UND VIEH VON EINEM ZIGEUNER

1802

*Handschrift*
*H. 17,3 cm, B. 11,5 cm*

Lörrach, Museum am Burghof, Inv.-Nr. RZ 13

*Ein schön neu erfundenes Kunst Büchlein; darinnen Hundertfünfundzwanzig Stück für Menschen und Vieh, sonderlich aber für reisende Leute, wie auch für diejenige, so Vieh haben, sehr nüzlich zu gebrauchen, mit schönen, oft probirten Recepten beschreiben. Welches von mir mit sonderbaren Fleiß aufgesezt und gut befunden worden probatumest.*
*Herraus gegeben von d pleinhorati Königliche leib-Medikus im Egypten als einem gebohrener Zigeuner. Frankfurt und Leipzig 1802.*
Das Büchlein enthält außer medizinischen Hausrezepten auch Anweisungen für Frauen in Kindbettnöten, nennt Möglichkeiten, das Vieh auf dem Markt besser verkaufen zu können und macht Vorschläge, eine Verzauberung von Mensch und Vieh zu behandeln: *Nimm Fünffingerkraut, Schwarzen Kümmel, Todtenbein, Holz, das fließend Wasser auswirft, das zu Pulver gemacht; so ein Kind beschrieen, eine Messerspitze voll, so ein großer bezaubert ein Quintel, ein Pferd 2 Loth Eßig, ein Rindvieh 1 Loth auch in scharfen Eßig.* H. St.

## 2295

### KOCHBUCH DER CAROLINA REGINA RUDOLPHIN

Willsbach 1809

*Handschrift*
*L. 21,5 cm, B. 17 cm*
*21,5 cm x 37 cm (aufgeschlagen)*

Stuttgart, Württembergisches Landesmuseum,
Inv.-Nr. L 13784

Unter Kochrezepten, Mitteln gegen Fettflecken, Motten und Ratten notierte Frau Carolina Regina Rudolphin Hausrezepte gegen Krankheiten von Mensch und Vieh. Kräuterheilmittel, ergänzt durch Gebete, Beschwörungsformeln und Talismänner werden darin als Maßnahmen zur Krankheitsbekämpfung beschrieben. H. St.

## 2296

### THEODOR ZWINGERS SICHERER UND GESCHWINDER ARZT

Medizinisches Hausbuch

um 1800

*Druckschrift*
*17 cm x 12 cm*
*Bez.: 5. Novembri 1816 Marianne Catarina Fislin*

Lörrach, Museum am Burghof, Inv.-Nr. RZ 6

Der Vorspann des medizinischen Hausbuches enthält diätetische Anweisungen über das *Maß im Essen und Trinken*, aber auch Informationen über gute und schlechte Zeiten für den Aderlaß: *Von den Monden, die zum Aderlassen nütz- oder schädlich.* Damit trägt der Vorspann, der in Versform gehalten ist, sowohl neuen diätetischen Vorstellungen, als auch gewohnten volksmedizinischen Praktiken Rechnung.
Im Hauptteil des Buches werden in alphabetischer Reihenfolge Krankheitsbilder dargestellt und Behandlungsmethoden aufgezeigt. *Catar-Fieber / Fluß-Fieber / Febris catarrhalis* wird beschrieben als *ein kleines, gelindes Fieber, mit etwas Hitz, geringem Durst, schlechter Eßlust und Mattigkeit in den Gliedern ...* Der anschließende Behandlungsvorschlag veranschaulicht plastisch das Spektrum der zeitgenössischen Behandlungsmöglichkeiten: *In der Heilung solcher Krankheiten trachte ich eine kleine Aderlässe, wenn vorher ein Clystier beygebracht worden, nicht undienstlich, demnach kan man den Leib auch mit Schlehenblustsyrup / Mannaträncklein / doppeltem Rosensyrup / oder dergleichen wol außreinigen; und darauf gelinde Schweißtreibende und in sich schluckende Mittel gebrauchen ...* H. St.

## 2297

### NOTH- UND HÜLFSBÜCHLEIN FÜR BAUERSLEUTE

Rudolph Zacharias Becker (1752–1822)
verm. 1788

*Oktav, Pappeinband*
*H. 18 cm, B. 11 cm*

Ulm, Brotmuseum e.V., Inv.-Nr. 2.1.3.–24

Ziel des Büchleins war es, *dem Landmann ein System von Kenntnissen und Gesinnungen, welches ihn als Menschen, als Landmann und Staatsbürger glücklich machen müßte, beyzubringen.*
Anekdoten und Reime, die durch erläuternde bildliche Darstellungen ergänzt werden, sollten die Aufmerksamkeit und Neugierde wecken. Die Themen des Büchleins sind der ländlichen Lebenswelt entnommen. Zu den Hauptthemen gehören: die gute Haushaltsführung, rationelles Wirtschaften, Ehe, Kindererziehung, Kleidung,

Nahrung, aber auch Hungersnöte, Kriege und Scheintode. Im Bereich der Gesundheitslehre ist diese Schrift ganz vom Geist der medizinischen Volksaufklärung durchdrungen: das Maßhalten *Im Essen, Trinken, Freud und Leid/In Arbeit und in Schlafenszeit* ist oberstes Lebensprinzip. Im Krankheitsfall sollen nicht Quacksalber, sondern Ärzte zu Rate gezogen und der Patient mit reiner Luft, reiner Wäsche und leichter Kost versorgt werden.

Das Noth- und Hülfsbüchlein erreichte um 1800 schätzungsweise eine Auflage von 400 000 Exemplaren und war damit wohl das meistgelesene weltliche Buch. In bürgerlichen Kreisen zählte es zum Allgemeingut. Über Pfarrer und Schullehrer wurde es im Volk verbreitet. H. St.

## 2298

### DIE KUNST DAS MENSCHLICHE LEBEN ZU VERLÄNGERN

D. Christoph Wilhelm Hufeland
Jena 1798, 2. Auflage

*Oktav, Pappeinband*
*H. 20 cm, B. 12,5 cm*

Tübingen, Universitätsbibliothek, Jk 4 a

*Braucht meine Kunst, erhaltet die Gesundheit, laßt keine Krankheit aufkommen und die, welche sich etwa einstellen wollen curiren, das ist der einzige Weg zu langem Leben.* Diesen Ratschlag der Ärzte lehnt Christoph Wilhelm Hufeland in seiner Schrift ebenso ab wie den der *Empiriker und Quacksalber,* die dem Volk empfehlen, *daß kein besseres Mittel alt zu werden sey, als zur rechten Zeit Ader zu lassen, zu schröpfen, zu purgieren.* Hufeland ist dagegen der Überzeugung, daß ein langes Leben so lange nicht erreicht werden kann, wie *der Mensch unaufhörlich mit seiner eigenen Natur im Widerspruch steht.* Hufelands Ziel ist daher die Auflösung dieses Widerspruchs und die Hinführung des Menschen zu moralischer Vollkommenheit. So ist nicht nur das physische Wohl des Menschen Gegenstand seiner Überlegungen, sondern der Mensch als Ganzes: Leib, Seele und Geist.

Schwächliche Erziehung, Ausschweifungen in der Liebe und die Verschwendung der Zeugungskraft zählen für Hufeland ebenso zu *Verkürzungsmitteln* des Lebens wie die Unmäßigkeit im Essen und Trinken, die übermäßige Anstrengung der Seelenkräfte und die unvernünftige Behandlung von Krankheiten. Zu den *Verlängerungsmitteln* des Lebens dagegen gehören eine *thätige, arbeitsame Jugend,* ein glücklicher Ehestand, Enthaltsamkeit vom Genuß physischer Liebe in der Jugend und außer der Ehe, Mäßigkeit im Essen und Trinken, Reinlichkeit und körperliche Bewegung.

Über den Erfolg seiner Schrift bemerkt Hufeland im Vorwort der 2. Auflage: *Das Publikum hat dieses Werk mit einer Güte und Theilnahme aufgenommen, die meine höchsten Erwartungen übertroffen hat.* H. St.

## 2299

### PORTRAIT DR. FRANZ ANTON MAI, ARZT UND HYGIENIKER (1742–1814)

Sebastian von Staasens (1752–1812)
um 1785

*Öl auf Leinwand*
*H. 58 cm, B. 49 cm*

Mannheim, Reiss-Museum, Inv.-Nr. 044

Franz Anton Mai gehörte zu den populärsten Medizinern seiner Zeit. 1783 hielt er im Mannheimer Nationaltheater Vorlesungen, sogenannte medizinische Fastenpredigten, über eine neue »Körper- und Seelendiäthetik«. In der »Diäthetik«, der gesunden Lebensführung, sah Mai die Leitlinien künftiger Staatsmoral. Durch Mäßigung im Essen und Trinken und durch die Bezähmung der Leidenschaften sollten gesunde Einwohner, rechtschaffene Arbeitskräfte und tapfere Soldaten heranwachsen. Das bürgerliche Publikum nahm diese Grundsätze willig auf, kamen sie doch seinem Bedürfnis nach Abgrenzung von der verschwenderischen Lebensweise des Adels entgegen. Im Jahr 1800 legte Mai dem Kurfürsten Max Josef einen Entwurf zur Hygienegesetzgebung vor. Nicht nur die Ärzte sollten als Erzieher des Volkes wirken, auch der Staat sollte seine gesetzgeberischen Möglichkeiten zur allgemeinen Gesundheitsförderung nutzen. Der Entwurf fand Anklang beim Regenten. Die Wirren der Kriege und die Neuordnung des Landes verhinderten jedoch zunächst seine Umsetzung in konkrete Politik.

*Wolfgang Alber, Leib–Seele–Kultur. Diätetik als Modell sozialer Wirklichkeit, in: Utz Jeggle u. a. (Hg.), Tübinger Beiträge zur Volkskultur, TVV Bd. 69, Tübingen 1986, S. 29–50. – Alfons Fischer, Geschichte des deutschen Gesundheitswesens Bd. 2, Reprographischer Nachdruck der Ausgabe Berlin 1933.* H. St.

# Die Offizin der Ulmer Kronenapotheke

Die Ulmer Offizin (lat. officina = Werkstatt) wurde bereits im Jahr 1600 gegründet. Ihre hier (Kat. Nr. 2302) abgebildete Ausstattung erhielt sie aber erst 1812 durch Christoph Jakob Faulhaber, seit 1799 Inhaber der Offizin.

In ihrem schlichten Aufbau entspricht die Apothekeneinrichtung dem damaligen Bedürfniss nach Funktionalität, Ordnung und Sauberkeit. Während in barocken Offizinen noch prachtvolle Standgefäße mehr den Repräsentationszwecken gedient hatten, prägten nun eher zweckdienliche Überlegungen das Bild der Apotheke. Die geschlossenen Kirschbaumschränke schützten die Substanzen vor schädlichen äußeren Einflüssen, vor Schmutz und Staub. In den Fächern des oberen Teils wurden in alphetischer Reihenfolge bis zu vier »Arzneygefäße« mit alkoholischen Präparaten aufbewahrt, während in den unteren Schubladen feste Drogen gelagert wurden. Ein schlichtes, ovales Schild mit kleiner Rankenverzierung kennzeichnete die jeweiligen Substanzen. Auf dem Zwischenregal des oberen und der unteren Schrankteile sind Porzellangefäße sichtbar. Da sie sich besonders gut zur Aufbewahrung von Flüssigkeiten mit ätzenden Eigenschaften eigneten, wurden sie um 1800 zu begehrten Apothekengefäßen. Auch die obrigkeitlichen Verordnungen empfahlen für die Mehrzahl der Extrakte eine derartige Aufbewahrung in Töpfen aus Steingut oder Porzellan.

Die Offizin war Arbeitsplatz und Verkaufsraum in einem. Der Rezepturtisch (Bildmitte) diente dem Apotheker als Arbeitsfläche – darauf weisen die Schubladen hin, die an beiden Längsseiten des Tisches angebracht sind. Verkauft wurden die Arzneien durch das Fenster, durch eine Klappe in der Haustür oder im Hausflur, eine Sitte, die noch mancherorts bis ins 19. Jahrhundert verbreitet war.

Die Genehmigung zur Führung einer Apotheke erteilten die Städte oder der Landesherr, bis 1810 die Niederlassungsfreiheit eingeführt wurde. In den Städten wurde die Versorgung mit Apotheken damals als ausreichend angesehen, ja man achtete sogar darauf, daß es nicht zu viele wurden. Auf dem Land dagegen gab es wenig Apotheken, weshalb Ärzte die Erlaubnis besaßen, selbst eine Hausapotheke zu betreiben. In jedem Fall war das Privileg, eine Apotheke zu führen, personengebunden und konnte nur von Examinierten in Anspruch genommen werden.

In Baden wurde die obligatorische Prüfung für Apotheker von der Generalsanitätskommission abgenommen, in Württemberg von der medizinischen Fakultät in Tübingen. Zuvor jedoch mußten, nach einer Eignungsprüfung, 5–6 Lehrjahre und 3–6 Jahre Wanderschaft durchlaufen werden. Diese Ausbildung konnte durch den Besuch der Universität ergänzt werden.

In obrigkeitlichen Verordnungen wurden die Apotheker auf die sorgfältige Ausbildung ihrer Lehrlinge hingewiesen, dazu immer wieder zum genauen Einhalten von Maß und Gewicht und zum sorgfältigen Umgang mit Giften ermahnt. Gifte sollten an einem besonderen Ort verschlossen aufbewahrt und nur gegen Vorlage eines Scheines an zugelassene Ärzte und Wundärzte verkauft werden. Bei der jährlichen Visitation durch den Amtsarzt mußten die Apotheker Rechenschaft über die verkauften Gifte ablegen und ganz genau Stand, Wohnort, Legitimation der Käufer und das Datum des Verkaufs angeben.

*W.-H. Hein u. W. Dressendörfer, Offizin der Ulmer Kronenapotheke, in: Deutscher Apothekenkalender, 1986. – W. Gaude, Die alte Apotheke, Stuttgart 1979. – V. A. Riecke, Das Medizinalwesen des Königreichs Württemberg, Stuttgart 1856. – G.-W. Schwarz, Zur Entwicklung des Apothekerberufs und der Ausbildung des Apothekers vom Mittelalter bis zur Gegenwart, Diss. Frankfurt/M. 1976. – A. Stemper, Die Offizin der Ulmer Kronen-Apotheke, in: Pharmaz. Zeitung 104 (1959).*                    H. St.

### 2300

## Christoph Jakob Faulhaber, Kronenapotheker (1772–1842)

Ulm, um 1820

*Öl auf Leinwand*
*H. 74 cm, B. 60 cm*

Heidelberg, Deutsches Apothekenmuseum,
Inv.-Nr. 419 VII B

Christoph Jakob Faulhaber stammte aus einer alten Ulmer Gelehrtenfamilie. Sein Vater war Stadtphysikus, also Amtsarzt. Seine Mutter erstand nach des Vaters Tod 1786 die Kronenapotheke, um dem Sohn eine Existenz zu sichern. Der Sohn, zu diesem Zeitpunkt erst 14jährig, begann gerade seine Laufbahn als Apothekergehilfe. Bis zu seinem Examen vor dem reichstädtischen Collegio Medico 1799 versah ein Provisor die Geschäfte der Apotheke. Faulhaber richtete 1812 die Apotheke zeitgemäß ein und führte sie bis 1832.

*A. Wankmüller, Faulhaber, Christoph, Jacob, in: W.-H. Hein, H.-D. Schwarz (Hg.), Deutsche Apotheker-Biographie, Stuttgart 1975, S. 155.*                    H. St.

### 2301

## Apothekenschild

Apotheke zur Krone C. J. Faulhaber 1812
Ulm, 1812

*Schmiedeeisen*
*H. 55 cm, B. 188 cm*

Heidelberg, Deutsches Apothekenmuseum,
Inv.-Nr. 108 VII E

2302

**2303**

## ZWEI GLASSTANDSGEFÄSSE

Weinheim, Sonnenapotheke
19. Jahrhundert

*Glas*
*Bez.:* Acid./oleinic
Liq./Kal./acetic

Heidelberg, Deutsches Apothekenmuseum,
Inv.-Nr. A 1588, A 1591

**2304**

## ZEHN PORZELLANSTANDGEFÄSSE

Burgebrach/Bamberg
19. Jahrhundert

*Porzellan*
*H. 7,3 cm bis 15 cm, Dm. 6 cm bis 9,5 cm*
*Bez.:* Extr. / Squillae (I, 113); Extr. / Absynth; Extr. Aloes
/ ACSC; Extr. / Fumar; Extr. / Senegae Extractum /
Valerian Extractum / Centaur: minor; Mel / despuma-
tum; Extractum / Cascarillae

Heidelberg, Deutsches Apothekenmuseum, Inv.-Nrn.
B 102, B 112, B 114, B 120, B 129, B 412, B 472–475

**2302\***

## APOTHEKENSCHRANK

aus der Offizin der Ulmer Kronenapotheke Faulhaber

Ulm, 1812

*Holz*
*Unterbau: H. 123,5 cm, B. 176,5 cm*
*Aufsatz: H. 141 cm, B. 175,5 cm, T. 30 cm*

Heidelberg, Deutsches Apothekenmuseum,
Inv.-Nr. 108 VII E

## Hausgeburten und Gebärhäuser

Um 1800 sind Hausgeburten noch die Regel. Unter Mithilfe der Hebamme, des »geschworenen Weibes« und der Frauen des Dorfes findet die normale Entbindung statt. Treten Schwierigkeiten bei der Geburt auf, so muß der Geburtshelfer, der »Accoucheur«, »Hebarzt« oder »Hebammenmeister«, wie es in Baden heißt, gerufen werden, denn nur er darf »künstliche«, also mit Hilfe von Instrumenten durchgeführte Geburten betreuen.

Volksaufklärerische, ärztliche Schriften wenden sich damals gegen die »unvernünftigen« Verhaltensweisen in der Wochenbettstube: »Bedenkt man die übertriebene Ofenhitze in dem Zimmer der Wöchnerin, in welchem (dies gilt nur bey der gemeinen Klasse) sich die ganze Familie versammelt, ferner die Ausdünstung der anwesenden Gäste, ihr Toben und Lärmen«. So warnt der Ettlinger Arzt und Geburtshelfer Schneider, daß »dergleichen unangenehme Szenen« die Gesundheit der Wöchnerin und des Neugeborenen entschieden beeinträchtigen.[1]

Bis zum Ende des 18. Jahrhunderts ist die Ausbildung der Hebammen noch relativ uneinheitlich. Üblich ist eine drei- bis vierwöchige Ausbildung beim Amtsphysikus (Oberamtsarzt). In Baden müssen Hebammen nach der 1795 erlassenen Hebammen-Ordnung jedes halbe Jahr eine Prüfung beim Hebammen-Meister ablegen. Wer das Hebammenamt ausüben will, muß lesen und schreiben können, muß gesundheitlich für die Aufgabe geeignet sein und einen sittlich einwandfreien Lebenslauf vorweisen können. In Württemberg werden die Hebammen wie die »geschworenen Weiber« von den gebärfähigen Frauen des Ortes gewählt. Diese »geschworenen Weiber« sind Laienhelferinnen ohne Ausbildung, die in obrigkeitlicher wie auch geistlicher Funktion Geburtsbeistand sein sollen und darauf auch eidlich verpflichtet werden. Sie müssen darauf achten, daß keine »abergläubischen Mittel« angewendet werden, daß arm und reich gleich behandelt und dem Neugeborenen kein Schaden zugefügt wird.

Im Jahr 1808 ergeht der Erlaß über die »succesive Abschaffung der geschworenen Weiber«, da sie »ohne Nutzen« seien. Sie sollen nun gleichfalls ausgebildet werden und, sobald eine Hebammenstelle frei wird, diese besetzen. In dem Maße, in dem die Hebammenausbildung in zentralen Ausbildungsinstituten vereinheitlicht wird, erübrigt sich auch die Wahl der Hebammen. Ergehen in Württemberg zu Beginn des 19. Jahrhunderts immer wieder neue Gesetze, die die Arbeit und Kompetenzen der Hebammen allmählich neu regeln und die alte Ordnung von 1755 ersetzen sollen, so hat Baden dies mit der erwähnten Ordnung, die im wesentlichen ähnliche Bestimmungen enthält, im Jahr 1795 fixiert. Hebammen unterliegen danach der staatlichen Kontrolle, es ist genau festgelegt, welche Instrumente sie benützen und welche Arznei sie verabreichen dürfen.

Die hohe Säuglings- und Kindersterblichkeit zu Anfang des 19. Jahrhunderts führt zu einer Reihe weiterer gesetzlicher Bestimmungen zum Schutz der un- und neugeborenen Kinder. Vor allem »ledige Weibspersonen« sind die Adres-satinnen dieser »Fürsorgepolitik«. Ledige Schwangere sind gesetzlich verpflichtet, ihre Schwangerschaft anzuzeigen. Ein etwaiger Verheimlichungsversuch »ihres Zustands« gilt als Delikt. Man hofft so, dem Kindsmord Einhalt zu bieten: »Wir haben die traurige Erfahrung machen müssen, daß uneheliche Schwangerschaften öfters blos deswegen verheimlicht bleiben können, weil die, ihre Schwangerschaft abläugnenden, Dirnen nicht zur rechten Zeit von fachkundigen Personen hinlänglich visitirt« werden. Noch 1800 wird den Hebammen in diesem »General=Reskript, die Verheimlichung unehelicher Schwangerschaften betreffend«,[2] bescheinigt, daß sie »zu urtheilen außer Stand seyn durften« und daß sie die notwendige Untersuchung nicht durchführen könnten. Jedoch schon die »Medicinal-Taxe« von 1823 zweifelt dann nicht mehr am Können der Hebammen. Die verstärkte Institutionalisierung der Hebammenausbildung scheint größeres staatliches Vertrauen in deren Zuverlässigkeit mit sich zu bringen, gleichzeitig wird die Vorrangstellung der männlichen Ärzte und Geburtshelfer jedoch finanziell abgesichert. »Für die Untersuchung einer der Schwangerschaft oder der Geburt eines Kindes verdächtigen Weibsperson« dürfen Hebammen 1 Gulden berechnen, während die Hebärzte für die gleiche Tätigkeit das Dreifache verlangen können.

In der Tat macht die Ausweitung des staatlichen Macht- und Kontrollapparats die »geschworenen Weiber« überflüssig. Die zunehmende Bürokratisierung, die Ausweitung des Beamtenapparats auf allen Ebenen ersetzt nun die direkte, persönliche Kontrolle der »geschworenen Weiber« durch die indirekte Überwachung über die sogenannten Hebammentagebücher. Hebammen sind nun nämlich verpflichtet, die von ihnen betreuten Geburten in fortlaufenden Listen und Tabellen aufzuführen. Getrennt nach den verschiedenen Oberämtern, sollen diese erst dem Oberamt vorgelegt und dann zum Königlich-Medizinischen Department geschickt werden. Diese Tagebücher geben allerdings immer wieder Anlaß zu Rügen, wenn die Angaben der Hebammen nicht mit denen der Geburtshelfer übereinstimmen.

Den Hebammen wird in den wiederholten Erlassen vorgeworfen, die frühzeitige oder unzeitige Geburt von Kindern häufig nicht anzugeben oder diese gar ganz zu verschweigen. Man verdächtigte die Hebammen also implizit, bei Abtreibungen zu helfen oder diese zumindest zu dulden. Solange die Hebammenausbildung noch nicht fest in den Händen der akademischen Medizin ist, was je nach Region bis in die Mitte des 19. Jahrhunderts dauert, solange bleibt das Mißtrauen der Obrigkeit gegen eine Komplizenschaft von Hebammen und ledigen Schwangeren bestehen.

Ärzte und Geburtshelfer sind allerdings bei den werdenden Müttern durchaus nicht immer beliebt. »Die Klagen der Geburtshelfer über verspätetes Zugezogenwerden zu den Kreißenden ist allgemein, wovon allerdings zum Theil die Hebammen die Schuld tragen, aber doch in weit grössern Mehrzahl der Fälle die Scheu der Kreißenden und ihrer Angehörigen vor der Zuziehung männlicher Hülfe und ihren Kosten die Ursache ist.«[3] Kaiserschnitte, vorher fast nur an Toten vorgenommen, werden nun auch an Lebenden praktiziert, das »Herausreissen von Kindsteilen«, etwa bei Säuglingen mit »faulem Fleisch«, Zangengeburten und die künstliche Beendigung des Geburtsvorgangs durch Anbohrung des Kinderkopfes – auch das sind Methoden der neuen, künstlichen Geburtshilfe. Bei 219 353 Geburtsfällen in vier württembergischen Oberamtsbezirken zwischen 1821 und 1825 sterben 1248 Mütter, 10 630 Kinder kommen tot auf die Welt oder sterben kurz nach der Geburt, und bei 7949 Entbindungen wird künstliche Hilfe angewendet.[4] Daß eine derartige ärztliche Kunst, die noch dazu das Vielfache einer normalen Geburt kosten kann, von Frauen aus den Unterschichten weder gewünscht noch bezahlt werden kann, ist nicht verwunderlich.

Es geht hier hingegen um mehr als nur um Geburtshilfepraktiken. Schon seit dem Ende des 18. Jahrhunderts, seit sich die klinische Medizin etabliert hat, stehen hier Forderungen nach einer einheitlichen geburtskundlichen Ausbildung der Hebammen im Raum. Der anonyme Verfasser einer Schrift »Über die Verbesserung der HebammenEinrichtungen im Herzogtum Wirtemberg«[5], die 1794 in Stuttgart erscheint, will damit ganz allgemein schädlichen Vorurteilen, Meinungen und Gebräuchen, Quacksalbereien und anderen Irrtümern anprangern, die er bei den Hebammen vermutet. Statt dessen sollen diese auf Vernunft gegründete Behandlungsarten lernen. Die Abqualifizierung von traditionalem medizinischem Laienwissen ist keineswegs allein auf die Geburtshilfe beschränkt. Sie ist hier jedoch von besonderer Bedeutung, weil sie zugleich in ein geschlechtsspezifisches Machtverhältnis mündet: Mit der neuen rationalen Welt- und Medizinsicht wird die Betreuung von Frauen durch Frauen entscheidend eingeschränkt. Ein zuvor fast ausschließlich von Frauen betriebenes Heilgewerbe gelangt durch die Akademisierung der Geburtshilfe ins Abseits. Die Hebammen werden zu bloßen Handlangerinnen einer jetzt verstärkt von den Männern betriebenen Frauenheilkunde.

Begünstigt wird dieser Prozeß zweifellos durch die an einem stetigen Bevölkerungswachstum interessierten spätabsolutistischen Staaten, die dem Monopolanspruch der Ärzte damit auch ihren Verwaltungsapparat zur Verfügung stellen. Dem Ruf nach Vereinheitlichung der Hebammenausbildung geht bereits die Einrichtung von Gebärhäusern und Entbindungsanstalten voraus. Nach dem Vorbild der 1728 in Straßburg als Abteilung des Bürgerhospitals gegründeten Gebäranstalt, entstehen ab Mitte des 18. Jahrhunderts vermehrt derartige Einrichtungen. Neben der Ausbildung von Hebammen und Geburtshelfern sollen sie ein Garant dafür sein, dem »heimlichen Kindermord zu wehren, so wie die nächsten Ursachen einer unglücklichen Niederkunft bei armen, insbesondere unehelich Schwangeren zu entfernen.«[6] So wird auch in Tübingen im Jahr 1805 in der umgebauten Burse das »Clinicum« mit einer geburtskundlichen Abteilung eröffnet.

Vorerst werden hier nur männliche Medizinstudenten unterrichtet, während den Hebammen, maximal 12 Frauen im Jahr, Privatunterricht erteilt wird, bevor man dem Clinicum in den zwanziger Jahren ein Hebammeninstitut angliedert.

Offensichtlich fehlt es dem neu eingerichteten Klinikum jedoch zunächst an Patientinnen. Erst gesetzliche Sonderregelungen können dem abhelfen: »Zur Beförderung des practischen Unterrichts in der Entbindungskunst auf der Universität Tübingen sollen Weibspersonen aus den drei Kreisen Rottenburg (Landvogtei am mittleren Neckar), Calw (Landvogtei Schwarzwald) und Stuttgart (Landvogtei Rothenberg), welche ihr Wochenbett in dem Clinicum Tübingen halten, von der Scortationsstrafe freigelassen werden.«[7] Die Scortationsstrafe bezeichnet die Strafgebühr, die ledige Schwangere bei ihrer Niederkunft zahlen müssen.

Hinter der Fassade der Wohltätigkeit stehen hier eindeutig Lehr- und Forschungsinteressen, die zwar medizinischen Fortschritt, vor allem aber auch »menschliches Anschaungsmaterial« zur Verfügung haben wollen. Die Studenten lernen am »lebendigen Phantom«, wie eine Geburt mit Hilfe von Instrumenten zu beenden ist. Die »normalen Geburten« fallen in den Zuständigkeitsbereich der Hebammenschülerinnen – eine Einteilung, wie sie ja auch in der späteren Praxis verbindlich ist. In den Gebäranstalten von Tübingen und Heidelberg entbinden vor allem ledige Schwangere der unteren Schichten – der Not gehorchend und ohne finanzielle und räumliche Alternativen.

Daß die Benutzung von Frauen als medizinische Versuchs- und Demonstrationsobjekte keineswegs nur nachträglich und aus heutiger Sicht kritisiert wird, zeigt ein Artikel von 1810: »Sie fordern das Recht an den armen Schwangeren – ihre Studien zu machen. Die Folgen manches schulerhaften Mißgriffs abgerechnet, welche die unglückliche Schwangere ruhig ertragen muß, – welche Kränkung für sie, wenn aus ihrer Brust noch nicht alles Schamgefühl entflohen ist, sich auf diese Weise Preis gegeben, und ausgestellt zu sehen.«[8]

G. K.

1
P. J. Schneider, Versuch einer medizinisch statistischen Topographie von Ettlingen, Karlsruhe und Baden 1818, S. 132.

2
Verfügung vom 21. 4. 1800, in: August Ludwig Reyscher (Hg.), Sammlung der württembergischen Gesetze, Stuttgart, Tübingen 1828–1850, Bd. 6, S. 778.

3
Victor Adolph Riecke, Beiträge zur geburtshülflichen Topographie von Württemberg, Diss. Tübingen 1827, S. 30.

4
wie Anm. 3, S. 25–27.

5
Universitätsarchiv Tübingen, Signatur 44/164-2.

6
Rückert, Freie Gebäranstalten unter männlichen Vorstehern, und als Schulen für Studierende betrachtet, in: Theodor Konrad Hartleben (Hg.), Allgemeine Justiz- und PolizeyBlätter, 1. Band 1810, S. 511.

7
Erlaß vom 12. 11. 1809, in: August Ludwig Reyscher (Hg.), wie Anm. 2, Teil 4, S. 220.

8
wie Anm. 6.

2305

2305*

## Taufvisite im evangelischen Pfarrhaus

Johann Baptist Pflug (1785–1866)
Württemberg, 1828

*Öl auf Blech*
*H. 24 cm, B. 30 cm*

Stuttgart, Staatsgalerie – Leihgabe des Stuttgarter
Galerievereins, Inv.-Nr. GVL 10

Pflugs »Taufvisite« zeigt zugleich den Blick in eine
Wochenbettstube in den ersten Jahrzehnten des 19. Jahrhunderts. »Wochenbettstube« bezeichnet hierbei nicht die
räumlichen, sondern nur die sozialen Verhältnisse: Die
Mutter liegt noch im (Wochen-)Bett, Verwandte, Nach-
barn und die Paten sind zu Besuch und sitzen beim
Kaffeeklatsch, die Großmutter begutachtet die Kindbett-
geschenke. Da die Wöchnerin zumeist nicht länger als
bzw. höchstens eine Woche das Bett hütet und die Taufe
möglichst früh nach der Geburt stattfindet, können wir
davon ausgehen, daß das Bild eben nicht nur die »Taufvisite« zeigt, sondern generell die typische Situation nach
einer Hausgeburt.

*Volksleben in Baden-Württemberg gesehen mit Künstler-*
*augen im 19. Jahrhundert, Heilbronner Museumskatalog*
*Nr. 17, Heilbronn 1981, Abb. S. 70.*　　　　　　G. K.

2306

## 2306*

### Das Tübinger Klinikum – die Burse

Unbekannt
Tübingen, um 1820

*Gouache*
*H. 18,5 cm, B. 23,5 cm (Bildmaß)*

Tübingen, Städtische Sammlungen, Inv.-Nr. 1502

Der Umbau der alten Burse zum Klinikum verlieh ihr den noch heute erhaltenen klassizistischen Charakter. Das Urteil der Zeitgenossen fiel positiv aus, das Gebäude galt als das schönste der Stadt. Im Jahre 1805 wurde es nach zweijähriger Bauzeit mit 15 Betten in Betrieb genommen. Fünf Jahre später erfolgte bereits die erste Erweiterung. Für ledige Schwangere entfiel die Skortationsstrafe, die Unzuchtgebühr bei der Entbindung im Tübinger Klinikum. Sie mußten sich acht bis zehn Wochen vor der Niederkunft melden, um den Geburtstermin überprüfen zu lassen und die Platzfrage zu regeln. »Nichtarme« Schwangere, die relativ selten im Klinikum entbanden, mußten täglich 24 Kreuzer bezahlen. Arme Schwangere wurden – sofern sie von ihrer Heimatgemeinde ein Armutszeugnis beibringen konnten – drei Wochen vor dem Entbindungstermin unentgeltlich aufgenommen. Sie mußten, laut einem Erlaß von 1817, zudem vom Oberamt die Bestätigung vorlegen, daß, sollte die Mutter im Wochenbett sterben, das überlebende Kind abgeholt werden würde.

*Volker Schäfer, Die Burse im Kaleidoskop. Ein historischer Streifzug durch fünf Jahrhunderte, in: Attempto, H. 43/44, 1972, S. 3–15.* G.K.

## 2307.1

### Wochenbettschüssel

Süddeutsch, dat. 1818

*Hafnerware*
*H. (ohne Deckel) 8 cm, Dm. 20 cm*
*Bez.:* Schweinefleisch mit samt der Haut das ist mir lieber als sauer-kraut anno 1818

Buchen, Bezirksmuseum, o. Inv.-Nr.

Diese Wochenbettschüssel hat einen Deckel mit drei »Füßchen«, der umgedreht als Teller benutzt werden kann.
In der Kindbett-, Wochenbett- oder auch Wöchnerinnenschüssel wird der Kindsmutter nach der Entbindung von Nachbarinnen und Verwandten Essen gebracht. Regional unterschiedlich ist, welches Gericht als besonders kräftigend und stärkend angesehen wird. G.K.

## 2307.2

### Wochenbettschüssel

Ulmer Alb, 1. Hälfte 19. Jahrhundert

*Zinn*
*H. 15 cm, Dm. 12 cm*

Ulm, Getrud Beck

In der Gegend der Ulmer Alb sind »Täuble in der Brüh« ein typisches Wochenbettessen, leicht, kräftigend und zweifellos etwas Besonderes. Mediziner und bürgerliche Aufklärer lehnen diese solidarische Form der Unterstützung – das Überbringen von Essen während der Ruhe verlangenden Zeit im Kindbett – zwischen den Frauen ab. Sie befürchten, daß die vielen ungewöhnlichen Gerichte den Magen der Wöchnerin zu stark belasten. Zumindest lautet so ihre Begründung. Betrachtet man parallele Versuche, auch andere Formen der Volkskultur einzuschränken, so scheint diese Erklärung eher vordergründig. G.K.

## 2308

### »Heilige Länge«

Süddeutsch, 18. Jahrhundert

*Papier, Letterndruck*
*L. 153 cm, B. 4 cm*

Ettlingen, Schloßmuseum, Inv.-Nr. 73

Die »Heilige Länge Mariens« gilt als Segensmittel, das der Schwangeren zur Erleichterung der Entbindung um den Bauch gelegt wird. G.K.

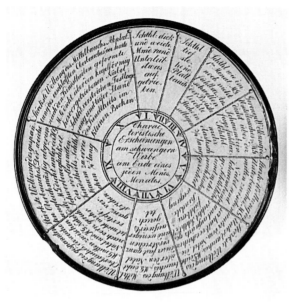

2309

## 2309*

### SCHWANGERSCHAFTSKALENDER

Süddeutsch, Anfang 19. Jahrhundert

*Holz, lackiert*
*Dm. 10 cm, H. 2,5 cm*
*Bez.: Charc-/teristische Erscheinungen/ am Schwangeren/ Weibe/ am Ende eines/ jeden Monds/Monates.*

Schwäbisch Gmünd, Städtisches Museum, o. Inv.-Nr.

Der doppelseitig beschriebene Kalender listet die körperlichen Veränderungen während einer Schwangerschaft auf, und mit Hilfe seiner drei Monatsskalen kann der Geburtstermin berechnet werden. Die Vorderseite zeigt die Darstellung einer Frau in einem antikisierenden Gewand, die mit einem Säugling auf dem Schoß auf einem Sockel sitzt, einen Schwörstab in der Hand hält und von einer Schlange, die sich in den Schwanz beißt – Symbol für die Zeit, die sich unaufhörlich erneuert –, umgrenzt wird. Der Schwörstab deutet darauf hin, daß der Kalender von einem »geschworenen Weib« oder einer Hebamme benutzt wurde.                                                         G. K.

## 2310

### GRUNDRISS ZU EINER ZEICHENLEHRE DER GESAMTEN ENTBINDUNGSWISSENSCHAFT

Immanuel Gottlieb Knebel
Marburg, 1798

*Karton, Papier, Letterndruck*
*H. 21 cm, B. 12,5 cm, 592 S.*

Tübingen, Universitätsbibliothek, Jg 245 oct.

In Württemberg waren die Gemeinden verpflichtet, ein Lehrbuch für die Hebamme anzuschaffen. Da wir heute noch diese *Zeichenlehre*, das verschiedene Symptome wie ein Nachschlagwerk auflistet, in manchen Heimatmuseen finden, muß von seiner Verbreitung in Württemberg ausgegangen werden.                                                         G. K.

## 2311

### »HOCHFÜRSTLICH MARKGRÄFLICH-BADISCHE HEBAMMENORDNUNG ODER INSTRUCTION«

Karlsruhe, 1795

*Karton, Papier, Letterndruck*
*H. 15 cm, B. 9,5 cm, 28 S.*

Karlsruhe, Generallandesarchiv, 74/5402

In einundzwanzig Punkten legt die Ordnung fest, welche Aufgaben und Verpflichtungen die Hebammen haben. Sie sollen sich *alles Aberglaubens enthalten* und sogleich *Fruchtabtreibung, verheimlichte Schwangerschaft und Kindsmord* anzeigen. Mißgeburten sollen wie gesunde Kinder behandelt und sofort zum Physikus gebracht werden. Auch mit der Nachgeburt solle kein Aberglaube getrieben werden, gleichfalls nicht der Kopf des Kindes mit Gewalt gerade gedrückt werden. Ledigen *Weibspersonen* dürfen sie nichts *zur Beförderung ihrer monatlichen Reinigung anrathen* und *verdächtige starke Blutflüsse* müssen sofort der Obrigkeit mitgeteilt werden.          G. K.

## 2312

### PROTOKOLL ZUR HEBAMMENWAHL

Kiebingen, 1810

*Papier, Feder*
*4 S., fol.*

Kiebingen, Gemeindearchiv, A 146

Hebammen wurden immer auf Lebenszeit gewählt. Da in Kiebingen die Hebamme Anna Schweisguttin am 18. September 1810 stirbt, wird noch am gleichen Tag *durch die Votierung der gesambten Weiber dahier* eine neue Hebamme bestimmt. Die Frauen des Ortes werden angewiesen, eine Person zu wählen, *welche Ehrlich, Sitsam, Christlich seye und Gottesfurcht besitze, auch noch darneben wohl im Leessen, und auch im wenigen Schreiben erfahren sein müße.* Gewählt wird dann die 31jährige Sabina Walter.                                                         G. K.

2313

## PROTOKOLLBUCH DES CLINISCHEN INSTITUTS

Tübingen, 1803ff

*Papier, Karton, Feder*
*H. 30,5 cm, B. 19 cm, unpaginiert*

Tübingen, Universitätsarchiv, 44/164,1

Im 24. Teil dieses Protokollbuches ist die Kurzfassung des Erlasses vom 7. November 1809 niedergeschrieben, der besagt, daß ledige Schwangere von der Unzuchtsgebühr – »Scortationsstrafe« – befreit werden, wenn sie im Tübinger Klinikum niederkommen.                          G. K.

2314.1

## AUFNAHMEGESUCH DER CATHERINA OZENBERGER

Feldrennach bei Neuenburg, 1814

*Papier, Feder*
*Folio*

Tübingen, Universitätsarchiv, 68/19

Der Pflegevater der Catherina Ozenberger, Nagelschmid Johann Martin Maurer, stellt den Aufnahmeantrag. Er berichtet, daß seine verwaiste Pflegetochter bei einem Aufenthalt in Langensteinbach, Oberamt Pforzheim, unehelich schwanger geworden sei. Wahrscheinlich ist sie dort als Magd gewesen. Ihr angeblicher *Schwängerer* sei verheiratet und in der Sache *theils nicht geständig* und so habe sie von ihm keine Hilfe zu erwarten. Da sie sich nun in bezug auf ihre Entbindung in einer hilflosen Lage befinde, erbitte er ihre Aufnahme in das klinische Institut in Tübingen.                          G. K.

2314.2

## ARMENZEUGNIS DER CATHARINA OZENBERGER

Feldrennach bei Neuenburg, 1814

*Papier, Feder*
*Folio*

Tübingen, Universitätsarchiv, 68/19

Ohne Armenzeugnis war eine kostenlose Aufnahme im Tübinger Klinikum nicht möglich. Bezeugt vom Schultheiß und dem Richter, stellt das Oberamt Neuenburg das Armenzeugnis aus, *von dem hiesigen Dorfgericht (wird) bei Pflichten Attestiert, daß sie so ein sehr geringes Vermögen von ihren Eltern erhalten hat, daß sie ausser Stande ist, ihr Wochenbett damit halten zu können.*                          G. K.

2315

## PRACTISCHE ANLEITUNG ZUR GEBURTSHÜLFE

Reproduktion von vier Kupferstichtafeln

Georg Wilhelm Stein
Marburg, 1793

*Karton, Papier, Letterndruck, Kupferstich*
*H. 23 cvm, B. 13,5 cm*

Tafel 1: erläutert die künstliche Wendung und die *Application des Wassersprengers.*
Tafel 2: zeigt die *höchst üble Lage des Kindes*, bei der das *Röderersche Fingerbistouri* angewendet werden soll, ein Ring mit einer Klinge, die auf und nieder bewegt werden kann.
Tafel 3: stellt die Anwendung der Kopfzange dar.
Tafel 4: erklärt die Instrumente für einen Kaiserschnitt.
Dieses Lehrbuch für angehende Ärzte, die in Geburtshilfe ausgebildet werden, zeigt die verschiedenen Methoden der »künstlichen Geburtshilfe«, das heißt mit Instrumenten durchgeführte Entbindungen. Georg Wilhelm Stein (1731–1803) war einer der führenden Professoren für Geburtshilfe am Ende des 18. Jahrhunderts in Deutschland. Er erarbeitete Verbesserungsvorschläge für einen Gebärstuhl im Jahr 1772, die ihn berühmt machten.

2316*

## GEBÄRSTUHL

Süddeutsch, Ende 18. Jahrhundert

*Nußbaum, Eisen*
*H. 121 cm, B. 58 cm, T. (mit Fußstützen) 98 cm*

Konstanz, Rosgartenmuseum, Inv.-Nr. K 934

2316

Jede Gemeinde war verpflichtet, neben den Lehrbüchern auch einen Gebärstuhl zu besitzen. Er stand normalerweise auf dem Rathaus und wurde im Bedarfsfall herbeigeholt. Ein Dekret an die Landvogteien im Jahr 1812 befiehlt, daß von gemeindewegen der Geburtsstuhl nur nach den Angaben eines anerkannten und geschickten Geburtshelfers gemacht werden solle.

*Friedrich von Zglinicki, Geburt. Eine Kulturgeschichte in Bildern, Braunschweig 1983.*                    G. K.

## »Arm und Reich im Tode gleich«? Zur Kultur des Trauerns und Gedenkens

Der »ordnende Arm« der Obrigkeit, ausgerüstet mit neuesten medizinischen Erkenntnissen, und die »Revolution des Gefühls«[1] – eine neue bürgerliche Emotionalität – wirkten im napoleonischen Zeitalter bis in die Lebensrandbereiche der Sterbezimmer und Friedhöfe und veränderten sie. Neue Umgangsformen mit dem Tod wurden ausgeprägt, die in vielfacher Hinsicht richtungsweisend geblieben sind, auch für unsere heutigen Verhaltensweisen.

Es war zwar durchaus noch üblich, den Tod eines Gemeindemitglieds als öffentliche Angelegenheit zu betrachten und gegebenenfalls auch an seinem Sterbebett zu weilen. Wie sich diese Sitte aus der Perspektive neuer hygienischer Erkenntnisse darstellte, erfahren wir aus einer Schrift Metzlers aus dem Jahr 1806: »Man denke sich ein kleines niedriges Stübchen, in demselben bey mäßiger Witterung übermässig geheizten Ofen; ... man denke eine Anzahl von 12–15 Personen als Zuschauer dazu, die dem Kranken den letzten Liebesdienst erweisen wollten, durch ihre Bangigkeit erregenden Ausdünstungen ihn vollends zu morden.«[2] Mit der Intensivierung der familiären Gefühlswelt und sicherlich auch unter dem Einfluß neuer hygienischer Vorstellungen wurden Tod und Trauer zunehmend zur Angelegenheit der »Hinterbliebenen«. Sterben hieß nun nicht mehr im Sinne des »memento mori«: Vergegenwärtigung der eigenen Sterblichkeit, sondern bedeutete nun primär Abschiednehmen von einem geliebten Menschen. In »der sterbenden Mutter«, einem Gemälde von Neh, finden wir bereits die neuen Umgangsformen mit dem Tod künstlerisch dokumentiert: nur wenige engere Angehörige umstehen das Sterbebett einer Mutter und den Sarg ihres Kindes. In ihren Gesichtern und Gesten zeigt sich emotionale Ergriffenheit, die sich nun auch – und das ist neu – auf das Kind bezieht.[3] Angesichts dieser verstärkten Emotionalisierung und Intensivierung der Trauer versuchte die Obrigkeit, deren Ausdrucksformen zu begrenzen und zu reglementieren. Ohnehin ein Feind jeglichen überflüssigen »Aufwands«, ließen die aufgeklärten Regierungen auch der Entwicklung der Bestattungs- und Trauersitten nicht einfach freien Lauf. Joseph II., für viele Zeitgenossen das Vorbild eines aufgeklärten Regenten, verbot im Jahr 1784 gar die Sargbestattung.[4] Zur Aufbewahrung der Toten empfahl er den Gemeinden die Anschaffung einer Totentruhe oder einer Totenbahre. Ein Zeugnis dieser Verordnung finden wir im Langenauer Heimatmuseum, wo der bemalte Deckel einer solchen gemeindeeigenen Totentruhe erhalten geblieben ist. Die Toten sollten ohne Sarg, nur in eine Leinwand genäht, ins genau bemessene Grab gelegt werden. Der Monarch hoffte, auf diese Weise die Begräbniskosten senken und – wegen der rascheren Verwesung – den Platzmangel auf den Friedhöfen beheben zu können. Aufgrund großer Widerstände in der Bevölkerung mußte diese Verordnung allerdings bereits ein Jahr später revidiert werden. Nur in manchen ländlichen Gebieten, in denen diese Sparsamkeit besonders einleuchten mochte, hielt sich diese Bestattungsart noch bis ins 20. Jahrhundert.

Auch in Württemberg sah man sich genötigt, die Trauersitten mittels Verordnung zu reglementieren. 1784 wurde bereits eine Trauerordnung erlassen, die im folgenden Jahrhundert Vorbild für lokale Verordnungen werden sollte. 1811 hieß es etwa in einer Esslinger Trauerordnung: Das Oberamt und der Magistrat hätten sich veranlaßt gesehen, »diesem ebenso überflüssigen als für manche Familien drückenden Aufwand Schranken zu setzen«. Särge waren in Esslingen zwar gestattet, jedoch das Ausschlagen der Särge mit weißer Leinwand sollte »als ein Überfluß verbotten seyn«. Das gleiche galt für »das Mahlzeithalten sowie die Abgabe von Wein, Brod und Käs für die Träger und andere Personen«. Der Lohn für Leichenträger, Totengräber und »Seelenwärter« wurde mittels Taxe festgelegt, ebenso die Kosten für Särge und Trauerwagen.

Auch die Trauerzeit wurde je nach Verwandtschaftsgrad abgestuft, wobei die vorgeschriebene Zeit zwar unterschritten, keinesfalls aber überschritten werden durfte. Die längste Trauerzeit betrug ein halbes Jahr und war für Eheleute, Eltern, Großeltern und Schwiegereltern erlaubt. Die kürzeste durfte lediglich vier Wochen dauern und galt für Onkel, Tanten und für Kinder unter 14 Jahren. Vor allem war jeglicher Aufwand in der Trauerkleidung verpönt. Gewöhnliche schwarze Kleidung sollte getragen werden, wie sie zum Kirchgang benutzt wurde. Daß die Frauen wenigstens besondere Trauerhauben trugen, konnte die Obrigkeit nicht verhindern, »die Austheilung der Trauerflöre und Zitronen« jedoch wurde strengstens untersagt. Flöre, schleierartige Tücher, wurden von Männern als Halsbinde getragen, bei Frauen waren sie Bestandteil der Trauerhaube. Besonders die Ulmer Frauen hatten sich in der Trauerzeit mit diesem Flor offenbar bis zur Unkenntlichkeit vermummt.[5] Die Esslinger oder auch die Stuttgarter Trauerordnung erlaubte nur noch das Tragen einer Binde oder eines Flors um den Arm. Die genannten Zitronen pflegten die Frauen in weiße Tücher gehüllt in den Händen zu halten, vermutlich als Abwehrmaßnahme gegen den Leichengeruch.

Ledigen Verstorbenen wurden in manchen Gegenden Kronen oder Kränze auf den Sarg oder aufs Haupt gelegt. Die Altersgenossen des jeweils anderen Geschlechts stifteten diese Grabbeigabe häufig als Zeichen der Unberührtheit. Auch diese Verhaltensweise wurde in der Esslinger Trauerordnung als »Mißbrauch« angesehen und war »aufs strengste untersagt«. In anderen Gegenden schaffte die Gemeinde haltbare »Totenkronen« an. Einen Beleg dafür finden wir im Pfarrbericht von Obersteinach/Hall von 1811, in dem u. a. »zwey schön gearbeitete Kronen« aufgeführt sind, »die statt der sonstigen Kränze auf die Särge der ledig verstorbenen Personen oder klein verstorbener Kinder bey ihrer Beerdigung gestellt werden«.[6] Diese Reglementierungen dienten aber nicht allein der Reduzierung des »unnötigen Aufwandes«. Friedrich A. Köhler notierte während seiner Reise über die Schwäbische Alb: »damit die jetzt lebende empfindsame Generation von Menschen kein Scandal nehme«, sei der eigentliche Grund, daß »die pompösen Leichenbegängniße abgeschafft worden« und man »jetzt auch in Landstädten Menschen wie das Vieh hinaus« führe.[7] Die neue Empfindsamkeit bedeutete zwar einerseits größeren Schmerz beim Verlust eines geliebten Menschen, hatte aber auch zur Folge, daß die Konfrontation mit dem Tod aus dem Alltag verbannt wurde. Dies klingt ebenfalls an in jenem Gesetzestext, der damals eine ganz wesentliche Neuerung im Bereich von Tod und Begräbnis einführte, in der »Königlichen Verordnung, die Abstellung der Kirchhöfe innerhalb der Städte und Dörfer betreffend« von 1808: »Da noch an vielen Orten des Königreichs die nachtheilige Einrichtung besteht, daß die Begräbniß=Plätze sich mitten in den Städten und Dörfern befinden, so ist künftig... darauf der Bedacht zu nehmen, daß für denselben ein schicklicher, außerhalb der Städte und Dörfer gelegener, wo möglich von der Hauptstrasse entfernter, und etwas erhaben liegender Platz gewählt werde.«[8] Die Forderung selbst, Begräbnisplätze vor den Stadtmauern anzulegen, war zwar nicht völlig neu, bereits im 15. Jahrhundert wurden in Städten wie Nagold, Ulm und Gemeinden wie Wurmlingen Friedhöfe vor den Toren der Stadt angelegt. Doch die große Welle der »Wegschaffung der Todtenäcker aus dem Zirkel der Lebenden«[9] setzte in Württemberg erst jetzt in der Nachaufklärungszeit ein.

Wie an anderen Orten ging man auch in Tübingen daran, diese Verordnung in die Tat umzusetzen. Gotthold I. J. Uhland, Onkel Ludwig Uhlands und seit 1823 Oberamtsarzt in Tübingen, orientierte sich in seinem Gutachten für den neu anzulegenden Friedhof an neuesten hygienischen Erkenntnissen: »Bey Errichtung eines Kirchhofs soll Bedingung seyn, daß die Winde, welche in der Gegend am öftesten und gewöhnlichsten wehen, die Ausdünstungen des Kirchhofs von der Stadt weg und nie nach dieser hintreiben.«[10] Weder Felsen noch Grundwasser sollten einer Grabtiefe von 5–6 Fuß (1 Fuß = 0,2865 m) entgegenstehen. Bei einer Sterblichkeit von 200–300 Menschen im Jahr errechnete er einen Flächenbedarf des Friedhofs von knapp zwei Hektar Land.

Diese Verlagerung der Friedhöfe verlief natürlich selten widerspruchslos. Vor allem Besitzer von Erbbegräbnissen konnten sich mit einer Verlegung des Friedhofs nicht abfinden.

Diese Friedhofspläne eröffneten neue Möglichkeiten für die ästhetische Gestaltung. Das Vorbild englischer Gartenarchitektur und die Vorstellung einer »Gleichheit im Tode«, Restbestand vielleicht der Revolutionsideen, bestimmten nun die Friedhofspläne. Nicht mehr Familiengräber, sondern Reihengräber sollten angelegt werden, belegt in der chronologischen Abfolge der Todesfälle. Keine aufwendigen Grabdenkmäler, allenfalls einfache Kreuze aus Holz oder Eisen waren in Tübingen als Schmuck der Gräber erwünscht, dazu Bepflanzungen mit Birken und Trauerweiden, Blumen und niederem Gesträuch. Gepflegte Erinnerungsstätten der Angehörigen sollten die neuen Friedhöfe werden, von Schlichtheit und Gleichheit geprägt: »Das reine Gefühl einer endlichen, allgemeinen Gleichheit, wenigstens nach dem Tode«, schrieb Goethe in seinen Wahlverwandtschaften, »erscheint mir beruhigender als dieses eigensinnige Fortsetzen unserer Persönlichkeiten, Angelegenheiten und Lebensverhältnisse.«[11] Diese Gleichheit ließ sich jedoch in Tübingen sowenig wie in Ulm oder Paris verwirklichen. Zu stark war wohl der Wunsch nach individueller Gestaltung der Gräber. Grabmäler ließen sich zwar nicht verdrängen, veränderten aber ihr Gesicht. Nicht mehr allein der Tote und sein Lebenslauf standen im Zentrum dieser Grabmäler, die abschiednehmenden Hinterbliebenen wurden ebenfalls einbezogen. Der schlafende Tote, der Tod als Schlaf wurde zum Thema der Grabmalkunst, das Grab zur »Weihestätte bürgerlicher Melancholie«, zur Kontaktstelle zwischen Diesseits und Jenseits, der Ort der Erinnerung.[12]

Die Aufklärungszeit hatte der »irrationalen« Todesfurcht den Kampf angesagt, und der gestalterische Umgang mit dem Tod, die Vorstellung vom schlafenden Toten, entspringt eben diesem Ansinnen. Die Aufklärung brachte aber auch eine neue Todesfurcht hervor: die Angst vor dem Scheintod. In einer Unzahl von Fallbeschreibungen und statistischen Hochrechnungen schlug sich diese Angst nieder. Seitdem sich die Mediziner über die Anzeichen des Todes zu vergewissern begannen, wurde der Tod selbst ungewiß. Als erste Maßnahme zur Bekämpfung dieser Gefahr und zur Dämpfung der Furcht wurde in Baden 1803[13] und in Württemberg 1808[14] angeordnet, einen Menschen erst 48 Stunden nach Eintritt seines vermeintlichen Todes zu beerdigen. In Baden wurde darüber hinaus verordnet, daß jede Leiche wenigstens dreimal täglich zu besichtigen sei.

Diesen Forderungen stand wiederum die Sorge um die Gesundheit der Angehörigen entgegen: sie sollten nicht zwei Tage lang den Verwesungsdünsten ausgesetzt sein. Als Ausweg wurden Leichenhäuser geplant. In diesen »Tempeln des Schlafs« sollten die Leichen bis zu ihrer Beerdigung aufgebahrt werden können. Finanzielle Überlegungen verhinderten jedoch lange Zeit die Verwirklichung dieser Pläne. Das erste württembergische Leichenhaus wurde schließlich 1838 in Ulm nach Weimarer Vorbild gebaut.

6
Den Hinweis verdanke ich Pfarrer Martin Wissner, Langenburg.

7
Friedrich A. Köhler, Eine Albreise im Jahr 1790 von Tübingen nach Ulm, hrsg. v. Eckart Frahm, Wolfgang Kaschuba, Carola Lipp, Bühl-Moos 1984, S. 31.

8
August Ludwig Reyscher, Vollständige historisch und kritisch bearbeitete Sammlung der Württembergischen Gesetze, Bd. I–XX, Stuttgart und Tübingen 1828–1850, hier Bd. XVI/1, S. 297.

9
Eckart Frahm, Wolfgang Alber, Heimath süße Heimat. Tübingen ²1981, S. 124.

10
Gotthold Uhland, zit. n. Barbara Happe, Der Tübinger Stadtfriedhof. Zur Bedeutung Gotthold Imanuel Jacob Uhlands bei seiner Neuanlegung 1829, in: Tübinger Blätter 73. 1986, S. 16.

11
Johann W. Goethe, zit. n. Barbara Happe, wie Anm. 10, S. 19.

12
Martin Kazmaier, Die deutsche Grabrede im 19. Jahrhundert, Diss. Tübingen 1977, S. 213.

13
Andreas Müler, Lexikon des Kirchenrechts, Würzburg 1830, Bd. 1, S. 113.

14
August Ludwig Reyscher, wie Anm. 8, Bd. X, S. 201.

*Hans-Kurt Boehlke (Hg.), Wie die Alten den Tod gebildet. Wandlungen der Sepulkralkultur 1750–1850, Mainz 1979. – Adolf Hueppi, Kunst und Kult der Grabstätten, Olten 1968. – Henning Ritter, Zur Geschichte des Todes, in: Journal für Geschichte 1 (1981), S. 1–9. – Hansmartin Ungericht, Der alte Friedhof in Ulm, Stuttgart 1980. – Albert Walzer, Bäuerliche Trauerkleidung und Trauerbräuche des 17. bis 19. Jahrhunderts, in: Mitteilungsblatt des Württembergischen Museumsverbandes 7 (1960), Heft 1, S. 9–13.* H. St.

1
Philippe Ariès, Geschichte des Todes, München ²1985, S. 600.

2
F. X. Metzler zit. n. Wolfgang Alber, Jutta Dornheim, »Die Fackel der Natur vorgetragen mit Hintansetzung allen Aberglaubens«, in: Jutta Held (Hg.), Kultur zwischen Bürgertum und Volk, AS 103, Berlin 1983, S. 176.

3
Sigrid Metken (Hg.), Die letzte Reise. Sterben, Tod und Trauersitten in Oberbayern, München 1984, S. 109.

4
Hofdekret vom 23. 8. u. 13. 9. 1785, zit. n. Eberhard Sperling, Der Rechtsstatus der kommunalen und kirchlichen Friedhöfe, in: Hans-Kurt Boehlke (Hg.), Wie die Alten den Tod gebildet. Wandlungen der Sepulkralkultur 1750–1850, Mainz 1979, S. 38.

5
Angelika Bischoff-Luithlen, Von Amtsstuben, Backhäusern und Jahrmärkten, Stuttgart, Berlin, Köln, Mainz 1979, S. 257.

2317

## SPRUCHTELLER

Durlach, um 1820

*Fayence*
*H. 3 cm, Dm. 21,8 cm*
*Bez.: Arm und Reich im Tode gleich*

Karlsruhe, Badisches Landesmuseum, Inv.-Nr. V III07

2318*

## BILDNIS: DIE STERBENDE MUTTER

Neh
1787

*Öl auf Holz*
*H. 35,5 cm, B. 27,5 cm*

München, Stadtmuseum, Gemäldesammlung,
Inv.-Nr. IId/34

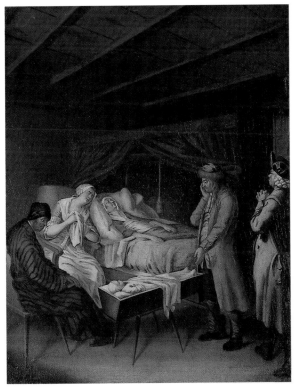

2318

2319

## »TOTENSCHEIN« FÜR EINEN IN PHALS-BOURG VERSTORBENEN WÜRTT. SOLDATEN

Phalsbourg, 17. 3. 1787

*Papier, Letterndruck, Tusche*
*H. 29 cm, B. 18 cm*

Stuttgart, Landeskirchliches Archiv, Inv.-Nr. A 26
Bd. 1162

Todesnachrichten wurden nicht nur von der »Leichsäge-rin« verbreitet – diese hatte alle Angehörigen von dem To-desfall in Kenntnis zu setzen und zur »Leich« zu bitten –, sie kamen nun auch schon mal per Totenschein aus Frankreich.

*Angelika Bischof-Luithlen, Von Amtsstuben, Backhäu-sern und Jahrmärkten. Stuttgart, Berlin, Köln, Mainz 1979. – Glaube, Welt und Kirche im evangelischen Würt-temberg, hg. v. Landeskirchlichen Archiv, Stuttgart 1984, S. 274.*                                                    H. St.

2320

## GEMEINDESARG
Deckel

Wettingen, 1784

*Holz*
*H. 200 cm, B. 48 cm (oben), B. 41 cm (unten)*

Langenau, Heimatmuseum, Inv.-Nr. 3366

Bei Renovierungsarbeiten in der Wettinger Kirche ent-deckte man in den 50er Jahren einen schwarz gestrichenen Sarg. Leider ist heute nur noch der Sargdeckel erhalten. Die Umrisse eines Kreuzes, verziert mit Blumenornamen-ten, sind darauf erkennbar, ferner die Jahreszahl 1784. Im Jahre 1784 hatte Joseph II. die Sargbestattung verboten und die Einführung von Gemeindesärgen gefordert. Die Tatsache, daß der Sarg erhalten geblieben ist, seine seltene Bemalung und die aufgezeichnete Jahreszahl bestärkten die Vermutung, es müsse sich hier um einen ehemaligen Gemeindesarg handeln.

*August Heckel, Bestattung vor Zweihundert Jahren (Masch. Ms. auf der Rückseite des Sargdeckels).*     H. St.

2321

## LEICHENORDNUNG DER STADT ESSLINGEN

Esslingen, 1811

*Karton, Papier, Letterndruck*
*H. 21,4 cm, B. 34,5 cm (aufgeschlagen)*

Stuttgart, Württembergische Landesbibliothek,
Wirt.R.qt.K. 163

## 2322

### TRAUERHAUBE

Neckarland, um 1820

*Tüll, Leinen, Seide*
*H. 24 cm*

Stuttgart, Württembergisches Landesmuseum,
Inv.-Nr. E 2659

Jeglicher Aufwand in der Trauerkleidung war verpönt.
Gewöhnliche schwarze Kleidung sollte getragen werden,
wie sie zum Kirchgang benutzt wurde. Bei der Landbevölkerung bestand diese aus einem schwarzen oder dunkel-
blauen Rock mit schwarzen Seiden- oder Samtbändern,
Strümpfen, einer Schürze, einem Ärmeljäckchen und einer
Schleierhaube in schwarzer Farbe. Die Männer trugen
unter dem Kirchenmantel – einem schwarzen Schulterum-
hang – einen schwarzen oder blauen Rock, eine Weste der
gleichen Farbe, schwarze Knielederhosen, Strümpfe und
Schnallenschuhe. Der Dreispitz wurde, zu Beerdigungen
wie an Feiertagen mit der Spitze nach vorn getragen.

*Albert Walser, Bäuerliche Trauerkleidung und Trauer-*
*bräuche des 17. bis 19 Jhs., S. 9–13.*          H. St.

2323

## 2323*

### ULMER NUSTER

spätes 18. Jahrhundert

*Onyxsteine, Silber vergoldet*
*L. 29 cm*

Stuttgart, Württembergisches Landesmuseum,
Inv.-Nr. 7399

In den höheren Ständen trug man als Trauerkleidung
»schwarze Kleider von wollenen Zeugen nach dem jedes-
maligen Modeschnitte«: die Männer einen schwarzen
Frack, kurze Beinkleider und eine Weste, die Frauen ein
Kleid, »Kopfputz«, Handschuhe, einen Fächer und wohl
auch Schmuck.

*Johann Georg Krünitz, Ökonomisch=technologische*
*Enzyklopädie oder allgemeines System der Staats=, Stadt=,*
*Haus= und Landwirtschaft, und der Kunstgeschichte in*
*alphabetischer Ordnung, Bd. 187, S. 196f.*          H. St.

## 2324

### TOTENKRONE

Bächlingen, 18./19. Jahrhundert

*Messing*
*H. 32 cm, Dm. 9,5 cm*

Bächlingen, Evangelische Kirchengemeinde

## 2325*

### TOTENKRONE

Bächlingen, 18./19. Jahrhundert

*Messing*
*H. 40 cm, B. 12,5 cm*

Bächlingen, Evangelische Kirchengemeinde

Totenkronen werden ledig Verstorbenen aufs Haupt oder
auf den Sarg gelegt. Einst fertigte man sie wie Brautsträuße
aus Rosmarin, Myrthen und Cypressen. Auf dem Land
wurden sie zeitweise immer größer und bunter: »wie
Ärntesträuße mit Knistergolde und Silber, grünem Wachs-
papier und andern glänzenden Sachen.« In Esslingen
wurden sie 1811 als unnötiger Aufwand »aufs strengste
untersagt«. An anderen Orten schaffte die Gemeinde
wiederverwendbare Totenkronen an.

*Johann Georg Krünitz, Ökonomisch=technologische*
*Enzyklopädie oder allgemeines System der Staats=, Stadt=,*
*Haus= und Landwirtschaft, und der Kunstgeschichte in*
*alphabetischer Ordnung, Berlin 1845, Bd. 73, S. 66f.*

H. St.

2326

## SITUATIONSPLAN DER NEU ANZULEGENDEN KIRCHHÖFE BEIM PESTBUCKEL

2. Hälfte 18. Jahrhundert

*Papier, Feder, Aquarell*
*H. 34 cm, B. 46 cm*
*Bez.: Plan/des geometrisch aufge-/nommenen um den sogenannt/ten Pestbuckel sich befindlichen/Districts mit bemerckung wie/die 4 außer der Stadt zu verlegende/ Kirchhöfe von hinlänglichem Raum/und Regelmäßiger Form auf den erhoe/=heten theil dieses Bezircks anzu-bringen, und/füglich auch wohl Wasser sicher angelegt/ werden könnten.*

Karlsruhe, Generallandesarchiv, Inv.-Nr. G: Mannheim Nr. 17

2325

2327*

## GRABKREUZ

Göppingen, Anfang 19. Jahrhundert

*Schmiedeeisen, neu mattiert*
*H. 201 cm, B. 128 cm, T. 20 cm*

Göppingen, Stadtmuseum, o. Inv.-Nr.

In einer Zeit, in der gußeiserne Grabkreuze die handge-schmiedeten verdrängten, war dieses schmiedeeiserne Kreuz mit seiner vielfältigen Symbolik sicherlich ein besonders seltenes Zeugnis handwerklicher Kunst, das sich freilich nur wenige wohlhabende Bürger leisten konnten.
Im oberen Bereich weist das Kreuz noch andeutungsweise eine Blumenornamentik auf. Allerdings nicht mehr in Form eines verspielten Rankenwerkes, wie im Barock üblich. Dagegen dominieren feine, gerade Linien. Im Mittelpunkt des Kreuzes, dem Schnittpunkt zwischen der waagrechten und der senkrechten Achse, sehen wir in einem Dreieck ein Auge, das Auge Gottes. Diagonal zu den Hauptachsen gehen von diesem Auge vier Strahlenbündel aus. Geometrische Formen dominieren auch hier. Weiter unten standen einst in einem aufklappbaren Herzen die Namen der Verstorbenen. Ein Grabtuch, eine Sanduhr, eine Kerze ohne Docht, eine Grabschaufel mit einer Sense gekreuzt und schließlich ein Totenkopf, aus dessen Mund sich eine Schlange windet – Symbole für das abgelaufene und ausgelöschte Leben – finden wir an der unteren Hälfte des Kreuzes.

*Adolf Hueppi, Kunst und Kult der Grabstätten, Olten 1968. – Karl-Heinz Rueß, Jürgen Kettenmann, Städtisches Museum Göppingen im »Storchen«, München, Zürich 1985.* H.St.

2328*

## TOTENBUCH

Tübingen, 1767–1799

*Lederrücken, Papiereinband*
*H. 35,5 cm, B. 48 cm (aufgeschlagen)*

Tübingen, Ev. Gesamtkirchengemeinde

Das Tübinger Totenbuch enthält außer den üblichen Daten der Verstorbenen auch Gedenkblätter angesehener Familien der evangelischen Gemeinde Tübingens. Im 17. Jahrhundert wurden die ersten Gedenkblätter angelegt. Sie trugen zunächst Verzierungen in Form von Blumenorna-menten und Rankenmustern. Totenköpfe und vereinzelt ein »Sensenmann« sollten auf die Vergänglichkeit des Lebens hinweisen. Um das Jahr 1768 herum veränderten sich die Gedenkblätter: Grabmonumente mit Inschriften und vereinzelt auch Portraits der Verstorbenen waren die neuen Motive. Die Einführung tabellarisch aufgebauter

Totenbücher mag dann dazu beigetragen haben, daß wir
etwa ab 1800 keine derartigen Gedenkblätter mehr in den
Totenbüchern finden.

*Ev. Gesamtkirchengemeinde, Stadt und Kirche, Tübingen
1978, II.*                                    H. St.

2328

2327

2329*

## Bildepitaph für Pfarrer Johann Martin Rabausch (1720–1790)

Christoph Nikolaus Kleemann (1737–1797)
Weidenstetten-Ettlenschieß, 1790

*Öl auf Leinwand*
H. 105 cm, B. 74,5 cm
Sign.: Gemalt A 1790 C. N. Kleemann

Weidenstetten-Ettlenschieß, Evangelische
Kirchengemeinde

*Ein Denkmal der Liebe für den besten Mann und zärtlichsten Vater* wollte die Witwe des verstorbenen Pfarrers Rabausch mit diesem Epitaph setzen. Aus der Inschrift des Bildes erfahren wir den Lebenslauf des Pfarrers, dem alle seine sechs Kinder und sein Schwager *in die Ewigkeit vorausgegangen sind!* Alle verstorbenen Angehörigen und die Stifterin selbst sind auf dem Bild abgebildet. Sie stehen vor einem gedeckten Altar, über den eine Hand eine Krone hält.

*Hans Andreas Klaiber, Reinhard Wortmann, Die Kunstdenkmäler des ehemaligen Oberamts Ulm, ohne die Gemarkung Ulm, Bd. 1, München 1978.*   H. St.

2330*

## Gedenkblatt für Conrad Guter (1755–1813)

Johann Baptist Pflug (1785–1866)
Biberach, um 1816

*Gouache*
H. 35,5 cm, B. 29 cm

Biberach, Braith-Mali-Museum, Inv.-Nr. 6245a

Johann Baptist Pflug legte sein Gedenkblatt für den *Schwarzen Adlerwirt Conrad Guter* in der Form eines riesigen Grabmonuments an. Eine kleine Tafel trägt die Lebensdaten des Verstorbenen, während die übrigen fünf der Erinnerung an den Toten, der Hoffnung auf ein Wiedersehen und der Trauer der Hinterbliebenen gewidmet sind. Solche Totenerinnerungsbilder sollten wohl die von der Obrigkeit unerwünschten, teuren Grabdenkmäler auf den Gräbern ersetzen. Andererseits verweisen sie aber auch auf die zunehmende Bedeutung der Grabstätte als Ort der Erinnerung.

*Städtische Sammlungen (Braith-Mali-Museum Biberach), Johann Baptist Pflug (1785–1866). Gemälde und Zeichnungen, Abb. 48.*   H. St.

2329

2330

# FOTONACHWEIS

Ambridge, Pennsylvania, USA, Pennsylvania Historical
and Museum Commission: 2218, 2219
Ammerbuch, Peter Neumann: 694, 1752, 2306
Augsburg, Städtische Kunstsammlungen: 2239

Backnang, Wolfgang Koksch: 1747
Bad Urach, Foto Schumacher: 1220
Bad Wiessee, Werner Thiess: 1896
Baden-Baden, Stadtgeschichtliche Sammlungen: 1686,
1690, 1841, 1843–1846
Basel, Historisches Museum: 1153
Basel, Universitätsbibliothek: 1085
Berlin, Margret Nissen: 134
Berlin, Staatliche Museen Preußischer Kulturbesitz,
Kunstbibliothek (Knud Peter Petersen): 405
Berlin, Staatliches Institut für Musikforschung,
Preußischer Kulturbesitz (diepe): S. 856
Berlin, Ullstein Bilderdienst: 1389
Biberach, Foto-Studio Mock: 735, 754, 756, 762, 797,
1434, 1466, 1467, 1670, 1675, 1676, 1694, 1907,
1964, 1980, 2152, 2164, 2330

Coburg, Kunstsammlung Veste Coburg: 122, 1077

Darmstadt, Hessisches Landesmuseum: 1158, 1159, 1186
Darmstadt, Stadtarchiv: 1022
Den Haag, Koninklijk Huisarchief: 1051, 1052
Detmold, Joachim Veit: 1481
Dietzenbach, Heinz Stock: 1813
Donaueschingen, Georg Goerlipp: 256.1, 256.2, 257,
261.1, 261.2, 262, 263, 267, 1470, 1471.1, 1471.2,
1474, 1475, 1904

Ellwangen, Foto Zirlik: 1641, 1648
Ehingen, Roland Trah: 722, 763, 776, 778, 784, 798, 799,
1672, 2113, 2169, 2172
Ehingen, Wolfgang Adler: 796

Frankfurt, Historisches Museum: 1151, 1955
Frankfurt, Ursula Seitz-Gray: 1154
Freiburg, Augustinermuseum: 250, 252, 1237
Freiburg, Fotoatelier Benesch: 1523
Freiburg, Stadtarchiv: 1476, 1478
Freiburg, Hans Peter Vieser: 332, 344, 1878, 2166, 2245
Friedrichshafen, Fotohaus Magnus: 417
Furtwangen, Gerd Bender: 2144, 2145
Furtwangen, Fotostudio Maier: 2138

Göppingen-Jebenhausen, Foto Dehnert: 1650, 1663,
1687.1, 1687.2, 2114, 2115, 2327
Göttingen, Archäologisches Institut der Universität
(Stephan Eckardt): 1556

Hamburg, Karin Kiemer: 1161
Halle-Wittenberg, Martin-Luther-Universität: 1579
Heidelberg, Kurpfälzisches Museum: 1092, 1214
Heidenheim 6, Rudi Bahlinger: 800
Heilbronn, Städtische Museen: 1871
Hohenheim, Archiv des deutschen Landwirtschafts-
museums, Universität Hohenheim: 2062, 2064

Ingolstadt, Foto Scheurer: 687.1–687.3, 687.6, 687.9,
687.11–687.13, 687.15, 687.17–687.21

Karlsruhe, Badisches Landesmuseum: 136, 138, 254A,
279, 281, 282, 288, 290, 295, 356, 601, 781, 1120,
1121, 1160, 1215, 1217, 1218, 1229–1233,
1256–1258, 1260, 1628, 1630, 1937, 2047, 2052.1,
2052.2, 2053, 2136, 2257
Karlsruhe, Bildstelle der Stadt (R. Fränkle): 230, 240, 300,
337, 338, 638, 662, 1020, 1023, 1025, 1028, 1036,
1037, 1615, 1617, 1775, 1777, 1779, 1780, 2107
Karlsruhe, Christopher Disée: 1719, 2088, 2098, 2154,
2155, 2258, 2269, 2270, 2281, 2282
Karlsruhe, Foto Ganske: 1767, 1771, 1847
Karlsruhe, Generallandesarchiv: 221, 227, 229, 236, 247,
303, 319, 336, 339, 340, 341.1–341.4, 342, 772, 1013,
1021, 1026, 1029–1032, 1435, 1436, 1486, 1677,
1723, 2105, 2221, 2286
Karlsruhe, Sammlung Eva Heine: 133
Karlsruhe, Institut für Baugeschichte, Universität
Karlsruhe (TH): 270, 321, 1014, 1015, 1017, 1020,
1027, 1039
Karlsruhe, Walter Schmidt: 212, 272, 285, 287, 293, 294
Karlsruhe, Staatliche Kunsthalle: 139.1–139.3, 234, 235,
289, 663, 1012, 1016, 1018, 1024, 1035, 1080–1084,
1086, 1175, 1176, 1178, 1183–1185, 1447.1, 1447.2,
1604, 1616, 1766
Karlsruhe, Stadtarchiv: 1852
Karlsruhe, Klaus Peter Stief: 411
Kassel, Staatliche Kunstsammlungen: 1548
Konstanz, Heinz Fink: 324
Konstanz, Rosgartenmuseum: 231–233, 348, 350, 357,
1169, 1859, 1862, 2316

Langenau, Heimatmuseum: 740
Leipzig-Mölkau, Gerhard Reinhold: 132
Leutkirch, Foto-Studio Thanner: 787
Ludwigsburg, Städtisches Museum: 360, 381, 386, 424,
442.2, 447, 448, 721, 758, 793, 1046, 1702, 1703,
1707, 1708, 1870, 2160

Mannheim, Städtisches Reiß-Museum:
237, 238, 244–246, 369, 1212, 1213, 1239,
1758–1765, 1853, 1856, 1857, 1873, 2102
Mannheim, Städtisches Reiß-Museum,
Theatersammlung: 1820
Marbach, Deutsches Literaturarchiv, Schiller-Nationalmuseum: 1322, 1323, 1349, 1361, 1369, 1375, 1377,
1411, 1426, 1488, 1492, 1497, 1711, 1792, 2026, 2030
Mengen, Foto Iske: 764

München, Bayrische Staatsbibliothek: 1484, 1504
München, Bayrische Verwaltung der staatlichen
    Schlösser, Gärten und Seen, Museumsabteilung: 419
München, Bayrisches Nationalmuseum: 286
München, Ursula Menzel: 1515–1518, 1520
München, Stadtmuseum: 1290, 1596, 2318
München, A. Niehaus: 275

Neu-Ulm, K. S. Mühlensiep: 1216
Nürnberg, Germanisches Nationalmuseum: 207, 1819,
    1855

Offenbach, Ledermuseum: 1879, 1882

Paris, Bibliothèque Nationale: 1735
Paris, École nationale supérieure des Beaux-Arts: 1087
Paris, Photothèque Musée de l'Homme: 1561
Paris, Service photographique de la Réunion des musées
    nationaux: 271, 402
St. Paul, Foto Winter: 223
Pforzheim-Eutingen, Foto Günter Mayer: 1303, 1306
Pforzheim, Stadtarchiv: 305
Philadelphia, Pennsylvania, USA, Architectural Archives,
    University of Pennsylvania: 1035, 1038
Privataufnahmen: 151, 152, 1366, 1370, 1372, 1374,
    1381, 1384, 1387, 1395, 1403, 1408, 1418, 1424,
    1430, 1432, 1591, 1667, 1668, 1897

Rastatt, Heimatmuseum: 352
Rastatt, Wehrgeschichtliches Museum: 125, 131,
    607–609, 615–617, 641, 646, 657–659, 673, 681,
    1673
Ravensburg, Stadtarchiv: 495
Ravensburg, Thomas A. Weiss: 2265
Reutlingen, Wolfgang Bottler: 760, 1651, 1714
Riedlingen, Foto Ulrich: 788
Rottweil, Stadtmuseum: 1150

Schwäbisch Gmünd, Walter Kienle: 2187
Schwäbisch Gmünd, Stadtmessungsamt: 379
Schwäbisch Gmünd, Städtisches Museum im Prediger:
    376, 795, 1685, 1914, 1927, 1941, 2040–2042, 2077,
    2084, 2133, 2176, 2178, 2186, 2188, 2191, 2192,
    2194, 2309
Schwäbisch Hall, Kern-Atelier: 1653, 1718, 2271
Schwetzingen, Foto W. Thome GmbH: 1065
Stockach, Gustav Holz: 297
Stuttgart, Deutscher Apotheker Verlag: 2302
Stuttgart, epd-Bild, S. Kirschner: 2325
Stuttgart, Galerie der Stadt: 1074, 1164, 1170
Stuttgart, Hauptstaatsarchiv: 365, 390, 396, 399, 481,
    769, 1047, 1059, 1440, 1454, 1457.2, 1459, 1483,
    1491
Stuttgart, Dr. Köhler: 1068.2
Stuttgart, Landesbibliothek: 433, 489, 767, 771, 773,
    1096, 1135, 1139, 1298, 1299, 1333, 1355, 1383,
    1442, 1460, 1461, 1489, 1495, 1503, 1509, 1510,
    1530, 1553, 1792, 1794, 1799, 2243, 2246, S. 782

Stuttgart, Landesbildstelle Württemberg: 425, 440, 444,
    450, 459, 486, 497, 527, 529, 790, 1011, 1040,
    1043–1045, 1053–1055, 1057, 1060–1062, 1068.1,
    1101.5–1101.7, 1334, 1634, 1689, 1706, 1743, 1861,
    1869, 2060, 2228
Stuttgart, Landesgewerbeamt Baden-Württemberg: 1010,
    1283, 1314
Stuttgart, Landesgewerbeamt Baden-Württemberg,
    Eichwesen: 506, 511
Stuttgart, Staatsgalerie: 141–150, 273, 438, 446, 692,
    1075, 1076, 1078, 1089, 1091, 1101.1–1101.4,
    1104–1109, 1111, 1114, 1118, 1126, 1128, 1138,
    1144, 1167, 1177, 1180–1182, 1536, 1586, 1587,
    1825, 1988, 2055, 2166, 2305
Stuttgart, Stadtarchiv: 403, 443, 445, 1058, 1445, 1456,
    1462, 1463, 1465, 1480, 1482
Stuttgart, Württembergisches Landesmuseum, Archiv:
    455, 705, 711, 1315, 1316, 1320
Stuttgart, Württembergisches Landesmuseum: 124,
    126–130, 140, 204, 205, 213–215, 228, 260, 276,
    284, 299, 334, 362–364, 366, 375, 389, 404,
    406–410, 412, 418.1, 418.2, 420–423, 426, 428, 429,
    432, 434–437, 439, 441, 451, 460, 480, 482, 488, 500,
    505, 512, 519–522, 524, 603–606, 610, 618–621,
    622, 623.1, 623.5, 623.7, 624.1, 624.3, 624.6, 624.7,
    626–631, 642–645, 647–652, 654–656, 674, 677,
    678, 680, 682, 684, 688, 700, 704–708, 732, 770, 779,
    783, 791, 794, 1000, 1001, 1002, 1004, 1006–1009,
    1041, 1042, 1048–1050, 1063, 1066, 1067,
    1069–1073, 1088, 1094, 1098–1100, 1103,
    1115–1117, 1122–1125, 1127, 1129, 1130.1, 1130.2,
    1131.2, 1132–1137, 1140, 1142, 1145, 1146, 1152,
    1155–1157, 1165, 1168, 1171, 1174, 1179,
    1187–1189, 1192–1211, 1219, 1221–1228,
    1234–1236, 1238, 1240–1245, 1250–1255, 1259,
    1261–1263, 1266, 1268–1281, 1288, 1292, 1297,
    1301, 1302, 1318, 1319, 1321, 1371, 1444, 1446,
    1449, 1452, 1453, 1467, 1485, 1487, 1508, 1512,
    1513, 1521, 1522, 1546, 1557, 1563, 1567, 1581,
    1624–1626, 1633, 1660.1, 1696, 1697, 1700, 1710,
    1720, 1810, 1814, 1820, 1866, 1877, 1903, 1912,
    1928–1932, 1943, 1944, 1948, 1949, 1953, 1954,
    1959, 1962, 1963, 1966, 1969, 1973, 1976, 1977,
    1991, 1992, 2010, 2011, 2016, 2021, 2031, 2048,
    2056, 2066, 2079, 2090, 2108–2112, 2116–2118,
    2122, 2125, 2127, 2128, 2130, 2134, 2137, 2139,
    2179, 2180, 2210, 2214, 2224, 2231, 2232, 2234,
    2259, 2323, S. 855
Stuttgart, Württembergisches Landesmuseum (Dr. Ulrich
    Klein): 1–4, 6, 8–10, 12, 14–18, 20–22, 24, 27–29,
    31–37, 39, 41–48, 50, 51, 53, 55, 57–62, 64, 67, 70,
    72, 73, 76–84, 86, 89–91, 93, 95, 97, 99, 105–109,
    112, 117–119, 254, 254B, 298, 302, 334.6, 335, 391,
    431, 494, 531–537, 665–671, 704, 712, 782

Toulouse, Atelier Municipal de Photographie: 1102
Tübingen, Paul Landmesser: 1945, 2082, 2328
Tübingen, Peter Päßler: 2213, 2284
Tübingen, Stadtarchiv: 1661
Tübingen, Universitätsbibliothek: 220, 447
Tuttlingen, Foto Gaiser: 1064

Überlingen, Foto Lauterwasser: 789
Udine, Museo Civico: 1093
Ulm, Deutsches Brotmuseum: 714, 768, 777, 1995
Ulm, Bernd Kegler: 382, 384, 510, 661
Ulm, Stadtarchiv: 380.1, 380.2, 387, 792, 1688, 1876,
    2159

Vaihingen/Enz, Foto Valentin: 504

Wertheim, Historisches Museum für Stadt und
    Grafschaft: 774, 775
Westerstetten, Studio Wagner: 2329
Wien, Georg Mayer: 135
Wien, Elfriede Mejchar: 222, 224
Worms, Anton Rendier: 309

Zürich, Galerie Römer: 283

Europa 1812
größte Ausdehnung der
napoleonischen Macht

Königreich
Dänemark

Königreich
Großbritannien
und Irland

London

Themse

Rhein

Kas

Rhein

Seine

Paris

Karlsruh

Stuttg

Loire

Basel

Schweiz

Kaiserreich
Frankreich

Köni
Italie

Rhône

Duero

Ebro

Königreich
Portugal

Madrid

Tajo

Königreich
Spanien

Königreich
Sardinien